Principles and methods of PMP/PMF Calculations

可能最大暴雨和洪水计算原理与方法

王国安 著

中国水利水电出版社
黄 河 水 利 出 版 社

内 容 提 要

本书较全面系统地总结了中国40年来PMP/PMF研究成果和生产实践经验，介绍了80年代以来国外在此领域的进展。全书分绪论、上篇、中篇、下篇4部分，共28章，约90万字。上篇、中篇分别介绍PMP(共16章)、PMF(共6章)的基本原理和计算方法。各法均列有算例，一些主要章节附有认识与讨论，并对世界暴雨和洪水记录的地区规律，作了一些探讨。下篇介绍作者和中国学者对与PMP/PMF有关的一些重大问题(诸如对PMP/PMF方法的评价与认识、中国非常暴雨和洪水的基本特性、如何看待万年一遇洪水以及万年一遇洪水与PMF的关系等)的研究成果。

本书的特点：①具有浓厚的中国特色；②思路清晰、理论系统、层次分明，易于理解；③理论联系实际，可操作性强，具有手册的功能；④对许多问题，论点新颖，富有启迪性；⑤附有国内外巨量的非常暴雨(含PMP)和非常洪水(含PMF、历史洪水、古洪水和万年一遇洪水)资料(约6 300组数据)，对生产、科研和教学都具有极珍贵的价值。

本书可供水利水电和气象部门从事PMP/PMF工作的人员阅读，也可供水文、气象预报和水库调度管理人员以及有关规划、设计、科研部门和高等院校师生参考。

Introduction

This book has summarized the research achievements and practical experiences of PMP/ PMF for 40 years in a systematic and all round way in China. It also has introduced the progress in the field in foreign countries since 80s. It contains 4 parts including introduction, volume 1, volume 2 and volume 4, totaling 28 chapters of about 900 thousand words. Volume 1 and Volume 2 present the basic principles and current calculation methods of PMP (16 chapters) and PMF (6 chapters) respectively. Examples for each method and the understanding and discussion to the main contents are also given. Local principles of the world storm and flood record are discussed. Volume 3 presents the research achievements of author and other Chinese researchers in field concerning PMP/ PMF, such as the evaluation and understanding on PMP/ PMF, the basic characteristics of extraordinary storm and flood in China, the understanding of the ten thousand year occurrence flood, the relationship between the PMF and the ten thousand year occurrence flood.

The characteristics of this book include follows. First of all, it is pronounced Chinese feature. Secondly, it has clear train of thought, systematic theory and is easy to be understood. Thirdly, it applies theory to reality and is workable and has the functions of handbook. Fourthly, some new ideas with edification have been put forward in this book. Fifthly, the domestic and abroad extraordinary storm (including PMP) and flood (including PMF, historical flood, ancient flood, the ten thousand years occurrence flood) with ca. 6 300 set of data are presented. The huge amount of data are very rarity and of great value and helpful for practice, research and teaching.

This book is a suitable reading material for engineers working with PMP/ PMF in field of water conservancy, hydropower and meteorology. Furthermore, it also serves as a good reference for managers working in hydrology, meteorological forecast and reservoir regulation and is valuable for departments of planning, design or scientific research department and university teachers and students.

潘家铮院士序

合理确定设计洪水是江河流域规划和水利水电工程规划设计中的首要任务。它直接关系着江河开发治理的战略布局,关系着工程的安全与经济,关系着人民生命财产的安全和社会的安定。因此,这个问题历来都受到世界各国的重视。

设计洪水的计算有两大途径:一是数理统计途径,即把暴雨/洪水看做是随机事件,运用数理统计学的原理和方法,来推求指定频率的设计洪水,此法一般称为频率分析法;二是水文气象途径,即把暴雨/洪水看作是必然事件,运用水文学和气象学的原理和方法,推求出近似于物理上限的暴雨/洪水,即可能最大暴雨/可能最大洪水,此法一般称为水文气象法。

世界上,以前苏联为代表的不少国家采用频率洪水作为工程设计的依据,以美国为代表的不少国家采用可能最大洪水作为设计依据。这种局面已经历了半个世纪以上。

我国在50年代后期开始研究可能最大洪水,在1975年8月河南西南部发生特大暴雨,并造成严重灾害后,对可能最大暴雨和可能最大洪水的研究,被推向深入和普及。随后,采用水文气象法推求设计洪水,被列入国家规范。可能最大暴雨和可能最大洪水现已成为我国设计洪水的重要依据。

由于我国的水文气象和自然地理条件以及工程设计要求方面,与美国、欧洲等国家有比较明显的差异,因此,我国工程技术人员在推广应用水文气象法的实践过程中,不断出现并不断解决一系列的实际问题,积累了正反两方面的宝贵经验,结合我国的实际情况,逐渐形成了一套具有中国特色的计算程序,在基本原理研究上也取得一些进展。这些经验已受到国内外同行专家的重视。

本书作者从事设计洪水工作40余年,具有丰富的实践经验,积累了大量的资料。近20多年来,围绕可能最大暴雨和可能最大洪水,进行了较全面、深入的研究,对国内外的生产和科研成果,作了系统的归纳、整理,取得了一些新的认识,特别在深入研究特大暴雨和洪水时空分布规律的基础上,提出如何看待用频率分析法所得的万年一遇洪水和用水文气象法求得的可能最大洪水,以及在这二者相互之间的关系问题上,有独特的见解,这对于正确运用频率计算方法、合理选定可能最大洪水成果,具有重要的意义。

本书是全面系统地展示我国可能最大暴雨和可能最大洪水理论和方法水平的一项专著,同时具体介绍了符合中国国情的实用方法以及丰富的实践经验和研究成果,是一本难得的好书。它对于搞好这方面的生产工作和促进这门技术科学的发展以及开展国际交流,都是一项重要的贡献。

潘家铮

1998年2月于中国工程院

陈家琦教授序

为水利水电工程建设服务的设计洪水计算在中国取得了不少经验,这主要是新中国建立以来在中国大地上修建了成千上万座水库,特别是参加了其中几百座大型和几千座中型水利水电工程规划、设计、施工和管理运行中工程水文工作的生产、科研和教学人员们,经过几十年来的辛勤劳动和刻苦钻研,所取得的经验更加宝贵。当然,在这过程中也有不少教训,对这些教训的认真总结并不断改进,也成为重要的经验。中国东部处于季风气候控制范围,暴雨洪水变幅较大,对其变化规律至今还不能说已经十分了然,在洪水估算中难度较大。曾有几次由于特大暴雨洪水的出现,打乱了原先估计的设计洪水值,为此也曾在60年代、70年代进行过已建工程设计洪水的全面复核工作,也因此对设计洪水计算途径不断进行讨论、探讨。迄今为止,无论在国内或国外,对于大中型水工程的设计洪水计算,仍是以频率计算法和水文气象法为主要手段。在我国实践中,对大型工程主要途径是频率计算,小型工程多通过频率分析设计暴雨,再通过暴雨的产流汇流(通过各类产汇流模型)计算设计洪水,中型工程则两种途径兼有。水文气象法从50年代起就曾在三峡工程中使用,也在一些其他工程上开始应用,但使用范围不如前述两种广。1973年在修订水利水电工程设计洪水规范过程中,决定把水文气象法列入规范内容,但直到1975年8月淮河上游发生特大暴雨洪水,造成板桥大型水库垮坝,才引起广泛重视,并在全国范围展开工作,在1979年颁行的《水利水电工程设计洪水计算规范》中,正式把水文气象法列为计算途径之一,并和频率计算法并列。世界各国也是频率计算途径和水文气象途径平行发展,各取所得。应当说,这两种途径经过大半个世纪的应用,都有一定的基础和使用积累的经验,但又都有一定的缺陷,甚至有时不能自圆其说。但工程建设的需要又离不开设计洪水估算,直到目前,还是主要用这两种方法。中国的水文工作者有一个好的传统,即对于一切外来的经验,从不机械照搬,而是要结合中国的实际,予以消化、吸收、改造和创新。

王国安同志从事洪水计算工作几十年,前后几次参加设计洪水规范的修订,对于洪水的频率分析计算和水文气象法求PMP都进行过大量实践活动,70年代后他专心致志钻研水文气象途径,对其实质问题深入分析,并结合多年来从事水文计算工作的经验,对水文气象途径中各类方法进行剖析,提出一些颇有创见的体会,推动了这项工作的前进,这次把这些体会、经验和对水文气象途径在实际应用中需加以改进的问题系统整理成书。本书虽以水文气象途径为主题,内容却涉及设计洪水计算的许多方面,左右前后对照,使人能更深入理解问题的实质。这本书不同于以往见到的国内外有关出版物,其特点是结合实用中出现的问题,对迄今国内外在水文气象途径估算PMP的主要经验及最新进展,尽收书中,特别是国内的经验,多散见于各类报告,这次也予以系统论述,可以说,本书对水文气象途径的各种见解,几乎包揽,并多处以讨论形式提出分析,对初次涉猎水文气象法的技术人员会有很大帮助。本书另一个特点是内容实际,较少教条式的空论,文字流畅,可读性强,深入浅出,富于说理,内容丰富,还收列了大量和最新出现的世界各地实际大暴雨洪水资料,增加了本书的参阅价值。

无论用什么途径计算设计洪水,其成果基本上是无法验证的,不像水文预报,成果即会在发生的事实面前受到考验。但我们应当看到,各种计算设计洪水的途径,其估算成果都要受资料条件、计算理论和方法中对各个环节所采取的概化、均化和简化的限制和影响,加上在计算过程中免不了受计算者的主观和偏爱的影响,计算出来的结果只能近似地代表其本来定义中应当具有的数值,但有时则与所期望的意义相差较远。在我国的实践中,对设计洪水领域总结出"多种方法、综合分析、合理选用"的做法,其出发点就是为了弥补不同途径和方法所使用资料的局限性,以及使不同方法在不同环节上进行概化带来的缺陷得到互补。在这种指导思想下,就要求无论对于频率计算法或水文气象法都应不断深入研究,不断改进。两者不必相互排斥,不应取代,而要相辅相成,优势互补。本书填补了在我国实践中对水文气象途径研究的不足，对在设计洪水领域中推进水文气象法会起很好的作用。

作者在本书中对设计洪水计算问题提出许多见解和观点，其中多是作者在长期工作中的认识和体会，也有不少创见和独到之处，有助于今后设计洪水工作的提高。但事物总是在不断前进，人们对事物的认识也处于不断深化和提高的过程中，有些已经形成的观点也不会一成不变，必然要在实践的反复检验中继续充实、改进和进一步提出新的论点，这样才能使工程水文学不断完善并达到新的水平。

陈家琦

1998年4月

自　序

利用水文气象学的原理和方法，求出可能最大降水(Probable Maximum Precipition，简称 PMP)，然后通过产流汇流计算，转化为可能最大洪水(Probable Maximum Flood，简称 PMF)，这是推求重要水利水电工程设计洪水的主要途径之一。在美国，自 20 世纪 30 年代以来，此法是推求不允许失事的重要工程设计洪水的惟一方法。目前，世界上一些中低纬度的国家，如巴西、澳大利亚、印度、菲律宾、马来西亚、韩国、英国、加拿大等，也都广泛地使用这一方法。此法从学科上看，属于水文学与气象学相结合的边缘学科，故又称水文气象法。其所得的设计洪水成果，在一些主要环节上，能够从物理成因上进行解释，因而易于使人理解。在应用资料上，它是着眼于一个很大的区域，即所谓气象一致区，故它所获得的水文气象信息相对较多，从而更有可能使计算成果接近物理实际。由于它是先求出降雨，然后通过产流汇流计算得出洪水，故可以把流域作为一个系统，运用系统工程的观点和方法，适当考虑人类活动对流域下垫面条件的改变对于洪水的影响。随着人类活动影响的日益增大和水文气象科学的发展，它将愈加显示其生命力。

我国于 1958 年开始试用这一方法，1975 年起，在工程规划设计上正式运用，1978 年纳入水利电力行业标准《水利水电枢纽工程等级划分及设计标准》，1994 年列入中华人民共和国国家标准《防洪标准》GB50201－94。

作者于 1972～1975 年主持了黄河三门峡至花园口区间(简称三花间)PMP/PMF 分析计算工作。此项工作是在河海大学(原华东水利学院)詹道江、赵人俊、刘新仁、熊学农等老师的指导下进行的。参加这项工作的有吴庆雪、陈先德、高治定、薛长兴、王云璋等，参加协作的还有河南省气象局的施其仁。在此期间，作者花了大量的心血进行钻研，在学习国内外经验的基础上，结合我国水文分析计算工作的实践经验，总结创造了一套结合中国实际的PMP分析计算的方法步骤。这一成果引起了当时水利电力部有关部门的领导和专家谢家泽、陈家琦、叶永毅、刘一辛、胡明思、沈淦生等人的重视，在他们的推动下，使这一成果在全国得到迅速传播，主要成果被列入《水利水电工程设计洪水计算规范SDJ 22－79(试行)》(该规范的附录四《用水文气象法计算可能最大暴雨》的编写，由作者主笔)，从而对PMP在我国很快普及起了促进作用。

为了使这一成果变成系统的书面材料，作者于1974～1976年间，利用业余时间写成了《可能最大降水分析原理与方法》书稿(约30万字)。后经胡明思和龚时旸二位专家先后分别向有关出版社推荐出版，但由于种种原因，未能如愿。

自1978年以来，随着改革开放形势的发展，水利水电工程建设与国际联系(例如向世界银行贷款、国际招标和咨询等)日益增多。为了与国际工程接轨，PMP/PMF的地位显得非常重要。同时，80年代以来，国外在PMP的分析计算上，也有一些新的发展。

有鉴于此，作者于1992年又萌发了编写PMP/PMF专著的念头。此事一经提出，即受到我国著名的水文专家、教授，如陈家琦、刘一辛、胡明思、朱元甡、金光炎、丁晶、王家祁、骆承政、胡昕、蔡萍等的热情支持；同时获得作者所在单位黄河水利委员会勘测规划设计研究院及其上级机关水利部黄河水利委员会领导的大力支持和经费保障。这些领导是吴致尧、陈效国、陈先德、李国英、席家治、谭伯琥、刁兆秋、石春先、沈凤生、薛松贵、张会言、安新代等。其中特别是黄河水利委员会原总工程师吴致尧从本书的立项，提纲的构思和拟定，直到全书的写成，始终给予关怀和支持。

本书全面系统地介绍作者的生产实践经验和研究成果，同时尽量吸取国内外先进经验与成果，力求能反映PMP/PMF计算的现代水平。

本书分绪论、上篇、中篇和下篇四大部分，共28章，约90万字。

绪论主要介绍现行设计洪水计算方法的发展历史、存在问题、今后发展趋势，以及水文气象法在我国的发展简史。

上篇和中篇分别介绍PMP和PMF的有关知识、基本原理与具体做法(附有算例),并对二者的一些重要环节进行分析、讨论、评议,以启发思维,希能对正确理解、使用和发展计算方法有所帮助。这两篇是本书的重点。

下篇,属讨论性质,主要介绍作者从事水文分析计算工作40多年来的经验体会与研究成果,并吸收了国内外专家、学者近期的研究成果。写这一篇的目的,主要是希望对正确认识非常暴雨和非常洪水的特性,正确认识并恰当使用PMP/PMF方法,从而合理选定PMP/PMF的成果,能发挥正面的作用。毫无疑问,这一篇的学术价值和实践价值,都是非常重要的。

为尽快写好此书,作者特商请了一批同事共同写作、计算和绘图。他们是富有经验的专家陈先德、李文家、高治定、易维中、易元俊、薛长兴、贺禄南以及青年高级工程师李海荣、王宝玉和青年工程师王玉峰、刘占松、慕平、李伟佩、刘红珍、张志红。因此,书中也包含有他们的经验。青年专家王煜、郝凤华和王道席担任本书内容简介和目录的汉译英以及16章、21章、22章和25章大量河名、地名的英译汉工作。

本书承蒙我国水文界和气象界的一些著名专家、教授进行审阅。他们是陈家琦、叶永毅、叶守泽、陈志恺、刘一辛、胡明思、陈清濂、金光炎、朱元甡、丁晶、杨远东、金蓉玲、刘国纬、文康、王家祁、汪德宇、王作述、蔡则怡、张有芷、熊学农、孙双元、蔡萍、李幼华、尹江、王维第、陈赞庭、马秀峰、温善章、翟家瑞、符长锋。他们提出了很多宝贵意见,使本书增辉不少。这里谨向他们表示衷心的感谢。

美国著名水文专家王碧辉博士、联合国教科文组织(UNESCO)水科学司司长纳吉(A. Szöllösi－Nagy)博士、国际大坝委员会(ICOLD)的大坝和洪水委员会主席贝尔加(L. Barga)教授为本书的编写提供了大量的资料,丰富了本书的内容,特此表示感谢。

中国科学院和中国工程院院士、工程院副院长潘家铮教授,原国际水文科学协会副主席及该协会中国国家委员会主席、中华人民共和国水利部原水文局局长陈家琦教授,在百忙中热情为本书作序,增添了本书的光彩,作者谨向他们表示诚挚的谢意。

本书这次编写,历时8年,6易其稿,作者要向所有关心支持和帮助本书编写并使之得以顺利出版的领导同志和工作人员致以谢意！同时热忱欢迎读者对本书存在的缺点或谬误，予以批评指正。

水利部黄河水利委员会勘测规划设计研究院
王国安
1998年6月

目　　录

上　篇　　可能最大暴雨

中 篇 可能最大洪水

下 篇 认识与讨论

附　　表

Contents

First Volume － Probable Maximum Precipitation

Second Volume - Probable Maximum Flood

Third Volume - Understanding and Discussion

Appendixes

0 绪 论

0.1 问题的提出

人们在河川上修建的任何水工建筑物,包括水库、堤坝、涵闸、围堰、桥梁、引水排水渠道等,都需要根据一定大小的洪水作为标准来进行设计。修建这些水工建筑物的目的,是为某种长远的或暂时的利益服务。因此,所有的建筑物,在预期的有效服务期间内,必须能通过一定的洪水,并能抵御住它而不致遭到冲毁。倘使作为设计依据的洪水,小于将来实际发生的,则工程将遭致失败,从而引起祸患;倘使过分大于实际,则将形成浪费。所以,恰当地推算设计洪水,是一切水工建筑物设计中头等重要的任务之一。

众所周知,欲精确地求得设计洪水,惟一正确的途径,是依靠超长期的水文预报。譬如说,某水库的寿命是100年,如果我们能够对该水库所在地点的洪水顺时序精确地作出100年的预报,那么,该水库设计洪水的求得,就是一件轻而易举的事,若经济条件或其他条件允许,则把这100年中的最大一场洪水作设计依据就行了;若条件不允许,则把这100年中的次大(或第三大、第四大……)洪水作设计依据,等到将来发生超过设计标准的那一年(或那些年),再预先采取某种防御措施,以确保建筑物的安全。然而遗憾得很,目前人们所拥有的水文气象预报知识还甚为浅薄,休说要预报100年,就是预报两三天的时间,有时其准确度也是相当差的。这就是说,从理论上讲,超长期水文预报虽是解决设计洪水的惟一正确的途径,然而在目前的科学技术水平条件下,却是行不通的。

但是,一切水工建筑物的设计,又不可能没有一个设计洪水作为依据,于是人们只好退一步,走另外的道路,即根据经验资料(水文气象观测资料),运用某些理论来近似地估计设计洪水[1]。这又可分为频率分析和水文气象分析两大途径:

1)频率分析途径。此途径的基本思路如下❶:①洪水现象可以看做是随机事件,其变化规律服从概率分布律;②可以用一条光滑的概率分布曲线来表征其概率特性;③短期记录(样本)的统计特征值基本上可以代表长期记录(总体)的统计特征值。因此,可以根据短期洪水资料,通过频率曲线的外延,来推求出各种标准的设计洪水。

此途径所得出的设计洪水具有明确的频率概念,但其物理形成过程不清楚。

2)水文气象分析途径。此途径的基本思路如下❶:①洪水现象是一种必然事件,即它是降水和流域下垫面(地形、地质、土壤、植被、河网等)条件的综合产物,因此,研究设计洪水可以从研究形成降水的物理机制入手;②从事物的客观属性来讲,对于任一固定流,降水应有其物理上限,不可能无限制地加大。这个上限降水,可以在现有特大暴雨资料分析研究的基础上,结合流域特性和工程要求,拟定出暴雨模式,再加以极大化(放大)而近似地求得。这个近似的上限降水,习惯上称为可能最大降水(Probable Maximum Precipita-

---

❶ 王国安.试论可能最大洪水的推求途径.全国PMP咸宁会议论文,1978,5

tion,简称 PMP,下同),将其转化为洪水,即为可能最大洪水(Probable Maximum Flood,简称 PMF,下同)。此途径得出的洪水,在一些主要环节上,能从物理成因上得到解释,但无明确的频率概念。

以上两种途径得出的设计洪水,都是预估性质的东西,即都具有猜测性,其具体出现时日,是无从知悉的。

本书将全面系统地介绍第二种途径的基本原理和分析计算方法。同时,为了有助于对 PMP/PMF 方法的正确理解和运用,书中对第一种途径的基本概念和关键问题,作了简要阐述。

0.2 现行洪水频率计算方法发展简况及存在问题

0.2.1 发展简况

从 19 世纪至 20 世纪初期,由于对洪水的研究不足,以及水文资料短缺,人们在兴建水利工程时,多以曾经发生过的(实测或调查到的)某一特大洪水作为设计依据。但是,随着资料的积累,新的特大洪水不断出现,工程上对于以某一历史洪水作为设计标准,渐渐感到不安全。因此,又提出在历史洪水基础上,还要再加一个安全系数。这个安全系数如何确定呢?早先是根据水文资料系列的长短和工程的重要程度,用历史洪水加成法(例如加大 20%或 30%等)。但是,由于这种方法没有一个固定的准则可以遵循,因而任意性较大。于是有人提出用频率分析法(又称频率计算法、数理统计法)来解决这个问题。

在水文上应用频率分析法,是由美国水文学者在 19 世纪后期倡导的。R·E 霍顿在 1896 年使用了此法研究河川径流。美国最早于 1914 年将频率分析法用于进行设计洪水计算,即用若干年实测洪水流量系列,推算出百年一遇、千年一遇或万年一遇洪水。将近一个世纪以来,不少学者提出过各种理论频率曲线的线型,进行过洪峰和洪量的频率计算,频率计算方法曾经盛极一时,有几百座坝曾用此法确定溢洪道设计洪水。以后,采用此法的国家日益增多,并逐步发展起来。

苏联自 20 世纪 30 年代起,应用频率分析法推求设计洪水。1948 年以后,苏联历次颁布的设计洪水规范,都指明以频率分析法为主。

中国学者对频率分析法进行研究始于 20 世纪 30 年代[2]。1949 年后,中国水利水电建设事业得到蓬勃发展,频率分析法也得到了广泛的运用。并在实践中,结合国情丰富和发展了该法的方法和内容[2,3,4],诸如历史洪水的处理、适线方法、统计参数($\overline{X}, C_v, C_s$)的计算及其误差理论、成果的合理性检查等,使洪水频率计算日臻规范,并形成了具有中国特色的一套方法[5]。金光炎教授 60 年代的专著《水文统计原理与方法》[6],对中国洪水频率分析方法的普及和发展起了重要作用。

中国在 1962 年、1979 年和 1993 年下达和颁布的设计洪水计算规范,都规定以频率分析法推求大中型工程的设计洪水[3,4]。

0.2.2 存在问题

0.2.2.1 理论基础问题

数理统计学是一门严密的自然科学,其用途十分广泛,在国民经济的各个部门以及军事部门的一些尖端技术上都要用到它。

水文现象是一种自然现象,探求其概率属性的频率计算,当然是有根据的。但是,数理统计法有几个基本要求(或者说基本前提)[6],在使用时必须满足,成果才会可靠。而洪水系列是不完全符合数理统计法的使用前提的。这些前提有:

1)资料系列应具有可靠性。洪水系列都具有一定的测验误差,尤其是特大洪水的洪峰流量,一般误差较大。至于历史洪水,特别是古洪水,其误差往往更大。

2)资料系列应具有随机性。洪水系列不能完全满足这一要求。这表现在两个方面:一是从资料系列本身来说,各年洪水的形成均有其物理成因,只是数值的大小带有随机性。同时,不少学者的研究均表明洪水序列隐含有一定的周期成分,故洪水资料系列并非完全随机(是准随机)。二是从取样来说,供洪水频率分析用的这个样本,不是随机抽取的,而是给定的。因为,现有资料系列本来很短,我们就不能再从中随机抽取某些年的资料,作为样本来进行频率分析。

3)资料基础应具有一致性。在频率计算时要求同一计算系列中的所有数据,是属于同一类型和同种条件下产生的,不能把不同性质的数据混在一起统计。但是,实际执行起来很困难,主要是现有资料系列太短,如果把不同成因(例如台风与梅雨、涡切变与梅雨等)的洪水硬性分开,则资料容量势必大减,误差比混在一起求频率,更加严重。故在生产上为了避重就轻,一般多采用混合抽样统计法。另一方面,与洪水形成紧密相联的气候条件和流域下垫面条件,严格说来,从长期看都是在变化着的。特别是下垫面条件,由于人类活动的影响,不同的时期,其差别可能很大。当然,人类活动影响,从理论上说,可以设法予以还原。但是,这种还原一般都有一定的误差,尤其是在人类活动措施较多的情况下,这种误差更大。

4)资料系列应具有代表性。所谓代表性是样本相对于总体来说的。可是,水文现象的总体我们无法通盘了解,因而这个所谓代表性,也无法严格判定。我们只能大致这样说,一般资料系列愈长,其代表性也愈高。

0.2.2.2 具体技术问题

概率理论是建立在大数定律的基础之上的。按照大数定律,需要有很长的资料(理论上要无穷多年)才能得出一个稳定的某一频率的洪水。利用短期资料(例如几十年甚至上百年)所求得的频率洪水是难于稳定的,特别是在稀遇洪水(例如频率为0.1%到0.01%的洪水)部分更难稳定。

对短期资料,用数理统计法推求稀遇洪水难于稳定或者说不可靠的主要原因是频率曲线的外延幅度大,延长的结果不可靠。而这又涉及以下三个问题:

1)洪水系列的频率估值误差较大。大家知道,现有(包括实测、调查和插补延长的)洪水点据,是频率适线的根据。但是,这些点据(尤其是老大、老二等)的横坐标即频率 P 的误差较大。这里不讨论经验频率的计算公式,只看看比较通用的经验频率计算公式——

数学期望公式就可以说明问题的性质。现用中国水文界的元老刘光文教授提出的算例[7]：

由经验频率公式

$$\overline{P} = \frac{m}{n+1} \tag{0.2.1}$$

及其均方误差公式

$$\sigma_{P_m} = \frac{m}{n+1}\sqrt{\frac{n-m+1}{m(n+2)}} \tag{0.2.2}$$

可知，对于最大值，$m=1$，于是上两式变为

$$\overline{P}_1 = \frac{1}{n+1}$$

$$\sigma_{P_1} = \frac{1}{n+1}\sqrt{\frac{n}{n+2}}$$

若 $n=10$ 年，则 $\overline{P}=1/11$，即 11 年一遇。如仅考虑一倍均方误差的范围，则

$$\overline{P}_1 \pm \sigma_{P_1} = \frac{1}{11} \pm \frac{1}{11}\sqrt{\frac{10}{12}} = 0.090\,9 \pm 0.083\,0$$

即最大项的频率为 $\overline{P}_1=0.007\,90 \sim 0.173\,90$，或重现期为 126.6～5.8 年。

若 $n=100$ 年，则

$$\overline{P}_1 = \frac{1}{101} \pm \frac{1}{101}\sqrt{\frac{100}{102}} = 0.009\,901\,0 \pm 0.009\,803\,4$$

即最大项的频率为 $\overline{P}_1=0.000\,097\,6 \sim 0.019\,704\,4$，或重现期为 10 250～51 年。

如果考虑到最大项的分布是不对称的，取 $\overline{P} \pm \sigma_P$ 可能过于保守，现取置信概率为 66.67%或90.00%，并假定置信概率按照期望值左右两倍比例分配，则对于 $n=100$ 年资料，在置信概率 66.67%区间，$\overline{P}_1=0.002\,63 \sim 0.022\,61$ 或重现期为 380～44 年。对于 $n=1\,000$ 年资料，66.67%区间，$\overline{P}_1=0.000\,236 \sim 0.002\,096$ 或重现期为 4 240～447 年。90%区间，$\overline{P}=0.000\,065 \sim 0.003\,295$ 或重现期为 15 400～303 年。

由此可见，用经验频率公式估算频率，可以有很大的出入。

2）频率曲线的线型不知道。根据现有洪水点据作大幅度的外延，首先需要确定线型，不同的线型在外延部位可以得出不同的结果，而且往往差别较大。表 0.2.1 是滦河潘家口、海河黄壁庄、汉江丹江口和沅水五强溪分别采用皮尔逊Ⅲ型（P-Ⅲ），皮尔逊Ⅴ型（P-Ⅴ）、对数正态（L－N）和克里茨基-明克里（K－M）四种线型，进行洪水频率计算的结果[8]。由该表可见，差别是较大的。

究竟采用何种线型，目前由于资料过短，还不易肯定，现在世界各国所选用的一些线型，并无坚实的根据。

表 0.2.1 **不同线型洪峰成果比较表** (单位:Q 为 m^3/s)

河流测站	线 型	不连序系列				连序系列			
		$\overline{Q}$	C_v	C_s	0.01% Q	$\overline{Q}$	C_v	C_s	0.01% Q
滦河潘家口	P-Ⅲ	3 154	1.30	3.29	48 100	2 826	1.26	3.27	41 700
	P-V		1.45	4.41	73 000		1.41	4.43	63 800
	L-N		1.36	4.18	67 500		1.37	4.17	60 800
	K-M		1.21	3.63	56 300		1.21	3.63	56 300
海河黄壁庄	P-Ⅲ	2 371	1.17	3.59	34 400	2 231	1.48	3.93	42 600
	P-V		1.14	4.37	43 500		1.33	4.50	48 000
	L-N		1.10	4.21	41 700		1.21	4.19	42 800
	K-M		1.34	6.70	62 800		1.28	6.40	55 600
汉江丹江口	P-Ⅲ	15 695	0.57	0.85	65 900	15 140	0.56	0.61	58 100
	P-V		0.59	0.88	75 000		0.58	0.68	66 000
	L-N		0.58	0.81	68 700		0.57	0.51	58 000
	K-M		0.63	1.36	69 100		0.55	0.55	50 900
沅水五强溪	P-Ⅲ	18 407	0.40	0.96	61 600	18 046	0.39	0.81	56 900
	P-V		0.42	1.09	72 900		0.40	0.86	63 900
	L-N		0.41	0.96	65 800		0.39	0.75	57 800
	K-M		0.39	0.78	57 600		0.38	0.76	55 200

3)统计参数不稳定。当线型已定时,频率曲线的稳定与否,决定于统计参数特别是主要参数——变差系数 C_v 的稳定与否。而 C_v 是否稳定,又与资料系列的年数 n 、变差系数 C_v 和偏态系数 C_s 有关。以皮尔逊Ⅲ型曲线为例, C_v 的均方差为

$$\sigma_{C_v} = \frac{C_v}{\sqrt{2n}}\sqrt{1 + 2C_v^2 + \frac{3}{4}C_s^2 - 2C_vC_s} \qquad (0.2.3)$$

由上式可见, σ_{C_v} 随 n 的增大而减少,一般随 C_v 和 C_s 的增大而加大。

C_v 的大小,与洪水成因有关。大体说来,融雪洪水 C_v 较小(一般为 0.25~0.40),暴雨洪水 C_v 则较大(一般为 0.50~1.50,少数可达 2.0 左右)。因此,暴雨洪水河流的 C_v 具有较大的不稳定性。

在频率曲线基本参数 C_v 不稳定的情况下,采用任何线型均不能正确解决设计洪水问题,因为所有的线型都只是外延频率曲线的工具,也就是起曲线板的作用,基本参数不可靠,外延的结果当然也不会正确。

0.2.2.3 设计洪水出现问题的突出例子

由于资料系列过短,频率曲线外延不确定程度较大,因而在生产应用上,随之也就发生了许多问题。这种例子不少。下面举几个较突出的例子。

(1)中国情况

1)辽宁老哈河红山水库,1959 年 11 月作补充初步设计时提出的设计洪水成果为:万

年一遇为 11 860m^3/s,千年一遇为 9 040m^3/s。该水库 1958 年 10 月开工,1960 年 10 月拦洪。当水库工程正在紧张施工阶段时,1962 年 8 月发生了一次特大洪水,入库洪峰流量达 12 700m^3/s,超过原设计的万年一遇。后来,考虑 1883 年历史洪水,改算结果:万年一遇为 26 400m^3/s,千年一遇为 18 400m^3/s,百年一遇为 10 800m^3/s。按此成果,1962 年洪水仅将近二百年一遇❶。

2)海河黄壁庄水库,1956 年春搞规划设计时,采用实测的 18 年资料求得的设计洪水成果为:千年一遇为 12 660m^3/s,万年一遇为 20 140m^3/s。当年夏天就实际发生了13 000 m^3/s 的洪水,超过计算的千年一遇洪水值。1981 年加固设计时,考虑 1794 年、1853 年、1917 年和 1939 年四次历史洪水,求得设计洪水成果为:千年一遇为33 900m^3/s,万年一遇为 50 300m^3/s,分别为原计算结果的 2.68 倍和 2.50 倍。

3)淮河板桥水库,1953 年建成,洪水标准为百年设计、千年校核,相应洪峰流量,按 1955 年分析成果为 3 300m^3/s 和 4 236m^3/s,按 1965 年分析成果为 6 630m^3/s 和 11 850m^3/s。1975 年 8 月遭遇特大洪水袭击,入库洪峰流量达 13 000m^3/s,导致水库垮坝。按 1977 年复建扩大初步设计补充计算结果,千年一遇为 14 500m^3/s,1975 年洪水只相当于 600 年一遇[9]。

(2)外国情况

1)美国弗吉尼亚州 Bath 县有一抽水蓄能工程的下库,根据 1952~1982 年的资料进行频率分析,经验点子与频率曲线配合得很好。1985 年 11 月 4 日在坝址处发生一场洪水,洪峰为 581m^3/s。这场洪水的重现期,按原来的频率曲线,接近 100 万年。把这场洪水加入频率分析,则同一洪水的重现期就下降为大约 200 年[10]。

2)多米尼加共和国 Tavera－Bao 工程,其坝址处 1972 年估算的万年一遇洪水,洪峰约为 807m^3/s。1979 年 8 月 31 日发生了一场由飓风引起的洪水之后,人们对原频率曲线进行了修正,结果那个 807m^3/s,变成了 170 年一遇[10]。

3)乌拉圭 Rincon de Bonet 工程,1935 年设计这座坝时有 27 年的流量记录,实测最大洪水为 3 810m^3/s。设计洪水是 9 207m^3/s,在设计时认为是千年一遇的洪水。在 1959 年 4 月,发生一场洪水洪峰为 17 140m^3/s。这场洪水几乎是原千年一遇洪水的两倍[10]。

4)澳大利亚麦龙毕箕河柏仁杰克坝,在 1910 年推荐的设计洪水为 2 270m^3/s,但在施工后的 1916 年,发生的洪水为 6 530m^3/s。1922 年和 1925 年又分别实测到 4 820m^3/s 和 11 000m^3/s 的洪水。1935 年新推荐的设计洪水数字为 21 600m^3/s。为此,又曾经组织过一个专门委员会用 47 种方法推算得到设计洪峰为 3 200~36 800m^3/s,最后决定利用 50 年资料,选定重现期为 250 年,采用 15 600m^3/s,约为原始推荐数的 7 倍❷。

0.3　设计洪水计算方法的发展趋势

由于现行频率计算方法存在着以上的问题,因此,不能不引起人们对它的严重注意,

❶ 水利水电科学研究院水资源所主编.设计洪水经验汇编.1982

❷ 华东水利学院,水电部上海勘测设计院.可能最大洪水方法简介,1965

并探索其他方法。现将中国及外国情况简介如下。

0.3.1 外国情况

这里着重介绍美国和苏联的情况。

0.3.1.1 美国情况

美国波士顿土木工程学会利用美国最长的洪水记录来分析统计,1942 年提出的报告认为:“实测特大洪水重现期的确定,已经是困难的和可疑的,那末外延到大型建筑物所需的长重现期的设计洪水则更困难和可疑了”。此后,美国土木工程师学会经过专门研究,也认为:“相信已有的各种仅仅点绘洪水记录并运用频率曲线外延方法,难以决定失事后果严重的大型建筑物设计洪水的可能频率”[7]。

鉴于现行频率方法不能正确推求大坝设计洪水,美国大约在 1937 年开展了成因方面的研究,由水文与气象人员合作,进行了美国许多地区的 PMF 和极限洪水的研究,先后提出了许多篇 PMP 的研究报告,供工程应用。

1960 年美国内政部垦务局编的《小坝设计》中正式提出,凡垮坝后会造成生命损失的工程,应以 PMF 作为设计洪水。垮坝后只有经济损失的工程,可以降低标准或改用频率法计算洪水❶。

1962 年,美国土木工程师学会水文委员会所属的“溢洪道设计洪水工作组”正式提出的美国大坝分级标准及设计洪水标准中规定:“不允许失事的极重要工程(坝高大于 18m,库容大于 6 200 万 m^3),溢洪道设计洪水采用 PMF,对于失事后不致造成灾害的次要工程(坝高小于 15m,库容小于 120 万 m^3),溢洪道设计洪水采用频率分析,频率取 1/50~1/100❷。

1967 年,迈尔斯(V. A. Myers)在总结美国推求设计洪水经验的一篇文章中谈到:近 25 年来,美国大坝设计中几乎全部采用按 PMP 来推求设计洪水,而且这种方法对于重要的小坝,也日渐应用[11]。

1972 年,美国土木工程师学会对美国和其他国家应用 PMP 方法对已建成的 3 500 座大坝(5 800 亿 m^3 库容)的溢洪道进行了检查,得出的结论认为:“经验证明,这个途径是健全的”❸。

1985 年,美国大坝安全规程委员会、水科学技术局、工程技术系统委员会和国家研究院组织编写的《大坝安全——洪水和地震规程》一书,提出 PMP/PMF 应继续作为新建具有高度风险的大坝的通用设计标准。同时,该书也指出,目前在评价大坝安全上有三种基本途径可确定洪水的大小。这三种途径是确定性途径(即 PMP/PMF)、概率性途径(频率分析)和风险分析途径。每一途径都有它的优点和缺点,对任一特定工程而言,在选择一种合适的方法时,都必须加以考虑[12]。

美国水文气象学家汉森(E. M. Hansen)在纪念美国开展 PMP/PMF 工作 50 周年的

---

❶ 华东水利学院,水电部上海勘测设计院 . 可能最大洪水方法简介 .1965

❷ 水利电力部科学技术情报所 . 一些国家的水库设计洪水及标准 .1975,11

❸ 华东水利学院 . 可能最大降水 . 水文气象训练班讲义,1975,6

一篇文章中说，PMP计算的水文气象途径刚刚度过了它在美国发展的50个周年纪念。这种确定性方法已经从特定地点的小流域应用扩大到覆盖整个国家的综合分析。文章还提到，最近几年，美国的一些权威研究机构虽然已确认对于所有高风险的坝的设计都需要继续使用PMP/PMF，但对于寻求改变设计标准，例如在用风险分析方法时，究竟取什么水平的风险率才是可以接受的问题上，安全官员们尚未达成一致的意见；同时，对于确定PMP/PMF的风险概率的方法现在仍有争论[13]。

0.3.1.2　苏联情况

1951～1952年，苏联水文界对设计洪水的计算途径曾进行过一场争论[14]。A·Д·萨瓦林斯基认为，理论频率曲线和经验公式一样不能外延，主张以成因法来代替统计法。A·B·奥基耶夫斯基也认为外延没有根据。M·A·魏里卡诺夫和Д·Л·索科洛夫斯基认为，50～70年资料推求设计洪水是不够的，但不应把成因法与统计法两者对立起来。C·H·克里茨基、M·Φ·明克里和Γ·A·阿列克谢也夫强调统计法的重要作用，但也认为成因法和统计法二者必须结合应用，对这两个方向都要加强研究。

1963年，Д·Л·索科洛夫斯基发现了苏联雨洪河流的C_v值，不但绝对值大，而且很不稳定之后提出❶："在频率曲线基本参数C_v这样不稳定的情况下，应用任何线型都不能正确的解决设计洪水问题，因为所有的分布曲线仅系外延频率曲线的工具，它的正确性决定于参数是否正确"。

对于现行历史洪水的处理，索氏认为，特大洪水的真正概率无从得知，因此这样条件下的统计计算，实际上是盲目的。把频率曲线去迁就（指适点）未知概率的实测最大流量（指历史洪水）是没有什么根据的。

融雪洪水的C_v值比较稳定。苏联的融雪洪水河流$C_v=0.25\sim0.40$，$C_s=3C_v$。在这种情况下，经验点据与理论曲线上端较为吻合。千年一遇流量比百年一遇流量或者万年比千年一遇流量只大15%～30%。据索氏的统计分析，近70年来，苏联实际发生的洪水没有发现超过300～500年一遇的洪水。因此断言："如果直到现在（苏联）在水工建筑物设计中采用数理统计方法来确定设计流量还没有造成不良后果，那么不仅是由于计算的正确，而且部分地是由于水工建筑物的设计和施工多是在融雪洪水的河流上进行的"。

从苏联国家建设委员会1989年公布的水工建筑物设计基本规程[15]来看，在设计洪水计算上，仍是采用频率分析法。

以上介绍的是美国和苏联的情况。总的来说，美国是以水文气象法为主（详见表26.2.3.3），苏联是采用频率分析法。

此外，澳大利亚、印度、英国、巴基斯坦、日本、韩国、加拿大、南非等几十个国也已经在工程设计中应用或研究水文气象法。可以说，一些中低纬度以暴雨洪水为主的国家，大部分赞成用水文气象法计算设计洪水。频率分析法目前仍为不少国家所应用[16]。

---

❶　华东水利学院，水电部上海勘测设计院．可能最大洪水．方法简介，1965

0.3.2 中国情况

这里着重介绍各种途径在中国的运用与争论情况以及今后的趋势。至于 PMP/PMF 在中国的发展情况将在 0.4 节中介绍。

中国从 20 世纪 50 年代中期开始,在设计洪水中较广泛地运用频率分析法。由于当时资料较短,经验不足,对历史洪水的重视不够,致使许多工程的设计洪水成果不够合理,给工程带来一些问题。于是出现了对频率分析法的各种责难,也曾出现企图完全否定频率分析途径的舆论,并在实践中寻求其他计算洪水的途径,如 50 年代末在进行三峡水利枢纽前期工作中,曾探讨了使用水文气象法来估算 PMF。这种方法在少数其他工程上也有研究。

为总结前 10 年用频率分析法计算设计洪水经验,统一技术规定,解决洪水计算成果不够合理稳定的情况,1961～1964 年在原水利电力部组织下(具体由叶永毅教授主持),编制了《水工建筑物设计洪水计算规范》(草案),这样就使多数工程的洪水计算成果相对地比以往较为合理。

1966 年"文化大革命"开始后,一些单位的工程决策人员又重新怀疑频率分析法,主张推行历史洪水加成法来确定设计洪水。从 1967 年东风电站选坝开始,石泉、葛洲坝、天桥、碧口、乌江渡、黄龙滩、龙羊峡、八盘峡和白山等大中型水利水电工程的设计洪水都采用历史洪水加成法。但是,多数水文计算人员并未放弃频率分析法,仍或明或暗地将它作为提供设计洪水数据的依据❶。

1973 年开始的重新修订设计洪水规范工作(由陈家琦教授领导),在经过充分讨论的基础上,确定了当前对待设计洪水途径的原则,正如 1973 年在兰州召开的第一次设计洪水规范座谈会的《汇报提要》指出的:"经过讨论,大家(对设计洪水)的认识都有提高,各种方法是在一定历史条件下和人对洪水自然规律认识不同阶段的产物。片面强调任何一种方法,简单地排斥或否定另一种方法,都将无助于学科的发展和解决实际问题……我们应该贯彻百家争鸣的方针,采取兼容并蓄,相辅相成,互相促进的态度,进一步揭示洪水形成的内在规律,建立更加切合实际的计算方法。实践是检验真理的唯一标准。通过实践,合理的方法必然会逐步取代不合理的方法"❷。

陈家琦教授认为:"这些原则,是我国广大水文计算科技工作者从实践中经过多次反复总结出来的。国外经验也同样说明,各种计算设计洪水的途径,互相争论了几十年,却又平行发展了几十年,今后在一定的时间内,仍将继续是这样的局面"❷。

兰州会议以后,经过近两年的努力,1975 年提出了贯彻多种方法(频率分析法、水文气象法、历史洪水加成法、地区综合法)、相互补充原则的设计洪水规范初稿,正准备讨论时,8 月淮河上游发生了一场 758 特大暴雨,导致板桥、石漫滩等大中型水库漫坝失事,再一次引起对频率分析法的冲击。但是,1975 年 9 月在广州召开的设计洪水规范讨论会

---

❶ 水利部规划设计管理局设计处等(王首鹤、孙济良执笔).我国大中型水利水电工程设计洪水计算经验总结.设计洪水经验汇编(水利水电科学研究院主编),1982

❷ 陈家琦.我国设计洪水工作的基本经验.设计洪水经验汇编(水利水电科学研究院水资源所主编),1982

上，绝大多数从事水文分析计算工作的科研设计人员冷静地分析在中国出现特大暴雨和洪水的规律，认真总结新中国建立以来的设计洪水工作中的经验教训，坚持对任何途径不能采取简单排斥或否定的观点，仍然主张各种途径平行发展、相辅相成、互相补充、互相渗透，以彼此取长补短，推动设计洪水计算理论和方法的前进。

1975年11月下旬到12月上旬，水电部在郑州召开的全国防汛和水库安全会议，认真总结了淮河758洪水垮坝的教训。会议总结文件指出："在洪水计算上，单纯采用频率计算方法，往往不能正确反映实际，反而给人以虚假的安全感"。会议规定了用PMF作为一种最高的复核保坝标准，但仍坚持了"多种途径"的原则。

1979年8月水利部、电力部联合颁发了《水利水电工程设计洪水计算规范SDJ 22－79》，正式肯定了"多种方法、综合分析、合理选用"的设计洪水计算原则[3]。

为提高频率曲线外延推求的稀遇洪水的精度和分析论证PMP/PMF的可靠性，80年代以来，中国一些单位在詹道江教授的领导下，开展了古洪水研究，并取得了一些有价值的成果。同时，有些单位对用风险-经济分析的办法来确定设计洪水，也进行了探索。

1986年，中国水文界的元老刘光文教授在庆祝《水文》杂志创刊30周年的《水文频率计算评议》一文结语中指出："水文频率计算含有一系列的误差，不宜盲目加以崇信，尤其是不得忽视资料代表性而盲目进行。但是，水文事件既是概率性的，在可行的条件下，仍然需要用频率计算来外推极值，因而也不宜悍然抛弃不用，更不得认为频率计算既不够准，就可以等闲对待，浅尝辄止。应该在一定的样本条件下，力求适当地运用频率计算，以发挥其最大功用。对于特高标准的极值，那就不宜死抱着频率计算，盲目信任。如条件有利，应考虑采用PMP计算，或至少用PMP法作比较方案[17]。"

我们一贯主张频率计算法和水文气象法应平行发展，因为水文气象要素的变化，如同一切自然现象的变化一样，既受必然因素的支配，也受偶然因素的影响。在水文气象工作领域里，水文气象法是强调必然性的一面，频率计算法是强调偶然性的一面。这两种方法都有一定的科学根据，都有一定的优缺点。恩格斯指出："被断定为必然的东西，是由纯粹的偶然性构成的，而所谓偶然的东西，是一种有必然性隐藏在里面的形式"。因此，二者是对立的统一，一如普遍性和特殊性是对立的统一。所以，不能把水文气象法和频率计算法对立起来，而应把这二者结合起来，使之取长补短，相辅相成，这样才有利于设计洪水计算方法的日臻完善❶[18]。我们认为，频率计算法，关键是人们如何正确使用它。这里所谓关键就是要注意供频率分析使用的资料系列，应基本符合这个方法的基本要求（主要是可靠性、一致性和代表性），同时不要把频率曲线外延过多。频率曲线内插没有多少问题，外延不多问题也不大，外延到万年一遇问题就大了，因为频率曲线的上端不符合实际[9]。

那么，频率曲线外延到什么程度才合适呢？目前，美国[12]和日本[19]政府有关规程规范的规定只用到100～200年。我们认为，中国是历史悠久的文明古国，调查和考证的历史洪水资料十分丰富，这对于作好频率计算工作来说，具有得天独厚的条件，故频率曲线可以延长到1 000年[20]，最多到5 000年[10]。

---

❶ 黄河水利委员会规划设计大队（王国安执笔）．对可能最大降水分析的几点体会．广州全国设计洪水讨论会论文，1975，9

0.3.3 世界发展趋势

从我们掌握的材料来看,设计洪水计算方法总趋势是频率计算法和水文气象法平行发展,对风险高的工程侧重水文气象法,对风险低的工程只用频率计算法,对风险中等的工程则两种方法都用。

国际大坝委员会(ICOLD)的大坝和洪水委员会现任主席贝尔加(L.Barga)1992 年 9 月于西班牙召开的"大坝和极值洪水国际会议"上的一篇总结性的文章——《设计洪水评估的新趋势》[21]中,在总结各国设计洪水评估经验的基础上,归纳出世界大坝防洪安全标准发展的新趋势如表 0.3.1,他称之为第三代标准。

表 0.3.1 世界大坝第三代防洪标准(发展趋势)

坝的风险类别	生命损失(人)	经济、社会、环境和政治影响	安全洪水(校核洪水)	设计洪水
高	≥N	巨 大	PMF 或 5 000~10 000	%PMF 或 1 000~5 000
中	0~N	重 要	ERA 或%PMF 或 1 000~5 000	ERA 或%PMF 或 500~1 000
低	0	很 小	100~500	100

注 表中安全洪水和设计洪水栏中,数字为洪水重现期,年;ERA 为经济风险分析;%PMF 为 PMF 的某一百分数。

从表 0.3.1 可见,世界大坝防洪标准的新趋势是:高风险工程水文气象法和频率计算法并用;低风险工程只用频率计算法;中等风险的工程可使用经济风险分析法、水文气象法和频率计算法三种方法之一,但因风险分析要以频率计算成果作为基础,故从设计洪水计算角度来看,实际只有两种方法。

0.4 水文气象法在中国的发展简史

中国 PMP/PMF 工作,从发展进程看,大致分为六个阶段(前四个阶段文字主要取自文献❶):

0.4.1 学习和开创阶段(1958 年 7 月~1966 年 5 月)

中国开展 PMP/PMF 工作始于 1958 年下半年。当时为满足长江三峡工程规划设计的需要,长江流域规划办公室(简称长办,下同)协同中国科学院地球物理研究所、华东水利学院(简称华水,下同)、北京大学等单位对三峡采用暴雨组合和水汽输送法,花了两年

❶ 王国安.我国可能最大暴雨和洪水分析工作当前存在的主要问题及其解决办法.西安"西北干旱半干旱水文学术讨论会"论文,1987,11

多的时间,估算了 60 天的 PMP 和 PMF,并在组合方法上有所创新。随后长办又对丹江口、陆水、鸭河口等大型工程进行了这一工作。50 年代末 60 年代初,水利电力部所属上海、北京、东北、西北、昆明和长沙等设计院,也相继开展了这一工作,对隔河岩、偏窗子、宝珠寺、乌江渡、蒲圻、普定、五强溪、阿岗、白山等工程进行了 PMP 的分析计算。

水利电力部水电总局为向全国推广这项工作,于 1965 年下半年委托长办举办了水文气象学习班,部属设计院和部分省设计院派员参加了学习。

1963 年 8 月,海河流域发生了特大暴雨,导致刘家台等中小型水库垮坝和京广铁路中断,在全国引起较大的震动,使人们对 PMP/PMF 工作开始重视。

这个阶段分析 PMP 所使用方法的特点是:除少数工程为暴雨组合和暴雨移置外,其余是偏重于用水汽输送、动能平衡、对流环、锋面模式和综合模式等理论方法。由于这些方法除了在理论上存在重大缺陷外,参数的定量要应用高空观测资料,而中国这方面的资料又很少(站点稀、观测年限短、测次少),故其成果较难令人信服。

这个阶段的成果并未在生产上正式使用,因为当时在中国的设计洪水规范上,还没有 PMP/PMF 的地位。

0.4.2 基本停滞阶段(1966 年 6 月~1972 年 9 月)

由于“文化大革命”的影响,在 1966 年 6 月~1972 年 9 月期间,中国的 PMP/PMF 工作基本上处于停滞状态。

0.4.3 结合中国实际运用和普及阶段(1972 年 10 月~1975 年 7 月)

1972 年 10 月~1973 年 10 月,为满足黄河下游防洪规划的需要,黄河水利委员会(简称黄委,下同)和华水、河南省气象局协作,对黄河三门峡至花园口区间(简称三花间,下同)开展 PMP 分析工作(由王国安主持,詹道江、熊学农等老师指导)。由于在工作过程中,注意将国外方法结合中国实际情况和多年来的水文分析工作经验(如重视流域特性和暴雨洪水特性的分析,重视历史暴雨洪水资料的运用,注意多种方法、多种方案分析比较,注意成果的合理性检查等)加以运用,并注意把水文学与气象学密切结合起来,在暴雨移置的地形改正上还有所创新,对国外在水汽放大上的一些基本经验运用中国的实际资料进行了验证,这样就使三花间的 PMP 分析工作,取得了较好的成果。同时,经过王国安的刻苦钻研,总结创造了一套比较切实可行(主要表现为思路清晰,理论系统,层次分明,重点突出),通俗易懂,易为水文工作者所掌握的推求 PMP 的方法步骤。从而对 PMP 工作在中国得到较快地普及和现行设计洪水规范的制定,起了促进作用。

据不完全统计,仅在 1973 年初到 1975 年 7 月以前这两年半的时间里,全国先后就有 18 个省市自治区的有关勘测设计机关、高等院校和科研部门的 45 批(代表 43 个单位)90 人次到黄委了解、学习和索取三花间的资料(淮河 758 大水以后到黄委了解的人就更多)。

在 1973 年 11 月水电部于兰州召开的全国设计洪水计算经验交流会上,黄委和华水介绍了黄河三花间 PMP 分析经验❶。长办、水电部第八工程局(简称八局,下同)等单位在各自的总结文件中,对 PMP 工作做了总结和评论。会议经过热烈讨论,经陈家琦教授倡导,决定把水文气象法列入即将着手进行编制的新的设计洪水计算规范之内,并责成黄委和华水主编,长办、水电部东北勘测设计院、八局参加协作,编写新规范的附录四《用水文气象法计算可能最大暴雨》。

黄河三花间 PMP 分析所使用的方法,其特点是:结合三花间的实际,选用当地模式、移置模式和组合模式。这些方法参数的定量主要是依靠地面资料,因而所得成果,相对地较易为人所接受。

在兰州会议之前,长办、水电部东北勘测设计院、成都勘测设计院、八局和湖南省水利水电设计院等单位,分别对三峡、白山、芭蕉滩、乌江渡和五强溪等工程,也进行了 PMP 分析工作。

由于兰州会议的推动,在全国引起了对 PMP 更大的兴趣和重视。为了使较多的人员能够掌握 PMP 的分析方法,华水受水电部的委托,于 1975 年夏举办了 PMP 短训班。詹道江教授翻译了世界气象组织(WMO)1973 年出版的《可能最大降水估算手册》,以供了解和学习国外经验之用。

0.4.4 大普及、大出成果阶段(1975 年 8 月～1983 年 2 月)

正当全国有将近 30 个单位在积极开展 PMP 分析工作的时候,1975 年 8 月,淮河上游发生了特大暴雨,导致板桥、石漫滩等大中小型水库垮坝和京广铁路长时间中断,给人民生命财产造成了惨重的损失。这件事在中国引起了极大的震动,同时促使人们更加重视 PMP/PMF 的分析工作。

为了吸取淮河 758 大水的教训,1975 年 12 月,水电部在郑州召开了规模庞大的全国防汛及水库安全会议。会议所作出的《关于复核水库防洪安全的几点规定(草稿)》要求:"大、中型水库和重要的小型水库(指下游有重要城镇、密集居民点、铁路干线或其他重要政治经济意义的设施的小水库),应以可能最大暴雨和洪水作为保坝标准进行校核"。会议并要求编制全国可能最大暴雨等值线图,以作为估算各重要的中小型水库保坝洪水的主要依据,也为控制流域面积较小的大型水库的防洪安全复核提供重要的参考数据。

在郑州会议以后,全国迅速行动,从两方面进行工作:

一方面,由流域机构、部直属设计院和各省市自治区自己组织力量,对所辖范围内的已建和在建的重要水库,全面进行防洪安全复核(分析计算 PMP/PMF)。工作高潮是 1976～1978 年期间。投入人力在 600 人以上,共完成约 120 座大中型水库和更多的重要的小型水库的 PMP/PMF 估算。

另一方面,由水电部和中央气象局领导,组织全国水利水电、气象、科研和教学部门的 800 多名水文气象科技人员,具体组织工作由胡明思教授牵头,编制《中国可能最大 24 小时点雨量等值线图》及相应的图表。此项工作历时约两年,于 1977 年底完成。在这项工

❶ 水利电力部黄河水利委员会,华东水利学院(王国安、吴庆雪执笔).黄河三门峡至花园口区间可能最大洪水分析技术总结(初稿).1973,11

作中，采用了12万站年的雨量资料和100多场大暴雨调查资料，分析了数百场暴雨，初步建立了各省的暴雨档案。

为了有利于贯彻郑州会议的精神，在1976年成都工学院和中山大学分别举办了PMP短训班。

1978年，水利电力部颁发了《水利水电枢纽工程等级划分及设计标准(山区、丘陵区部分)SDJ12－78(试行)》[22]，其第13条规定："失事后对下游将造成较大灾害的大型水库、重要的中型水库以及特别重要的小型水库的大坝，当采用土石坝时，应以可能最大洪水作为非常运用标准"。

1979年，水利、电力两部联合颁布了《水利水电工程设计洪水计算规范SDJ22－79(试行)》及其七个附录。其中附录四为《用水文气象法计算可能最大暴雨》[3]。

至此，中国在进行PMP/PMF的分析上，有了一个结合实际的规范可以遵循。

总起来说，这个阶段是中国水文气象工作发展史上最光辉的时期，参加的人员之众，代表面之广，出成果之多，都是空前的。在世界上也是没有先例的。

0.4.5　首次总结发展阶段(1983年3月～1992年7月)

鉴于PMP在中国大型水利水电工程的设计中得到了广泛的应用，经过多年的实践，积累了丰富的经验，但也存在不少问题，1983年3月水电部水利水电规划设计院在上海召开了有部分部直属设计院、流域机构和高等院校参加的小型座谈会，讨论了PMP工作的进展情况。为进一步提高PMP计算成果的精度，减少定量中的任意性，改进现行的计算方法，大家认为进行一次总结是十分必要的。

为此，1983年12月水电部水利水电规划设计总院(简称水规院)在成都主持召开了大中型水利水电工程可能最大暴雨工作总结会。会议提出的《大中型水利水电工程可能最大暴雨工作总结》报告，对1958年以来，中国的可能最大暴雨工作，肯定了成绩；指出自两个新规范(SDJ12－78和SDJ22－79)颁布以来，水文气象法与频率计算法互为补充、互相促进，丰富了中国设计洪水计算方法。同时也指出，由于受水文气象科学技术水平和资料条件的限制，现行方法还存在一些问题。针对这些问题，还提出了若干研究课题[23]。

在这个阶段，中国PMP/PMF方面发生的重大事件，主要有三：

1)1983年7月，詹道江和邹进上教授合著出版了《可能最大暴雨与洪水》一书，对国内外PMP/PMF的一些估算方法和实践经验，作了介绍[7]。这是中国在这方面的第一本专著，对生产实践起了促进作用。

2)1983年6月，王国安写出了一篇长达三万余字的文章：《中国大面积江河的可能最大洪水要小于皮尔逊Ⅲ型曲线的万年一遇值——一项大胆的假说》。文章强调指出：中国有许多大江大河的洪水都有随着重现期的增长，洪峰流量并不像皮尔逊Ⅲ型曲线那样，无限制地急剧增大，而是达到某一量级以后，就趋于稳定，即趋一近似的极限值的现象。也就是，其频率曲线的上部应是比较平缓的，趋于一近似的上限，而不是像皮尔逊Ⅲ型曲线那样，上部高高地翘起，趋于无限。因此，文章明确提出，中国现行规范SDJ 12－78硬性规定PMF必须大于频率曲线的万年一遇洪水，SDJ 22－79硬性规定"根据频率计算成果分析选定可能最大洪水时，采用值不得小于万年一遇洪水的数值"，是不妥的。其后果是导致中国许多工程的 PMF 数值严重偏大,脱离实际。于是文章提出了修订上述二规范的建议❶。

在 1983～1992 年间,王国安先后写了 14 篇文章[9]反复阐明 SDJ 12－78和 SDJ 22－79所存在的问题及其影响、产生原因,建议修订规范。并于 1984 年 3 月 29 日、1987 年 3 月 30 日和 1987 年 9 月 8 日三次上书当时的水电部钱正英部长和潘家铮总工程师,建议修订上述二规范。1987 年 10 月 8 日,钱部长对王国安 9 月 8 日的信亲笔批示:“拟请潘总研处,并希复一信”。

10 月 16 日,潘家铮总工着手处理此事。他先书面征求水电部老总工崔宗培和张昌龄的意见:“王国安同志的建议前曾请你们看过并提示意见,现他又上书钱部长,对此事应如何处理为好,是否考虑修订标准还是先组织人作些专题研究,盼得到您们的意见”。当日,崔总即表示:“关于我部颁布的《水利水电枢纽工程等级划分及设计标准》和《水利水电工程设计洪水计算规范》两项规范试行以来,不时听到有关同志们提出规范内有些规定偏于保守的意见。鉴于两项规范均已试行将近 10 年。可以研究根据当前情况,各方面的意见进行修订。建议由原主编单位:规划设计院和水文局先广泛征求各有关方面对规范的试用意见,然后组织力量进行修订,请潘总裁定”。

10 月 17 日,张总表示:“同意宗培同志意见”。同日,潘总随即将崔、张二位老总的意见批转部水文局和水规院,“请送水文局、水规院阅,并请水规院发函各单位征求对设计洪水标准的意见,在此基础上研究是否修订。”同日,潘总又给王国安回信:“王国安同志:你 9 月 8 日致钱部长信已悉。以前你对设计洪水标准所提过的意见,都请有关部门和专家看过,意见不一。这个问题影响工程(尤其是土石坝)安全很大,不能简单地根据个别同志的意见轻率改变。现拟请水规院及水文局先广泛征求各有关方面对规范试用的意见,然后组织力量研究修订”。

1987 年 10 月 21 日,水规院副院长朱承中就崔、张、潘三位总工的意见批示:“按潘总意见办。并研究如何组织修订。‘等级标准’请水利处牵头,‘洪水计算’请规划处办”。

1987 年 11 月 17 日,水利处以(87)水规字第 29 号文发出“征求对《水利水电枢纽工程等级划分及设计标准》(山区、丘陵区)意见的函”。

1988 年 3 月 24 日,规划处以(88)水规规字第 19 号文“关于征求对《水利水电工程设计洪水计算规范》试用意见的通知”,下达全国各有关单位。

至此,修订 SDJ 12－78和 SDJ 22－79二规范开始付诸行动❷。

对 SDJ 12－78的修订,由水规院水利处主编,于 1990 年 5 月完成《水利水电枢纽工程等级划分及设计标准(山区、丘陵区部分)SDJ 12－78(试行)补充规定》,并由水利部、能源部联合颁布实行。这个《补充规定》,大大缩小了 PMF 的使用范围,即把它只用于失事后将对下游造成特别重大灾害的 1 级土石坝工程,同时在防洪标准的表中列 1 级土石坝工

❶ 王国安.中国大面积江河的可能最大洪水要小于皮尔逊Ⅲ型曲线的万年一遇值——一项大胆的假说.西安“西北片水文计算情报会”和成都“大中型水利水电工程可能最大暴雨工作总结会论文.1983

❷ 《水沙信息》编辑部.王国安同志关于“修订设计洪水标准”的建议受到水电部重视.水沙信息,1988(5)(总第 26 期)

程的校核洪水标准为“PMF 或 10 000 年”,即 PMF 与 10 000 年一遇洪水并列。表面上看,这二者地位是一样的,无论用哪一个都可以,但是在表下面的注释却又把 PMF 解释为必须大于万年一遇洪水[24]。

对 SDJ 22－79的修订,由长江水利委员会主编(由时文生教授主持),1993 年 3 月 11 日水利部和能源部联合颁布《水利水电工程设计洪水计算规范 SL 44－93》于 1993 年 12 月 20 日起实行。其中已删去了原 SDJ 22－79中的第 32 条,即根据频率分析成果选定 PMF 时,取值不得小于万年一遇洪水数值的规定[3]。

在此期间,还有水电部南京水文研究所的李福绥(1985 年)、水电部成都和天津勘测设计院的郭荣文(1988 年)和张希三(1988 年)、河海大学的郭子中、徐祖信(1989 年、1990 年)等,先后写文章,指出现行规范存在的问题,并建议修订规范[25]。

3)1988 年,林炳章等把美国汉森(E.M.Hansen)在 1985 年中美双边水文极值学术讨论会上介绍的美国按 PMP 的新定义推求 PMP 的方法(时面深概化法)[26],用于中国海南岛昌化江流域的大广坝工程,并取得了为世界银行专家认可的成果❶。林炳章在此项工作中提出了一种定量估算地形对暴雨影响的新方法——分时段地形增强因子法,使山区 PMP 的估算技术向前推进了一步[27]。

在 1983～1992 年的 10 年期间,中国各设计单位先后进行了潘口、二滩、陆浑、小湾、枸皮滩、尼尔基等 27 座水利水电工程的 PMP 的估算,使 PMP 这门科学在中国得到进一步的发展。

0.4.6 第二次总结发展阶段(1992 年 8 月至今)

为推动 PMP 工作的继续发展,也为适应中国引进外资的水利水电工程越来越多,将会有更多的工程要估算 PMP 的客观需要,水规院于 1992 年 7 月在长春市召开了水文气象经验交流会,会上不少专家学者系统地介绍了国外 PMP 的进展情况和国内各单位开展 PMP 工作的主要经验,并对今后开展这项工作提出了建议❷。

1994 年 6 月,国家技术监督局和建设部联合发布了中华人民共和国国家标准《防洪标准》GB50201－94[28]中,取消了 PMF 必须大于万年一遇洪水的规定。该标准是国家计委于 1987 年指定水利电力部编制的。本书作者王国安为该标准编制组(组长为陈清濂教授)成员,他和编制组的其他成员温善章等人多次建议,并得到有关领导和专家们的赞同,最后在正式颁布的该标准中,取消了 PMF 必须大于万年洪水的规定。至此,中国的 PMP/PMF 工作,走上了健康发展的道路。

0.5 编写本书的目的

作者编写本书的目的,主要有以下八点。

❶ 河海大学水资源水文系,水电部中南勘测设计院水文队.林炳章编写.海南岛昌化江大广坝工程 PMP－PMF 估算综合报告.1987,6

❷ 能源部水利部水利水电规划设计总院.水文气象经验交流会会议纪要.1992,8

0.5.1 系统地介绍作者的主要经验和研究成果

作者从事水文水资源分析计算工作45年,但大部分时间是搞设计洪水工作。1972年以前使用数理统计法(频率分析法),1972年以后主要使用水文气象法。作者对这两种方法都进行过比较深入的钻研和剖析,并对PMP分析方法的中国化作出了贡献;同时,曾参与中国第一、二、三代水利水电工程设计洪水规范和国家标准《防洪标准》、《堤防工程设计规范》以及行业标准《水利水电枢纽工程等级划分及设计标准》、《水利水电工程水文计算规范》、《水利水电工程等级划分及洪水标准》、《城市防洪工程设计规范》等的编制或编制讨论;曾出席全国性和地区性的学术技术会议百余次,撰写和翻译文章60余篇(其中大部分为会议交流文件,未正式发表),提出了一些与众不同的观点。

因此,如能围绕PMP/PMF这本专著,把自己一生的主要经验和研究成果系统地介绍出来,供同行参考和讨论,这对于促进中国乃至世界水文科技的发展,或许会有一定的好处。

0.5.2 抢救中国可能最大暴雨经验

中国自1958年以来先后参与PMP/PMF工作的人员,估计在2 000人以上,其中仅在1975～1982年期间参与PMP等值线图编制和水库设计洪水复核的人数就在1 400人以上(见0.4.4节)。通过这些繁重的工作,科技人员创造了许多很宝贵的经验。但是,限于历史条件,这些经验大都散见于十分庞大的内部文件中,极少公开发表。许多人早把这些文件当废品处理掉了。为了有朝一日写书,作者特意把自己掌握的所有文件都保存了下来。

此外,在1973～1986年期间,围绕《水利水电工程设计洪水计算规范SDJ22－79》的制订(作者是该规范附录四《用水文气象法计算可能最大暴雨》的主编)和全国一些大型水利水电工程如二滩、漫湾、三峡、水口、紧水滩、棉花滩、珊溪、新安江、富春江、潘口等的设计洪水审查而召开的近二十次会议,在分组讨论时,作者都是PMP组的召集人和大会综合发言人。因此,亲自作的笔记,就有近30本之多,其中包含了中国许多专家学者的精辟见解。

这样,在客观条件上就使作者有可能把一些重要的经验和见解,总结在本书之中,留给后人。

0.5.3 适应改革开放形势的需要

中国自1978年起实行改革开放以来,作为国民经济基础的水利水电事业得到了蓬勃的发展,与国际联系(如向世界银行贷款,参与国际水利水电工程招标和技术咨询等)也日益增多。为了与国际工程接轨,在工程的规划设计上,PMP/PMF的地位和作用显得十分重要。同时,国外在PMP的分析计算上,自80年代以来还有一些新的进展。因此,全面系统地写一本结合中国实际情况并反映国外经验的PMP/PMF专著,从而有利于搞好PMP/PMF的分析计算工作,无疑是很必要的。

0.5.4 探讨中国非常暴雨和非常洪水的特性

自1950年以来，中国各省市自治区、各流域机构和有关部门，对中国大小江河的历史洪水，曾进行过广泛、深入、系统的调查(包括查阅历史文献记载)，取得了大量珍贵的历史洪水资料(按河段计，有11 600多个河段资料)。在1976～1980年期间，由水利部领导(具体由胡明思教授牵头组织)按统一的技术要求，对全国的历史洪水进行整编，最后审定作为正式刊布的有约6 000个河段的20 000个洪水资料[1]。

1981年，在各地进行了调查洪水资料汇编的基础上，全国开展了当地影响较大、代表性强的《各省场次洪水选编》工作，各省按共同商定的编制提纲，选编了数场至十数场代表性洪水，其内容包括天气成因(远年洪水则着重文献考证)，发生过程、雨情、水情、灾情等。

在上述各省选编的场次洪水基础上，由胡明思、骆承政负责主编了《中国历史大洪水》上卷(82.5万字)于1989年出版，下卷(110万字)于1992年出版。书中详细介绍了在1482～1985年间，中国发生的92场重要洪水。

1976～1977年，在编制《中国可能最大24小时点雨量等值线图》期间，中国进行了暴雨普查、暴雨档案编制、特大暴雨调查等工作，采用了12万站年的雨量资料和100多场大暴雨调查资料。

在80年代，还编制了《中国年最大10分钟、1小时、6小时、24小时、3天点雨量统计参数等值线图》、《中国最大10分钟、1小时、6小时、24小时、3天点雨量记录》、《中国实测和调查最大10分钟、1小时、6小时、24小时、3天点雨量分布图》、《中国暴雨历时面深资料》。

自70年代末以来，中国《水文》杂志开辟专栏，对全国各地一系列的暴雨洪水(包括历史洪水)，进行了系统的介绍。

胡明思、王家祁、骆承政等，从80年代以来，曾就中国暴雨和洪水问题写过许多论文，在国内外刊物上发表。

1993～1998年，中国水利水电出版社在水利部和国家防汛总指挥部的支持下，组织编写了《中国江河防洪丛书》，这套丛书包括长江、黄河、珠江、淮河、海河、松花江和辽河等七大江河，每河一卷，书中对各江河的灾害性洪水都作了概括介绍。

本书拟在上述这些资料的基础上，加上作者和同事们近20年来的一些研究成果，从水文气象角度，对中国的非常暴雨和非常洪水的特性，作一初步探讨(见24章和25章)。我们认为，这种探讨不仅有助于PMP/PMF的分析计算(使PMP/PMF分析计算的主要环节能建立在可靠的物理成因分析的基础之上)和成果的合理选取，而且对做好特大暴雨洪水的水文气象预报和大江大河防洪工程体系的防洪调度运用，也具有重要的意义。

0.5.5 纠正一种错误认识：PMF必须大于万年一遇洪水

“PMF必须大于万年一遇洪水”，这种错误认识国内外都有。对高风险工程推求设计

---

[1] 胡明思.区域暴雨洪水工作的回顾.“75.8”特大暴雨20周年回顾暨暴雨洪水监测预报学术会议文件，1995，11

洪水,同时采用数理统计法和水文气象法的国家,这种认识对 PMF 的取值影响很大,其后果往往是造成工程投资的巨大浪费和工程效益得不到应有的发挥。作者近 20 年来,在全国大批专家、学者的支持下,对这个问题进行了大量的研究(基本上是利用业余时间进行),主要成果已写入本书第 26 章。

0.5.6 初探世界暴雨和洪水记录的某些规律

世界暴雨记录和世界洪水记录是衡量 PMP 和 PMF 成果大小的一种重要标尺。本书拟对世界暴雨记录的成因规律和世界洪水记录的地区规律作一初步探讨。这对于推动 PMP/PMF 分析工作的正确进行和成果的合理选取,都是有益的。

0.5.7 介绍作者拥有的国内外大量暴雨洪水资料

40 多年来,作者积累了国内外大量非常暴雨(含 PMP)和非常洪水(含 PMF、历史洪水、古洪水和万年一遇洪水),这次收入书中资料性数据有 6 300 多组,这些资料对于水利水电工程的规划设计和防洪调度、特大暴雨洪水的水文气象预报以及有关高等院校的教学(研究生做毕业论文等)、科研部门的科学研究等,都是很有用的。

按照目前中国水文部门对水文气象资料的收费标准(流量资料每一组数据:年特征值为 600 元,历年特征值为 3 000 元;气象资料每一组数据:历年特征值为 480 元)估计,本书所列的这些资料的价值,是很可观的。而且其中有些资料,一般人花钱也买不来,因为它们都是国外一些权威专家向作者提供的。现于本书中列了出来,免费供大家共享,以便使它们在世界上,能够派上更大的用场,从而有助于水文科技的进步和水利水电建设事业的发展。

特别需要说明的是:本书不仅列出了这些资料,而且还做了一些规律性的分析工作。无疑,这更有利于发挥这些资料的作用。

0.5.8 力争反映中国 PMP/PMF 的当代水平

中国在 PMP/PMF 方面的经验十分丰富,作者力求将主要的经验都收入本书中,使本书能充分反映中国 PMP/PMF 的当代水平。为此,作者商请了中国知名的 30 位水文和气象专家对本书的稿子进行审阅,显然,这十分有助于本书的充实和完善。

参 考 文 献

1 王国安.试论设计洪水过程线的拟定方法.黄河建设,1964(1)

2 陈椿庭.中国五大河洪水频率曲线之研究.水利,1937(6)

3 水利部,电力工业部.水利水电工程设计洪水计算规范 SDJ 22-79(试行).北京.水利出版社,1980

4 水利部,能源部.水利水电工程设计洪水计算规范 SL 44-93.北京.水利电力出版社,1993

5 叶永毅.进一步发展具有中国特色的洪水频率分析方法,见:水文计算经验汇编(第四辑).北京.水利出版社,1984

6 全光炎.水文统计原理与方法.北京:中国工业出版社,1964
7 詹道江,邹进上.可能最大暴雨与洪水.北京:水利电力出版社,1983
8 王守鹤,孙济良,陈庚寅.几种随机概率模型对年洪水时序系列的适应性.水文计算技术,1987(1)
9 王国安.中国水库设计洪水及标准问题.水利学报,1991(4)
10 Wang B. H Difficulties of Selecting Design Floods Using Probabilistic Approach,1988
11 Myers V. A. Meteorological Estimation of Extreme Precipitation for Spillway Design Floods, U. S. Weather Bureau Technical Memorandum Hydro-5,Department of Commerce. Washington,DC,1967
12 Committe on Safety Criteria for Dams etal Safety of Dams-Flood and Earghgnake Criteria,National Academy Press,Washington,DC,1985
13 Hansen E. M. Fifty years of PMP/PMF,1990
14 陈家琦编译.苏联水文界关于水文学发展方向的学术争论.水利译丛,1957(6)
15 Государственный строительный комитет СССР. Гидротехниуеские сооружения. Основные попожения проектирования. Снип 2.06、01-86. издание. офицалвное. Москва,1989
16 国际灌溉与排水委员会编,《防洪与水利管理丛书》编委会译.世界防洪环顾.哈尔滨:哈尔滨出版社,1992
17 刘光文.水文频率计算评议.水文,1986(3)
18 王国安.黄河三花间可能最大洪水的分析途径与体会.人民黄河,1979(3)
19 王家柱,日本河流开发现状和若干特点——访日考察专题报告之一.人民长江,1986(2)
20 王国安.对淮河"75.8"洪水垮坝主要原因及其引出问题的认识与建议.河南水利,1995(4)(纪念"75.8"洪水灾害20周年及防洪减灾对策学术研究会专刊)
21 Berga L. New Trends in Design Flood Assessment, International Symposium on Dams and Extreme Floods General Discussion, Granada, Wednesday 16 sep. 1992,Spain
22 水利电力部.水利水电枢纽工程等级划分及设计标准(山区、丘陵区部分)SDJ 12-78(试行).北京:水利电力出版社,1979
23 大型水利水电工程可能最大暴雨工作总结会议纪要.水文计算(PMP专刊),1984(3)
24 水利部,能源部.水利水电枢纽工程等级划分及设计标准(山区、丘陵区部分)SDJ 12-78(试行)补充规定.北京:水利电力出版社,1990
25 王国安,温善章.国标《防洪标准》何以把PMF与万年洪水并列.水利水电标准化与计量,1995(2)
26 Hansen E. M. PMP for Deagn Floods in the U. S, In:U. S-China Bilateral Symposium on the Analysis of Extraordinary Flood Events,1985
27 林炳章.分时段地形增强因子在山区PMP估算中的应用.河海大学学报,1988(3)
28 国家技术监督局,建设部.中华人民共和国国家标准《防洪标准》GB50201-94.北京:中国计划出版社,1994

上 篇

可能最大暴雨

1 方法概要

1.1 PMP的定义

关于PMP的定义,世界各国专家所说并不完全一致。1977年,杨远东根据他所收集到的有关文献、资料摘辑PMP的定义,共得51种提法[1],实际数字当然远不止此。现就一些有代表性的提法和本书采用的定义,简述如下。

1.1.1 国外有代表性的定义

1947年,美国气象局提出,在指定面积与历时下,在已知气象条件下所能达到但不致被超过的降水深度是PMP。在此,如一切水文气象报告一样,由于控制雨率的许多规律还未全部掌握,故它只能是一种估算。

1959年,美国气象学会的定义为:PMP是指一定历时内理论上的最大降水量。这种降水量对于特定流域在一年的某一时期是可能发生的[2]。

1969年,世界气象组织98号技术文件认为:当研究降雨来估算流域或区域的暴雨的物理上限时,其估算结果就称为"可能最大暴雨"(Probable Maximum Storm,简称PMS)或"可能最大降水(PMP)"。

1970年,美国水文气象报告第46号定义PMP为大气可能产生的降水的近似上限。

1973年,美国垦务局提出:PMP指各种类型暴雨极大化后的强度——历时外包数值。认为各种历时和各种面积的PMP,并不是来自任何一种类型的暴雨。

PMS仅指一种类型暴雨极大化后的强度——历时外包数值。对于暴雨类型和降水量变化,要考虑其相应的降雨地点、笼罩面积和历时。

1973年,世界气象组织称美国气象学会1959年的定义为概念性定义,强调结合工程要求,不必拘泥于所谓"极限"。又说"不管工作性定义的概念在哲学上的缺陷如何,毕竟能够得到熟练气象学家和工程师审慎鉴定的符合工程要求的答案。在全部工作中使用工作性定义得到了工程设计上的安全与经济不相矛盾的结果"[3]。

1975年,英国称这种数值为估算最大降水(Estimated Maximum Precipitation,简称EMP)。近来,也有人建议称为设计最大降水(Design Maximum Precipitation,简称DMP)[2]。

1980年,周文德教授建议称为估计上限值(Estimated Limiting Value,简称ELV)[2]。

以上定义,以1959年美国气象学会的定义,影响最大,流行时间最长。

1.1.2 中国有代表性的定义

1958年,长办水文研究室提出:对于一定地区和一定时段来说,所能达到而又不可能超过的降水量称为PMP。

1961年,华水水文系认为:可能最大洪水(降水)是指现代气候及地理条件下,设计地区(或流域)可能发生的最大洪水(降水)。可能最大降水与极限降水(Maximum Possible Precipitation)的涵义不同,极限降水是各项降水因子均取其极限情况而产生的降水,是应用气象边界条件求得的理论上限值,其发生的可能性极小,从经济上不能作为工程的设计标准。可能最大降水则是将某些降水因子的可能最大值加以合理组合而成的降水,这样组成的降水在设计地区上有一定发生的可能性,因而是可以应用于工程设计的。

1973年,黄委和华水提出:从物理的客观性来讲,对于任一固定流域,降水应该有一个物理上限,不可能无限制的加大。由于现有的实测资料都不太长,所以这个降水物理上限,在一般流域都还没有实际观测到,或者未发生过。同时,由于现有科学技术水平和资料条件的限制,这个降水的物理上限的确切数值,还不易求得。但是,我们可以运用现有水文气象知识和观测资料,近似地求得这个降水的物理上限,这就是可能最大降水,再将它转化为洪水,即得可能最大洪水。

1973年,长办水文计算科认为:PMP是指某一特定面积,某一特定历时内可能产生的最大降雨。

1979年,《水利水电工程设计洪水计算规范SDJ22-79(试行)》中提出:可能最大暴雨是指现代气候条件下,特定流域上一定历时内可能发生的最大暴雨。一定条件下的暴雨,在物理上应当是一个有限值,并且有一个可能的上限,但目前对这种上限还缺乏足够的了解,因而不能精确地求得。水文气象途径就是根据暴雨和气象资料,运用水文气象理论和暴雨分析经验,探求在特定流域上一定历时内可能发生的特大暴雨的办法。并且认为,计算的特大暴雨被超过的可能性极小,对保证工程安全讲是足够大的,这种计算值可作为可能最大暴雨的近似估值〔4〕。

1995年,《水利水电工程设计洪水计算手册》〔5〕中,对PMP的定义是:"设计流域的可能最大暴雨是指现代气候条件下,在一年的某一时期,流域上一定历时内可能发生的最大降水量。"

由上可见,中国从1979年的规范开始,用可能最大暴雨PMS代替了可能最大降水PMP。这是因为中国的洪水主要是由暴雨形成。正如文献〔6〕所说,在中国PMP和PMS是一个意思。

这里,顺便对PMP和PMS的基本概念,作一讨论。

众所周知,推求PMP或PMS的目的是为了得出工程设计所需的可能最大洪水PMF。

从气象学的概念来看,降水是从大气中落到地面的液态或固态形式的水,主要是雨和雪。而暴雨则是雨强超过某一规定指标(中国规定日雨量≥50mm)的降雨。显然,降水一词包含了暴雨。

这样,从工程水文学的观点来看,在以融雪洪水为主或雨雪混合形成洪水的流域,为了得到PMF,就需要推求PMP;在以暴雨洪水为主的流域,为了得到PMF,则需要推求PMS。不难看出,这一基本概念应是无可争议的。

但是,据文献〔8〕介绍,有的却认为,PMS是某个实测的并经过放大了的暴雨,而PMP是若干个PMS的时面深外包。我们认为,这是把PMP与PMS的基本概念弄混淆了,因而是不妥的。

1.1.3　PMP 的新定义

1982 年,美国水文气象学者(原美国天气局水文处主任)汉森(E. M. Hansen)等人[9]提出:PMP 是指“在一年中的某个时期内,特定地理位置给定暴雨面积物理上可能发生的给定历时的理论最大降水深度”(Theoretically the greatest depth of precipitation for a given duration that is physically possible over a given size storm area at a particular geographical location at a certain time of the year)。

1986 年,世界气象组织在《PMP 估算手册》第二版[7]中,对 PMP 的新定义是:“PMP 是在不考虑长期气候趋势的条件下,一年的某一特定时期、某一特定位置、给定暴雨面积、在气象上可能发生的给定历时的最大降水深度”(Probable maximum precipitation (PMP) is defined as the greatest depth of precipitation for a given duration meteorologically possible for a given size storm area at a particular location at a particular time of year, with no allowance made for long-term climatic trends)。

世界气象组织的新定义和美国汉森等人的新定义基本一致。新定义和 1959 年美国气象学会的老定义相比,老定义所说的 PMP 是指特定流域上的最大降水深度,而新定义则是指特定地理位置给定暴雨面积上的最大降水深度。其差别是:一个是特定流域,一个是给定暴雨面积。

1.1.4　本书采用的定义

本书采用的 PMP 定义是:在现代气候条件下,一年的某一时期,特定设计流域上一定历时内、物理上可能发生的近似上限降水(包括降水总量及其时空分布),称为可能最大降水。它通常是经由气象成因分析途径来求得,再将其转化为洪水过程,就是工程设计所要求的近似上限洪水,即可能最大洪水。

上述定义表明了以下几点意思:

1)降水是有上限的,即不可能无限制地加大。这一点是大家公认的,也是与频率计算的原则区别(因现行的频率计算中,采用的线型上端是无限的)。

2)PMP 是近似的上限降水。由于科学技术水平的限制,目前这个上限值只能近似地求得。

3)降水上限是对一定的气候、一年中的某一时期、一定的历时而言的。因为气候是在变迁着的,不同的历史时期,气候条件不同,降水的上限也肯定不同。而人们推求上限降水的目的是为了进行现时的工程设计,故强调是在现代气候条件下。一年中的不同时期,例如梅雨期、台风期或某些流域的春汛期都有各自不同的 PMP,故强调一年的某一时期。降水历时不同,可能成因也不一样,例如短历时的暴雨,往往是雷暴雨,而长历时的暴雨则往往是锋面气旋雨,故强调一定的历时。

4)降水与地理地形条件有关,故强调特定设计流域。

5)PMP 包括降水总量及其时空分布,而不只是一个降水总量。这一点是与现有其他定义的区别所在。也就是强调 PMP 是一个具体的事物,而不是一个抽象的事物。因为,任何一次降水,总是具体的,是在一定的天气形势下产生的,既有一定的降水总量,也有一定的时空分布型式。

6)PMP 经由气象成因分析求得的。这就是说,应该把工作的重点放在物理成因分析上,而不要放在统计概化研究上。

7)要求 PMP 转化出来的洪水就是特定工程设计所要求的 PMF。因为推求 PMP 的目的正是为了得到这个 PMF,这一点也是与现有定义的原则区别。我们认为,这一点非常重要。大家知道,对于一个特定流域来说,最大的降水量并不意味着它所形成的洪水也是最大。因为这有几个问题:①降水的落区(面分布)问题,特别是大流域这一点更重要。例如 1977 年 8 月发生在黄河北干流西侧碛口坝址以上的特大暴雨,其暴雨中心木多才当在不到 10 小时的时间内降雨量达 1 400mm(调查值),超过世界记录。但这场暴雨的落区主要在毛乌素沙漠,故在碛口断面形成的洪水不大。而如果其落区向东南方向挪动 100 多 km,那么形成的洪水就很可观了。②降水的时程分配问题,时程分配集中,形成的洪峰流量相对就大,反之时程分配分散,则形成的洪峰流量相对就小。③暴雨走向问题,如果暴雨走向与洪水汇流方向一致,即使不是很大的雨量,也可能形成很大的洪水,例如汉江安康站以上流域,1983 年 7 月发生的约 15 年一遇的暴雨却形成 200 年一遇的洪峰[10],就属于这种情况;反之,如果暴雨走向与洪水汇流方向相反,稀遇的暴雨也可能形成常遇的洪峰。④还有一个问题,工程性质不同,相应的 PMP 的天气成因也不同。如同一坝址,若修建高坝大库,则从防洪上说,对工程起控制作用的是洪水总量,因此,要求设计洪水的历时相对较长,其相应的暴雨可能是由多个暴雨天气系统的叠加与更替所形成;若修建低坝小库,则从防洪上说,对工程起控制作用的是洪峰流量,因此要求设计洪水历时相对较短,其相应的暴雨可能是单一的暴雨天气系统或局地强对流所形成。

以上四个问题说明,对于一个特定流域特定工程而言,只有能形成 PMF 的那个最大降水才是所要求的 PMP。因此,在分析 PMP 的过程中,必须把着眼点放在如何才能形成工程所要求的 PMF 上。离开了工程所要求的 PMF,泛泛地去谈论 PMP 是不妥的。

1.1.5 认识与讨论

1.1.5.1 对 PMP/PMF 定义总的看法

1)从全世界来看,对 PMP/PMF,现在并没有统一的定义。但是对其本质的认识,则基本上是统一的,这就是 PMP/PMF 是近似于物理上限的暴雨/洪水。因此,不管如何定义,核心问题是要求出这个近似上限暴雨/洪水。

2)PMP 的定义是与其估算方法相联系着的,即定义不同,估算 PMP 的方法也不同。按汉森的总结[11]:PMP 估算一般有两种方法,一种为特定流域(有时称作特定地点估算)而作,另一种是为大范围地区(常称为概化研究)而作。第一种方法就是直接推求设计流域的 PMP;第二种方法就是间接推求设计流域的 PMP,即先通过概化研究,得出气候一致区内不同历时不同暴雨面积 PMP 的若干概化图表,然后再按一定的方法把概化的 PMP 转换成设计流域的 PMP。显然,汉森 PMP 新定义方法属于第二种。

3)PMP 估算方法是建立在一定的资料条件基础之上的。如果资料条件不具备,再好的方法也没有用。

4)世界各国都有自己的情况,分析计算方法要适合自己的国情,正如汉森在总结美国《PMP/PMF 五十年》的文章中概述世界一些国家的 PMP 工作时所指出的,几乎没有哪个国家准备照搬美国的做法〔11〕。

1.1.5.2 **关于时面深概化法**

联合国世界气象组织(WMO)1973 年和 1986 年出版的第一、二版《PMP 估算手册》〔3,7〕中,都用很大的篇幅介绍了美国推求 PMP 的一整套方法:暴雨放大→移置→外包。中国一般简称此法为时面深概化法。1973 年版介绍的方法是以美国气象学会 1959 年提出的 PMP 的定义为基础,1986 年版介绍的方法是以汉森等人 1982 年提出的 PMP 的定义为基础。

以上二者的共同点是,把一场暴雨分解为两部分:一部分是天气系统雨,另一部分是地形雨。时面深概化法是对天气系统雨进行概化。具体操作时是把平原地区的降雨视为天气系统雨,而对山区降雨需设法把地形雨分割后,剩下的部分视为天气系统雨。因此,用时面深概化法得出的是平原地区的 PMP,把它用于山区时,还要加上地形雨(进行地形调整),才能得出山区的 PMP。

对天气系统雨的具体概化是:降雨总量用时面深关系外包求得,面分布是把等雨量线概化的一组同心的椭圆形,时程分布按时深关系外包确定。

时面深概化法属于地区综合法,其优缺点见 10.4.5 节。

1.1.5.3 **关于 PMP 的新定义**

如前所述,PMP 新旧定义的区别在于面积上,旧定义说的 PMP 是指“特定流域”上的最大降水量,而新定义说的 PMP 是指“给定暴雨面积”上的最大降水量。因为研究 PMP 的基本资料是等雨量线图,等雨量线不会与流域边界相重合,只能求得暴雨面积上的总雨量,而不能直接求得流域面积上的最大降雨量。这从气象学的观点来看是正确的。但是从水文学的观点来看,新定义是有缺陷的。因为推求 PMP 的目的在于得到工程设计所需的 PMF,而 PMF 总是针对某一个具体的流域即所谓特定流域或设计流域而作的,并不是针对“给定暴雨面积”来求 PMF。为了解决这个矛盾,虽然新定义的提出者又研制了一套方法,将“给定暴雨面积”的 PMP 转换为“设计流域”的 PMP,以满足工程设计的需要,但这是定义以外的事。单纯从字面上看,新定义有缺陷,因为它没有正面指明工程设计所要求的 PMP 是什么。

1.1.5.4 **本书采用 PMP 定义的几点考虑**

(1)要适合中国的国情

这又可以分如下三个方面来说:

1)地形条件。PMP 新定义是汉森等人在美国天气局第 52 号《水文气象报告》〔9〕中提出来的,该报告适用于美国 105°W 以东地区。该地区的面积占美国国土总面积的 60%以上〔12〕,其地形条件相对比较简单,平原区所占比重甚大,没有特别大的山岳。而中国地形条件比美国复杂得多,平原面积仅占全国面积的 12%〔13〕。因此,如果中国要采用美国的方法,首先大量要做的工作是把山区暴雨分割为天气系统雨和地形雨,在求出平原地区的 PMP 后,还要推出地形雨,才能得出山区的 PMP。但是,目前在地形雨的分割技术上,并不很成熟,故用时面深概化法求 PMP,对地形雨先分割(求天气系统雨 PMP 时),后合成

(求山区 PMP 时)的做法,不可避免地要带来一定的误差。显然,从地形条件上说,中国与美国差别较大。

2)资料条件。美国第 52 号《水文气象报告》在制作时面深概化的同时,分析利用的大暴雨资料合计达 253 次,其中特大暴雨 53 次。这些暴雨,面积不小于 2 590km^2,历时不短于 60 小时。分析中还利用了 72 小时雨量不小于总雨量的 90%的暴雨❶。

据汉森 1985 年在《中美双边水文极值学术讨论会》上宣读的一篇论文[14]中介绍,在美国东部,自 19 世纪中叶以来,已观测到 600 多场大暴雨(据汉森最近的文章介绍,美国目前已有 800 多场大暴雨资料[11]),有大量的暴雨记录可以利用,而且这些暴雨记录在非山岳地区的分布相当好。同时,美国雨量资料,自记测站多,这样进行 6 小时、12 小时、24 小时、48 小时和 72 小时雨量的时面深概化,就比较容易。

像美国这样的资料条件,目前中国还不具备。首先,从数量上不要说几百场大暴雨,就是几场大暴雨,有些地方也不好找。中国暴雨资料条件较好的地方,在大陆是东部地区,但其著名的特大暴雨(只作水汽放大就可以当作 PMP 的)也只有 1935 年 7 月长江五峰暴雨,1963 年 8 月海河獐 犾暴雨和 1975 年 8 月淮河林庄暴雨等少数几场。而这几场暴雨的天气成因还不一样。其次,中国自记雨量站很少,这样,要进行统计概化就有相当的难度。

3)方法的应用范围。与 PMP 新定义相应的这一套方法,在美国适用于平原区 52 000km^{2}以下、山区 13 000km^2 以下面积,历时为 6~72 小时的 PMP 估算[5,7]。换句话说,在平原区面积超过 52 000km^2,山区面积超过 13 000km^2,历时超过 72 小时的情况下,这套方法是不适用的。

根据《全国大中型水利水电工程水文成果汇编》第一集(1982 年出版)和第二集(1990 年出版)统计,中国已建的大中型工程中,流域面积超过 13 000km^2 者,占 42%,这些工程均位于山区,设计暴雨历时一般都在 72 小时以上,长的则在 10 天以上。显然,这些工程的 PMP 不能用新定义方法来解决。例如长江三峡工程,控制流域面积达 100 万 km^2,设计暴雨历时长达 15 天,其 PMP 的解决办法,现实可行者,只有暴雨组合(组合模式)法和当地暴雨放大(当地模式)法(根据 1870 年历史洪水的雨情和水情模拟出相应的历史暴雨,视为高效暴雨,再进行水汽放大,详见 20.3 节)。

PMP 新定义的这一套方法,由于得出的 PMP 是平原地区的,因此,用于山区时,还要加地形调整。但是,在地形调整方法上,只是考虑了地形对降雨强度的增强(或减弱)作用,而没有考虑高大山脉对暴雨天气系统的减缓、阻滞作用,致使暴雨历时加长的这一事实。在中国,由于全国大地形,按地势大致可以分为三个阶梯(详见 24.1.1 节),从实测资料看,在两个阶梯交界的边坡地带暴雨历时有明显的增加。例如海河 1963 年 8 月暴雨发生在第三阶梯与第二阶梯交界的边坡地带,暴雨历时长达 7 天(其东部平原地区的大暴雨历时一般只有 2~3 天),这除了大环流形势较稳定的影响以外,太行山、燕山山脉对暴雨天气系统的诱发、减缓、阻滞作用也是个重要因素。

还有一个重要的问题,PMP 面分布图形,在广阔的平原地区,把它概化为一组同心的

---

❶ 王家祁编译.美国可能最大暴雨应用研究介绍.暴雨洪水分析计算工作协调小组办公室,1986,5

椭圆形,是合适的,因为这种地区暴雨天气系统一般较为单一。但是,在中国大地形转变的边坡地带已发生的一些特大暴雨,都是多个天气尺度(或次天气尺度)系统的叠加或更替所形成,其天气系统雨(暴雨辐合分量)面分布图的图形,尚缺乏研究。从海南岛大广坝工程的PMP估算成果[15]看,昌化江流域实测最大的一次台风暴雨——1963年9月保国暴雨,其最大24小时雨量消除地形影响后(即天气系统雨)的等雨量线图,就是两组椭圆(图1.1.1)。

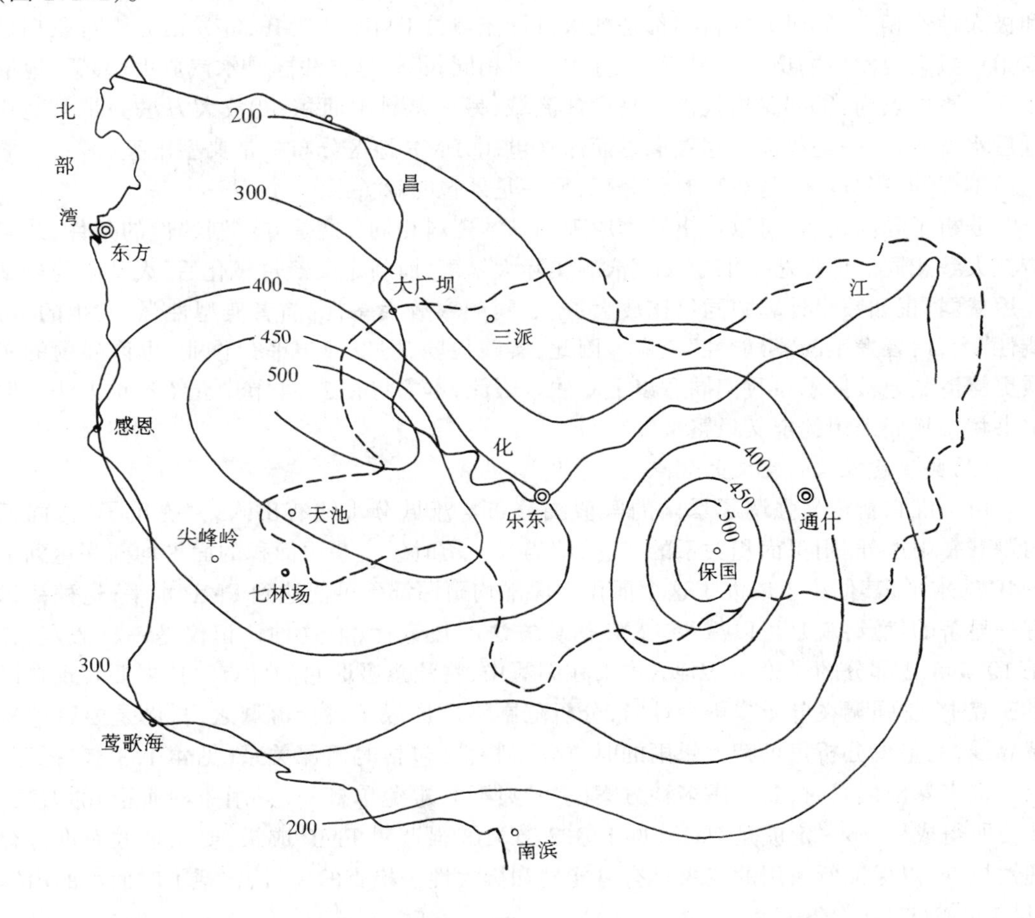

图1.1.1 消除地形影响后昌化江639暴雨24小时等雨量线[15]

(2)要与中国现行规范的基本思路大体一致

设计洪水规范是中国广大水文工作者数10年实践经验的总结,充分反映了各家意见。对PMP的定义,1979年颁布的规范[4],强调了"特定流域";1993年颁布的修订后的新规范[16]中没有直接提及,但规范主编者说:"关于PMP的定义本次未作修改"❶。1995年为配合新规范的实施而编写的《手册》[5]中,对1979年规范定义作了简化,强调了"设计流域"(详见1.1.2节)。其实"特定流域"和"设计流域"是一个意思。但我们认为,采用

❶ 金蓉玲.PMP计算进展与设计洪水规范修订.长江水利委员会水文局,1992,7

"设计流域"的提法更好,因为它与工程紧密相联。

中国修订后的规范为何没有采用汉森的PMP新的定义呢？根据主持单位[1]的介绍,这是因为中国现行的计算方法直接计算设计流域的PMP,指的是流域面积上的最大降水量。同时对新旧两种定义、两种做法,应通过对不同流域和工程实际检验、比较,才能说明其异同和优劣。按照金蓉玲教授的体会,两者的相同点为:①原理基本相同,都是设计流域所在的气候一致区内,特大暴雨发生的机制相似,机会相同,因此,产生PMP的可能性和极大性都相近;②研究的目的都是推求设计流域的PMP和PMF;③暴雨分析对象都是暴雨一致区内发生的历史大暴雨,即基本资料相同;④外延方法同是水汽放大、移置、地形改正。不同点为:①移置出发点一是设计流域,另一是暴雨面积;②放大方法一是典型移置后水汽放大,一是放大后移置取时面深外包;③PMP地区分布一是典型雨型,另一是概化雨型;④时程分配一是典型时程分配,另一是外包时深关系。

分析了异同之后,可以看出基本原理和基本资料相同,这是方法制约性的条件,结果应该大致相同。但做法上旧定义更依赖实际大暴雨,而新定义经过概化后,大暴雨的典型作用减弱,正如频率计算中同倍比放大,还是同频率放大一样,前者典型性强,发生的"可能性"大,后者发生的"可能性"模糊。因此,实践检验,即设计中平行作业,也许问题的实质更能清楚地被揭示。我们同意以上看法。因此,本书将在10.4节中介绍这种方法。但本书将按我们采用的定义思路来编写。

(3)要注意吸收新定义的优点

由于汉森新定义强调了暴雨的等值线分布与流域分水线有出入,并提出了"暴雨区内"和"暴雨区外"雨深面积关系的概念,即当某一历时一定暴雨面积的面平均雨深达到了PMP的水平,其他小于或大于这个面积的面平均雨深都不可能达到PMP水平;这种认识有一显著的优点:就是可以减少PMP估算方法的任意性(但这种认识仅是一种假定,详见10.4.5.2部分的讨论)。因此,本书在编写中,将注意吸取它的优点。这主要表现在以下三点上:①强调在分析暴雨特性时,分析范围不应局限于设计流域之内,而是要跨越流域界线,完整地分析每场特大暴雨的时空分布特性,包括时面深关系(见4.1.3节);②强调在拟定暴雨模式时,要考虑多种方案(多种典型),避免单打一(只用一种典型)的做法,致使所得成果,不一定就是PMP(见1.3.2节);③强调对PMP成果,要从多方面进行合理性检查,以保证所采用的成果具有可能性和极大性。检查的项目,包括了时面深的内容(见1.4.2节)。

其实,以上三点,中国在以往的PMP分析计算工作中,一直都是这样做的。

1.2 PMP的求法

1.2.1 总概念

关于PMP的推求方法,在现有文献中,还尚未见有人作过简明的概括。1973年,我

[1] 金蓉玲.PMP计算进展与设计洪水规范修订.长江水利委员会水文局,1992,7

们通过工作实践,结合以往多年水文分析工作的经验,由王国安提出[17]把数理统计法推求设计洪水的基本思路:

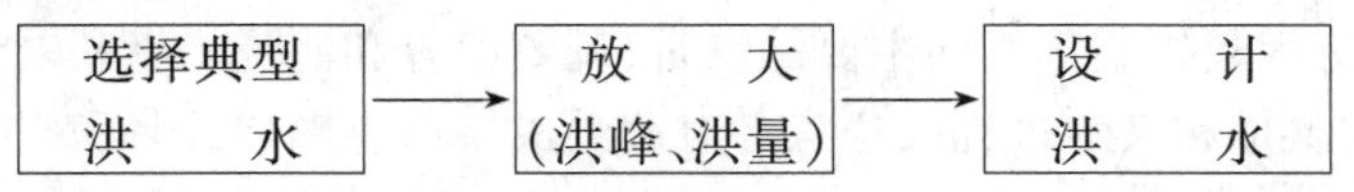

用来理解水文气象法推求PMP的基本思路:

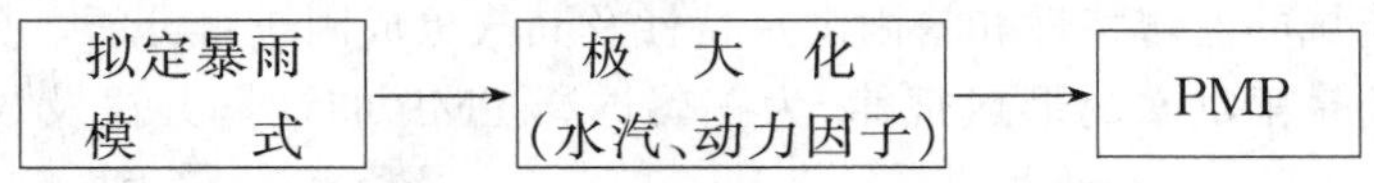

这样,就可以用一句很简单的话来概括:推求PMP的方法就是将暴雨模式加以极大化(放大)。按此思路,就可以用中国水文工作者的观点和语言来看待和描述PMP,并把中国水文分析与计算工作的经验,融入PMP分析计算中,从而形成一套具有中国特色的PMP分析方法步骤。其主要特点是使得推求PMP的方法通俗化、系统化、科学化(和以往国内外现状相比较而言),易于推广应用。本书对PMP这部分的编写,正是按上述思路进行的。

1.2.2　暴雨模式概念

暴雨模式就相当于典型暴雨,它可以分为实际模式和推理模式两大类。

所谓实际模式,就是能够反映设计流域特大暴雨的特征并对工程防洪威胁最大的特大暴雨。根据资料条件的不同,实际模式又可分为三种:①若设计流域暴雨资料较充分,则可以从中选出一场时空分布较严重的特大暴雨作为模式,此可称为当地模式。②二是若设计流域缺少时空分布较严重的大暴雨资料,则可以将邻近流域实测特大暴雨搬移过来,加以必要的改正,作为模式,此可称为移置模式。③若设计流域缺少时空分布较严重的大暴雨资料,也可以将两场或两场以上的暴雨,按天气气候学的原理,合理地衔接起来,作为模式,此可称为组合模式。所谓推理模式(或称理论模式),就是能够反映设计流域特大暴雨主要特征的理想模型,这种模型是把暴雨天气系统的三度空间结构进行适当的概化,从而使得影响降水的主要物理参数,能够用一个暴雨物理方程式表示出来。根据流场(风场)形势的不同,主要有辐合模式和层流模式等。

1.2.3　极大化概念

极大化就是将影响降水的主要因子(如水汽因子和动力因子)加以放大。现有的放大方法,可以概括为两大类:①用成因分析方法结合统计方法,以探求水汽动力因子的近似物理上限或最大值,并加以可能的组合来放大。②用动力气象学理论,如能量转换(平衡)原理来放大。

1.3　一般步骤及注意事项

1.3.1　一般步骤

1)了解工程特性及设计要求。因为推求PMP的目的是推求PMF,而PMF包括洪峰、洪量和洪水过程线三大要素。可是不同的工程对这三者的要求是不一样的。例如调蓄库容很小,下泄流量很大的水库,对工程起控制作用的主要是洪峰;调蓄库容很大、泄量很小的水库,对工程起控制作用的主要是洪量;调蓄库容和泄量二者相对说来都不是太大的水库,则洪峰、洪量和洪水过程线这三者对调洪成果都有影响,因而对工程设计来说,它们三者都是重要的。

2)对设计流域的流域特性和暴雨洪水特性及其气象成因进行分析。分析的目的主要是弄清本流域的暴雨洪水的形成规律,为正确选择 PMP 的计算方法及成果的合理性分析提供依据。

3)暴雨模式定性特征的推断。在对实测、野外调查和历史文献记载的大暴雨洪水资料进行深入分析的基础上,应对设计流域的 PMP 的定性特征作出推断。所谓定性特征包括天气形势(环流形势和天气系统)、雨区范围大小和雨区分布形式,暴雨中心位置、暴雨历时以及时程分配形式等。

4)拟定暴雨模式。所拟定的暴雨模式应能反映设计流域 PMP 的定性特征。这就是说,在选拟暴雨模式时,是以暴雨的物理成因分析所得的结论作指导,而不是盲目的。这样所选拟的暴雨模式就不会很多,而只有可供比较的少数几个。

5)论证或验证模式。所谓论证模式,是对实际模式而言,这对当地模式来说,就是重点要分析它的极大性,即是否稀遇,时空分布是否严重;对于移置模式来说,就是重点分析它的移置可能性和移置改正;对于组合模式来说,就是重点分析它的组合合理性。

所谓验证模式,是对推理模式而言。这就是用实际资料来验证所选模式的适用性。

6)选定极大化(放大)参数。目前,在极大化参数的选定上,所用方法基本上都是经验性的。这里要注意两点:①各个因子特别是动力因子的选定,要考虑天气成因,也就是要利用与所选模式(典型暴雨)相同类型的暴雨资料来进行分析选定。②对各个因子的分析计算,要用多种方法进行,最后经过综合分析,合理选定一个数字。

7)极大化。根据选定的极大化参数,将暴雨模式予以放大。这种放大,一般包括对暴雨总量和时空分配都进行放大。

8)成果合理性分析。对所计算的各个方案,从多方面(主要是从物理成因上)逐一进行合理性分析。然后通过各方案之间的综合分析比较,选定一种相对最佳的方案作为设计采用的 PMP 成果。这里我们之所以说要取相对最佳方案,而不是取外包(最大),是考虑到符合外包标准的方案,不一定就是合理的。例如,若它是一个移置模式,其放大后的雨量,虽然是最大,但若它在移置可能性上还存在有某些问题,所以它就不一定是最合理的。

现给出推求 PMP 和 PMF 的方法步骤框图,如图 1.3.1。

顺便介绍一下,作者按数理统计法推求设计洪水的思路,用中国水文工作者的观点和语言,对 PMP 推求方法所作的概括,曾获得中国水文界的元老谢家泽教授的两次热情称赞。一次是 1973 年 6 月 9 日上午,谢老和中国另外两位水文专家王凤岐和郭展鹏三人一起,来到我们机关,要我们介绍新近总结出来的 PMP 经验。作者利用类似图 1.3.1 的框图,花了不到 1 个小时,向他们作完了介绍,谢老听后,很感慨地说:“像你们这样概括的系统概念,我是第一次听到。过去我也看过(PMP)书,没有系统概念”,“你们这样的概括,

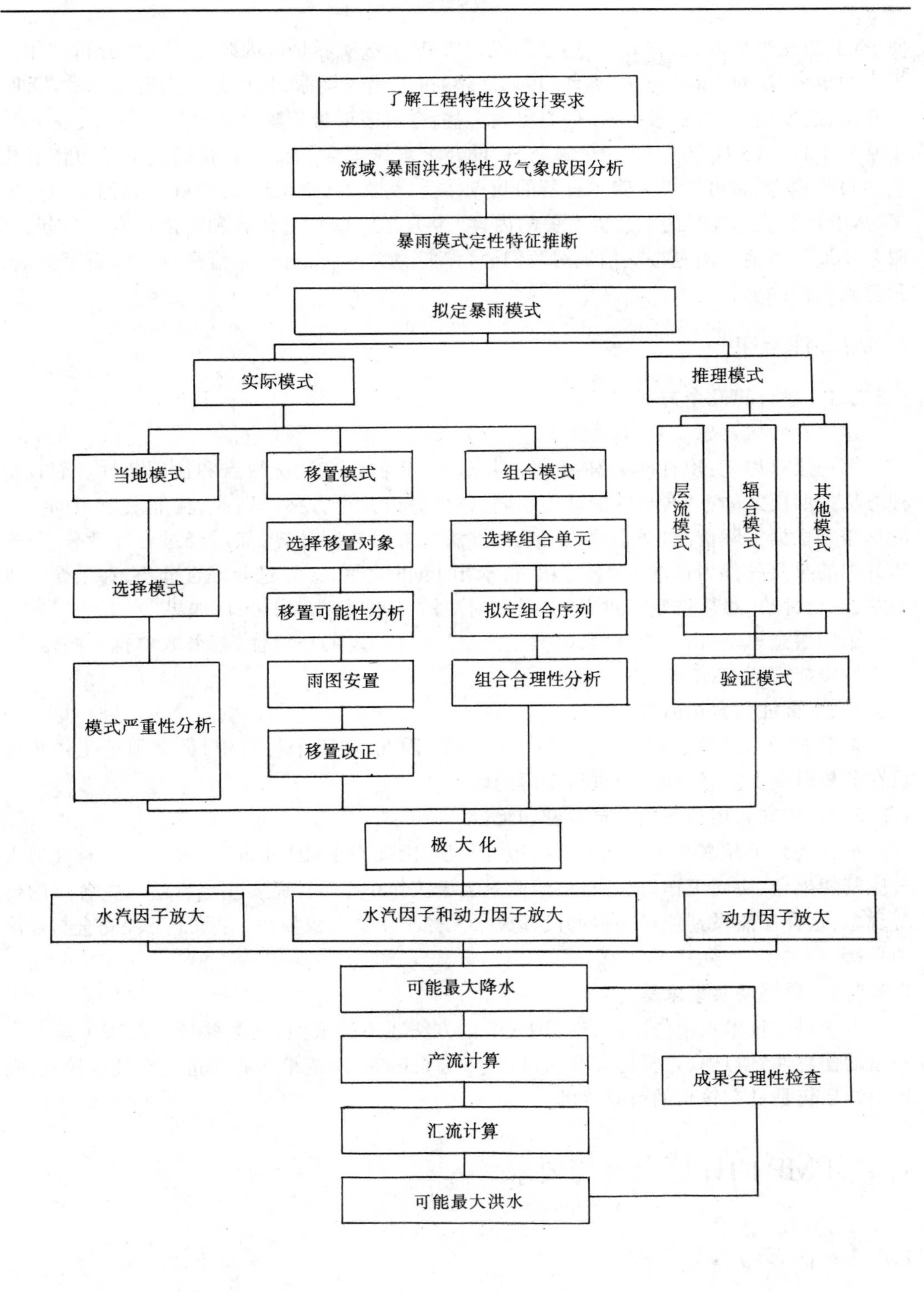

图 1.3.1 推求 PMP 和 PMF 方法步骤框图[17]

使PMP方法通俗易懂,很好"。谢老还说:"PMP方法实际是成因统计。成因分析工作占很大的成分"。对PMP方法"老郭(指郭展鹏)过去是怀疑派,我也是不太赞成派;今天听了介绍,启发很大,实在了一些,信心更大一些,今后需要推广这个方法"。另一次是1975年9月1日~15日,在广州召开的全国"设计洪水讨论会"上,当时我们提交了由作者执笔编写的题为《对可能最大降水分析的几点体会》的文章(全文约21 000字),简要地介绍了PMP的涵义、PMP的求法等有关的内容。9月12日晚上,作者和高治定先生一起,到谢老住地拜访他。谢老很热情地对我们说,你们的文件(指上述那篇文章),我看了两遍,我感到你们的见解比×国人高明。

1.3.2　注意事项

1.3.2.1　要计算几个方案

这里有两层意思:

第一层意思是:现有推求PMP的方法较多,它们各有其优缺点和适用条件。而且每种方法按照模式的不同,参数的处理不同,还可分成几个方案。因此,在推求PMP时,一般都需要根据实际情况,适当地选用几种方法或方案进行计算,然后经过合理性分析,选择其中的某几种作为推求PMF之用,待求出PMF之后,再经过合理性分析,并结合工程要求,综合评价,最后选定一种PMP及其对应的PMF作为设计采用成果。

第二层意思是:由于个别模式(典型暴雨)具有一定的任意性,若采取单打一的做法,就不一定能得到PMP/PMF。

1.3.2.2　要注重分析研究

推求PMP是以成因分析为主的一种工作,因此,在整个过程中,都必须把工作重点放在分析研究上。必要时,应进行专门的调查。

1.3.2.3　水文人员与气象人员要密切配合

水文气象学是水文学与气象学的边缘科学,因此在PMP分析中,水文人员与气象人员应密切配合、协同工作,把各自的经验融会于工作中 ,而且还要注意打破一些各自的传统观念,这样才能做到使推求得的设计成果无悖于水文气象原理,有助于工程安全与经济的平衡。

1.3.2.4　要坚持实事求是

由于科学技术水平的限制,推求PMP的方法还不够成熟,在某些环节处理上难免有一定的任意性,但是只要坚持实事求是,注重分析研究,对成果多方面进行合理性检查,则得出结果仍是具有较高的可靠性的。

1.4　PMP的计算内容与要求

1.4.1　计算内容与要求

PMP的计算内容与要求,应根据暴雨特性及工程要求而定。一般有以下几种情况:

1)如工程设计要求提出某一种历时的PMP,则只需计算此种历时的暴雨总量及其严重的时空分布。

2)如工程设计要求提出几种历时的PMP,则需对这几种历时,逐一推求PMP。

3)梯级工程均需计算PMP,应分别求出PMP,并注意上下游协调。PMP的地区变化规律应与现有(包括实测、调查和历史文献记载的)特大暴雨资料的地区规律一致。

4)在暴雨特性有明显差别的地方,应计算分期或季节的PMP,如前期、后期PMP,夏季、秋季型PMP,梅雨型及台风型的PMP等,以满足汛期水库调度运用的需要。

1.4.2　PMP历时的确定

PMP历时的确定,从总体上说,与洪水频率分析中确定设计洪水时段的原则是一致的。

在洪水频率分析中,设计洪水时段是以控制时段为准的。所谓控制时段 t_c 是指洪水过程对工程调洪后果起控制作用的时段。它接近于调洪过程中从蓄洪开始至达到最高蓄水位时的全部历时。显然,它与流域洪水特性和工程调洪能力有关。一般来说,当流域洪水过程尖瘦、洪水历时较短、水库调洪库容较小、而泄洪能力大时, t_c 较短;反之, t_c 较长。在实际工作中, t_c 是通过对调洪演算成果分析后确定的。当 t_c 较长时,一般再将 t_c 时段划分成若干时段(以2～3个时段为宜),以便既能反应工程调洪控制时段内的洪水过程,又不致破坏流域洪水过程的完整性[5]。

当然,洪水历时并不等于暴雨历时,因为暴雨降落到地面后,还要经历产流、汇流才能到达工程所在的河流断面位置,形成与暴雨过程相应的洪水过程。

洪水历时一般要大于暴雨历时。当流域面积愈大,流域形状愈狭长,流域调蓄能力愈大时,洪水历时比暴雨历时大得愈多。

但是,水库工程的蓄洪,一般并不是从洪水开始起涨时就蓄洪,而是要等待流量上涨到一定的程度才开始。这个一定程度,需根据下游防洪和工程自身的安全要求,在全面考虑安全与经济的条件下,合理选定。例如,黄河小浪底水库在初步设计中拟定的防洪运用原则,要等到预报花园口洪水流量将达到10 000 m^3/s 时,才关闸蓄洪。

显然,工程开始蓄洪以前那一段洪水过程的历时所相应的暴雨历时,也应包括在PMP的历时之内。而这一段历时的长短,各个工程差别很大。

这样说来,PMP历时确定还很复杂。其实从基本概念上看并不复杂,那就是仿照洪水频率分析确定设计洪水时段的原则:先假定不同历时分别推求出PMP和PMF,然后将这些PMF在同样的水库防洪操作规程下,逐一进行调洪演算,演算结果中,库水位最高者所对应的PMP的历时即为所求。

这个概念虽然简单,但是计算起来却很麻烦。为简便而安全计,中国各设计部门一般是参照设计暴雨或设计洪水的历时来确定PMP的历时。例如某工程的设计暴雨时段为3天和7天,PMP的时段也取为3天和7天。又如某工程的设计洪水时段为5天和10天,而根据实测资料分析,其5天洪水和10天洪水分别由3天降雨和6天降雨所形成,则PMP的时段就取3天和6天。

参 考 文 献

1 杨远东.可能最大降水(暴雨、洪水)的定义(涵义、含义)摘辑.水文计算技术第1期(可能最大暴雨编图经验选编),1977

2 詹道江,邹进上.可能最大暴雨与洪水.北京:水利电力出版社,1983

3 Paulhus J.L Hetal. Manual For Estimation of Probable Maximum Precipitiation. WMO,1973

4 水利部,电力工业部.水利水电工程设计洪水计算规范 SDJ 22－79(试行).北京:水利出版社,1980

5 水利部长江水利委员会水文局,水利部南京水文水资源研究所主编.水利水电工程设计洪水计算手册.北京:水利电力出版社,1995

6 中国大百科全书,大气科学、海洋科学、水文科学卷．北京:中国大百科全书出版社,1987

7 WMO. Manial for Estimation of Probable Maximum Precipitation,2nd edition. 1986

8 张有芷.可能最大降水方法的进展.人民长江,1992(6)

9 Hansen E.M,Schriener,L.C,and Miller J.F. Application of Probabie Maximum Precipitation Estimates, USA East of the 105th meridian HMR NO52. National Weather Service,1982

10 冯焱,何长春.从汉江安康“83.7”特大洪水特性探讨雨洪关系.水利学报,1986(7)

11 Hanson E.M,Fifty Years of PMP/PMF. 1990

12 水利部科技教育司等.各国水概况.长春:吉林科学技术出版社,1989

13 钱正英主编.中国水利.北京:水利电力出版社,1991

14 Hansen E.M. Probable Maximum Precipition for Design Floods in the United States. J. Hydrol. 96,1987

15 林炳章.分时段地形增强因子法在山区 PMP 估算中的应用.河海大学学报,1988(6)

16 水利部,能源部.水利水电工程设计洪水计算规范 SL 44－93.北京:水利电力出版社,1993

17 黄河水利委员会水文局编.黄河水文志.郑州:河南人民出版社,1996

2 几项基本知识

2.1 气象要素

在 PMP 分析中,涉及的气象要素主要有气压、气温、湿度、风等。

2.1.1 气压

气压指大气的压强,它是在任何表面的单位面积上,空气分子运动所产生的压力。气压的大小同高度、湿度、密度等有关,一般随高度增高按指数规律递减。在气象上,气压通常用测量高度以上单位截面积的铅直大气柱的重量来表示。气压常用的单位有帕(Pa)、百帕(hPa)、千帕(kPa)、毫巴(mb)、毫米水银柱高度(mmHg)。其换算关系为

$$1\text{mmHg}\approx\frac{4}{3}\text{mb},\quad 1\text{mb}=100\text{Pa}=1\text{hPa}=0.1\text{kPa}$$

国际单位制通用单位为帕,1Pa = 10 达因/厘米^2(dyn/cm^2),1dyn = 1 克厘米/秒^2(g.cm^2/s^2)

1 013.25 百帕的气压称为标准大气压,它相当于在重力加速度为 9.806 65m/s^2,温度为 0℃时,760mm 铅直水银柱的压强[1]。

气压(p)与高度(z)的关系,可用大气静力学方程表示,即

$$dp = -\rho g dz \tag{2.1.1}$$

由于空气密度 ρ 随高度增加而减少,所以气压随高度增加不是线性递减关系。一般情况下,海平面以上各高度处的气压值如表 2.1.1。

表 2.1.1 海拔高度与气压

海拔高度(km)	0	1	1.5	2	3	4	5.5	7	9	11.6	15.8
气压(hPa)	1 000	900	850	800	700	600	500	400	300	200	100

表 2.1.1 中的波纹线指几张重要天气图的高度,亦即气象观测中的规定层高度。地面气压一般在 970~1 040hPa 之间。台风中心可能低于 900hPa[2]。

2.1.2 气温

气温是大气的温度,表示大气冷热程度的物理量,是空气分子运动的平均动能。习惯上以摄氏温度(t℃)表示,欧美国家常用华氏温度(t°F)表示,水文气象分析计算常用绝对温度(K)表示。其间换算关系为

$$t℃ = \frac{5}{9}(t°F - 32) \tag{2.1.2}$$

$$t°F = \frac{9}{5}t°C + 32 \tag{2.1.3}$$

$$K = 273.16 + t℃ \approx 273 + t℃ \tag{2.1.4}$$

地面大气温度一般指地面以上1.25～2m之间大气温度[1,3]，通常即百叶箱观测的温度。

2.1.3 湿度

湿度是大气湿度的简称，是表示空气中水汽含量多少的指标，是直接影响降雨的气象因子之一。其表示方法很多[1,4]，在PMP分析中常用的有水汽压、比湿、露点和可降水。由于露点和可降水在PMP计算中占有重要地位，故拟在2.2节和2.3节中重点论述。这里仅介绍水汽压和比湿。

2.1.3.1 水汽压

大气中水汽的分压力，称为水汽压 e，如同大气压强一样以hPa或mmHg表示。在一定温度下，一定体积空气中能容纳的水汽量是有一定限度的。如果水汽含量恰好达到这个限度，就称为饱和空气。饱和空气中的水汽压，叫饱和水汽压(E)，也叫最大水汽压。因为过此限度，水汽就要开始凝结。实验表明，饱和水汽压的大小，完全由温度决定，即

$$E = E_0 \times 10^{\frac{7.45t}{235+t}} \tag{2.1.5}$$

式中 E 为 t℃时的饱和水汽压；E_0 为0℃时清洁水面的饱和水汽压，$E_0 = 6.11$hPa。即气温愈高，饱和水汽压愈大，空气中能容纳的水汽量也愈多；气温愈低，空气中能容纳的水汽量将愈少[4]。

2.1.3.2 比湿

比湿(q)是比较湿度的简称。其定义为同体积 V 空气中水汽质量 m_n 与空气(包括干空气和水汽)质量 m 之比，即

$$q = \frac{m_n}{m} \tag{2.1.6}$$

由物理学可知

$$m_n = \rho_n V,\ m = \rho V \tag{2.1.7}$$

式中 ρ_n 为水的密度，ρ 为空气密度。故式(2.1.6)又可写为

$$q = \frac{\rho_n}{\rho} \tag{2.1.8}$$

比湿的单位为克/克(g/g)或克/千克(g/kg)。

比湿 q 和气压 p 及水汽压 e 间有一定关系，即

$$q = 0.622\frac{e}{p}\text{g/g} = 622\frac{e}{p}\text{g/kg} \tag{2.1.9}$$

在无凝结或蒸发很小时，m_v 及 m 变化很小，因而 q 值变化缓慢。

2.1.4　风

风是空气相对于地面的运动，气象上常指空气的水平运动，并用风向、风速（或风级）表示，风向指风的来向，一般用16个方位表示（见图2.1.1）。以360°表示时，由北起按顺时针方向量度[1]。

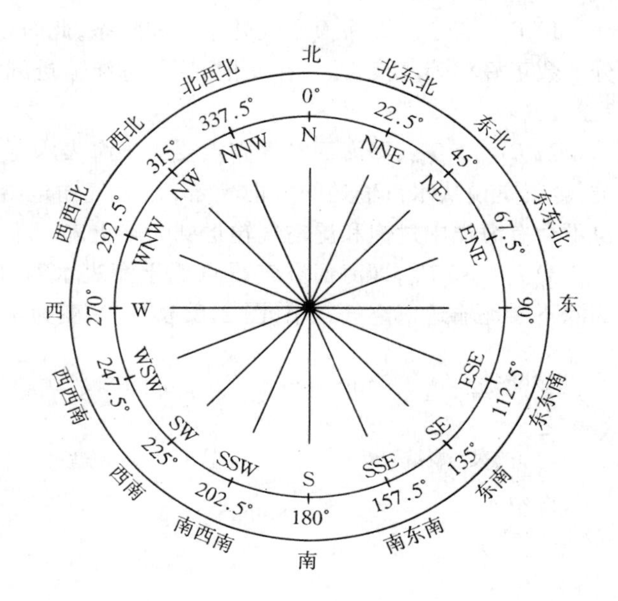

图2.1.1　风向的16个方位

风的大小即风速（v）的大小。风速常以米/秒（m/s）、千米/小时（km/h）表示。

在实际工作中，常将风速（v）分解为两个相互垂直的分量，x（东西）方向的风速分量以 u 表示，y（南北）方向的风速分量以 v 表示。具体分解法可查附表3。

2.2　露点

2.2.1　露点的定义

露点（T_d）是露点温度的简称。它是当气压保持一定时，在既没有给空气增加水汽，亦没有从空气中移走水汽的条件下，如果把空气冷却到刚好饱和，这时空气具有的温度称为露点温度[3]。

按照上述定义，显然，任一地点的露点均不应高于同一时刻的气温。

气压一定时，露点的高低，只与空气的温度有关，温度愈高，空气挟持水汽的能力愈强，露点愈高。

2.2.2　地面露点的物理特性

地面露点有一个重要物理特性，这就是它的最大值不会超过暖湿气团原地的最高海表水温。换句话说，暖湿气团源地的最高海表水温是地面露点的近似物理上限。兹就其理说明如下：

产生暴雨的暖湿空气是来自海洋，该空气在来到陆地之前，由于在海上长时间的停留，就获得了其下的海洋水面的物理性质，因此气团源地的季节平均海水温度，与空气所能达到的最高露点有关。

在气团源地，海表水温（T_{os}）与其接触的空气露点（$T_{d,os}$）之间的关系有三种情况：

1) $T_{d,os}=T_{os}$,即海面空气处于饱和状态,此时由水面跑出的水分子数和回到水的水分子数正好相等。换言之,在此情况下,海洋输送到大陆的水汽量处于动态平衡之中(图 2.2.1,(a))。

2) $T_{d.os}>T_{os}$,即海面空气露点要高于海表水温,此时空气中的水汽就会在海面上凝结,也就是说从水汽输送的方向上看,是大气输送给海洋(图 2.2.1,(b))。在此情况下,也不会有海洋中过饱和湿空气输送到大陆上来。

3) $T_{d.os}<T_{os}$,即海面空气露点低于海表水温,此时海洋中的水就必然会变成水汽,源源不断地输送入空气之中(图 2.2.1,(c)),变为水汽输送到大陆上来。

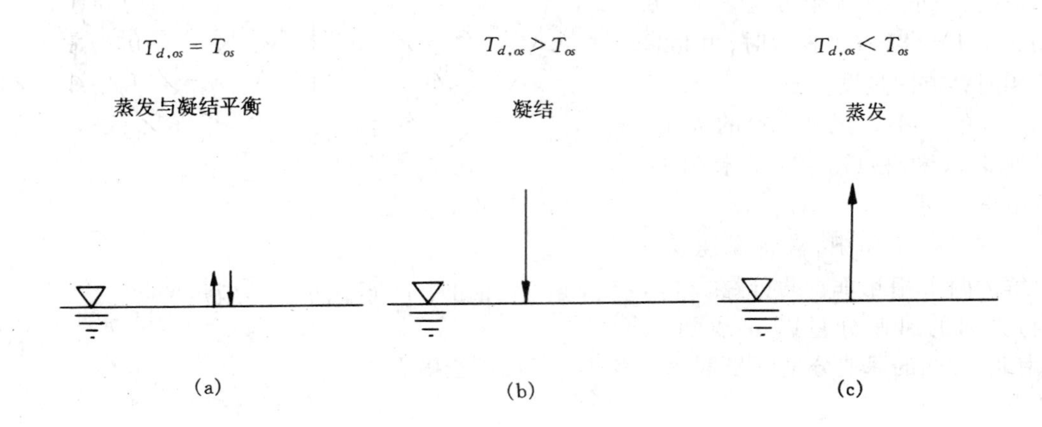

图 2.2.1 海表水温与露点关系示意图

总起来说,对于较大面积和较长历时的降水天气来说,在气团源地必有 $T_{d.os}<T_{os}$。

另外,从气团源地到设计流域之间,一般露点要逐渐降低,也就是说,设计流域的露点(T_d),一般要低于气团源地的露点,即:

$$T_d < T_{d,os} < T_{os}$$

因此,地面露点不会超过暖湿气团源地的季节平均最高海表水温。

2.2.3 地面露点的近似上限值

由上节所述,地面露点的近似上限值,就是暖湿气团源地的季节平均(一般取月平均)最高海表水温。影响中国暴雨的暖湿气团源地位于太平洋和印度洋。据有关方面统计,西太平洋和孟加拉湾汛期的月平均海表水温如表 2.2.1 和表 2.2.2 所示。

2.2.4 中国历史最大露点的空间分布

1979 年,刘国纬教授等[5]在对中国 94 个长系列探空站 1961~1975 年共 15 年探空资料进行分析的基础上,挑摘出各等压面上的历史最大露点,然后绘制成了1 000hPa、850hPa、800hPa、700hPa 和 500hPa(见图 2.2.2 至图 2.2.6)。从各等压面历史最大露点等值线图可以看出:①1 000hPa 至 850hPa 气层内,等值线图向东南和南面开口,高值区位于长江中游和东部沿海地区;700hPa 等值线图则呈现出与 1 000hPa 至 850hPa 等值线图迥然不同的形势，等值线向西南方向开口，高值区位于云南、贵州、广西一带，而东部及东南沿海为低值区；700hPa 至 850hPa 之间的气层为过渡层；500hPa 气层内广大地区历史最大露点分布也十分均匀。这种空间分布形势表明，中国低层水汽主要来自太平洋，而700hPa 气层水汽主要来自印度洋。造成这种分布形势的主要原因，是由于中国西南高原地势的屏障作用，使印度洋的潮湿季风无法吹入中国东部地区，因而那里水汽主要来自太平洋季风，在 3 000m 以上高空，地形屏障作用已大为削弱并接近消失，印度洋季风可以长驱直入了，因此那里水汽主要来自邻近的印度洋。②在 1 000hPa 近地面气层内，在成都平原、长江中下游洞庭湖、鄱阳湖区、东南沿海衢县、南昌一带存在一些局部的高湿中心，直到 800hPa 这些高湿中心才逐渐削弱而趋于一致。它清楚地表明了下垫面的局地因素（湖泊、河流、盆地、山岳）对湿度分布的明显影响。因此，在这些地区选择地面历史最大露点应当特别谨慎。③在中国高纬度地区，等值线呈明显的纬向分布，表明季风和中纬度系统所造成的水汽输送在这一带已显著减弱。④历史最大露点从地面至 500hPa 范围内，平均每减少 10hPa 降低略小于 0.6℃。

表 2.2.1　　西太平洋月平均最高海表水温表

月份	°N	各经度(°E)的最高海表水温(°C)								
		120	125	130	135	140	145	150	155	160
4	10	28.1		29.1	29.2	29.2	29.2	29.1	29.2	29.1
	15		29.5	28.9	28.5	29.0	29.0	28.3	28.3	28.2
	20		28.7	27.6	28.0	28.1	27.6	27.6	27.4	27.3
	25		25.5	24.8	25.5	25.8	25.5	25.4	25.6	25.1
	30		21.0	25.3	22.1	21.6	20.8	20.9	20.6	20.5
	35					18.9	18.8	18.1	17.3	19.0
5	10	29.8		30.0	30.0	30.1	29.8	29.3	29.3	29.5
	15		30.5	29.9	29.7	30.0	29.2	29.2	29.1	29.0
	20		29.4	29.0	29.2	28.6	28.6	28.9	28.6	28.6
	25		27.3	26.9	26.8	27.1	27.2	27.1	26.9	26.9
	30		22.0	24.4	23.4	23.4	22.8	23.6	23.0	24.7
	35					21.2	20.9	20.0	19.0	19.3
6	10	30.1		30.2	30.3	30.5	31.1	31.0	30.0	30.0
	15		30.7	30.2	30.1	30.2	30.1	30.0	29.4	29.5
	20		30.1	30.2	30.3	30.0	30.2	29.9	29.9	30.2
	25		29.0	29.0	28.7	28.8	28.4	28.9	29.0	29.0
	30		26.1	26.8	26.2	25.8	25.7	26.2	26.3	26.7
	35					23.5	23.7	23.8	23.4	23.0

续表 2.2.1

月份	°N	各经度(°E)的最高海表水温(°C)								
		120	125	130	135	140	145	150	155	160
7	10			30.3	30.2	30.3	30.2	30.1	29.8	30.0
	15		30.5	30.3	30.5	30.2	30.1	30.0	29.7	29.5
	20	30.5	30.9	30.9	30.7	30.5	30.3	30.2	29.9	29.5
	25		30.0	30.3	30.1	30.1	30.2	30.1	30.2	30.0
	30		29.0	29.1	28.9	28.3	28.1	28.0	28.0	27.7
	35					26.2	26.4	26.2	26.0	25.5
8	10			30.3	30.0	30.1	30.2	31.0	30.3	30.0
	15		30.3	30.2	30.3	30.3	30.5	30.1	30.1	30.0
	20	30.4	30.2	30.2	30.1	30.5	30.0	30.1	30.9	30.2
	25		30.1	30.0	30.1	30.1	29.9	29.7	30.0	30.0
	30		29.2	29.2	29.4	29.5	29.4	30.1	30.0	28.5
	35					28.1	28.7	27.9	27.8	27.2
9	10			30.1	30.2	30.2	30.2	30.1	30.2	30.2
	15		30.1	30.1	30.2	30.2	30.2	30.2	31.0	31.2
	20	30.0	30.0	30.0	30.0	30.1	30.0	30.1	30.5	30.2
	25		29.3	30.0	30.1	29.6	29.4	29.8	29.6	29.8
	30		28.7	29.1	29.2	28.9	28.8	29.0	28.7	28.5
	35					27.9	28.1	27.3	27.5	26.9
10	10			30.1	30.1	30.1	30.1	30.1	30.2	30.2
	15		30.0	29.8	30.0	30.0	29.8	30.2	29.9	30.0
	20	29.1	29.2	29.4	30.0	29.5	29.4	29.5	29.8	30.2
	25		28.9	29.1	28.8	28.8	29.2	29.2	29.1	28.7
	30		27.1	27.1	27.6	28.0	27.7	27.9	27.6	27.7
	35					25.2	25.6	25.7	25.2	25.8

注 本表资料来自中央气象局气候资料室和气象监测公报,统计年限为1949~1996年共48年资料。由饶素秋硕士统计。

以上诸图加上极值可降水等值线图(图 2.3.4)比较清楚地描绘出了中国水汽极值空间分布的轮廓,有利于极大化指标的合理选取及对 PMP 成果的合理性检查。

表 2.2.2 印度洋孟加拉湾海温资料

年份(年)	各月平均海表水温(℃)					
	5	6	7	8	9	10
1900~1909	29.4	28.4	28.5	29.0	28.1	28.5
1910~1919	29.5	28.7	28.1	28.0	27.9	27.8
1920~1929	29.1	28.5	28.0	28.3	27.7	28.2
1930~1939	29.8	28.9	27.7	28.4	28.6	28.6
1940~1949						
1950~1959	30.2	29.5	28.6	28.6	28.0	25.9
1900~1959 50年平均	29.6	28.8	28.2	28.5	28.1	27.8

注 资料来源:Journal of Geophysical Research Volume 69 number 2 January 15,1964,《Climatic Changes in the Indian Seas》。

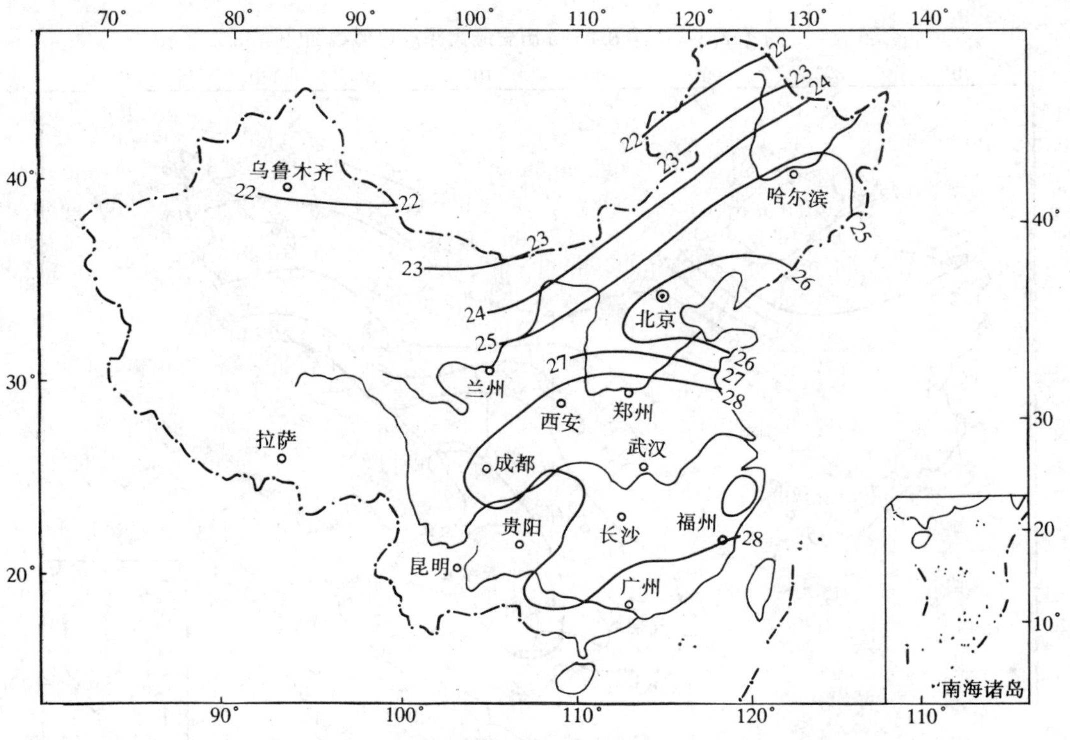

图 2.2.2 中国 1 000hPa 历史最大露点等值线图[5]

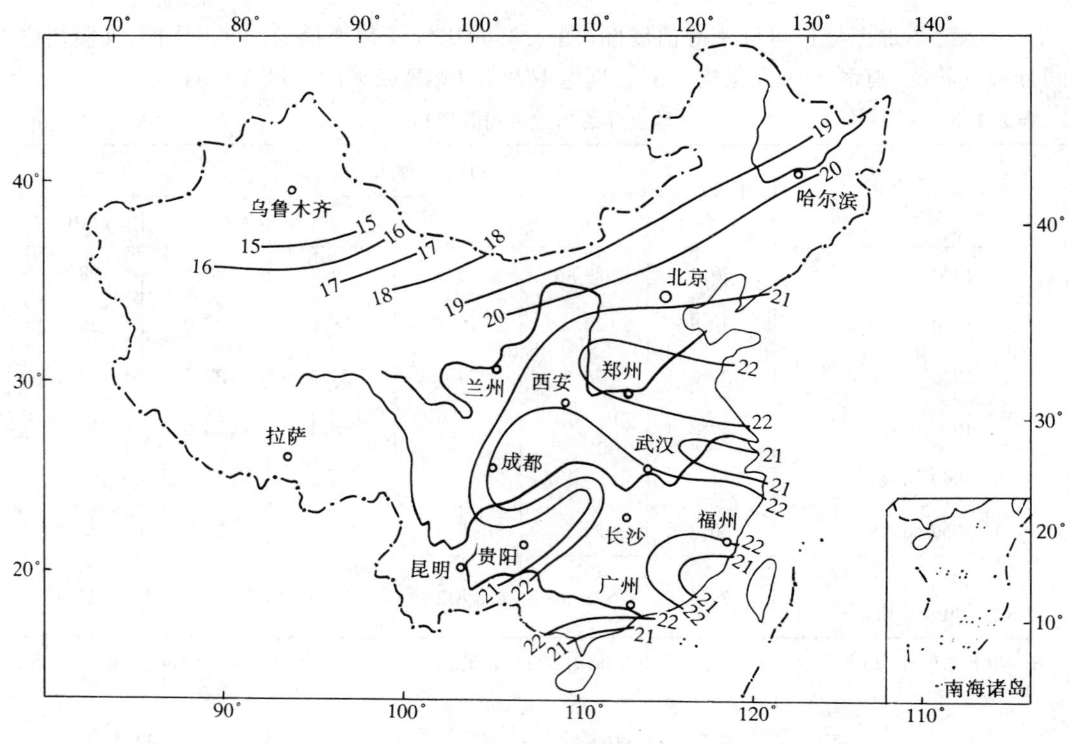

图 2.2.3 中国 850hPa 历史最大露点等值线图[5]

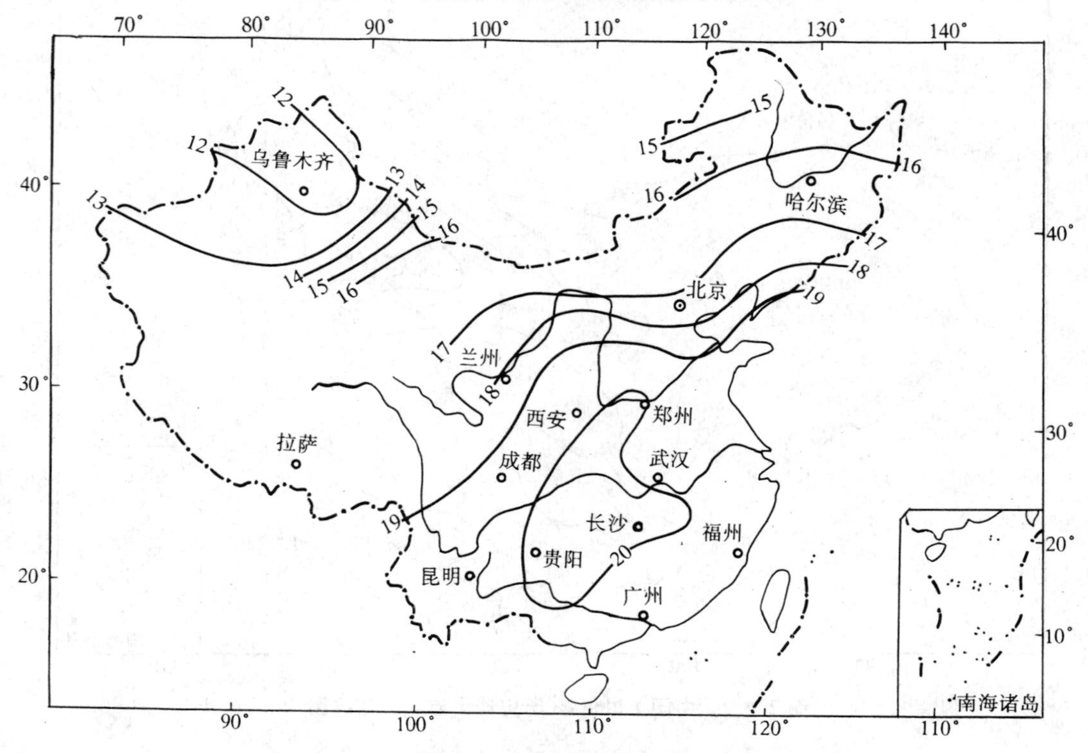

图 2.2.4 中国 800hPa 历史最大露点等值线图[5]

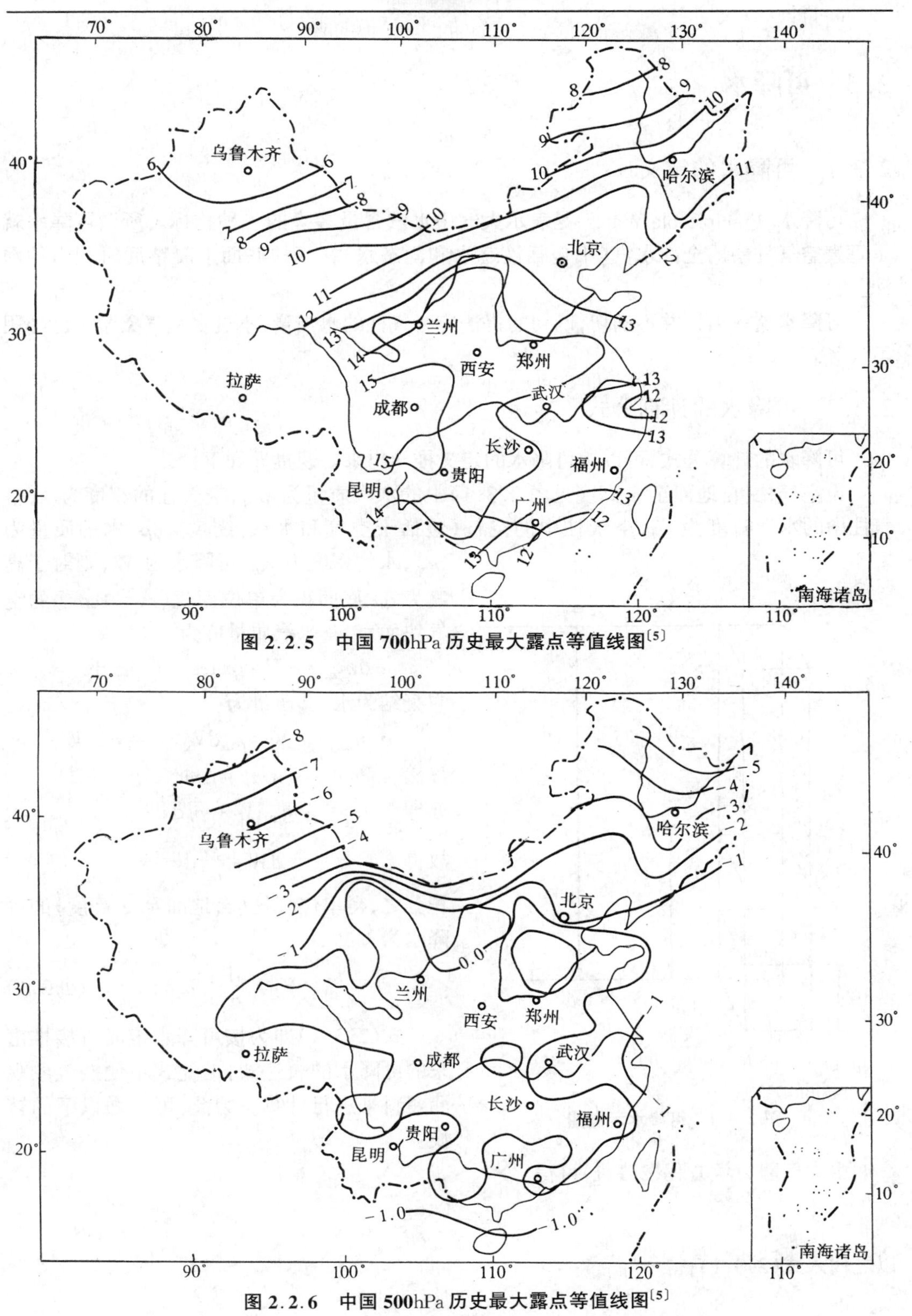

图 2.2.5 中国 700hPa 历史最大露点等值线图[5]

图 2.2.6 中国 500hPa 历史最大露点等值线图[5]

2.3 可降水

2.3.1 可降水的定义

可降水(Precipitable Water)是表示大气中水汽含量多寡的一种指标。所谓可降水就是垂直空气柱中的全部水汽(不包括液态水和固态水)在气柱底面上凝结后所相当的水深。

可降水这一名词并不确切,确切的提法应为气柱的水当量,不过水文气象学上已经用习惯了。

2.3.2 可降水的计算公式

可降水的计算公式,可以按可降水的定义推导出来。现推导如下:

设空气柱(自地面至 z 高度见图 2.3.1)中的水汽质量为 m_n,空气柱的高度为 z,空气柱中的水汽密度为 ρ_n,空气柱中的空气(包括干空气和水汽)密度为 ρ,水的质量为 m_w,水的密度为 ρ_w,可降水为 W,则对于高度为 dz 底面积为单位面积($A=1\text{cm}^2$)的空气块而言,其水汽质量应为

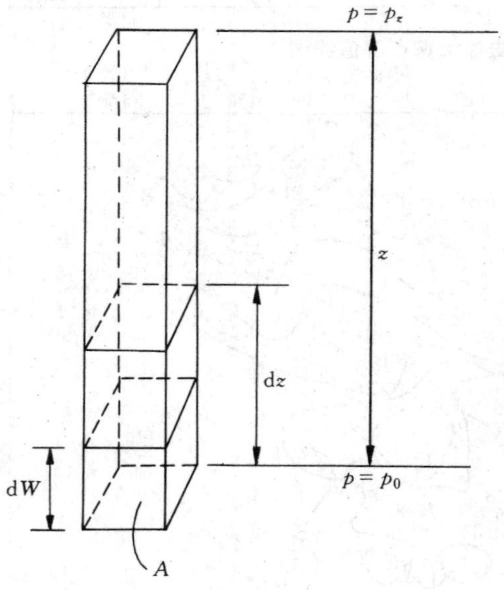

$$dm_n=\rho_n V=\rho_n dz\times 1=\rho_n dz$$

它凝结为水,其质量为

$$d\,m_w=\rho_w V=\rho_w dW\times 1=\rho_w dW$$

显然 $$dm_n=dm_w$$

亦即 $$\rho_w dW=\rho_n dz$$

故得 $$dW=\frac{\rho_n}{\rho_w}dz$$

积分之,得单位气柱(自地面至 z 高度)的可降水为

$$W=\frac{1}{\rho_w}\int_o^z\rho_n dz \qquad (2.3.1)$$

式(2.3.1)即为按可降水定义直接推出来的可降水的表达式,但此式不便按气象观测资料来进行计算。为此,可以做以下的转换:

图 2.3.1 可降水示意图

由大气静力学方程(2.1.1)可得

$$dz=-\frac{dp}{\rho g}$$

以之代入式(2.3.1),得

$$W = -\frac{1}{\rho_{W} g}\int_{p_o}^{p_z}\frac{\rho_n}{\rho}\mathrm{d}p$$

考虑到式(2.1.8)

$$W = \frac{1}{\rho_{W} g}\int_{p_z}^{p_o} q\mathrm{d}p \quad (2.3.2)$$

公式(2.3.2)就可以按气象观测资料来进行计算了。

若取水的密度 $\rho_W = 1\mathrm{g/cm^3}$，重力加速度 $g = 980\mathrm{cm/s^2}$，比湿 q 以 g/kg 计，气压 p 以 hPa 计，则

$$W = 0.010\,2\int_{p_z}^{p_o} q\mathrm{d}p \ (\mathrm{mm})$$

或近拟地写成

$$W = 0.01\int_{p_z}^{p_o} q\mathrm{d}p \quad (\mathrm{mm}) \quad (2.3.3)$$

公式(2.3.3)即为计算可降水的基本公式。

2.3.3　影响可降水的因素

大气中的可降水是随着距水汽源地的远近、纬度、季节和高程等而变的。

1)距水汽源地的远近。如前所述，大气中的水汽主要来自海洋的蒸发以及其他自由水面(江河、湖泊等)、潮湿陆面的蒸发和植物的散发等，借空气垂直交换作用而上升到离地面较高的空气层中，其中海洋蒸发一项是最主要的。因此，若其他条件相同，则距离海洋愈远，空气中的水汽含量也愈少。此外，因为气温决定着空气中水汽含量的上限，并且因为水温较高时水面蒸发也较多，故暖水体上面的暖空气总是具有较高的可降水。

2)纬度和季节。由于气温之故，低纬度的可降水总是比高纬度的为多。与此类似，由于夏季气温较高，可降水在夏季也较冬季为多。这里举几个概念性的数字：空气中的水汽含量，按体积来说，其变化范围可以从 0 到 4%；从平均情况来看，在极地约为 0.2%，在赤道约为 2.6%，在中纬度严寒的季节中只有千分之几，在潮湿的夏季月份中可达 3%，在沿海潮湿地区，可超过 3%。

3)高程。当其他条件相同时，薄层空气自然比厚层空气所含有的可降水要低。由于气温一般在低处最暖，故大气中的水汽大部分是集中在大气低层。根据计算，一个假绝热饱和大气柱，其水汽的 60%～70%是集中在 3 000m(海拔高度)以下的气层中，在 7 000m 高度上，水汽大约只有百分之几。再向上水汽含量还要减少，但直到 15 000～20 000m (甚至更高)高度上，仍然有水汽存在。

2.3.4　可降水的求法

在水文气象学上推求可降水的方法，一般有以下两种。

2.3.4.1　按高空探测资料计算

如果比湿 q 随高度及气压 p 的变化，由探空或其他观测已经知道，则可据以计算出可降水。

将式(2.3.3)变为有限差的形式(图 2.3.2)

$$W = 0.01\sum_{i=1}^{n}\overline{q}\Delta p$$

式中：$\overline{q} = \frac{1}{2}(q_i + q_{i+1})$

$$\Delta p = p_i - p_{i+1}$$

根据上式按表 2.3.1 的格式，即可计算出可降水。

2.3.4.2　按地面露点计算

由于高空观测站一般比较稀少，观测年限也不长，在大暴雨时利用雷达观测的资料更少，而历史特大暴雨往往没有这种观测。因此，一般常用地面露点来推求可降水。地面露点观测方便，测站较密、观测年限也较长。

利用地面露点来推求可降水，是基于这样的假定：从地面直至高空，空气柱内整层饱和，温度(亦即露点)随高度呈假湿绝热递减率而变化。通俗地说，就是假定空气整层饱和而且混合良好。在此假定下，某一地点自地面至某一高度空气柱的可降水，是该地点地面露点的单值函数。因此，就可以直接按地面露点来推求可降水了。

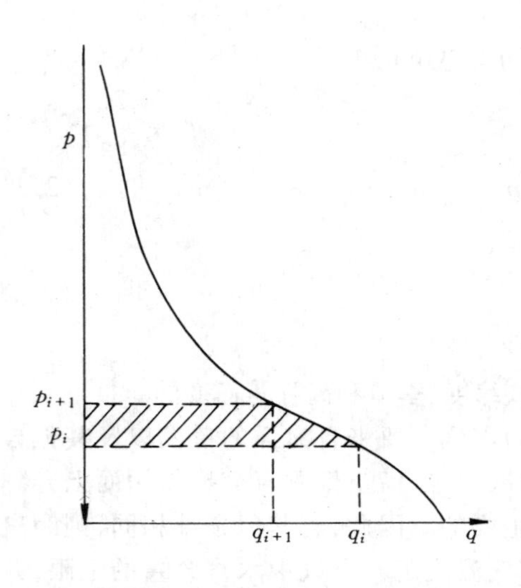

图 2.3.2　可降水计算示意图

表 2.3.1　由探空资料计算可降水表

层数 n	气压 p (hPa)	气压差 Δp (hPa)	比湿 q (g/kg)	平均比湿 $\overline{q}$ (g/kg)	$\overline{q}\Delta p$ (hPa. g/kg)	可降水(mm) $\Delta W = 0.01\overline{q}\Delta p$	可降水(mm) $W = \sum\Delta W$
(1)	(2)	(3)	(4)	(5)	(6)	(7)	(8)
1	1005		14.2				0
		155		13.30	2030	20.30	
2	850		12.4				20.30
		100		10.95	1095	10.95	
3	750		9.5				31.25
		50		8.25	425	4.25	
4	700		7.0				35.50
		80		6.65	532	5.32	
5	620		6.3				40.82
		20		5.95	119	1.19	
6	600		5.6				42.01
		100		4.70	470	4.70	
7	500		3.8				46.71
		100		2.75	275	2.75	
8	400		1.7				49.46
		150		0.95	142	1.42	
9	250		0.2				50.88

按地面露点计算可降水,已有专用表即附表1和附表2[6]可查,不必再进行计算。附表1是将可降水表达式(2.3.2)中的比湿 q 设法化为地面露点的函数,根据露点 t_d 沿气压 p 的分布情况,用数值积分法求得;附表2是在附表1积分式的基础上再把气压 p 转换为高度 Z 后,根据露点 t_d 沿高度 Z 的分布情况,用数值积分法求得。

利用地面露点推求可降水,一般是把不同高程测站的露点按假湿绝热过程,换算至1 000hPa等压面来进行。这一则是便于比较,二则是便于查表。作此种换算,可利用图2.3.3进行。例如某站高度为1 000m,露点为22℃,要求换算到1 000hPa的露点。可先在图2.3.3中由1 000m高度线与对应22℃温度线的交点出发,沿干绝热线(斜线)下降在横轴上读得26℃,即是1 000m高度换算到1 000hPa等压面的露点。

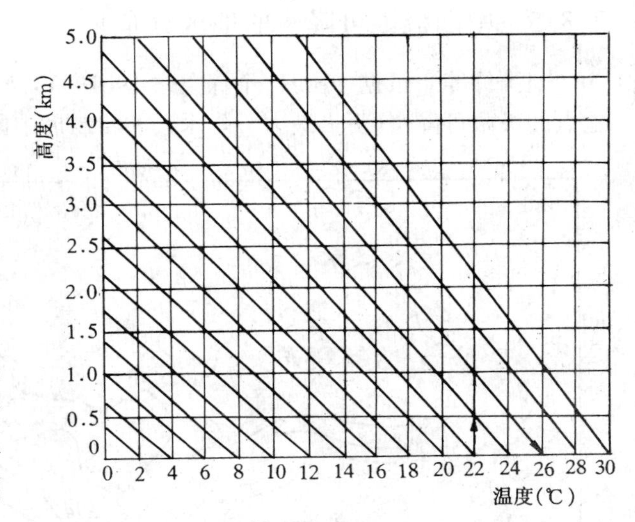

图2.3.3 由测站高度化算到1 000hPa露点的假绝热图

在查表时,从1 000hPa计算到什么高度,需视具体要求而异。对于作水汽极大化,这个高度应取对流层顶,一般采用200hPa。

两种推求可降水方法的比较:

以上介绍的按探空资料和地面露点推求可降水的方法,二者所得结果是否一致呢?这个问题,国内外都有人作过研究,其答案基本一致。因为在暴雨期间,多数情况下空气整层达到饱和,而且温度层结曲线与湿绝热线几乎一致。

美国利用高空及地面资料分析了许多暴雨,结果表明,由探空资料算得的可降水 W_S 与由地面露点算得的可降水 W_C 有下列关系:

$$W_S = 0.02 + 0.99W_C \qquad (\text{单位:in})$$

其相关系数为0.92,计算的标准误差为0.07in。

黄河水利委员会曾分析三门峡到花园口区间的资料,得到下列关系

$$W_S = 0.87W_C + 0.50 \qquad (\text{单位:mm})$$

其相关系数为0.83,均方误差为2.88mm。

水电部第六工程局分析四川西部某地区的资料,得到

$$W_S = 0.855W_C - 4.3 \qquad (\text{单位:mm})$$

其相关系数为0.96。

根据大量资料分析,我们有以下的认识:

1)在大暴雨情况下,利用地面露点推求的可降水与高空观测的整层可降水,差别在10%左右。

2)只要认真仔细地按一定的条件选择地面露点,由此所求得的可降水量是可以代表

同时刻空中的实际可降水的。

3)即使有些误差,由于在进行水汽放大时是采用可降水的比值,如果暴雨露点和可能最大露点二者的选择基础一致,则水汽放大的结果,误差也不会太大。

2.3.5 中国极限可降水的地区分布

刘国纬等[5]根据中国94个探空站1961～1975年15年的探空资料,计算了各站所在地点的极限可降水(历史最大可降水),并绘制成中国极限可降水等值线图(图2.3.4)。

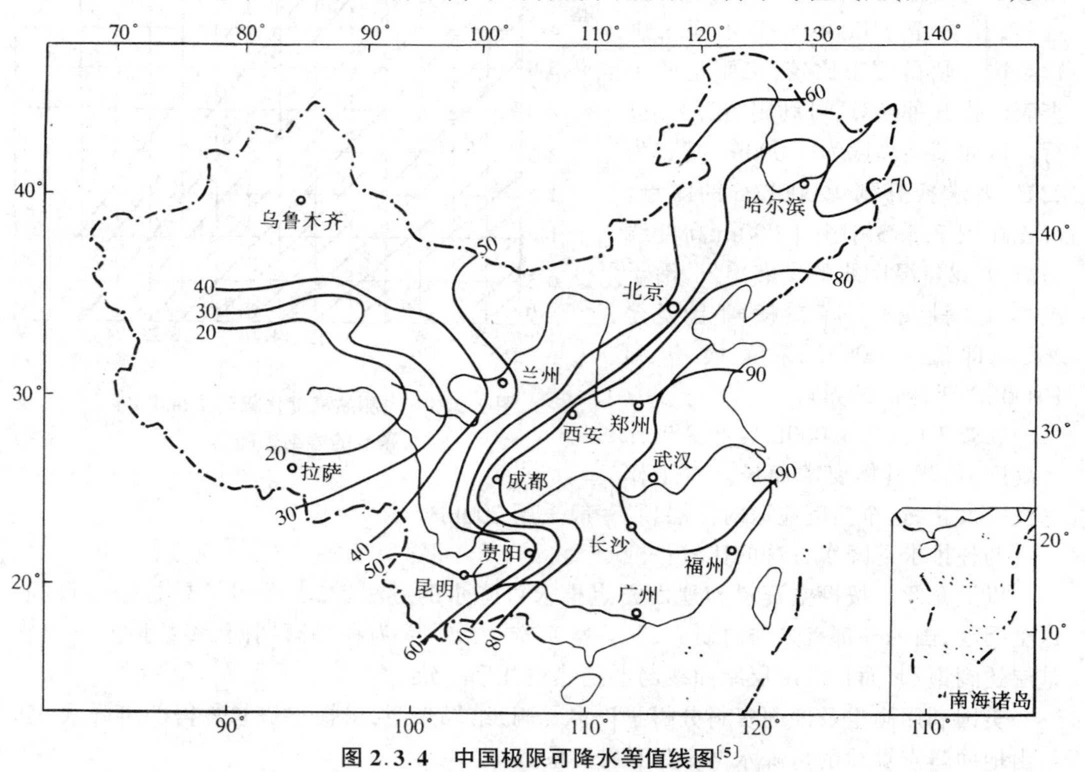

图2.3.4 中国极限可降水等值线图[5]

由该图可以看出:①东部和东南部为高值区,逐渐向西和西北递减。等值线走向与中国大地势走向甚为吻合,表现出除纬度外,海拔高度和大地势屏障作用对可降水分布的明显影响。②东部及东南部广大地区可降水分布比较均匀,最大值约90mm。若按饱和假绝热大气折算成相应的地面露点约为26.3℃,而该地区实际地面历史最大露点可达28℃,因此可以判定下垫面的增湿作用(相当于一个附加湿源)可使地面露点增加1℃～2℃。

2.4 降水量公式

2.4.1 影响降水的主要因素

降水是大气中底层水汽在上升运动中发生凝结最后掉落到地面的结果。因此,影响降水的主要因素就是水汽因子和动力因子。这两个因子的表示方法较多,在计算 PMP 时,水汽因子习惯上用可降水 W 表示;动力因子主要用上升速度 ω 表示,有时也可用水平风速或辐合量来间接表示。

2.4.2 水量平衡方程

在水文气象学上应用理论方法推求降水量的关系式,都是从水量平衡方程推导出来的。

对于一定面积 F(图 2.4.1)的空气柱来说,在一定历时 t 内,其水量平衡方程为[1]

$$S_\omega + S_l + S_p + Z = P + \Delta W + \Delta L \tag{2.4.1}$$

式中 S_ω 为通过气柱周壁的水汽净流入量(即入流水汽量与出流水汽量的差值);S_l 为通过气柱及其上限等压面的液态水净流入量;S_p 为通过气柱上限等压面的净水汽流入量;Z 为地面蒸发量;P 为降水量;ΔW 为在 t 时段始末水汽量的变量;ΔL 为在 t 时段始末液态水量的变量。

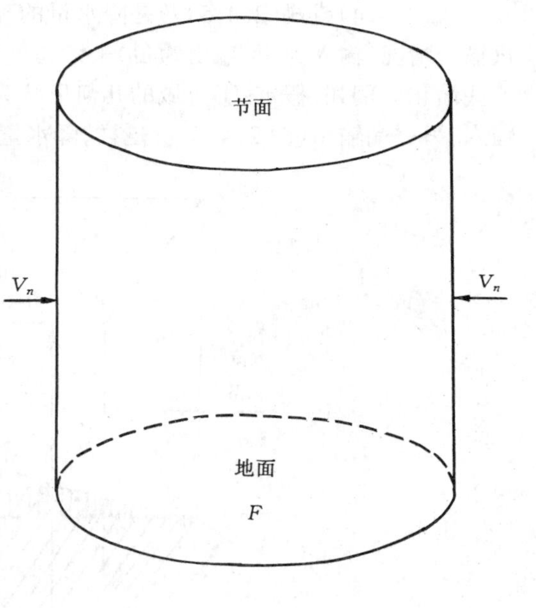

图 2.4.1 空气柱示意图

以上各因素数值的单位,均以深度 mm 计。

S_ω 可根据高空探测资料用下式计算,即

$$S_\omega = \frac{1}{F\rho_w g}\int_o^t \oint_l \int_{pz}^{po} V_n q \mathrm{d}p \mathrm{d}l \mathrm{d}t \tag{2.4.2}$$

式中 V_n 为垂直于周界的风速分量,入为正,出为负;l 为指定面积 F 的周界长度;t 为时间;其余符号意义同前。

由于大气中液态水的含量甚小,同时目前尚缺少这种观测资料,因此一般都将 S_l 和 ΔL 略去不计。

在通常情况下,因高空(400hPa 以上)湿度较小,若上升气流不强,随气流上升的水汽可望以凝结下降,因而 S_p 可以忽略不计。

考虑到暴雨期间地面相对湿度较高,蒸发量不大,Z 亦可忽略不计。

又 ΔW 为 $t=0$ 与 $t=t$ 时的水汽量(可降水量)之差。因为在暴雨期间,对于固定地点来说,水汽变化不大,同时根据长江上游地区三次实测资料计算的结果,也说明 ΔW 其量甚小,故亦可略去。

通过以上简化,式(2.4.1)可写成如下形式:

---

[1] 《水工建筑物设计洪水计算规范》附件(四).由水文气象途径计算可能最大暴雨(第三稿).1978,4

$$P \approx S_w \tag{2.4.3}$$

将式(2.4.2)代入式(2.4.3),则得计算降水量的一般公式(近似式)[6]:

$$P = \frac{1}{F\rho_w g}\int_o^t \oint_l \int_{p_z}^{p_o} V_n q \mathrm{d}p \mathrm{d}l \mathrm{d}t \tag{2.4.4}$$

考虑到式(2.3.2),还可将式(2.4.4)写成下列形式:

$$P = \frac{1}{F}\int_o^t \oint_l \overline{V}_n W \mathrm{d}l \mathrm{d}t \tag{2.4.5}$$

式中 $\overline{V}_n$ 为 p_o 到 p_z 的平均入流风速。

2.4.3　常用降水量公式

式(2.4.4)或式(2.4.5)乃是降水量的理论表达式。但由于它是从整个流域周界的水汽输送情况(输入为正,输出为负)来考虑问题,故不便应用。因此,在适用上一般要再作一些简化。例如,假定:①流域的几何形状为一矩形;②水汽输送方向是单一的,即从一端输入,另一端输出(图2.4.2)。这样,降水量公式的推导,就比较简单了。

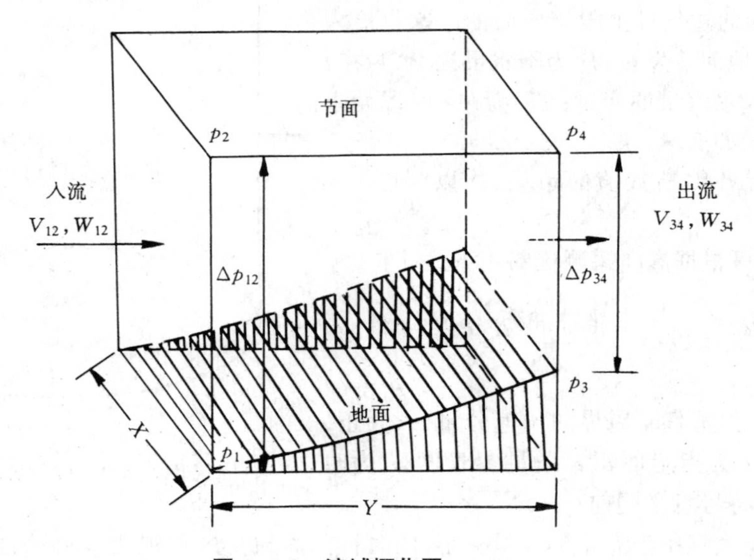

图2.4.2　流域概化图

若以 V_{12}、W_{12}、Δp_{12}和 V_{34}、W_{34}、Δp_{34}分别代表入流端和出流端的地面至节面(对流层顶)的平均风速、可降水、气压差(下标1、3代表地面,2、4代表节面),X 和 Y 分别代表流域的宽度和长度,则在单位时间内自入流端进入流域的可降水总量为 $XV_{12}W_{12}$,自出流端移出流域的可降水总量为 $XV_{34}W_{34}$由此,在单位时间内自流域上空气柱内释出(凝结)的水汽量为($XV_{12}W_{12} - XV_{34}W_{34}$)。假定凝结率=降水率,并均匀地降落于全流域面积 F 上,则流域平均降水强度为

$$\begin{aligned} i &= \frac{XV_{12}W_{12} - XV_{34}W_{34}}{F} \\ &= \frac{X}{F}(V_{12}W_{12} - V_{34}W_{34}) \end{aligned}$$

$$= K_F(V_{12}W_{12} - V_{34}W_{34}) \tag{2.4.6}$$

式中 $K_F = X/F$ 称为流域常数(或几何因子),对于矩形面积 $K_F = 1/Y$。

显然,式(2.4.6)也可从式(2.4.5)直接推出。

为便于运用,式(2.4.6)中的 V_{34}可通过 V_{12}来表示。兹将其关系推导如下:

按空气质量连续原理和大气静力学方程,可以近似地得出

$$V_{34} = \frac{\Delta p_{12}}{\Delta p_{34}}V_{12} \tag{2.4.7}$$

此式即为入流速度 V_{12}与出流速度 V_{34}的关系式,将其代入式(2.4.6)中,得

$$i = K_F V_{12}(W_{12} - \frac{\Delta p_{12}}{\Delta p_{34}}W_{34})$$

$$= K_F V_{12}W_{12}(1 - \frac{\Delta p_{12}}{\Delta p_{34}} \cdot \frac{W_{34}}{W_{12}}) \tag{2.4.8}$$

式(2.4.8)说明,降水强度是流域几何因子 K_F,入流速度 V_{12}、水汽因子 W_{12}和一个永远小于1的辐合因子$(1-\frac{\Delta p_{12}}{\Delta p_{34}}\cdot\frac{W_{34}}{W_{12}})$的函数。在辐合因子中$\frac{\Delta p_{12}}{\Delta p_{34}}$和$\frac{W_{34}}{W_{12}}$表示暴雨模式的几何特征。应该看到,虽然吹进暴雨系统的可降水并不可能全部降落到地面,但 K_F、V_{12}和W_{12}反映了不可超越的降水率上限。

将式(2.4.8)两端乘以降水历时 t 即得计算降水量P 的常用公式

$$P = K_F V_{12}W_{12}(1 - \frac{\Delta p_{12}}{\Delta p_{34}} \cdot \frac{W_{34}}{W_{12}})t \tag{2.4.9}$$

从式(2.4.9)的推导过程来看,它没有考虑大气中液态水和固态水,这对于短历时、小面积的降水来说,可能导致较大的误差,但对于长历时大面积的降水来说,这个误差是很小的[7]。

2.5 极大化原理

2.5.1 极大化的基本概念

极大化的基本概念是:认为所选的暴雨模式的降雨量,之所以还未达到可能最大值即PMP的水平,是因为影响降雨量的两个因子即水汽因子和动力因子,还没有达到可能最大;如果将这两个因子予以合理地放大,就可得到PMP。

2.5.2 极大化公式

极大化公式系根据降水量公式导出。

式(2.4.9)可以写成

$$P = \eta W_{12}t \tag{2.5.1}$$

或

$$P = \beta V_{12}W_{12}t \tag{2.5.2}$$

而

$$\eta = K_F V_{12}(1 - \frac{\Delta p_{12}}{\Delta p_{34}} \cdot \frac{W_{34}}{W_{12}}) \tag{2.5.3}$$

$$\beta = K_F(1 - \frac{\Delta p_{12}}{\Delta p_{34}} \cdot \frac{W_{34}}{W_{12}}) \tag{2.5.4}$$

这里 η 称为降水效率(或称效率因子),β 称为辐合因子。

根据式(2.5.1)可得水汽效率放大公式:

$$P_m = \frac{\eta_m}{\eta} \cdot \frac{W_{12m}}{W_{12}} \cdot P \tag{2.5.5}$$

当所选模式属于高效暴雨,即 $\eta = \eta_m$ 时,则由式(3.5.5)可得水汽放大公式

$$P_m = \frac{W_{12m}}{W_{12}} \cdot P \tag{2.5.6}$$

当所选模式水汽含量已达极大,即 $W_{12} = W_{12m}$时,则由式(3.5.5)可得效率放大公式

$$P_m = \frac{\eta_m}{\eta} \cdot P \tag{2.5.7}$$

根据式(2.5.2)并假定所选模式的辐合因子已达极大 ,即 $\beta = \beta_m$,则得水汽风速放大公式:

$$P_m = \frac{V_{12m}}{V_{12}} \cdot \frac{W_{12m}}{W_{12}} \cdot P \tag{2.5.8}$$

和水汽输送率(或称水汽入流指标)放大公式:

$$P_m = \frac{(V_{12}W_{12})m}{V_{12}W_{12}} \cdot P \tag{2.5.9}$$

在式(2.5.8)中,若 $W_{12} = W_{12m}$,即得风速(水汽入流速度)放大公式:

$$P_m = \frac{V_{12m}}{V_{12}} \cdot P \tag{2.5.10}$$

上列诸式中,有下标 m 者为PMP的相应参数,无下标 m 者为所选模式(典型)的相应参数。

以上这些放大公式,可以概括为三类:①水汽因子放大,即(2.5.6)式;②动力因子放大,包括式(2.5.7)和式(2.5.10);③水汽因子和动力因子联合放大,包括式(2.5.5)、式(2.5.8)和式(2.5.9)[7]。

水汽因子变化不大,而且有一个近似的物理上限(见2.2节)。动力因子变化较大,目前还不能确定其物理上限。水汽因子和动力因子之间的关系十分复杂。目前在这方面的研究还很不够。

2.5.3 极大化指标的选取

利用式(2.5.5)~式(2.5.10)或其他方法推求PMP的基本公式,都可以概括为

$$P_m = KP$$

其中

$$K = \frac{\alpha_{\mathrm{m}}}{\alpha}$$

式中 K 为放大系数；α_m 和 α 分别为某一(或两个)放大因子的可能最大值(近似上限值)和暴雨模式(典型暴雨)中该因子的实测代表值。

显然，K 值的确定，直接关系着 PMP 的大小。其中 α 值可以按一定的方法选定(以后详细介绍)，关键是 α_m 的选定比较困难。

从目前情况来看，确定 α_m 值的方法大致可以分为两大类：①用成因分析结合统计方法以探求水汽或动力因子的近拟物理上限或最大值，并加以可能的组合〔适用于式(2.5.5)～式(2.5.10)〕；②应用动力气象学的理论，按能量转换(平衡)的原理确定(见9.4节能量平衡法)。

第一类方法属于经验性方法。在具体进行计算时，主要有以下几种做法：

1)按现有资料取外包(最大)值。

2)按地理分布规律确定。即将历史最大值绘制成等值线图，用以确定设计地区的可能最大指标。

3)按频率分析确定。对于某些因子，若实测系列不长、如取实测最大，不太安全，则可采用频率分析的方法，适当外延。

4)综合分析。若用两个因子进行联合放大，例如用水汽、风速联合放大，因为二者之间数量的变化存在一定的制约关系，故需进行综合分析，以便合理地确定其近似的经验上限值。

第二类方法属理论方法，如锐尔(H. Riehe)针对热带气旋研究提出对“热机效率最大”进行放大，被认为是有一定理论基础的方法(详见 9.4 节)。

在上述两大类方法中，目前用得较多的还是第一类方法。而在第一类方法的四种做法中的频率分析法，目前还有些争论。争论的实质是在用水文气象法推求 PMP 的过程中，对某些放大因子的确定，要不要引进频率分析法的问题。

持赞成意见者认为，降水这个事物本身具有成因与统计这二重性，在成因分析中引入统计手段是可以的，有利于两种途径的合流，且某些气象因子的变化也不大，例如露点其变差系数 C_v 一般为 0.01～0.10，频率曲线近乎直线，外延幅度不太大。故外延成果问题也不大。

持反对意见者认为，成因与统计两大途径是各不相容的。如在 PMP 中引入频率，仍然会有重走老路的问题，最终牵涉到要不要发展成因途径的大问题，而且还有线型和组合等问题。与其花时间来研究这些问题，走频率分析的老路，不如把心血花在成因分析上。

第三种意见是持折中的看法，认为从理论上目前尚未能找到有物理依据的坚强方法，用实测资料外包又嫌资料太短，从现实出发，只要具体分析放大因子的特点，还是可以把频率分析，作为权宜之计，引入 PMP 计算中的。

2.5.4 概念性的结论

前述雨量公式和极大化原理，只是理论上的推导，还应作实际验证。

根据国内外大量实际观测资料分析，得到如下的结论[1]：

---

[1] 华东水利学院.可能最大降水，水文气象训练班讲义.1975，6

1)观测确证在深厚雨层云中,上升的饱和空气经历的状态过程十分接近于理论饱和假绝热过程。在空气块上升高度 ΔP 相同的条件下,比湿愈高,降水量愈大。

2)最大水汽含量,可以从气候资料中估算出来。

3)现代的气象科学还缺乏成熟的经验方法和理论方法来定出辐合或垂直运动的最大值。但实测特大暴雨可以作为最大辐合的间接指标,不一定真的计算辐合及垂直运动。换言之,最大效率可用实测暴雨来研究确定。

4)根据大量大暴雨资料分析的结果,说明同一水汽量(可降水)可以与不同的效率(辐合)相组合,同一效率也可以与不同的水汽相组合;而特大暴雨则是最大水汽与最大辐合相遇的结果。图 2.5.1[8]和图 2.5.2[9]分别是美国 300 多场主要大暴雨和中国 100 场大暴雨的 24 小时降雨量 P_{24} 与可降水 W 的关系图(关系线的坡度即效率),可以说明这一事实。

5)根据天气分析的经验,特大暴雨往往是由高效率而非高水汽含量形成。当资料充分时,可以认为其中已经包括了高效暴雨。如将这些暴雨加以水汽放大,那么所得的 PMP 是偏于安全方面的。

以上几点概念是现行 PMP 计算方法的基础。

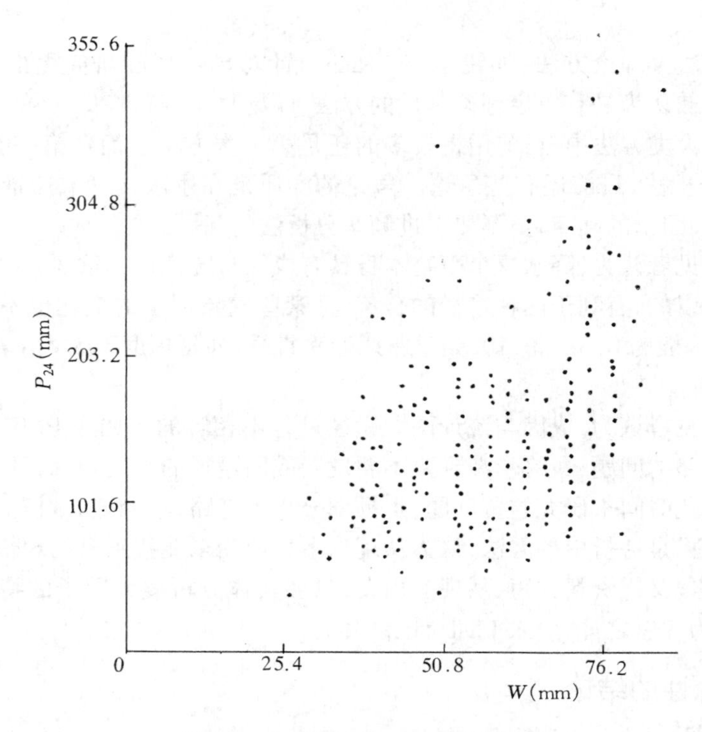

图 2.5.1 美国 P_{24}～W 关系图

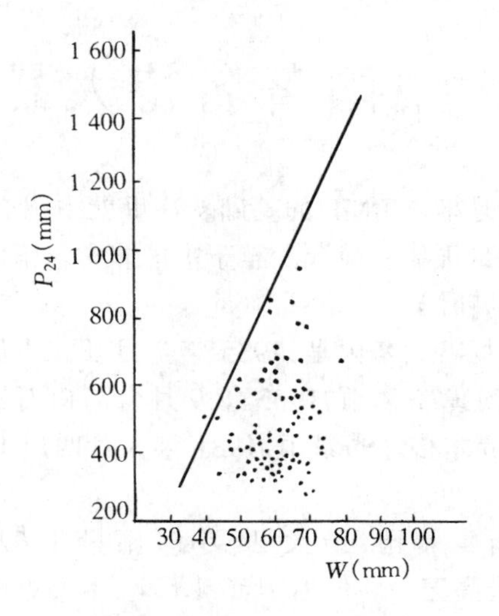

图 2.5.2 中国 P_{24}～W 关系图

参 考 文 献

1 中国大百科全书,大气科学、海洋科学、水文科学卷.北京:中国大百科全书出版社,1987

2 吴明远,詹道江,叶守泽.工程水文学.北京:水利电力出版社,1987

3 吴和赓,张志明.气象学.北京:水利电力出版社,1986

4 成都科技大学,华东水利学院,武汉水利电力学院.工程水文及计算.北京:水利电力出版社,1983

5 刘国纬,董素珍,刘城鉴.关于暴雨水汽放大的几个问题,水文计算技术第4期(可能最大暴雨编图经验选编).1979

6 水利部长江水利委员会水文局,水利部南京水文水资源研究所.水利水电工程设计洪水手册.北京:水利电力出版社,1995

7 水利部,电力工业部.水利水电工程设计洪水计算规范 SDJ 22－79(试行).北京:水利出版社,1980

8 Weisner, C. J. Hydrometeorology. London. Chapman and Hall. 1970

9 董素珍.暴雨水汽和效率放大问题.水文,1990(2)

3　中国著名特大暴雨

特大暴雨(非常暴雨)是推求PMP的基础。这里就中国有雨量站以来的近百年内所观测到的8场著名的特大暴雨作一简介。至于中国非常暴雨的一些基本特性可参见本书第24章(中国非常暴雨的特性)。

本章拟分别介绍的8场特大暴雨是:1935年7月长江中游五峰暴雨,1954年江淮持续性暴雨,1963年8月海河獐么暴雨,1963年9月台湾白石暴雨,1975年8月淮河林庄暴雨,1977年8月蒙陕边界木多才当暴雨,1981年8月四川上寺暴雨和1996年7~8月台湾阿里山暴雨。

1967年10月台湾新寮暴雨,最大24小时雨量1 672.6mm,最大两天雨量达2 259.2mm,后者为中国最高记录。但由于资料不全,本书难以介绍。

3.1　1935年7月长江中游五峰暴雨

3.1.1　暴雨概况

1935年7月上旬长江中游发生了一次特大暴雨(简称357暴雨),其雨量等值线见图3.1.1[1]。它是中国长历时大面积特大暴雨的最高记录。这次暴雨使湖南西北部的澧水、湖北西部的清江中下游、三峡峡区、秭归至沙市区间各支流以及汉江中下游,普遍发生了严重洪水灾害。

根据实测和大量调查资料分析,此次暴雨的逐日降雨情况及特征如下❶[1]:

3.1.1.1　降雨情况

大暴雨是从7月3日开始至7日基本结束,共持续5天,各日雨情如下:

7月3日,长江南岸的澧水、清江发生了特大暴雨,秭归~沙市区间北岸各支流也发生了大雨或特大暴雨,雨区分布大体在108°~113°E、28.5°~33.5°N地区内,暴雨呈南北向分布,实测最大日雨量五峰站为422.9mm。据调查资料分析,暴雨中心在五峰西南的湾潭,估计日雨量为600~900mm。

4日,暴雨中心较3日略偏东,仍在澧水、清江之间,暴雨区范围进一步扩大,根据调查和邻近实测记录,暴雨中心泥市该日雨量约550mm(调查值)。

5日,雨区向北扩展,雨强加大。长江北岸的汉江渚河、南河以及丹江下游均发生大暴雨。北岸中心兴山附近的韩家湾日雨量约400mm(调查值)。长江南岸暴雨和特大暴雨区的范围有所收缩,但中心雨强仍大,据调查,五峰附近的渔洋关日雨量约450mm。

6日,暴雨和特大暴雨区大部分移至长江北岸,除黄柏河、沮河、漳河中心雨量仍在300mm以上外,在丹江又出现了一个日雨量为300mm以上的暴雨中心;长江南岸只有清

❶ 长江“35.7”暴雨组.长江流域1935年7月上旬特大暴雨调查分析报告.1978,6

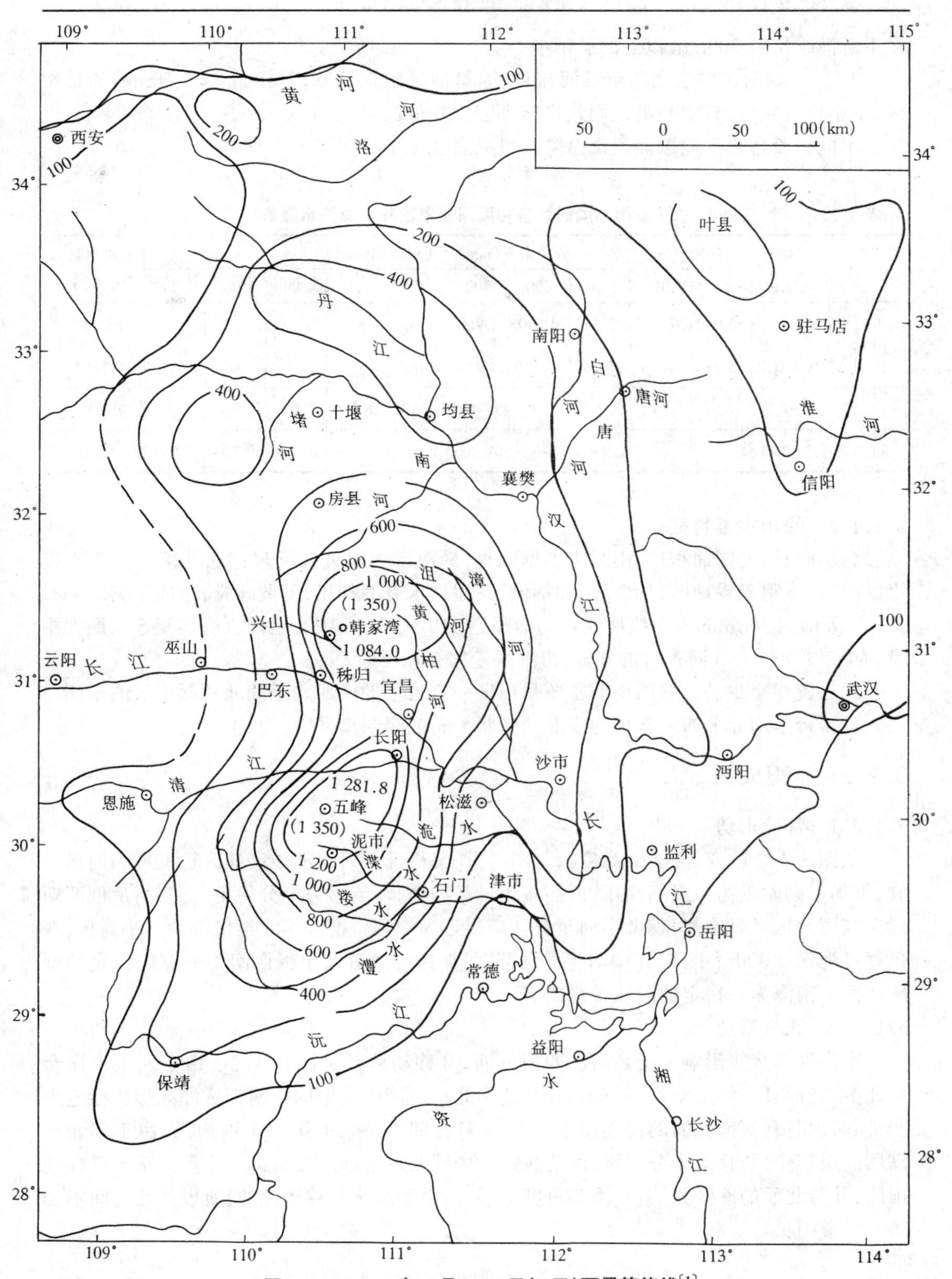

图 3.1.1 1935 年 7 月 3～7 日(5 天)雨量等值线[1]

江下游尚维持一 300mm 以上的暴雨中心。

7 日,主要雨区向东北移至淮河流域,原暴雨区雨强锐减,日雨量大于 50mm 的暴雨区,呈小块斑状分布,中心最大雨量仅略大于 100mm。

不同时段各雨深笼罩面积及总降水量见表 3.1.1。

表 3.1.1 357 暴雨不同时段各种雨深笼罩面积及总降水量表

时段		各级雨深(mm) 笼罩面积(km²)										总降水量(亿 m³)
		50	100	200	300	400	500	600	800	1 000	1 200	
1d	7 月 3 日	56 040	32 160	12 360	4 640	1 760		85				85.88
	7 月 4 日	85 740	50 960	25 160	14 610	4 720	2 080					147.43
3d	7 月 4～6 日			98 900		36 400		18 320	7 160	2 720		418.95
5d	7 月 3～7 日			119 400		59 960		30 160	19 160	9 720	3 560	593.0

3.1.1.2 暴雨主要特征

1)历时长、笼罩面积广、雨强大。据调查,暴雨区当地老人反映:“这儿落了六天六夜没断线”,“下得天昏地暗,如瓢泼、如桶倒”,“屋檐水有酒杯粗,不敢睡觉,怕屋子倒”。3～7 日 5 天雨量 200mm 等深线所笼罩的面积达 119 400km^2,中心地区五峰实测 5 天最大雨量为 1 281.8mm,从调查雨情分析,湾潭雨量比五峰还大。

2)位置稳定少动。暴雨期间主要暴雨区一直处于湖南西北至湖北西部山区的东侧。

3)雨带呈南北分布。暴雨为南北向带状分布的经向型暴雨。

3.1.2 暴雨成因

3.1.2.1 环流形势

从图 3.1.2 欧亚 3 000m 高度天气图可见,暴雨开始时亚洲中高纬区已发展为两槽一脊,贝加尔湖附近为一阻塞高压,两侧各为一长波槽,环流形势十分稳定。另外,从俄罗斯远东滨海地区经日本海、朝鲜半岛至长江口附近为一倾斜槽。华北至江淮为一小高压,在低纬度地区 3 000m 上空,在中南半岛北部、孟加拉湾附近及中国西南为一宽阔稳定的低压槽区。南海为一稳定的副热带高压。

3.1.2.2 天气系统

本次暴雨直接影响系统是两次西南低涡,其移动路径见图 3.1.3。由于西太平洋台风北上,造成日本海上空高空槽的加深,使华北小高压以及中国西南部低纬区形势稳定少变,同时也有利西南低涡的接连出现。3～4 日自四川移入的第一个西南涡,由于华北小高压的阻挡作用,移速十分缓慢,而造成第一场持久的暴雨。接着第二个低涡于 5 日移到雨区,并与北面的冷锋相结合,雨势再度加强,但由于系统是移动性的,所以持续时间不如第一场暴雨长。

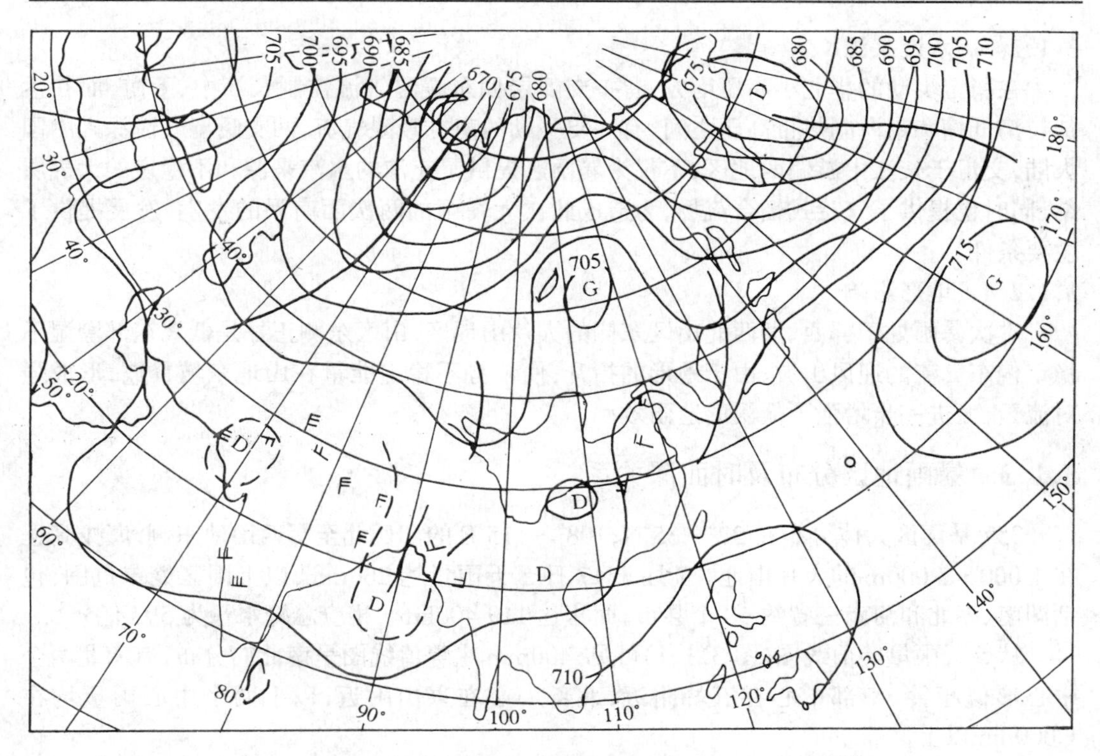

图 3.1.2 1935 年 7 月 3 日 09 时(国际时)3 000m 天气图[1]

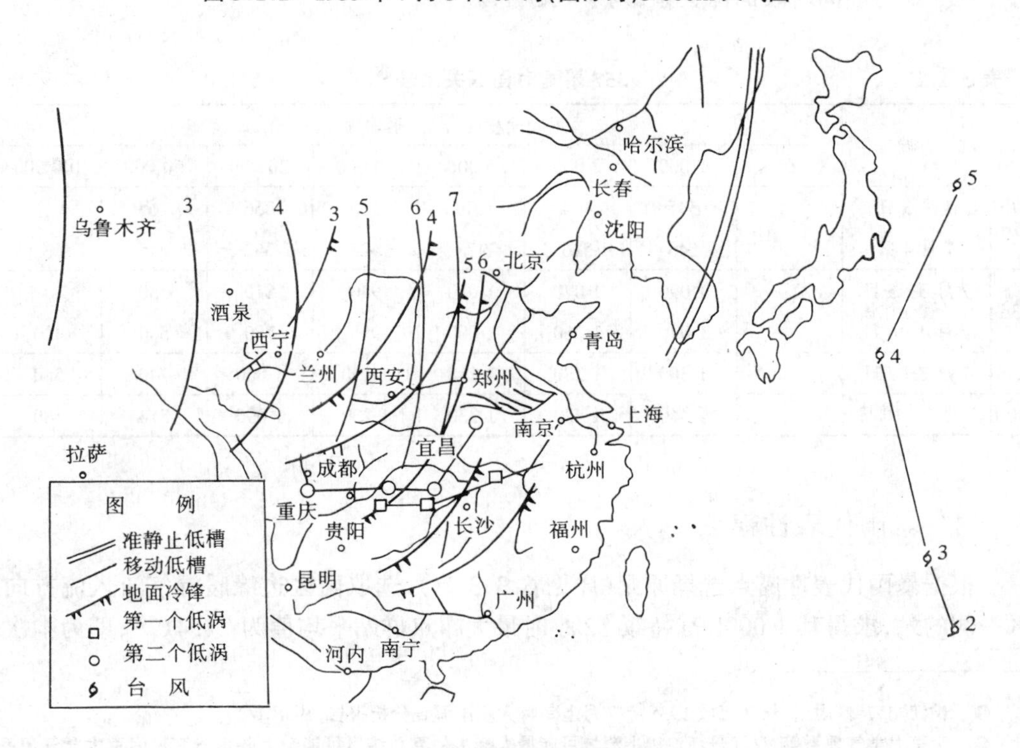

图 3.1.3 357 暴雨天气系统综合动态图[1]

3.1.2.3 水汽来源

在稳定少动的华北小高压南方，有一支低层偏东暖湿气流控制长江中、下游，而在孟加拉湾低槽和南海副热带高压之间，有一支强劲的南方暖湿气流，两支暖湿气流深入中国大陆，交汇于长江中游偏西地区，不仅为暴雨区提供了充沛的水汽来源和不稳定的大气层结，同时也提供了气旋式辐合流场，为造成此次大暴雨的两次西南涡的发生、发展提供了主要条件。

3.1.2.4 地形影响

本次暴雨处于鄂西、湘西北山区东侧的大片山地区，山区东侧正好是低涡东部潮湿不稳定偏东气流的迎风山坡，由于地形的抬升，使位势不稳定能量在山地东坡释放，形成强对流云，而进一步增强了低涡的造雨效率。

3.1.3 暴雨地区分布及时面深关系

357暴雨区大体分布在27°～35°N，108°～115°E的湘西北至鄂西山地东侧，海拔高程在1 000～2 000m的大片山地。7月3～7日5天雨量达200mm，以上雨区笼罩范围，包括湖南、湖北和河南三省约50个县市，面积达119 400km^2，相应总降水量为593亿m^3。

从5天雨量等值线图(图3.1.1)可见，400mm主等值线图呈南北向分布，有南北两个中心形似哑铃，南部中心在五峰附近，北部中心在兴山附近，以上两个中心雨量均在1 000mm以上。

357暴雨不同时段面深关系，列于表3.1.2。

表3.1.2　　357暴雨时面深关系表[1]

时段		不同面积(km^2)　平均雨深(mm)							
		点	1 000	2 000	5 000	10 000	20 000	50 000	100 000
1d	7月3日		545	494	400	330	266	165	
	7月4日		540	526	478	425	362	245	
3d	7月3～5日		1 090	1 070	1 020	940	810	550	
	7月4～6日		1 070	1 060	1 000	915	780	560	420
5d	7月3～7日		1 300	1 280	1 215	1 130	1 000	740	540
10d	7月1～10日		1 440	1 420	1 330	1 230	1 090	814	580

3.1.4 暴雨代表性露点

根据暴雨代表性露点选择原则(详见6.3.3节)，选取雨区边缘暖湿气流入流方向暖区一侧的站，求得其1 000hPa持续12小时最大露点群站平均值为24.4℃[2]，即为本次暴

[1] 长江“357”暴雨组.长江流域1935年7月上旬特大暴雨调查分析报告.1978,6

[2] 南京大学气象系等.汉江丹江口以上流域可能最大降水估算总结.《可能最大降水研究》(南京大学气象系等编).1980,5

雨的最大代表性露点。

3.1.5 暴雨稀遇程度

357暴雨是中国大陆地区实测到的几场最大暴雨之一。从表3.1.3两场暴雨时面深关系对比可见,除点雨量及5 000km^{2}以下小面积的平均雨深小于638暴雨外,5 000km^{2}以上大面积的平均雨深均大于638暴雨。357暴雨由于当时雨量测站稀少,实测雨量不可能完全控制暴雨中心量级,从实地雨情调查和对比分析,湾潭的雨强和降雨总量比五峰更大,估算在1 350~1 650mm。因此,暴雨中心雨量及小面积平均雨深应较上表所列数据大。故本次暴雨与638暴雨中心及小面积雨深有可能比表中所列更为接近些。

表3.1.3 357、638暴雨时面深关系比较表[1]

面 积(km^2)		点	1 000	2 000	5 000	10 000	20 000	50 000	100 000
面平均雨深(mm)	(1935年7月3~7日)5d	1 281.8	1 300	1 280	1 215	1 130	1 000	740	540
	(1963年8月2~8日)7d	2 050	1 573	1 435	1 219	1 020	855	698	524

从暴雨区内各河洪水情况[1]看:澧水三江口站洪峰流量为31 100m^3/s,比原来1862年历史最大洪水25 000m^3/s大得多,在最大洪峰流量与流域面积关系图中,本次洪水为中国最大洪水外包值。

汉江暴雨位于流域中、下游,丹江、南河、唐白河、蛮河等支流洪水均很大,为近100~150年来的最大洪水。干流丹江口洪峰流量为50 000m^3/s、碾盘山为57 900m^3/s,为近一二百年来未遇的特大洪水。

清江搬鱼咀洪峰流量15 000m^3/s,低于1969年特大洪水,在近百年来居第3位。

长江北岸香溪、黄柏河、沮水各支流,本次洪水均为历史最大值,如沮水猴子岩洪峰流量为8 500m^3/s,高于1826年历史最大洪峰6 400m^3/s。

根据357暴雨区内以上暴雨和洪水情况分析,均说明本次暴雨是一次稀遇的特大暴雨。

3.2 1954年夏季江淮持续性暴雨

3.2.1 暴雨概况[1]

1954年夏季,江淮流域发生了有记录以来所未有的全流域持续性的强降水过程。这场暴雨与海河638、淮河758特大暴雨均不相同,其主要特点是持续时间长,即在汛期长达4个月中连续发生近20次暴雨过程,并笼罩了长江、淮河中下游及长江上游广大地区。造成了长江中下游和淮河近百年来的特大洪水。

3.2.1.1 降雨情况

由于大气环流出现反常，1954 年江淮地区的雨季提前，4 月份鄱阳湖开始出现暴雨，赣江上游月降雨量达 500mm 以上。5 月份降雨主要在长江以南的广西、湖南、江西、皖南、浙江、福建等省区，雨量均在 300mm 以上，鄱阳湖水系和钱塘江上游雨量在 500mm 以上，黄山站雨量达 1 037mm，300mm 雨区面积约 74 万 km^2，总降水量 3 000 亿 m^3。6 月份主雨区仍在长江干流以南地区，并略有北移，湖北螺山月雨量达 1 047mm，黄山 937mm，300mm 以上雨区面积 71 万 km^2，总降水量 3 200 亿 m^3。7 月份降雨中心在长江干流以北和淮河流域，月最大雨量吴店站达 1 265mm，监泉站 1 075mm，王家坝 924mm，宿县 963mm，300mm 雨区面积 91 万 km^2，总降水量 4 280 亿 m^3。8 月份雨区主要在四川盆地，长江中下游及淮河流域降雨接近尾声，9 月份降雨基本结束。各月最大降雨量及雨区范围如表 3.2.1。

表 3.2.1　1954 年 4～9 月各月降水总量表[1]

月 份	月最大点雨量(mm)	站 名	300mm 雨区范围(万 km^2)	降水总量(亿 m^3)
4	767	大溶江	18.0	685
5	1 037	黄 山	74.0	3 010
6	1 047	螺 山	71.0	3 220
7	1 265	吴 店	91.0	4 280
8	654	桐梓林	0.64	27
9	504	止水岩	0.96	35

从表 3.2.1 可知，1954 年汛期降雨主要集中在 5～7 月，尤以 7 月份为最多。图 3.2.1 为 5～7 月等雨量线，可以看出 600mm 以上雨区范围约 148 万 km^2，相应总降水量约14 000亿 m^3；1 200mm 高值区面积约 29 万 km^2，相应总降水量4 200亿 m^3，最大总点雨量2 824mm(黄山)。以上这些地区的雨量均达到了常年同期雨量的 2～3 倍。

3.2.1.2 暴雨过程

本年从 5～7 月的三个月中，由于环流异常，西太平洋副热带高压一直停滞于20°～22°N，从而造成了江淮流域长达 50 天的梅雨期，此前还有 10 天的旱梅期，大面积暴雨连续出现达 12 次之多。整个降雨过程大致可以分为三个阶段：5 月份有 3 次暴雨过程，每次持续时间 3～4 天，为汛期暴雨初始阶段；6 月份有 3 次暴雨过程，以 13～19 日和 22～28 日两次持续时间较长；7 月份暴雨次数最多，共有 6 次暴雨过程。其中以 6 月中旬至 7 月中旬期间的 5 次暴雨过程的强度、范围及降水总量较大，也是本年暴雨的全盛时期。自 7 月 14 日以后，暴雨强度、范围明显减小。8 月初欧亚环流发生明显调整，稳定性阻塞高压开始崩溃，江淮梅雨渐次结束。

3.2.1.3 暴雨强度

本年 5～7 月三个月中，在江淮地区只有 5 天(5 月 11、17、18 日，6 月 2、3 日)未发生暴雨，其余每天都有暴雨。其最大 1 日、3 日点雨量如表 3.2.2。

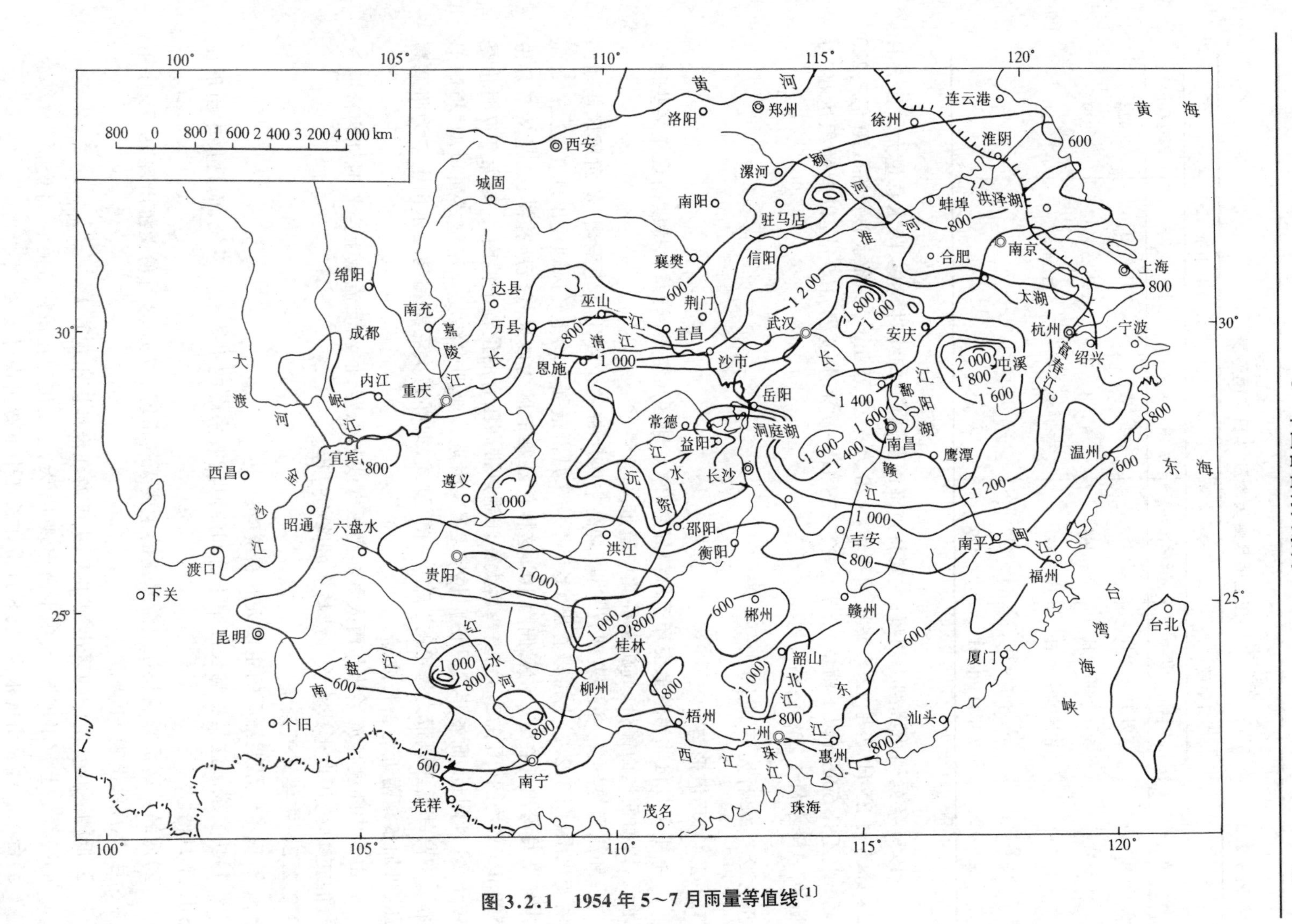

图3.2.1 1954年5~7月雨量等值线[1]

表 3.2.2　　江淮地区最大 1 日、3 日点雨量表

3 日雨量			1 日雨量		
站　名	日　　期	雨量(mm)	站　名	日　　期	雨量(mm)
黄　山	5 月 19～21 日	458	吴　店	7 月 11 日	423
城陵矶	6 月 15～17 日	444	螺　山	6 月 25 日	339
广　福	6 月 24～26 日	441	李　集	6 月 24 日	311
王家坝	7 月 4～6 日	445			
吴　店	7 月 11～13 日	449			

1954 年暴雨为典型梅雨型,主要特点降雨范围广,持续时间长,降水总量大。如 5 月 24 日,6 月 25 日,7 月 12 日暴雨面积均在 20 万～22 万 km^2,日降水总量在 190 亿～220 亿 m^3(不计 50mm 以下雨量)。6 月 22～28 日一次降水过程,100mm 以上面积达 69 万 km^2,总降水量 1 269 亿 m^3。

3.2.2　暴雨天气成因[1,2]

3.2.2.1　环流形势

本年 7 月份北半球上空环流形势异常,欧亚地区高空槽、脊系统持续出现在某些特定地区,因而使地面锋带、气旋路径集中稳定。

环流形势异常,主要表现有二:一是高空西风带的位置比常年偏南,从西风风速随纬度变化图(图 3.2.2)上可以看出,多年平均 7 月份最强平均地转风速度出现在 42.5°N,而本年 7 月份出现在 32.5°N,偏南 10°,这样使江淮地区为西风气流所控制;二是从 7 月份 500hPa 平均图(图 3.2.3)上看,西太平洋副热带高压脊的位置也偏南,一般常年 7 月份是位于 28°N 附近,而本年 7 月份则位于 20°N 附近。亚洲中纬度环流型式属典型"梅雨形势",中高纬度西风带为稳定的"二脊一槽"型式,即鄂霍次克海和乌拉尔山上空为阻塞高压,贝加尔湖附近为一长波槽。

由于中纬度环流形势和西太平洋高压脊线的稳定,使江淮流域上空长时期为冷暖气流的交绥区,因此形成多次连续持久的降雨过程。

3.2.2.2　主要天气系统

造成本年汛期暴雨的主要天气系统有:

1)切变线。这是影响长江中下游和淮河流域暴雨的主要天气系统,而且集中出现在 6 月、7 月份。

2)低涡。这是影响长江上游暴雨的主要天气系统。7 月、8 月份上游出现 19 天,中下游 6 月、7 月份出现 11 天。

3)低槽。长江上游地区出现 4 天,中下游江淮地区出现 6 天。

4)冷锋。上游出现 5 天,中下游出现 13 天,主要出现在汛初 5 月、6 月份。

5)台风。台风出现很少,仅 8 月份在长江中下游出现过 1 天。

长江流域汛期暴雨天气系统出现时间天数如表 3.2.3。

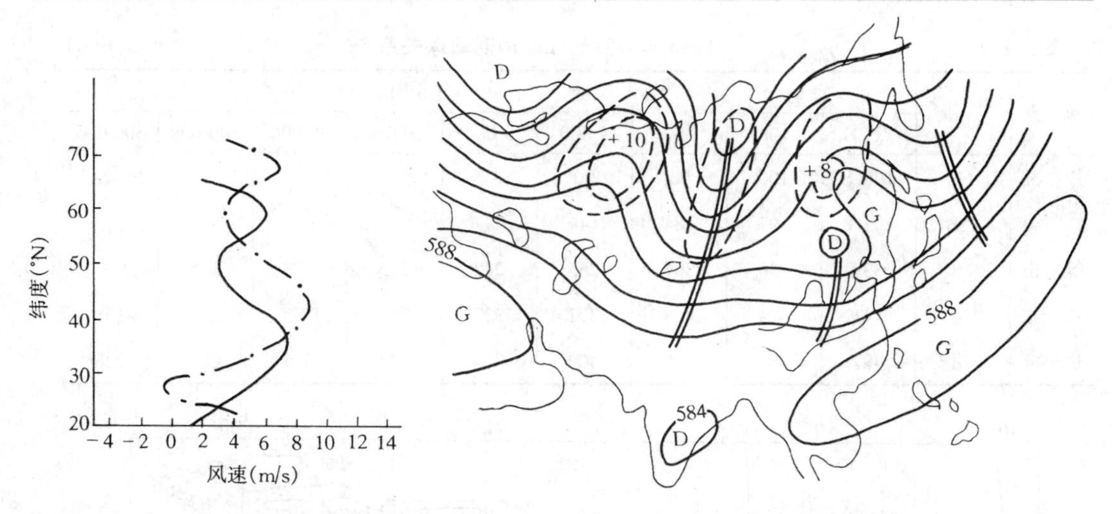

图 3.2.2 60°～150°E 经度范围内 500hPa[2] 平均西风风速随纬度变化分布图

实线为 1954 年 7 月；虚线为多年 7 月平均

图 3.2.3 1954 年 7 月欧亚 500hPa 平均图[3]

实线为等高线；虚线为距平线；双线为槽线

表 3.2.3 1954 年长江流域汛期暴雨天气系统出现天数表[1]

区 域	月 份	不同天气系统出现天数(天)					总 计
		切变线	低 涡	西风槽	冷 锋	台 风	
长江上游	5	0	0	0	0	0	0
	6	1	4	0	1	0	6
	7	5	12	1	0	0	18
	8	1	7	2	2	0	12
	9	2	1	1	2	0	6
	合 计	9	24	4	5	0	42
长江中下游	5	4	1	1	5	0	11
	6	9	5	0	3	0	17
	7	14	6	3	2	0	25
	8	0	3	2	1	1	7
	9	0	0	0	2	0	2
	合 计	27	15	6	13	1	62

3.2.3 暴雨地区分布及时面深关系

1954 年暴雨最大的一次降雨过程出现在 6 月 22～28 日，这次暴雨过程为典型的梅雨静止锋雨[4]。如前所述，其雨深在 100mm 以上的雨区范围为 69 万 km^2，该面积上的降水总量达 1 269 亿 m^3。其时面深关系如表 3.2.4，一次降雨量等值线图如图 3.2.4。

表 3.2.4　1954 年 6 月长江暴雨时面深关系[5]　(单位:mm)

地　点	历　时	面　　积　(km²)								
		点(0)	100	300	1 000	3 000	10 000	30 000	100 000	300 000
广　福	6h	105.8	100	96	90					
广　福	12h	205.8	197	184	144					
螺　山	1d	339	330	305	265	242	215	188	145	
广　福	3d	441	424	404	372	337	295	256	210	158
广　福	7d	487	452	428	400	374	344	316	280	228

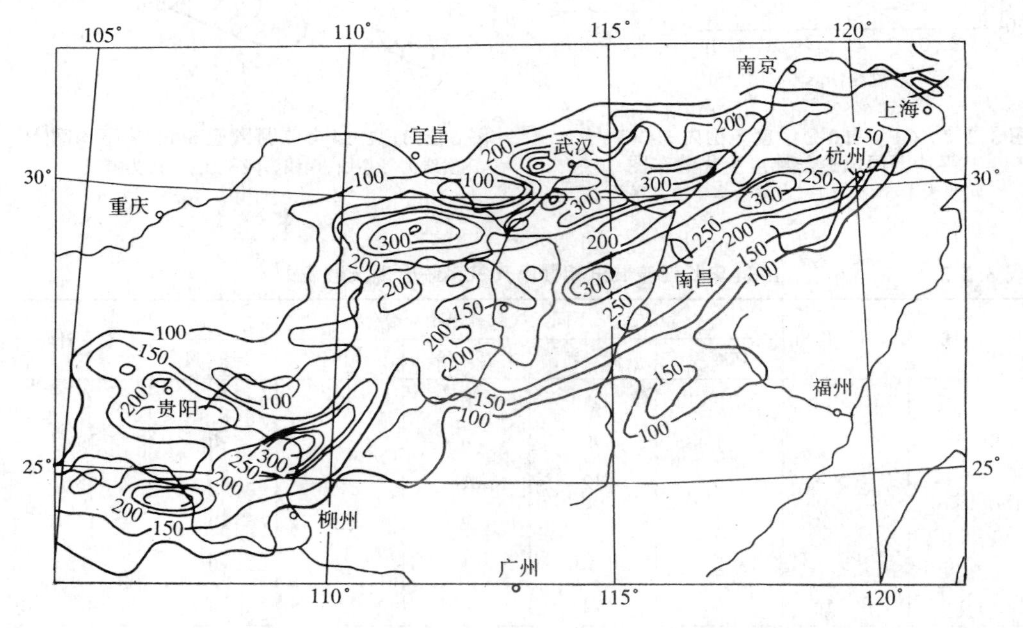

图 3.2.4　1954 年 6 月 22 日～28 日(7 天)等雨深线(广福,487mm)[5]

3.2.4　暴雨代表性露点

淮河 PMP 等值线图试点报告❶,针对 6 月 22～28 日这次最大降水过程,求得暴雨代表性露点为 24.0℃(代表站为南京等);长江三峡 PMP 分析,针对 7 月 19 日～20 日这次对三峡工程影响较大的降水过程,求得为 23.7℃(代表站为水汽入流方向的西昌、昆明、贵阳、昭通、丽江、会理、会泽、毕节、兴仁等 9 站)[6]。

3.2.5　暴雨的稀遇程度

关于该年暴雨的稀遇程度,由于不掌握流域暴雨系列资料,因此不便作直接分析。但

❶ 淮河流域可能最大暴雨等值线图试点小组. 淮河流域可能最大暴雨等值线图编制报告及专题研究报告. 1977,2

是根据本年暴雨范围的广泛,持续时间之长等特点结合该年洪水重现期资料,尚可对暴雨稀遇程度作间接的定性分析。从表3.2.5所列该年洪水洪量重现期可以看出,在上中下游均相当100年,洪峰流量重现期在干流中下游为160～1 400年[4],而从该年暴雨持续时间之长和雨区范围之广来看,又是有记录以来所罕见,虽说洪水频率与暴雨频率之间尚无确定一致的关系,但从汛期中下游暴雨特点与洪水重现期结合起来分析,其稀遇程度应是有实测资料以来的首位或接近百年一遇的水平。

表3.2.5 1954年洪水峰量在长江干流站重现期估计表

站 名	集水面积(万 km^2)	洪峰、洪量重现期	
		最大日平均流量	180天洪水总量
宜 昌	100.6	约20年	相当100年
汉 口	148.8	1 400年	相当100年
大 通	170.5	160年	相当100年

3.3 1963年8月海河獐么暴雨

3.3.1 暴雨概况

1963年8月上旬,海河流域沿太行山东麓,发生了一场特大暴雨,简称638暴雨。暴雨中心獐么站7天降雨量达2 050mm,为中国大陆地区实测最高记录。此次暴雨强度之大,雨区范围之广,降雨历时之长,均为本流域有实测记录以来所未有,此次暴雨洪水使豫北、冀南和冀中广大平原泛滥成灾,暴雨区内京广铁路沿线桥涵路基遭受重大破坏,并严重威胁天津市和津浦铁路的安全。

3.3.1.1 降雨情况[7]

此次暴雨主要集中在8月2日～8日共7天,8月1日及9日、10日3天虽有降雨但均不大。雨区大体从流域西南逐渐北移,各日暴雨过程如下:

8月2日,海河流域西南部分地区有雨,日雨量一般在100mm左右。主要雨区在淮河上游地区。

3日,暴雨区由南往北进入海河流域,中心在邯郸附近。

4日,暴雨北移,雨强及雨区范围均明显增大,暴雨中心獐么站日雨量达865mm。日雨量大于600mm的雨区范围,其面积为504km^2,超过200mm的雨区面积达11 200km^2。

5日,暴雨进一步北移,中心移至獐么以北的黄北坪。

6日,暴雨继续北上,雨强有所减弱,雨区呈块状分布,大于200mm的暴雨中心多达11个,其中,最大中心正定,日雨量为290mm。

7日,雨区继续北扩,日雨量大于50mm的雨区面积达80 800km^2,雨强再次增大,暴雨中心司仓日雨量达704mm,为本次暴雨日雨量的第二个高中心。该日降水总量达

122.1亿 m³,是本次暴雨日降水量的最大值。

8 日,暴雨中心继续北移,中心在北京附近的来广营。滏阳河、大清河流域雨量显著减小,但南部卫河流域又有一片新雨区,中心在安阳附近的小南海,日雨量为 365mm。

9 日,太行山区先后雨止,暴雨东移,中心在平原东部。

2~8 日各日暴雨中心雨量、雨区面积及降水总量见表 3.3.1 和表 3.3.2,7 天暴雨分布见图3.3.1。

表 3.3.1　　638 暴雨降雨过程[5]　　(单位:mm)

日期 / 地点	2	3	4	5	6	7	8	2~8
獐 犭么	99	222	865	370	127	278	89	2 050
司　仓	19.0	45.5	75.5	154.5	271.5	704.0	33.0	1 303.0
七　峪	24	60	137	189	205	643	71	1 329

表 3.3.2　　638 暴雨逐日及时段雨量雨区面积及总降水量表[7]

时　间	暴雨中心		各级雨深(mm)　笼罩面积(km²)							总降水量
	地点	雨量(mm)	50	100	200	500	600	1 000	1 200	(亿 m³)
8月2日	象河关	374	22 400	4 600						28.8
8月3日	邯　郸	466	49 800	23 800	8 160					72.9
8月4日	獐　犭么	865	58 000	32 700	11 200	990	504			95.0
8月5日	黄北坪	500	59 600	26 600	5 760					83.5
8月6日	正　定	290	76 400	40 500	3 800					109.5
8月7日	司　仓	704	80 800	31 400	9 260	900	352			122.1
8月8日	来广营	464	67 200	21 000	3 600					90.9
8月3~5日	獐　犭么	1 457	119 000	79 400	45 700	9 150	5 460	971	274	253.8
8月5~7日	司　仓	1 130	167 000	95 400	53 700	9 050	4 400	220		317.9
8月2~8日	獐　犭么	2 050		153 000	103 000	43 800	29 300	5 430	2 380	600.0

3.3.1.2　暴雨特点[7]

1)雨强大。暴雨中心地区獐犭么、菩萨岭、司仓、七峪等地,最大 24 小时、1 天、7 天点雨量为本地历史最大暴雨记录的 2~3 倍,24 小时、1 天雨量与淮河 758 林庄暴雨接近,7 天点雨量不仅超过 758 暴雨量,而且也比 357 长江五峰暴雨大,为我国大陆地区之冠。

2)持续时间长。海河流域暴雨(日雨量大于 50mm)的持续时间一般为 2~3 天。而 638 暴雨在獐犭么一带达 6~7 天之久;日雨量连续 5 天超过 100mm 的在滏阳河流域就有临城、槲树滩、獐犭么、赵庄、郝庄、西台峪等站,还有一些站连续 3~4 天超过 200mm。大暴雨持续时间如此之长,在本流域是罕见的。

3)分布面广。本次暴雨日雨量大于50mm的笼罩面积最大达80 800km^2;7天降雨量超过100mm的雨区面积为153 000km^2。

4)总降水量大。638暴雨1天、3天、7天降雨总量分别为122亿m^3、254亿m^{3}和600亿m^3,均超过本流域著名大水年相应时间降水量。

3.3.2　暴雨成因

3.3.2.1　环流形势

638暴雨期间,从500hPa天气图看,高空环流形势大体可分为前后两个阶段。

8月初为前一阶段(见图3.3.2),大陆高压东移至日本海,且稳定少动。我国中纬区为偏西风气流。在江淮地区上空有一条东西向切变线。

后一阶段即8月4日~8日,由于天气形势稳定,各日大形势与平均图3.3.3相似,在贝加尔湖一带建立一强阻塞高压,同期原在黑龙江北部的横槽转向加深,亚洲大陆东部上空径向环流加大。另外,贝湖阻塞高压南扩与青藏高原的高压脊结合,组成一条南北向的高压带,与日本海高压相对峙。两高之间的切变辐合带与转向南下至华北地区上空深而稳定的东北—西南向低槽相连结,形成一条由华北至中南半岛北部的狭长的经向辐合带,位于槽前的华北地区长期处于冷暖气流交绥处。同时在日本南面海上有一移动缓慢的台风,更有利于中国东部上空天气形势稳定。此形势为来自孟加拉附近及西太平洋和黄海的暖湿气流提供了稳定的水汽通道,有利经向辐合带的维持,同时也有利西南涡的接连生成和北移。由于低槽受稳定的阻塞高压带、西伸的日本海和中国东南沿海高压所包围,所以,从中国西南移入暴雨区的低涡,进入暴雨区时出现停滞或减速,而造成华北持续性大暴雨。在暴雨期间并有低空急流出现。

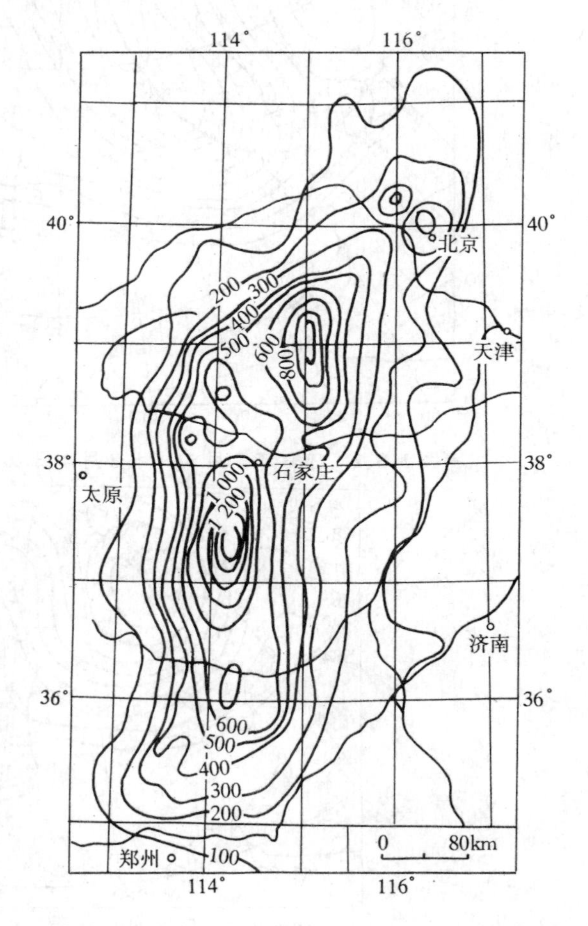

图3.3.1　1963年8月2~8日(7天)等雨深线(獐 犵,2 050mm)[5]

从图3.3.4五天平均地面图可见,暴雨期间孟加拉湾和中国西南部为宽阔的低压区。其北部的倒槽在华北停留,倒槽两侧为弱冷高压区。800hPa与700hPa形势均与地面气压场相似。700hPa以下为气旋式流场辐合层,而在高层300hPa的华北上空为反气旋曲率的辐散场。上述动力场的垂直结构,有利大尺度强烈上升运动的发展和暴雨的生成。

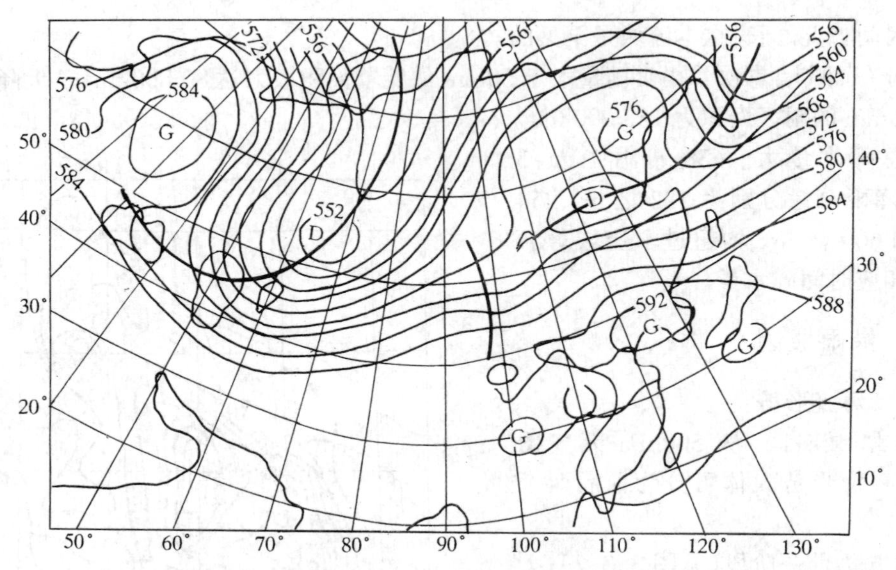

图 3.3.2 1963 年 7 月 31 日～8 月 4 日 20 时 500hPa 平均图(粗实线为槽线)[7]

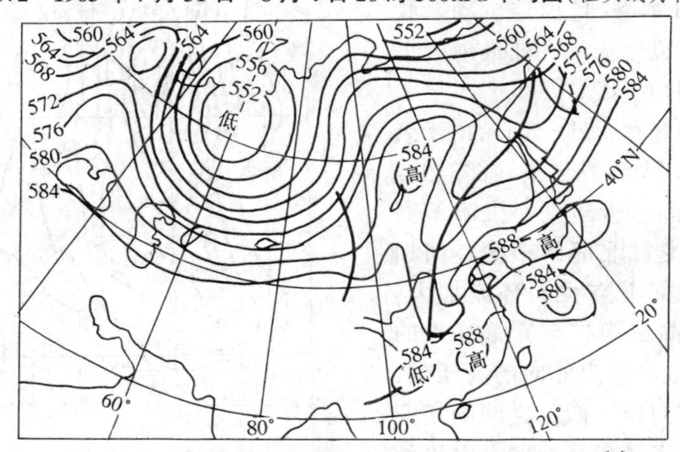

图 3.3.3 1963 年 8 月 5～10 日平均 500hPa 高度场[3]

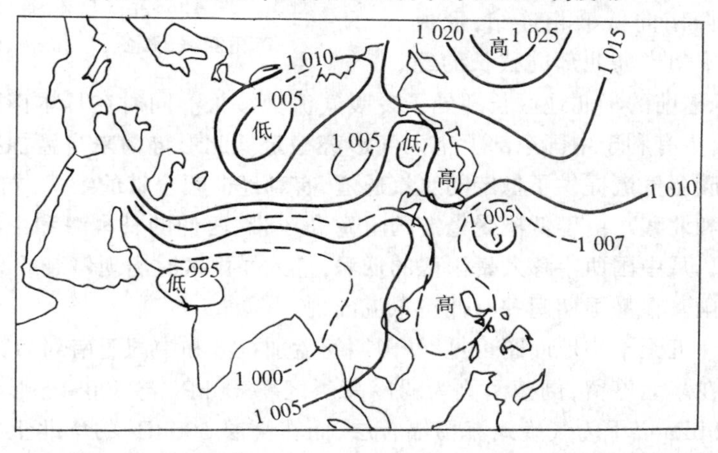

图 3.3.4 1963 年 8 月 4～8 日亚洲和西太平洋 5 天平均地面图[2]

3.3.2.2　**天气系统**

638 暴雨由 5 场雨所组成。是在大的经向切变辐合带的维持期间，由 3 次高空槽和 3 个低涡在华北上空连续出现并互相叠加的结果。今将各场降雨天气系统概况简述如下：

1)8 月 2 日暴雨主要在江淮地区，由江淮切变线造成。华北地区处于雨区边缘，故暴雨区范围及雨强均较小。

2)8 月 3 日沿着副高后部的偏南气流，从西南移至郑州附近的低涡，出现减速停滞现象，影响河北南部，产生以邯郸附近为中心的暴雨过程，即第二场暴雨。

3)从河西走廊过来的高空槽，8 月 4 日移入华北平原上空，成为南北向切变线(图 3.3.5)，并与南来的西南低涡在河北叠加形成三合点，造成强烈的大尺度上升运动。与此同时四个中尺度气旋性涡旋，在低涡前方从东南向西北移动[2]。在以上天气系统的共同作用下，而形成 4 日獐犾的特大暴雨，也是本次暴雨的第三场雨。

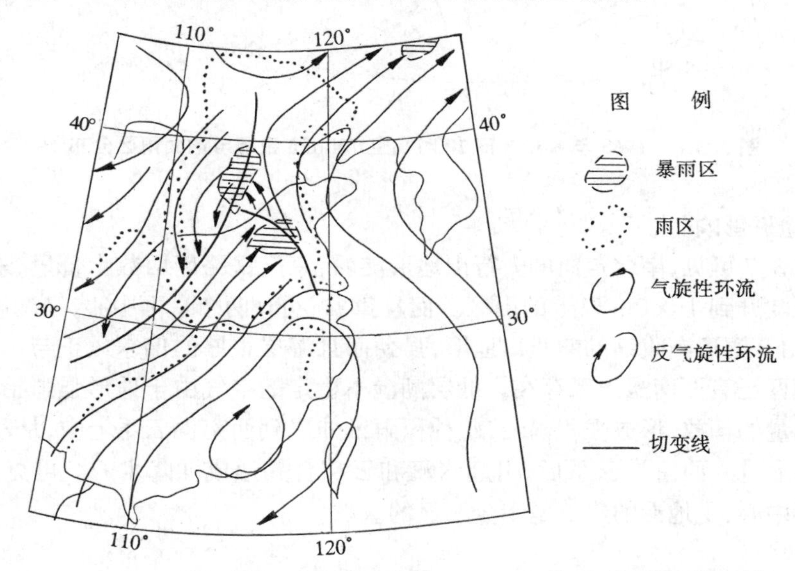

图 3.3.5　1963 年 8 月 4 日 20 时高空 700hPa 流场与地面雨区分布[7]

4)8 月 7 日又一高空槽东移至华北平原上空，变成一条南北向准静止切变线(图 3.3.6)，并与从河南北上的低涡结合，形成北槽南涡的暴雨天气型。加之低层中尺度的三个东风扰动的加入，因而形成 7 日司仓附近的该场特大暴雨，亦即第四场暴雨。

5)8 月 6 日形成于河南东部的低涡北上，8 日、9 日先后在小南海、静海一带形成第五场暴雨。

3.3.2.3　**水汽来源**

暴雨期间，水汽的来源及路径大致分为以下两个时期：前期 1～5 日，水汽主要来自孟加拉湾，经云、贵、鄂南、皖北以气旋性弯曲伸向华北地区，中心最大比湿为 16g/kg 以上[7]；5 日以后，除了来自孟加拉湾丰沛的西南水汽外，尚有来自黄海和西太平洋的东南水汽，为此次特大暴雨提供了充沛的水汽来源。暴雨期间，低空急流的水汽输送也起了重要作用。

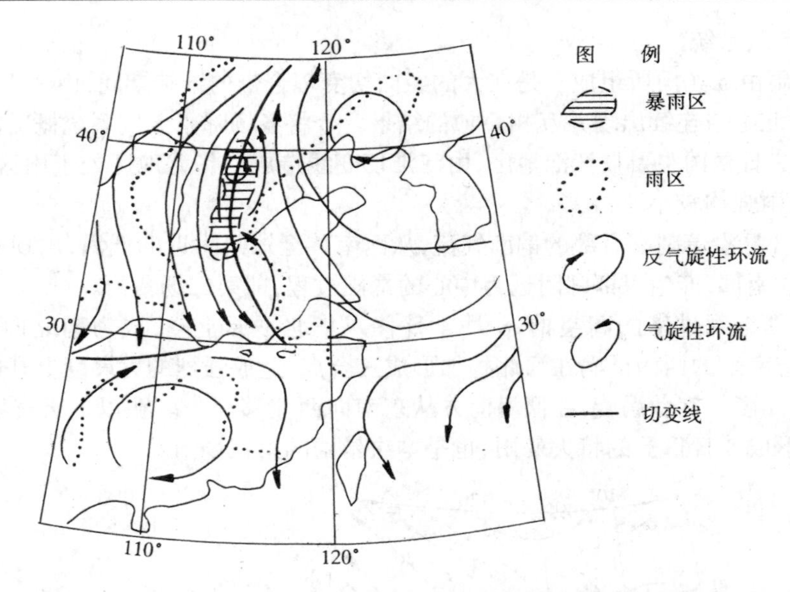

图 3.3.6 1963 年 8 月 7 日 20 时高空 700hPa 流场与地面雨区分布[7]

3.3.2.4 地形影响

从图 3.3.7 可见,南北走向的太行山地形陡峻,京广铁路以西数十公里,地面高程从 50m 的平原陡升到 1 000m 以上的山区。而且獐犸、司仓两个暴雨中心,又均属从东北向西南升高,由开阔逐渐收缩的喇叭口地形,强劲而且湿层很厚的偏东风正与山脉正交,而且在獐犸地区已有西南涡云系存在。低层潮湿不稳定的空气由于地形强迫抬升,使得位势不稳定能量的释放,形成强积雨云,此种积雨云伸展到西南涡云系上空,从积雨云顶部落下来的冰晶进入西南涡云系后,引起水滴和云粒合并形成强降水[2]。可见,獐犸和司仓两个暴雨中心,受地形的影响是十分明显的。

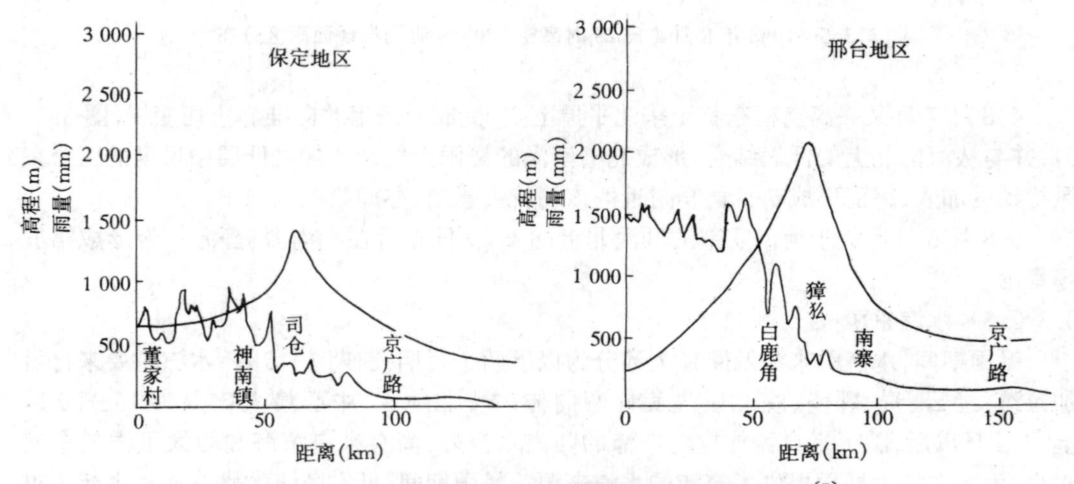

图 3.3.7 1963 年 8 月上旬地形-降雨剖面(东-西向)[7]

总之,特别稳定的大尺度环流形势,是暴雨持续的主要原因。其中,贝加尔湖阻高和日本海高压的阻塞作用,是构成稳定经向环流形势的重要条件。稳定的西南气流和偏东气流水汽通道为暴雨提供了源源不断的丰沛水汽。中低纬度天气系统的相互交汇,以及各种尺度天气系统相与作用是形成此次暴雨天气学结构特征。另外,太行山脉的抬升作用等各项形成暴雨因素的有利组合,导致638特大暴雨的产生[7]。

3.3.3 暴雨地区分布及时面深关系

638暴雨呈南北向带状分布,与太行山走向大体一致。雨量超过400mm的雨带,南北长520km,东西宽约120km[7]。有南北两个特大暴雨中心。南部中心位于滏阳河上游山区的獐犰站,该站7天(8月2~8日)最大降雨量为2 050mm,附近雨量较大的站尚有菩萨岭1 562mm,东川口1 464mm;北部中心在大清河上游山区的司仓、七峪,上述两站7天降雨量分别为1 303mm和1 329mm。以上南北两个暴雨中心,都位于太行山东麓迎风坡的浅山丘陵地带。不同时段暴雨的面深关系见表3.3.2。

表3.3.2 海河“638”暴雨时面深关系表[5] (雨深:mm)

中心	历时	面积 (km^2)							
		点	100	300	1 000	3 000	10 000	30 000	100 000
獐犰	6h	426	353	307	250	183			
	12h	678	562	505	411	306			
	24h	950	821	759	641	496			
	3d	1 457	1 340	1 272	1 139	947	692	450	
	7d	2 050	1 805	1 720	1 573	1 345	1 020	780	524
司仓	3h	169	152	136	104				
	6h	333	291	259	205	139			
	12h	575	503	457	377	269			
	24h	762	700	666	588	469			
	3d	1 130	1 082	1 039	947	803	585	468	
	7d	1 329	1 308	1 273	1 163	1 001			

3.3.4 暴雨代表性露点

根据暴雨代表性露点站选站原则,选取暖湿空气入流方向,雨区边缘暖区一侧的安阳、邢台、朝城三测站,分别求得其1 000hPa持续12小时最大露点,其平均值24.3℃,即为本次暴雨的代表性露点。

3.3.5 暴雨稀遇程度

638暴雨是一次罕见的特大暴雨,尤其是长历时(7天)雨量更为稀遇,是目前中国大陆地区实测最大降水记录。

由表3.3.3可见，獐犸暴雨中心下游，临城水库设计洪水分析，洪峰流量重现期约为300～500年，1天、3天、7天洪量重现期分别大于1 000年和2 000年。司仓暴雨中心边缘的安各庄水库，其洪峰重现期为150～180年，各时段洪量重现期为100～120年。

综上分析，均说明本次暴雨是一次很稀遇的暴雨。

表3.3.3 1963年部分水库雨量洪峰及洪量重现期比较表[7]

库名	项目	洪峰流量(m^3/s)	洪量(亿m^3)			面雨量(mm)		
			1d	3d	7d	1d	3d	7d
临城水库	1963年成果	5 565	2.48	4.27	5.22	637	1 115	1 543
(集水面积$384km^2$)	重现期(年)	300～500	>1 000	>2 000	>2 000	>1 000	>2 000	>2 000
安各庄水库	1963年成果	6 350	1.69	2.68	3.08(6d)	396	695	916
(集水面积$476km^2$)	重现期(年)	150～180	100	120	120	100	120	150

3.4 1963年9月台湾白石暴雨❶

3.4.1 暴雨概况

1963年9月9日至12日，在台湾省北部和中部部分地区，由于受本年第12号台风(海外称Gloria台风)影响，出现了一场特大暴雨，雨量分布见图3.4.1。暴雨中心地区白石站(24°33′N，121°13′E，台北西南约60km)各历时的最大降水见表3.4.1，整个降水过程69小时总降水量1 683.9mm。另一站巴棱9～12日4天雨量达1 783mm。这场暴雨主要集中在10日、11日两天，其中10日台湾北部地区三光站日雨量为783.5mm、白石站889.8mm、秀峦站921.4mm、嘎拉贺站972.8mm、玉峰站921.4mm、巴棱站1 044mm；中部地区该日阿里山雨量为874mm[1]。白石、嘎拉贺站降雨过程见图3.4.2。巴棱3天雨量虽超过白石站，但无详细时段记录，为此，本次不同历时的最大降水只列白石、嘎拉贺站，见表3.4.1。

表3.4.1 639暴雨白石、嘎拉贺站各时段最大雨量[1]

站名	各种历时(h)的雨量(mm)							
	1	6	12	18	24	36	48	72
白石	91	437	771	1 050	1 248	1 524	1 620	1 684
嘎拉贺	78	389	701	955	1 193		1 604	

3.4.2 暴雨成因

造成这次特大暴雨的原因，有以下三个方面：

❶ 暴雨成因及代表性露点.由中国气象科学研究院王作述研究员提供

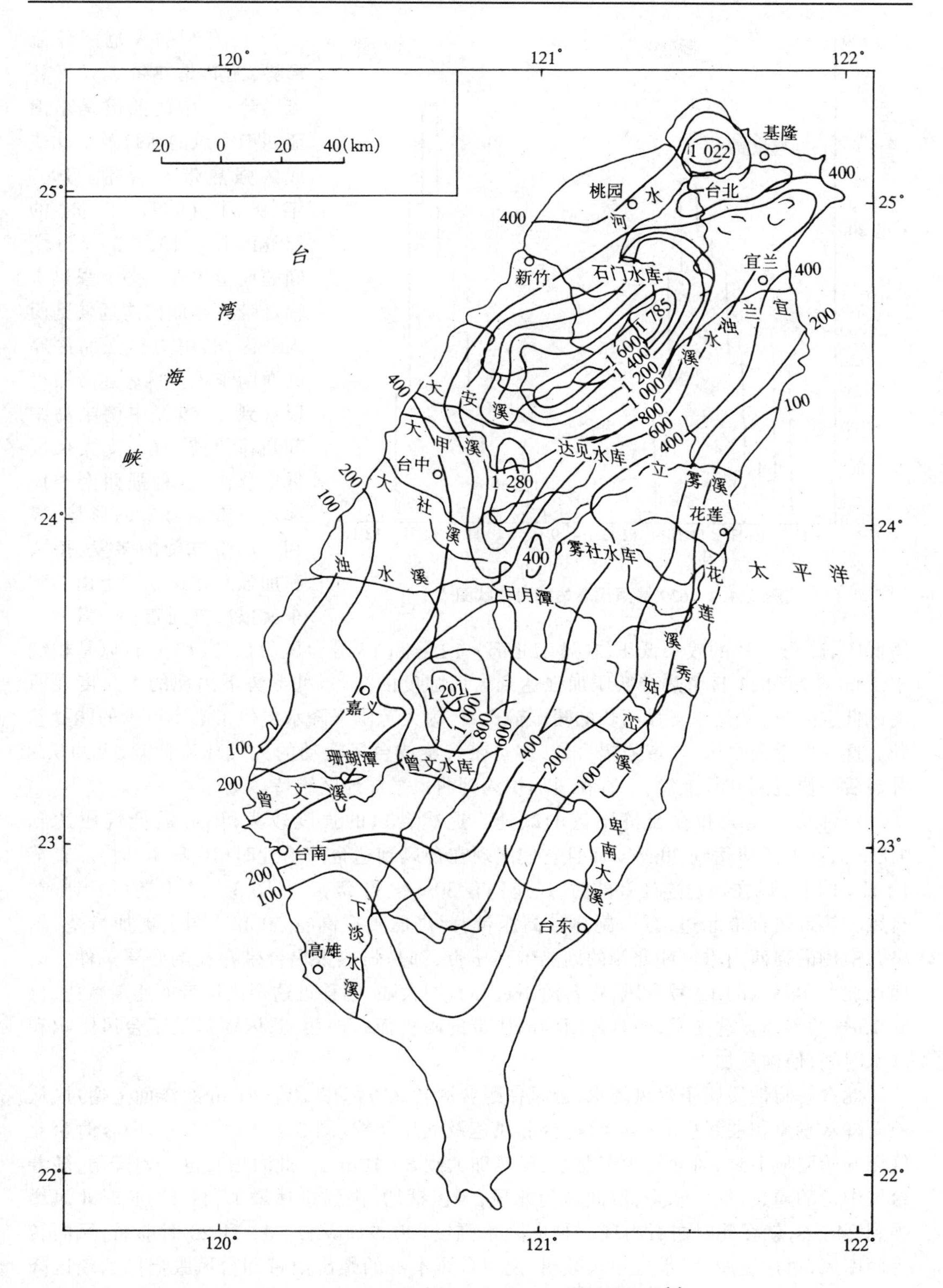

图 3.4.1 1963 年 9 月 9 日～11 日雨量等值线[8]

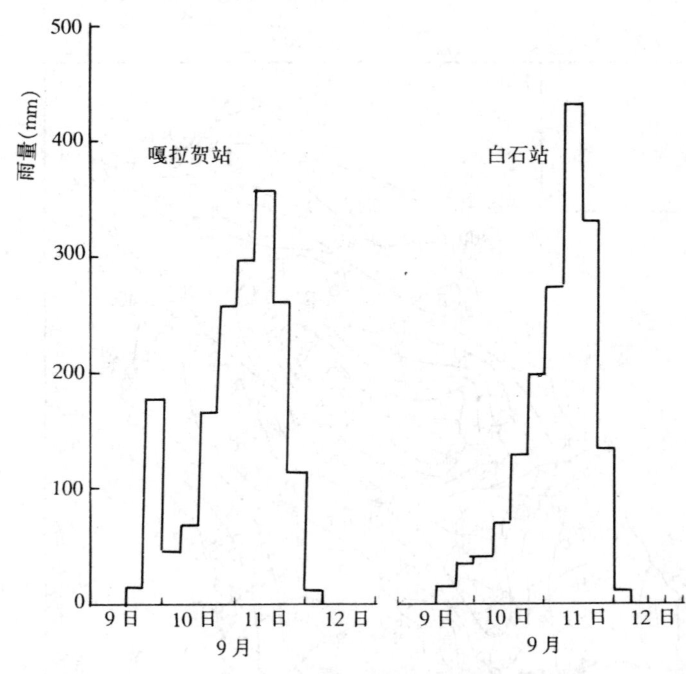

图 3.4.2 639暴雨代表站降雨柱状图[1]

1)有利的大范围环流形势,尤其是热带大尺度环流形势,其中的关键是东南亚西南季风的活跃及由此造成的强热带辐合带。1963年9月11日08时的850hPa图(图3.4.3)是这期间的典型代表。图上强热带辐合带由孟加拉湾远伸到西太平洋,其南边是强而深厚的西南季风。从风速分布可以看到,大致经中南半岛中部到菲律宾,有一支大尺度低空急流,这种强西南季风和强热带辐合带的形势,极利于热带气旋的多发、持久和加强。在这张图上由西到东就依次排列着一个孟加拉湾低压、11号台风的残余低压(在越南北部)、12号和13号台风(11、12、13号台风是相继于1日、6日和11日由热带低压加强达到台风强度的)。这种形势下出现的大尺度强西南风低空急流,又是一支强而长的暖湿输送带,为大范围强降水提供了必不可少的能量基础。这一西南强季风、热带强辐合带,多热带气旋或台风活动的大气环流背景,大约从8月最后一候直到9月上旬,一直在孟加拉湾到西太平洋地区维持。

2)台风的强大和在台湾附近的减速。这次台风的强度较大,中心最低气压达到918hPa,最大风速达到70m/s,而且它们出现在台风到达台湾附近时(10日14时)。直至12日21时台风在福建连江登陆时,风速仍有30m/s(11级)。从图3.4.3上还可看到,在台风和热带辐合带北边,有一副热带高压带,此高压带在高空500hPa图上更加清楚(图略),南侧的强西南季风和北侧的副热带高压带,都是强热带辐合带存在的必要条件。向西偏北方向移动的12号台风,在台湾附近和我国大陆,因移近这个高压带而逐渐减速,11到13日的移速显著变慢,而且还因为高压带的阻挡而折向西南,因而延长了台风影响和降水时间,使雨量加大。

此次暴雨性质属于台风降水,台风在距台湾省北方海岸10~20km的洋面上通过,从白石降水量累积曲线(图3.4.4)与台北风速及气压曲线(图3.4.5)可见,9日08时台北气压开始明显下降,风向转为东北东,风速加大到8~10m/s。此时白石也开始降雨,随着台风中心的逼近,气压急降,风向转为北风,风速猛增,雨强迅速增加,11日08时北风增强到24m/s,就在此时白石出现了最大降水强度(90.9mm/h)。11日20时前后,风向转为西南风,风速陡减,降水也很快减弱,说明台风本身的螺旋雨带和台风眼周围云墙区降水带向暴雨区移来是造成这次暴雨的主要原因[2]。

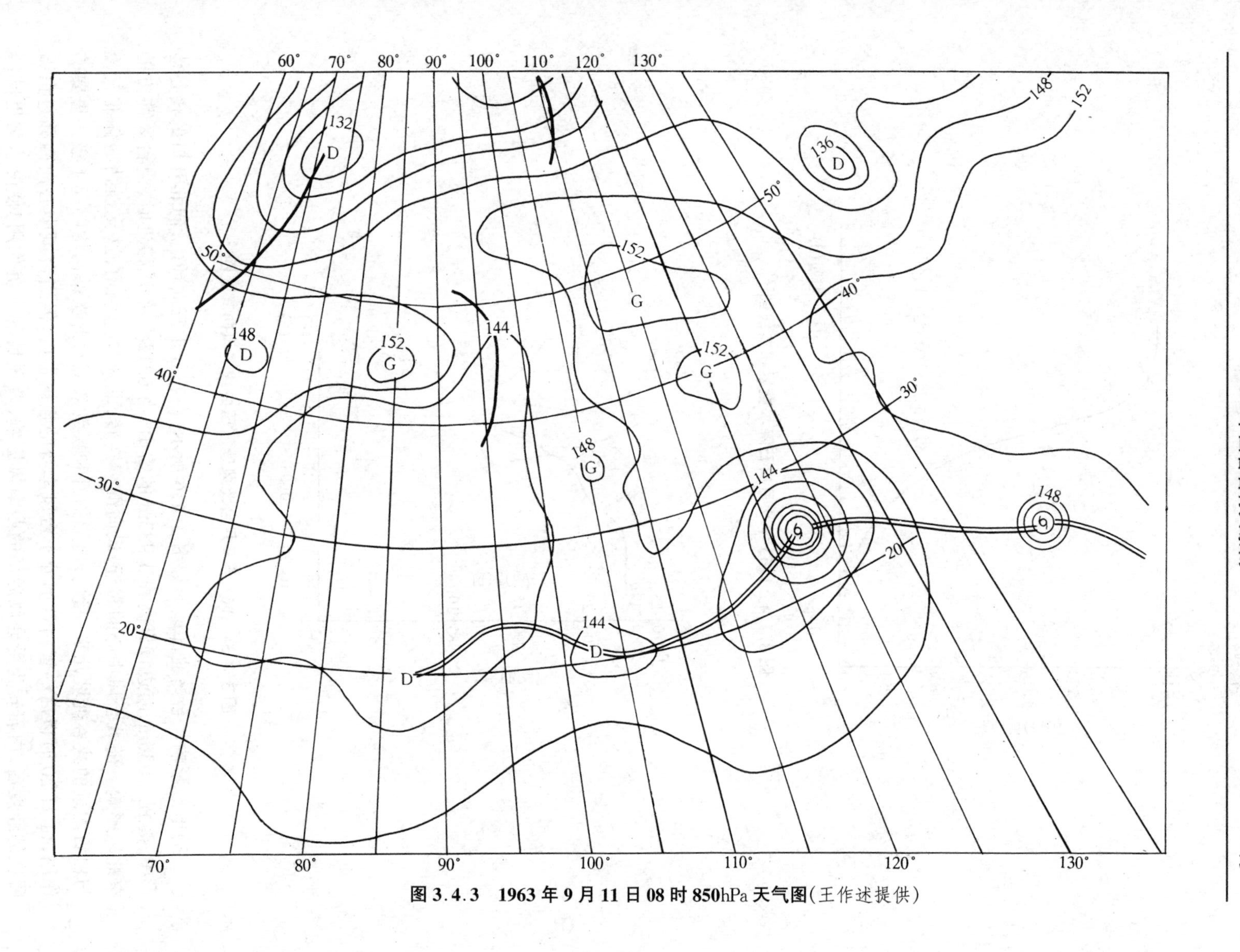

图 3.4.3 1963 年 9 月 11 日 08 时 850hPa 天气图(王作述提供)

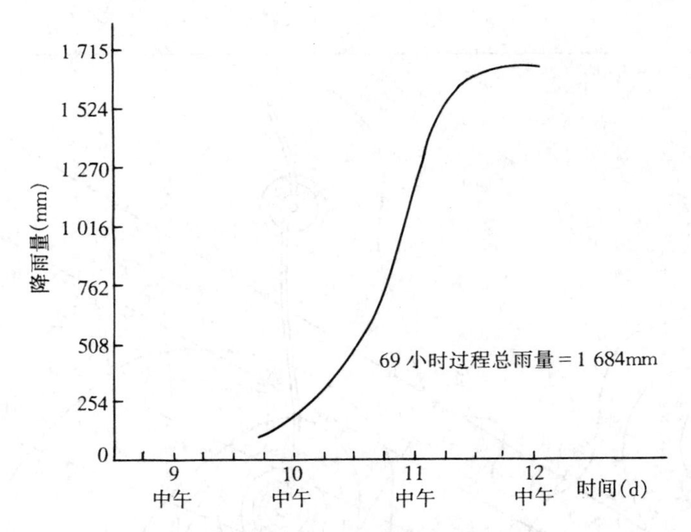

图 3.4.4 1963 年 9 月白石降水量累积曲线图[2]

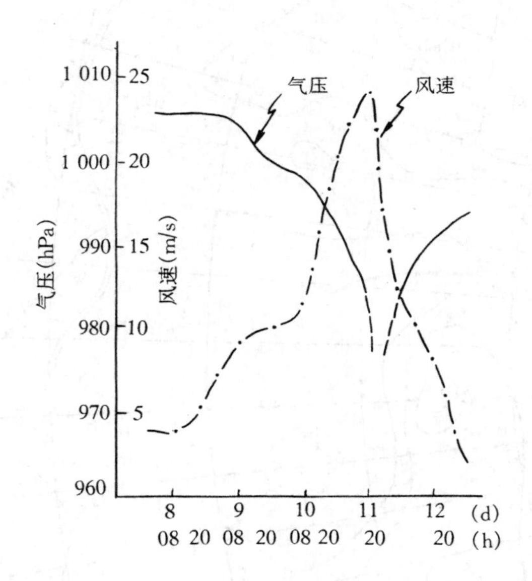

图 3.4.5 1963 年 9 月台北风速气压曲线与风向演变图[2]

3)地形影响。台湾北部地形如图 3.4.6 所示,白石处于三面环山,向北开口的狭谷地形中,高程 1 636m,南边背靠高程 3 933m 的雪山,当 6312 号台风移近时,受台风前方的东北风影响。随着台风中心的靠近,风向继续逆转,北风风速急增,这支强劲的偏北气流与白石附近的狭谷陡坡几乎一致。地形抬升和狭管效应对此次暴雨增幅起了极为重要的作用,11 日 20 时以后尽管白石仍处于台风本身的强雨带内,但当台风中心向西移过白石所在的经度后,白石转为受台风后部的西南风影响,背风坡的下沉作用,使降水强度陡减到小到中雨。

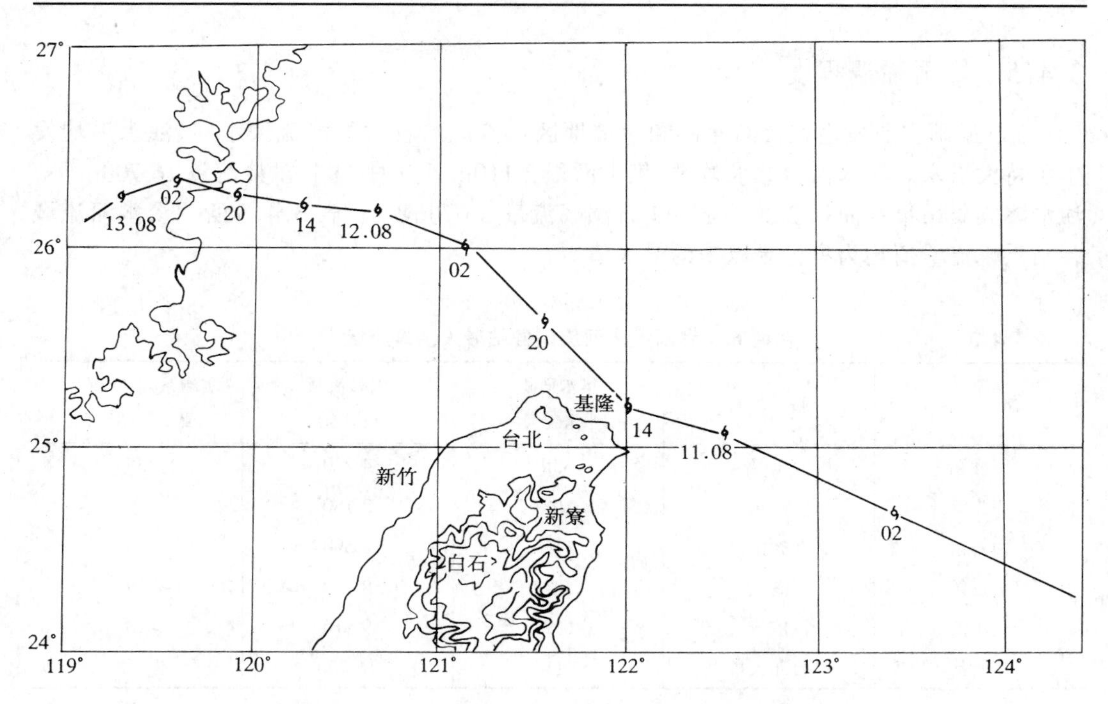

图 3.4.6 台湾省白石地形与 6312 号台风路径图

3.4.3 暴雨地区分布及时面深关系

本次暴雨台湾雨区主要分布在台湾省北部及中部地区(见图 3.4.1),400mm 主雨区呈带状分布。在台湾岛上 3 天雨量 200mm 以上的雨区面积约 27 000km^2,400mm 以上的雨区面积约 17 000km^2,有 4 个 1 000mm 以上的暴雨中心呈南北排列,主心在北部的大雪山区,中心 3 天雨量为 1 783mm(巴棱站)。

暴雨时面深关系见表 3.4.2。此表系根据关系线查得,与原始数据可能存在一定误差。

表 3.4.2 639 台湾暴雨时面深关系

历时(h)	各级面积(km^2)的平均雨深(mm)								
	0	100	500	1 000	2 000	3 000	4 000	5 000	6 000
24	1 248	1 195	1 116	1 046	940	844	772	704	
48	1 620	1 538	1 415	1 332	1 193	1 080	995	922	853
60	1 676	1 608	1 493	1 410	1 268	1 146	1 060	976	909

注:此表系根据台湾著名水利专家须洪熙先生提供的关系线查得。

3.4.4 暴雨代表性露点

天气图上从 9 月 10 日 20 时～11 日 20 时台北露点都是 24℃。根据台风东侧入流气流区为 25℃及 26℃,故本次暴雨 1 000hPa 持续 12 小时最高露点选用 25℃。

3.4.5 暴雨稀遇程度

639暴雨主要发生在台湾北部和中部地区。该地区较大的河流淡水河、浊水溪均发生了特大洪水。淡水河台北大桥站,集水面积2 110km^2,9月11日洪峰流量16 700m^3/s;浊水溪集集站集水面积2 304km^2,11日洪峰流量6 670m^3/s。表3.4.3所列淡水河流域各站洪峰流量值均为有记录以来的最大值。

表3.4.3 台湾639暴雨淡水河流域各站最大洪峰流量[1]

河 名	站 名	集水面积(km^2)	洪峰流量(m^3/s)	实测系列长度(年)(截止1985年)
玉峰溪	玉峰	335	4 220	35
三光溪	棱角	108	2 180	34
白石溪	秀峦	116	1 590	29
大汉溪	高义	542	8 120	29
大汉溪	霞云	622	9 110	23
淡水河	台北大桥	2 110	16 700	

3.5 1975年8月淮河林庄暴雨

3.5.1 暴雨概况❶❷

1975年8月4~8日受3号台风影响,河南省西南部驻马店、南阳、许昌等地区发生了一次罕见的特大暴雨(简称758暴雨)。这次暴雨中心在林庄,最大24小时雨量达1 060.3mm,连续3天雨量1 605.3mm,造成了淮河上游洪汝河、沙颍河、唐白河等的特大洪水,使板桥、石漫滩两座大型水库垮坝。现将这次暴雨的降雨过程,雨区分布及强度概述如下。

3.5.1.1 降雨过程

本区7月份降雨稀少,758暴雨发生前正在抗旱。8月4~8日连续出现大暴雨,中心林庄5天累计雨量达1 631.1mm,且主要集中在5~7日。这次暴雨有三次降雨过程。

第一次从8月5日14时~6日2时,总历时12小时,主要雨区在洪汝河上游及澧河、干江河一带,有两个暴雨中心,下陈站雨量471.4mm,尚店站雨量549.3mm。

第二次从6日14时~7日16时,总历时26小时,这次降雨形成一西北-东南向的弧形雨带,暴雨中心在上蔡附近,其总雨量为758.6mm。

---

❶ 水利电力部治淮委员会.淮河流域洪汝河、沙颍河水系1975年8月暴雨洪水调查报告.1979,3

❷ 淮河流域可能最大暴雨等值线图试点小组.淮河流域可能最大暴雨等值线图编制报告及专题研究报告.1977,2

第三次从7日12时～8日8时，总历时20小时，这次降雨先在薄山水库上游，7日20时后暴雨中心从东南向西北移至林庄、郭林一带，林庄过程总雨量971.9mm，郭林过程总雨量930.2mm。

3.5.1.2　雨区分布

758暴雨基本上沿洪汝河、沙颍河、唐白河上游的低山丘陵区，呈西北-东南向分布(图3.5.1)。受第二次降雨过程的影响，有一条东西向的分支由西向东伸向东部平原地区。雨量空间分布梯度变化很大，主要中心有三处，均在山区，即板桥附近的林庄、石漫滩上游的油房山和干江河上游的郭林，总雨量分别为1 631.1mm、1 411.4mm和1 517mm。平原区最大的上蔡为847.3mm。

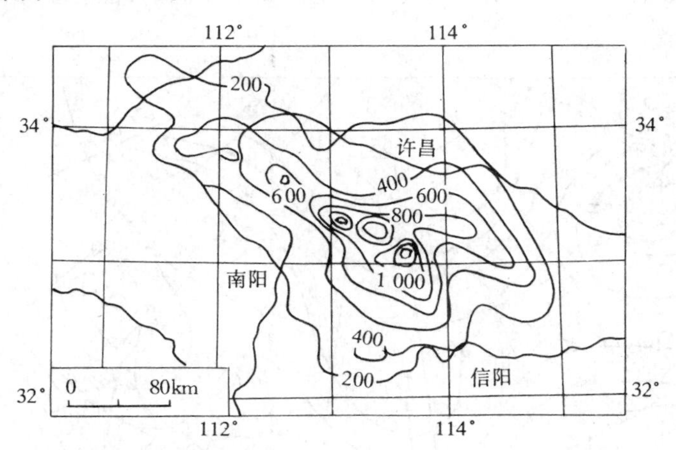

图3.5.1　1975年8月4～8日(5天)**等雨深线**(林庄，1 631.1mm)[5]

这次暴雨，5天累计雨量大于200mm的雨区范围为43 800km^2，相应总降水量201亿m^3；400mm以上雨区范围为18 900km^2；600mm以上雨区范围为8 970km^2。

3.5.1.3　暴雨强度

这次暴雨中心地区强度极大，当地居民反映"雨像盆的水倒下来一样，对面三尺不见人"。在林庄处过去雀鸟遍山坡，雨后鸟虫绝迹，死雀遍地。从中心雨量实测资料看，60分钟以8月5日下陈站218.1mm为最大；1小时雨量以8月7日老君站雨量189.5mm为最大；3小时以上历时雨量均以林庄站记录为最大，即3小时为494.6mm，6小时为830.1mm，12小时为954.4mm，24小时为1 060.3mm，6小时雨量已达到世界最大记录。

3.5.2　暴雨天气成因[1]

影响758暴雨的主要天气系统是3号台风。8月4日2时3号台风在福建晋江登陆，向西北深入内陆。5日20时到湖南常德附近转向北北东移动。6日20时进入河南省，徘徊在桐柏县附近。7日8时到达最北位置，13时以后折向南下仍徘徊在桐柏与大洪山之间。8日14时以后，台风加速向南南西移出。

3.5.2.1　环流特征及天气系统

3号台风有三个特点：①台风登陆后并不迅速消失；②台风路径特殊，并在河南省境内出现较长期停滞；③台风伴随的暴雨强度很大。这些是与大尺度形势变化密切相关的。台风登陆前后，欧亚大陆的长波形势出现几乎反位相调整，否则，台风登陆后将沿长波槽前部迅速转向东北行。形势调整变化最大区域在亚洲和太平洋范围，西藏高原西部和日本上空由长波脊变为长波槽，110°E 上空由长波槽变为长波脊。随之在我国东部大陆建立一个副高单体（如图 3.5.2），使得台风不能转向东北行，而是在河南省境内停滞少动。大形势的调整同台风北上正好同时，另外太平洋热带辐合线也同时出现一次北跃过程，这对台风的维持和雨区水源的供应有重要的作用。

758 暴雨的形成，除主要受台风影响外，还有其他天气系统的影响。三次暴雨过程参与的天气系统如表 3.5.1，说明各次的系统是不完全相同的，但主要系统是台风、低层偏东急流和西风槽。

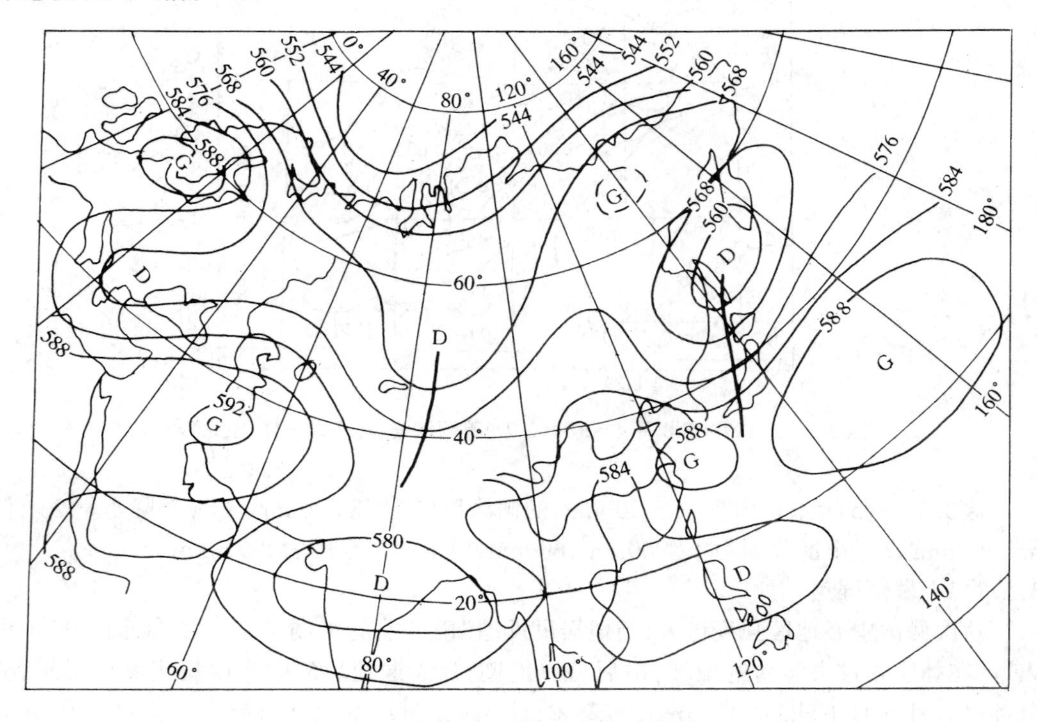

图 3.5.2　1975 年 8 月 4～7 日 500hPa 平均高度图[1]

表 3.5.1　　758 暴雨天气系统

5 日 20 时	6 日 20 时	7 日 20 时
东风扰动	台　风	台风（包括强对流系统）
低层东风急流	西风槽	低层东风急流（强）
中层偏南急流	低层东风急流（弱）	低层东北冷空气（强）
西风槽	中层偏南急流（强）	偏南气流（弱）
暖　锋	低层东北冷空气（弱）	高层小反气旋，西风槽（弱）

5 日 20 时台风位于湖南省，中心离暴雨区很远，所以对这次暴雨没有直接影响。暴雨主要由东风扰动、低层东风急流，西风槽系统的作用造成。其中低层东风急流带来的暖

湿空气与位于华中的冷空气在河南省暴雨区辐合上升中起重要作用,其天气系统示意如图3.5.3。6日的天气系统,如图3.5.4所示,台风起着重要的作用,由于台风和西风槽相连接,形成北槽南涡的形势,使大范围的天气区和降水明显扩大和加强。7日天气形势与6日基本相似,但台风、低层东风急流和低层东北冷空气是造成7日暴雨的主要天气系统。

3.5.2.2 水汽输送

3号台风产生于西太平洋赤道辐合带上,8月3日赤道辐合带呈东西走向在20°N附近。4日西端北抬,7日8时到达30°N,到8日20时才返回到20°N附近。这一低纬度环流特点,使辐合带北侧维持一支强劲的偏东气流,构成水汽和能量输送的一条通道。另外,在7日赤道辐合带有一涡旋到达台湾逼近3号台风,有利于和增强了东海洋面水汽向雨区输送。

3.5.2.3 地形影响

758暴雨三次暴雨过程,除第二次发生在平原地区,地形影响不明显外,其他两次暴雨均沿山丘区呈西北—东南向带状分布,雨量等值线梯度迎风坡大,背风坡小,明显地反映了地形对暴雨的影响。

758暴雨中心区的西北部为海拔1 000m的伏牛山,东南为海拔500～1 000m的桐柏山,中心区正好位于两山系之间的低山丘陵地带,海拔一般100～500m。由于山脉走向恰好与降雨时盛行的东北风是垂直方向,而且在这一地带又有若干三面环山朝偏东方向开口的喇叭形地形,以致暴雨中心都发生在这些地区,这些均说明了地形对暴雨的分布和增幅的影响。

3.5.3 暴雨的时面深关系

758暴雨的时面深关系如表3.5.2所示。

3.5.4 暴雨代表性露点

追踪758暴雨发生地上空空气质点轨迹,发现水汽主要来自东南方,于是按林庄东南雨区边缘(日雨量小于25mm)的信阳、阜阳、固始、蚌埠、合肥五个代表站同期平均求得758暴雨的代表性露点为25.6℃❶。

3.5.5 暴雨稀遇程度

758暴雨林庄最大3小时、4小时、6小时雨量,分别为494.6mm,641.7mm,830.1mm,均超过中国历次大暴雨的实测记录。其中6小时雨量已接近世界最大记录的外包线值(987.5mm)。这次暴雨的中心地区所形成的洪水,汝河板桥(集水面积762km^2)洪峰为13 000m^3/s,洪河石漫滩(集水面积230km^2)洪峰为6 280m^3/s,根据设计单位分析,其重现期均约为600年[9]。

---

❶ 淮河流域可能最大暴雨等值线图试点小组.淮河流域可能最大暴雨等值线图编制报告及专题研究报告.1977,2

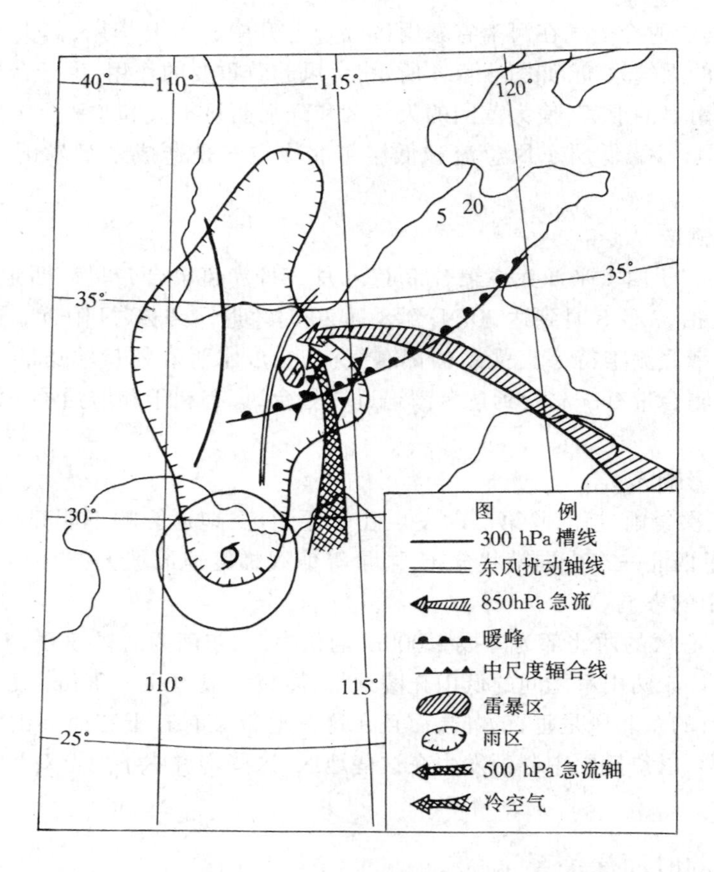

图 3.5.3　1975 年 8 月 5 日天气系统配置综合示意图[1]

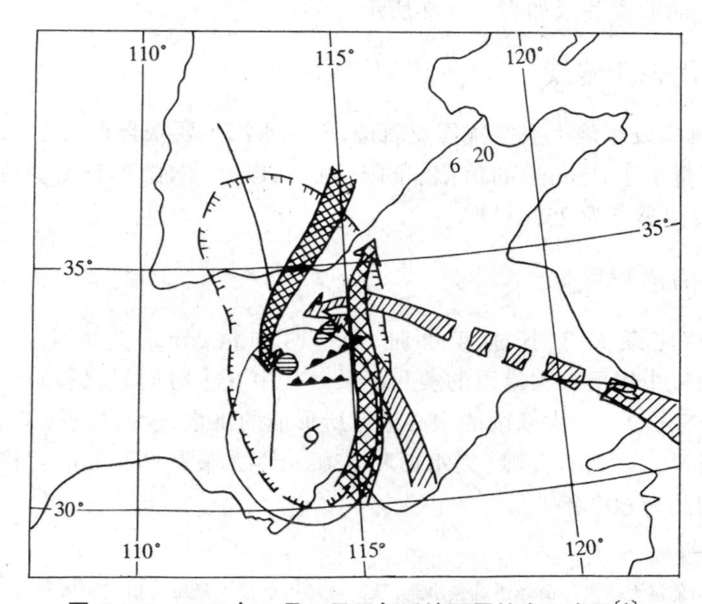

图 3.5.4　1975 年 8 月 6 日天气系统配置综合示意图[1]

表 3.5.2 758 暴雨时面深关系[1,5]

历时	各种面积(km^2)的面平均雨深(mm)											
	点(林庄)	50	100	300	500	1 000	3 000	5 000	10 000	20 000	30 000	40 000
1h	173		162	145		107						
3h	495		447	399		297						
6h	830	761	723	643	591	503						
12h	954		833	763		658						
24h	1 060	960	918	832	790	716						
1d	1 005	964	925	845	814	755	629	550	435			
3d	1 605	1 589	1 554	1 442	1 390	1 280	1 080	965	805	630	535	460
5d	1 631	1 596	1 554	1 445	1 395	1 300	1 095	990	830	650	545	485

3.6 1977 年 8 月蒙陕木多才当暴雨

3.6.1 暴雨概况❶

1977 年 8 月 1 日晚至 2 日晨，在蒙、陕边境以乌审旗木多才当为中心的地区内，下了一场特大暴雨，雨区呈东西向带状分布，整个雨区在 38°30′～39°50′N、107°30′～113°40′E。10mm 雨深的雨区面积为 77 000km^2。

这次暴雨的强中心区，发生在蒙、陕交界的毛乌素沙漠南沿，该处属鄂尔多斯高原，区内为荒漠草原及起伏不平的沙丘和少量农田。这里地广人稀，雨量测站稀少，无法控制中心区的暴雨实际情况。暴雨后当即组织力量，多次进行现场暴雨调查，来补充暴雨资料。由于本区为降水甚少的干旱和半干旱地区，群众家中许多容器均在户外，为此，根据当地群众在户外的坛、缸、炮筒等承雨容器的积水深度来估算暴雨量。按照以上途径，在乌审旗、榆林、神木三(旗)县，约 3 000km^2 的范围内，共取得 43 个地点的暴雨调查资料，根据实测和调查的资料，绘制了暴雨中心区和整个雨区等深线图(图 3.6.1 和图 3.6.2)。

由于本次暴雨的强中心区的落区，均属内流区，水量不能直接注入黄河，故未造成大的灾害。仅东部雨区在黄河支流孤山川高石崖站形成了一次 10 300m^3/s 的洪峰流量，洪水总量为 1.1 亿 m^3。

3.6.1.1 降雨情况

778 暴雨自 8 月 1 日 14 时开始至 2 日 9 时结束，历时 19 小时。但主要降雨集中在 1

❶ 易维中. 黄河中游 1977 年 8 月 1 日特大暴雨初步分析. 全国 PMP 咸宁会议交流材料，1978

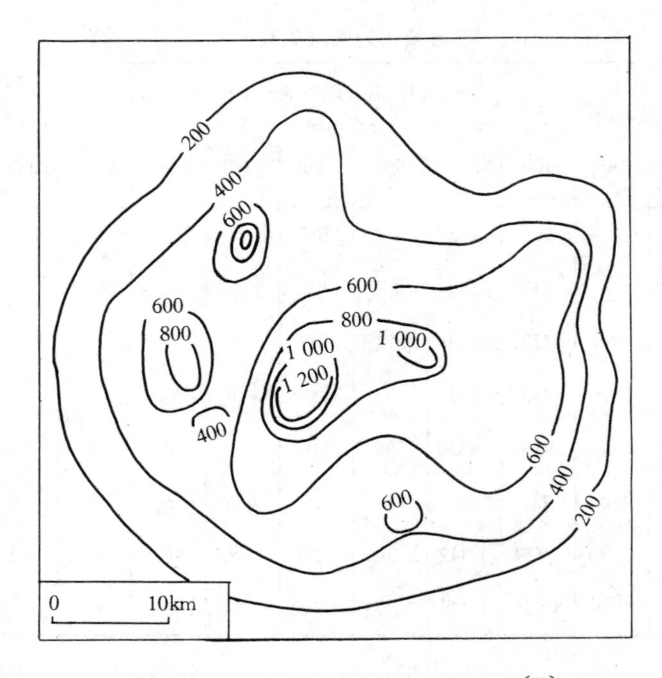

图 3.6.1　778 暴雨中心区雨量分布图[10]

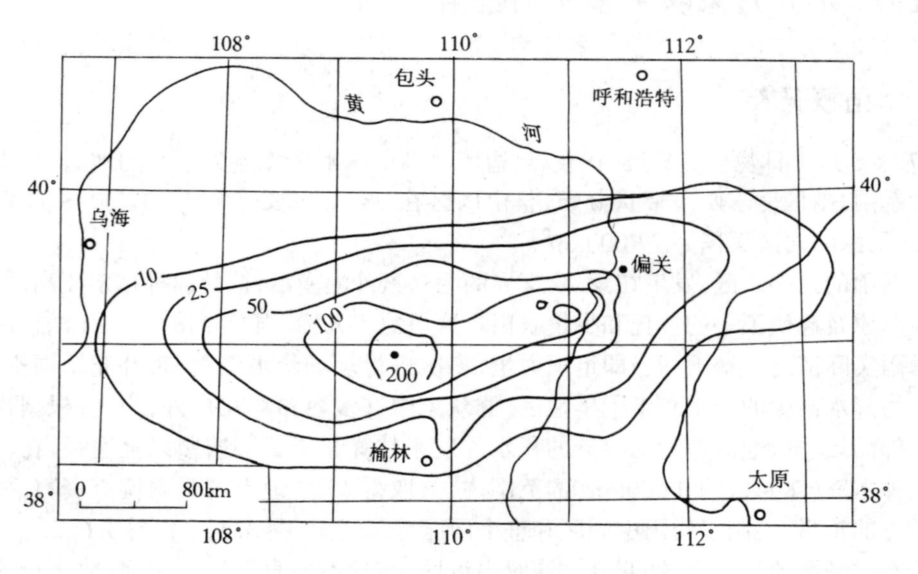

图 3.6.2　黄河中游 778 暴雨等深线图[10]

日 20 时至 2 日 8 时的 12 小时内。

据调查什拉淖海、葫芦素、要刀兔、木多才当、哈图才登等六处降雨量均超过 1 000mm，最大暴雨中心木多才当 10 小时降雨为 1 400mm。

雨区内西部降雨开始时间西部早于东部，且历时较东部长。如雨区西部的乌审召站是1日16时开始降雨,2日6时停止,降雨历时14小时,其中,根据调查,暴雨中心之一的哈图才登是1日19时开始降雨,2日6时停止,历时11小时;雨区东部的河曲站是2日0时开始降雨,2日9时停止,历时9小时。

本次暴雨各级雨深笼罩面积和水量见表3.6.1。

表3.6.1 778暴雨笼罩面积及降水量表〔10〕

雨 深(mm)	1 200	1 000	800	600	400	200	100	50	25	10
笼罩面积(km^2)	15.2	30.8	111.1	501	1 238	1 860	8 700	24 650	45 460	77 000
累积水量(亿 m^3)	0.20	0.37	1.10	3.83	7.69	9.55	19.97	31.90	39.70	45.30

3.6.1.2 暴雨主要特点

1)强度大。当地群众反映,雨势很猛,分不出雨滴,好似泼水,手捧脸盆伸出户外,顷刻注满。一夜之间柳笆窑上(用沙柳条作成的拱形房顶)一尺来厚的泥土,几乎全被雨水冲走,房前屋后树枝上的喜鹊、麻雀也被雨水打死。七八十岁的老人说:"从来没有见过这样大的雨"。祖祖辈辈没有听说满过的海子(即小的湖泊、洼地)这次也满了。

木多才当中心平均每小时降雨量为140mm,而暴雨最大雨强还在2日2时前后,因此,最大降雨强度更为突出。从国内外24小时以内实测或调查的最大点雨量记录可见,木多才当10小时降雨量1 400mm,已超过世界记录。

2)雨区呈带状分布、中心呈斑状分布。此次特大暴雨西起鄂托克旗,东至山西河曲,雨区呈带状分布。10mm、50mm等雨深线,在东南方向与南北方向长短轴之比均约为3:1。在两轴的中段部位1 860km^2的面积上,包含一个呈准圆形的200mm以上的特大暴雨中心区。在此区内包含着三个独立的呈斑状分布的暴雨中心。

3.6.2 暴雨成因〔10〕

3.6.2.1 环流形势

暴雨前8月1日,亚洲中纬度已完成了两槽一脊环流形势调整,副高西沿东退至东胜、银川、武都一线(图3.6.3);与此同时,7705号台风沿赤道辐合带西移,台风的生成和发展使副高不能南撤或东退;河套地区地面为一稳定的暖性倒槽。在这种形势下,来自海上的暖湿不稳定气团深入河套地区,为这次暴雨水汽辐合和对流不稳定能量积累,提供了非常有利的环流背景。

3.6.2.2 天气系统

暴雨出现前,雨区中、低空已经存在一条西南—东北走向的切变线,该切变线强而深厚,从地面一直上伸到600hPa附近上空。由于切变线的强烈辐合,故其南侧的偏南气流将大量水汽集中于暴雨区,并使暖湿空气逐渐变厚。但是促使暴雨发生的天气系统,是来自北方的一条高空冷锋。在8月1日,500hPa高空有一条西风小槽,它东移至雨区上空,并与中、低层切变线叠加,稳定少动;1 日 20 时槽前又有一条高空冷锋迅速南下,这条冷锋又与低层切变线重叠,造成低空不稳定气层上空气温急剧下降,使气层不稳定性增强,同时,在高空冷锋的抬升作用下,也造成了切变线上空的强上升运动。上述两因素是形成此次暴雨的主要原因。

在低空气流强烈辐合地方,850hPa 有一中间尺度的低涡形成,它的形成与暴雨的出现几乎是同时发生的,并随着暴雨结束而在原地消失。这个中间尺度低涡在整个暴雨过程中呈准静止状态。在此低涡形成时,地面河套低槽加深(图 3.6.4),槽内切变线两侧风速加大,对流活动加剧,先后有 3 个中尺度雨团形成东移,并穿过暴雨中心区。

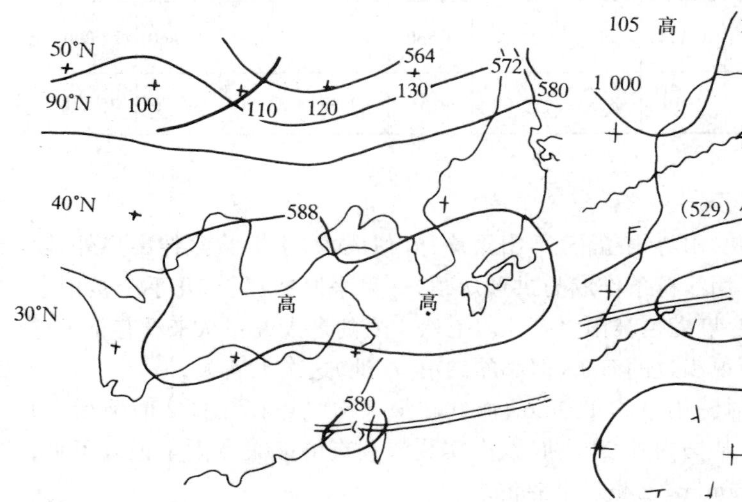

图 3.6.3 1977 年 8 月 1 日 08 时 500hPa 高空图[2]

双实线为槽线或辐合线

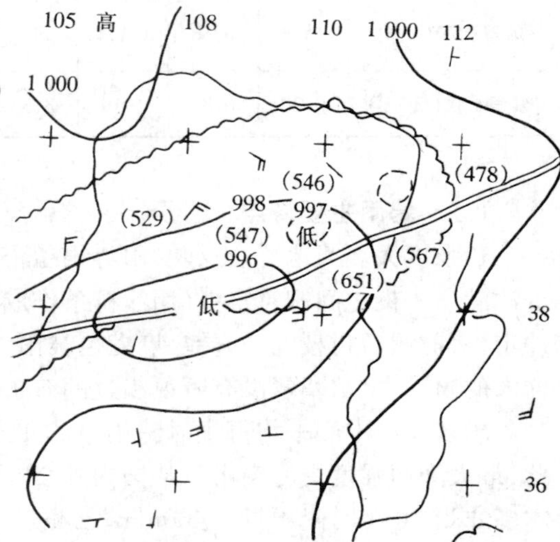

图 3.6.4 1977 年 8 月 2 日 02 时区域地面天气图[2]

实线为等压线;小黑圈为穿过暴雨区的 6 个站;波状线为降水区;括号内数值为站号;虚线区为中高压与中低压

3.6.2.3 水汽来源

从 850hPa 天气图上可以看出,8 月 31 日太平洋高压开始西伸加强,华中华南一带气流方向发生了从西南转为东南的改变,与 850hPa 水汽通量图一致(图 3.6.5、图3.6.6)。上述改变正好成为 31 日以前从南海一带登陆的海洋气团转运至暴雨区的良机。

3.6.2.4 下垫面影响

暴雨中心区地处毛乌素沙漠,地面高差甚小,所以,地形对这场大暴雨的作用不明显。而毛乌素沙漠区湖、淖、海子有 170 多个,总面积 917km^2,暴雨中心区附近较大湖泊在 100mm 等雨深线范围以内的,旱季面积就有 126km^2。处于乌审旗洼地中部的湖泊群,南北两侧都是沙漠,到了夜晚,由于沙漠与湖泊的热容量不同,出现由沙漠吹向湖泊的风。而地面切变线正好东西横穿湖泊,因下垫面沙湖效应就会加强切变线上升气流的辐合。这对雨团的发展,降水增幅是有一定作用的[10]。

据当地群众反映:“暴雨来前,西北狂风大作,黑云满天,云层极厚,四面雷声巨响,闪

电不断,来势很猛”。从以上情况看,这次暴雨无疑是在强对流活动条件下发生的。暴雨前后各时刻雨区上空 850hPa 与 500hPa 的 θ_{se}差值$|\Delta\theta_{se}|>15$℃,指数 $K>35$℃[2],达到或超过了华北暴雨的不稳定指标。

3.6.3　暴雨地区分布和时面深关系

778 暴雨等深线见图 3.6.2,暴雨带主要集中在 39°N 附近。大于 100mm 的暴雨区东西长约 220km,南北宽约 40km,面积为 8 700km²,分布在内蒙古乌审旗至山西保德一带,降水总量为 19.9 亿 m³。大于 200mm 的大暴雨区范围较小,主要分布在乌审旗东北部呼吉尔特附近,面积为 1 860km²,降水总量为 9.55 亿 m³,面平均雨深达 514mm。其中,大于 100mm 的暴雨共 6 处,分为 4 个独立中心呈斑状分布于准圆形的大暴雨区内。暴雨时面深关系见表 3.6.2。

图 3.6.5　1977 年 7 月 31 日 20 时 850hPa 水汽通量[11]

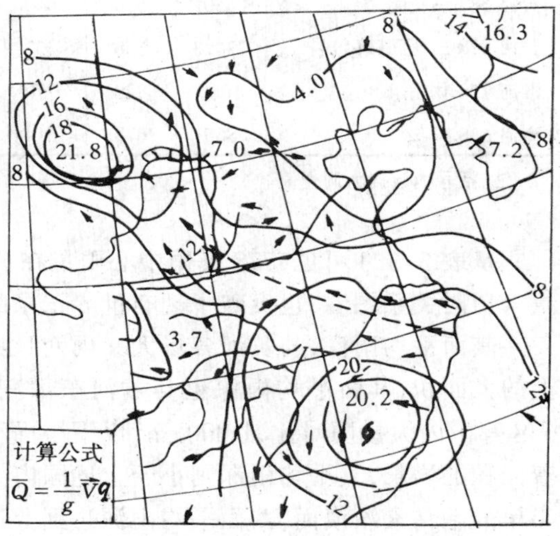

图 3.6.6　1977 年 8 月 1 日 20 时 850hPa 水汽通量[11]

表 3.6.2　　黄河中游 778 暴雨日雨量面深关系表[5]

面　积(km²)	点(0)	100	300	1 000	3 000	10 000	30 000	100 000
平均雨深(mm)	1 400	1 050	854	675	400	212	115	47

3.6.4　暴雨代表性露点

根据雨区附近乌审旗和乌审召气象站观测,雨前一天 20 时 1 000hPa 露点分别高达 25.6℃和 26.5℃。

本次大暴雨雨区边缘暖湿空气入流方向持续 12 小时 1 000hPa 最大露点为 24.4℃[10]。超过了内蒙古地区历次大暴雨的代表性露点,和东部地区 638 獐犴大暴雨的持续 12 小时最大露点 24.3℃相近。

3.6.5 暴雨稀遇程度

统计的黄河中游及中国几次大暴雨最大 1 日面深关系见表 3.6.3。

表 3.6.3 黄河中游及中国几次大暴雨最大 1 日面深关系表

暴雨名称	不同面积(km^2)的平均雨深(mm)								
	0	500	1 000	3 000	5 000	10 000	20 000	30 000	50 000
黄河 778 木多才当	(1 400)	770	655	430	340	220	150	120	75
黄河 549 亭口	214	170	150	120	100	90	80	70	
黄河 777 延安	(400)	216	196	171					
黄河 587 三花间	(650)	530	440		260	212	165		102
黄河 828 三花间(H_{24})	734.3	530	452		280	208	142		
淮河 758 林庄	1060	820	770	640	560	430			
海河 638 獐 犾	865	678	614		408	325	248		160

注:括号内数据为调查值。

从表 3.6.3 可见,778 暴雨中心雨量在黄河及其邻近流域是首屈一指的,从最大点雨量与历时关系图看,也突破了现有世界记录的外包线。

其面平均雨深,与黄河各场大暴雨对比,5 000km^2 面积以下是罕见的;10 000km^2 以上的大面积,其面平均雨深也与黄河东部三门峡至花园口区间的大暴雨相当。与 758、638 等国内大暴雨对比,1 000km^2 以下小面积的平均雨深,与上述国内大暴雨相近,但随着面积的增长,其平均雨深则小于上述国内大暴雨。对于地处内陆,远离水汽源地干旱和半旱的毛乌素沙漠而言,面平均雨深达到上述量级是非常不易的。

3.7 1981 年 7 月四川上寺暴雨

3.7.1 暴雨概况

1981 年 7 月 9 日～14 日,在四川境内发生了一次大面积暴雨(图 3.7.1)。雨区主要在嘉陵江、涪江、沱江以及岷江和渠江部分地区。暴雨中心广元上寺站雨量 489.6mm。该次暴雨 100mm 以上的雨区笼罩面积达 173 600km^2,相应降水总量 352 亿 m^3。长江干流寸滩站洪峰流量 85 700m^3/s,为 20 世纪以来最大的一次洪水[1]。致使四川省遭受严重水灾。此次暴雨降雨过程及特征如下:

3.7.1.1 降雨情况[1]

817 暴雨历时 6 天,暴雨主要集中在 12 日、13 日两天。其中,又以 12 日 11 时至 13 日 11 时暴雨强度最大,各日暴雨笼罩面积及暴雨中心雨量见表 3.7.1。各日暴雨情况简介如下:

9日,岷江、青衣江中、下游和嘉陵江中游地区开始降雨,雨区较分散,暴雨中心在青衣江下游夹江站。

10日,雨区主要分布在岷江、沱江中游,雨区范围小,日雨量大于50mm的笼罩面积仅7 596km²,暴雨中心在沱江中游资中县石坝湾站。

11日,主要暴雨区移至嘉陵江、涪江及沱江,暴雨中心在涪江中游江油县小溪坝,日雨量为139.4mm,但雨区较前一日集中,范围也有所扩大。

12日,雨区进一步扩展,笼罩了嘉陵江、涪江、沱江上中游及岷江中游地区,日雨量大于50mm的笼罩面积达7.5万km²,暴雨中心雨强亦显著增大,并有多个暴雨中心,最大暴雨中心在嘉陵江中游广元县上寺站,日雨量为345.8mm,最大24小时雨量418.5mm。其他中心尚有岷江崇庆县万家场站,日雨量为225.4mm,沱江资阳县太平站日雨量222.9mm,涪江北川县甘溪站日雨量255.6mm。

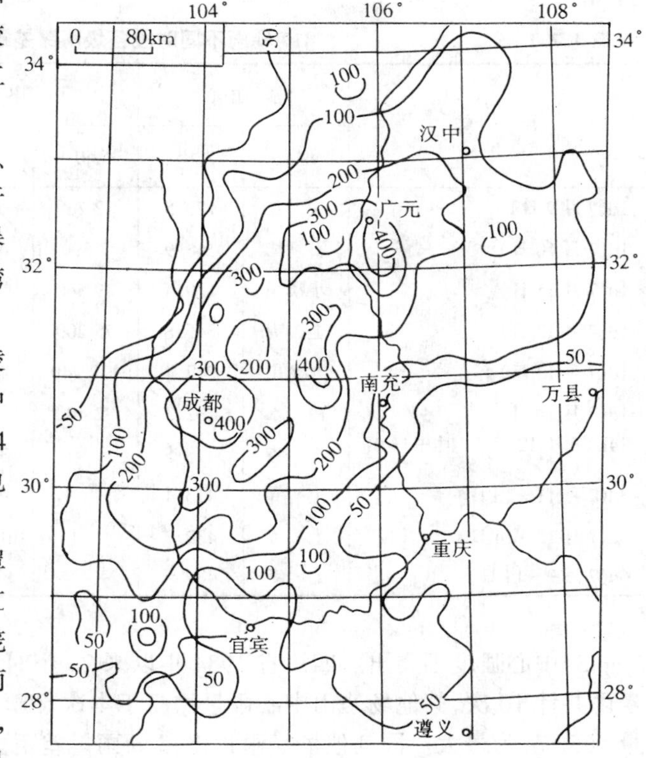

图3.7.1 1981年7月9～14日(6天)等雨深线
(上寺,489.6mm)[5]

13日,雨区猛增,整个四川盆地被大雨所笼罩,并波及陕西、甘肃南部和贵州北部,日雨量大于50mm的笼罩面积达137 000km²,大于100mm的笼罩面积亦有43 000km²。但中心雨强有所减弱,暴雨中心苍溪九龙山日雨量为242.4mm。

14日,雨区东移且范围急剧缩小,雨区主要在嘉陵江支流东河、涪河下游和渠江上、中游一带,日雨量大于50mm的笼罩面积为32 400km²,雨强亦显著减弱,中心广元县白水站日雨量仅132.3mm。此后四川盆地降雨基本结束。

3.7.1.2 暴雨特征

1)笼罩面积大。本次暴雨6天累计雨量100mm雨深的笼罩面积高达173 000km²,日雨量(7月13日)。100mm雨深的笼罩面积也有43 720km²,是四川省1945年以来历次大暴雨中范围最大的一次[1]。

2)空间分布比较均匀。817暴雨是四川省历次实测暴雨中,随面积增长递减率最小的。与原暴雨中递减率最小的739暴雨对比,不论3小时、6小时、12小时、24小时或次暴雨的点面衰减系数,817暴雨均大于739暴雨。如817一次暴雨的衰减系数,500km²为93.9%,10 000km²为67.1%,而739暴雨,500km²为91.2%,10 000km²仅

54.4%[12]。

表 3.7.1 817暴雨不同时段各级雨深笼罩面积表

时段	暴雨中心		各级雨深(mm)的笼罩面积(km²)				
	地点	雨量(mm)	50	100	200	300	400
1d(7月9日)	夹江	173.5	12 260	1 020			
1d(7月10日)	石坝湾	168.9	7 596	2 160			
1d(7月11日)	小溪坝	139.4	19 560	380			
1d(7月12日)	上寺	345.8	75 200	39 440	3 700	430	
1d(7月13日)	九龙山	242.4	137 440	43 720	1 580		
1d(7月14日)	白水	132.3	32 400	740			
24h(7月12日11时～13日11时)	上寺	418.5		39 440	10 073	1 000	25
3d(7月11～13日)	上寺	473.4		99 000	38 200	2 120	320
3d(7月12～14日)	上寺	439.7		103 480	31 080	5 080	200
6d(7月9～14日)	上寺	489.6		173 600	69 648	19 520	2 600

3)中心强度不突出。四川省1934年以来24小时雨量在418.5mm以上的包括本次暴雨共计10次,其他场暴雨中心雨量均高于本次暴雨,其中以夹江千佛岩387暴雨日雨量565mm为最大。同其他场暴雨相比,3天雨量差距更大,本次暴雨仅473.4mm,其他7场一般均在600mm以上,其中,387暴雨夹江3天雨量高达862.3mm[1]。

4)雨量时程分配比较集中。12～13日2天雨量可占9～14日6天降雨总量的80%[1]。

3.7.2 暴雨成因

3.7.2.1 环流形势

本次暴雨环流形势,可分为前后两个阶段:

前一阶段,即7月9～10日,西风环流平直,低槽平浅。

后一阶段,即7月11～14日,欧亚长波槽调整为两脊一槽型(图3.7.2)。乌拉尔东侧为一强大、缓慢东移的长波高压脊,贝加尔湖、蒙古一带为一长波低压槽,大槽底部伸至35°N附近,并与南部小槽相接,引导冷空气经我国西北地区南下进入四川。西太平洋副热带高压西伸,脊线位于25°N左右,而588线西伸脊点达110°E附近。结合其西侧低槽,引导海上东南暖湿空气源源不断地向四川盆地输送。同时,印度季风低压较往年偏北偏强,低压前部强西南季风使孟加拉湾的暖湿空气源源不断地输入四川盆地上空,为西南涡的发生、发展和暴雨形成提供了十分有利条件。

由于华北东部至江淮暖高与副热带高压南北叠置并保持稳定,以及朝鲜半岛切断低压的维持,而使低涡的东移速度缓慢,为持续性大暴雨的产生提供了有利的天气形势。

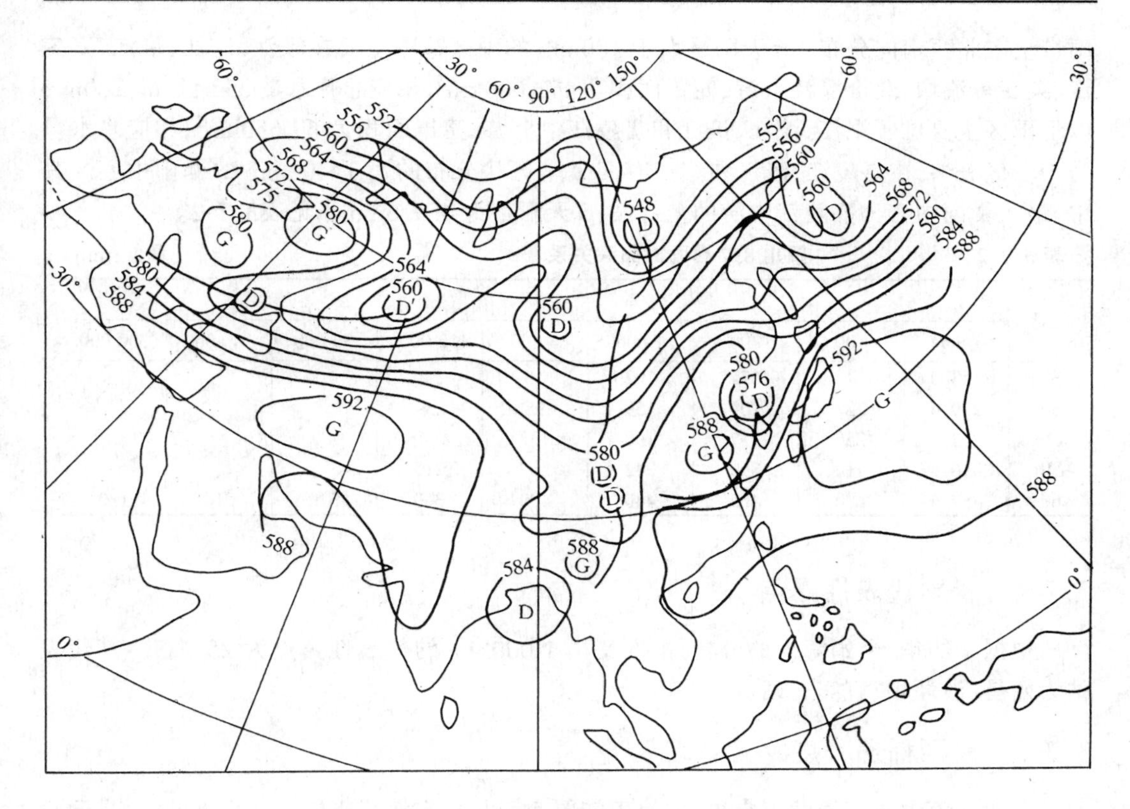

图 3.7.2 1981 年 7 月 12 日 20 时 500hPa 图[1]

3.7.2.2 天气系统

暴雨主要影响系统，前一阶段，即 9～10 日，为东西向切变线带低涡。后一阶段，即 11～14 日主要是西南低涡，由于西南涡发展强烈、深厚且影响范围广，其中心轴线近于垂直，低涡深厚的辐合上升运动，与进入长江中、上游的冷锋相结合，引起强对流的发展，而造成大暴雨。同时，由于稳定的环流形势，使低涡移动速度缓慢，从图 3.7.3 可见，12～14 日低涡一直徘徊在四川境内，致使本区大面积的强暴雨得以持续。

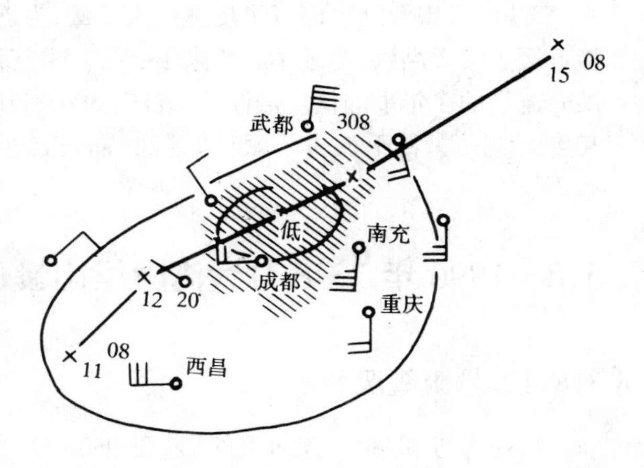

图 3.7.3 1981 年 7 月 13 日 08 时 700hPa 西南涡及其活动路径[3]

3.7.3 暴雨地区分布及时面深关系

817 暴雨雨区范围甚大(图 3.7.1)，

雨带呈东北西南向分布。6天雨量大于100mm的雨区范围主要在岷江、沱江、涪江、嘉陵江、渠江等流域,北至汉江上游,笼罩面积达173 600km^2,相应总降水量352亿m^3,200mm以上雨区主要位于岷江、沱江、涪江和嘉陵江中上游,笼罩面积为69 650km^2,相应降水量为192亿m^3。在嘉陵江、涪江和沱江有四个呈斑状分布的大于400mm的暴雨中心。其中,最大暴雨中心为嘉陵江中游的上寺站,6天雨量为489.6mm。见表3.7.2。

表3.7.2 四川817暴雨时面深关系表[5] (单位:mm)

历时	面积(km^2)								
	点(0)	100	300	1 000	3 000	10 000	30 000	100 000	300 000
3h	153.0	145	132	102	58	32			
6h	229.4	222	204	159	98	58			
12h	263.5	255	237	190	132	84			
24h	416.7	410	390	342	269	215			
6d	489.6	480	465	440	400	360	320	210	130

3.7.4 暴雨代表性露点

根据李幼华、余娟等人的分析,本次暴雨1 000hPa的代表性露点为25.4℃。其代表站为西昌、沙坪坝、宜宾三站。

3.7.5 暴雨稀遇程度

本次暴雨中心雨量并不突出,但暴雨笼罩面积却是有实测资料以来最大的一次,同时暴雨空间分布也比较均匀。

暴雨区内各河相应站的洪水则较为稀遇。如沱江三皇庙站为近140多年来最大洪水;嘉陵江金银台站也超过了历史最大流量,为近80年来最大的一次洪水;涪江小河坝站接近历史最大洪水,为近140年来第2位。渠江洪水不大,罗渡溪站洪峰流量低于年最大洪峰流量的多年平均值。涪江、嘉陵江、渠江三江汇合后的嘉陵江北碚站,本次洪水约为30年一遇。长江干流由于岷江、沱江、嘉陵江洪水遭遇,寸滩站洪峰流量约为70年一遇[1]。

3.8 1996年7~8月台湾阿里山暴雨❶

3.8.1 暴雨概况

1996年7月30日至8月2日,受9608号台风〔台湾称“贺伯(Herb)台风”〕影响,在台湾中央山脉西侧发生一场特大暴雨。台湾除东南部外,暴雨笼罩北、中、南三区。中部南投及嘉义山区为最大暴雨中心,阿里山气象站4天总雨量1 994.0mm,为中国最高记录。

---

❶ 本节大部分由王涌泉教授编写。

暴雨主要集中于7月31日至8月1日两天。阿里山站两天雨量达1 986.5 mm,其中7月31日雨量1 094.5mm。最大24小时雨量高达1 748.5mm,此值不仅打破该站1933年设站以来所有记录,而且打破中国所有雨量站以往的同历时实测记录。与世界最高记录较为接近。

此次暴雨在台湾省造成极为严重的灾害,山坡地崩坍、土石流、山溪冲刷、道路与桥涵毁坏、河流改道、泥沙淤积和积水等洪涝灾害损失惨重,其中以南投县受灾最大。浊水溪为台湾最大河流,最大洪峰流量达20 000m³/s(集集站流域面积2 304km²,历年平均流量134.28m³/s)[13]❶❷。

3.8.1.1 降雨情况

以7月30日至8月1日3天降雨量绘制等雨量线分布如图3.8.1。由图可知,此次暴雨共有3个中心。最大降雨中心在南投嘉义山区,阿里山降雨量最高。另一北部中心在大雪山西侧,正当桃竹苗山区及石门水库(淡水河流域上游)集水区内。其中以鸟嘴山1 044mm,白石973mm,坪林809mm最大。南部中心在高屏山区,以高雄县新发886mm为最大。

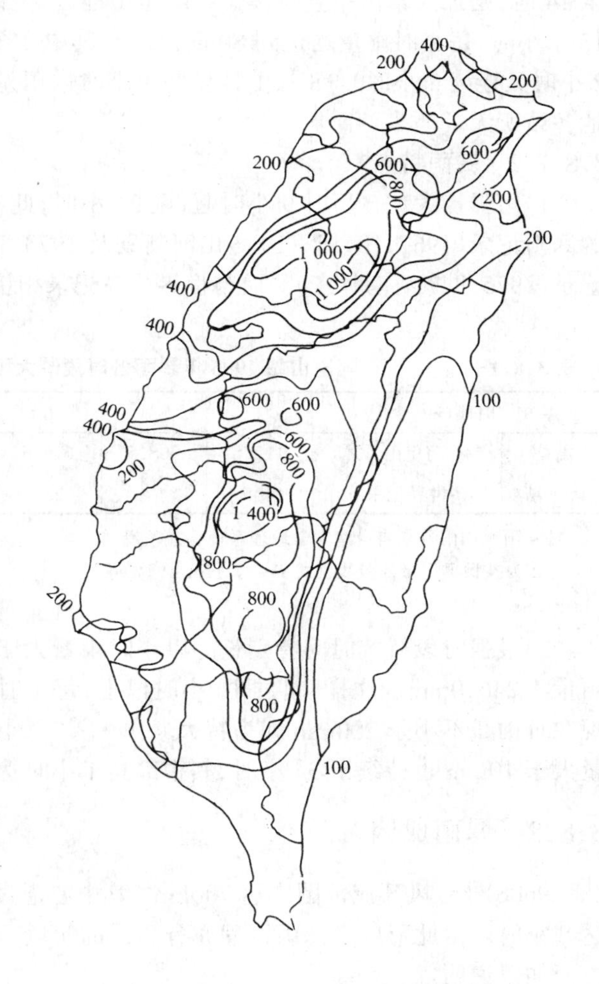

图3.8.1 1996年8号台风侵袭期间台湾地区总雨量分布图

上述三区均位于台湾中央山脉西侧,而台湾东部及东南部雨量尚不及200mm。

7月30日雨量以苗栗及嘉义山区较多,为150～200mm,其他地方尚不及100mm。7月31日雨量最大,北部中心雨量达500～888mm。嘉义至南投雨量倍增,中部中心阿里山出现1 094.5mm打破记录的雨量。8月1日桃园、新竹雨量中心南移,曾出现台中山区783mm和南投山区789mm降雨。但此日最大降雨仍为阿里山892mm。南部中心高雄

---

❶ 姜善鑫.贺伯台风南投地区之降雨量.贺伯台风南投地区灾害专辑.1996

❷ 台湾省水利局.浊水溪洪水报汛资料.1996

县新发以8月1日2时至8月1日10时间雨量较大，但除3个小时雨量达50～70mm外，其余雨量均较小。

此次特大暴雨之最强时段为7月31日14时至8月1日8时，如包括7月31日8时至14时，则最大暴雨一直持续位于阿里山地区。自7月31日18时至8月1日6时连续13个小时，每小时雨量均达到80mm以上，其中4个小时超过100mm(连续2小时，间隔2小时又连续2小时)。8月1日凌晨1小时内雨量112.5mm为最大值。此种强度为其他各站所无。

3.8.1.2 **暴雨特点**

1)雨强特大。自历时9小时起，至24小时，此次暴雨最大中心雨量均超过以往台湾的暴雨记录(1967.10.18～19冬山河新寮及1973.10.9花连溪大观)，也超过大陆的暴雨记录(1975.8.7河南林庄)。而与世界最高记录相接近(表3.8.1)。

表3.8.1 阿里山站1996年暴雨各时段最大雨量与世界记录比较

时段(h)		1	3	6	9	12	18	24
雨量(mm)	阿里山*	112.5	308.5	616.5	889.5	1 157.5	1 537.5	1 748.5
	世界记录			830	1 087	1 340	1 664△	1 825

注 * 阿里山雨量来自台湾大学地理系姜善鑫教授。

△为按世界记录外包线公式 $P=421.6t^{0.475}$ 算得。

2)最强时段持续时间特别长。以小时雨量大于80mm为标准，持续13个小时，累计雨量1 246.0mm。这样，超过10小时以上，每小时达到和超过80mm的暴雨十分罕见。现在日雨量不小于200mm即为特大暴雨，平均每小时尚不足10mm。而这次暴雨小时雨量大于10mm也持续了34小时，其中最高1小时达112.5mm。

3.8.2 暴雨成因

9608号台风环流范围广达700km^2，其中心通过北部陆地时移速减缓，笼罩台湾地区达8小时。由此形成之暴雨过程亦有不同的阶段。特就卫星云系发展、台风环流演化等方面加以说明。

3.8.2.1 **卫星云系发展**

7月24日晚，此次台风开始在西太平洋关岛生成(图3.8.2)，经过5天发展，云系范围扩大，强度增加，水汽逐渐丰沛。30日20时，台风中心距宜兰外海约520km时，外围云带开始影响台湾地区。6小时后外围云带触及台湾陆地，北部、东部及西部地区一直受到台风眼附近及外围深厚云带影响，各地区都出现大暴雨。云顶温度为－62℃～－94℃。中部山区上空发展有极强烈的对流云系。直至台风由新竹出海，穿越海峡登陆福建，云系才明显减弱。

3.8.2.2 **台风环流演化**

当台风中心逼近宜兰时，北部及西部风场由北风转变为北北西至北风，与中央山脉走

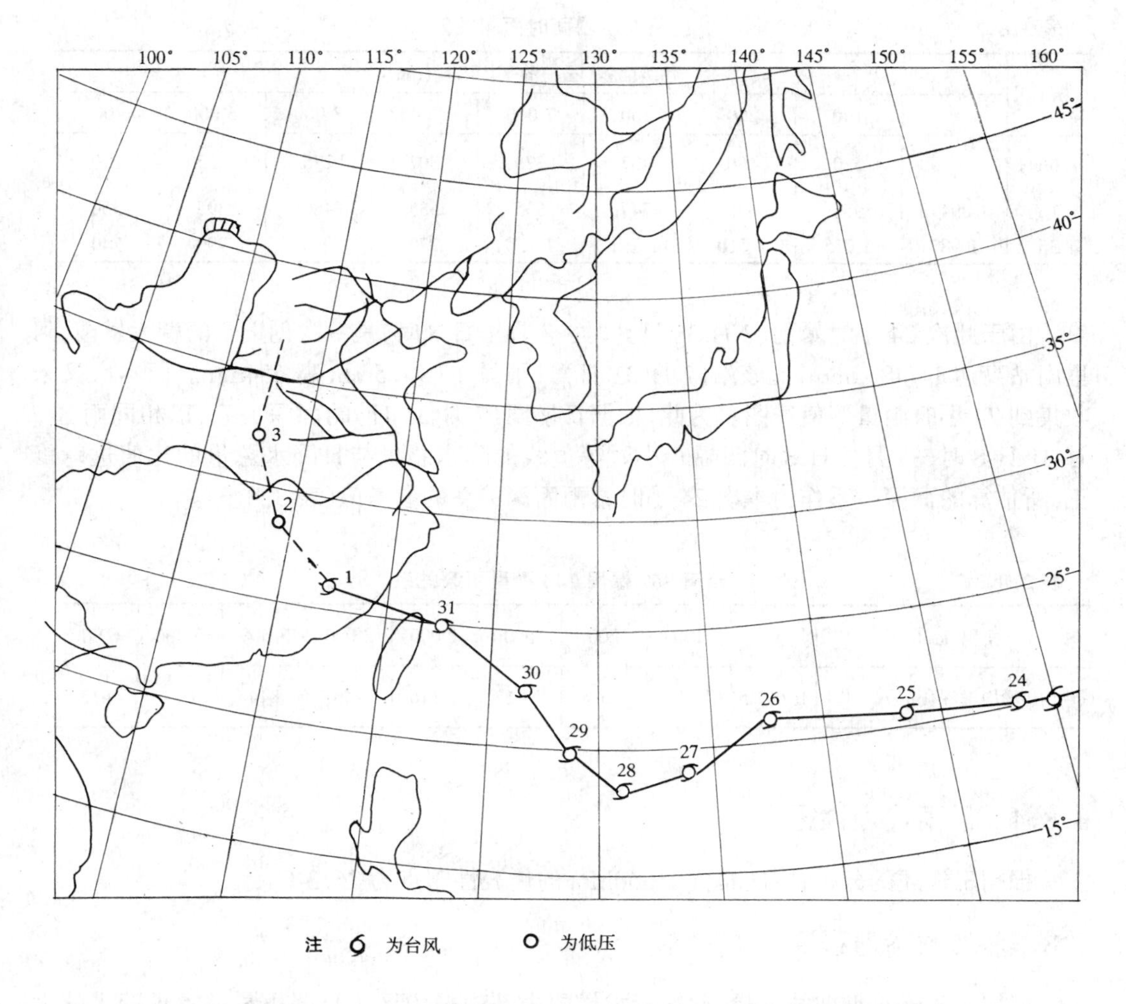

图 3.8.2 1996 年 8 号台风 7 月 24 日～8 月 2 日路径图(彭梅香高工提供)

向呈现交角,降雨开始并迅即增强。北部地区正逢台风中心附近最强的对流云系通过,加上迎风面地形抬升,因而出现大暴雨。

当气流由西北转为偏西至西南时,上游台风内气流辐合和台风环流螺旋状雨带内中小尺度降水系统不断补充,再加中央山脉地形抬升影响,从而促使降雨强度达到最高峰,引发中部最大暴雨中心出现持续性特大暴雨。

待到台风中心远离,台湾西部气流转为偏南风,与中央山脉平行,暴雨因而逐渐停止。此时,因西南气流进入,南部因而出现暴雨[13]。

3.8.3 暴雨时面深关系

本次暴雨的主中心位于中部地区,根据文献〔13〕中的雨量等值线图放大后求得此次暴雨主雨区范围内不同历时的面深关系见表 3.8.2。

表 3.8.2 台湾 967 暴雨时面深关系

历时	各级面积(km²)的平均雨量(mm)								
	0	100	200	500	1 000	2 000	3 000	5 000	6 000
6h		520	490	437	375	307	275	225	210
1d	1 094.5	958	875	747	635	535	480	395	350
3d	1 987	1 775	1 610	1 355	1 150	970	870	790	740

由于此次 24 小时暴雨(7 月 31 日 8 时～8 月 1 日 8 时)是一次创记录的特大暴雨,阿里山站高达 1 748.5mm,比该站(7 月 31 日)日雨量 1 094.5mm 高 654mm。而本次又未收集到 24 小时雨量等值线图。为此,根据日暴雨(7 月 31 日)的面深关系,以相同雨区 7 月 31 日 8 时～8 月 1 日 8 时四幅 6 小时等值线的降水总量与日降水总量的比值进行修正,所估算的面深关系作为本次 24 小时暴雨面深关系的参考值(表 3.8.3)。

表 3.8.3 台湾 967 暴雨 24h 雨量面深关系

面积(km²)	0	100	200	500	1 000	2 000	3 000	5 000	6 000
平均雨深(mm)	1 748.5	1 684	1 538	1 313	1 116	940	844	694	615

3.8.4 暴雨代表性露点

根据王作述的分析,本次暴雨 1 000hPa 的代表性露点为 26.3℃。

3.8.5 暴雨稀遇程度

应用皮尔逊Ⅲ型曲线分析,此次特大暴雨中部南投山区 1 日降雨量的重现期多处大于 200 年,部分山区 2 日雨量重现期大于 100 年,阿里山甚至达 1 000 年。平地雨量则介于 2～25 年间[1]。

参 考 文 献

1 胡明思,骆承政.中国历史大洪水(下卷).北京:中国书店,1992

2 陶诗言等著.中国之暴雨.北京:科学出版社,1980

3 詹道江,邹进上.可能最大暴雨与洪水.北京:水利水电出版社,1983

4 陈金荣,黄忠恕.长江流域 1954 年特大暴雨洪水.水文,1986(1)

5 水利部长江水利委员会水文局主编.水利水电工程设计洪水计算手册.北京:水利电力出版社,1995

[1] 台湾水资源统一规划委员会.贺伯台风水文分析摘要.1996

6 长江水利委员会.三峡工程水文研究.武汉:湖北科学技术出版社,1997
7 胡明思,骆承政.中国历史大洪水(上卷).北京:中国书店,1988
8 须洪熙.水文与工程,台湾工程基本资料丛书之二
9 王国安.对淮河"75.8"洪水垮坝主要原因及引出问题的认识与建议.河南水利,1995(4)
10 郑梧森,易维中,晏宗镇.内蒙古乌审旗特大暴雨简介.水文,1981(2)
11 "77.8"乌审旗特大暴雨会战组.1977年8月乌审旗特大暴雨研究报告.陕西气象,1979(10)
12 四川省水文总站.四川"81.7"暴雨洪水分析.水文,1985(2)
13 谢信良.贺伯台风侵台期间之降雨量分析,水资源经营管理研讨会(三).淡水河流域理论文集.台湾大学水工试验所,1996

4 流域暴雨洪水特性及天气成因分析

4.1 目的要求和注意事项

4.1.1 分析目的

掌握设计流域的基本情况,分析设计流域的暴雨洪水特性及气象成因,是推求PMP的基础工作。它涉及PMP计算的每一个环节,贯穿于工作的始终。针对各个环节的不同目的与要求,暴雨特性及成因分析的内容和重点也不相同。

本章的目的,主要在于了解形成设计流域特大暴雨的主要条件,即水汽条件和动力条件以及该种暴雨在时间上和空间(地区)上的分布特点,从而有利于对PMP的定性特征作出判断,以便合理地拟定暴雨模式和确定计算方法等[1]。

4.1.2 分析要求

产生暴雨的水汽主要来自广阔海洋的蒸发,因此流域的地理位置不同,水汽也有所不同。海洋某一区域(水汽源地)内蒸发的水汽,要输送到设计流域,并形成某种暴雨,必须有适当的水汽输送方式。而水汽源地和水汽输送方式是与大气环流形势有关的。从海洋来的水汽进入设计流域的多寡及入流状况,又与设计流域地理位置及其周围的地形条件有关。例如,距离海洋愈远,则进入设计流域的水汽愈少;在入流方向的山脉愈高大,则进入设计流域的水汽愈少。

产生暴雨的动力条件就是使暖湿空气辐合上升的速度。此种辐合上升速度的大小,主要与暴雨天气系统和地形条件等有关。

因此,在流域暴雨洪水特性及气象成因分析上,一般有以下的要求:

1)在流域特性上,主要弄清设计流域所处的地理位置、流域地形地势和流域形状等;

2)在洪水特性上,主要弄清设计流域特大洪水的时空分布特征及其相应的暴雨特征;

3)在暴雨特性上,主要弄清设计流域特大暴雨的时空分布特征;

4)在天气成因上,主要弄清形成设计流域特大暴雨的环流形势、暴雨天气系统和与暴雨过程有关的特征物理量。

4.1.3 注意事项

在进行暴雨洪水特性分析时,应注意以下几点[2]:

---

[1] 黄河水利委员会规划办公室(王国安执笔).推求可能最大降水的典型暴雨法.黄河水利学校印,1976,4

[2] 黄河水利委员会规划设计大队(王国安执笔).对可能最大降水分析的几点体会.广州全国设计洪水讨论会论文,1975,9

4.1.3.1　要规定设计流域的暴雨标准

规定设计流域暴雨标准是综合归纳分析流域暴雨时空分布特性的一项基础工作，它不同于一般气象部门按单站日雨量划分等级的做法，而是需要从整个设计流域的角度来予以确定。一般可以采用整个设计流域特定时段面平均雨量（例如最大1日面平均雨量35mm）或主要产流区特定时段面平均雨量等，予以规定。对于特大流域，也可以规定，特定时段超过某一指标的雨量应达到的最低面积，例如黄河中游规定日雨量超过50mm的范围大于10 000km^2，称为暴雨。

这样作的目的有二：一是分析时对资料的取舍有统一的标准；二是便于抓住主要矛盾。

4.1.3.2　要着重分析特大暴雨

因为特大暴雨与一般暴雨，无论在环流形势演变、影响暴雨系统的特征与转换规律方面或是暴雨过程的物理条件方面，均有着重大的差别。而水文气象分析途径，主要是利用已经发生过的大暴雨的特性和内在机制去推估今后可望发生的PMP，故分析重点应是特大暴雨。

4.1.3.3　分析范围不应局限于设计流域之内

因为设计流域的实测暴雨资料，一般年限不长，往往缺少特大暴雨典型实例，这就需要从更大范围之内来分析暴雨特性。再者，大暴雨的雨区范围一般都是较大的，而且往往是跨流域的，故在分析某一场大暴雨特性时，必须适当扩大范围，以求完整地分析该场暴雨的时空分布特性（包括时面深关系）。

4.1.3.4　“天上”与“地下”要联系起来考虑

暴雨及其成因分析是为阐明洪水特性服务的；而洪水特性又是在特定下垫面条件下，对区域性暴雨现象的反映，故在进行各种现象的特性分析时，必须把它们有机地结合起来考虑。

4.1.3.5　古今资料都要用上

分析时所用的资料，应包括实测、野外调查和历史文献记载的所有大暴雨洪水资料。在某种意义上说，特别是野外调查和历史文献记载的资料更重要，因为它们能提供很稀遇的大暴雨洪水的某些特征；而实测资料因为观测年份较短，一般所观测到的大暴雨洪水，都算不上是很稀遇的。

4.1.3.6　充分利用已有成果

对设计流域及邻近地区与PMP/PMF有关的生产报告和科研成果，都要注意利用。

4.2　基本资料

基本资料是分析计算的依据，必须认真收集，必要时还应进行实地调查，同时要注意鉴别资料的可靠性。

收集资料，应有针对性，也就是要结合设计流域的具体情况，有选择地收集某些资料，而不是千篇一律，多多益善。

为了分析暴雨成因和估算PMP所需要收集的基本资料，一般有下列几个方面[1]。

4.2.1 自然地理资料

包括设计流域及邻近地区的地形、地貌、水系等资料。

4.2.2 暴雨洪水资料

包括暴雨普查和暴雨档案资料，实测、调查和历史文献记载的暴雨及洪水资料。应着重收集大暴雨、大洪水资料。

4.2.3 气象资料

包括气候和气象要素统计特征资料，例如汛期各月的平均气压场和流场图、最大露点分布图、可降水资料等；有关暴雨期间的地面和高空温、压、湿、风、天气现象资料和历史天气图以及雷达观测、卫星云图等资料，可结合计算方案和特大暴雨分析的需要，有选择的收集。

还有“气候区划”，“暴雨区划”暴雨极值分布图，气团源地的海表水温资料，国内外主要大暴雨和特征值及其分析总结等。

4.2.4 其他资料

包括本地区和邻近地区以往所做的PMP分析成果和有关资料等。

收集水文与气象资料时，对观测方法、整编方法、观测日界划分及资料的各种订正等情况都应详细了解，力求资料统一，必要时应进行专门考证。

4.3 流域特性分析

流域特性直接影响洪水的形成，流域地形对暴雨天气系统和水汽条件的影响更为显著，故在制定PMP计算方案之前，对流域的自然地理和地形特点应有全面的了解。

流域特性分析，需要根据适当比例尺的地形图来进行。

4.3.1 地理位置分析

地理位置一般用经纬度表示。地理位置可反映水汽来源。水汽来源不同，空气中的水汽含量也不一样，它直接影响着降水的强度。中国降水的水汽来源，主要是印度洋上的赤道气团和西太平洋上的热带海洋气团。

赤道气团所处的纬度低，气温高，水汽含量大，尤其是这种气团对流不稳定层厚，对形成降水很有利。中国中部和沿海广大地区，强烈的降水常常和这种气团有关。

热带海洋气团的源地，比赤道气团的源地所处的纬度略高。温湿条件就差一些。同时，热带海洋气团范围广，占据的纬度南北相差很大。因此，气团本身的水汽条件南北各不相同。纬度较高的地区，气温较低，水汽含量较少；纬度较低的地区，气温较高，水汽含量往往较多。中国东部广大地区的强烈暴雨，常常和这种气团有关。

设计流域特大暴雨的水汽来源，可根据实测特大暴雨资料作个例分析来予以确定。

具体说,要定出水汽供应源地(海域)位置,并计算该区最高海表水温,以作为推求设计流域 PMP 的理论水汽最高限量指标。

4.3.2 地形分析

地形对降水有重要的影响,这主要表现在以下两个方面。

4.3.2.1 大地形对暴雨类型的影响

大的地形,例如青藏高原,按海拔 3 000m 的地形轮廓计,其东西长约 3 000km,南北最宽处约 1 600km,总面积约 290 万 km^2,是仅次于巴西高原的世界第二大高原[2]。

青藏高原的特殊高和大的整体性地形,通过其热力与动力作用,不仅对东亚大气环流有着显著影响,而且对其本身和其邻近地区暴雨天气系统特点与活动规律,也有很大的影响。这势必对这些地区的暴雨类型起到一定的约束作用。例如澜沧江、怒江、金沙江、雅砻江四江流域的河源区,位于青藏高原东部、平均高程在 3 000m 以上,因地势高、水汽含量少,单站日降雨量很少出现超过 50mm 的情况。这里的重要降雨过程主要是西风槽切变和涡切变形成的持续性较强连阴雨降雨过程造成的。顺四江流域而下,进入南北走向的横断山脉区后,平均高程下降,但河谷与山岭高差达 1 000m 以上,受热带、副热带低纬度天气系统影响明显增加,受切变、低槽冷锋、低涡、孟加拉湾季风低压、风暴和赤道辐合带影响,常形成大范围持续较强连阴雨,并伴有间断较小区域暴雨中心(日雨量超过 50mm)区的降雨过程。

另外,由蒙古高原、黄土高原及鄂西、湘西山地与东侧华北平原构成的第二阶地边坡地带,相对高差达 1 000m 左右。这为近地层偏东气流的折向及其较上层气流爬升,创造了条件,有利于西风带低槽、切变和西南涡与登陆后的台风低压等大、中小尺度天气系统,沿此阶地边坡地带叠加、停滞。20 世纪以来,该地带频频出现持续数日的大范围经向分布的特大暴雨过程,例如 357 长江特大暴雨、638 海河特大暴雨、758 淮河特大暴雨、828 黄河特大暴雨。从历史文献考证,也可在这一地带找到类似的经向型特大暴雨过程。例如 1761 年 8 月黄河中游特大暴雨,1668 年 8 月海河特大暴雨等。显然,在这一边坡地带能频频出现类似的持续经向型特大暴雨过程,除了有利的环流背景条件外,地形的作用也是不能忽视的因素。

4.3.2.2 中小地形对降水量级的影响

中小地形对降水量级的影响,主要是通过对气流垂直运动的态势和对雨团的阻滞作用表现出来。

在山地或丘陵地带,当气流沿坡面上滑或沿地形聚集时,则有利于上升运动;反之,当气流沿坡面下滑或沿地形散开时则有利于下沉运动。在河谷地带,当气流沿坡面爬升与地形聚集相结合时,则上升运动强烈,降水量也比附近大。例如,1963 年 8 月 7 日河北省保定地区大良岗水文站日降水量达 589mm,为附近涞源地区(距大良岗 30km)的两倍多,就是这种地形原因所造成的。

喇叭口地形(或马蹄形地形)对于低空气流有明显的辐合抬升作用,降水天气系统到达这种地区,常有系统停滞,雨量增强的现象,在特大暴雨的实例中,有不少是与这种地形有关。例如,1963 年 8 月海河獐犭厷暴雨,1963 年 9 月台湾新寮暴雨,1975 年 8 月淮河林庄暴雨,其暴雨中心都是位于喇叭口地形中。

山脉对降水的影响很大,一方面它能减缓或阻止天气系统的移动,使山脉迎风坡地带强降水时间延长;另一方面在山脉的迎风坡上,气流产生强烈的抬升作用,能使降水的强度增大。例如,南口位于北京西北,在八达岭的东南侧,距北京只有40km,夏季冷锋经过南口到北京时,在这两地出现的降水强度相差不大,但若有积雨云从东南发展起来,经过北京到达南口时,由于南口位于迎风坡,因此南口的雨量约相当于北京的3倍。

实测资料统计结果表明:多雨带和最大雨量线在山脉的迎风坡上,且走向与山脉走向基本一致。但是,在迎风坡上,雨量随高度的变化,并不是一直增加,而是到某一高度以后,雨量随高程的增加反而逐渐减小。图3.3.7和图4.3.1、图4.3.2就是这方面的例子。

为了了解地形对水汽输送、天气系统和降水分布的影响,可以绘制设计流域及邻近地区的山脉分布概略图和地形概略纵剖面图,并求出设计流域平均高程以及边界水汽入流和出流分段平均高程。

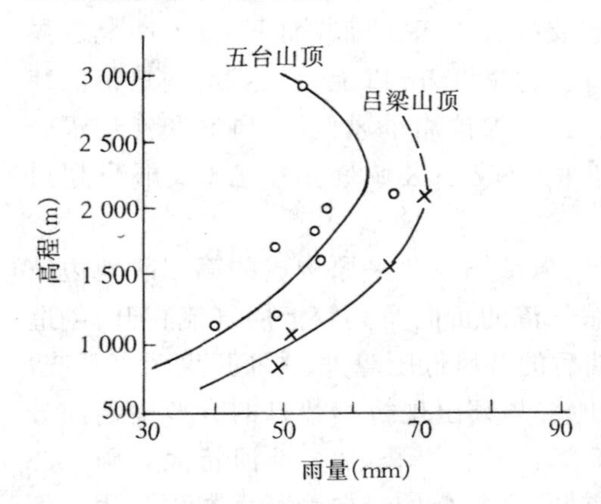

图4.3.1　山西省五台山和吕梁山高程与雨量关系图

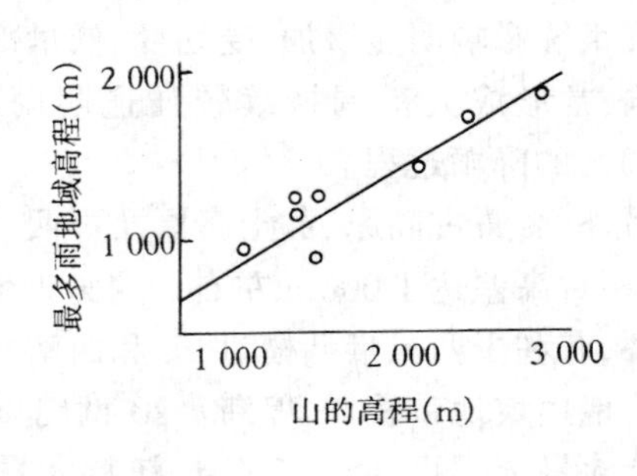

图4.3.2　日本最多雨地域高程与山的高程关系图

4.3.3　流域形状分析

在地形图上勾绘出流域周界,即可显现出流域的几何形状。流域形状对雨量和洪水都有影响。

从对雨量的影响来说,若流域形状正好与雨带的分布形状相应,则流域内的承受的总雨量就大,反之就小。例如,若设计流域是一东西向的近似长方形的形状,而形成该流域特大暴雨的雨带分布形式也是东西向的,则流域平均雨量就大;若该雨带分布形式是南北向的,则流域平均雨量就要小些。

流域形状对雨量的影响,还可以从式(2.4.14)即

$$P = K_F V_{12} W_{12}\left(1 - \frac{\Delta p_{12}}{\Delta p_{34}} \cdot \frac{W_{34}}{W_{12}}\right)t$$

中看出,该式中的流域常数 $K_F = X/F$,它是一个与流域形状有关的数。

从对洪水的影响来说,狭长形的流域,由于河道长度较大,汇流时间较长,洪水所受到的河槽调蓄作用影响较大,而且干支流的交汇点一般较分散,故洪水过程线的形状较为低胖。扇形流域则与此相反,即河道长度相对较小,汇流时间相对较短,洪水所受到的河槽调蓄作用影响相对较小,而且干支流的交汇点一般较集中,故洪水过程线的形状较为高瘦。

4.4 暴雨洪水特性分析

暴雨洪水特性分析是做好 PMP/PMF 工作的关键步骤之一。通过这一步骤,要对形成设计流域 PMP/PMF 的时空分布特征,有一个概括的认识。

4.4.1 洪水特性分析

收集、整理设计流域的实测大洪水、特大洪水以及历史洪水资料,了解其洪峰、不同时段洪量及其发生时间与典型洪水过程,分析其洪水来源和地区组成,找出对拟建工程最不利的洪水类型及其相应的暴雨特征。

4.4.2 暴雨特性分析

分析的主要内容有:

1)暴雨概况。这包括暴雨发生的季节、出现频次、常见暴雨中心的位置、强度、持续时间、暴雨区笼罩面积,面平均雨量和雨轴方向,暴雨极值分布,产生暴雨的环流形势和天气系统,水汽入流方向等。

2)实测特大暴雨分析。对本流域及邻近地区的大暴雨和特大暴雨,应绘制各种历时的等雨量线图,制作时面深(DAD)曲线,分析其时空分布特性和移动规律,暴雨的长短历时关系等。

3)历史特大暴雨分析。对历史特大暴雨,应根据暴雨洪水调查和文献记载进行整理和分析,力求弄清设计流域历史特大暴雨的雨区范围、量级、时空分配、移动规律、暴雨类别和发生几率等。

4.5 暴雨天气成因分析

暴雨是各种不同尺度的天气系统发展的结果,为此,应对暴雨的环流形势、大尺度天气系统和各种物理因子进行分析。在可能情况下,还应对大暴雨和特大暴雨的中小尺度系统进行分析。

4.5.1 暴雨环流形势分析

环流形势是暴雨天气系统发生、发展的背景,也是决定冷暖空气活动以及水汽的来源与输送方式的基本条件。

暴雨环流形势的分析,主要是根据天气图及卫星云图资料,分析西风带、副热带和热带的环流形势特征以及它们之间的相互作用。

西风带环流以长波系统或阻塞系统为主,这类系统移动缓慢,变化较小,使得中高纬度的环流形势在一定时期内保持相对稳定。分析时要注意它们的位置、稳定及演变情况。

副热带环流主要分析西太平洋副热带高压的位置、进退、维持和强度变化;对流层上部青藏高压的活动;孟加拉湾低压槽的活动等。

热带环流系统是暴雨的主要水汽来源。对中国暴雨有重要作用的热带环流系统是南亚和西太平洋辐合区,西太平洋热带系统和孟加拉湾风暴等。主要是分析其位置变化与活动情况。

中国大暴雨的环流形势可分为稳定经向型、稳定纬向型和过渡型三类[3,4]:

1)稳定经向型环流的特征是西风带以经向环流为主、常伴有阻塞形势,长波系统移动缓慢或停滞少动,副热带高压也比较稳定,但位置偏北,中、低纬系统易相互作用,冷暖空气南北交换强烈,暴雨带多呈南北向分布。稳定经向型的暴雨常常是最严重的。中国历史上一些著名的特大暴雨(例如1963年8月海河獐犵特大暴雨等)都发生在这种环流形势之下。

2)稳定纬向型环流的特征是西风带短波槽活动频繁、副热带高压呈东西向带状分布且比较稳定,大气中低层多切变线活动,暴雨多呈东西向带状分布且持续时间较长,降雨强度不如稳定经向型的大。这类环流形势也常带来严重的暴雨和持续性暴雨。

3)过渡型环流的主要特征是副热带高压位置不稳定。在暴雨过程中常出现副热带高压的明显进退。西风带环流是移动性系统,降水时间比较短,强度也不如上述两类环流的大。

此外,还应着重分析不同环流条件下,暴雨系统的路径、移速、持续时间、出现次数和演变规律等。尤其需要研究特大暴雨期间的环流异常现象,如副热带高压与西风带槽脊的位置和强度,以及它们之间的相互关系等是否属于准常态,还是与常年比较有显著的不同[1]。

通过对环流形势的分析,应该对形成设计流域特大暴雨的环流形势属于何种类型,有一个明确的认识。

4.5.2 暴雨天气系统分析

形成暴雨天气的独立系统称为暴雨天气系统。暴雨天气系统的分析方法,一般是用700hPa天气图对直接影响暴雨的低值系统进行分类,另外辅以各种指标的静态图、动态图和其他方法(如计算涡度场、散度场、垂直速度场等)进行统计分析,以说明流域常见暴雨天气系统类型和特大暴雨天气系统的特点(如系统结构、强度、影响时间、移向等)。对有条件的地区,可进行中小尺度天气系统的分析。

中国地域辽阔,地形复杂,各地的暴雨天气系统并不完全一致。特大暴雨一般都是几种不同天气系统相互运动的结果。形成我国暴雨的天气系统种类很多,包括台风、西南涡、高空切变低涡、温带气旋、高空槽、锋面、切变线和中间尺度扰动等[4]。

通过对暴雨天气系统的分析,应该对设计流域特大暴雨的暴雨天气系统有较清楚的了解。最好能就一些特性指标进行多场次暴雨的比较[5](见表24.3.3)。

4.5.3 暴雨的物理因子分析

为深入了解特大暴雨的形成规律,应分析形成大暴雨的物理因子,主要内容有:流场、温度场、垂直运动、水汽来源和输送情况、不稳定能量等。

上述环流形势、暴雨天气系统和各种物理因子的分析,不应是孤立的。必须将它们看成是一个整体,抓住主要矛盾,研究它们之间相互联系与制约。通过这些分析,可以对设计流域及其邻近地区的暴雨量级、范围、成因、活动规律和特大暴雨重现的可能性有一个比较客观的认识[1]。

参 考 文 献

1 水利部,电力工业部.水利水电工程设计洪水计算规范 SDJ22—79(试行).北京:水利出版社,1980
2 戴家洗主编.青藏高原气候.北京:气象出版社,1990
3 陶诗言等.中国之暴雨.北京:科学出版社,1980
4 水利部长江水利委员会水文局,水利部南京水文水资源研究所主编.水利水电工程设计洪水计算手册.北京:水利电力出版社,1995
5 吴和赓,高治定."778"乌审旗特大暴雨在西北部分地区可移置范围分析.人民黄河,1980(1)

5 暴雨模式的拟定

5.1 暴雨模式定性特征的推断

在PMP/PMF的推求过程中,要先对暴雨模式的定性特征作出推断,这是王国安和高治定教授于1978年提出来的❶。现在这一认识已为中国水文气象界所认同[1]。

5.1.1 问题的意义

通过水文气象法推求PMP关键问题有两个:一是暴雨模式的拟定;二是暴雨模式的极大化。这两个问题以第一个最为重要。因为它是整个工作的基础,模式拟定不恰当,往后的分析计算就无意义。而在这个问题中,又以模式的定性特征推断最为重要,因为若定性推断不正确,以后的定量计算就没有多大意义了。具体可以看到有以下几种问题:

1)对暴雨模式的天气系统推断欠准。例如,原先推断为温带气旋降水,采用温带气旋模式,后来根据实际发生的特大暴雨进行分析,认为应以采用台风模式为宜。这样就使PMP的成果增大了许多。

2)对暴雨模式的主要特征心中无数,不管什么天气系统的暴雨都拿来作为模式,算了很多方案,所得的PMP/PMF成果,往往一种是另一种的三四倍,导致有些人认为用水文气象法推求PMP/PMF任意性太大。

3)分析的结论与采用成果不一致。例如,根据实测、调查和历史文献记载的资料分析,形成设计流域特大洪水的暴雨,其雨带系呈东西向分布,可是后来却采用了一场雨带呈南北向分布的大暴雨作为推求PMP的暴雨模式。

以上这些问题的产生原因,就在于对暴雨模式的定性特征这一关键环节上,没有把握住。

5.1.2 推断的依据

推求PMP的目的是推求PMF,因此在分析PMP的过程中,必须把着眼点放在如何才能形成PMF这一点上。

大家知道,洪水是暴雨和流域条件(包括地形地质、流域形状、土壤植被、河网情况等)的综合产物。暴雨量大,洪水不一定大。如前所述,1977年8月初陕西、内蒙古交界地区发生的特大暴雨,其暴雨中心木多才当10小时最大雨量达1 400mm(调查值),超过世界记录,但是由于暴雨落区主要在沙漠地区,故形成的洪水很小。反之,暴雨量不是太大,所形成的洪水未必就小。例如1983年7月底,汉江安康站(流域面积38 740km^2)以上流域

---

❶ 黄河水利委员会勘测规划设计院水文组(王国安执笔).可能最大暴雨分析中的一个重要问题——暴雨模式定性特征的估计.全国PMP咸宁会议论文,1978.5

发生一场暴雨,其最大1日、3日、5日流域平均雨量仅为70.8mm、126.1mm、161.0mm,均约相当于15年一遇。但由于其时空分布特殊,特别是暴雨中心的走向与洪水汇流方向一致,各单元区的洪峰基本全面遭遇,使得安康站的洪峰达31 000m^3/s,其重现期达200年[2,3]。显然,PMF应是PMP与流域条件的最佳配合所形成。但是,对于一个特定流域来说,流域条件基本上是恒定的,可变因素就只有暴雨,因此,这里所谓最佳配合,就只能是暴雨这个可变因素,来与流域条件作最佳的配合。

天气分析理论和实测资料说明,特大暴雨的形成,必须具备两个基本条件:一是持续而强烈的辐合上升运动;二是充沛的水汽,而且源源不断地供给。这两个条件,首先是与天气形势包括大气环流形势和暴雨天气系统有关,其次是与流域的地形条件有关。

一般说,环流形势基本上决定水汽的来源和水平输送方式(同时也是产生暴雨天气系统的背景),暴雨天气系统决定空气的上升运动和水汽的垂直输送方式。

地形对水汽条件和动力条件都有影响。但地形必须在有利的天气系统配合下,才能对降雨起增强作用。

由于环流形势和暴雨天气系统都受季节因子和地理因子的强烈影响,所以它们都具有明显的季节特性。同时,环流形势对一定地区(一定地理位置)的影响也是确定的(例如高压控制下的地区不会下雨,低压控制下的地区则会下雨等),而暴雨天气系统受地理因子的影响是十分显著的。因此,从这种意义上说,环流形势和暴雨天气系统,还都具有明显的地区特性。

综上所述,流域条件基本上是恒定的,地形必须在有利的暴雨天气系统配合下方能对降雨有增强作用,环流形势和暴雨天气系统具有季节性和地区性。因此,对于一个特定流域来说,它的某一历时的PMF,只能由某一种天气系统类型所形成的PMP来造成。换句话说,一定季节一定历时的PMP必须具有一定的天气学特征,否则就形不成PMF。这就是我们能够对PMP暴雨模式的定性特征作出推断的根据所在。

5.1.3 定性特征推断的内容

PMP暴雨模式的定性特征,应包括以下三个方面的内容:一是暴雨的发生季节;二是暴雨的气象成因,包括环流形势和暴雨天气系统;三是暴雨的雨型,包括暴雨历时、时程分配形式、雨带分布形式、雨区范围、暴雨中心位置。

5.1.4 定性特征推断的方法

PMP暴雨模式定性特征的推断,主要是在考虑工程设计要求的基础上,根据对设计流域和邻近地区的实测、调查以及历史文献记载的天气、暴雨和洪水资料,结合流域特性,进行综合分析,来作出合理的定性推断。具体方法见以下的示例。

5.1.5 示例

现以黄河三门峡至花园口区间(流域面积41 615km^2,以下简称三花间)为例,说明暴雨模式定性特征的推断方法。

5.1.5.1 定性特征分析

(1)根据工程要求分析

三花间的PMF分析,主要是为黄河下游的防洪安排提供洪水依据。从对黄河下游河道的防洪威胁来说,以峰高量大的洪水最为严重。根据以往分析,是洪峰和最大五天洪量对工程起控制作用。

(2)根据本流域实测暴雨洪水资料分析

三花间自1919年开始进行暴雨洪水观测。根据这几十年的实测资料统计,三花间的大暴雨洪水有1937年、1954年、1957年、1958年和1982年。这几年洪水,按暴雨天气系统,基本上可以分为南北向切变线(1954年、1958年、1982年),东西向切变线(1957年)和冷锋接台风(1937年)三种类型。其中以南北向切变线暴雨形成的洪水为峰高量大。这类暴雨,雨区呈南北向带状分布。雨区南端起于淮河中上游,北抵汾河中下游,纵跨三花间全流域。在三花间内,暴雨中心位置,伊洛河为中上游,沁河为中下游,黄河干流为三门峡至小浪底区间。这类暴雨的大气环流形势为盛夏经向型。降雨历时7天左右,其中面暴雨(三花间面平均雨量不小于50mm)历时一天多。暴雨发生时间为7~8月,前期多雨。

(3)根据本流域调查和历史文献记载的暴雨洪水资料分析

三花间地处中国中原腹地,其间古城洛阳自公元前770年以来,先后有九个封建王朝(东周、东汉、魏、西晋、北魏、隋、武周、后梁、后唐)建都于此。因而近2 600多年来,这个地区历史文献资料甚为丰富,其中对雨情、水情、灾情的记载很多。自1953年以来,有关部门又对这个地区的干支流,多次进行洪水调查,取得了很多宝贵的历史洪水资料。根据这些资料分析,三花间历史上发生过的特大暴雨洪水有公元前184年,公元223年、271年、722年、1482年、1553年和1761年等年。从文献记载的情况来看,这几年的暴雨洪水也可以分成三种类型。所不同的是暴雨的历时更长、强度更大,雨区范围更广。例如,1761年就与1958年很相似。其特点如下:

1)降雨历时10天左右。如《河南府志》称:"七月洛阳等县淫雨浃旬";沁河阳城县上伏村补修官津桥碑记:"七月既望,淫雨连绵十余日"。

2)其中暴雨历时为5天。如伊河《嵩县志》称:"大雨五日";洛河《新安县志》称:"七月十五日至十九日(公历8月14日至18日)暴雨五日夜不止";八里胡同附近的东阳河的碑记:"大雨极乎五日";漭河《济源县志》称:"大雨连日"。

3)5天暴雨有两个雨峰,次峰在前,主峰在后。如洛阳重修渡桥碑记:"七月十六日洛涧水溢";宁庄碑记:"七月十六日河水发,十八日洛水又至,伊洛交流,平地水深丈余";谷堆头村重修菩萨庙神像碑记:"七月十八,伊洛同涨";沁河阳城沿河村龙王庙、大王庙重修碑记:"七月十六日子时,沁河大发,至十八日其水渐高,长至庙基,殿遂倾倒";北金村龙王殿重修碑记:"七月十六日,丹沁两河一时汇发,拜殿坍塌";润成龙王庙墙上壁字云:"七月十八日辰时,大水至此";《黄河年表》云:"中牟头堡杨桥七月十九日漫决,宽二百七十丈"。

4)雨区呈南北向带状分布。这年暴雨洪水三花间的嵩县、渑池、新安、偃师、巩县、陕县、垣曲、济源、孟县、博爱、武陟、修武、沁阳等13个县的县志和《怀庆府志》、《河南府志》、《行水金鉴》等文献都有记载。据调查,在伊洛沁河的中下游和三门峡至孟津一带的黄河小支流上,还有16个碑记有记载。汾河中下游和淮河中上游也有记载。可见雨区范围很广,其雨带分布型式是南北向的。因此,估计它的天气形势,在环流形势上可能是盛夏经向型,在暴雨天气系统上可能是南北向切变线。

5)暴雨强度大。如《怀庆府志》称:"连雨如注";谷水河口重修张山桥碑记:"暴雨滂沱者数日"。

6)造成的水灾特别严重。三花间内大小支流普遍漫溢,沿河农田房舍冲毁不计其数。伊洛沁河的下游都漫决。如谷堆头村金装大帝贞君神像碑记:"伊洛两河溢,发水,涨十余丈,村庄房屋淹坍无遗";《怀庆府志》云:"丹沁两河并涨,决(沁阳)北门入城,济源泷溴各小水亦泛滥溢出,皆注于郡城下,四面巨浸,淹没军民庐舍,漂没人畜以万计"。黄河下游也多处决口,在中牟杨桥漫决后,由贾鲁、惠济河分道入淮,使河南、山东、安徽三省的28个州县被淹。

根据历史文献分析,1761年洪水的洪峰流量在黄河黑岗口约为30 000m^3/s,转化到花园口约为32 000m^3/s,其中约有26 000m^3/s是来自三花间,其重现期在400年以上。

(4)根据邻近的相似流域的特大暴雨洪水资料分析

从邻近相似流域海河的实测和历史文献记载的暴雨洪水资料来看,海河流域的特大暴雨洪水,其特点与三花间大体类似。例如,1963年8月1日至10日海河特大暴雨,其环流形势为盛夏经向型,暴雨天气系统为三合点接南北向切变线,雨区分布型式为南北向带状分布。降雨历时10天,其中主要集中在7天(8月3日至9日)。

(5)根据流域特性分析

三花间流域面积41 615km^2,位于110°~114°E,34°~37°N之间,是中国大尺度地形第一阶地与第二阶地交接的中部,即位于华北平原与黄土高原交接地带的南端。在流域内,地形起伏较大,北、西、南三面环山,朝东开口,呈西南、西北高,中部低凹的喇叭口袋状(面积1万余km^2)。黄河在其中部自西向东横穿而过。境内主要支流南有伊河、洛河,北有沁河。

从三花间的地形看,有利于东南水汽的入流,流域内的喇叭口抬升地形,也有利于形成大暴雨。

三花间的流域形状,大体上像一只展翅东飞的蝴蝶(图5.1.1),南北向切变线所形成的暴雨可笼罩全流域,从而有利于产生大洪水。

同时,从实测资料来看,南北向切变线暴雨的暴雨中心所在地区,基本上都是石山区,产流汇流条件较好,亦有利于形成大洪水。

(6)根据天气形势分析

盛夏经向型的环流形势,其基本特点,简单地说,就是亚洲中高纬度地区是经向环流,南(暖湿)北(冷干)气流交换频繁,容易出现大范围、高强度和长历时的暴雨。

从形势上稍说具体一点就是:中国华北东部及日本海为稳定副高控制,西来槽东移受阻(在850hPa~700hPa特别明显)。在副高西侧有较强的偏南暖湿气流和稳定性雨区。在这种环流形势影响下,三花间常出现南北向切变线。在这种切变线下,若遇副高位置偏北并向西北伸展或有台风登陆或沿切变线有低涡活动等情况,三花间东侧盛行东南风(图5.1.2),而三花间的地势是自东向西逐渐升高,这就有利于暖湿空气的抬升,亦即有利于形成大暴雨。

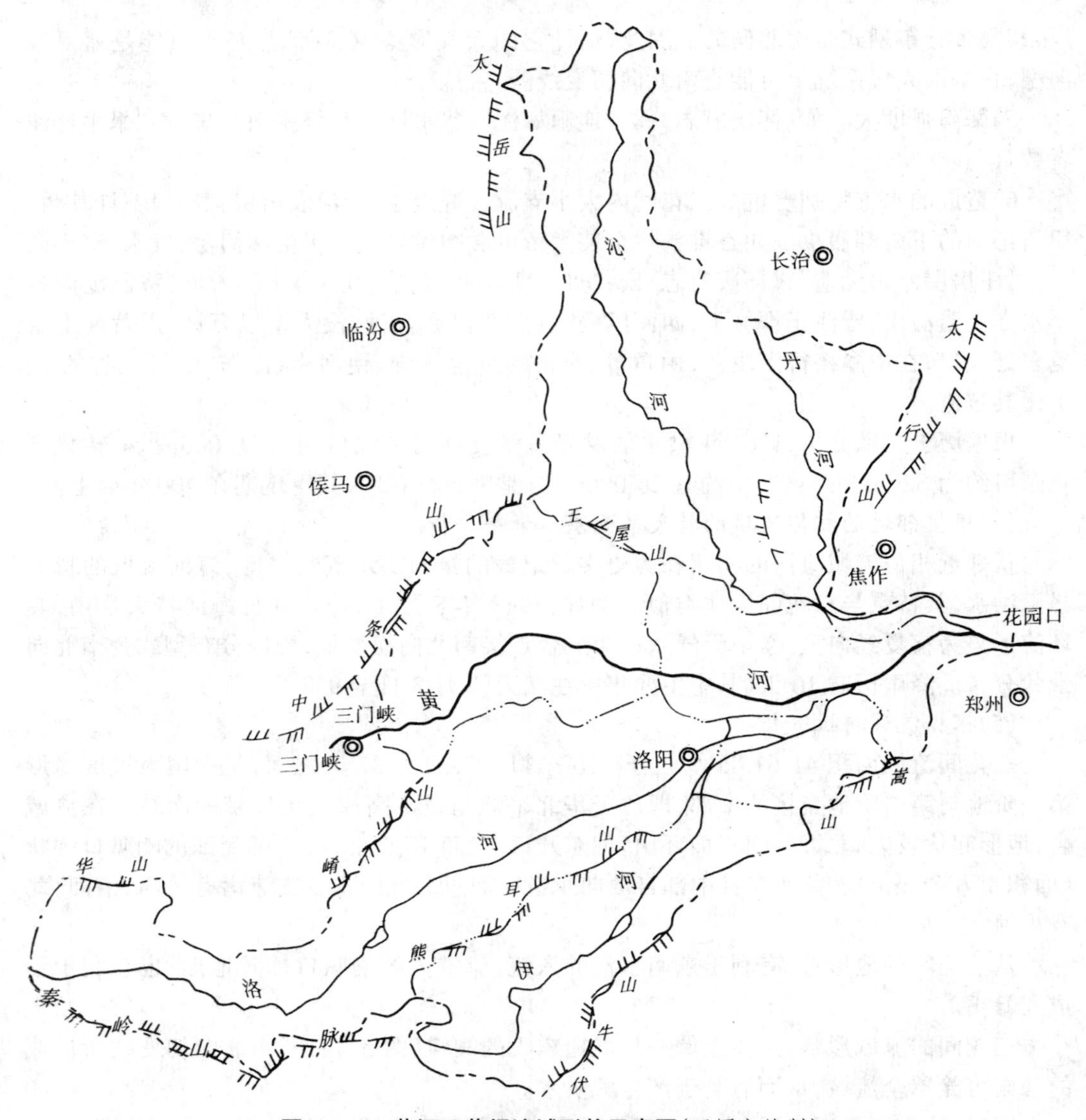

图 5.1.1 黄河三花间流域形状示意图(王军良绘制)

5.1.5.2 定性特征推断

综合以上 6 个方面的分析,总起来说,三花间 PMP/PMF 的暴雨模式应具有如表 5.1.1 所示的一些主要特征。也就是说,只有按符合这些特征的暴雨模式推求出来的 PMP,进而求得的洪水,才是满足工程设计要求的峰高量大的 PMF。

表 5.1.1 中所示的一些特征,最关键的是环流形势和暴雨天气系统。因为在三花间,只有在盛夏经向型的环流形势下,才可能形成南北向切变线;只有在以南北向切变线为主的天气系统下,形成的暴雨才强度大、历时长、雨区呈南北向带状分布、雨区范围遍及三花间、暴雨中心位于有利于产汇流的石山区。

根据我们多年的研究,对于黄河下游防洪来说,PMF 所对应的暴雨天气系统是惟一的,这就是南北向切变线(有低涡和台风的影响)。其他如东西向切变线(例如1957年暴

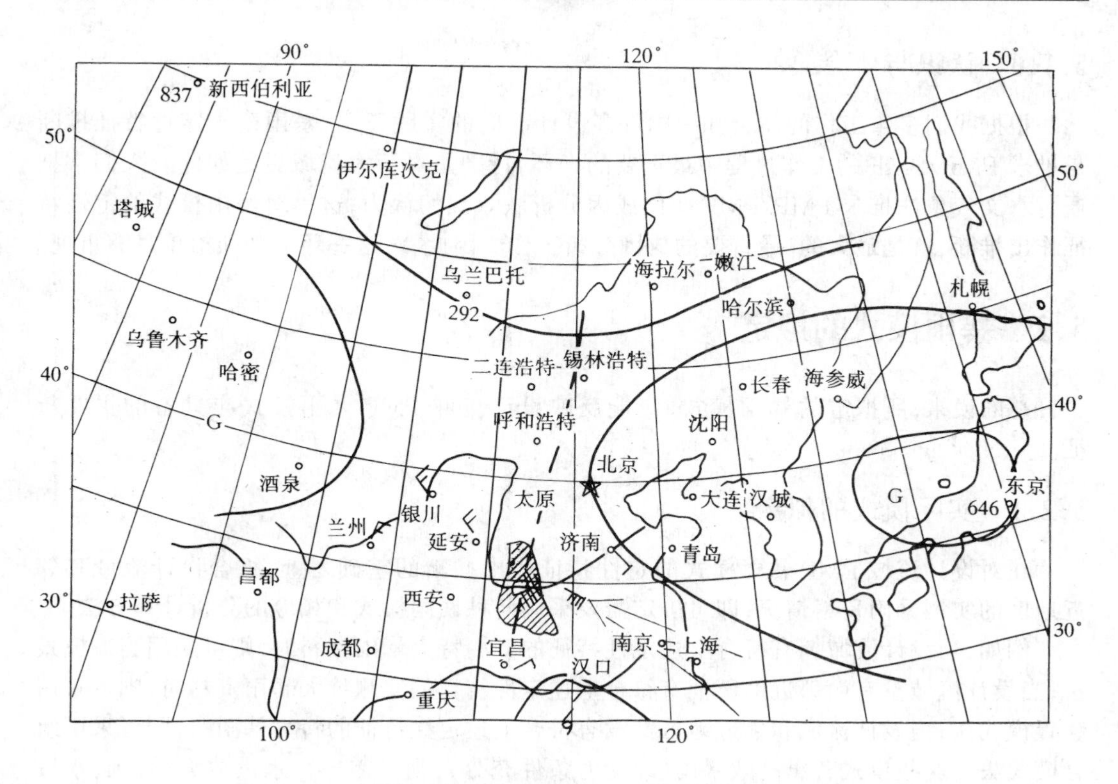

图 5.1.2　黄河三花间特大暴雨期 700hPa 暴雨影响系统概化图

雨)在三花间的雨区偏南,主要在黄河干流和洛河流域,而且雨强不如南北向切变线暴雨大;台风暴雨,虽雨强大,但雨区范围较小(主要在洛河流域)且历时较短。因而它们所形成的洪水,就不如南北向切变线大。

表 5.1.1　　三花间 PMP 暴雨模式的定性特征

序号	项　目		特　征
1	暴雨出现季节		盛夏(7～8月)
2	大气环流形势		盛夏经向型
3	暴雨天气系统		以南北向切变线为主
4	雨区分布形式		南北向带状分布
5	流域内雨区范围		三花间流域内普遍降雨
6	暴雨中心位置	伊洛河	中　游
		沁　河	中　游
		干流区间	三门峡至小浪底区间
7	降雨历时	连续降雨	10天左右
		其中暴雨	5天
8	暴雨时程分配形式		双峰、主峰在后

5.1.6 认识与体会

根据我们多年工作的体会和中国许多设计部门的实践证明,暴雨模式定性特征推断是推求 PMP/PMF 的工作过程中最重要的一环,特别是对于大流域更是如此。人们常把通过水文气象法推求 PMP/PMF 叫做成因分析法。我们认为,这里对暴雨模式的定性特征作出推断,就是最大的、最首要的成因分析工作。因此,对这一环节必须给予足够重视。

5.2 暴雨模式的拟定

总的说来,所拟定的暴雨模式,应能反映设计流域 PMP 暴雨模式应具备的主要特征。

5.2.1 实际模式的拟定

在对设计流域 PMP 暴雨模式的定性特征作出推断的基础之上,结合设计流域和邻近地区的实测暴雨资料情况,即可确定需要采用何种暴雨模式和相应的分析计算方法。

例如,当设计流域拥有符合上述定性特征的实测特大暴雨资料时,则可采用当地模式法;当设计流域没有而邻近地区拥有符合上述定性特征的实测特大暴雨资料时,则可采用移置模式法;当设计流域和邻近地区都没有符合上述定性特征的特大暴雨时,则可采用组合模式法。这些模式若属高效暴雨(即动力条件充分),则只需进行水汽放大;否则,水汽和动力因子均需进行放大。

在实际模式拟定中,需要考虑以下几个方面:

1)所选的暴雨模式(典型暴雨)应是实测资料中的特大或较大暴雨,其形成的洪水,在历史上是比较稀遇的。

2)暴雨的资料条件较好(测站较多、测验精度较高),必要时应进行专门调查,加以补充鉴定。

3)由于在典型暴雨的选择上,有一定的任意性,并且个别雨型不一定能得到 PMP,故一般都需要选择多个典型进行计算。

5.2.2 推理模式拟定

在掌握了设计流域 PMP 暴雨模式的定性特征之后,结合设计流域的实测暴雨资料和地形情况,即可确定所应采用的模式。

例如,根据气象分析,若设计流域的特大暴雨系由气旋(包括热带气旋和温带气旋)所形成,则可考虑采用辐合模式;若设计流域的特大暴雨系由锋面所形成,或流域地形为一斜面沿水汽入流方向逐渐抬升,则可考虑采用层流模式;若设计流域的特大暴雨系由热带气旋(台风)所形成,也可考虑采用能量平衡法。

参 考 文 献

1 水利部长江水利委员会水文局,水利部南京水文水资源研究所主编．水利水电工程设计洪水计算手册.北京:水利电力出版社,1995
2 安康特大洪水分析小组.汉江安康“83.7”特大洪水分析.水文,1986(2)
3 冯焱,何长春.从汉江安康“83.7”特大洪水特性探讨雨洪关系.水利学报,1986(7)

6 当地模式

6.1 基本概念

若设计流域具有时空分布较严重的大暴雨资料，则可从中选出一场特大暴雨来作为典型，然后予以适当放大，以得出 PMP。此法称为当地模式法。此法的关键在于设计流域是否有足够的特大暴雨资料[1]。

6.2 模式极大性分析

所谓模式极大性就是指典型暴雨的量级是否够大，其时空分布型式，对于指定的设计工程来讲，防洪威胁最为严重。这种分析，主要是从设计流域和邻近的相似流域的实测、调查以及历史文献记载的暴雨洪水资料来进行。

6.2.1 暴雨量级分析

这种分析，就是要看典型暴雨的雨量是否稀遇，愈是稀遇的暴雨其量级也愈大。

6.2.2 暴雨时程分布的分析

这种分析，包括暴雨历时是否够长，雨量的时程分配型式是否对工程最为不利。

在暴雨历时的分析上，调查和历史文献记载的资料最重要。例如，黄河三花间的 PMP 分析中，选 1958 年暴雨作为当地模式，这年暴雨主要集中在两三天之内。但从本区近 2 000 年的文献记载资料来看，1761 年曾发生过一次特大暴雨，其暴雨历时长达 5 天左右。这说明 1958 年暴雨的历时还不够长。

在暴雨的时程分配型式的分析上：①从本流域的实测资料来看，所选典型的分配是否最严重的。②从推理上判断，看所选典型的分配型式是否是对工程最不利；例如，若拟建工程系一防洪水库，所选典型的雨量主要是集中在设计暴雨时段的后期，那么这个典型就可以算是最不利的。③从邻近流域的实测特大暴雨比较，这一条是很重要的，因为一般流域的实测资料都不够多，严重的时程分配型式，往往未观测到，而历史文献资料一般都难于搞出较准确的时程分配。像 1975 年 8 月上旬淮河流域的特大暴雨，1963 年 8 月上旬海河流域的特大暴雨，其时程分配型式对于邻近地区来说，都有重大的参考价值。

6.2.3 暴雨空间分布的分析

这种分析，包括暴雨笼罩面积，暴雨中心位置，雨带分布型式和雨轴方向等，看其对工

---

[1] 黄河水利委员会规划办公室(王国安执笔)．推求可能最大降水的典型暴雨法．黄河水利学校印，1976

程的防洪是否最不利。分析所用资料,主要是设计流域的实测,调查和历史文献资料,分析时要结合流域的产流、汇流条件来考虑。

6.3 水汽放大

6.3.1 适用条件

若所选定的典型暴雨属于高效暴雨,即效率已达到足够大,则可采用水汽放大[1]。

根据天气分析的经验,特大暴雨其效率往往是很高的,而其水汽含量却常未达到该流域的可能最大值,当资料充分时,可以认为其中已经包括了高效暴雨。如将高效暴雨加以水汽放大,那末所得的PMP是偏于安全方面的。

判断所选暴雨是否为高效暴雨,目前尚无严格的标准,一般可以从以下4个方面分析判断:

1)从本流域出现的机遇来看它是否是稀遇的,越是稀遇的暴雨,其效率越高。

2)和邻近流域高效暴雨的效率比较,看看它们的大小情况。如果典型暴雨的效率与邻近流域高效暴雨的效率接近,则可以认为所选典型属于高效暴雨。这种比较应注意地形的差异。

3)和国内外最大暴雨纪录的效率比较,当然这种比较是较为粗略的。表6.3.1是中国和美国的若干特大暴雨的效率,可供参考。美国资料为三四百场大暴雨的外包值。

表6.3.1　中国和美国若干特大暴雨的效率表(面积 $F=12\ 950km^2$)

国别	暴雨出现时间(年·月·日)	最大日雨量 P (mm)	代表性露点 T_a (℃)	可降水 W (mm)	效率 η (1/h%)
中国	海河 1963.8.4	310	24.3	76.1	17
	长江 1935.7.5	355	24.4	76.8	19
	淮河 1975.8.7	376	25.5	84.5	19
美国		152	14.1	30.4	21
		228	16.5	38.1	25
		254	18.4	45.7	23
	1929	343	19.7	50.8	28
	1899	371	24.0	73.7	21
	1921	381	25.8	86.5	19
	1950.9	394	24.7	78.8	21

注　美国雨量为最大24小时雨量。
代表性露点均为1 000hPa持续12小时最高露点。

4)从天气现象和气象要素来分析。高效暴雨有以下特点:①气旋中心气压最小,即气旋强度最大,这意味着空气的辐合上升运动最强烈,造成的降雨强度最大。②气压梯度最大,即风速最大,这意味着带入暴雨系统的水汽最多,辐合上升运动最强烈,使降雨强度最大。③从高空资料看,输出流域的可降水最少,即凝结降落到流域的可降水最多,也就是降雨量最大。

宋乃公教授认为,“高效暴雨”应理解为能够把输入的水汽的绝大部分转变为降雨量的天气过程[2]。

6.3.2　水汽放大的基本假定

水汽放大的基本假定是水汽和效率是相互独立的,对高效暴雨作水汽调整不影响其效率。这个假定的根据是图 2.5.1 及图 2.5.2 所示的相关关系。从该关系图看,可以认为水汽和效率是相互独立的。

当然,从动力气象学的理论来看,水汽和效率本是暴雨的两个紧密联系相互影响的因子。但它们之间的关系十分复杂,从经验关系看,假定它们相互独立,用以解决工程问题,是可行的。

6.3.3　水汽因子的确定

如前所述,水汽因子通常是用可降水来表示。一个地点的可降水,一般是通过地面露点来推求;而一场暴雨的可降水一般是用地面代表性露点来推求。

6.3.3.1　暴雨模式代表性露点的选定

所谓暴雨代表性露点,就是选择适当地点、适当时间内的一个地面露点,它所对应的可降水能够反映暴雨暖湿气团的水汽特征。因此,暴雨代表性露点的选择包括地点选择和时间选择两个方面。

(1)暴雨代表性露点的地点(站点)选择

从原则上说,所选地点应符合用地面露点计算可降水的基本假定(见 2.3.4.2)。为此,在选定露点时应反复进行天气分析。具体说要考虑以下问题:

1)在降雨过程中,如果降水天气在地面有明显的锋存在,则露点应在锋面暖区的大雨区边缘选择;如地面无明显的锋存在,则露点应在暖湿空气的入流方向上的大雨区边缘选择。台风雨应在暴雨中心附近或在台风前进方向的右侧暴雨区边缘挑选,热带地区以用海表水温为宜。关于大雨区边缘所指的范围,根据黄河三花间的分析,大致是日雨量为 10～30mm 的地区,东北勘测设计院(以下简称东北院)的经验是在日雨量为 0～35mm 的地区内。在选择时,还要注意设计流域与代表站的地形的相似性,如中间有高大山脉阻碍,即不宜采用。

2)为避免单站的偶然误差及局地因素的影响,一般取群站(4～5 个站)同期露点的平均值,以期露点在空间上具有代表性。图 6.3.1 是暴雨代表性露点的地点选择示意图,所取露点应该是方框内数值的均值(单位:℃)。

必须注意,所选露点应低于或最多等于同期最低气温,这可作为合理性检查原则。

(2)暴雨代表性露点的时间选择

从历时上说,应选取一定持续历时的最高露点,即所谓“持续最高露点”。选取一定的持续历时其理由是:①水汽要对暴雨有显著影响,必须是持续几小时以上,而不是瞬时;②可以避免短历时特别是瞬时露点的偶然误差,或局部因素的影响,例如雷阵雨后露点的短暂峰值等。

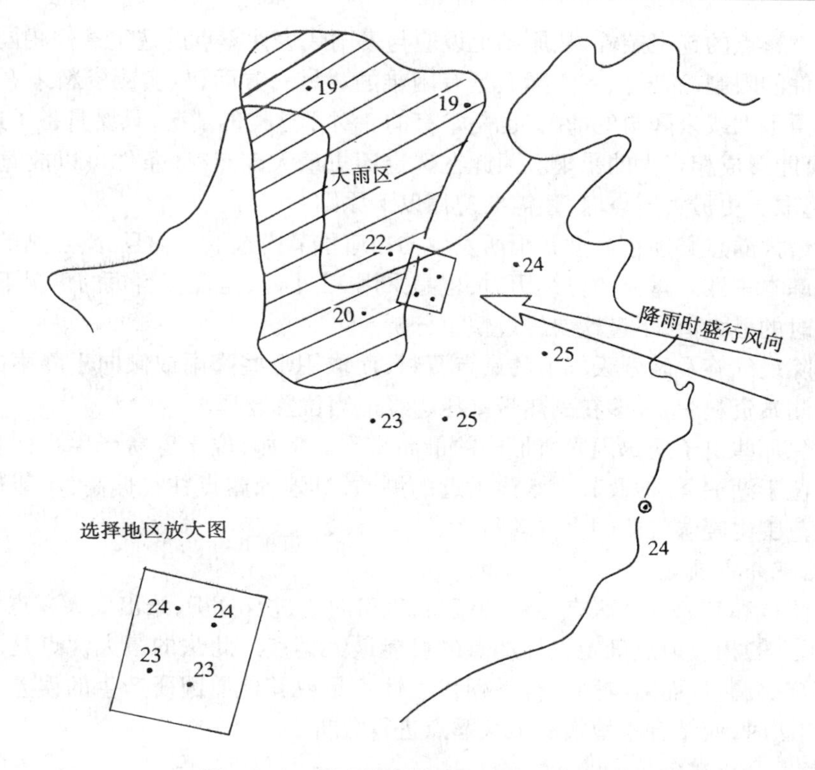

图 6.3.1 暴雨代表性露点选择地区示意图

表 6.3.2 某站某年暴雨露点观测值表

时间	月 日	8月2日				8月3日			
	小 时	00	06	12	18	00	06	12	18
露点(℃)		23.0	23.2	24.0	24.5	25.9	24.8	23.1	22.0

一般采用持续 12 小时(或 24 小时)最高露点。因为按此露点所算得的可降水与探空测得的可降水比较接近。持续 12 小时最高露点是指连续 12 小时内等于或大于它的露点,它和邻近其他时段(按 12 小时划分)比较,又是最大的。例如,表 6.3.2 是每隔 6 小时的露点观测值,其持续 12 小时最高露点为 24.5℃,是在 8 月 2 日 18 时到 8 月 3 日 06 时内选定的(见表 6.3.3 中的波纹线)。

一场暴雨的持续 12 小时最高露点的出现时间,一般在这场暴雨的最大 24 小时暴雨期间之内。

6.3.3.2 可能最大露点的选定

(1)按历史最大露点确定

取历年露点的最大值作为可能最大露点。这是确定可能最大露点的最主要的一种方法。由于露点比较稳定,一般认为在 30～50 年记录中测到的持续最大露点相应的水汽含量就接近 PMP 的水汽含量。

历史最大露点的选定条件,从原则上说应与暴雨代表性露点的选定条件相同。但是,由于资料条件的限制,这样做在实际上是有困难的。另一方面,从实测资料来看,水汽含量充沛而降雨不大或未降雨的情况,也是常有的。对于这样的情况,只要具备了适当的动力条件,就可能形成相当大的暴雨。因此在选定历史最大露点时,条件可以放宽一些,但是,在具体选取历史最大露点时,还需要遵循以下原则:

1)历史最大露点必须在典型暴雨所发生的相应季节内选取。而且,露点站的范围,应与典型暴雨基本一致。露点的持续历时,也是采用12小时,但在资料短的情况下,也可考虑用较短历时的最大值,不过这要经过慎重分析。

2)应排除反气旋及晴好天气下的站点资料,而取用那些降雨或倾向于降雨的气旋环流所控制的测站资料,一般多在副热带高压边缘适当位置选择。

3)应排除那些由于局部因素所形成的最高露点。例如,位于容易产生小面积空气停滞的测站。位于湖泊、洼地及其他水体附近的测站,其地面露点往往偏高,不能代表整层空气和较大范围内暖湿气团的水汽含量。

(2)按地理分布确定

如设计流域和其邻近地区有足够的资料,则可对之进行分析,绘出最大露点的等值线图,然后由图上的相应地点确定设计地点的可能最大露点。此法的最大优点是可以在面上进行平衡与协调,从而减少因资料系列代表性不足或其他原因所产生的误差。但要注意,在使用本法时,应结合本地实测最大露点进行分析。

(3)按频率分析确定

由于露点比较稳定,年际变化不大(根据黄河某地区分析 $C_v=0.04$,湖南某地区分析 $C_v=0.02$),一般认为从30~50年实测资料中得到的持续最大露点就接近PMP的水汽含量,因此当资料系列不够长时,也可以进行频率分析,作适当的外延。一般认为50~100年一遇的露点与长系列的最高露点接近。按中国现行规范的规定,可取50年一遇的数值[3]。

(4)按最高海温控制确定

形成暴雨的暖湿气团系来自广阔的海洋,暖湿气团的最大露点决定于海洋表层水温。因此,地面露点的物理上限是暖湿气团源地相应暴雨时期(一般取月平均)的最高海表水温。据分析,影响中国暴雨的暖湿气团源地的最高海表水温如表2.2.1和表2.2.2所示。在暖湿气团源地,海面露点一般要低于海表水温。暖湿气团从源地到指定设计流域,一般露点逐渐降低。在决定设计流域的可能最大露点时,应考虑上述情况。沿海地区持续12小时最大露点一般比上风海面月平均值低1℃~2℃,愈向内陆低得愈多。由充足资料绘制的持续12小时1 000hPa最大露点等值线图的梯度可供短缺资料地区决定最大露点的参考。

这里再介绍一点参考资料:东北院根据130°~180°E,35°~55°N范围的资料求得的经验关系如下:

海表水温 T_w 与海面露点 T_d 的关系为

$$T_w = 0.5 + 1.05T_d \tag{6.3.1}$$

海表露点的纬向变化率如表6.3.3所示。

东北院还求得露点向内陆的变化情况(表6.3.4),以及沿海与内陆露点变化比较(表6.3.5)。

表6.3.3 **海表露点纬向变化率表**

°N	15~30	30~40.5	40.5	40.5~45	45~55
变化率(℃/N)	0.1	0.7	0	-1.5	-0.4

注 40.5°N平均值为18.9℃。

表6.3.4 **露点向内陆的变化表**

地名	位置		T_d(℃)			相对湿度(%)		
	北纬	东经	冬	夏	年	冬	夏	年
海洋上	36.0°			21.5	17.1	70		80
青　岛	36.4°	120.19°	-5	14.0	10.0	67	85	72
济　南	36.39°	116.55°	-7	20.0	9.0	57	64	56
兰　州	36.6°	103.50°	-12	12.0	3.0	59	59	57

表6.3.5 **夏季沿海与内陆露点变化比较表**

沿海岛上	T_d (℃)	沿海地区	T_d (℃)	大陆内地	T_d (℃)
花岛山	18.4	烟台	14.9	北京	14.6
平潭	19.9	青岛	15.5	石家庄	14.4
基隆	18.8	上海	18.6	南阳	16.7
花莲港	18.9	海门	19.2	老河口	17.3
台东	19.2	厦门	19.5	武汉	18.3
恒春	19.5	汕头	20.2	曲江	19.0
平均值	19.3		18.0		16.7

图6.3.2是东北院在分析东北某流域的可能最大露点时,按七八月份直接北上台风,进行由源地至流域路径上露点沿程变化的统计关系图。

6.3.4 典型放大

6.3.4.1 暴雨总量放大

暴雨总量放大按下式进行,即

$$P_m = \frac{W_{12m}}{W_{12}} P \tag{2.5.6}$$

式中设计流域可能最大可降水 W_{12m} 用当地可能最大露点 T_{dm} 求得;模式的可降水 W_{12} 用暴雨代表性露点 T_d 求得。

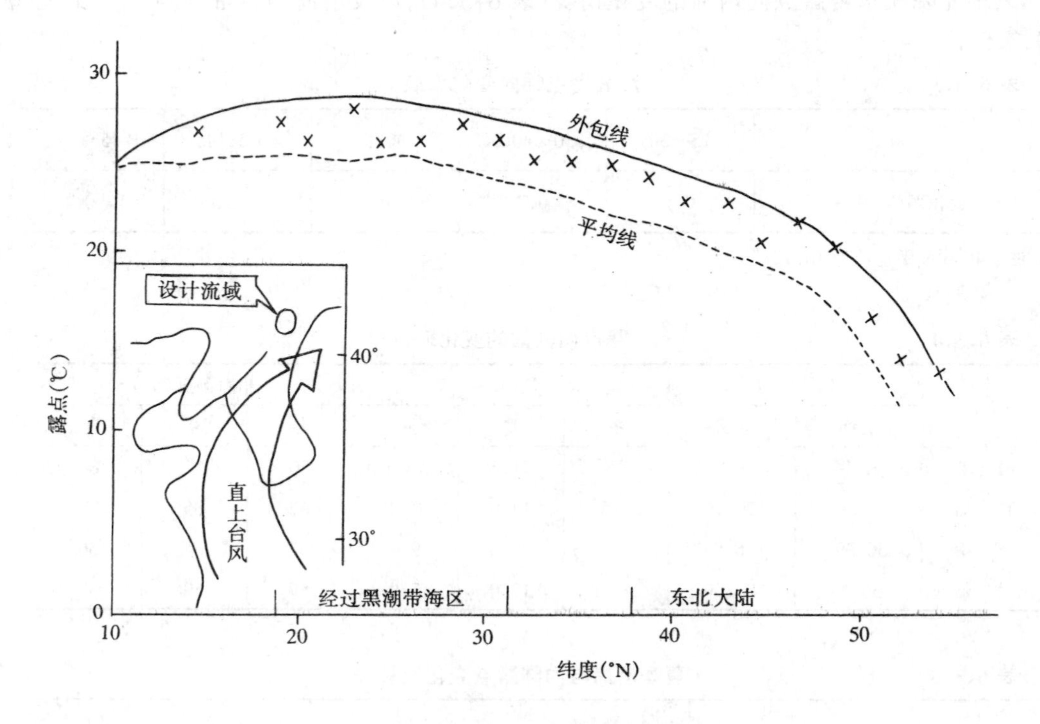

图 6.3.2 北上台风露点演变图

这里需要注意,由于在选定 T_d 和 T_{dm} 时是按 1 000hPa 这个高度来计算的,而一般流域的高程都要超过这个高度,故在用式(2.5.6)放大时,应结合设计流域的地形特征扣除一部分可降水。否则,放大成果就偏小。但是对于高程不大的流域,此种影响是很小的,因为放大时是用可降水的比值。具体扣法是:当雨区与水汽来源之间无山脉障碍时,可按流域平均高程扣;当雨区与水汽来源之间有延续山脉时,可按山脉障碍平均高程扣。在有山脉障碍的情况下,只要有可能,暴雨代表性露点应选在背风坡,特别是局地暴雨,并不需要强烈而广大的水汽入流,其水汽可能在来雨前由当地缓慢循环气流中取得。

6.3.4.2 暴雨过程线放大

实测资料表明,一次暴雨的持续最高露点是随历时的增加而减小的衰减曲线。由于露点变化较小,故各次暴雨的这种衰减曲线其递减梯度十分接近。这说明,任何两次暴雨的可降水之比,对于各种历时的露点来说,均近于常数。表 6.3.6 是许昌站和郑州站的例子。国外也有不少人作这方面的分析,结论是一致的。因此,一般就采用持续 12 小时最高露点的比值来放大整场暴雨,即对模式的全面积(各个站)及全过程均用同倍比放大。

6.3.5 算例[1]

已知条件:某河 A 断面处拟建一工程,断面以上流域面积为 38 500km^2,流域平均高

[1] 黄河水利委员会规划办公室(王国安执笔). 推求可能最大降水的典型暴雨法. 黄河水利学校印,1976,4

程为600m。设计流域本身具有较充分的实测暴雨资料及调查与文献记载的历史暴雨洪水资料,今欲求该流域的PMP,以便转化为PMF。

表6.3.6　许昌、郑州站各两场暴雨的不同持续时间露点相应可降水比值变化表

持续时间(h)	许昌站			郑州站		
	露点(℃)		可降水比 W_{70}/W_{54}	露点(℃)		可降水比 W_{64}/W_{58}
	1954年	1970年		1958年	1964年	
6	19.1	26.9	1.98	25.6	28.5	1.28
12	19.1	25.9	1.81	25.1	27.0	1.18
18	18.7	25.9	1.85	24.8	26.5	1.16
24	18.6	25.9	1.89	24.0	26.2	1.21
30	18.6	25.9	1.89	24.0	26.2	1.21
36	18.2	25.9	1.93	24.0	26.2	1.21
42	18.2	24.4	1.71	24.0	25.9	1.18
48	18.2	24.2	1.67	24.0	25.9	1.18
54	18.2	24.2	1.67	24.0	25.0	1.10
60	16.6	24.2	1.97	24.0	25.0	1.10
66	16.6	23.9	1.92	23.6	25.0	1.13
72	16.6	23.7	1.90	22.3	24.7	1.24
78	16.6	23.6	1.90	22.3	24.7	1.24
平均			1.85			1.18

分析步骤:

第一步,了解设计意图。拟建工程为一大型水库,任务主要是防洪,水库库容较大,从地形条件看,随坝高不同,库容有50亿～100亿m^3,下游防洪要求,最大泄量不超过10 000m^3/s。

第二步,分析暴雨洪水特性。根据本流域的实测,调查和历史文献记载的暴雨洪水资料分析,可以推断,本流域的PMP应具有如表6.3.7所示的主要特征。

第三步,选定典型暴雨。由于拟建工程库容相对较大,泄量相对较小,故对工程规模(主要是坝高)起控制作用的主要是洪量。初步估算,设计洪水时段,需6～7天,相应的暴雨历时为5天。结合暴雨特性分析,PMP的暴雨历时取为5天。

表6.3.7　某流域PMP暴雨模式的主要特征表

序号	项目		特征
1	暴雨出现季节		7～8月
2	大气环流形势		盛夏经向型
3	主要暴雨天气系统		南北向切变线+台风
4	雨区分布型式		南北向带状分布
5	流域内雨区范围		全流域普遍降雨
6	暴雨中心位置		在流域的中游
7	降雨历时	连续降雨	8天左右
		其中暴雨	5天
8	暴雨时程分配型式		双峰、主峰在后

所选典型应具备表6.3.7所列的主要特征。经分析,设计流域某年7月下旬暴雨符合这些条件。根据调查和历史文献资料的分析,这次暴雨所造成的洪水是近600年来的一次特大洪水,故可以认为这次暴雨是高效暴雨,在极大化时,只作水汽放大即可。其逐日流域平均雨量如表6.3.8所示。

表6.3.8 某流域某年7月下旬暴雨逐日流域平均雨量表

月·日	7.24	7.25	7.26	7.27	7.28	合计
雨量(mm)	31.5	135	78.0	215.0	42.5	502.0

第四步,选择暴雨代表性露点:这次暴雨的盛行入流风向为偏南风,大雨区的范围,可由图中(图略)确定。在水汽入流方向(暖湿空气控制的地区)大雨区边缘,选取a、b、c、d四个测站,各站的高程及这次暴雨的地面露点的观测值(由气象报表或地面天气图得出)如表6.3.9。由该表可求得暴雨代表性露点(持续12小时最高露点)为25.1℃。

表6.3.9 某地区某年7月下旬暴雨露点计算表

基面	站名	高程(m)	7月26日				7月27日				7月28日	
			0.2	0.8	14	20	0.2	0.8	14	20	0.2	0.8
地面	a	300	22.0	22.5	23.0	23.5	24.0	23.5	24.0	23.5	23.5	23.0
	b	350	22.5	22.0	23.0	23.5	24.0	24.0	24.5	23.5	23.5	23.5
	c	400	23.0	23.0	23.5	24.0	24.5	23.5	24.0	23.0	23.5	23.5
	d	420	23.0	23.0	23.5	23.5	24.0	24.0	24.5	24.0	24.0	23.0
1 000 hPa	a		23.1	23.8	24.2	24.6	25.1	24.6	25.1	24.6	24.6	24.2
	b		24.0	23.4	24.5	24.8	25.2	25.2	25.7	24.8	24.8	24.8
	c		24.3	24.3	25.0	25.3	26.1	25.0	25.3	24.3	25.0	25.0
	d		24.5	24.5	25.1	25.1	25.6	25.6	26.0	25.6	25.6	24.5
	合计		95.9	96.0	98.8	99.8	102.0	100.4	102.1	99.3	100.0	98.5
	平均		24.0	24.0	24.7	25.0	25.5	25.1	25.5	24.8	25.0	24.6

第五步,选择可能最大露点。考虑三种方法:

1)历史最大法。根据四站的历年实例资料,自其中降雨或倾向于降雨的气旋性环流所控制的那些时期中,选得历史最大露点为27.3℃。

2)频率分析法。根据历年的年最大暴雨的代表性露点进行频率分析,求得50年一遇的露点为26.8℃,100年一遇的露点为27.4℃。

3)最高海温控制法。形成设计流域暴雨的气团源地,大致为西太平洋地区120°E～160°E,25°N～35°N的海域,此海域的七八月份历年月平均最高海表水温为30℃,按东北院所求得的海表水温 T_w 与海面露点 T_d 的经验关系式(6.3.1)推算,海面露点约为28.1℃。参考某些实测大暴雨的露点沿程变化情况,估计设计流域的露点应比海面露点约低 1.1℃,即按最高海温控制法得设计流域的可能最大露点约为 27.0℃。

三种方法结果差别不大,考虑到设计地区资料条件还比较好,故取第一法的结果即 27.3℃作为可能最大露点。

第六步,计算放大倍比。根据暴雨代表性露点 T_d 和可能最大露点 T_{dm} 查附表 1 可得 1 000hPa 至 200hPa 的可降水,查附表 2 可得设计流域地面高程(600m)所相当的可降水,二者之差即为设计流域地面至 200hPa 的可降水,由此可得出水汽放大倍比为 1.22(表 6.3.10)

表 6.3.10 水汽放大倍比计算表

1 000hPa 露点 T_d (℃)	可降水 W(mm)			放大倍比 $K=\frac{W_m}{W}$
	1 000hPa ~ 200hPa	1 000hPa ~ 600m	600m ~ 200hPa	
(1)	(2)	(3)	(4)=(2)-(3)	(5)
27.3	98.7	15	83.7	1.22
25.1	81.7	13.1	68.6	

第七步,放大典型。利用水汽放大倍比 1.22,将表 6.3.8 中的雨量进行放大,即得设计流域的 PMP(表 6.3.11)。

表 6.3.11 某流域 PMP 逐日分配成果表

时程(日)	1	2	3	4	5	合计
面平均雨量(mm)	38.4	165	96.1	263	51.8	614.3

第八步,成果合理性检查(略)。

6.3.6 认识与讨论

水汽放大方法简便易行,已为国内外普遍采用[2~6]。

水汽放大法,其实质是对实际暴雨不作效率调整。据美国水文气象学家魏士勒(Weisner)[8]介绍,其原因是:①降水的理论还不足以完全估计暴雨效率及其能达到的最大值。②主要严重大暴雨是由于高效率而非高水汽含量,即高效降雨已经发生并包括在资料之中。③大暴雨观测报告中的极端情况表明,这些大雨已达其最大效率。例如记录中观测到最小中心气压的最大压力梯度。此外,流出风暴(暴雨系统)的可降水量与高空温度有关,在大雨期间,观测到它们已达其最小值,因而流出的水汽量最小,而暴雨的高效率已经发生,不必再作更高效率的调整。④相应于同一地面露点,其雨量变化很大,说明暴雨中有些已经包括气象因子的最有效组合而达到最大效率。⑤对实际暴雨作水汽放大可能是偏高的,但这可以作为稍事增加效率来考虑。此外,较高效率需要与强风相配;但强风与低露点相伴,而与最大露点相应的风则较小。

我们认为,水汽放大的前提是暴雨模式(典型暴雨)已是高效暴雨,即效率已达最大值。当然这只是一种假定。在实际情况中,如果基本满足这个假定,那末只进行水汽放大,从工程观点来看问题是不大的。

因为水汽因子露点有一个近似的物理上限即暖湿气团源地最高海表水温。这样,其取值的可变范围是有限的。反映到水汽放大倍比上,一般是放大 20%~30%,最多也只放大到 40%~50%。由此所得出的 PMP,不致大到令人难以置信的地步,而且是足够安全的。美国 50 多年的实践经验,可说明这一点(详见 23.2 节)。

6.4 水汽效率放大

6.4.1 适用条件

当设计流域及邻近地区缺乏特大暴雨资料,而有较大的实测暴雨或特大历史暴雨洪水资料时,则可采用水汽效率放大。

6.4.2 水汽效率放大法的基本假定

根据大量暴雨资料分析的结果,说明同一水汽量(可降水)可以与各种不同的效率相组合。反之,同一效率也可以与不同水汽组合,而特别大的暴雨则是高水汽与高效率相遇的结果(见 2.5.4 节)。因此,一般假定:①水汽与效率相互独立,即放大水汽不改变其效率,放大效率也不改变其水汽;②PMP 系由高效率与高水汽同时相遇形成。

6.4.3 效率的计算方法

一般是按地面观测资料计算效率,其计算公式可由式(2.5.1)得出

$$\eta = \frac{P}{tW_{12}} = \frac{I}{W_{12}} \tag{6.4.1}$$

由于降雨强度 I 和入流可降水 W_{12} 的单位分别为 mm/h 和 mm,故 η 的单位为 1/h,因其值甚小,一般以%表示。从这里可以看出,“效率”二字的含义并不确切,因为它的单位是 1/h。

在式(6.4.1)中,当时段 t 为一定时,P/tW_{12} 也具有一定的效率意义,在 PMP 计算中称为雨湿比。国外用雨湿比也较多。

6.4.4 效率的变化规律[1]

效率 η 的变化,仍有一些规律可循。根据实际资料分析,在其他条件相同时,η 值的变化有以下规律:

1) η 值与流域的几何形状有关(表 6.4.1)。这一特点从式(2.5.3)也可以看出,因该式中包含有流域几何因子 K_F。

---

[1] 黄河水利委员会规划办公室(王国安执笔). 推求可能最大降水的典型暴雨法. 黄河水利学校印,1976,4

表 6.4.1 海河 1963 年 8 月 4 日暴雨 η 值表(按黄河三花间面积 $F=41\ 600km^2$)

流域几何形状	η(1/h%)
按等雨量线形状	10.6
按黄河三花间流域形状	8.22

2) η 值随面积的增大而减小(表 6.4.2)。

表 6.4.2 各河不同面积最大 1 日 η 值表(按黄河三花间所定面积形状)

河流名称	暴雨出现时间(年·月·日)	不同面积 $F(km^2)$ 的效率 η(1/h%)			
		5 000	11 000	18 500	41 600
海　河	1963.8.4*	20.9	15.8	12.3	8.22
海　河	1956.8.3	9.08	7.68	6.77	4.72
黄　河	1954.8.3	8.43	7.47	6.55	5.61
黄　河	1958.7.16	7.46	5.59	4.57	3.52
淮　河	1954.7.16	10.1	8.93	8.15	5.77
淮　河	1975.8.7				8.00
汉　江	1935.7.5	7.27	6.48	5.14	4.31

* 暴雨中心由獐 犭厷对新安。

3) η 值随降雨历时的增长而减小(表 6.4.3)。

表 6.4.3 几个流域不同历时 η 值表(按黄河三花间形状,$F=41\ 600km^2$)

暴雨	不同历时 t(d)的效率 η(1/h%)				
	1	2	3	4	5
海河 638*	7.00	6.22	5.97	5.73	5.48
黄河 548	5.61	3.89	2.61	2.06	2.04
黄河 587	3.52	2.82	2.12	1.99	1.68

* 暴雨中心为獐 犭厷对垣曲。

4)山区迎风坡 η 值大于平原 η 值(表 6.4.4)。

表 6.4.4 海河 1963 年 8 月 4 日 η 值表(按黄河三花间形状,$F=41\ 600km^2$)

地　区	η(1/h%)
山区(獐 犭厷中心)	8.22
平　原	4.76

5)η 值与暴雨天气系统有关。例如黄河三花间南北向切变线暴雨的 η 值要比东西向切变线暴雨的 η 值为大(表 6.4.5)。

表 6.4.5 黄河三花间不同暴雨系统 η 值表

天气系统	暴雨	η(1/h%)
南北向切变线	1954.8.3	5.61
	1958.7.16	3.52
东西向切变线	1957.7.16	1.89
	1953.8.1	2.27

6)η 值随雨量的增大而增大。

7)流域高程不同,η 值不同。

效率 η 的上述这些规律也是容易理解的,因为从式(6.4.1)来看,入流可降水 W_{12} 的变化不大,而雨强 I 的变化较大,故 I 的变化规律基本上也反映了 η 的变化规律。

6.4.5 暴雨模式效率的确定

此系按模式(典型暴雨)的实测资料直接计算,一般是计算最大 24 小时(或最大 1 日)的平均雨强,按式(6.4.1)进行计算。这里的入流可降水 W_{12} 应与计算平均雨强所取的历时一致,即按持续 24 小时(或最大一日)的代表性露点来求得。但由于露点的日变化较小,有时为简便计,也可用持续 12 小时代表性露点推求。

计算 η 值时,W_{12} 所取基面,照理应是地面,但是为了便于作地区之间的比较;可以按 1 000hPa 为基面来计算。不过在极大化时应注意扣除 1 000hPa 至地面的那段高程所对应的可降水。这一点对于下面将要谈到的可能最大效率来说,也是相同的。

6.4.6 最大效率的确定

影响 η 值的因素比较复杂,目前还不能从理论上来分析 η 值的最大值。由于 η 值与流域的几何形状、面积、历时、地形、高程以及天气系统等有关,故在确定最大效率 η_m 时必须考虑到这些因素,其具体数值,可以通过以下四种方法进行分析比较加以确定。

6.4.6.1 按历史最大记录确定

当设计流域实测暴雨资料系列较长时,可以直接从历年同类型暴雨的效率选取最大值作为可能最大效率。当资料较少时,也可不分暴雨类型统计其历史最大值,作为最大效率。

6.4.6.2 按相似流域综合分析确定

对邻近的与设计流域气象特性相似地区的高效暴雨进行统计,然后进行综合分析,合理选定。统计时,需先按设计流域的形状进行改正,消除不同流域面积及不同几何形状的影响。这样,所算得的效率,其差别原因就是天气系统和地形影响了。若经暴雨成因分析,已知某种天气系统在这些地区均可发生,则只要排除那些明显的比设计流域地形条件好(有利于降水)的地区,而选用那些地形条件和设计流域相近的甚至差一些的地区的最大效率就行了。

6.4.6.3 按频率分析确定

由于效率

$$\eta = K_F V_{12}(1 - \frac{\Delta p_{12}}{\Delta p_{34}} \cdot \frac{W_{34}}{W_{12}}) \tag{2.5.3}$$

其中入流风速是关键因素,因此对于风速,在资料短缺的情况下,一般采用频率分析外延。国外一般取50～100年一遇的风速作为可能最大指标[5]。按中国现行规范〔3〕的规定,效率也可采用50年一遇的数值。

6.4.6.4 按历史洪水反推

调查或文献考证得到的历史洪水,一般都远远超过实测最大洪水,因而其对应的暴雨可以看做是高效暴雨,如能设法把它的效率估算出来,无疑是有重要价值的。中国许多地区特别是西南地区的某些工程,采用了这种方法来推求可能最大效率。此法的基本要点如下:

1)根据历史洪水的洪峰流量,通过峰量相关,求出历史洪水的洪量。

2)通过洪量与雨量的相关,求出历史暴雨的最大1日流域平均雨量 P_1。

3)利用历史暴雨 P_1 推求其效率 η。这里有两种做法:①直接求效率。由实测暴雨和效率建立 $P_1 \sim \eta$ 相关关系,该相关关系一般较好,依此关系用历史暴雨 P_1 查出其相应的效率作为最大效率 η_m。②先求出代表性露点再求效率,代表性露点的推求,又分两种情况:有历史天气图时,通过历史天气图和有关资料确定露点。无历史天气资料时,则采用天气成因相同(有些历史洪水所对应的暴雨,其天气成因可以根据洪水调查资料和历史文献记载的情况推估出来),发生季节相近的实测大暴雨的露点作为历史暴雨的代表性露点。这种做法,误差不很大,因为天气成因相同的大暴雨,其水汽来源基本相同。

有了历史暴雨的代表性露点,求出其相应的可降水,按式(6.4.1)即可算出其效率 η_m。

由于效率因子变化幅度较大,对PMP成果的影响也较大,因此在确定 η_m 时,必须从多方面进行论证。

6.4.7 典型放大

水汽效率放大按式(2.5.5)

$$P_m = \frac{\eta_m}{\eta} \cdot \frac{W_{12m}}{W_{12}} \cdot P$$

进行。放大方法有两种:

1)同倍比放大,即用某一时段的效率比值与水汽放大比值的乘积,放大整个暴雨过程。这种方法适用于短历时PMP的推求。

2)分时段控制放大,即在 $\eta \sim t$ 关系图上取各时段的最大效率,然后分段控制放大。这种方法适用于长时段PMP的推求[8]。

6.4.8 算例[1]

已知条件:基本上与上述的水汽放大法例子相同,只是实测暴雨资料不够充分。流域面积为 3 100km^2,流域平均高程为 400m,试求其 PMP。

分析步骤:第一步到第五步这五个步骤,与水汽放大法类似。按这些步骤得出,设计流域的 1972 年 8 月中旬暴雨可作为典型暴雨,该次暴雨系由东西向切变线带低涡所形成,其逐日流域平均雨量如表 6.4.6 所示。暴雨代表性露点为 24.1℃,可能最大露点为 26.5℃。

表 6.4.6 某流域 1972 年 8 月中旬暴雨逐日流域平均雨量表

日	11	12	13	14	合计
雨量(mm)	29.6	62.0	50.4	108.0	250.0

第六步,计算典型暴雨效率。根据最大 1 日雨量和暴雨代表性露点按式(6.4.1)计算得典型暴雨的效率如表 6.4.7 所示。

表 6.4.7 效率计算表

最大日雨量		1 000hPa	可降水 W(mm)			效率 η(1/h%)	
P (mm)	i (mm/h)	露点 T_d (℃)	1 000hPa ~ 200hPa	1 000hPa ~ 400hPa	400hPa ~ 200hPa	1 000hPa ~ 200hPa	400hPa ~ 200hPa
(1)	(2)	(3)	(4)	(5)	(6) = (4) − (5)	$(7)=\frac{(2)}{(4)}$	$(8)=\frac{(2)}{(6)}$
108.0	4.50	24.1	74.1	8.1	66.0	6.09	6.82

第七步,确定可能最大效率。考虑了三种方法(这三种方法计算效率时,可降水均按 1 000hPa为基面):

1)历史最大法。按设计流域历年实测暴雨资料统计,最大效率为 7.81%。

2)相似流域综合分析。根据分析与设计流域紧紧相连的东面的甲河,东南面的乙河以及南面的丙河,这三条河的暴雨特性和流域自然地理特性,基本上与设计流域相似。这三条河均各有较多的大暴雨资料,经按设计流域的流域形状及面积来统计(统计的方法为用一张透明纸把设计流域的形状描下来,以之套在相似流域拟量算的年份的最大 1 日暴雨的雨量等值线上,套的原则是使所量算得的面平均雨量为最大,不考虑转轴结果,甲河以 A 年、乙河以 B 年、丙河以 C 年的效率为最大,其具体数值如表 6.4.8 所示。

[1] 黄河水利委员会规划办公室(王国安执笔).推求可能最大降水的典型暴雨法.黄河水利学校印,1976,4

表 6.4.8　　邻近相似流域最大效率表(按设计流域形状,$F=31\ 000km^2$)

河名	暴雨	最大1日雨量 P (mm)	1 000hPa露点 T_d (℃)	1 000hPa～200hPa		暴雨天气系统
				可降水 W (mm)	效率 η (1/h%)	
甲	A	11.0	24.3	76.1	10.7	三合点
乙	B	170.0	24.0	74.0	9.60	东西向切变线带低涡
丙	C	222.0	25.2	82.4	11.3	台风

3)频率分析法。根据设计流域历年实测暴雨效率进行效率分析,得50年一遇效率为9.82%,100年一遇效率为11.1%。

以上三种方法,第1)法显然偏小,因为设计流域本身暴雨资料不够充分,缺乏高效暴雨。第2)法中,从天气系统上说,台风暴雨和三合点暴雨其效率一般应比东西向切变线带低涡暴雨的效率要大,表6.4.8的结果也正好反映了这一点。因设计流域所选暴雨模式的暴雨天气系统为东西向切变线带低涡,故这里的三合点、台风暴雨效率只能作为一般参考。乙河暴雨B为东西向切变线带低涡,与设计流域暴雨模式同类,其效率9.6%可作为主要参考。第3)法的结果,50年一遇为9.82%。现将这三种方法综合考虑,采用$\eta_m=10.0\%$作为设计流域的可能最大效率。

第八步,计算放大倍比。具体算法如表6.4.9所示。

表 6.4.9　　水汽效率放大倍比计算表

情况	1 000hPa T_d (℃)	W(mm)		η(1/h%)		放大倍比		
		1 000hPa～200hPa	400hPa～200hPa	1 000hPa～200hPa	400hPa～200hPa	K_w	K_η	$K_{w\eta}$
(1)	(2)	(3)	(4)	(5)	(6)	(7)$=\frac{82.5}{66.0}$	(8)$=\frac{11.2}{6.82}$	(9)
设计	26.5	92.0	82.5	10.0	11.2	1.25	1.64	2.05
实际	24.1	74.1	66.0	6.09	6.82			

第九步,放大典型。利用表6.4.9中的水汽效率综合放大倍比$K_{w\eta}=2.05$,按同倍比放大所选典型的逐日雨量(表6.4.6)即得设计流域的PMP,如表6.4.10所示。

表 6.4.10　　某流域PMP成果表

时程(日)	1	2	3	4	合计
面平均雨量(mm)	60.7	128.0	103.8	222.0	514.5

第十步,成果合理性检查。(略)

6.4.9 认识与讨论

6.4.9.1 效率的物理概念

效率的基本公式为

$$\eta = K_F V_{12}\left(1 - \frac{\Delta p_{12}}{\Delta p_{34}} \cdot \frac{W_{34}}{W_{12}}\right) \tag{2.5.3}$$

考虑到

$$V_{34} = \frac{\Delta p_{12}}{\Delta p_{34}} V_{12} \tag{2.4.12}$$

则式(2.5.3)可化为

$$\eta = \frac{K_F(V_{12}W_{12} - V_{34}W_{34})}{W_{12}} \tag{6.4.2}$$

上式中 K_F 为流域常数，$V_{12}W_{12}$和 $V_{34}W_{34}$分别为单位时间内输入和输出流域周界的水汽量。显然，只有当 $V_{12}W_{12} > V_{34}W_{34}$时，才可能产生降雨。

从式(6.4.2)看，效率 η 就是单位时间内输入流域内的净水汽量($V_{12}W_{12} - V_{34}W_{34}$)占入流可降水($W_{12}$)的比例数。换言之，效率就是把入流水汽量 W_{12}转化为降雨量的能力，它也就是暴雨天气系统的造雨能力。

按式(2.5.3)，效率 η 应采用高空观测资料来计算，但这样做，困难很大，故在实用上一般都是根据实测暴雨反推，其公式为

$$\eta = \frac{P}{W_{12}t} = \frac{I}{W_{12}} \tag{6.4.1}$$

从上式看，效率 η 就是单位时间内的降雨量占入流水汽量的比例数，也就是暴雨天气系统把入流可降水量变成降水量的能力。类似于水文学中的径流系数，即把降水量变成径流量的能力。

综上所述，我们认为，降水效率的物理概念还是清楚的。

6.4.9.2 移用效率的实质

借用邻近地区某场特大暴雨的效率作为最大效率 η_m，其实质就相当于移置该场暴雨，再加水汽改正。因为将典型暴雨 $\eta = P_1/W_1t$ 及求暴雨效率的暴雨 $\eta_m = P_2/W_2t$ 代入效率放大公式 (2.5.7)，所求得的 PMP 为

$$P_m = \frac{\eta_m}{\eta} \cdot P_1 = \frac{P_2}{W_2t} \cdot \frac{W_1t}{P_1} \cdot P_1 = P_2 \cdot \frac{W_1}{W_2} \tag{6.4.3}$$

这实际是暴雨移置加水汽改正。

以上是就 PMP 的降雨总量来说的，但对于 PMP 的时空分布来说，并不是暴雨移置，因为效率放大，一般是用于当地暴雨放大。也就是 PMP 的时空分布是当地典型的。换言之，从解决 PMP 的降雨总量及其时空分布上来看，借用效率的实质就是：PMP 的总量用暴雨移置法求得，而其时空分布则用当地典型。

6.4.9.3 水汽效率放大法与典型暴雨的关系

水汽效率联合放大公式为

$$P_m = (\frac{\eta_m}{\eta})(\frac{W_m}{W})P$$

将 $\eta = P/Wt$ 代入上式化简之，得

$$P_m = t\eta_m W_m$$

若 $t=24$ 小时，则

$$P_m = 24\eta_m W_m \tag{6.4.4}$$

这说明水汽效率联合放大与暴雨典型无关，只与所选取的最大可降水 W_m 及最大效率 η_m 的乘积有关。这种结论也为实际计算成果所证明。例如大渡河虽采用了 55713(即 1955 年 7 月 13 日暴雨的简称，下仿此)、55730、60719、61627、61705 和 66829 六种典型暴雨，放大后的 24 小时面雨量均为 108mm，其原因是大渡河已选定 $\eta_m = 11\%$，$W_m = 41$mm，代入公式 $P_m = 24\eta_m W_m = 108$mm，成果自然与典型无关[9]。

以上也是就 PMP 的总量来说的，对于 PMP 的时空分布则不然。当设计断面以上的干支流上有若干个水库时，为了研究 PMP 的不同时面分布对 PMF 的影响，则必须考虑不同的典型暴雨。

6.4.9.4　用历史洪水反推效率

由调查或文献、文物考证所得的历史特大洪水来反求 η_m，这种方法有两大优点。

优点之一是思路可取。因为公式

$$P_m = 24\eta_m W_m$$

可以写成

$$P_m = 24 \cdot \frac{P_H}{24W_H} \cdot W_m = \frac{W_m}{W_H} \cdot P_H \tag{6.4.5}$$

式中 P_H 和 W_H 为历史暴雨的雨量和可降水。上式说明，用水汽效率联合放大法推求 PMP 时，如果是采用历史洪水反推效率作为最大效率 η_m，其实质就是将历史特大暴雨进行水汽放大。历史特大暴雨一般都是高效暴雨，再进行水汽放大，可望接近 PMP。

优点之二是适用性强，在中国更是如此。大家知道，美国搞 PMP 已 50 多年，它的最主要也是最成功的方法是：高效暴雨—水汽放大—移置—外包。这里所谓最成功是指按它所得 PMP/PMF 设计的水库，基本上没有垮过(详见 23.2 节)。它之所以成功，主要是因为它实测的高效暴雨资料多。据美国天气局水文气象专家汉森(Hansen)[10]介绍，目前美国天气局的暴雨目录中已包括自 1870 年以来的约 800 场暴雨。而中国的情况是，实测的暴雨资料少，一般只有 40～60 年记录，其中称得上高效暴雨的很少。但是，中国是个历史悠久的文明古国，历史洪水资料特别丰富，据不完全统计，已整编刊印的就已达 11 600 多个河段资料。这些历史洪水的重现期，一般都在 100 年以上，不少在 300～600 年之间，更有些在 1 000 年以上。显然，这些长重现期的洪水，其相应暴雨的重现期，一般要比美国实测高效暴雨的重现期长得多。因此，按这些长重现期的历史洪水反推效率 η_m，所求得的 PMP 更有可能接近实际，特别在考虑 η_m 的移置后，更是这样。

总起来说，用历史洪水反推效率，这是中国水文气象工作者，结合中国实际情况而提出的一种推求 PMP 的较好方法。

用历史洪水反推效率，关键点是反推历史暴雨及其代表性露点。

尽管在由历史洪水反推历史暴雨的过程中,有许多不确切或精度欠佳的地方,但是,中国相当一些地区的历史洪水,由于年代不太久远,或者文献、洪痕等比较翔实、可靠,反推出来的暴雨仍有足够的可信度。尤其是当该地区的暴雨时空分布或时面深关系等暴雨洪水特性分析得比较深入时,这种可信度更高。

至于历史暴雨的代表性露点的推估,这方面误差不会很大,因为一个流域大暴雨的代表性露点的变化范围,一般在1~3℃之间,相差1℃,可降水仅相差约10%。

6.4.9.5 效率放大法的优点

在缺乏高效暴雨的情况下,要推求PMP必须对水汽和动力因子进行放大。而效率是表示动力因子的一种较好方法。它具有以下优点:

1)效率是根据流域平均雨量来计算,因而它是惟一能间接反应整个设计流域内空气辐合上升运动情况的指标。同时,这种指标还避免了由于现代气象科学缺乏成熟理论和方法直接求出空气辐合或垂直运动最大指标的困难。

2)由于效率是根据地面观测资料雨量和露点来计算,因此可以说它是目前所有表示动力因子的方法中,最容易计算而精度又较高的一种方法。因地面观测站点较多,系列较长,观测方便且精度较高,而高空探测资料正好相反,测站较少,系列较短,观测不便,精度也相对较差。

3)按地面资料所计算的效率 η 值,实际上是一个综合系数,有点像水力学上计算流速的满宁公式中的糙率 n 一样。但在使用它时,是怎样来就怎样去,因此在公式推导上的所有假定是否完全符合实际,没有太大关系。

6.5 水汽风速及水汽输送率放大

6.5.1 适用条件

对于风速 V 或入流指标 VW 与相应的流域平均雨量 P 有正相关趋势,且暴雨期间入流风向和风速较为稳定的流域,可以考虑采用水汽风速放大法或水汽输送率放大法。

在中国江淮流域梅雨期或华南前汛期,由于西南暖湿气流特别盛行,有时出现低空西南急流(850hPa或700hPa上风速 $V \geqslant 12\text{m/s}$),如遇北方冷空气南下,势必形成强烈辐合,极易产生持续性暴雨。因此,在此情况下,入流指标与降雨量的关系十分密切[4]。

中国西南地区,由于横断山脉的存在,地形地势的显著特点是北高南低的倾斜面,十分有利于偏南暖湿气流的向北输送和抬升。在5月至10月的汛期中,由于孟加拉湾季风低压或季风低槽的存在,故使暴雨期间盛行稳定的西南气流。当强盛的西太平洋副热带高压西伸北跃向西北方向扩展时,又在云南东南部形成稳定的东南气流。西南地区的这种地形和气象条件,基本上符合二维层流模式的假定,从而使得设计流域的面平均雨量与水汽入流指标有较好的关系❶。图6.5.1是西南某地区的这种关系图[8]。

❶ 尹江.对可能最大暴雨工作的体会.昆明勘测设计院,1992,6

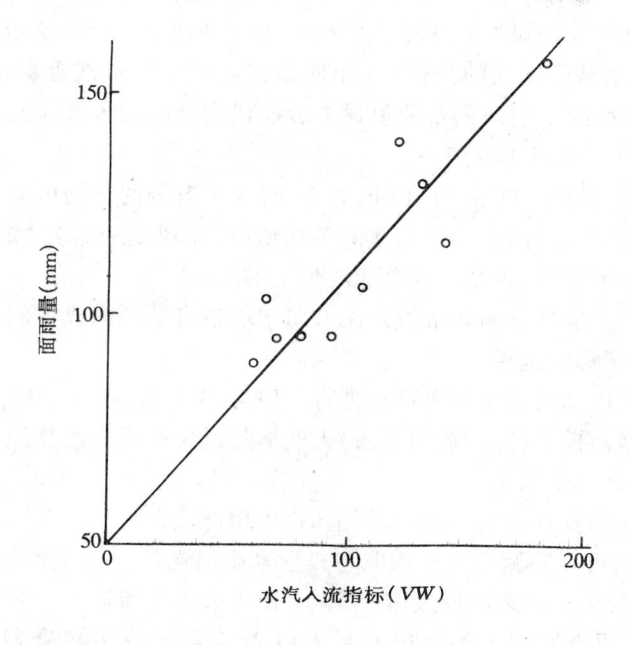

图 6.5.1 西南某地区面雨量与入流指标相关图[8]

6.5.2 风放大的基本假定

风速放大的基本假定是风的辐合(即发生降雨的主要因素)与风速成比例。这个假定对于大面积长历时的平均辐合近乎真实,对于各场雷雨则无价值[11]。

6.5.3 风指标的选定

6.5.3.1 暴雨模式代表性风速的选定

由于风速在时间上和空间上的变化较大,尤其是近地层受下垫面因素的影响,变化更大。因此,所取的风速指标必须对暴雨水汽入流具有代表性。

(1)代表站的选定

分析入流风向,从暴雨的水汽入流方向选取入流代表站。

(2)风指标的选定

1)代表层的选择。因为大部分水汽通常在 3 000m 以下的低层进入暴雨系统,所以一般用低层风来估算水汽入流。按国外经验,1 000m 及 1 500m 高度的风,最能代表水汽入流[5]。因为若太接近地面,风速受下垫面影响而缺乏代表性。根据中国经验,风指标以选离地面 1 500m 以内风速为宜,地面高程低于 1 500m 的地区,采用 850hPa 高度上的风,地面高程超过 1 500m(或 3 000m)时,可采用 700hPa(或 500hPa)高度上的风❶。

具体计算时,一般是通过分析比较选取某一大气层(或高度)的高空风资料为代表。热带地区,则找出向暴雨区输送水汽的主要大气层,放大时仅限于该大气层[8]。

❶ 金蓉玲. PMP 计算进展与设计洪水规范修订. 长江水利委员会水文局,1992,7

2)时间上的选择。因风有日变化,以取 24 小时平均值为好。文献〔11〕认为,低层最大 24 小时风运动是整层运动的指标,有如地面露点是整层水汽含量指标一样。在时间上,以最大降雨时期 24 小时风的观测值通常最能代表暴雨的水汽入流。对于历时较短的暴雨,要用实际历时内的平均风速[5]。

在计算时,最好采用 2 时、8 时、14 时和 24 时 4 个时刻的平均风速。若资料条件不满足,也可采用 8 时和 20 时两个时刻风速的平均值(注意风是矢量)。如风向比较稳定,可取各时刻风速的算术平均,否则需取合成风矢量的均值[8]。

3)风向的选择。应从暴雨的水汽入流方向中取最有效风向或强烈暴雨风向。

6.5.3.2 极大化指标的选择

这可以根据暴雨期间的实测风资料进行。但对$(VW)_m$和V_mW_m的选择,必须保证所选用的暴雨与暴雨模式(实测典型暴雨)天气形势及影响系统的相似性。

(1)按历史最大记录确定

当风和露点实测资料系列在 30 年以上时,可用此法。

$(VW)_m$指标,可在实测资料中选取与典型暴雨风向接近的实测最大风 V 及其相应的水汽 W,得 VW,再从中选取最大值$(VW)_m$作为极大化指标。

V_mW_m 指标,可选取多年实测风的最大值 V_m,再寻找实测最大 W_m 值,用其乘积 V_mW_m 作为极大化指标。

也可分析 VW 的季节变化曲线。从实测资料中选取各旬最大持续 12 小时露点,制作最大可降水 W_m 季节变化曲线,同时选取各旬与典型暴雨风向接近的实测最大风速,制作最大风速 V_m 季节变化曲线。这两条曲线对应点相乘,即得 V_mW_m 的季节变化曲线。也可直接作$(VW)_m$的季节变化曲线(图 6.5.2)。选用时,用典型暴雨发生时间前后 15 天之内的最大值作为极大化指标[8]。

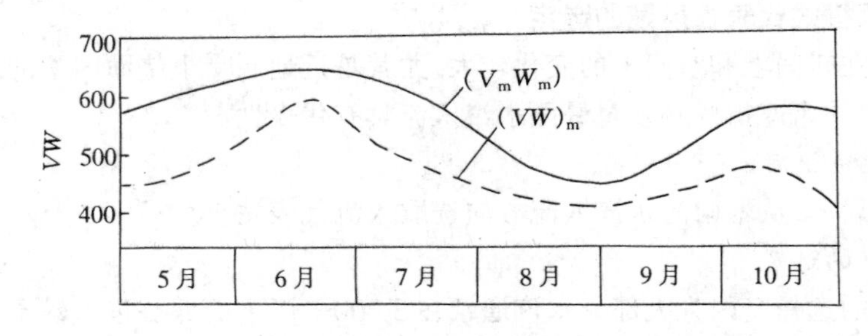

图 6.5.2 西南某地区最大水汽入流指标季节变化曲线[8]

(2)按频率分析确定

若实测风及露点资料系列不足 30 年,则可进行频率分析,取 50 年一遇的数值作为极大化指标[3]。表 6.5.1 是昆明站 3 000m 高空月平均最大西南风速频率计算结果,频率曲线线型采用 P-Ⅲ型[4]。

(3)通过地转风或梯度风确定

若资料过短,也可用采用暴雨入流风向的适宜测站之间的气压差估计[5]。一般采用地转风或梯度风,然后通过经验关系估计高空风速,来求得极大化指标。

表 6.5.1 昆明站最大西南风速频率计算成果表

项 目	月份					
	5	6	7	8	9	10
均值(m/s)	13.9	11.8	11.8	8.7	9.5	12.4
C_v	0.12	0.26	0.23	0.29	0.30	0.21
C_s/C_v	3	2.5	3	1	2	3
50 年一遇风速(m/s)	17.2	19.1	18.3	14.3	16.2	18.6

6.5.4 典型放大

水汽风速放大法和水汽输送率放大法,这二种对典型暴雨的放大方法,其基本概念是一样的。只是在指标的选取上有所不同。前者是对风速和水汽分别取可能最大值,按式(2.5.8):

$$P_m = \frac{V_{12m}}{V_{12}} \cdot \frac{W_{12m}}{W_{12}} \cdot P$$

放大,后者是取风速与水汽乘积的可能最大值,按式(2.5.9):

$$P_m = \frac{(V_{12}W_{12})_m}{(V_{12}W_{12})} \cdot P$$

放大。二者都是用同倍比放大整个暴雨过程。

6.5.5 算例❶

某流域地处山区,流域面积 2 580km^2,流域西面和北面为高山环绕,山脊高程在1 200～1 500m 之间,流域地势自西北向东南逐渐降低,东部边界高程 700～1 000m,南部边界高程 500～700m,流域平均高程 800m。经分析,造成本流域历史特大洪水的暴雨天气系统为地面冷锋,高空为低压槽。暴雨期间盛行西南风。因此,考虑用水汽输送率放大法来推求 PMP。分析步骤如下:

第一步,选定典型。根据暴雨特性的分析,考虑到拟建工程的特点(库容较大),选用实测资料最大的一场暴雨:1964 年 7 月 23～25 日 3 天暴雨作为暴雨模式。该次暴雨系由强冷锋所形成。其逐日面平均雨量如表 6.5.2 所示。

表 6.5.2 某流域 1964 年 7 月 23～25 日逐日流域平均雨量表

时间(月·日)	7.23	7.24	7.25	合计
面雨量(mm)	65.0	94.0	161.0	320.0

第二步,选定入流代表站。流域附近有 A、B 两个探空站(图 6.5.3),考虑到本流域暴雨期间是以西南气流为主,同时考虑资料系列的长短及资料质量等因素,确定以 A 站

❶ 黄河水利委员会规划办公室(王国安执笔).推求可能最大降水的典型暴雨法.黄河水利学校印,1976,4

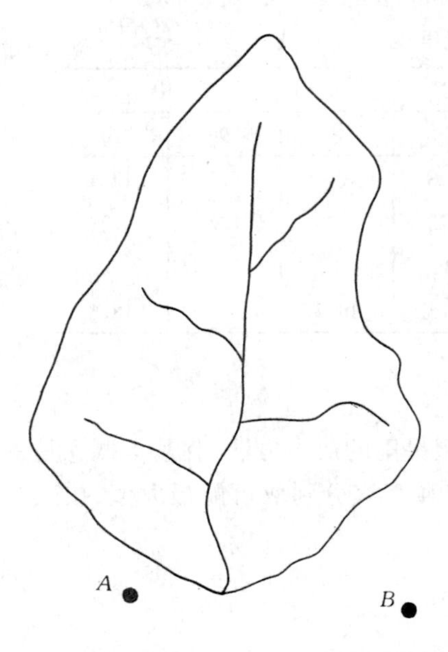

图 6.5.3 某流域示意图

作为入流代表站。

第三步,确定入流代表层。根据 A 站的探空资料分析,由于地形的影响,地面风风向变化较大,但从 850hPa 和 700hPa 天气图上来看,风向则较为稳定。为了较正确地选定入流代表层的高度,挑选了2 000m、2 500m和 3 000m 三个层次(离地面的实际距离分别为 1 200m、1 700m 和2 200m),并且根据历年暴雨资料分别计算它们在最大 1 日(因高空观测资料每天只观测两次,故不便取 24h 最大)降雨期间的整层平均风速 V 和水汽(用地面代表性露点求得,其值为地面至 200hPa 的数值)的乘积 VW,同时求出其最大 1 日流域平均雨量 P(表 6.5.3),点绘相关图(图 6.5.4)。

在作图时,入流风 V 只要是属于西南象限的均可选取,不必太拘泥于某一固定的入流角度,这样才能适应不同流场配置时入流角度变化不定的复杂情况,但又不违背总的入流方向。

表 6.5.3 A 站历年最大暴雨一日降雨及相应水汽输送率统计表

(风速 V 为 3 000m 高度西南风)

年·月·日	3 000m 风速 V (m/s)	1 000hPa 露点 T_d (℃)	可降水 W(mm)		VW	流域平均雨量 P (mm)
			1 000hPa ~ 200hPa	800hPa ~ 200hPa		
1958.7.15	11.5	22.0	62.0	48.0	552	51.2
1958.8.1	15.0	24.0	74.0	58.0	870	99.0
1962.6.28	9.3	23.5	71.0	55.5	517	69.0
1964.7.25	11.0	23.5	71.0	55.5	610	161.0
1965.7.28	14.4	25.5	84.5	67.0	965	138.0
1967.7.2	12.6	24.0	74.0	58.0	732	112.0
1968.8.25	15.0	21.0	57.0	44.0	660	79.0
1969.6.25	12.1	23.5	71.0	55.5	672	125.0
1970.7.23	9.3	26.0	88.0	70.0	651	83.4
1971.8.11	11.8	22.8	66.8	52.0	614	97.3
1972.7.6	19.5	23.1	68.6	53.5	1 040	141.0
1974.8.16	8.7	22.5	65.0	50.5	439	54.0

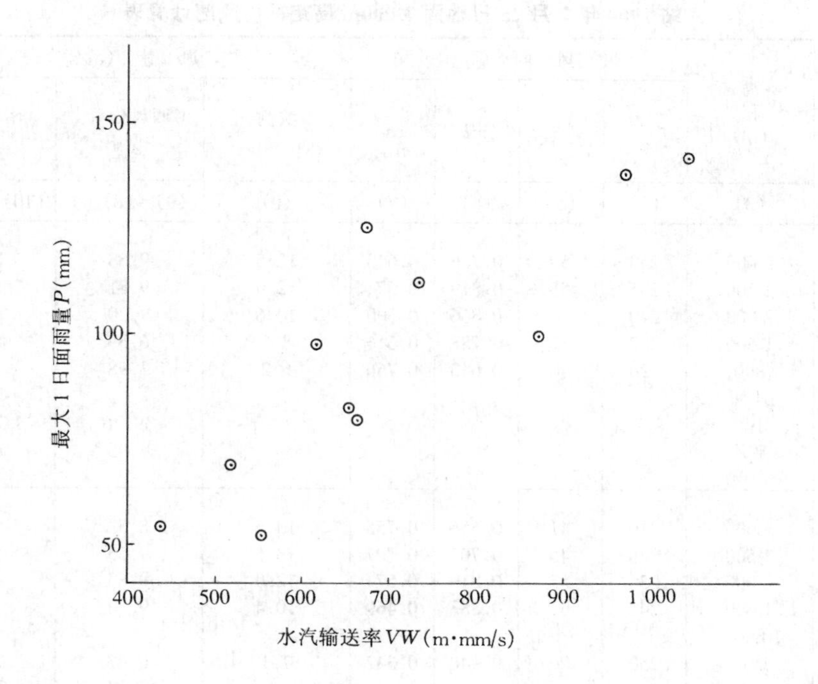

图6.5.4　A站最大1日面雨量—水汽输送率 VW 关系图

从图6.5.4可见，3 000m高度的 $P \sim VW$ 有一定的关系，而2 000m和2 500m高度的 $P \sim VW$ 关系(图略)比这稍差，同时考虑到便于与700hPa天气图对照，遂决定以3 000 m高度作为入流代表层。

第四步，计算典型暴雨的水汽输送率。

1)根据高空观测资料计算最大1日降雨(7月25日)期间入流层的平均风速。具体算法如表6.5.4所示，表中的风向风速符号如图6.5.5所示。

$$\overline{V}_S = 6.38\text{m/s}$$

$$\overline{V}_W = 8.31\text{m/s}$$

合成风风速

$$\overline{V} = \sqrt{\overline{V}_S{}^2 + \overline{V}_W{}^2} = \sqrt{6.38^2 + 8.31^2} = 10.5\text{m/s}$$

合成风风向

$$\tan\overline{\alpha} = \frac{\overline{V}_W}{\overline{V}_S} = \frac{8.31}{6.38} = 1.30$$

$\overline{\alpha} = 52°26'$

$\overline{\varphi} = 180° + \overline{\alpha} = 180 + 52°26'$

$= 232°26'$

表 6.5.4　　A 站 1964 年 7 月 25 日地面 3 000m 高空平均风速计算表

时间		高程(m)	风向(°)				风速(m/s)		
日	时		实测 φ	$\alpha=\varphi-180$	$\sin\alpha$	$\cos\alpha$	实测 V	西风分量 V_w	南风分量 V_s
(1)	(2)	(3)	(4)	(5)	(6)	(7)	(8)	(9)=(8)(6)	(10)=(8)(7)
		3 000	230	50	0.766	0.643	12.5	9.58	8.04
		2 500	235	55	0.819	0.574	12.0	9.81	6.89
25	7	2 000	240	60	0.866	0.500	10.6	9.20	5.30
		1 500	232	52	0.788	0.616	8.5	6.69	5.23
		800	220	40	0.643	0.766	6.2	3.98	4.75
		地面							
		小计						39.26	30.21
		平均						7.85	6.04
		3 000	210	41	0.656	0.755	13.6	8.53	9.81
		2 500	225	45	0.707	0.707	13.5	9.55	9.55
		2 000	235	55	0.819	0.574	12.0	9.83	6.88
25	19	1 500	242	62	0.883	0.469	10.4	9.20	4.88
		800							
		地面	250	70	0.940	0.342	7.1	6.67	2.43
		小计						43.78	33.55
		平均						8.16	6.71
总计								16.61	12.75
平均								8.31	6.38

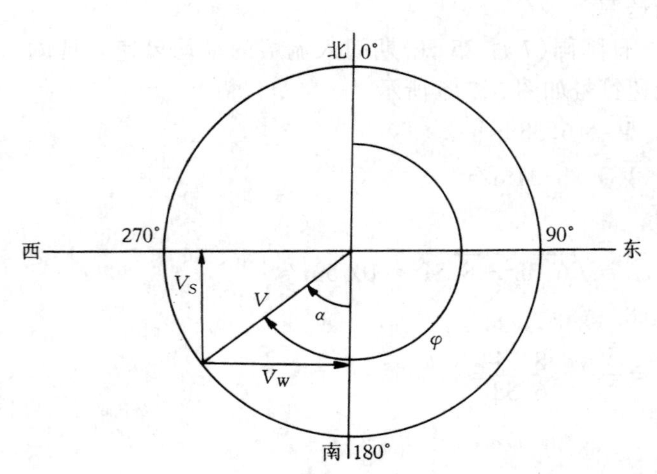

图 6.5.5　合成风速示意图

2)确定代表性露点及相应可降水。经分析，本次暴雨的代表性露点 $T_d=23.5$℃，相应的 1 000hPa 到 200hPa 的可降水为 71.0mm，流域地面(平均高程 800m)以上可降水 $W=55.5$mm。

3)计算水汽输送率。

$VW=10.5\times55.5=582\text{m}\cdot\text{mm/s}$

第五步，选定可能最大水汽输送率 $(VW)_m$。

1)历史最大法。设计流域实测最大水汽输送率发生在 1972 年 7 月 6 日，风速按 3 000 m 高度，$(VW)_m=1\ 040\text{m}\cdot\text{mm/s}$，风速按地面至 3 000m 整层平均，$(VW)_m=935\ \text{m}\cdot\text{mm/s}$。

2)频率分析法。根据设计流域历年实测资料，用西南风暴雨地面至 3 000m 高度整层平均风速所算得的各年最大水汽输送率进行频率分析,求得50年一遇的水汽输送率为1 120m·mm/s。

现采用以上二法结果的平均值作为可能最大水汽输送率。即

$$(VW)_m = \frac{1}{2}(935 + 1\,120) = 1\,028\text{m}\cdot\text{mm/s}$$

第六步,计算放大倍比。

$$K = \frac{1\,028}{582} = 1.77$$

第七步,放大典型。用 $K=1.77$ 乘以表6.5.2中的逐日雨量即得所求的PMP,成果如表6.5.5。

表6.5.5 某流域PMP成果表

时程(d)	1	2	3	合计
面平均雨量(mm)	115.1	166.4	285.0	566.5

第八步,成果合理性检查。(略)

6.5.6 认识与讨论

6.5.6.1 国外对本法的认识

1)世界气象组织1973年出版的PMP估算手册[5]认为,“在山岳区域当发现越过山脉的实测暴雨变化与吹向山脉携带水汽的风速成比例时,通常采用风放大”。“在非山岳地区,当单独使用水汽调整的结果似乎不够恰当或不够合理时,有时也用风速来放大。例如,在水文气象资料不足的地区,放大风速可以部分地弥补资料的短缺。这里的理由是短资料不一定能包括最大的露点或相当于长期观测中的特大暴雨。最巨大的暴雨记录可能不够充分,其水汽输入率可能低于与高效降水相应的输入率。将风与水汽都加以放大,可以取得比单独放大水汽稍大一些的成果,这样至少部分地弥补了资料短的缺陷”。

2)世界气象组织98号技术文件[11]认为:“风的极大化通常用于暴雨型的山区,如增大吹向山脊(分水岭)的风力,而雨量也成比例增加时,就应该考虑这个问题”。“风的极大化也可用于大面积、长历时暴雨的地区,这不一定是山区,暴雨时的水汽入流对所产生的雨量是一个重要的限制因素”。

6.5.6.2 国内对本法的认识

水汽风速及水汽输入率放大法都是假定暴雨模式的辐合因子

$$\beta = K_F\left(1 - \frac{\Delta p_{12}}{\Delta p_{34}} \cdot \frac{W_{34}}{W_{12}}\right) \tag{2.5.4}$$

已达极大,即 $\beta=\beta_m$ 的条件下提出的。

1)梁棣❶认为,水汽输送率法极大化时假定典型暴雨辐合因子已达极大,水汽入流指

❶ 梁棣.对可能最大暴雨估算中一些问题的认识.四川省水利水电勘测设计院,1992

标(VW)尚待极大化,即是在典型暴雨已达高效情况下,放大水汽输送量,说明该法实质上极大化的是水汽因子。只有在符合一定假定条件下——流域为单一坡面,入流大于出流,辐合因子近乎常数,强烈的空气入流为层流——这时的水汽入流指标,在一定程度上才可能间接反映抬升作用的动力因子影响。实际中,当能近似满足这些条件时,该法才能在一定程度上起到动力因子极大化的作用。

2)陈国华[12]认为,水汽入流指标放大,实质上就是水汽放大,只是它是以进入流域上空的水汽入流强度代替可能进入流域上空的水汽量,概念上比高效(η_m)暴雨的水汽放大方法进了一步,但同样受到典型的制约。这是因为 β_m 与 η_m 一样,都无客观标准,只能由模式本身体现(按基本表达式反推)。由此可见,水汽放大法系以模式反映整个暴雨机制的效率 η_m,而水汽入流指标放大法,则模式只反映辐合上升运动的强弱(当然也包括影响降水的其他因素及一切误差)。

3)我们认为,水汽输送率放大法,入流指标 VW 有一定的物理意义,在一定程度上反映了形成暴雨的内在联系,使用也较方便,对水汽入流方向稳定地区能取得较好的效果。但要注意入流指标 VW 与降雨 P 关系的检验,以及代表站风速的计算。

有些地区点绘的降雨与入流指标关系图,点据散乱,但是经过某种方法处理后,也可以使关系得到改善。处理方法有以下两种:①淮河水利委员会 1980 年提出的办法,以散度 D 作参数[4],即

$$\mathrm{D}=-\left(\frac{\partial u}{\partial x}+\frac{\partial v}{\partial y}\right)$$

②贵阳勘测设计院等单位 1989 年在推求乌江洪家渡水电站的 PMP/PMF 时提出,采用经流域形状改正后的动点动面雨量与入流指标建立关系❶。

对入流指标代表站的选择,一般应结合雨区的地理位置,影响暴雨的天气系统,从大范围主要入流方向来考虑,以使所选测站的水汽风速在暴雨期间能代表本地区水汽来源及流场方向。但有些河流受局部地形影响,入流风会有变化,选择时应引起注意。

在层次选择上,中国西南一些地区的经验表明,一般以 3 000m(700hPa)上风速有较好的代表性[9]。

在时间计算上,中国一般用最大 24 小时降雨期间风速观测平均值,也有采用提前一个时段 24 小时的平均值的,如昆明设计院对某些工程就是这样[9]。

极大化指标$(VW)_m$,关键在于风速的选取,因为露点变化幅度小,有上限控制,而风速变化范围大,风向又明显受发生暴雨的大气流场及天气系统的影响,因此必须在相似的大气流场和天气系统下选择风指标。

水汽风速放大(V_mW_m)法,是假定 V 与 W 关系相互独立,从统计上和实用上看,也可用此法,但缺乏成因概念,同时也不易进行组合可能性论证,故使用时应特别慎重。

许多地区的实测资料表明,随着风速的增加,露点增加到一定数值后,往往反而减少。例如,岷江汶紫区间曾绘制成都站1 000~4 000m,平均风速与相应露点的关系图,随风速(V)的增加,露点(T_d)呈减小的趋势(图 6.5.6)。中国西南还有一些地区也有类似的情

❶ 蔡萍.可能最大降水研究十年(1983~1992).能源部水利水电规划设计总院,1992,7

况[13]。在这种情况下,如分别取风速和露点相应的可降水的极值乘积 $V_m W_m$,来放大典型暴雨,显然不合理。

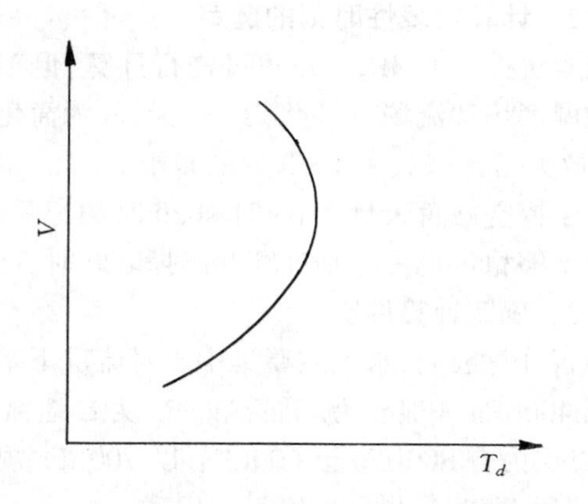

图 6.5.6 $V \sim T_d$ 关系示意图[1]

6.6 水汽净输送量放大

6.6.1 计算公式及适用条件

6.6.1.1 计算公式

大家知道,从整个流域周界考虑问题,流域平均降雨量的公式可以表示为

$$P = \frac{1}{F\rho_\omega g}\int_0^t \oint_l \int_{p_Z}^{p_0} V_n q \mathrm{d}p \mathrm{d}l \mathrm{d}t \tag{2.4.6}$$

写成差分形式,即得水汽净输送量计算公式:

$$P = \frac{1}{F\rho_\omega g}\sum_i \sum_j \sum_K V_i q_i \Delta p \Delta l \Delta t = \frac{\Delta t F_w}{F\rho_\omega} \tag{6.6.1}$$

$$F_w = \frac{1}{g}\sum_i \sum_j \sum_K V_i q_i \Delta p \Delta l = 1.02 \times 10^4 \sum_i \sum_j \sum_K V_i q_i \Delta p \Delta l \tag{6.6.2}$$

式中 P 为 Δt 时段内流域平均雨量,mm;i 为计算周界所选控制点数;j 为气层层数;K 为计算时段数;p_0 和 p_Z 为高度为 0 和 Z 的气压,hPa;V_i 为控制点上垂直边界的风速分量,向内为正,m/s;q_i 为控制点上的比湿,g/kg;Δp 为相邻两层气压差,hPa;Δl 为相邻控制点的距离(步长),km;Δt 为计算历时,s;F 为流域面积,km^2;ρ_ω 为水的密度,g/cm^3;g 为重力加速度,其值为 9.8m/s^2;F_w 为单位时间内的水汽净输送量,g/s。

6.6.1.2 适用条件

本法适用于大面积、计算时段长、稳定性降水(降水强度变化不大,且持续时间长)的情况。设计流域是否适用本法,必须先用实测资料进行检验。

6.6.2 计算步骤

6.6.2.1 概化计算面积及布设控制点

为简化计算,可将计算面积概化为矩形。然后沿边界布设计算控制点,两点之间的距离即为计算步长。布点数的多少须视概化流域周界长短而定,点子过密会使计算繁琐,过稀又会影响计算精度。

为满足计算入流层厚度的需要,还要计算出各控制点代表步长的平均高程。

6.6.2.2 计算代表性时刻的选定

用本法推求 PMP,可以逐日进行计算,但工作量大。同时,由经验得知,稳定性降水系统的湿度场和流场,可持续 1~3 天,故为简化计可以只计算典型模式的最大 24 小时或 1 日的放大倍比来放大 1~3 天的暴雨。

由于探空站每天只有 08 时和 20 时的记录。一般采用 20 时作为代表性时刻。若降水系统不够稳定也可分别计算 08 时和 20 时。

6.6.2.3 确定计算层次

分析计算表明,水汽主要集中于对流层下半部,因此,一般只计算到 400hPa 高度。从地面至 400hPa 一般分为三层:第一层为自地面至 800hPa,以 850hPa 规定层的资料为代表;第二层为自 800hPa 至 600hPa,以 700hPa 规定层资料为代表,第三层为自 600hPa 至 400hPa,以 500hPa 规定层资料为代表。

地面气压可采用压高公式计算:

$$P = P_0 e^{-\frac{g_z}{R_d(273+T)}}$$

式中 P 为格点地面气压;P_0 为格点海平面气压;g_z 为格点平均高程 z 的重力加速度;T 为格点气温;R_d 为干空气的比气体常数,等于 0.287J/(g·℃)。

根据地面图,查出各格点的海平面气压和气温,计算出各格点的平均高程,代入公式,即可求得各格点的地面气压。

6.6.2.4 分析流场和湿度场

在分析流场时,要特别注意天气系统(如槽线、切变线)以及风速的东西分量 u 与南北分量 v 零值线的准确位置,以免造成误差过大。在将风速 V 分解为 u、v 分量时可用本书附表 4 查算。据之可勾绘出 u、v 等值线,并根据湿度场的分布绘制出等比湿(q)线(图 6.6.1)。

根据长江的经验[9],绘制,u、v、q 等值线图进行水汽输送计算,一般只需气象台站的天气图资料即可满足计算要求(当然,有探空报底资料更好,但一般台站均不保留报底资料)。在计算前需对风和露点资料进行审查,对个别突出站点,需进行合理性分析。流场分析是水汽输送的关键,在流场分析时要特别注意天气系统的位置,即应参看天气图来分析流场。

6.6.2.5 确定计算历时

一般采用 24 小时,若系统不太稳定,可采用 12 小时,也可采用系统降水的实际时段作为计算降水历时[9]。

6.6.3 验证

选用本流域内某几场典型暴雨资料,根据上述方法进行计算,并将计算结果与实测面雨量比较,如相对误差在 15%以下,则说明方法适用[1,8]。

表 6.6.1 是长江流域几个地区验证的结果[14]。

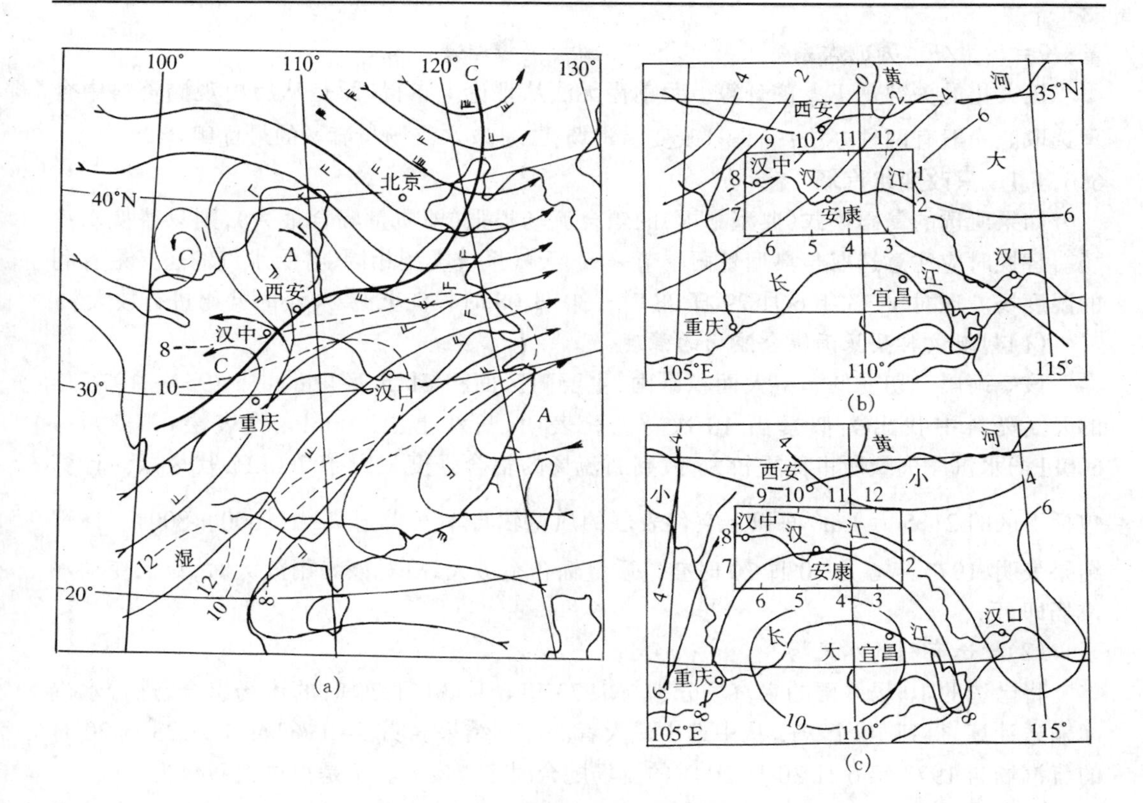

图 6.6.1 1960 年 9 月 3 日 08 时 700hPa 流场及 q、u、v 等值线图

(a)流场与 q 场;(b) u 场;(c) v 场[4]

表 6.6.1 水汽净输送实例验证表

地　区	时　间 (年·月·日)	面　积 (km^2)	实测值 (mm)	计算值 (mm)	相对误差 (%)
长江上游	1973.6.30	185 000	56.1	52.7	-6.0
长江上游	1965.7.8	185 000	42.3	40.5	-4.3
汉　江	1960.9.5	96 800	41.8	48.9	17
乌江上游	1964.6.27	26 500	46.4	39.9	-14

6.6.4 极大化

由式(6.6.2)可知:水汽净输送量的大小取决于大气中各层的流场,水汽场的强度及其相互配置。只要求得可能最大水汽净输送量 F_{wm},PMP 即可按下式求出:

$$P_m = \frac{F_{wm}}{F_w} \cdot P = KP \qquad (6.6.3)$$

式中 P_m 为面平均 PMP;P 为典型暴雨实测面平均降水量;F_w 为典型暴雨水汽净输送

量;$K=F_{wm}/F_w$ 为放大系数。

极大化的关键是 F_{wm} 的计算。目前尚无法从理论上求得,而是从历史观测资料中合理选取。一般有两种办法:一是只改变水汽场;二是取水汽场与流场的最优组合[8,14]。

6.6.4.1 只改变水汽场

如果所选的暴雨模式(典型暴雨)的辐合流场很强(即质量辐合最大),则只替换水汽场。替换时应注意选取与典型暴雨季节一致、天气系统类型相同、各层水汽输送又最有利的湿度场。现对 1973 年 6 月 29 日 08 时～30 日 08 时长江上游 24 小时暴雨进行放大。

(1)判断该典型暴雨辐合流场的强度

该暴雨属于切变低涡型大面积暴雨,主要雨区面积 21.5 万 km^2。从 1954～1976 年的天气资料中找出类似暴雨 10 次。经验表明,长江上游 700hPa 代表层(即 800～600hPa)水汽净失量所占比重较大,故判断流场的辐合强度只限于 700hPa 代表层。计算包括雨区的 21.5 万 km^2 面积上空代表层的质量辐合率 $-\frac{1}{g}\sum_{i=1}^{m}V_{ni}\Delta l\,|600-800|$。计算结果表明,1973 年 6 月 30 日 20 时空气质量辐合率最大,故对该暴雨放大时,只需变动水汽场即可。

(2)挑选有利的水汽场

将已选的 10 场暴雨的水汽场分别与 1973 年 6 月 30 日 20 时的流场组合,进行水汽净输送计算,得到 10 个 F_w,从中选出最大者。计算结果表明,当 1962 年 7 月 23 日 20 时的流汽场与 1973 年 6 月 30 日 20 时的流场配合时 F_w 最大。于是得放大系数为

$$K=\frac{F_{wm}}{F_{w73}}=\frac{1384.14\times1.02\times10^8\text{g}}{989.04\times1.02\times10^8\text{g}}=1.40$$

用该系数放大 1973 年 6 月 30 日的暴雨,即得该面积上的 24 小时 PMP[14]。

6.6.4.2 取水汽场与流场的最优组合

如果被放大的暴雨其辐合流场并不很强,则需从历史天气资料中找出流场和水汽场的最优组合。

组合方法,是用替换法。一般只替换中、低层一层水汽场与流场,其他两层不变。因为降暴雨时水汽辐合量主要在中低层,故只替换一层,更能保持典型暴雨的特征[9]。根据长江的经验,以替换 850hPa 层为宜。替换的水汽场与流场,要注意选择同类天气系统和相同季节,组合后的流场、水汽场,上下层的配置应符合暴雨规律[8]。

6.6.5 算例

汉江丹江口水库(工程有关情况见 11.3 节),为水库调度需要,需计算秋季 PMP。秋季特大暴雨与南支西风环流的建立和发展以及纬向环流波动的东移与滞缓紧密相联。暴雨特点是雨势连绵持久,其时空分布相对较为均匀,故有条件使用水汽净输送法。

根据暴雨洪水特性,结合工程情况与设计要求综合分析,本流域秋季 PMP 的暴雨模式应具有如表 6.6.2 所示的定性特征。

根据表 6.6.2 所示的暴雨特征采用设计时段为 7 天,选取本流域 1960 年 9 月 2～7 日暴雨作为模式。该次暴雨环流形势属纬向型,副高稳定,脊线在 26°～28°N,水汽源自

孟加拉湾,天气系统为西风槽+涡切变,雨带呈东西向带状分布。

表 6.6.2　暴雨模式定性特征

项　目			特　征
1	暴雨出现时间		9月
2	大气环流形势		纬向型
3	暴雨天气系统		西风槽+涡切变
4	雨区分布型式		东西向带状分布
5	流域内雨区范围		全流域普遍降雨
6	暴雨中心位置		上游南岸米仓山、大巴山一带
7	降雨历时	连续降雨	7天
		其中暴雨	3天
8	暴雨时程分配型式		单峰、雨峰位置中间偏前

本例拟对此典型年的最大 3 天(9 月 3～5 日)降雨(造峰暴雨)采用水汽净输送法推求 PMP,其余 4 天用暴雨组合法推求。

现根据文献❶[4]提供的材料,并经本书作者补充,将计算步骤介绍如下。

6.6.5.1　概化计算面积及布设控制点

丹江口坝址以上流域面积为 95 200km^2,将其概化为 440×220(=96 800)km^2 的矩形(比实际流域面积仅大 1.7%)。然后沿边界共布设 12 个控制点,两点之间的距离为 110km,如图 6.6.1 所示。

6.6.5.2　计算代表性时刻的选定

本例最大日雨量出现在 1960 年 9 月 3 日。

由于降水系统稳定,选取 1960 年 9 月 3 日 08 时作为计算代表性时刻。

6.6.5.3　确定计算层次

将地面至 400hPa 分为三层,分别以 850hPa、700hPa 和 500hPa 作为代表层。

本流域平均高程为 1 520m,地面平均气压相当于 850hPa,故 3～12 点第一层厚度取 $\Delta p=50$hPa。由于流域东部地势较低,地面平均气压相当于 900hPa,故 1～2 点第一层厚度取 $\Delta p=100$hPa。其余各层均取 $\Delta p=200$hPa。

6.6.5.4　分析流场和湿度场

根据高空和地面观测的风速和湿度资料进行分析计算,绘制出流场 u、v 和湿度场 q 的等值线图。图 6.6.1 为第二层代表层即 700hPa 的 u、v 和 q 的等值线图。

6.6.5.5　确定计算历时

本次暴雨降水系统稳定,计算历时取 24 小时。

6.6.5.6　验证

根据各代表层的流场及 u、v、q 的等值线图按式(6.6.2)列表计算,即可得出用水汽

❶ 南京大学气象系,水利部治淮委员会规划处.可能最大降水研究.1980

净输送量方法得出的降雨量,表6.6.3是第二层的计算示例。

表 6.6.3 水汽净输送量计算

层次 j	边界	控制点 i	风速 V_i (m/s)		比湿 q_i (g/kg)	入流 V_iq_i
			输入	输出		
(1)	(2)	(3)	(4)	(5)	(6)	(7)
2 700hPa	东	1		−6.0	9.2	−55.2
		2		−5.2	10.0	−52.0
	南	3	9.3		10.5	97.7
		4	9.6		10.4	99.8
		5	9.5		10.3	98.9
		6	8.8		10.2	89.8
	西	7	1.0		10.0	10.0
		8		−1.0	8.7	−8.7
	北	9		−5.6	7.0	−39.2
		10		−5.4	7.3	−39.4
		11		−4.2	7.9	−33.2
		12		−4.0	8.0	−32.0
合计						136.5

将表6.6.3中的$\sum V_iq_i=136.5$及$\Delta p\Delta l=200\times110$代入式(6.6.2),则得第2层的净水汽输送量为

$$F_w=1.02\times10^4\times136.5\times200\times110=3.06\times10^{10}\text{g/s}$$

整层水汽净输送量如表6.6.4。

表 6.6.4 各层的水汽净输送量

层次	1 (地面~800hPa)	2 (800~600hPa)	3 (600~400hPa)	整层合计
代表层(hPa)	850	700	500	
净输送量(10^{10}g/s)	1.73	3.06	1.00	5.79

24小时平均雨深按式(6.6.1)为

$$\frac{\Delta tF_w}{F\rho_\omega}=\frac{24\times3\,600\times5.79\times10^{10}}{96\,800\times10^{10}\times1}$$

$$=5.17\text{cm}=51.7\text{mm}$$

该日实测面雨深为51.8mm,可见计算值与实测值非常一致,说明水汽净输送量法在本流域可用。

6.6.5.7 极大化

由于所选模式(典型)辐合流场较强,故采用改变水汽场的办法来予以放大。

普查历史天气图,寻找 850hPa、700hPa、500hPa 各层的最大比湿场,以安康、汉中为主并考虑到比湿分布,亦即比湿中心应位于流域之南,比湿梯度的方向应自南向北。因为这样的湿度场最有利于水汽向该流域输送。按此原则所选用的各层最大比湿场是 1966 年 8 月 14 日 20 时 850hPa,1963 年 8 月 28 日 20 时 700hPa,1963 年 9 月 15 日 20 时 500hPa。经验表明,只要 700hPa 的比湿达到最大值,整层水汽含量接近最大。因此,正确选择 700hPa 上的最大比湿场是很重要的。将上述湿度场与模式相应的流场组合,计算得

$$F_{wm}=7.54\times10^{10}\text{g/s}$$

于是放大系数

$$K=\frac{F_{wm}}{F_w}=\frac{7.54\times10^{10}}{5.79\times10^{10}}=1.30$$

24 小时 PMP 面雨深为

$$\text{PMP}_{24}=1.30\times51.8=67.4\text{mm}$$

对其余 2 日的 PMP,也可仿照上述办法求得,成果见表 6.6.5。

表 6.6.5 丹江口以上流域内水汽净输送放大系数与秋季 1 日的 PMP[4]

年	月	日	实测 P_{24} (mm)	F_w (10^{10}g/s)	F_{wm} (10^{10}g/s)	K	PMP_{24} (mm)
1960	9	3	51.8	5.79	7.54	1.30	67.4
	9	4	45.3	6.64	8.52	1.28	58.0
	9	5	41.8	5.46	7.33	1.34	56.0
合 计			138.9				181.4

由表 6.6.5 可见,逐日放大后,3 天 PMP 为 181.4mm。如果 3 天用同一倍比 1.30 放大,则 PMP 为 180.6mm,后者比前者仅小 0.4%。这说明用最大 1 天的放大系数,同倍比放大 3 天暴雨是可以的。

6.6.6 认识与讨论

6.6.6.1 对本法的总的看法

水汽净输送法为中国水文气象工作者于 50 年代末提出,首先用于三峡水利枢纽的 PMP 计算。其设计时段是 60 天,具体方法是从多年资料中选取入流边 60 天最大水汽输入量之差,来框算三峡 60 天 PMP[9]。随后,此法在中国长江流域和西南地区等地得到较为广泛的应用,并积累了较多的经验。

本法的优点是物理概念明确,方法原理简单。其基本思路是从整个流域周界输入和输出水汽量之差来考虑问题。无疑,这是正确的。其实,现有的一些 PMP 计算方法,都

可以看成是它的特例:例如,辐合模式法是假定周边是均匀入流,而水汽净输送法则是非均匀入流;层流模式法是把流域简化为四边,具体计算时只考虑两边,即一边进、一边出;水汽输送率法和水汽风速放大法,其实质也是只考虑一边进、一边出,而且只算一层。

当然,以上三种所谓特例,也都有其特定的适用条件,这就是设计流域实际入流状况应与方法的基本概念一致或相似。

水汽输送法,在极大化处理上,一般是对典型年的流场、湿度场用历史上已经出现过的最恶劣的流场、湿度场进行替换。这从组合模式的观点来看,实际是一种空间组合。只是它是对形成降水的物理因子进行组合,而不是用暴雨进行组合。

6.6.6.2 对本法适用条件的认识

水文和气象领域里的一些计算方法,其计算公式的建立,都是在一定的概化假定条件下得出的。因此,在使用这些方法时,若实际情况与该方法的概化假定条件相近,则计算精度较高。反之,若条件相差较大,则计算误差也较大。所以,建立公式的概化假定条件,也就是该方法的适用条件。

水汽净输送法,计算公式的建立暗含着这样的假定:在降雨期间,从流域周界输入的净水汽量能准确地求得。然后再假定凝结率等于降水率,以得出降水量的计算公式。

显然,能否准确求得水汽净输送量是此法的关键所在。

大家知道,水汽净输送量需根据高空气象观测资料进行计算,而高空测站点稀疏(数万至数十万平方公里才有一站),观测次数少(每天两次,一次是08时,一次是20时)。不难看出,要想根据这种条件的气象资料算出较准确的水汽净输送量,这就要求降水系统的流场和湿度场,在平面上的变化是均匀变化(两点之间的数值可按直线内插),在时间上的变化也是均匀变化(一天两次观测值的平均值能代表全天的情况)。而这种情况,只有在稳定性的降水系统中,才有可能出现。

天气分析理论和观测资料都说明,稳定性的降水,都是大尺度的系统,降雨笼罩面积可达数万至数十万,甚至上百万平方公里,降雨历时可达数天至一两个月,甚至更长。

因此,水汽净输送量法只适用于大面积长历时,稳定性降水系统的情况。

目前,这种方法在中国长江流域和西南地区应用比较成功。

关于具体应用面积的大小,视站网密度而定,根据长江水利委员会的经验[9],对长江屏山以下而言,一般计算面积在10万 km^2 以上,计算精度较高。当计算区内探空站较多时,计算面积可用到4万 km^2。4万 km^2 以下流域形状特殊的流域,不宜直接用此法计算,可用大套小的办法,即先计算包括设计流域在内的面积的PMP,然后根据放大的典型暴雨等雨深线图,量算出设计流域的PMP。

关于应用历时的长短,从各单位的实际应用情况来看,最长的曾用到60天(长江三峡)、短的一般用到3天(如汉江石泉工程等)。

根据长江的经验[9],推求大面积的造峰暴雨,以采用水汽净输送量法为好。这就是说,对大面积PMP,除造峰这部分暴雨用水汽净输送量法以外,设计时段的其余部分的降雨可以用其他方法(一般用暴雨组合法)推求。

这样,水汽净输送法的应用历时,一般以3~5天为宜。

6.6.6.3 **关于模式的选用问题**

水汽净输送法采用的模式以往通常有两种:

1)综合模式(概化模式)。主要是根据本流域大暴雨影响系统综合成恶劣的暴雨模式。如白龙江宝珠寺枢纽就采用四场川西大暴雨,考虑上下层组合最有利于降雨的配置,建立综合模式。极大化处理办法是先确定对应于综合模式下各探空站各层的风向,然后普查各站相应于这种风向下的最大风速及最大比湿,代入降水量公式进行 PMP 计算。

2)典型模式。在暴雨分析的基础上选用较恶劣的实测暴雨天气系统作为模式。因为这种模式是采用典型降水天气系统,较其他模式更符合实际情况,极大化处理也是采用实测的最恶劣流场和这种流场下最大水汽场的更换或组合。

根据金蓉玲总结长江流域的实践经验[9],以采用典型模式较为合适。因为:①它是以本地区实际出现的大暴雨天气系统作为依据,这样暴雨模式出现的可能性无须论证;②极大化处理是用实测最恶劣的流场和湿度场,这样就可以减少组合流场与湿度场的任意性。

我们同意以上看法。故本书是按典型模式来编写。

6.6.6.4 **方法的问题**

本法的主要问题是组合流场、湿度场经验性较强,有一定的任意性。组合模式的论证,特别是在处理可能性和极大性的相互关系上困难较多[1]。

中国气象科学研究院研究员王作述[15],曾经用局地细网格降水数值模式对汉江上游石泉水电站工程以上流域用水汽净输送法所得出的 PMP 成果作过数值检验。检验结果表明,只改变(放大)水汽场而不改变流场,数值模式计算的结果是设计流域的降水没有得到放大,即使考虑极端情况,使水汽全部饱和,其他地区的降水虽得到放大,但设计流域的降水仍稍有减小。

王氏指出,这些试验结果应引起注意。当然,上述情况只是一个例子的试验结果,有其偶然性。但通过这些试验,至少启发我们,在作暴雨放大时,改变某项条件后的结果,比想象要复杂得多。这是由于大气是一个整体,其前后过程之间、不同部分之间、不同物理属性之间都是互相关联的,不能孤立对待。因此,对目前采用的种种简化做法,有进一步研究的必要。

我们认为,王研究员的意见,从原则上说是正确的。

但是,目前尚不宜因此而放弃现行方法。因为推求 PMP 是一种设计概念,不同于真实的降水预报。在推求 PMP 时,只要是以本地区特大暴雨的基本规律作指导,并注意成果的合理性检查,一般所得成果(暴雨总量及其时面分布)应不致有太大的问题。

我们认为,水汽净输送法的合理性检查要特别注意一点:替换流场与湿度场后,温度和湿度随高度的变化应基本符合当地(包括邻近的相似地区)特大暴雨的基本规律。

参 考 文 献

1 水利部,电力工业部.水利水电工程设计洪水计算规范 SDJ 22－79(试行).北京:水利出版社,1980

2 宋乃公.大气含水量与暴雨的关系.水利学报,1986(6)

3 水利部,能源部.水利水电工程设计洪水计算规范 SL 44－93.北京:水利电力出版社,1993

4 詹道江,邹进上.可能最大暴雨与洪水.北京:水利电力出版社,1983

5 WMO. Manual for estimatin of probable Maximum precipitation, 1st ed, 1973

6 WMO. Manual for estimation of probable Maximum precipitation, 2nd ed, 1986

7 Weisner C.J. Hydrometeorology. London: Chapman and Hall, 1970

8 长江水利委员会水文局等.水利水电工程设计洪水计算手册.北京:水利电力出版社,1995

9 长办水文局(金蓉玲执笔).长江大型水利枢纽可能最大降水计算经验总结.水文计算(PMP专刊),1984(3)

10 Hansen E.M. Fifty years of PMP/PMF, 1990

11 WMO. Estimation of Maximum Floods. Tecnical Note No.98, 1969

12 陈国华.对水汽入流指标(或水汽风速)放大估算可能最大暴雨方法的讨论.水文计算技术,第4期,1979(6)

13 杨远东.估算可能最大暴雨的水汽入流指标法.水文计算技术,第4期,1979(6)

14 张有芷.用净水汽输送计算可能最大降水.水文,1982(3)

15 王作述.可能最大暴雨的一个数值试验研究.河海大学学报,1988(3)

7 移置模式

7.1 基本概念

7.1.1 移置模式的定义

若设计流域缺少时空分布较恶劣的特大暴雨资料，则可以将气象一致区的实测特大暴雨搬移过来，加以必要的改正，作为暴雨模式，然后再进行适当放大，以求得 PMP，此法称为移置模式法❶。

若设计流域的实测资料中已有特大暴雨，但对拟建工程而言，其空间分布的恶劣程度还不够严重，则可以将它的等雨量线图适当进行移动(平移或转轴)，把暴雨中心放在可能最危险的位置上，再据此推求 PMP，这种工作也属于移置模式法的范畴。

7.1.2 适用条件

从移置模式的定义来看，本法的适用条件有二：①设计流域缺少足够的时空分布较恶劣的特大暴雨资料；②气象一致区具有可供移置的实测特大暴雨资料。

7.1.3 移置的实践依据

天气分析经验指出，相似的大暴雨、特大暴雨天气过程，常常在一个大范围(天气气候区)重演[1]。这种能够重演的特性，不仅使非常的暴雨天气预报成为可能，而且也是这类暴雨在一定范围内可以移置的基本依据。

7.1.4 基本假定

暴雨移置的基本假定是：设计地区和移置地区(即被移置暴雨所在地区，有时也称暴雨原地)二者在地理、地形条件上以及暴雨的天气成因上是相似的。因而，移置后的暴雨其结构(温、压、湿、风的大小及时空分布)可望不致发生较大的改变。此点，实际包含着下述两个假定：

1)移置后，暴雨天气系统和雨区相对位置，基本不变。

2)移置后，暴雨的时空分布(雨量过程线和等雨量线)的型式基本不变。

但是，有时由于资料条件的限制，对移置条件不得不适当地加以放宽。自然，这样所得 PMP，其可靠性要差些❶。

---

❶ 黄河水利委员会规划办公室(王国安执笔). 推求可能最大降水的典型的暴雨法. 黄河水利学校印，1976，1

7.1.5 移置范围

暴雨是天气形势、地理、地形等条件的综合产物,因而暴雨不可以任意移置。例如,台风具有一定的路径与季节性,对于不在台风路径上的地区和非台风季节,就不能移置台风暴雨。中国江淮气旋和东北低压在成因和温压场结构上有显著不同,因而江淮地区梅雨锋形成的暴雨,也不能移到东北地区去。

暴雨可移置的范围,有时称为气象一致区。其涵义是:在一致区内各地都能发生同样机制和同样总入流风向(携带水汽)的暴雨,但未必有相同的水汽含量和相同的频度。具体说,气象一致区应具备以下三个条件:

1)在一致区内的诸流域,应当具有相同的水汽来源,发生相似的暴雨类型;

2)被同一水汽入流障碍(指与水汽入流方向垂直的横向山脉或山脊)所环绕而不被隔开,或虽被隔开但水汽的大部分仍超过它而进入设计流域。

3)经向移置(即南北向位移)的纬距不宜太大,以免气团特性发生过大的变化,区内高程差别也不太大,并受同样地形的影响。

这样,就可以假定在一致区内移置时,暴雨的机制不致发生重大改变,只须将水汽加以调整即可。

关于经向移置的距离,据研究,美国平原地区移置的距离最远可达 10 个纬距。中纬度地带一个纬距相当于 111km,可见其移置的范围是相当大的。

估算特定流域的 PMP 时,只须决定某场特定暴雨是否能移至设计流域之内,无须研究该场暴雨的整个可能移置范围,但在概化估算时,就需要这种范围(界线)了[2]。

7.2 移置对象的选择

7.2.1 选择标准

根据第 5.1 节对设计流域 PMP 暴雨模式的定性特征判断来选择移置对象。这里着重点是要抓天气成因。例如,在定性特征判断中得出的结论是:PMP 的天气系统为台风,则移置对象就应该在台风暴雨中物色。同样,如果所判断的 PMP 的天气系统为梅雨锋系或涡切变,则移置对象就应在梅雨或涡切变暴雨中物色。

具体做法是:统计设计流域周围地区实测特大暴雨的降水量发生时间、地点和暴雨的天气形势等,经过初步分析比较,便可从中选出一场或数场与定性特征判断相符的特大暴雨,作为移置对象,并初步拟定移置方案,如平移或转轴等。

7.2.2 所需资料

选择移置对象,一般所需资料有:

1)等雨量线图。它指明降雨地区及降雨量。

2)雨量累积曲线或雨量过程线。这种曲线一般只需要若干代表站即可,其作用是说明各种时段的降雨量。

3)天气图。它说明降雨的原因。

7.3 移置可能性分析[1]

暴雨移置的可能性问题，我们认为应从分析对比设计流域和移置对象原所在地区二者在气候特征(如是否属同一气候区)、地理、地形、暴雨洪水的时面分布特性上以及暴雨的天气成因上的相似性来解决。在这几个方面的相似程度越高,移置的可能性就越大;否则移置的可能性就越小。

7.3.1 地理和气候条件比较

主要是比较两地区所在的地理位置(经纬度)的差别以及距海远近等。显然,若二者的地理位置相距较近,则其气候条件和水汽条件就会较为相似。至于气候条件和水汽条件是否相似,自然还可以单独进行分析。如果地理条件(同一纬度带)和气候条件(同一种气候特征特别是年降水量及其年内分配接近)都很相似,则移置的距离可以放宽。

在气候条件的分析上,可以采用某些气象学者所编制的气候区划图来进行。这种分析,主要是看设计流域和暴雨原地是否处于同一气候区划之内,若处于同一气候区划之内,二者的气候特征(温度、降水、蒸发、盛行风向等)应是基本相同的。

在水汽条件上,主要是要求水汽来源相同,而水汽含量可以随距海远近有所差别。

7.3.2 地形条件比较

首先是看地形地势的总趋势,其次是比较两地区的山脉情况。

中国地形地势自西向东,大致分为三个阶地,阶地与阶地之间高差一般为 1 000～2 000m,因此,对阶地之间的暴雨移置问题,应特别慎重。

就具体山脉而言,由于暴雨天气系统越过高大的山脉时,其水汽条件和动力条件都将发生变化,因此暴雨移置一般不宜翻越高大的山脉。什么叫高大?一般是从山脉高度上来看问题。世界气象组织的文献〔2〕认为“一般要避免高程差大于 700m 的移置”。按中国的经验，移置高差即暴雨落区高程与移置地区高程之差，不宜超过1 000m。超过1 000m,需进行专门论证。强烈的地方性雷暴雨或台风雨移置高差可以根据分析确定,高大山岭可以作沿山脊线方向的移置[4]。

在通常情况下,由于山区地形都是较复杂的,天气系统也是多样的,而地形对降水的影响必须在有利的天气系统配置下,才能起作用,故在判定可移置高差时,应针对具体情况作具体分析。

研究两地区的地形差异是否足以引起天气系统和暴雨结构上大的变化，可以从两地区相似天气系统三度空间结构的底层对照来分析，也可以用两地区相似天气系统的实际降雨量来分析,或者先作地形改正计算来说明地形影响的程度。

---

[1] 黄河水利委员会规划设计大队(王国安执笔). 对可能最大降水分析的几点体会. 广州全国设计洪水讨论会论文,1975,9

7.3.3 暴雨(洪水)时面分布特性比较

这就是分析比较移置对象的暴雨发生季节,暴雨历时及时程分布型式,暴雨的雨区范围及分布形式等特征,是否与设计流域的大暴雨的此类特征相类似。

这种分析,要特别注意从设计流域的历史文献记载和野外调查到的历史特大暴雨洪水资料来分析。在某些河流,从这类资料中,往往可以找到与移置对象的暴雨特性十分相似的历史特大暴雨。

此外,在设计地区和移置对象所在地区属于毗连的情况下,还可以从暴雨(洪水)的同期性上来分析,即从实际资料中,看看两地区有无同期(同时或稍提前错后)发生大暴雨(洪水)的情况;如有此情况,则说明同类天气成因的暴雨,有可能在两地区同时出现。

7.3.4 天气成因比较

这就是分析设计流域是否出现过与移置对象具有相似天气条件的暴雨。如曾经出现过,则可以认为移置对象可以在设计流域重复出现,即可以移置。

分析移置对象与设计流域的暴雨在天气成因上是否相似,主要是从历史天气图上分析二者在环流形势和天气系统上是否相似。

如有条件,还可以从以下两个方面作进一步的分析:①从某些定量指标上分析,也就是分析能够反映暴雨天气形势的某些定量指标(如环流指数、槽和脊的位置,西太平洋副高特征指标等),看看二者是否相近;②从物理结构上分析,主要是分析二者在温、压、湿场的结构上是否接近。

此外,也可以用历史文献记载的暴雨、洪水及有关区域的天气情况,如高温、干旱、大风等记载来间接说明移置区与被移置区历史洪水暴雨天气成因的相似性。大家知道,暴雨和雨区范围、发展和移动与天气系统的特点和活动规律,有着紧密的联系。例如,切变线形成的暴雨,是位于西太平洋副热带高压西侧或西北侧的带状暴雨,伴随着副热带高压位置、稳定状况,切变线的位置不同,可形成南北向或东西向、东北西南向带状暴雨区。而在雨区的东侧或东南侧或南侧则是晴空少雨区。故如将历史文献记载和调查到的一个区域的同期暴雨洪水填绘在一张空白雨量图上,可以勾绘出雨区(或暴雨区)的大致位置和分布图形。有时,甚至可以找到同期高温少雨地区的记载。将这些情况一并归纳后,将有助于判断该场历史暴雨洪水的天气成因类型。例如,若雨带是南北向带状分布,雨带东部高温少雨,则其成因可推断为在经向环流形势下,以南北向切变线为主的暴雨天气系统所形成;若雨带呈东西向带状分布,雨带南部高温少雨,则其成因可推断为在纬向环流形势下,以东西向切变线为主的暴雨天气系统所形成。

又如,台风登陆时形成的暴雨一般落在台风中心附近的东北侧,如与西风带低槽、切变结合的暴雨,则雨区可能出现在台风中心较远处的北侧。因此,分析东南沿海一些区域历史洪水的天气成因时,可以根据洪水发生季节、暴雨情况和大风记载,来综合判断是否属台风所致。就中国北方来说,一些历史洪水的天气成因是否与台风有一定的联系,可以从台风活动的可能路径、方向上,来寻找能反映台风活动的根据(一般有大风)。例如,黄河中游1761年8月中旬的特大洪水的天气成因,根据野外调查洪水资料和历史文献记载推断,其暴雨天气系统为南北向切变线,但也受台风的影响。这后一结论,就是从当时江浙一带有连续数日的大风记载来推断的。

7.3.5 综合判断

对上述四个方面的比较,不能孤立地看待,应该从天气学的原理和天气预报经验上,把它们有机地结合起来考虑。同时也不能平均地看待。一般说,天气形势和地形条件是主要的,前者是内因,后者是外因,外因通过内因起作用,因此在不同的情况下,这二者所占位置的先后也不一样。例如,在山脉较低的情况下,天气形势的比较是主要的,但在山脉较高大的情况下,地形条件的比较则可能是主要的,当山脉高大到一定程度时,就根本不能移置了。

在判断移置可能性时,要抓住主要矛盾,也就是说,若在主要方面相似,便认为可以移置。这种判断,主要是根据现有资料所反映的规律,但在天气条件的移置可能性上,可以作适当的推理外延。

7.4 雨图安置

7.4.1 概述

暴雨移置,简言之,就是暴雨搬家,使其形成的洪水达到可能最大。搬什么东西呢?就是搬等雨量线图。所谓雨图的安置,就是把移置对象的等雨量线图,按照一定方式具体地搬到设计流域来。这里要解决两个问题:①把暴雨中心放到哪里;②暴雨轴向(等雨量线图的长轴方向)要否转动以及如何转动。这两个问题,总的来说,都需要根据天气条件和流域条件并结合工程情况,加以分析确定。这里必须遵循的一个基本原则是:既要与暴雨的物理成因不相矛盾,又要使所形成的设计断面的洪水达到可能最大[4]。

这两个问题的具体解决,一般要分宏观控制和细部调整两个阶段来实现。

首先,从统计入手,即根据设计流域现有(包括实测、调查和历史文献记载的)暴雨资料,按与移置对象相类似成因的暴雨中心位置和暴雨轴向分布的一般规律,提出雨图安置的初选方案。

为什么要按相似类型暴雨天气过程的暴雨中心与雨轴线位置来限制移置对象雨图的安置位置呢?因为天气分析经验指出:①暴雨的雨带分布形式与大尺度的暴雨天气系统特征有关的。例如,如前所述,南北向切变线所形成的暴雨,其雨带分布形式,基本上也是南北向的;东西向切变线所形成的暴雨,其雨带分布形式,基本上也是东西向的;台风所形成的暴雨,其雨带分布形式,则与台风中心的行进路径有关。②从实测资料来看,在山区,暴雨中心往往是发生迎风坡上或开口正对着水汽入流方向的喇叭口地带中。而不同类型的暴雨天气系统,其水汽入流方向往往是不同的,因而其暴雨中心的位置也有所不同。③多次的同类暴雨系统位置,又往往反映了大地形对暴雨落区的约束影响。

其次,通过试算,发现完全按照设计流域已经实际发生的统计规律来确定雨图的位置,计算出来的移置雨量"偏小",为此需要考虑产流汇流条件,再结合工程情况(库容和泄洪能力的大小等),对雨图安置位置(包括暴雨中心和轴向)做进一步的“微调”。这种“微调”,仍以上述天气分析经验作为依据。

综上所述,不同类型的暴雨天气系统所形成的暴雨,其雨带分布形式和暴雨中心位置往往是不同的。因此,雨图的安置,需要按照与移置对象同类型的暴雨的统计规律来进行[4]。

7.4.2　暴雨中心的置放

暴雨中心,一般可放在设计流域的与移置对象同类型暴雨的常见暴雨中心或中心带。当暴雨中心不止一个时,则结合工程要求,选定一个对于形成洪水来说,偏于较恶劣的中心。但需要注意,这样所选定的中心,对于整场雨量在面上的分布,有无不合理之处等。

平原地区往往没有固定的暴雨中心,因而在移置时,可将暴雨中心放在对工程最不利的位置上。

7.4.3　暴雨轴向的确定

暴雨轴向,应力求与设计流域的和移置对象同类型大暴雨的轴向相一致。

移置后的等雨深线,应尽可能与设计地区的大尺度地形相适应,暴雨中心要与小尺度地形(如喇叭口)相配合。如移置的暴雨图具有几个中心,应适当考虑几个中心与小地形的配合。

为了使设计断面形成的洪水为最大,应结合设计流域的产流、汇流条件分析,将主要雨区尽可能置于有利于产流汇流的地区。

为了不致过多改变暴雨结构,移置雨图的轴线一般不宜转动太大,并对不同天气系统应有所区别。对于中纬度锋面雨转动角度一般不宜超过20°;对于低涡、台风雨转动角度可适当放宽,但应注意地形的影响[1]。

7.5　移置改正

7.5.1　概述

移置改正是对设计流域和暴雨原地由于区域的几何形状、地理、地形等条件的差异而造成的降雨量的改变,作定量的估算。也就是说,移置改正,一般包括流域形状改正、地理改正和地形改正三项。其中,地理改正只考虑水汽改正,地形改正包括水汽改正和动力改正两个方面。流域形状改正,这是任何暴雨移置首先必须进行的改正。

若移置对象的天气形势与设计流域很相似,两地的地形、地理条件基本相同,其间又无明显的水汽障碍,则可以将移置对象的暴雨等值线原封不动地搬到设计流域来,只进行流域形状改正即可。

若两地的暴雨天气形势相似,而地形、地理条件有一定的差异,但这种差异还不足以引起暴雨机制的较大变化,则可以不考虑动力改正。对此情况,除作流域形状改正外,只需考虑水汽改正即可。这是平原、浅山区常用的方法。

若为条件所限,不得不移置地形条件差异较大的暴雨时,在这种情况下山脉将对暴雨机制产生一定的影响,则除作流域形状和水汽改正外,还需要考虑动力改正。

7.5.2 流域形状改正

大家知道,流域面积大小相等的两个流域,若其几何形状不同,则在一定的暴雨天气形势下,它们所承受的雨量大小也将随之而异。这就是流域形状改正的根据所在。

将移置对象的暴雨等值线按上述的雨图安置办法定位。原封不动地搬移到设计流域,使雨量受到设计流域边界形状的控制,即为流域形状改正。

7.5.3 地理改正

地理改正又称位移改正或位移水汽改正。此为不考虑高程差异,仅考虑位移距离,即因地理位置(经纬度)上差异而造成水汽条件不同所作的改正。这种改正系按设计流域和暴雨原地的最大露点来进行。其计算公式为

$$R_B = K_1 R_A \tag{7.5.1}$$

$$K_1 = \frac{(W_{Bm})_{Z_A}}{(W_{Am})_{Z_A}} \tag{7.5.2}$$

式中 R_A 和 R_B 分别为移置前和移置后的暴雨量;K_1 为位移水汽改正系数;W_{Am} 和 W_{Bm} 分别为移置区和设计区的最大可降水。括号外的下标代表计算可降水时所取的气柱底面(地面)高程(高出 1 000hPa 的数),一般取流域平均高程或入流边界平均高程。Z_A 为移置区的高程(图 7.5.1)。

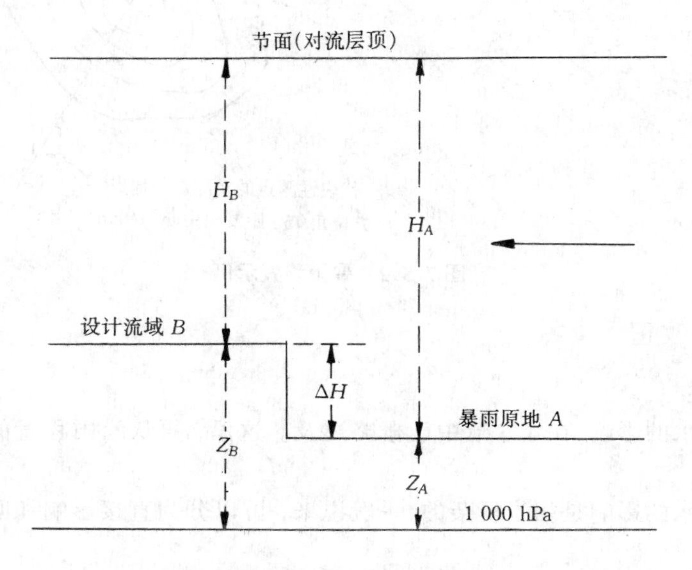

图 7.5.1 位移水汽改正示意图

W_{Am} 的求法与本书 6.3.3 节所述的方法相同。即用可能最大露点 T_{dAm} 来进行计算。

选可能最大露点的测站最好与选暴雨代表性露点的测站相同。

W_{Bm}的求法稍有差别。即在选取可能最大露点 T_{dBm}时，所取的测站位置，应与移置对象在选取暴雨代表性露点 T_{dA}时所取测站的位置（包括距暴雨中心的距离和方位）相对应。例如，T_{dA}是在距离移置对象的暴雨中心 C 为 160km，方位为 150 °的地方选取的（按前述，T_{Am}的选择也应大致在这个地方），则移置于设计流域（B）后，选 T_{Bm}的测站也应大致是距暴雨中心为 160km、方位角为 150°的地方（图 7.5.2）。

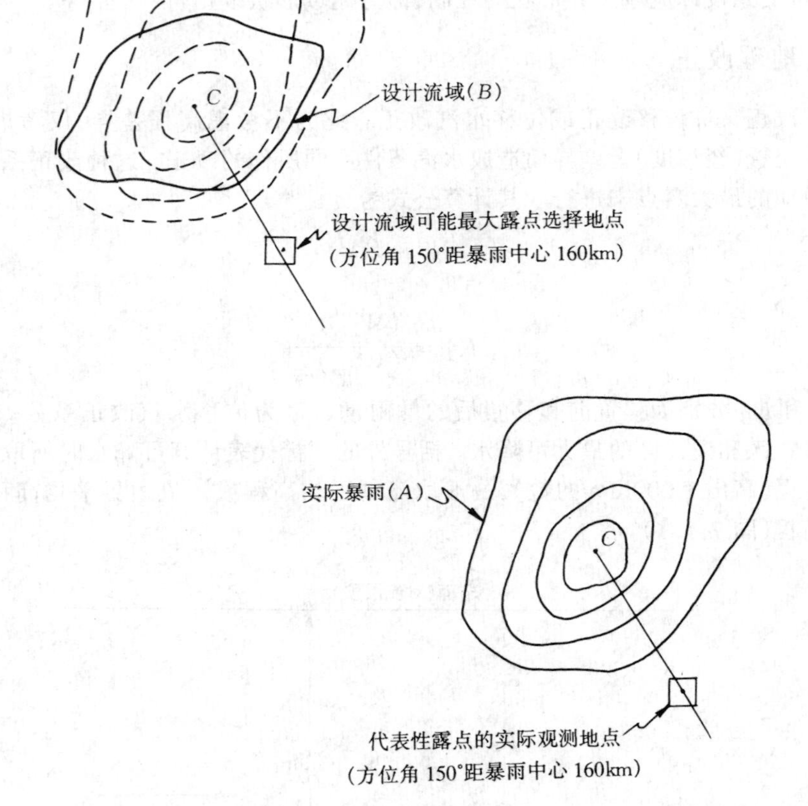

图 7.5.2　暴雨移置示例

7.5.4　地形改正

7.5.4.1　概述

地形对降水的影响，在 4.3 节中已概略述及。这里，再从暴雨移置的角度作一简要说明。

地形对降水的影响是相当复杂的，一般说来，可以分为直接影响和间接影响两个方面。

直接影响又可分为四个方面：①高程增加引起可降水的削减；②迎风坡气流抬升、冷却引起降水量的增加；③背风坡由于气流下沉增温，不利于降水的生成；④液态水被风吹入流域以内或吹出流域以外。在暴雨移置中,一般只考虑前两个方面的影响。

间接影响系指地形对天气系统的发展与移动的影响。如山脉对气旋和锋面的阻滞,甚至导致变性,“死水区”对旋涡发展的影响等等。在暴雨移置中是假定移置前后天气系统不变,因此对间接影响可不予考虑。

7.5.4.2 **地形对水汽影响的改正**

地形对水汽影响的改正有障碍改正和高程改正两种。前者是指设计地区在水汽入流方向受到山脉阻挡使入流水汽减少而作的改正;后者是指由于移置后两个地区的地面高程不同使水汽变化而作的改正。必须注意,这两种改正只能取其一种。即当遇到既有障碍改正又有高程改正的情况,应根据水汽输送情况和地理、地形条件进行分析,选其影响较大者。

这两种改正,其基本原理和计算公式是相同的,即假定水汽障碍并不改变暴雨系的结构,它仅截断迎风侧面的一段气柱中的可降水(图7.5.1)。因此,水汽障碍对设计流域的可降水的减小量,就等于相应于障碍高度的那段气柱中的可降水。这里可降水是用设计流域最大露点来计算。其计算式为

$$R_B = K_2 R_A \tag{7.5.3}$$

$$K_2 = \frac{(W_{Bm})_{Z_B}}{(W_{Bm})_{Z_A}} \tag{7.5.4}$$

显然

$$(W_{Bm})_{Z_B} = (W_{Bm})_{Z_A} - \Delta W$$

式中 K_2 为障碍改正系数;$(W_{Bm})_{Z_A}$,$(W_{Bm})_{Z_B}$ 和 ΔW 分别为两地区相应于气柱高度 H_A、H_B 和 ΔH 的可降水,其值按设计流域最大露点计算,此最大露点的求法与地理改正式(7.5.2)相同。

在暴雨移置中,往往是既有较大的水平位移(地理位置改变)又有高程的差异,此时两种改正可同时进行,则

$$R_B = K_1 K_2 R_A = \frac{(W_{Bm})_{Z_B}}{(W_{Am})_{Z_A}} R_A \tag{7.5.5}$$

式中 K_1 和 K_2 分别按式(7.5.2)和式(7.5.4)计算。

式(7.5.5)说明,考虑地理、地形条件对水汽影响的综合改正系数,其值等于设计流域最大可降水与暴雨原地的最大可降水的比值。

从式(7.5.2)和式(7.5.4)可见,地理、地形水汽改正都是按最大露点来计算的。这是因为,从理论上说,一个地区的最大露点就代表了该地区水汽因子的上限,而从物理成因上来看,这个上限值是决定于地理地形条件的。换言之,两个地区的最大露点,实际上就反映了二者的地理地形条件对水汽影响的差异。

实测资料表明,在山脉迎风坡的一定高度范围内,雨量是随高程的增加而增加的。说明只考虑基底抬高后可降水减少而使雨量减小的削减效应是不够的,还须同时考虑因地形抬升使上升速度加强而使雨量增加的强化效应。有人认为两者可以相互抵偿,甚至有余,因而可以不考虑高程水汽改正,至少对于移置前后基底高差小于700m的不作高程水汽改正,强烈地方性暴雨在高差小于1 500m时也不作高程水汽改正[5]。

7.5.5 地理地形综合改正

当两地地形等条件差异较大，对暴雨机制特别是温压场低层结构产生较大影响时，移置暴雨必须综合考虑地形、地理条件对水汽因子和动力因子的影响，即需进行综合改正。其改正方法有均值对比法、山区平原对比法、K 值移置法、地形改正综合法和分时段地形增强因子法五种。

7.5.5.1 均值对比法

实测资料表明，山区多年平均雨量分布受地形的影响极其显著，如迎风坡多为高值中心，而背风坡多为相对低值中心，许多地带多年平均汛期雨量等值线的走向，大致有平行地形等高线的趋向。因此，可以认为在气象一致区内，两地多年平均汛期雨量的差值，直接反映了地形条件对降水影响的差异。均值对比法就是利用这个原理来作山区地形改正。其基本假定为：移置前后雨量之比等于两地多年平均雨量之比，由此可得移置改正后的雨量 R_B 为

$$R_B = \frac{\overline{R}_B}{\overline{R}_A} R_A \tag{7.5.6}$$

式(7.5.6)就是暴雨移置均值对比改正公式。在具体做法上又可分为等百分数线法和直接对比法。

1)等百分数线法。其具体方法如下：

第一步，计算移置对象所在地区各雨量站的汛期（或某暴雨季节）的多年平均雨量，勾绘其等值线图，并检查它与地形等高线走向是否相似。

第二步，如若相似，则将移置对象在各站的雨量 R_A 除以该站的多年平均汛期（或某暴雨季节）雨量 $\overline{R}_A$，并以百分数表示之，填注于各相应站点上。

第三步，勾绘等百分数线图。

第四步，将该等百分数线图移置于设计流域。

第五步，将设计地区各站的多年平均汛期（或某暴雨季节）雨量 $\overline{R}_B$ 乘以移置而来的百分数，则得各站经改正后的雨量 R_B。

第六步，勾绘设计地区的雨量 R_B 的等值线图，即得移置后的等雨量线图。

2)直接对比法。直接采用两地等时段多年平均面雨量 $\overline{R}_A$ 和 $\overline{R}_B$ 按式(7.5.6)进行改正。

由于地形对降雨的影响是在一定的天气系统影响下才起作用，不同的天气系统对降雨的影响是不同的，由此引起的地形对降雨的影响也是不一样的。故从原则上说，最好是选择历年与移置对象的暴雨天气系统和入流方向基本一致的同类型暴雨进行统计 $\overline{R}_A$ 和 $\overline{R}_B$。但在实际上这样做是有困难的，因为它要求具有大量的观测资料，故退而采用多年平均某时段雨量。因此在统计时还应尽量考虑上述要求，如在统计时段上不宜过长，并应尽量选择与移置对象相同的雨季，否则有时会因降雨日数的差异，长短历时降雨量级的不一致而造成较大的误差。

直接对比法计算比较简单，但只能得出暴雨总量的改正值；等百分数线法能给出改正后雨量的面分布图，但计算工作量较大。

7.5.5.2 山区平原对比法

本法在国外不认为是暴雨移置,但我们认为,从它的实质上看,仍属移置,并对地形影响进行综合改正。

其基本思路是:先把山区附近的平原地区(或相对平坦地区)的 PMP 求出来,然后再从实测雨量资料中,找出山区与平原地区降水量大小的关系,将平原地区的 PMP 进行修正,以作为山区的 PMP[1]。在具体做法上,一般有以下两种:

1)地形分割法。把山区暴雨分为天气系统雨和地形雨两个分量,分别研究放大,然后再加起来(但要注意不能形成过分的放大),作为山区 PMP,以式表之为

$$R_{sm} = R_{tm} + R_{dm} \tag{7.5.7}$$

式中 R_{sm} 为山区 PMP;R_{tm} 为山区 PMP 中的天气系统雨,其值假定与山区附近的平原地区的 PMP 即 R_{pm} 相等;R_{dm} 为山区 PMP 的地形雨。

关于 R_{dm} 的求法,可考虑下列两种:

一是山区平原雨量差值放大法,即将山区和附近平原的历次大暴雨的差值计算出来,得出各次暴雨的地形雨 R_d,然后从中选出一个较合理的数值进行放大,即得 R_{dm}。放大方法可采用当地典型暴雨进行放大。

二是层流模式法,对于基本符合层流模式的基本假定(见 9.2 节)的流域,可以用层流模式来计算 R_{dm}。

2)地形校正法。把平原地区的 PMP 即 R_{pm} 乘以一个地形校正系数 k 以作为山区的 PMP

$$R_{sm} = kR_{pm} \tag{7.5.8}$$

关于 k 值,可采用山区和平原同时降雨的历次大暴雨资料,进行分析确定。

这种经验对比的方法其关键是山区与附近平原地区的降雨量之间的关系是否良好。由于山区与平原所处的位置不同,天气系统降雨分量也有变化(平原地区实测资料表明:在同一天气系统下的一次降水过程中,各站的雨量并不相同),故在使用此法时需要对实测各种大暴雨的实际分布和天气系统作详细的分析。

7.5.5.3 K 值移置法

此法即按同频率概念移置,为北京市水利部门 1976 年提出。其出发点是,假定暴雨在移置前后具有相同的频率,而各个地区的地理和地形对降水的影响,可以从统计参数 $\overline{R}$、C_v 等的差异得到 综合反映。因而将随机变量加以标准化以后,就可以在一定程度上消除地形的影响。如果将标准化后降水量的 K 值在具有同一线型地区进行移置,则可使移置前后的雨量频率近似相等,再通过参数改正便可求得移置后相应的雨量。按 K 值定义为

$$K = \frac{R - \overline{R}}{\sigma} \tag{7.5.9}$$

或

[1] 黄河水利委员会规划设计大队(王国安执笔).对可能最大降水分析的几点体会.广州全国设计洪水讨论会论文,1975,9

$$R = \overline{R}(1 + C_v K) \tag{7.5.10}$$

式中 R 为降雨量，$\overline{R}$ 为均值，σ 为均方差，C_v 为变差系数。显然，R 与 K 为具有相同频率的随机变量，用下标 A 和 B 代表暴雨原地及移置地区，则移置前后雨量可以分别定为

$$R_A = \overline{R}_A(1 + C_{v_A} \cdot K_A) \tag{7.5.11}$$

$$R_B = \overline{R}_B(1 + C_{v_B} \cdot K_B) \tag{7.5.12}$$

在 K 值移置法中，希望 R_A 与 R_B 具有相同频率，因此令 $K_A = K_B$（严格地说，只有在正态分布的条件下才会满足上述希望）。由此推得下列移置改正公式

$$R_B = \overline{R}_B + \frac{\overline{R}_B}{\overline{R}_A} \cdot \frac{C_{v_B}}{C_{v_A}}(R_A - \overline{R}_A) \tag{7.5.13}$$

7.5.5.4　**地形改正综合法**

此法为熊学农于1973年提出，经吴庆雪、高治定完善而成❶，其原理如下：

根据常用降水量公式，移置前暴雨量为

$$R_A = \eta_A W_A t \tag{7.5.14}$$

移置后暴雨量为

$$R_B = \eta_B W_B t \tag{7.5.15}$$

假定由于两地地形条件不同所引起的可降水及效率的增量分别为 ΔW 和 $\Delta \eta$，则

$$W_B = W_A + \Delta W \tag{7.5.16}$$

$$\eta_B = \eta_A + \Delta \eta \tag{7.5.17}$$

再假定效率是由天气系统所引起的天气辐合分量 η_t 和地形所引起的辐合分量 η_d 线性叠加的结果，即

$$\eta = \eta_t + \eta_d \tag{7.5.18}$$

于是

$$\Delta \eta = \eta_B - \eta_A = (\eta_{Bt} + \eta_{Bd}) - (\eta_{At} + \eta_{Ad})$$

根据移置可能性分析，暴雨原地的天气系统可以在设计流域出现，故又可假定

$$\eta_{At} = \eta_{Bt} \tag{7.5.19}$$

因此，移置后的效率增量为两地地形辐合分量之差，即

$$\Delta\eta = \eta_{Bd} - \eta_{Ad} \tag{7.5.20}$$

将式(7.5.16)、式(7.5.17)、式(7.5.20)代入式(7.5.15)化简得

$$R_B = \frac{W_B}{W_A}(R_A - R_{Ad}) + R_{Bd} \tag{7.5.21}$$

上式说明移置后的暴雨量等于原暴雨天气辐合分量进行水汽改正加上设计地区地形雨[2]。式中 W_A 和 W_B 均用移置对象的代表性露点求得，但需扣掉各自的流域平均高程或障碍高程所对应的那部分可降水。

R_{Ad} 和 R_{Bd} 分别为移置区和设计区的地形雨。应在充分分析本地区地形对降水影响的基础上，根据气象、地形和雨量资料条件，选用适当的方法进行估算。目前推求地形雨

❶ 黄委会勘测规划设计院(吴庆雪执笔).黄河三门峡至花园口区间可能最大洪水分析报告.1979,10

的方法不很成熟，一般可用经验对比和理论计算两种途径进行估算，以便互相比较，合理选用。

经验对比途径有平原和山区雨量对比法及地形廓线与雨量线对比法等；理论计算途径有简化 ω 方程和层流模式法等。下面介绍经验对比途径的两种方法。

1)平原和山区雨量对比法。同一天气系统笼罩下的平原和山区的雨量是有差别的，它们群站平均雨量的差别，可粗略地看做是地形造成的差别。

设平原站平均雨量为 $\overline{R}_p$，山区站平均雨量为 $\overline{R}_s$，则地形雨 $R_d=\overline{R}_s-\overline{R}_p$。注意所选群站必须具有代表性。此法，一般适用于迎风坡地形雨的分割。

2)地形廓线与雨量廓线对比法。如图7.5.3。该线经剧增点 c 沿实线上升到 a 点，而 c 点在地形廓线转折点前不远的地方，设想分割的平原雨量廓线应按平原雨量分布趋势(缓坡)沿虚线外延，并假定分割的平原雨量中心与实测雨量中心重合，则图中的 ab 段可视为分割的地形雨值。

不同的入流方向会得出不同的地形雨值，因此必须对入流风进行深入的分析，找出一个合理的入流主风向。此法要求入流方向有沿高程分布的雨量资料。另外，分割的平原雨量中心和实测雨量中心重合的假定往往会带来误差。

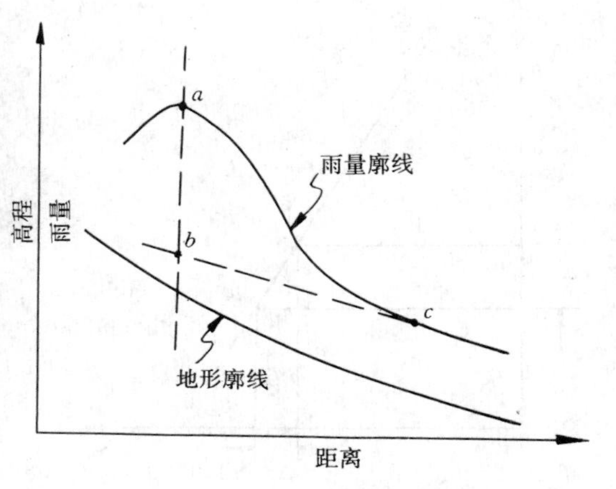

图7.5.3 地形和雨量廓线示意图

7.5.5.5 天气系统位移改正法

由于暴雨是在一定天气系统下形成的，因此，暴雨移置可以看成是天气系统的位移(搬家)。天气系统位移前后，由于所在地区地形特性不同，必然导致形成降水的上升速度和水汽输送条件同时改变，从而影响降水量值。考虑低层大气因地形条件差异所导致的气象要素场改变，运用理论地形雨计算方法，对降水量作相应的改正，称为天气系统位移改正法。

此法其实是对公式(7.5.21)中的地形雨 R_{Ad} 和 R_{Bd} 采用理论公式来计算。

(1)计算公式

1)地形雨 R_d 计算公式。由于降雨的影响因素十分复杂，故纯粹的地形雨是难以求得的，现有的所谓理论方法，也只能求得近似值。假定：①凝结率等于降水率；②一场降水是天气系统雨和地形雨线性叠加的结果，则可得地形雨的计算公式[9,10]

$$R_d=\frac{1}{\rho_\omega g}\int_0^t\int_0^p F\omega\mathrm{d}p\mathrm{d}t\approx\frac{1}{\rho_\omega g}\Delta t\sum_{i-1}^{N}(F\cdot\omega\cdot\Delta p)_i \tag{7.5.22}$$

式中 $F=\mathrm{d}q_s/\mathrm{d}p$ 为凝结函数，其物理含义是：单位质量空气上升1hPa气压高度所凝结出来的相对水汽量，它仅决定于当时的温度和气压；$\omega=\mathrm{d}p_s/\mathrm{d}t$ 为由地形引起的空气上升速度；其余符号意义同前。

2)凝结函数 F 的计算。式(7.5.22)中 F 的理论计算公式为

$$F = \frac{q_s T_c}{p}\left(\frac{ALR - C_p R_w T_A}{C_p A R_w T_c^2 + q_s L^2}\right) \tag{7.5.23}$$

式中：F 为凝结函数，1/hPa；q_s 为气层平均饱和比湿，10^{-3}kg/kg；T_c 为凝结高度时气温（$T_c = 273 + t_c$，t_c 为凝结温度，℃），K；p 为气压，1/hPa；A 为热功当量，$A \approx 10^5$；L 为凝结潜热 $L = (2\ 499 - 2.386 t_c) \times 10^3$，J·kg；$R$ 为比气体常数，$R = 2.87 \times 10^2$，J/(kg·K)；C_p 为定压比热，$C_p = 992$，J/(kg·K)；R_w 为水气比气体常数，$R_w = 4.6 \times 10^2$，J/(kg·K)；$ALR = 1.201\ 8 \times 10^{11}(597 - 0.57 t_c)$，J²/(kg²·K)；$C_p A R_w = 9.924\ 96 \times 10^3$，J²/(kg²·K)。

在 PMP 分析中，一般是根据特大暴雨（移置对象）暴雨期间实测探空资料，作出各代表时段 $p \sim q_s$ 关系（图 7.5.4）用下式计算

$$F = \frac{dq_s}{dp} \approx \frac{\Delta q_s}{\Delta p}$$

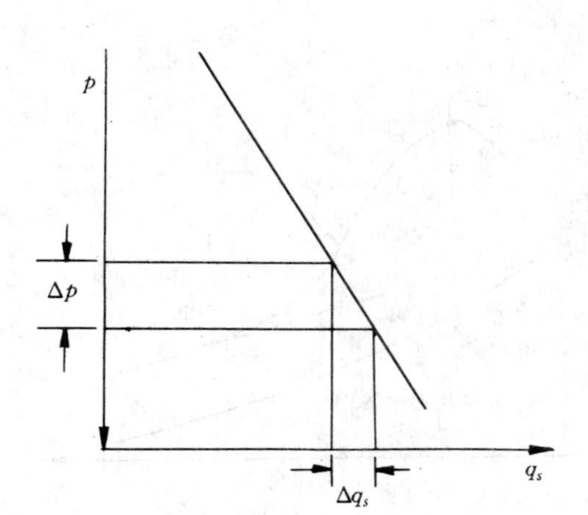

图 7.5.4 $p \sim q_s$ 关系示意图

3）地形引起的上升速度 ω_s 的计算公式。参考有关研究[6]，考虑潜热释放作用的大尺度大气动力方程组，引入地转近似，可得反映地形上升速度变化的 ω 方程

$$\begin{cases} (1-\beta)\nabla_p^2 \omega + \dfrac{f^2}{\sigma g} \cdot \dfrac{\partial^2 \omega}{\partial p^2} = 0 \\ \omega(x, y, p = 0) = 0 \\ \omega(x, y, p = p_s) = \omega_s \end{cases} \tag{7.5.24}$$

设地形上升速度 ω 的空间分布可以用二元的傅立叶级数表示，则式（7.5.24）可以得到下列三种形式的解❶[6~8]：

（i）稳定气层（$a^2 > 0$）

$$\omega = \Sigma \frac{\sinh a p}{\sinh a p_s} \omega_{m,s} \tag{7.5.25}$$

（ii）中性气层（$a^2 = 0$）

$$\omega = \frac{p}{p_s} \omega_s \tag{7.5.26}$$

（iii）不稳定气层（$a^2 < 0$）

$$\omega = \Sigma \frac{\sinh a p}{\sinh a p_s} \omega_{m,s} \tag{7.5.27}$$

$$a = \frac{2\pi}{L_m} \sqrt{\frac{2(1-\beta)\sigma}{f^2}} \tag{7.5.28}$$

❶ 熊学农编. 水文气候学. 河海大学水文系，1992，4

β 和 σ 均为与大气稳定度有关的参数

$$\beta = \frac{L_c F}{C_p T_c} \cdot \frac{1}{\frac{\partial \ln\theta}{\partial p}} \tag{7.5.29}$$

$$\sigma = -\frac{\alpha}{\theta} \cdot \frac{\partial\theta}{\partial p} \tag{7.5.30}$$

上列诸式中 ∇_p^2 为 p 坐标上的拉普拉斯算子；$\omega_{m,s}$ 为地面气压是 p_s 处各种波长（$m=1,2,\cdots,n$）地形所贡献的上升速度，hPa/s；f 为地球自转参数，$\varphi=35°$N 时，$f=8.342\,3\times10^{-5}$/s；sinh 为双曲线函数符号；L_m 为波长，km；β 为无因次量；σ 为有因次量，m²/(hPa⁻²·s⁻²)；θ 为位温，K；α 为比容，m³/kg。

以上式(7.5.25)、式(7.5.26)和式(7.5.27)表明，在稳定气层中由地形扰动所引起的垂直速度，随着高度呈双曲函数衰减，其衰减的程度与波长和稳定参数有关；在不稳定气层中，地形上升的垂直变化较为复杂，因分母中双曲函数变量在 $ap_s=m\pi$（m 为正整数）时，式(7.5.27)无意义，故不便应用。在中性气层中，地形上升速度随高度 p 均匀衰减，其衰减程度与波长无关，故仅式(7.5.25)和式(7.5.26)有适用意义。

4）下边界条件 ω_s 的计算公式。当地面达到饱和时，$\omega_c=\omega_s$

$$\omega_s = -\rho g \vec{v}_s \cdot \nabla H \tag{7.5.31}$$

式中 ω_s、ρ 和 $\vec{v}_s$ 分别为地面的上升速度、空气密度和水平风速；∇H 为地形高度梯度。

假定各种波长的地形上升速度 ω_{cm} 与各种地形高程 H 的波长相同，则可将地形高度场按 Fjortoft.R 方法进行多次平滑，得出

$$H=(H_0-H_1)+(H_1-H_2)+\cdots\cdots+(H_{m-1}-H_m)+H_m \tag{7.5.32}$$

上式中 H 的下标 m 表示平滑的次数，如果计算网格间距为 d（图 7.5.5），首先计算以 d 为间距的各点(i,j)的第一次平滑值，即

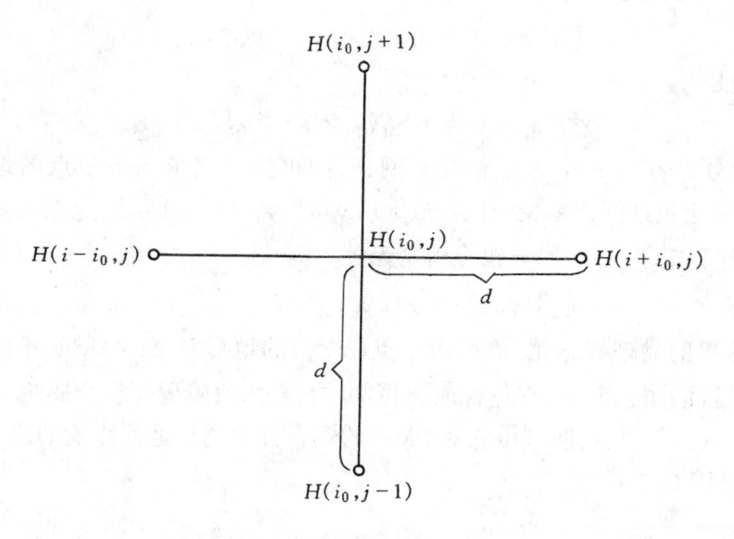

图 7.5.5 地形平滑读数点示意图

$$H_1(i,j) = \frac{H_{i+1,j} + H_{i-1,j} + H_{i,j+1} + H_{i,j-1}}{4}$$

其次以 $2d$ 为间距对 H_1 求平均得 H_2，由此类推，直至得出 H_m。鉴于地形强迫上升速度计算将接近 x，y 轴方向分解计算，故实际操作中地形平滑也按两个方向分别计算处理。

如果地面未达到饱和，则 $\beta=0$，于是式(7.5.28)转化为

$$a_1 = \frac{2\pi}{L_m}\sqrt{\frac{2\sigma}{f^2}} \tag{7.5.34}$$

从而凝结高度上升速度 ω_c 为

$$\omega_c = \omega_s \frac{\sinh a_1 p_c}{\sinh a_1 p_s} \tag{7.5.35}$$

式中 p_c 为凝结高度处气压，hPa；p_s 为地面气压，hPa。

在凝结高度以上气压饱和，垂直速度衰减均按式(7.5.26)计算。

(2)计算步骤

详见 7.7.2 算例。

7.5.5.6 分时段地形增强因子法

此法为林炳章于 1987 年提出❶[9]。该法认为，山区暴雨较平原区为大，主要是地形的增幅作用所致，因此可以利用这个概念来解决山区移置暴雨和地形改正问题。

但是，实测资料研究表明，1 小时以内的短历时暴雨几乎不受地形影响，而长历时(1 日，3 日)的暴雨受地形影响显著。换言之，地形对暴雨的增幅作用是随着历时的增长而逐渐加大的。因此为反映地形对降雨过程的影响，地形改正宜分时段进行。

假定流域内某点(x,y)在某时刻上的暴雨强度 $I(x,y,t)$等于辐合降水强度 $I_o(x,y,t)$与地形增强因子 $f(x,y,t)$的乘积，并认为在一定时间间隔 Δt 内，该点的平均降水强度为

$$I_{\Delta t}(x,y) = I_{o,\Delta t}(x,y) \cdot f_{\Delta t}(x,y) \tag{7.5.36}$$

表示成雨量则是

$$\gamma_{\Delta t}(x,y) = \gamma_{o,\Delta t}(x,y) \cdot f_{\Delta t}(x,y) \tag{7.5.37}$$

将流域划分为 $m \times n$ 个大小相等的网格，则可按上式求出各节点的地形增强因子 $f_{\Delta t}(x_i,y_i)$。为避免抽样误差，在计算 $f_{\Delta t}(x,y)$时，$\gamma_{\Delta t}(x,y)$与 $\gamma_{o,\Delta t}(x,y)$取暴雨样本系列的均值，并假定 $f_{\Delta t}(x,y)$与辐合雨量无关。则

$$\overline{f}_{\Delta t}(x,y) = \overline{\gamma}_{\Delta t}(x,y)/\overline{\gamma}_{o,\Delta t}(x,y) \tag{7.5.38}$$

$\overline{f}_{\Delta t}(x,y)$在这里的物理概念是：流域内某点$(x,y)$的地形对 Δt 时段暴雨的平均增强幅度，称作 Δt 时段的增强因子，它包含地形触发、抬升、水汽障碍等综合影响。

当求出 $\overline{f}_{\Delta t}(x_i,y_j)$后，便可由它对 PMP 的辐合分量进行地形影响的改正。从而求出流域面平均 PMP 的雨量

---

❶ 林炳章.海南岛昌化江大广坝工程 PMP-PMF 估算综合报告.河海大学水资源水文系，能源部水利部中南勘测设计院，1987，6

$$\mathrm{PMP}_{\Delta t} = \frac{1}{m \cdot n}\left[\sum_{i=1}^{m}\sum_{j=1}^{n}\mathrm{PMP}_{o,\Delta t}(x_i, y_j) \cdot \bar{f}_{\Delta t}(x_i, y_j)\right] \tag{7.5.39}$$

林炳章等1987年在海南岛昌化江大广坝工程PMP估算中，利用年最大6小时、12小时、24小时点暴雨均值等值线图，在暴雨发生地的入流方向上找出无明显地形起伏的若干站，求群站的年最大Δt时段降雨量的均值近似地作为Δt时段暴雨辐合分量的平均值$\bar{\gamma}_{0,\Delta t}$；同样，从年最大$\Delta t$时段降雨量均值等值线图上得到暴雨发生地各网格点上的暴雨均值$\bar{\gamma}_{\Delta t}(x, y)$，由此求出各网格点上的平均地形增强因子$\bar{f}_{\Delta t}(x, y) = \bar{\gamma}_{\Delta t}(x, y)/\bar{\gamma}_{0,\Delta t}$，进而得到地形增强因子图。将PMP辐合分量概化等值线图与设计区的地形增强固子图叠置，对各点进行地形影响修正后，即得设计流域各时段的PMP等值线图(详见10.4.3节)。

7.6 模式放大

鉴于移置模式法一般都是移置高效暴雨，故一般只作水汽放大，而不再作动力因子的放大。

7.6.1 单一水汽改正后的放大

一般地说，只有水汽改正的移置模式，往往是改正和放大同时进行。这样无需先求得单项改正系数，可以按下列综合公式得出设计流域的PMP

$$R_{Bm} = K_W K_1 K_2 R_A \tag{7.6.1}$$

$$K_W = \frac{(W_{Am})_{Z_A}}{(W_A)_{Z_A}} \tag{7.6.2}$$

式中K_W为水汽放大系数；$(W_A)_{Z_A}$为移置对象的可降水；其余符号意义同前。

将式(7.5.2)、式(7.5.4)、式(7.6.2)代入式(7.6.1)化简后可得

$$R_{Bm} = \frac{(W_{Bm})_{Z_B}}{(W_A)_{Z_A}} R_A \tag{7.6.3}$$

式(7.6.3)实际就是在进行暴雨移置中，各种情况的水汽改正再加上水汽放大的通用公式。

7.6.2 综合改正后的放大

当采用的移置改正方法为综合改正法时，其放大公式为

$$R_{Bm} = K_W R_B = \frac{(W_{Am})_{Z_A}}{(W_A)_{Z_A}} R_B \tag{7.6.4}$$

式中R_B为考虑综合改正后设计流域的雨量。

注意，如果在移置步骤上是先放大后移置，则经综合改正后即为设计流域的PMP，无需再进行放大。

7.6.3 讨论

利用暴雨移置法来推求 PMP 一般都是对高效暴雨进行水汽放大。

那么,是否对所有的高效暴雨都要进行水汽放大呢?有些水文专家认为,对于特别稀遇的暴雨,移置后不一定再放大,因为暴雨移置本身已经是一种放大,如果再进行放大,那可能就大得不合理了。

7.7 算例

7.7.1 暴雨移置算例[1]

某河流域面积为 19 200km^2,拟在流域出口断面附近修建大型水库,欲求其 PMP。本流域实测暴雨资料不够充分。现拟采用移置模式法推求 PMP。其推求步骤如下:

第一步,了解设计意图。拟建工程是以发电为主的大型水库,下游防洪要求不高,水库泄量可以较大,根据以往频率分析,设计洪水时段取 3 天就可以了。

第二步,暴雨模式定性特征的判断。根据本流域现有 20 多年的实测暴雨洪水资料以及调查和历史文献记载的近千年来暴雨洪水资料分析,形成本流域峰高量大的特大洪水,其相应的暴雨,是 7~8 月在经向环流形势下出现的台风所形成,暴雨历时为 2~3 天。考虑工程要求,现用 PMP 历时为 3 天。

第三步,物色移置对象。普查邻近流域的暴雨资料,发现在设计流域的东南面地区,1974 年 8 月上旬曾发生过一场罕见的台风暴雨,遂将其作为移置对象。

第四步,移置可能性分析。又分为以下几个方面:

1)地理条件比较。移置对象的暴雨中心距设计流域的几何中心,距离为 295km,即相隔不是很远;从历年实测资料来看,两地的暴雨水汽都是主要来自太平洋;从气候区划图来看,两地同属于一个气候区。

2)地形条件比较。移置对象所在地区属于平原丘陵区,平原平均高程为 200m。设计流域属于浅山区,在水汽入流方向(即东北方向)流域边界的平均高程为 100m。这两地区之间无大的山脉阻隔。

3)暴雨(洪水)时空分布特性比较。从实测和历史资料来看,两地的暴雨(洪水)都是发生在七八月份,其时程分配型式和雨区的分布形式也基本相似。有些特大水年例如 1931 年、1943 年等两地也都是同时降雨,即为同次天气过程所形成。另根据历史文献记载资料分析,设计流域历史上的特大水年 1593 年,其暴雨日数、雨带分布形式等和移置对象基本相似。

4)天气成因比较。移置对象是台风雨。设计流域从实测资料来看,有 7 次较大洪水是由台风直接或间接影响所形成,而且有一两年的台风路径与移置对象也很相似。从调查资料来看,1931 年、1937 年、1943 年等年的大洪水,结合 1949 年前的历史天气图分析,

[1] 黄河水利委员会规划办公室(王国安执笔).推求可能最大降水的典型暴雨法.黄河水利学校印,1976,4

其暴雨天气形势也与台风直接或间接有关。从历史文献记载资料来看，1593 年洪水有“东风大作暴雨滂沱三日不已”的记载，这年洪水的雨带分布形式又与移置对象基本相似，因此推论，1593 年洪水也可能是由台风暴雨所造成。

综合以上四个方面的分析比较，不难看出，移置对象是完全可能在设计流域重复出现的，换言之它是可以移置的。

第五步，雨图安置。考虑到设计流域特大暴雨的雨带分布形式与移置对象类似，故移置时采用平移的办法。又因设计流域的常见暴雨中心是在中游地区，故移置时考虑将移置对象的暴雨中心 C 置于设计流域的几何中心。

第六步，移置改正。其内容为：

1）流域形状改正。按上一步骤中移置后的暴雨等雨量线图计算设计流域的流域平均雨量即得形状改正后的雨量如表 7.7.1 所示。

表 7.7.1　某地 1974 年 8 月上旬暴雨移置经流域形状改正后逐日面平均雨量表

月·日	8.2	8.3	8.4	合计
面雨量(mm)	98.5	218	352	668.5

2）地形地理改正。设计流域和暴雨原地相距只 295km，设计流域的地形不算太复杂，地形起伏不算太大，大致是西南高、东北低。从实际台风雨资料来看，在降雨期间一般都是吹东北风，沿河谷地带雨量有随高度增大的现象，而在山后也有减小的现象。但从雨量分布图来看，这种增大和减小的比例是分不清的。因此采用两种方法来考虑地形地理对降雨的影响：①地理地形水汽改正法：(i)地理改正。改正系数按式(7.5.2)计算。两地区最大露点的选定方法同前(图 7.5.2)，计算结果如表 7.7.2。(ii)地形对水汽影响的改正。改正系数按式(7.5.4)计算，结果如表 7.7.3。由表 7.7.2 和表 7.7.3 可得地理地形水汽总改正系数 $K_3 = K_1 K_2 = 0.955 \times 0.870 = 0.831$。②等百分数线法。根据设计流域和移置对象所在地区的历年实测的七八月(特大暴雨发生季节)雨量资料统计，其多年平均值，前者为 360mm，后者为 445mm，即综合改正系数

$$K_4 = \frac{\overline{P_A}}{\overline{P_B}} = \frac{360}{445} = 0.81$$

可见在本例中地理地形水汽改正系数 $K_3 = 0.831$，等百分数线法改正系数 $K_4 = 0.81$，二者相差不大。考虑到等百分数线法也比较粗，故取地理地形水汽改正系数 $K_3 = 0.831$作为采用成果。

第七步，放大典型。移置对象系高效暴雨，现只考虑水汽放大。关于水汽放大系数的计算方法，若是先放大后移置，则

$$K_W = \frac{(W_{Am})_{Z_A}}{(W_A)_{Z_A}} \tag{7.7.1}$$

若是先移置后放大，照理应按下式计算

$$K'_W = \frac{(W_m)_{Z_B}}{(W_B)_{Z_B}}$$

表 7.7.2 地理对水汽影响改正系数计算表

地区	平均高程(m)	1 000hPa T_{dm}(℃)	W_m(mm)			$K_1=\frac{95.5}{100}$
			1 000hPa~200hPa	1 000hPa~200m	200m~200hPa	
A	200	28.0	105	5	100	0.955
B	700	27.0	100.5	5	95.5	

表 7.7.3 地形对水汽影响改正系数计算表

地区	平均高程(m)	1 000hPa T_{dm}(℃)	W_m(mm)			$K_2=\frac{83.2}{95.5}$
			1 000hPa~200hPa	1 000hPa~200m	200m~200hPa	
A	200	27.5	100.5	95.5		0.870
B	700	27.5	100.5		93.2	

然而由于此时设计流域的暴雨代表性露点 T_{dB}不知道,故$(W_B)_{Z_B}$也求不出来。但是这里只要假定

$$\frac{(W_{Bm})_{Z_B}}{(W_B)_{Z_B}} = \frac{(W_{Am})_{Z_A}}{(W_A)_{Z_A}}$$

对于先移置后放大的情况,也可照样用先放大后移置的式(7.6.2)来计算水汽放大系数K_W。

移置对象的暴雨代表性露点为24.8℃,可能最大露点为28.0℃。于是可得水汽放大系数为1.32(表7.7.4)。

表 7.7.4 水汽放大倍比计算表

1 000hPa T_d(℃)	W(mm)			K_W
	1 000hPa~200hPa	1 000hPa~200m	200m~200hPa	
28.0	105	5	100.0	1.32
24.8	79.6	4	75.6	

上述水汽放大倍比计算,以及地理地形改正系数的计算,是为了通过这个例子把各项改正及放大的具体计算方法说清楚。实际上在工作中不需要这样逐项分别计算,而是用一个总的公式计算就行了,即

$$P_{Bm} = K_W K_1 K_2 P_A = \frac{(W_{Bm})_{Z_B}}{(W_A)_{Z_A}} P_A = \frac{83.2}{75.6} P_A = 1.10 P_A$$

分项计算其结果也是一样,即

$$P_{Bm} = 1.32 \times 0.955 \times 0.870 P_A = 1.10 P_A$$

利用地理地形改正和水汽放大的综合系数 1.10 乘以表 7.7.1 中的雨量，即得设计流域的 PMP,成果如表 7.7.5 所示。

表 7.7.5 某流域 PMP 成果表

时程(日)	1	2	3	合计
面雨量(mm)	108	240	386	734

第八步,成果合理性检查。(略)

7.7.2 天气系统位移改正法算例

淮河流域宿鸭湖水库坝址以上流域位于 113°19′～114°19′E,32°34′～33°11′N 之间,控制面积 4 498km²。为推求其 PMP,考虑移置淮河 758 林庄暴雨。林庄位于宿鸭湖流域的西部。宿鸭湖流域处于伏牛山余脉的东南角,是山丘向平原地区的过渡地带,流域平均海拔高程略高于 100m,和淮河 758 暴雨与林庄中心相应的区域地面平均高程仅差 100m 左右。现拟用天气系统位移改正法来进行移置改正[6]。

移置方案考虑了两个:一是将林庄中心置于确山以东 12km(刘店附近),二是将林庄中心置于瓦岗(实际在瓦岗东北方向约 1km 处,以保持与相应计算网格重合)。二者都是将雨图平移。相应计算区参见图 7.7.1。

7.7.2.1 地形上升速度 ω 计算

(1)地形波的确定

首先,选择适当比例尺的地形图(可用 1:50 万图),将移置区与设计流域,以及相邻地区划分成细网格,网格点间距,一般以 5km 为宜,读取各网格点上的高度值。

其次,选择主要入流方向,绘制若干地形剖面图。根据这些剖面地形高度资料,采用谐波法(或功率谱法)选择波动显著的地形波、综合各剖面地形波动满足显著性检验的波动,确定影响显著的地形波数和相应波长。

最后,采用 Fjprotf 平滑方法将各显著性的地形波,从原始地形中分解出来。

以上是一般做法。

本算例采用了一种简化处理方法,即将每一个经纬网格距分 20 等分(即 400 个细网格),作为短波的 1/4 波长,并依此平滑了四次得出 $L_1 = 20.1$km, $L_2 = 40.2$km, $L_3 = 80.4$km, $L_4 = 160.8$km, $L_5 = 321.6$km。经对平滑高度场的检查,与一些代表性剖面地形尚吻合,而高于四次的平滑阶地特征将消失,故认为四次平滑的高度场尚可应用。

(2)地形雨计算网格点的确定

由于移置区与设计流域的地形雨都是按差分公式(7.5.22)进行,故需确定计算网格点据。网格点的疏密程度,可根据地形条件,暴雨中心位置和产流、汇流计算的需要,综合分析确定。网格点原则上应均匀分布,而且网格点的间距,移置区和设计流域应相同。

本算例对宿鸭湖流域与相应被移置的林庄暴雨区,各取 21 个网格点,各点间距相隔 9′(中纬度地区 1 个纬距相当于 111km,9′相当于 16.5km,也就是一个网格的面积约为

272km²)。

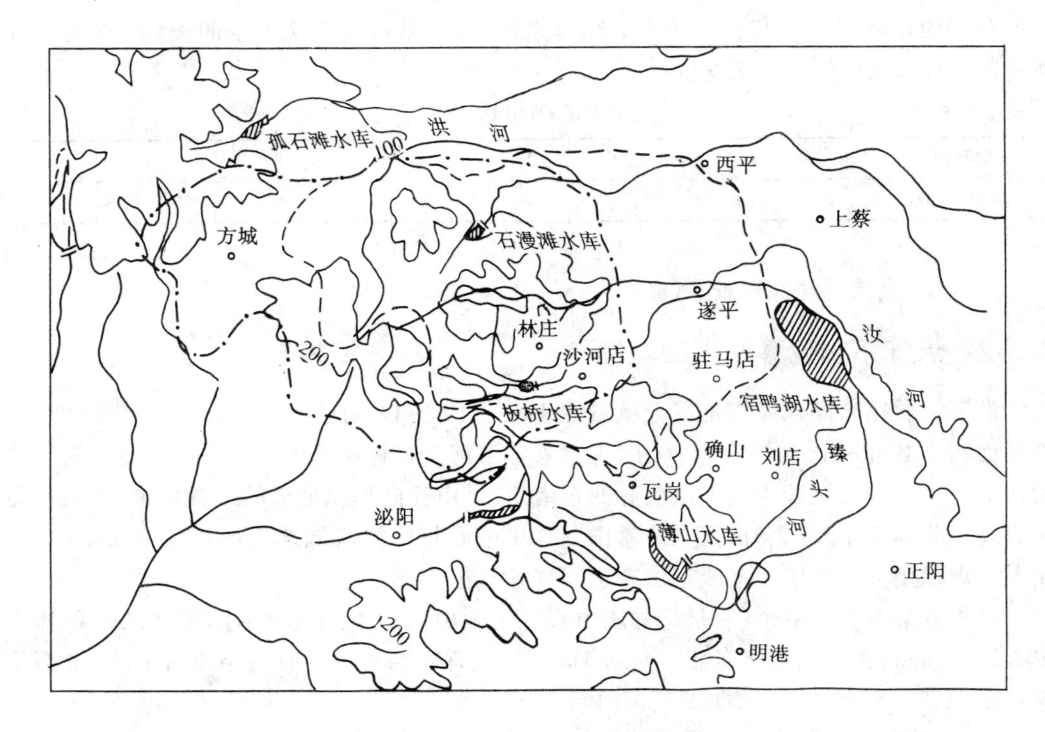

图 7.7.1 设计流域与相应移置区位置

—·—林庄平移确山东 12km - - -林庄平移瓦岗

(3)地面地形上升速度 ω_s 计算及相应准备工作

按上述步骤确定的计算网格点,逐点进行计算。

为满足按式(7.5.31)计算地面上升速度 ω_s 的需要,以及后述计算凝结高度及地形雨的要求,应分析、绘制移置的特大暴雨各代表时段(以 12 小时或 24 小时时段为宜)的地面气压场、气温场、凝结高度场、风场,以及暴雨历时的等值线图,读取各计算格点处的气象要素。计算时,要特别慎重对待风场资料,应使用加密站点的小区域天气图,以勾绘较精细的流线图与等风速线图。读取各计算格点处所需的气象要素备用。

这样,利用各网格点处显著的坡形波坡度,以及上述气象要素资料,就可算出各网格地点不同波长的地面上升速度 $\omega_s = \sum_{i=1}^{m} \omega_{i,s}$。

(4)凝结高度处地形上升速度 ω_c 计算

若格点处地面空气达到饱和(较高山地格点),则此点处 $\omega_c = \omega_s$。

若格点处地面空气未达到饱和,则按(7.5.25)式计算,此时该公式改写为:

$$\omega_c = \sum_{i=1}^{m} \frac{\sinh a p_c}{\sinh a p_s} \omega_{i,s}$$

为此,需要确定 a 和 p_c。而 a 值的确定,需要先确定稳定度参数 β 和σ。这两个参数除用实测特大暴雨资料进行试算外,还需要通过实际暴雨个例进行验算,最后得出一个合适的数值。文献〔6〕根据华北地区数个经向型大暴雨个例中 18 次探空记录,求得稳定度参数

平均值为 $\beta=0.97$，$\sigma=34.6$。本算例，亦属经向型暴雨，故借用此值。

为计算各日凝结高度以下，各波长上升速度的衰减系数，按阜阳站探空资料算得的不同波长的 a_1 值如表 7.7.6。

表 7.7.6 各日不同波长的 a_1 值表

日期(日)	不同波长 L_m(km)的 a_1 值				
	L_1 20.1	L_2 40.2	L_3 80.4	L_4 160.8	L_5 321.6
5	0.148 6	0.074 2	0.037 1	0.018 6	0.009 3
6	0.272 3	0.131 1	0.068 1	0.034 0	0.017 0
7	0.195 2	0.097 6	0.048 8	0.024 4	0.012 2

凝结高度处的气压 p_c 按下式计算

$$p_c = p_s e^{-3.4146\times10^{-2}\left(\frac{Z_c}{T}\right)} \quad (7.7.2)$$

$$Z_c = 123(t_s - t_{ds}) \quad (7.7.3)$$

式中 p_s 为地面气压，hPa；T 为地面至凝结高度气层的平均气温，K；Z_c 为抬升凝结高度，m；t_s 和 t_{ds} 分别为地面气温与露点，℃。

进而即可算出各网格点凝结高度处的地形上升速度 ω_c。

7.7.2.2 原暴雨地区地形雨计算

地形雨计算是按式(7.5.22)进行。其中，凝结函数 F 是采用暖湿气流入流方向上的代表站阜阳站 1975 年 8 月 5 日、6 日、7 日 3 天 20 时的探空资料，分析作出各日的 $p\sim p_s$ 关系线，然后按式(7.5.23)计算凝结函数。

特大暴雨期雨区上空饱和气层深厚，且呈中性层结，故凝结高度以上各层 p 处地形上升速度按式(7.5.26)计算，则计算式改写成

$$\omega_p = \frac{p}{p_c}\omega_c$$

如果是手算，为简便计，可选择被移置的特大暴雨天气过程的代表时段，水汽入流方向代表站的探空资料，按凝结高度处上升速度为 1hPa/s，12 小时的降雨量 R_{12}(简称雨率)，制成曲线或表格备用。这样，只要计算出实际区域(点)在凝结高度处的上升速度 ω_c 后，便可根据实际降雨历时确定相应的降雨量。

本例采用入流代表站阜阳 1975 年 8 月 5 日、6 日、7 日 3 天 20 时探空资料所算得雨率如表 7.7.7 所示。

有了雨率，再将其与上一步骤中求得的各计算网格点的凝结高度处的地形上升速度 ω_c 相乘，即得网格点的地形上升速度 ω 造成的降雨量。

7.7.2.3 设计流域地形雨的计算

当特大暴雨移置位置大致确定以后，为节省地形雨计算工作量，应尽量调整到使移置区计算网格与设计流域计算网格重叠。这在平移中比较好解决。当移置中需要转轴时，

应绘制移置前的地形雨分布图,然后再内插出移置到设计流域后各计算网格点处相应未调整前的地形雨。

表 7.7.7 降雨率查算表

凝结高度(hPa)		980	960	940	920
降雨率(mm/12h)	5日	5 817	5 717	5 617	5 517
	6日	5 795	5 666	5 539	5 410
	7日	5 797	5 685	5 573	5 461

由于天气系统位移改正法的基本着眼点是:认为在移置可能性成立的前提下,将特大暴雨移置于设计流域的过程中,高空天气形势不变,只是低层天气要受到影响。这种影响主要来自两个方面:①地形高度、坡度和地势的改变,使地面气象要素场发生变化,改变了地形上升速度;②入流方向上障碍高程的变化,格点处基底高程的变化,将使入流水汽量发生变化。因此,在移置修正计算中,就前者而言,需对地面气压场、温度场、水汽场、凝结高度场和风场作调整;对后者而言,需做水汽调整。具体处理步骤如下:

1)根据移置可能性分析和计算设计流域 PMF 的要求,确定特大暴雨中心置放位置和雨图轴向位置,为计算简便,尚可作细微调整。

2)调整地面气象要素场,其中以地面风场调整最为重要。在高山背风坡与河谷处,应将风向调整到沿山势走向的方向。

3)利用移置调整后的各计算网格点的地面要素场,计算地面上升速度,再按移置前地形降雨量的计算方法,计算出移置后设计流域各计算点的地形雨。

4)移置水汽调整,按高程控制,选择入流边界障碍改正,或者选择格点基底高程改正。作边界障碍改正,首先要分析移置对象的底层流线图,一般选 850hPa 图分析,按入流方向,边界障碍高度,将计算网格点分区进行水汽调整。

本算例,由于移置区与设计流域的平均高程相差不大,而入流方向上也无明显的山脉障碍,故未作水汽场调整。把林庄暴雨平移到确山以东 12km 和瓦岗时,相应地平移了海平面气压场、气温场、凝结高度场和风速场。平移风向场时考虑了山脉走向对风向的影响。

7.7.2.4 地形雨修正计算

设计流域各网格点地形雨修正计算按式(7.5.21)进行

$$R_B = \frac{W_B}{W_A}(R_A - R_{Ad}) + R_{Bd}$$

对计算结果要进行必要的检查,特别是特大暴雨中心附近的点据,以及一些突出的点据,应从计算的各个环节,逐项分析,必要时应考虑人工修匀。

本算例,由于移置区与设计地相距很近,且地区平均高程相差不大,未对水汽场进行调整,即假定式(7.5.21)中 $W_A = W_B$。

地形雨修正计算结果见表 7.7.8 和图 7.7.2。

表 7.7.8　淮河 758 暴雨移置宿鸭湖流域地形雨改正量计算成果表　（雨量单位:mm）

林庄中心移置位置	时段	数值类别	原地实测雨	原地地形雨				移置后地形雨				地形雨总改正量	改正后雨量
				迎风坡增量	背风坡减量	绝对改正量	综合改正量	迎风坡增量	背风坡减量	绝对改正量	综合改正量		
			(1)	(2)	(3)	(4)	(5)=(2)−(3)	(6)	(7)	(8)	(9)=(6)−(7)	(10)=(5)−(9)	(11)=(1)−(10)
刘	最大3天5~7日	累积值	18 840	2 573.6	1 509.4	4 083	1 064.2	841.5	829.6	1 617.6	11.9	1 052.3	17 787.7
		网格点均值	897.1	122.6	71.9	194.5	50.7	40.1	39.5	79.6	0.6	50.1	847.0
		与实际雨比值(%)					5.6						94.4
店	最大1天7日	累积值	11 045	1 291.4	359.4	1 650.8	932	250.2	267.0	517.2	−16.8	948.8	10 096.2
		网格点均值	526.0	61.5	17.1	78.6	44.4	11.9	12.7	24.6	−0.8	45.2	480.8
		与实际雨比值(%)					8.4						91.4
瓦	最大3天5~7日	累积值	18 360	3 050.6	152.6	3 203.2	2 898	1 130	727.2	1857.2	402.8	2 495.2	15 864.8
		网格点均值	874.3	145.3	7.3	152.6	138	53.8	34.6	88.4	19.2	118.8	755.5
		与实际雨比值(%)		16.6	0.8	17.4	15.8						86.4
岗	最大1天7日	累积值	10 170	1 151.4	50.6	1 202.0	1 100.8	477.8	243.6	721.4	234.2	866.6	9 303.4
		网格点均值	484.3	54.8	2.4	57.2	52.4	22.8	11.6	34.4	11.2	41.3	443.0
		与实际雨比值(%)					11						91.5

注:网格点均值系 21 点平均。

7.8　认识与讨论

7.8.1　暴雨移置实质

PMP 是近似于物理上限的暴雨。对于任一固定流域来说,当其暴雨观测资料愈长时,其中的极值应愈接近于暴雨的物理上限。但是,由于科学技术发展水平的限制,暴雨观测年限世界各国都不太长,中国一般只有四五十年,美国最多的地方，也只有一百多年。因此,为了弥补资料年限短这一缺陷，人们就设法把相似地区发生的特大暴雨搬移过来,作为推求 PMP 的基础。这种把暴雨搬家的做法就是暴雨移置。显然，暴雨移置的实质,从资料样本的角度看,就是用空间代替时间。

7.8.2　暴雨移置法被广泛应用的原因

美国在 50 多年来的 PMP 估算工作中,所采用的最基本方法,就是暴雨移置。世界其他国家大都模仿美国的做法。其原因有以下几点:

1)从工程设计观点来看,暴雨移置是增加资料样本，提高设计洪水可靠性的最现实可行的办法。

2)从天气气候学的观点来看,暴雨移置有其较合理的物理基础,这就是相似的暴雨天气过程,可以在气象一致区内经常重演。

3)暴雨天气过程不仅决定于气象要素有利的三维空间(x,y,z)分布，而且取决于它们随时间的演变过程。目前从理论上尚待克服设计四维(x,y,z,t)特大暴雨模式的困难,而任何理论模式终究还必须通过实况检验方为可靠。由于移置暴雨是历史上实际发生过的天气过程,故其真实性毋庸置疑。

基于上述理由,可以移置而又经过合理改正的暴雨移置计算成果,其可信度,还是比较高的。

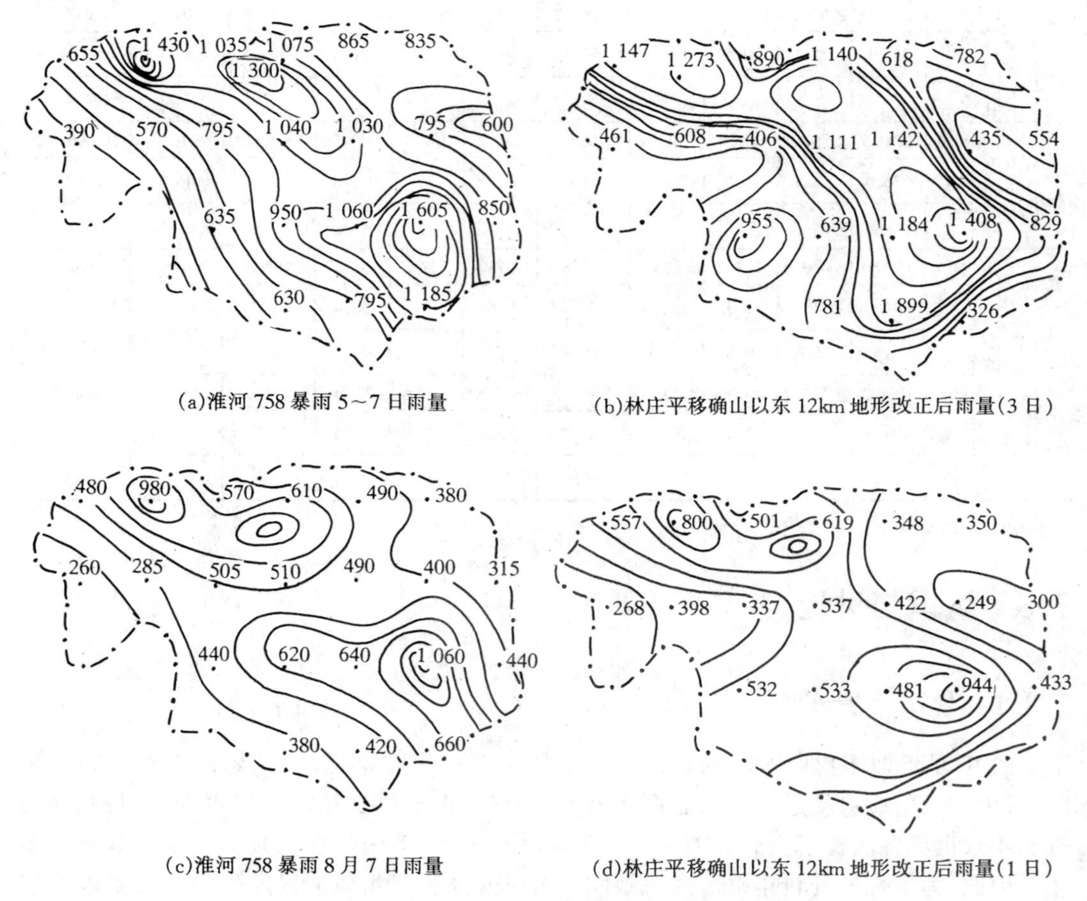

(a)淮河758暴雨5~7日雨量

(b)林庄平移确山以东12km地形改正后雨量(3日)

(c)淮河758暴雨8月7日雨量

(d)林庄平移确山以东12km地形改正后雨量(1日)

图7.7.2 林庄中心平移确山东12km方案

7.8.3 对暴雨移置概念的理解

7.8.3.1 暴雨移置是“同一”暴雨过程在设计流域的“再现”[1]

这是传统的看法。因为按照传统的概念,暴雨移置就是暴雨搬家。有以下三种情况:

1)原封不动地照搬,即不作任何改正。这用于两地区相距甚近,地形条件甚为一致的情况。

2)移置时只进行水汽改正(包括地形差异和位置差异的改正)。运用于两地相距一定

---

[1] 黄河水利委员会规划设计大队(王国安执笔).对可能最大降水分析的几点体会.广州全国设计洪水讨论会论文,1975,9

的距离,而地形条件有一定的差别,但这种差别对暴雨天气系统的动力条件,基本上没有影响的情况。

3)移置时对水汽和动力条件均进行改正。运用于两地相距较近,而地形条件有相当的差别,这种差别对暴雨天气系统的动力条件有一定影响的情况。

以上三种情况,前二者基本属于平原地区或相对平坦地区,第三种情况基本属于地形起伏不大的较小山区。总起来说,这三种情况,基本上都是把暴雨移置看做是“同一”暴雨过程在设计流域的“再现”。

7.8.3.2 “类似”暴雨过程在设计流域的“重演”

这是70年代我们在搞黄河三花间PMP时提出来的。我们认为,根据中国幅员辽阔、地形复杂、暴雨资料较为短少,而水利水电工程建设对设计洪水计算的要求又很迫切的情况,在暴雨的移置问题上,必须跳出简单搬家的框框。也就是在地形对天气系统的动力条件有相当的影响(不致于使天气系统发生“质”的变化)的情况下,也要设法移置。对这种移置可以理解为“类似”暴雨过程的“重演”,而不是“同一”暴雨过程的“再现”。

我们认为,这种做法有两个好处:①,在资料短缺地区,可以满足工程设计的要求,尽管这种做法的结果其精度可能要差些,但它总比没有资料要强;②这样考虑问题,可以促使我们能动地去积极研究地形对暴雨机制的影响,从而促进这门技术科学的发展。

黄河三花间移置海河638暴雨的最大5天雨量,其时空分布按另外的典型暴雨的分布来解决,就是按照“类似”暴雨过程“重演”的思路来进行的。

7.8.3.3 暴雨移置是“同一量级”的暴雨在设计流域的“亮相”

这就是移置时,既不问其天气成因,也不要求在同一气象一致区,只问其同一量级的雨量,有否可能在设计流域出现。

如1975年10月,中央气象局主持研究淮河758暴雨的可能移置范围的大会战,所产生的一个文件《关于758河南型暴雨移置的初步意见(讨论稿)》中就体现了上述思想。该文件关于758河南型暴雨的移置问题,初步归纳如下几点意见:

1)淮河流域,黄河中、下游,海河流域,长江中下游(包括浙江)到南岭以北的大部分地区可考虑出现758河南型暴雨的可能性。其中,这些地区内的浅山区与地势高度变化急剧的山坡地带以及淮河、两湖江西与太行山东麓出现的可能性又较为更大些,但是比较稀遇的。

2)华南、四川、东北地区也是经常有暴雨与特大暴雨出现的地区,考虑这些地区水汽条件虽也较丰沛,但影响暴雨的天气系统因素与气候、地理、地形与上述地区有一定差别,758河南型暴雨出现的可能性较上述地区小,但目前还不能完全排斥有相似于758河南型暴雨出现的可能性。

3)中国西北、云南、内蒙古海拔高于2 000m以上的山区,特别是山区内麓,由于地势高、距海远,水汽条件差,台风等热带天气系统不易深入,758河南型暴雨移置的可能性较小。

4)值得注意的是,在上述各地除758河南型暴雨外,均可能有其他类型的暴雨产生。而上述各地区内各不同水库与河流又均有其各自的暴雨特点,如丹江口水库一带的暴雨属于秋雨型,与758河南暴雨相差较多,对每一水库来讲,需要做具体分析。

按照上述文件的意见,除了西藏以外,中国其他地区几乎都有可能出现758河南型暴雨,只不过有的地方出现的机会较少而已。

我们认为,按上述见解进行暴雨移置,对于那些工程所在流域属于根本就不可能有台风暴雨出现的地区来说,要移置758河南型暴雨,其实质就是不管气候一致区,不问天气成因,只考虑暴雨量级能否移置的这一种移置概念。

显然,按此概念进行移置,其所得成果精度是较差的。而且,在具体操作时,移置改正也不好处理。更重要的是不管气候一致区、不问天气成因,这已经离开了水文气象法了。

7.8.4 关于暴雨的移置范围问题

暴雨可移置的范围,WMO手册[10,11]认为:①若一个地区面积达几十万平方公里,雨量站网比较稠密,资料系列达40年以上,则可根据气象资料、气候特征和下垫面条件,明确划定移置范围。②若一个地区雨量站网比较稀疏,资料系列不长,暴雨移置范围不便明确划定,此时暴雨移置范围可适当放宽。③在热带地区,海域宽广,实测雨量资料更为稀少,移置范围更可放宽。

WMO手册第一、二版[2,10]都强调充足暴雨样本的重要性,认为在暴雨样本较少的情况下,暴雨普查及分析应推广至于气象上可以比拟的区域,不管它与设计流域相距多远。如果心目中有一个天气暴雨类型,则世界上很远地区有时比邻近地区更有启发意义。这不仅适用于降水量的数值,也适用于了解降水的暴雨机制的其他因子。

事实上,从近一二十年的情况来看,由于暴雨资料的积累,移置技术的发展和短缺资料地区水利水电工程建设事业的需要,暴雨移置的距离已越来越远。不仅在国土面积达数百万平方公里的一个国家之内几乎到处移置,而且还远涉重洋,作跨洲的移置。前者如印度这样的多山国家,后者如澳大利亚把美国暴雨资料移用于本国❶[12](见15.3.3节)。以及美国第46号水文气象报告[13]把美国台风暴雨移用于越南沿海岸的PMP估算。中国有关单位也曾把美国东南部的台风暴雨移用于海南岛昌化江流域大广坝水电工程的规划设计中❷❸。

下面将大广坝工程移置美国台风暴雨的情况作一简介,以便从中了解其做法的基本思路。

海南岛属略带大陆性的热带岛屿气候,特大洪水系由台风暴雨所产生。

位于海南岛昌化江流域的大广坝水电工程,控制面积3 498km^2,总库容17.1亿m^3,装机容量24.0万kW,属大型工程。该工程是世界银行贷款项目。世界银行专家对大广坝设计洪水的要求是:“采用典型的台风研究坝区最大洪水作为溢洪道设计的依据”。并且,“典型台风分析成果,要具有可比性,好与世界各地有台风问题的地区的成果进行比较,说明大广坝所推测出来的设计洪水的合理性和可靠性”。

---

❶ 王家祁.八十年代国外可能最大暴雨估算研究简介.水利部南京水文水资源研究所,1992

❷ 林炳章.海南岛昌化江大广坝工程PMP-PMF估算综合报告.河海大学水资源水文系,能源部水利部中南勘测设计院,1987,6月

❸ 中南勘测设计院水文队.对近十年PMP工作的一些体会.1992,6

中国有关单位经研究决定将美国南部墨西哥湾一带和东南部广阔平原上发生的台风暴雨移置到海南岛。这个决定是根据对两地所作的气候一致性比较及移置合理性分析作出的。比较分析主要包括以下五个方面：

1)分析比较南中国海与大西洋的极值台风暴雨潜能,认为两地潜能大致相等。

2)台风的热力条件,海南岛周围海域和墨西哥湾海域的多年平均月平均海温很接近,分别为29.5℃(7月)和28.8℃(8月),两地7月份的最高海温几乎一样。

3)台风的动力条件,影响南中国海的台风和影响墨西哥湾的台风,其生成源地处的纬度相同,行进路径也很相似。

4)南中国海和美国南部墨西哥湾台风移速的频率分布很相似,而且台风移速分布的中位数也很接近,分别为12.0m/h和12.5m/h。

5)海南岛与美国东南和南部地区最大24小时台风暴雨系列均值的比较,前者大27%。分析认为,这主要是由山脉地形的影响(为22.1%)及部分由于两地水汽含量的差别所致。

基于上述五点分析,认为不能排除美国东南部这样量级的台风暴雨发生在海南岛的可能性。因此应该把美国东南沿海的台风暴雨资料(时—面—深)移置到昌化江流域来。

在具体移置时,进行了下列三项调整:①考虑两地的海温差异的水汽调整。②考虑两地差异的地形调整,调整方法采用地形增强因子法。③考虑台风登陆后深入内陆远近(即距海岸距离)对台风强度(即降雨量)的影响的调整,具体采用50年一遇的持续12小时露点作为调整指标。

由上述简介可见,大广坝工程移置美国东南沿海台风暴雨的做法,从对暴雨移置概念的理解来看,属于"类似"暴雨过程可以在设计流域"重演"的范畴。移置后,也进行了地理、地形的改正。

我们认为,从工程设计观点来看,这种做法是可行的,但成果精度相对较差。

需要强调指出:不管如何划定移置范围,都必须考虑暴雨天气成因是否相似,否则就不是水文气象法了。

7.8.5 对地理地形综合改正方法的讨论

在7.7.5节中,我们对地理、地形综合改正介绍了6种方法,这就是均值对比法、山区平原对比法、K值移置法、地形改正综合法、天气系统位移改正法和分时段地形增强因子法。地形改正综合法和天气系统位移改正法二者计算的基本公式是相同的,都是式(7.5.21),其差别点是在地形雨的求法上。前者是按经验方法推求,后者是按理论公式计算,并在计算时考虑了地形对低层温压湿场的影响。现对这些方法作一讨论。

7.8.5.1 地形改正综合法

其基本公式为

$$R_B = \frac{W_B}{W_A}(R_A - R_{Ad}) + R_{Bd} \tag{7.5.21}$$

现按此公式作一讨论。

1)若不考虑地形抬升对降水的影响,即假定$R_{Ad} = R_{Bd} = 0$,则式(7.5.21)变为

$$R_B = \frac{W_B}{W_A}R_A$$

这就是水汽障碍改正法，即式(7.5.3)。

2)若系从平原移至山区，此法 $R_{Ad}=0$，则(7.5.21)式变为

$$R_B = \frac{W_B}{W_A}R_A + R_{Bd} = (\frac{W_B}{W_A} + \frac{R_{Bd}}{R_A})R_A \tag{7.8.1}$$

式中 W_B/W_A 为水汽障碍改正系数，R_{Bd}/R_A 为地形抬升影响改正系数。令

$$k = \frac{W_B}{W_A} + \frac{R_{Bd}}{R_A}$$

则式(7.8.1)可写为

$$R_B = kR_A \tag{7.8.2}$$

k 值为地形对水汽条件和动力条件影响的总改正系数。

若在进行移置时是先将移置对象放大后再移置，而 k 值又是通过山区与平原的实测雨量的对比来求得，则式(7.8.2)即为山区平原对比法的式(7.5.8)。

3)在式(7.5.21)的推导中，有两个基本假定，一是式(7.5.18)：

$$\eta = \eta_t + \eta_d$$

二是式(7.5.19)：

$$\eta_{At} = \eta_{Bt}$$

根据熊学农的分析，均值对比法(等百分数线法)也有类似的假定。现简述如下：

山区降水量的大小，主要是受天气系统和地形两个因素的影响。因此，在山区一次暴雨的降雨总量，可以分解为地形分量 R_d 和非地形分量(天气系统)R_t 两大部分，即

$$R = R_d + R_t \tag{7.8.3}$$

地形分量 R_d 假定是由地形作用而产生，非地形分量 R_t 假定由于过境的天气系统而产生。于是在移置前后两地区的降雨量之差为

$$\Delta R = R_B - R_A = (R_{Bd} + R_{Bt}) - (R_{Ad} + R_{At})$$

在气象一致区内移置对象的天气系统可以在设计流域出现，因此可以认为

$$R_{At} = R_{Bt} \tag{7.8.4}$$

于是

$$\Delta R = R_B - R_A = R_{Bd} - R_{Ad} = \Delta R_d$$

或

$$R_B = R_A + \Delta R_d \tag{7.8.5}$$

式中 ΔR_d 为两地地形雨之差。

均值对比法(等百分数线法)是利用山区多年平均汛期雨量与地形等高线走向大体一致这一特点来推求 R_d。具体说，就是认为在气象一致区内，两山区的多年平均汛期(或某暴雨季节)雨量的差异，可以代表地形的差异。因此，如果两地的多年平均等值线的采用与移置对象同种类型(天气系统和水汽入流风向基本一致)的暴雨来绘制，则此种等值线的分布形式就会与移置对象的等雨量线的分布形式基本相似，于是就可以假定

$$\frac{\Delta R_d}{R_A} = \frac{\Delta \overline{R}_d}{\overline{R}_A}$$

从而

$$\Delta R_d = \frac{\Delta \overline{R}_d}{\overline{R}_A} R_A \tag{7.8.6}$$

将式(7.8.6)代入式(7.8.5)即得

$$R_B = \frac{\overline{R}_B}{\overline{R}_A} R_A = \frac{R_A}{\overline{R}_A} \overline{R}_B$$

这就是均值对比法(参数按面平均雨量计算)或等百分数线法(参数按单站雨量计算)的基本公式(7.5.6)。

7.8.5.2 *K* 值移置法

K 值移置法中,若 $C_{v_A} = C_{v_B}$,则式(7.5.13)变为

$$R_B = \overline{R}_B + \frac{\overline{R}_B}{\overline{R}_A}(R_A - \overline{R}_A) = \frac{\overline{R}_B}{\overline{R}_A} R_A$$

这就是均值对比法。由此可见,*K* 值移置法要优于均值对比法,因为它考虑了 C_v 的变化。

7.8.5.3 分时段地形增强因子法

在本法的基本公式(7.5.38)中,若取 $\Delta t = 1$,则

$$\overline{f}(x,y) = \overline{\gamma}(x,y)/\overline{\gamma}_0(x,y)$$

如参数以流域平均值,则

$$\overline{f} = \frac{\overline{\gamma}}{\overline{\gamma}_0} = \frac{\overline{R}}{\overline{R}_t}$$

于是移置后的雨量

$$R_B = \overline{f} \cdot R_{At} = \frac{\overline{R}_B}{\overline{R}_{Bt}} R_{At}$$

由此可见,分时段地形增强因子法,其实质也是一种均值对比法,只是它有两个特点:一是用设计流域时段总雨量的均值与天气系统辐合分量的均值比来改正移置遭遇来的辐合分量;二是它是对不同时段雨用不同的均值比(地形增强因子),这更符合实际情况,因为地形对不同历时的暴雨有不同的影响。

综合以上分析,可以看出:

1)地形改正综合法,基本上概括了上面我们所列举的现行的地形地理改正方法,因而它是比较全面的。它在理论上所存在的问题(就是那些假定),现行其他方法也同样存在。

2)天气系统位移改正法,物理概念清楚,可以得出 PMP 的时面分布,而且从理论发展上看,更有前途。但目前在应用上带有相当的经验性。在中国阶地边坡地带使用效果较好。

3)分时段地形增强因子法,也能得出 PMP 的时面分布,但其基本公式(7.5.36)的建立所依据的假定和采用年最大 Δt 时段内多年平均的总雨量与辐合分量的比值作为平均的地形增强因子的做法,也只能看做是一种较为粗略的处理办法。该法用于由平原过渡

到山区的地带可望获得较好效果。其优点是概念明确,简单易行,尤其是在时面深概化法中用它分割地形雨,更是方便(见 10.4.3 节)。

参 考 文 献

1 水利部,电力工业部.水利水电工程设计洪水计算规范 SDJ22－79(试行).北京:水利出版社,1980

2 Paulhus J.L.H.etal. , Manual for Estimation of Probable Maximum Precipitation WMO,1973

3 水利部长江水利委员会水文局等主编.水利水电工程设计洪水计算手册.北京:水利电力出版社,1995

4 王国安,赵献允.关于水库保坝洪水计算中的几个问题 . 水文计算技术,第 2 期,1978(12)

5 Weisner C.J. Hydrometeorology. London:Chapman and Hall, Ltd, 1970

6 高治定,熊学农.暴雨移置中一种地形雨改正计算方法.人民黄河,1983(5)

7 熊学农,高治定.黄河三花区间可能最大暴雨估算.河海大学学报,V01.21,NO.3,1995

8 川烟幸夫.水文氣象學.東京:地人書館,1961

9 林炳章.分时段地形增强因子法在山区 PMP 估算中的应用.河海大学学报,1988(6)

10 WMO,Manual for Estimation of Probable Maximum Precipitation,1sted,1986

11 张有芷.可能最大降水方法的进展.人民长江,1992(6)

12 Hansen.E M, Fifty Years of PMP/PMF.1990

13 U·S· Weather Bureau, Probable Maximum Precipitation,Mekong River Basin.Hydrometeorological Report No,46,1970

8　组合模式

8.1　基本概念

8.1.1　适用条件

组合模式法的适用条件是:设计流域内缺少长历时大范围的特大暴雨资料。主要适用于流域面积大、设计洪水历时长的工程。

中国长江三峡,汉江丹江口和石泉,赣江万安,沅水五强溪,红水河龙滩,澜沧江小湾和漫湾,乌江构皮滩和洪家渡,金沙江向家坝,黄河碛口、龙门和三门峡,永定河石匣里,嫩江尼尔基等20多个大型工程都应用了组合模式法。

8.1.2　方法概念

将两场或两场以上的暴雨,按天气气候学的原理,合理地组合在一起,构成一新的理想特大暴雨序列,以之作为典型暴雨来推求PMP的方法,称为组合模式❶❷[1]。

组合单元,可以是相距数日的,也可以是相隔若干年的;可以是本流域的,也可以是移置来的;可以是大范围(雨区广)的,也可以是局部地区(雨区小)的。

组合单元的划分,一般是根据暴雨天气过程的历史演变规律来进行。所谓暴雨天气过程,系指暴雨天气或产生暴雨的天气系统的发生、发展、消失及其演变的全过程。鉴于组合问题最后落脚于雨量过程,组合可能性论证所需的资料条件,组合单元的时段长度,应视设计流域面积大小和PMP要求时段长短而定,但不应小于6小时。

组合方式,一般是从时间上进行组合,必要时也可以从空间上进行组合,或从时间和空间上均进行组合。

所谓从时间上组合,即将两场或两场以上的暴雨的雨量过程,合理地衔接起来。衔接时要注意保持一个合理的时距,以便使前一天气过程能演变为后一过程❷[1]。这种组合所用的组合单元,都是本流域实测的。

所谓从空间上组合,即将两场或两场以上的等雨深线图,合理地拼联(或部分重叠)在一起。拼联(或重叠)时要注意使暴雨中心保持一个合理的距离,以便使两个或两个以上的暴雨天气过程有可能在设计地区同时或错一定时间发生❷[1]。这种组合所用的组合单元,可以是本流域实测的,也可以是移置而来的。

所谓从时间和空间上均进行组合,包含上述两种组合方式的意思。

组合暴雨历时的长短,由暴雨洪水特性、流域特性和工程要求决定。一般说,暴雨持

---

❶　黄河水利委员会规划办公室(王国安执笔).推求可能最大降水的典型暴雨法.黄河水利学校印,1976,4

❷　《水工建筑物设计洪水计算规范》附件(四):由水文气象途径计算可能最大暴雨(第五稿,成都会议).1978,8

续时间愈长,流域面积愈大,水库的调蓄能力愈强,所需组合暴雨的总历时也愈长,相应地组合单元也愈多。

组合模式法的关键问题是组合序列的拟定及其合理性的论证。要做好这项工作,需要熟悉所研究流域内的一般气候特点与异常的气候情况,还要掌握中长期天气过程预报方面的有关理论与实践经验,故应充分地听取当地气象部门的意见❶[1]。

8.1.3 暴雨组合的依据

天气学理论与实践经验表明,任何一次特大暴雨洪水,可能由几次或多次暴雨天气系统连续出现所形成,或者是某一天气系统的停滞少动,或者是几种不同尺度的天气系统在时间上与空间上的叠加所造成[1]。

例如,1931 年 7 月和 1954 年 7 月长江流域所发生的全流域性的大洪水,都是由雨量大、范围广的多次暴雨过程所造成。1931 年 7 月,大气低层有一个稳定的低压带长期停留在长江流域,低压带内不断有气旋波出现,造成了一次又一次暴雨过程。而 1954 年 7 月,亚洲中纬度环流形式属典型“梅雨”形势,江淮流域上空长时期成为冷暖气流的交绥区,造成江淮流域多次切变、低涡、冷锋暴雨过程连续出现的情况。

又如,1963 年 8 月,海河流域出现的一次罕见的持续 7 天的特大暴雨。这是在稳定经向环流条件下,西南涡北上,与位于华北西北部的低槽切变叠加,并后续两次低槽切变加强所造成的。

而 1975 年 8 月淮河上游特大暴雨,则是在稳定经向环流背景下,台风深入鄂北、豫南山地停滞并与西来低槽切变叠加的过程。

从以上这些实例看,大流域、长历时的 PMP 必然是多次暴雨天气系统接连出现或是多次暴雨天气系统在时间与空间上叠加的结果。这就是组合暴雨的客观依据[1,2]。

在实际操作中,所选定的组合依据与组合过程,应与设计流域 PMP 定性特征推断一致。

8.2 暴雨时间组合

中国现行的暴雨时间组合方法,有相似过程代换法和演变趋势分析法两种。

8.2.1 相似过程代换法

8.2.1.1 **方法概念**

相似过程代换法是以降雨天气持续特别(或较为)反常的某一特大暴雨(或大暴雨)过程为典型过程,作为相似代换的基础,将典型中降雨较少的一次或数次降雨过程,用历史上环流形势基本相似、天气系统大致相同而降雨较大的另一暴雨过程或数场暴雨过程予以替换,从而构成一长历时的新的暴雨序列。

例如,原典型暴雨过程为 $A \to B \to C$,现有一较严重的暴雨过程 M,其环流形势和暴

❶ 《水工建筑物设计洪水计算规范》附件(四):由水文气象途径计算可能最大暴雨(第五稿,成都会议),1978,8

雨天气系统与 B 相似,即可以用 M 代替 B,组合为 $A \rightarrow M \rightarrow C$ 的暴雨过程❶[1]。

由于此法是以典型年某一降雨过程为基础,故又称典型年替换法。此法的关键问题是典型过程的选取和相似代换原则的确定[3]。

8.2.1.2 典型过程的选取

典型过程可参照实测洪水过程挑选,一般要求挑选洪水历时与暴雨设计时段相应,峰高、量大、峰型恶劣,上中下游洪水遭遇严重,且环流形势反常,水文气象资料较好的暴雨过程作为典型[3,4]。

这里需要注意所选典型年的暴雨特征,应与5.1节中所述的对设计流域PMP定性特征的判断结果基本相符。

8.2.1.3 相似过程代换的原则

为避免人为的任意性,在作相似代换时应遵循以下四条原则:

1)大环流形势要基本相似。欧亚中高纬度的长波形势与西太平洋副热带高压的相互配置决定着冷暖空气的活动路径和水汽输送通道,也影响和制约着暴雨系统的发生和发展。因此,在代换时应考虑被代换的过程与代换过程的大环流形势(行星尺度)基本相似,即500hPa天气图60°~140°E,10°~70°N范围内,长波槽脊位置一致[3],西太平洋副热带高压脊线位置和所伸展的范围接近。

2)产生暴雨的天气系统相同。暴雨天气系统是产生暴雨的直接原因。天气系统的类型不同,它所引起的降雨性质、强度和分布亦不相同。因此,在代换时必须强调所代换的过程是属于同一种类型的天气系统。

3)雨型及其演变要大致相似。雨区的形状、位置和移动方向是降水天气系统的具体表现,它与洪水的峰、量关系极大。因此,在代换时应特别注意雨型及其演变、雨轴的方向。尤应注意暴雨中心位置及其移动路径等。

4)暴雨的发生季节应相同。暴雨不仅具有地区性,而且季节性也十分明显。因此,替换的暴雨应与被替换的暴雨在发生的时间上应基本一致,至少不应相差太远。

也可根据设计流域的暴雨成因、大环流形势和天气系统进行全面分析归纳,应用天气学原理及预报经验,确定组合原则[3]。

8.2.1.4 方法步骤

相似过程代换法的具体步骤如下:

1)选择典型年。选择方法已如8.2.1.2所述。

2)将典型年天气过程分型。从天气图上考察所选典型年是由哪些天气过程(例如低涡切变线型、西风槽型、台风型等)组成的。

3)用相似过程代换。以典型年的暴雨天气过程为基础,再从历史暴雨中选择暴雨较大的相似过程,来代换设计时段内的降雨较小的过程,以构成一组恶劣的暴雨过程序列,作为PMP的基础。

---

❶ 《水工建筑物设计洪水计算规范》附件(四):由水文气象途径计算可能最大暴雨(第五稿,成都会议).1978,8

8.2.2　演变趋势分析法

8.2.2.1　方法概念

此法是从天气形势的发展趋势上来进行组合。就是以实测资料中降水最大的一个或连续数个天气过程作为组合基点,然后从这个基点出发,按天气过程演变趋势的统计规律,向前进行组合,以构成一较长历时的新的暴雨序列❶。

例如,原暴雨天气过程序列为 $D \rightarrow E$,现有一更恶劣的暴雨天气过程 F,从环流形势和天气系统来看,E 和 F 虽有较大的差异,但根据天气学的原理和预报经验(例如环流型的历史承替规律等)来推断,从 D 演变为 F 也是有可能的,因而 $D \rightarrow F$ 可以成立[1]。

此法又称连续性分析法,其关键点是组合基点的选取、演变趋势与组合间距的分析。

8.2.2.2　组合基点的选取

组合基点的选取方法,与上述相似过程代换法中典型过程的选取方法相同。

8.2.2.3　演变趋势分析的原则

演变趋势分析法是根据环流演变特征及承替规律,考虑对降雨最恶劣的天气转换方式,进行暴雨组合。为作好此项工作,要注意以下两条原则:

1)要深入分析设计流域发生特大连续暴雨的主要原因。因为这是进行组合的出发点。各地发生连续暴雨的原因,并不相同。例如澜沧江流域最大 10 天降雨主要由涡切变的连续出现所造成[4]❷;而淮河流域最大 30 天降雨主要由梅雨支配,同时也受台风影响❸。

2)要全面了解环流形势和暴雨天气系统的转换特点。从天气分析经验得知,环流形势和暴雨天气系统的转换特点,表现在以下三个方面:

一是转变的速率,往往呈现缓变与突变。例如,西风带槽脊位置的转换,亦即反位相调整,一般要经历 3～5 天,甚至更长的过程,但在 1958 年 7 月 14～16 日仅 3 天之内,整个北半球长波槽脊的位置就完全倒换过来。暴雨天气系统的演变也有类似的情况。在中国东部沿海登陆的台风深入内陆后,一般在 1～ 2 天内即迅速消失,而 1975 年 8 月 03 号台风在福建登陆后,经江西、湖南,行至湖北、河南境内反而加强,持续时间在 4 天以上。

二是转换的方式,有常见和特殊的差异。例如,三合点暴雨天气后常转为高压控制的晴好天气过程,但 1963 年 8 月上旬海河暴雨在三合点暴雨过程后却转化为南北向切变线。

三是转换的间隔时间,也存在常见的和特殊的差异。例如,一般两次西来低槽间隔时间为 3 天,但在个别情况下,这个间隔时间可缩短到 2～2.5 天。缩短组合单元间隔时距的做法,可能造成恶劣的洪水遭遇情况。

因此,只有当我们分析了设计地区暴雨天气过程的缓变和突变,一般转换方式和特殊转换方式,常见转换时间间隔和特殊转换时间间隔之后,才能比较合理地进行暴雨组合。

8.2.2.4　组合时应注意点

进行暴雨组合时应注意以下两点[3]:

---

❶ 黄河水利委员会规划办公室(王国安执笔).推求可能最大降水的典型暴雨法.1976,4

❷ 尹江.对可能最大暴雨工作的体会.昆明勘测设计院,1992,6

❸ 南京大学,水利部治淮委员会.可能最大降水研究.1980,5

1)互相衔接的两个组合单元,应选在同一季节,组合单元的时段长度不应小于6小时。

2)两单元之间的时间间隔,可直接以实测暴雨或天气过程演变的统计规律确定。

8.2.2.5 方法步骤

1)根据天气图资料,划分影响设计流域内降水的天气型(影响系统),并根据主要特征命名,如涡切变、西风槽、台风等,然后将同期内的全部天气过程排列成过程序列,以了解其承替规律。

2)分析典型暴雨过程的流场与湿度场,以了解其环流特点和水汽输送情况。

3)制作综合动态图(如阻塞系统的位置与强度、涡与气旋路径、锋系演变、冷暖空气活动等),从而了解此次暴雨过程的成因。

4)绘制与恶劣天气过程相对应的雨量分布图和流量过程线。

5)通过分析比较,选择降水量大,并有利于形成恶劣洪水的几个暴雨过程,根据演变趋势规律(承替规律),组合成一新的暴雨序列[1]。

8.3 暴雨空间组合

8.3.1 概述

大流域长历时暴雨,往往是由几场暴雨在流域内相同或不同地区相继再现,或同一场暴雨在流域内缓慢移动所形成。我们常常看到以下的情况:

1)从过程流域平均面雨量来看,雨量并不大,但是从面上看,流域内的某一个或某几个局部地区的雨量却很大,只是由于其笼罩面积较小,经全流域平均后,雨量显得不大。

2)过程流域平均雨量相差不多,但洪水却相差很大,这除了受降雨时程分配(雨强的影响)外,往往是由于主暴雨的落区不同或暴雨中心移动方向不同,从而使得由雨变成洪水的产流汇流条件不同所致。

3)从雨量分布图看,流域内同一时期有两个雨区,北面或西北面雨区是由西风带低值(低压)系统形成,南面或东南面雨区是由副热带低值系统形成。但雨量的大小,有时是南面或东南面的大,有时是北面或西北面的大。

对于上述情况,推求PMP宜采用暴雨时间和空间上的组合(时空放大)。

8.3.2 空间组合

空间组合,一般是将发生在设计流域或其附近的暴雨移置到流域中的一个或多个更危险的位置,以产生最大的径流量。换言之,空间组合就是将暴雨单元在空间上重新排位(移置),来加强造洪效果。方法的关键是决定特定暴雨单元是否能在特定时间内移置到危险的位置,并进行合理的组合,以产生最大的洪峰和洪量。

空间组合和时间组合一样,需要弄清设计地区形成特大暴雨、洪水的原因。但这里特别要注意掌握特大暴雨的空间变化规律。

空间组合,实践经验尚少,有待今后继续研究。

当设计流域面积较大,流域上、下游分属两个暴雨区或一为暴雨区，另一为非暴雨区时,PMP 的计算,也需要考虑空间组合[3]。对于梯级水库的防洪，亦有空间组合的问题。本书第 20 章(特大面积 PMP/PMF 的推求)和第 12 章(梯级水库 PMP),将分述这两种情况的空间组合问题。

8.4　组合方案的合理性分析

组合方案拟定以后,尚需对其合理性进行分析与论证。这可以从天气学、气候学和历史特大暴雨洪水三个方面进行[1]。

8.4.1　从天气学上进行分析

对于多单元组合,要检查组合序列在整体上的合理性,这可根据汛期内历史天气型序列演变来检查。对于少单元(2～3 个单元)的组合，应着重检查两单元之间在时间间隔上的合理性,以及自第一单元转变为第二单元在天气形势上衔接的可能性。对于长历时(1～2 个月)的组合,也可以从大气环流的季节变化特点上进行检查。例如,在西风带影响地区,可以计算组合序列的西风环流指数,并与大洪水典型年进行比较；在低纬度,则可比较副高的位置与强度,以及高空变形场主要系统成员的配置、强度变化,尤须注意阻塞系统的维持与发展。

8.4.2　从气候学上进行检查

组合序列与设计流域内的暴雨日数、暴雨中心位置、暴雨极值及其时空分布特点等进行比较,二者不应有大的矛盾。同时亦可与同一气候区邻近流域的暴雨极值分布及相应的天气形势、水汽条件等对照比较。

8.4.3　用本流域历史特大暴雨洪水进行比较

这种比较,就是看组合暴雨序列的暴雨历时、时程分配形式、雨区分布形式、主要雨区位置等是否反映本流域历史特大暴雨的主要特征。

8.5　组合模式放大

8.5.1　模式要否放大的分析

组合模式本身不仅延长了实际典型的降雨历时,同时也增加了典型的降雨总量,这在某种意义上说,已经是一种放大(时间放大),故在作气象因子极大化时应慎重。组合的暴雨序列是否需要极大化，这主要取决于典型暴雨本身的严重性和组合结果的恶劣程度。一般可以从下列四个方面进行分析。

1)从组合情况上进行分析。若设计地区实测的大暴雨资料较多,在组合时替换或续接的场次(组合单元)较多,一般可不予放大,否则应予放大。

2)用长短历时雨量比较。特定流域长短历时雨量的比值是有一定规律的，这也是反应流域内暴雨特征的指标之一。例如，根据分析，淮河流域最大3日雨量与最大30日雨量的比值，变化在0.18～0.29之间。如果组合暴雨中的最大3日雨量与最大30日雨量的比值偏小甚多，则不符合淮河暴雨的普遍规律，应考虑对某场暴雨进行放大[1]。

3)与气象一致区实测最大暴雨比较。将组合序列中，雨量最大的组合单元的过程面雨量与气象一致区的邻近流域内相同天气系统造成的同时段最大过程实测面雨量比较，如前者小于后者，则应考虑放大。因为在设计历时中，雨量最大的组合单元应是造峰暴雨，如果组合后的造峰暴雨，还小于邻近地区实测最大暴雨，那末按此所求得的洪水，其洪峰必然小于PMF的洪峰。

4)用历史特大暴雨洪水比较。历史特大暴雨洪水，一般都较为稀遇，但它还不是PMP/PMF，如果组合暴雨的总雨量，还小于本流域和邻近的相似流域的的历史特大暴雨洪水，则必须予以放大。

8.5.2 极大化方法

组合模式的极大化方法与当地模式相同。具体用何种方法，视流域情况和资料条件而定。例如组合暴雨中的最大组合单元已属高效暴雨，则只进行水汽放大，否则也可考虑水汽动力因子联合放大。在联合放大方法的选择上，如果设计流域有较大实测暴雨或特大历史洪水资料，则采用水汽效率放大法；如果设计流域在暴雨期间入流风向和风速较为稳定，其入流指标 *VW* 与相应降雨量有相关趋势，则采用水汽输送率放大法；如果设计流域面积较大，计算时段长，暴雨天气系统稳定，也可用水汽净输送法放大。

8.5.3 放大场次与天数

对组合后尚不够严重的组合暴雨进行放大，其放大场次与天数，可按以下三条原则来确定：

1)对工程防洪最为不利。即放大的时段应是对工程防洪最为不利的时段，一般选用暴雨序列后部的组合单元。

2)放大场次应尽可能少。若替换或续接的场次(组合单元)较少，可放大1场(主暴雨)至2场(主、次暴雨)。

若水汽因子和动力因子都进行放大，则宜只放大1场主场暴雨。在组合时段较长的情况下，也可放大两场，但中间必须间隔一定时间，因为特大暴雨不可能在较短的时间内接连发生。

3)放大天数视放大指标持续天数而定。

8.6 算例

8.6.1 相似过程代换法

澜沧江漫湾工程，坝高132m，总库容10.5亿m^3，装机容量150万kW，属大型工程。

本流域具有较多的实测大暴雨资料,故采用组合模式法推求 PMP。

8.6.1.1 流域概况

漫湾坝址以上流域面积 114 500km^2,河长 1 575km。流域呈南北向的黄瓜形,上宽下窄,南北纬距约 9.5 度,跨越了两个不同的气候区。溜筒江以上(流域面积 83 000km^2),流域地势高(平均高程 4 510m),属青藏高原高寒气候,主要受西风带天气系统影响,造成降雨的天气系统,主要为西风槽、涡切变。降雨量级一般不大,强度低,时空分布变化不大。溜筒江至漫湾坝址区间(流域面积 31 500km^2)为高原寒带到亚热带过渡性气候,地势高低相差很大,为著名横断山脉地区(流域平均高程 2 520m),造成明显"立体气候",实测最大 1 日降水量 163.7mm。造成本区暴雨的天气系统,以切变、低槽、冷锋、低涡、孟加拉湾季风低压、孟加拉湾风暴和赤道辐合带为主。水汽来源于印度洋的孟加拉湾,雨季以西南季风环流为主要水汽输送气流[1][2]。

8.6.1.2 PMP 的主要特征判断

根据本流域实测和调查暴雨洪水资料分析,结合工程要求,漫湾工程的 PMP 应具有如表 8.6.1 所示一些主要特征。

表 8.6.1 漫湾工程 PMP 的主要特征

项目		特征
暴雨出现时间		7~8 月
大气环流形势		亚欧两脊一槽型(贝湖以西为宽广槽区)
暴雨天气系统		涡切变及季风低压
流域内雨区范围		全流域普遍降雨
主雨区位置		溜筒江至戛旧河段的中游区
降雨历时	连续降雨	10 天
	面雨量≥20mm	超过 5 天
暴雨时程分配型式		三峰,呈马鞍形,主峰在前

8.6.1.3 暴雨组合

组合方法采用相似过程代换法,典型年选取 1966 年 8 月下旬暴雨。其暴雨过程和相应的天气形势[1]如表 8.6.2 所示。按照相似代换原则,采用 1955 年 7 月 22~24 日替换 1966 年 8 月 25~27 日暴雨过程;采用 1972 年 7 月 24~26 日替换 1966 年 8 月 28~30 日暴雨过程。各年暴雨有关情况见表 8.6.3。组合后的 10 天面平均雨量为 177.1mm[2]。

8.6.1.4 组合模式的合理性分析

从表 8.6.3 和表 8.6.2 来看,组合替换的暴雨是符合相似代换原则的,而且也符合表 8.6.1 所示 PMP 的主要特征。

此外,从典型年 10 天 500hPa 平均环流图和组合暴雨 10 天 500hPa 平均环流图(图略)来看,东亚地区平均槽脊和副高位置是很相似的,组合后的中纬度地区仍然维持两槽

---

❶ 电力工业部昆明勘测设计院.澜沧江漫湾水电站 PMP 及 PMF 专题报告.1981,9

❷ 水利电力部昆明勘测设计院.云南省澜沧江漫湾水电站初步设计第二篇水文气象.1984,8

一脊的形势。这说明经相似替换后,并未引起环流形势的较大改变,因而认为这种组合是可能的,亦即是合理的。组合后的平均环流场,其经向环流有所加强,这就有利于冷暖空气的南北交换和暴雨强度的加强[1][2]。

表 8.6.2　漫湾 1966 年典型暴雨过程序列表

项目＼年月日		1966年8月										合计
		21	22	23	24	25	26	27	28	29	30	
面雨量(mm)		14.1	23.1	18.2	21.6	9.6	5.4	10.6	7.8	7.1	13.2	132.1
环流型		Q_1	Q_1	Q_1	Q_1	Q_1	Q_1	Q_1	Q_1	P_2	P_2	
天气系统	500hPa	切变				南支槽涡切变			槽(涡)切变			
	700hPa	涡切变				涡切变			切变			
	地面	西藏季风低压				高原冷锋、缅甸季风低压			缅甸季节低压、高原冷锋			

表 8.6.3　漫湾 1966 年典型相似过程代换法组合暴雨过程序列表

项目＼年月日		1966年8月				1955年7月			1972年7月			合计
		21	22	23	24	22	23	24	24	25	36	
面雨量(mm)		14.1	23.1	18.2	21.6	10.1	28.6	15.6	12.5	18.5	14.8	177.1
环流型		Q_1	Q_1	Q_1	Q_1	Q_2	Q_2	Q_2	Q_1	Q_1	Q_1	
天气系统	500hPa	切变				低槽(涡)			槽切变			
	700hPa	涡切变				涡切变			切变			
	地面	西藏季风低压				缅甸季风低压			高原冷锋、西藏季风低压			
PMP(mm)		14.1	46.8	36.8	43.8	10.1	28.6	15.6	23.1	34.1	27.6	280.0

8.6.1.5　组合模式的极大化

组合暴雨 10 天雨量为 177.1mm,比典型年 10 天雨量 132.1mm 大 34.1%,但尚比历史最大洪水——1750 年洪水(戛旧站洪峰 16 000m^3/s)反推的 10 天暴雨量 215mm 还小,未达到 PMP 量级,故需进行物理因子放大。根据流域特点及气象资料情况,采用水汽入流指标法,将 668 和 727 暴雨各放大 3 天,最后得组合暴雨 3 天 PMP 为 127.4mm,10 天 PMP 为 280mm[3](表 8.6.3)。此数与按 1750 年洪水反推的 10 天暴雨再进行水汽放大的

[1] 水利电力部昆明勘测设计院.云南省澜沧江漫湾水电站初步设计第二篇水文气象.1984,8

[2] 蔡萍.可能最大降水研究十年(1983~1992).能源部、水利部水利水电规划设计总院,1992,7

[3] 电力工业部昆明勘测设计院.澜沧江漫湾水电站 PMP 及 PMF 专题报告.1981,9

结果 258～279.5mm，较为一致，说明 PMP 成果基本合理。

8.6.2 演变趋势分析法

长江上游某大流域，采用演变趋势分析法，将 1981 年 7 月 1～13 日暴雨与 1982 年 7 月 29 日暴雨组合，以推求 PMP[3]。

通过天气过程的连续性分析，以了解两次过程天气形势能否衔接，前一个过程能否演变为后一个过程。大环流形势分析如下：

1)两次过程天气形势演变可能性分析。两次过程衔接处的 1981 年 7 月 13 日与 1982 年 7 月 15 日大环流形势相似。中高纬槽脊位置基本相近，见图 8.6.1 和图 8.6.2。新西伯利亚地区及鄂海地区为高压脊，其间为槽；副高呈东西向纬向分布，脊线在 25°～26°N 之间。所不同的是 1981 年 7 月 13 日的槽比 1982 年 7 月 15 日略偏西、偏北，新西伯利亚高压脊略偏西，1981 年的脊为南北向，1982 年为东北—西南向，副高也比 1981 年偏西。根据天气学分析经验及高纬槽脊自西向东移动的规律，高压脊在东移过程中，北部高压脊线由南北向转为东北—西南向，促使贝加尔湖槽沿此脊前东南下，环流形势相应开始转变，这种演变规律也是存在的。实际年 1956 年 6 月 5～7 日的大环流形势的演变过程与其极为相似。见图 8.6.3 和图 8.6.4。

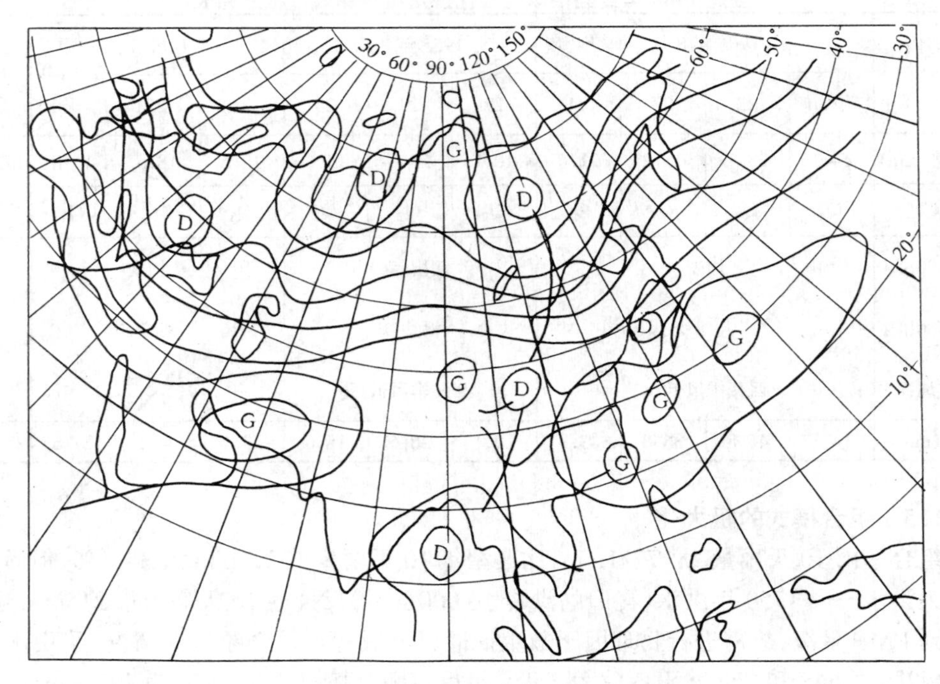

图 8.6.1 1981 年 7 月 13 日 500hPa 形势图[3]

2)环流型演变的可能性分析。1981 年 7 月 9～13 日为贝加尔湖大槽型，从 14 日起转变为二槽一脊型。1982 年 7 月 15～20 日也是二槽一脊型，不仅两者环流分型相同，它们的雨型也一致，都属川东移动型。所以用 1982 年 7 月 15 日衔接 1981 年 7 月 13 日是符合环流演变规律的。

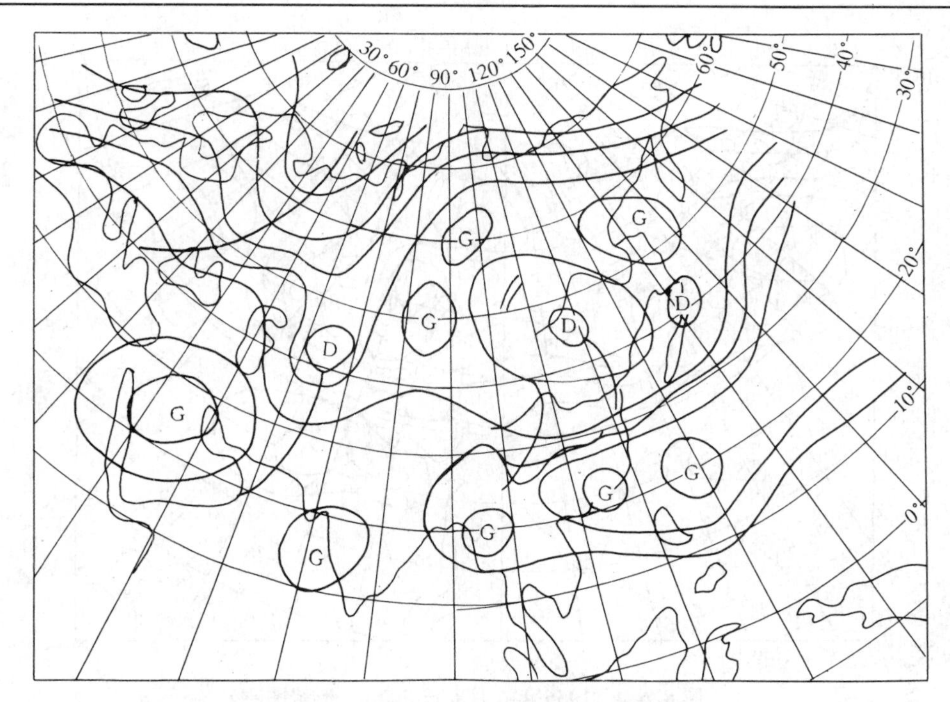

图 8.6.2 1982 年 7 月 15 日 500hPa 形势图[3]

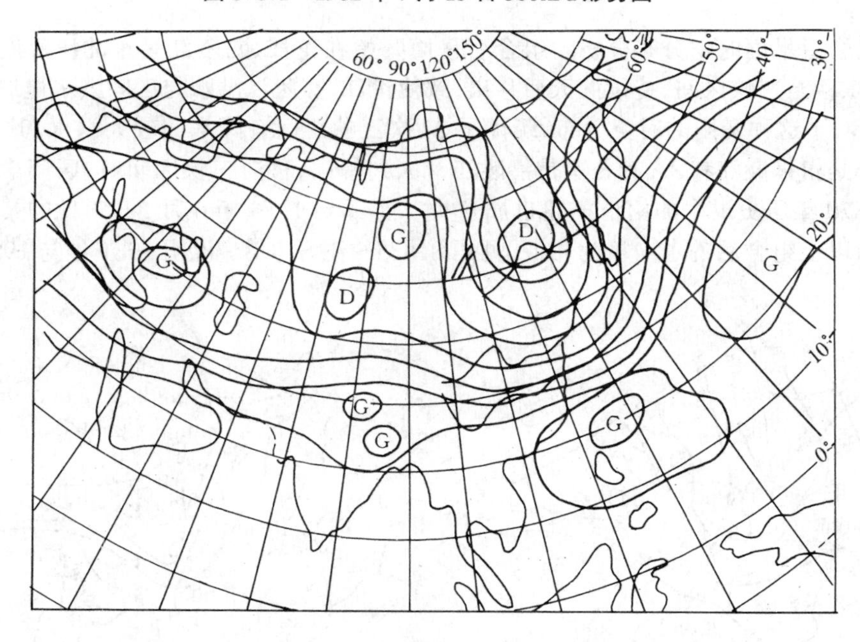

图 8.6.3 1956 年 6 月 5 日 500hPa 形势图[3]

3)暴雨天气系统演变可能性分析。1981 年 7 月 13 日与 1982 年 7 月 15 日两天暴雨的天气影响系统都是属于涡切变，系统位置接近。1982 年低涡较 1981 年稍弱，略偏东一些，根据天气系统自西向东演变规律,1981 年 7 月 13 日的天气系统东移稍减弱,演变为 1982 年 7 月 15 日天气系统的位置也是可能的。

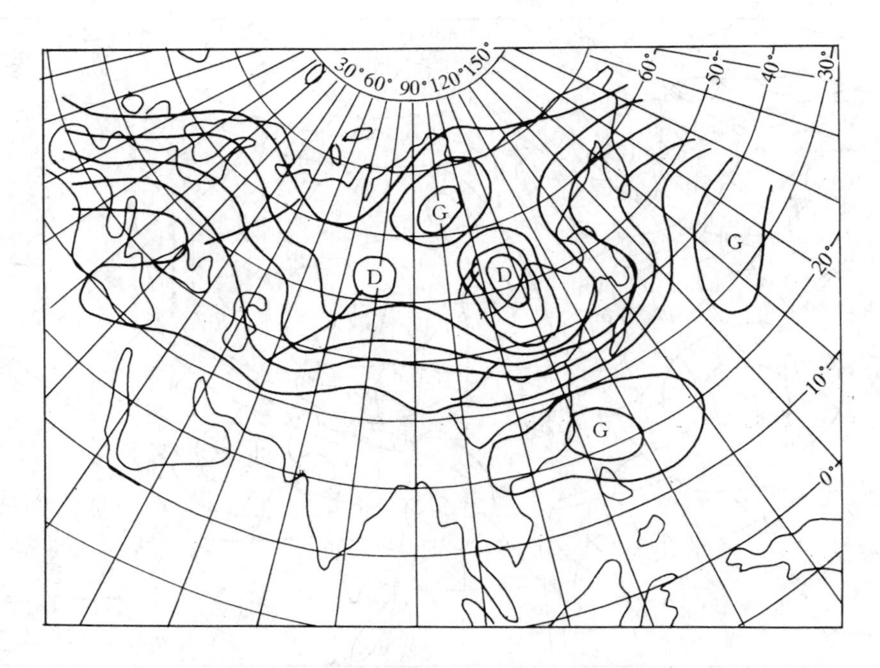

图 8.6.4　1956 年 6 月 6 日 500hPa 形势图[3]

4)组合后暴雨时空分布分析。组合后暴雨开始在沱江、嘉陵江呈东北—西南向的雨带,然后东移至三峡区间,持续两天后移出,致使沱江、嘉陵江洪水与区间洪水遭遇产生较大洪峰。对于这种暴雨的时空分布,统计了 27 次三峡区间有降水的较大洪水,其中有 12 次降水都是由嘉陵江移入,有 8 次是嘉陵江有大到暴雨,移向三峡区间时,区间也产生大暴雨。1870 年历史洪水的雨情描述也属这类。实际年 1956 年 6 月 5～7 日的暴雨分布及走向与以上组合后的走向极为相似,见图 8.6.5～图 8.6.8。说明 1981 年与 1982 年组

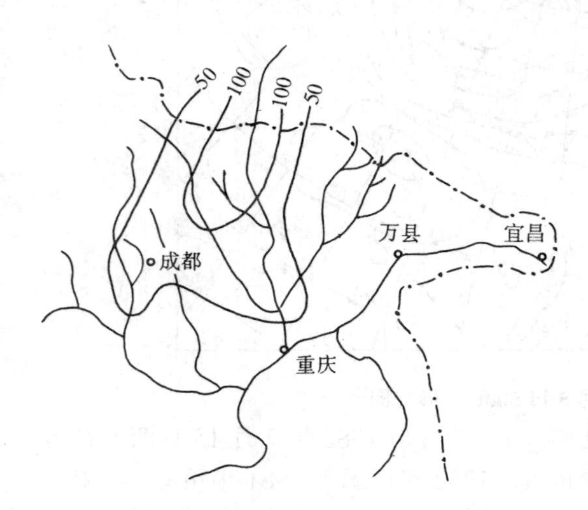

图 8.6.5　1981 年 7 月 13 日日雨量图[3]

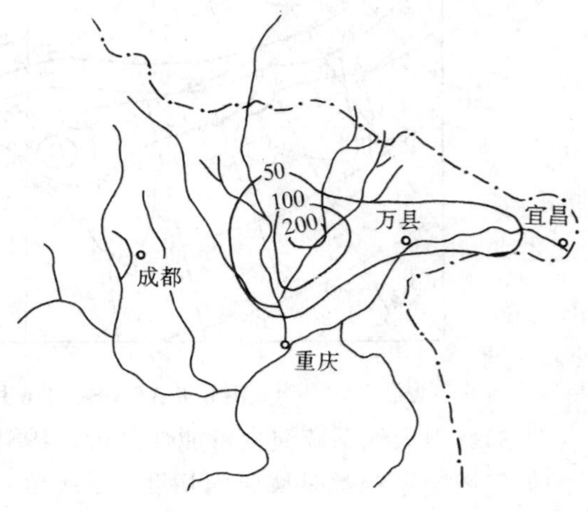

图 8.6.6　1982 年 7 月 15 日日雨量图[3]

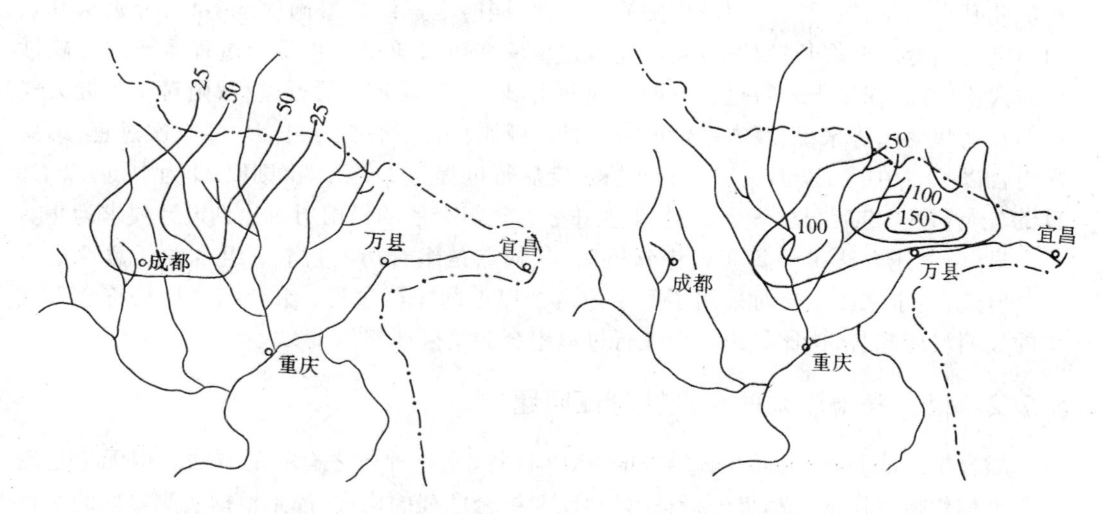

图 8.6.7 1956 年 6 月 5 日日雨量图[3]　　图 8.6.8 1956 年 6 月 6 日日雨量图[3]

合及产生这样的暴雨时空分布也是有可能的。

综合上述,1981 年 7 月 13 日后接 1982 年 7 月 15 日过程是可能的,也是合理的。

8.7 认识与讨论

8.7.1 组合方法的选用问题

根据长江的实践经验,在暴雨组合的两类方法中,以相似过程代换法任意性较小,尤其对设计时段超过 10 天的工程,更为适合。因为组合时段愈长,相应的组合单元也愈多,组合的任意性就愈大。相似过程代换法是以典型年为基础,组合替换时,有客观依据可循,可减少组合时的任意性[4]。

演变趋势分析法,宜用于组合 10 天以下的暴雨序列,因为组合时间过长,不仅工作量大,而且任意性也大[4]。

长江三峡、淮河和澜沧江等地区的 PMP 计算,采用了相似过程代换法。三峡选 1954 年为典型年,设计时段 60 天,降雨过程共 12 次,替换其中 5 次。淮河选用 1954 年 7 月为典型年,设计时段 30 天,降雨过程 7 次,替换其中 2 次。澜沧江选用 1966 年 8 月为典型年,设计时段 10 天,降雨过程 3 次,替换其中后 2 次。

沅水五强溪、清江隔河岩、乌江彭水、赣江万安、汉江丹江口等工程的 PMP 计算,采用了演变趋势分析法。其组合时段,大多为 5～7 天;组合单元,一般为 2～4 个。

在设计时段超过某一典型年的实际降雨历时或典型年不够恶劣时,也可将相似过程代换法和演变趋势分析法结合起来运用。

对于特长历时的组合,根据三峡经验,应从长期预报的观点着手。首先应详细研究设计地区天气过程的历史演变和承替规律,然后选择历史上的一次大暴雨过程作为基点,再从此基点出发,按天气过程的历史演变规律,同时考虑组合暴雨的恶劣性,分别从基点向前进行组合。根据长期预报经验,先行过程演变阶段取得愈长后行过程重演的可能性就愈大。因此,如果把先行过程取两个或两上以上,然后定其后行过程,则对于掌握天气型的长期演变趋势来说,就有一定的可靠性。例如,组合基点为 A、B、C 三次过程,第一次组合以 C 为中点,以 B、C 为先行过程,定后行过程为 D;第二次则以 D 为中点,以 C、D 为先行过程,定后行过程为 E;依此类推,直至组合后的暴雨历时达到设计要求为止。

显然,上述方法属于演变趋势分析法,其缺点是组合历时愈长,组合的任意性也愈大。但是,由于它在组合时采用了两个或两个以上的先行过程,组合结果比较符合天气型的长期演变趋势,这比只用一个先行过程组合的结果要好。

8.7.2 组合暴雨序列的合理性论证问题

组合模式法,对于大面积长历时的 PMP 计算,是一种行之有效的方法。但无论是用相似过程代换或用演变趋势分析进行组合,对组合序列的构成,都是根据实测暴雨的统计规律和天气预报经验来确定的。显然,这种做法有其合理的基础。但对组合序列的合理性,欲从理论上得到充分的论证,需要进一步研究提高。

昆明勘测设计院在漫湾水电站的 PMP 计算工作中,绘制了典型年 10 天 500hPa 平均环流形势图和替换后的组合暴雨 10 天 500hPa 平均环流形势图,两者东西地区的平均槽脊和副热带高压位置很相似,表明经相似替换后,没有引起环流形势的较大改变,故认为组合序列基本合理❶。我们认为这种做法是可取的。

近几年来,中国一些有比较好的历史暴雨、洪水记载的资料(可分析出雨区范围、暴雨中心位置,暴雨动态和洪水峰、量及过程线三要素)的设计流域,设计者依据历史洪水三要素来模拟特大洪水的暴雨过程,然后对其中几天水汽进行放大,推求 PMP,以之与组合模式法所求得的 PMP 进行比较。如中南勘测设计院在金沙江向家坝水电站的 PMP 估算中,借用与调查历史洪水(1924 年)过程线相似的实测暴雨(1962 年)资料,根据洪水过程相似——降雨过程相似——天气过程相似的假定,推求历史暴雨过程,并对其中几天进行水汽放大,避免了组合的任意性,推求的 PMP 与组合法成果比较一致,为组合成果的合理性提供了有力的旁证❷。这种做法值得推广。

参 考 文 献

1 水利部,电力工业部.水利水电工程设计洪水计算规范 SDJ 22-79(试行).北京:水利出版社,1980
2 詹道江,邹进上.可能最大暴雨与洪水.北京:水利电力出版社,1983
3 长江水利委员会水文局,南京水文水资源研究所.水利水电工程设计洪水计算手册.北京:水利电力出版社,1995

❶ 尹江.对可能最大暴雨工作的体会.昆明勘测设计院,1992,6
❷ 蔡萍.可能最大降水研究十年(1983~1992).能源部,水利部水利水电规划设计总院,1992,7

4　长办水文局(金蓉玲执笔).长江大型水利枢纽可能最大降水计算经验总结.水文计算(PMP专刊),1984(3)

9 推理模式

9.1 概述

推理模式的基本概念,在1.2节中已概略述及。总起来说,这类方法就是将复杂的暴雨过程概化为能够反映暴雨形成物理过程的基本特征的模型,并根据空气质量守恒和水汽质量守恒原理来建立降水量公式,然后将降水量公式中各主要因子的可能最大值及其最优组合代入公式,以求得PMP。

现有的几种推理模式建立降水量公式的基本出发点,可以说都是基于水汽输送(流通)概念。根据流场形势的不同,降水公式可以按全部流域周界的水汽进出来建立(如水汽输送法),可以按单一方向的水汽进出来建立(如层流模式),也可以按上下对流来建立(如辐合模式)。

这类方法的关键在于模式的拟定和检验。为了拟定模式,必须对本流域和邻近地区发生过的暴雨及其成因进行深入的分析。模式拟定后,必须应用实际资料进行检验,并视检查结果加以适当的修正。

推理模式法的优点是,它抓住了影响降水的主要因子,物理概念比较直观、明确。其缺点是对暴雨过程结构的概化过于简单,而且在参数的确定上困难较多,主要是它要求有高空观测资料,而往往在暴雨区附近缺测这种资料,目前测站稀少,精度也较差。因此,它一般在暴雨资料短缺的情况下应用。

关于应用面积,从模式的概化条件来看,要求面积不宜太大,否则难于接近实际。但是,从降水公式的推导中来看,它应用了连续性原理,而连续性原理用于大面积、长历时较好,这又要求应用面积不宜太小。因此,总起来说,应用面积不能太大,也不能太小[1]。

最后,需要说明,本章介绍的方法,目前在生产实践上已很少运用。这里介绍它们,目的是让读者了解,曾经有这样一些方法,或许从中能得到一些启示,从而提出更好的方法。

9.2 层流模式

9.2.1 基本概念

层流模式是研究气流在一个斜面上被迫抬升形成降雨的一种二元模式[2]。它假定气流上爬斜面时,气流以层状抬升,气流流线的坡度向上渐减,至某一高度变为水平称为节面。节面不受地形扰动影响,各层之间气流不交换,同时空气整层饱和,温度垂直分布符

[1] 《水工建筑物设计洪水计算规范》附件(四).可能最大降水计算(初稿).1975,6

[2] 华东水利学院.可能最大降水估算.1976,4

合假湿绝热规律[1,2]。

由于层流模式假定气流层状稳定上滑,这就决定了它应用的局限性。一般适用于计算锋面雨和地形抬升雨,同时在进行暴雨移置地形改正计算时,可用来进行动力改正。

9.2.2 计算公式

图 9.2.1 为层流模式简图。气流上爬①③坡面流域分别为①③,②④,②′④′…… 节面为 nn',流域 a 的边长分别为 x 和 y。

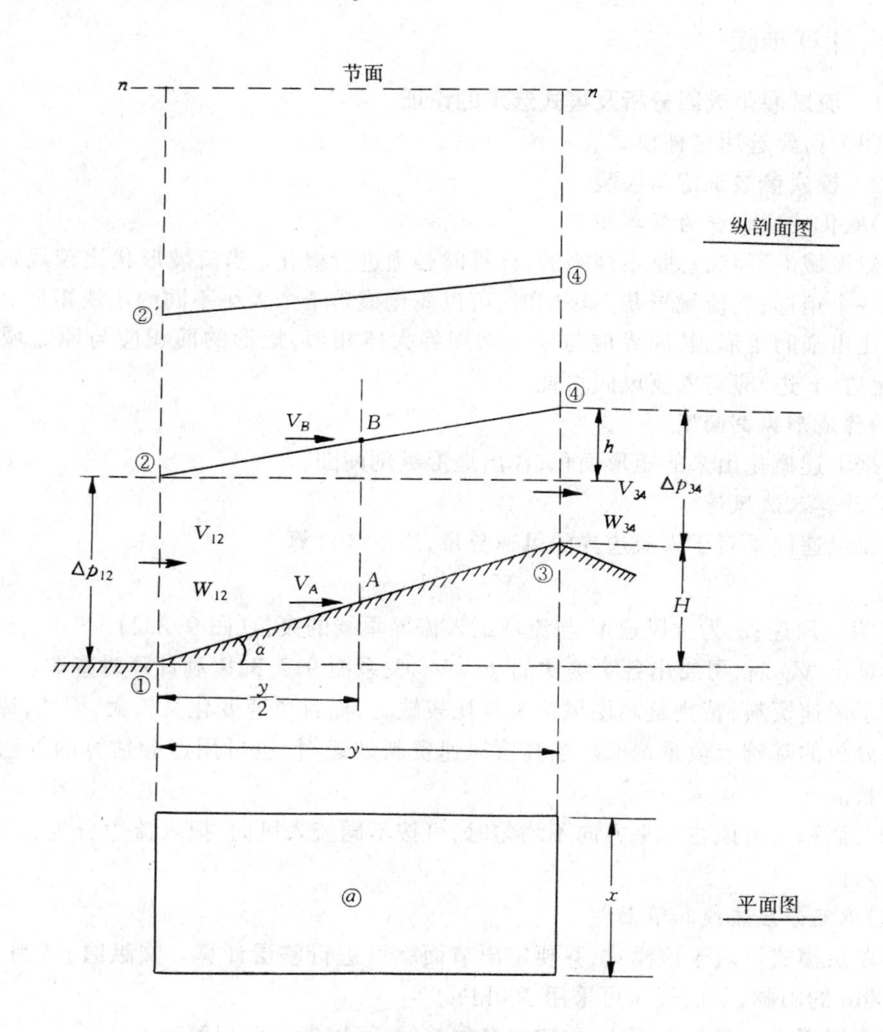

图 9.2.1 层流模式图

根据图 9.2.1 可得出层流模式的降水率公式

$$i = \frac{1}{y} V_{12} \left(W_{12} - \frac{\Delta p_{12}}{\Delta p_{34}} W_{34} \right) \tag{9.2.1}$$

总雨量即为各层产生雨量之和。

当不分层,按整层计算时,即为单层模式。

考虑到可降水与比湿的关系

$$W = \frac{\overline{q}\Delta p}{g\rho_w} \tag{9.2.2}$$

式(9.2.1)还可转换成下列形式

$$i = \frac{V_{12}}{y} \cdot \frac{\Delta p_{12}}{g\rho_w}(\overline{q}_{12} - \overline{q}_{34}) \tag{9.2.3}$$

式中 $\overline{q}_{12}$和 $\overline{q}_{34}$为入流层和出流层的平均比湿;其余符号意义同前。

9.2.3 计算步骤

9.2.3.1 流域暴雨成因分析及模式选定的论证

说明为何要选用这种模式。

9.2.3.2 模式参数确定与检验

(1)概化流域形状为简单矩形

天然流域的形状,总是不规则的,计算时必须进行概化。当流域形状比较规则时可以概化成一个矩形;当流域形状不规则时,可以概化成若干个大小不同的小块矩形。

概化出来的矩形,其周界应与原流域周界大体相似,矩形的面积应与原流域面积相等,入流边(x 边)应与入流风向垂直。

(2)作地形纵剖面图

根据上述概化出来的矩形面积,作出地形纵剖面图。

(3)计算入流风速

入流风速即垂直于入流边界的风速分量,用下式计算

$$V_{12} = V\cos\alpha \tag{9.2.4}$$

式中 V 为全风速;α 为全风速 V 与流域 a 入流界垂线的夹角(图 9.2.2)。

计算出 V_{12}后,可绘出各个测次的 $p \sim V_{12}$关系图 9.2.3,以利计算时查取。

由于风速资料,特别是高层风速资料比较缺乏,而且风速变化又较大,因此,风速必须在深入分析的基础上慎重选取。当高层风速资料缺乏时,也可用经验估算的方法进行插补和延长。

当大面积入流风在水平方向不均匀时,可按不同流入风向,把入流边分为若干段,分别计算入流。

(4)确定分层流线和节面

1)单层模式。对于该模式,只要定出节面就可进行整层计算。文献〔1〕认为,对于高于 2 000m 的山脉,节面气压可采用 300hPa。

2)多层模式。对于该模式,要定出各层流线,可以考虑下列两种方法:

一种是估算,即首先假定出节面高度,其次将入流端自地面至节面按气压等分为若干层,最后对出流端自地面(山顶)至节面之间的各层流线,按入流端间距比例以图解或内插分配求得❶。

---

❶ 《水工建筑物设计洪水计算规范》附件(四).可能最大降水计算(初稿).1975,6

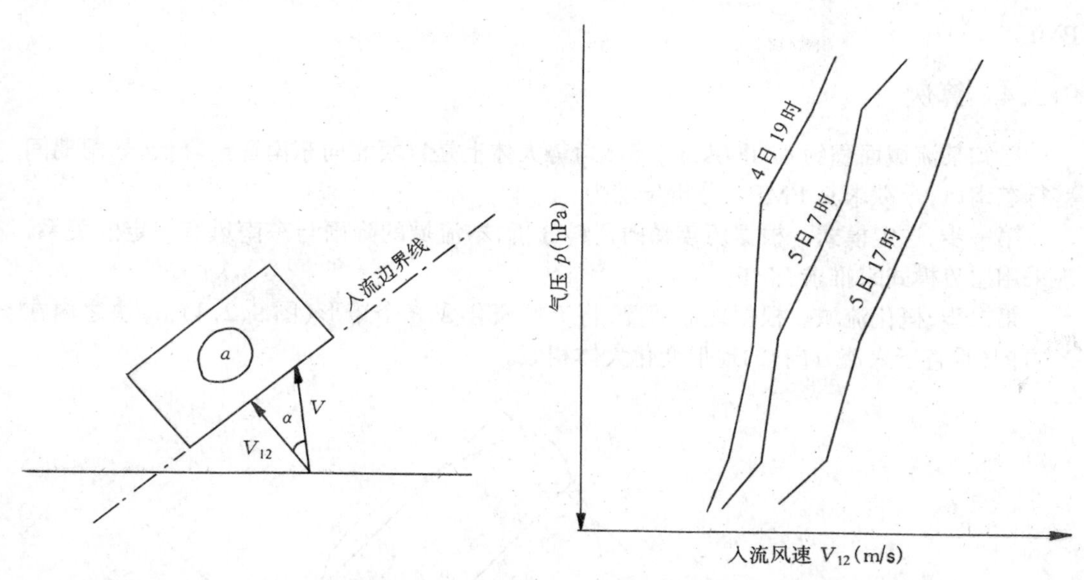

图 9.2.2 V_{12}与 V 的关系示意图

图 9.2.3 各测次 $p \sim V_{12}$关系图

另一种是用公式计算,即利用地形对垂直风速影响高度增加而逐渐衰减的概念来解决。其方法一般是采用 ω 方程计算。

(5)确定可降水或比湿

当有高空观测资料时,可绘出各层的可降水或比湿的分布图来推求,当缺乏高空观测资料时,可用地面暴雨代表性露点来推求。

(6)计算地形抬升雨

1)单块面积平均雨量。按式(9.2.1)或式(9.2.3)计算各层雨量,各层雨量之和即为该块面积总的平均雨量。

2)流域平均雨量。各分块的总雨量按面积加权平均的结果即为流域平均总雨量。

(7)验证模式

按上述办法所求出的雨量是否符合实际,必须用实测资料进行验证。如两者相差较大时,应从模式的形式、参数的选择等方面进行检查分析,作必要的调整或在降水量公式中加适当的修正系数。

层流模式计算所得的降雨为地形抬升雨,检验时必须把地形抬升雨从实测雨量中分割出来。地形雨的分割,目前尚无成熟方法,一般可采用比较平原站和山坡站雨量的方法进行估算。即把附近平原地区(或河谷地区)站的雨量作为天气系统所产生的雨量,其值与山坡站雨量之差值作为地形雨。

9.2.3.3 PMP 计算

1)PMP 的地形分量计算。把用统计分析得到的入流风和代表性露点(或比湿)组合的可能最大值代入经过验证的模式,即可求得 PMP 的地形分量。

2)PMP 的天气系统辐合分量计算。这部分雨的数值可假定与山区附近的平原地区的 PMP 的数值相等,其值可按第 6 章到第 8 章所述的方法求得。

3)将以上所得出的 PMP 的地形分量和天气系统辐合分量二者相加即得所求的

PMP。

9.2.4　算例

已知某流域面积约 42 000km²，流域地势大体上是自西北向东南逐渐降低，暴雨期间盛行东南风，今欲求其 PMP。分析步骤为：

第一步，选定模式。根据历年暴雨资料分析，本流域的降雨与东南风有一定的关系，现采用层流模式来推求 PMP。

第二步，概化流域。根据地形情况，将流域概化成 6 个矩形（图 9.2.4），每块之内在 X 方向（垂直于入流方向）的地形变化大体相似。

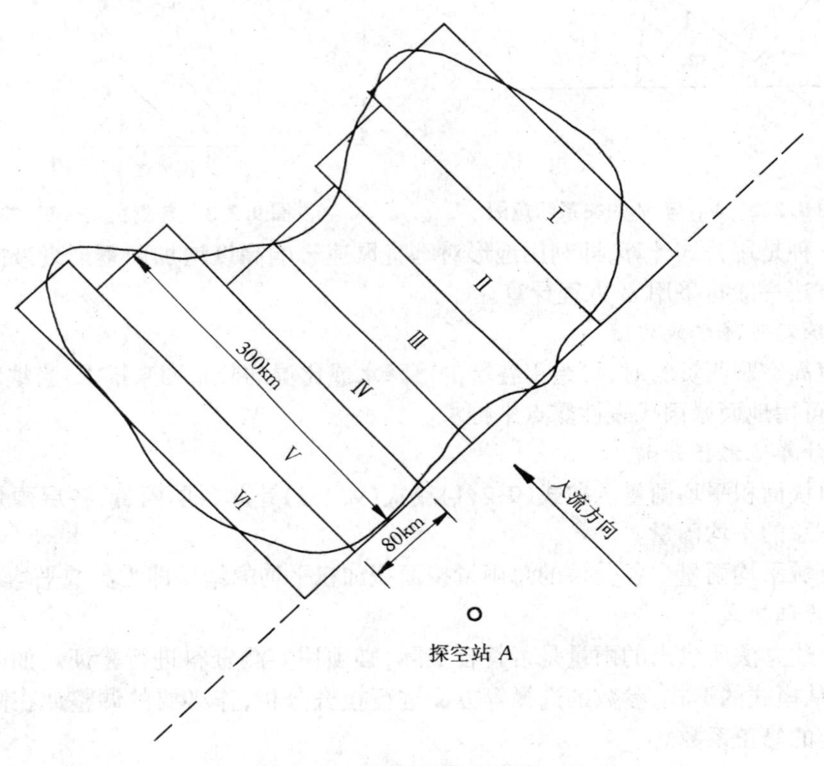

图 9.2.4　流域概化示意图

第三步，绘制地形纵剖面图。根据第一步的分块面积的地形图，沿着每块的中线，摘录起点距与高程的关系。表 9.2.1 为第Ⅴ块面积的示例。

表 9.2.1　　第Ⅴ块面积纵剖面表

起点距 Y (km)		0	110	120	180	220	300
高程	Z(m)	100	200	500	1 000	1 250	2 500
	p(hPa)	1 000	990	955	900	870	745

因为在计算降雨量时,高度 Z 是用气压 p 来表示〔公式(9.2.1)〕,故需将表 9.2.1 中的高度 Z 换算为气压 p。由于气压 p 与高度 Z 的关系随纬度、气温的不同而有所差别,但在同一地区,同一暴雨期间,p 与 Z 的关系是比较稳定的,故可将本流域附近的探空站所测得的暴雨模式降雨期间的 p 与 Z 绘出其关系曲线如图 9.2.5。根据此图即可将表 9.2.1 中的高度 Z 换算为 p。

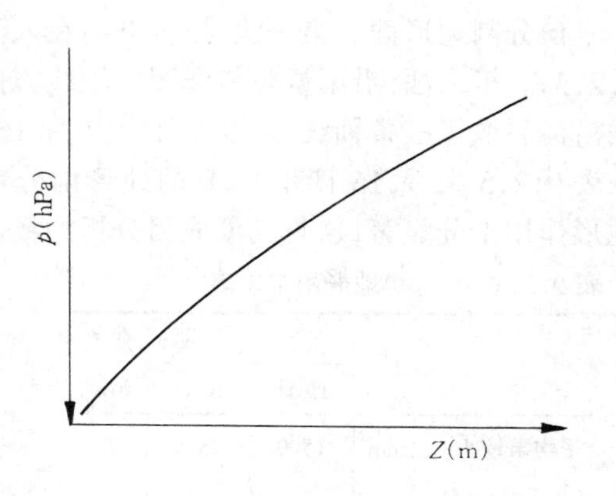

图 9.2.5　A 站 1958 年 7 月 15 日~16 日 p~Z 关系

第四步,计算入流风速 V_{12}。这里采用单层计算。需要求出从地面直到高空(本例取 7 000m,相当 425hPa,因为再往上水汽很少了)的整层平均风速 V_{12}。其计算方法见表 9.2.2。

表 9.2.2　　B 站 1963 年 8 月 3 日 7 时整层平均风速计算表

项　目	单位	距海平面高度(m)										合计
		100(地面)	500	1 000	1 500	2 000	3 000	4 000	5 000	6 000	7 000	
相应气压 p	hPa										425	
风向 φ	°	0	152	177	169	173						
$\alpha=180°-\varphi$	°	180	28	3	11	7						
风速 V	m/s	0	4	6	6	6						
$V_E=V\sin\alpha$	m/s	0	1.88	0.31	1.15	0.73						
$V_S=V\cos\alpha$	m/s	0	3.53	5.99	5.89	5.96						
高度差 Δh	m		500	500	500	500						2 000
$\overline{V}_E=\frac{1}{2}(V_{En}+V_{En+1})$	m/s		0.94	1.10	0.73	0.94						3.71
$\overline{V}_S=\frac{1}{2}(V_{sn}+V_{sn+1})$	m/s		1.77	4.76	5.94	5.93						1.840
$\overline{\Delta h V_E}$	m^3											1 860
$\overline{\Delta h V_S}$	m^3											9 200

注　整层平均:东风　$\overline{V}_E=\dfrac{\sum\Delta h\overline{V}_E}{\sum\Delta h}=\dfrac{1\,860}{2\,000}=0.93$

南风　$\overline{V}_S=\dfrac{\sum\Delta h\overline{V}_S}{\sum\Delta h}=\dfrac{9\,200}{2\,000}=4.6$

合成风风向　$\tan\alpha=\dfrac{V_E}{V_S}=\dfrac{0.93}{4.6}=0.202$

表查得　$\alpha=11$　　$\overline{\alpha}=180°-\overline{\alpha}=169$

合成风速　$\overline{V}=\sqrt{V_E^2+V_S^2}=\sqrt{0.93^2+4.6^2}=4.69$

其示意如图

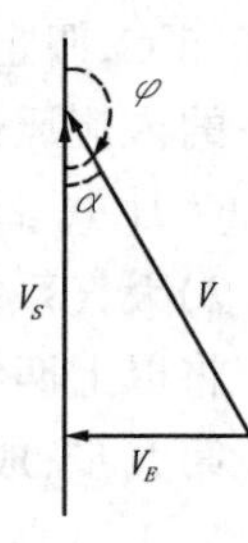

第五步,确定可降水或比湿。根据代表性露点 T_d 和各块的地面高程,查附表 2 即可得出各个高度上的可降水 W_{12} 和 W_{34}。

第六步,计算地形抬升雨。根据上述各步骤所得出的结果,按式(9.2.1)计算地形抬升雨。

第七步,验证模式。包括以下两个方面:

1)分割地形雨。第一法,按流域内在入流方向上平地站与山地站的实测雨量比较(表9.2.3)。第二法,沿雨量等值线图的轴线方向比较平地站和山地站的雨量。这里,对于轴线沿河谷取了三条轴线(表9.2.4)。7月15日、16日地形雨分割成果如表9.2.5所示。从表9.2.5来看,15日和16日的地形雨分量比重分别为54%和66%,说明本次暴雨的地形作用十分显著,这与气象成因分析的概念基本一致。

表9.2.3　　地形雨推求表

项　目	日期		所取站数
	15日	16日	
平地平均雨量 $\overline{P}_{平地}$(mm)	15.9	28.9	8
山地平均雨量 $\overline{P}_{山地}$(mm)	33.6	64.3	22
地形雨 $\overline{P}_{地形}$(mm)	17.7	35.4	
$\overline{P}_{地形}/\overline{P}_{山地}$(%)	53	55	

表9.2.4　沿雨量等值线图的轴线方向分割地表雨成果表

轴　线	各日 $P_{地形}/P_{山地}$(%)	
	15日	16日
第一轴线	50	78
第二轴线	60	70
第三轴线	52	80
平　均	54	76

表9.2.5　　地形雨分割成果表

项　目	日期	
	15日	16日
第一法地形雨比重(%)	53	55
第二法地形雨比重(%)	54	76
平均地形雨比重(%)	54	66
实测平均雨量(mm)	36.3	62.5
分割地形雨(mm)	19.6	41.2

2)比较实测分割地形雨与计算地形雨。比较结果如表19.2.6。由该表可见,计算的地形雨与分割的地形雨是比较接近的,这说明层流模式在这里可以应用。

表9.2.6　实测分割与计算地形雨比较表

实测雨量(mm)	36.3	62.5
分割雨量(mm)	19.6	41.2
计算地形雨(mm)	26.6	44.5

第八步,推求PMP。其内容包括:

1)地形抬升雨。根据分析,采用设计整层平均入流风速 $\overline{V}_{12m}=12.4$m/s,露点 $T_{dm}=26.5$℃;假定:①设计条件下的层流模式的流线分布与所选的实际模式相同;②设计条件下的入流风速垂直分布比例与所选实际模式相同;则按降水率公式(9.2.1)可得出最大1日(7月16日)的PMP的地形分量为73mm。

2)天气系统辐合雨。按当地实际模式用水汽效率联合放大,求得结果为37mm。

将以上两结果相加,即得流域1日PMP为110mm。

第九步,成果合理性检查。(略)

9.2.5　认识与讨论

层流模式是假定暴雨是由稳定的成层气流沿斜面成层抬升而成,且其间不发生辐合对流等更为强烈的上升运动。实际上,这种单纯的地形雨,除在沿海岸山脉迎风坡外,是少见的。一般暴雨都是天气扰动发展的结果,有利的地形只是加强暴雨而已,即使单纯考虑地形形成的暴雨，地形作用也会发生辐合、对流等现象，如当气流受地形影响强烈抬升时，使得气团成为不稳定，形成对流性降水。因此，使用层流模式估算 PMP 时，应特别慎重。

9.3 辐合模式❶

9.3.1 基本概念

辐合模式亦称对流模式。它是在研究了强烈风暴的暴雨机制之后而概化出来的模式。这个模式认为，降雨是由于低层空气向一个区域水平辐合，产生强烈的垂直上升运动，至高层向四周辐散，在上升运动过程中，因绝热膨胀冷却达到饱和，使水汽凝结、降落而形成的产物。这种模式适用于以水平辐合为主要机制的暴雨，如局地雷雨、热带风暴及温带气旋等强烈暴雨。

一般多将辐合模式固定在设计流域上进行计算。根据实际情况，也可采用移动型辐合模式，或把模式划分为几个发展阶段，并选择一定的移向和移速扫过设计流域，求得流域的 PMP。

9.3.2 降水量公式

最早由美国天气局提出的辐合模式如图 9.3.1（垂直剖面）。如按该图，空气质量连续方程为

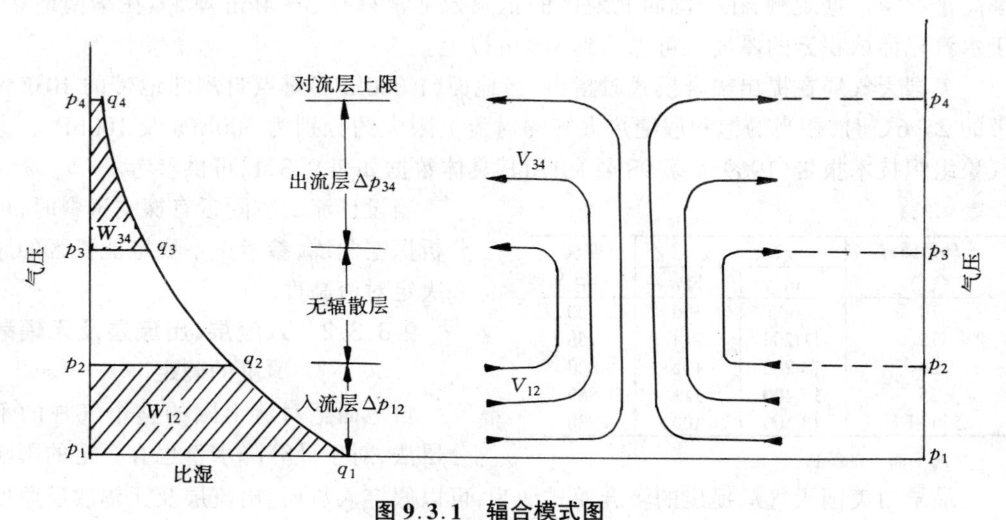

图 9.3.1 辐合模式图

$$V_{12} \cdot \Delta p_{12} = V_{34} \cdot \Delta p_{34} \tag{9.3.1}$$

水汽连续方程为

❶ 本节主要根据文献〔3〕和长江流域规划办公室水文处提供的文稿编写

$$P = \frac{x \cdot t}{F}(V_{12}W_{12} - V_{34}W_{34}) \tag{9.3.2}$$

由式(9.3.1)、式(9.3.2)可得降水量公式

$$P = \frac{xV_{12}t}{F}(W_{12} - \frac{\Delta p_{12}}{\Delta p_{34}}W_{34}) \tag{9.3.3}$$

式中 P 为降水量；x 为垂直于入流方向的概化流域边长；t 为降雨历时；F 为计算面积；V_{12}为入流风；Δp_{12}、Δp_{34}分别为入流层、出流层厚度(以 hPa 表示)W_{12}、W_{34}分别为入流层及出流层的可降水。通常称 x/F 为流域常数，它表示流域的几体形态，相应于一定的入流风向而言为常数。

$$W_e = W_{12} - \frac{\Delta p_{12}}{\Delta p_{34}} \cdot W_{34}$$

为有效可降水，当伴有径向辐合时，降水量公式类似地为

$$P = \frac{2}{\gamma}V_{12}(W_{12} - \frac{\Delta p_{12}}{\Delta p_{34}} \cdot W_{34})t \tag{9.3.4}$$

式中 γ 为辐合模式之半径。

9.3.3　模式参数确定及检验

9.3.3.1　对流上限的确定

对流上限系指对流发展所达到的高度，它决定了模式的垂直尺度，它主要与环境的相对湿度、层结和云底环境温度等因素有关。一般自赤道热带向两极递减，在同一地区，夏季高于冬季。据观测，在中国西北地区的积雨云常常只有 3～4km 厚，但在华南地区，由于水汽充沛浓积云的厚度也可以达到 10km 以上。

美国天气局在提出辐合模式时指出，当地面(1 000hPa)露点自高纬地带的 10℃ 到热带的 25.6℃ 时，相当的饱和假绝热大气的对流上限大约分别为 300hPa 及 100hPa。世界气象组织技术报告(1969 年第 98 号)引用其具体数据如表 9.3.1，可供参考。

表 9.3.1

* 地面露点 (℃)	高度 m	高度 hPa	厚度 (hPa)
10	9 600	300	700
15	11 200	244	756
20	13 300	192	808
25	17 400	111	889
25.6 以上	18 100	100	900

* 指海平面 1 000hPa。

当设计流域或附近有探空资料时，可以分析探空曲线，参考正不稳定能量区的厚度来决定对流高度。

9.3.3.2　入流层、出流层及无辐散层厚度的确定

自地面至对流上限的整个气柱的不同分层法，对于计算降水量也有一定的影响。

最早由美国天气局提出的辐合模式认为，可以假定入流层、出流层及无辐散层厚度相等，即各等于总厚度的 1/3。此时连续方程成为

$$V_{12} = V_{34}$$

即入流风等于出流风。而降水量公式成为

$$P = \frac{XV_{12}t}{F}(W_{12} - W_{34}) \tag{9.3.5}$$

或 $$P=\frac{2}{r}V_{12}t(W_{12}-W_{34}) \tag{9.3.6}$$

中国过去在使用辐合模式时,常先根据当地资料,分析计算各层散度,然后确定分层,不一定为三等分。例如 9.3.5.1 的例子中(见后)认为无辐散层是一薄层,只作为入流层和出流层的界面。

9.3.3.3 入流风的确定

入流风 V_{12} 是指进入暴雨的暖湿空气的风速矢量,它表示辐合强度。不仅需要考虑入流风的大小和方向,还要考虑它的水平和垂直分布的情况。

通过暴雨天气分析,可得出当地暴雨盛行的入流风向。对于它的空间分布,由于风资料,特别是高空风资料的缺乏,往往无法进行详细的分析,因此在实际工作中常作一些经验处理。有人认为,某些地区暴雨期间风在垂直方向上比较均匀,在缺乏高空风时,可直接采用地面风代表整个入流层,当地面风也少时,有人近似地利用相邻二站地面气压计算地转风(或梯度风)作为入流。当计算面积不很大时,一般可认为入流风在水平上是均匀的。也有作地面风与高空风的经验关系,求得风廓线,以计算整层入流。当大面积入流风在水平方向上也不均匀时,可按不同入流风向把入流边分为若干段,分别计算入流。

对于暴雨历时内的入流,国外一般根据实测风资料在双对数纸上作风速与历时关系。

9.3.3.4 代表性地面露点的确定

气柱的可降水及模式的垂直尺度都取决于地面露点,它的分析选定见 6.3 节。

9.3.3.5 流域常数的确定

流域常数 X/F,决定于流域的几何形状和入流风向。当暴雨入流风向确定后,则与入流风向垂直的边长(常将流域概化为矩形)即为入流边长度 X。对一定的入流风向,它应为常数。

9.3.3.6 检验及修正

对上述拟定的模式及相应参数,还必须以当地已发生的暴雨资料进行检验,检查由模式计算的雨量与实测雨量是否一致,当相差不大时应从模式的适用性、参数选择是否恰当等方面进行检查、分析,作必要的调整,或在降水量公式中加适当的修正系数。

9.3.4 PMP 计算

如前所述,应用辐合模式计算 PMP 主要是如何合理选择流域暴雨入流风,代表性地面露点或其最佳组合。

最早应用辐合模式计算 PMP 时,常分别取入流风和地面露点的最大值。后来有人认为这样做不合理,风和露点不可能同时出现最大值,建议统计入流风和可降水的乘积(水汽入流指标)的最大值作为计算依据。

可能最大入流风选取恰当与否对计算结果影响很大,需要慎重。它应该与暴雨天气分析紧密结合,在掌握暴雨规律的基础上合理地选取可能最大入流风。国内曾有人分析过入流风与露点的简单关系,发现在该地区当风速增大到一定限度后露点不再增大而渐趋减小。因此,使用辐合模式计算 PMP 时,宜取入流风与露点可能的最大组合,不应分别都取最大值。

9.3.5 算例

9.3.5.1 乌江某支流 PMP 计算[4]

(1)确定模式

对流域暴雨进行了分析,发现本流域较强暴雨都具有充沛的水汽和强烈辐合气流的特点,故确定以辐合模式来估算 PMP。

(2)对流上限及分层

根据探空资料分析,当不稳定能量超过 200hPa 时,测风资料差,水汽也较少,故将对流上限定为 200hPa,流域地面平均高程约为 1 500m(相当于 850hPa),则整个模式的厚度为 10.5km(650hPa)。

另据四次大暴雨时各层散度计算结果,500hPa 以下各层均为辐合,在 300hPa 已出现辐散,而其间应为无辐散层。考虑到无辐散层处铅直速度达到极大,所以它应只为一薄层,认为无辐散层占总厚度的 1/3,不符合本流域情况,只作为入流层和出流层之间的界面。其下为入流层,其上为出流层。

(3)雨量计算及模式检验

通过四次大暴雨的分析验证,以地面风作为入流计算的雨量误差过大,不宜采用。探空资料表明,风速随高度呈非线性变化,因此,将入流层与出流层又分为若干代表层,按下列公式计算雨量

$$P_t = \frac{t}{F}\left(\sum_{i=1}^{m} x_i V_i \Delta W_i - \sum_{j=m+1}^{n} X_j V_j \Delta W_j\right)$$

式中 $i=1,2,\cdots,m$ 为入流层次;$j=m+1,m+2,\cdots,n$ 为出流层次。

检验时,各次暴雨的计算面积,考虑到主要水汽来源为西南向,故概化面积一律取为东北—西南向,以计算面积平均高程作为入流层底,而地面露点、暴雨历时、入流风均由各次暴雨实测资料中分析确定。

上式经四次暴雨验证,除一次误差较大(该次暴雨测风及分段雨量资料精度较差)外,尚称满意,可供设计使用。

(4)PMP 计算

1)暴雨历时。设计要求 1 日雨量,但本流域 1 日暴雨集中于 9~12 小时,强度较大暴雨更集中在 6~9 小时,因此取 10 小时作为设计暴雨历时。

2)计算面积。本流域暴雨集中于中下游。水文气象资料表明,本流域尚未发生过上、下游同时遭遇的特大洪水,因此,只以下游 3 370km^2 作为计算面积。计算面积概化成矩形后,垂直于入流风向(西南风)的边长为 75km,另一边为 45km。

3)入流风速和露点。本流域大暴雨期间地面风速不大,而露点则大小不一,经分析探空站各高度上风速与露点关系发现,当风速增大到一定数值后,随风增大露点则趋于减小。如在 850hPa,当风速大于 6m/s 时,相应露点趋于减小。因此,本流域以风速、露点同时取最大计算 PMP 是不合理的,经露点统计及露点-风速关系分析,最后取 850hPa 上露点为 21℃,风速为 6m/s 作为设计值。由于高空资料缺乏,850hPa 以上各层采用邻近二站实测风速随高度变化的比例求得。

4)计算结果。最后计算得 3 370km^2 上 1 日 PMP 为 309mm。

9.3.5.2 汉江某支流 PMP 估算

汉江某支流流域面积 2 940km^2 采用移动的辐合模式计算 1 日 PMP。

(1)确定模式

通过对流域及邻近地区暴雨分析,发现造成流域大暴雨的天气系统均为东西向的切变线低涡,地面为气旋波或闭合气旋环流。强烈的辐合对流作用是造成本流域暴雨的主要原因,故采用辐合模式计算 PMP。辐合系统的空间流场结构大体如图 9.3.2 所示。

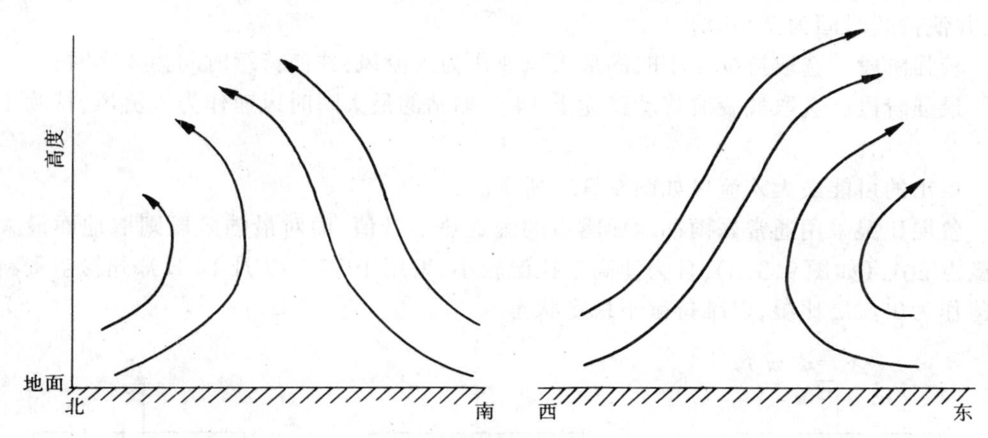

图 9.3.2 某流域辐合系统空间流场结构

(2)辐合模式及其参数的确定

1)降水量公式。根据空气质量平衡和水汽平衡

$$m_1 = \frac{1}{g}\int_L\int_{P_o}^{p_s} V_n \mathrm{d}p\mathrm{d}l = m_2$$

$$W_1 = \frac{1}{g}\int_L\int_{p_o}^{p_s} V_n q_1 \mathrm{d}p\mathrm{d}l$$

$$W_2 = m_2\overline{q_2} = m_1\overline{q_2}$$

得降水量为

$$P = W_1 - W_2$$

这里 m_1、m_2 分别为流入和流出模式的空气质量;W_1、W_2 分别为流入、流出的水汽量;V_n 为模式边界的法向风速;q_1 为入流层比湿;$\overline{q_2}$ 为出流层平均比湿;p_o、p_s 分别为地面及入流层顶气压;P 为降水量。以上公式避免采用出流层的风速,而该风速常常缺测。

2)辐合模式底面积的确定。根据地面散度计算结果,以散度零线作为辐合模式底的边界,由于其形状常呈椭圆形,为简化起见,将其概化为东西向 120km,南北向 90km 的矩形。

3)入、出流层和无辐散层的确定。根据高空风分析和各层散度计算,并经 1963 年 8 月,1957 年 7 月暴雨试算结果,取 700hPa 以下为入流层,700 ~ 500hPa 为无辐散层,500hPa 以上为出流层。

4)入流层风和各层比湿的选取。由于流域附近十分缺乏高空风资料,不得不利用地面风代替。通过分析发现环状辐合流场在 1.5km 以上即已消失,而代之以一致的西南风。由于南风、西风均随高度递增,因此以地面风代替时就会偏小。反之,由于东风和北风随高度递减,以地面风代替入流层风就会偏大。综合之,似可用地面风代替入流层平均风。经 1963 年 8 月大暴雨实例验算,这样做是可行的。

模式划分为三个发展阶段,即一般阶段、较强阶段和最强阶段。对不同阶段的模式取不同的最大入流风,以估算 PMP。

一般阶段。选取气旋波移动路径上 14 个测站 6～8 月最大月平均风速作为入流风速,并使持续时间为 7 小时;

较强阶段。选取持续 4 小时的最大风速作为入流风,并使持续时间为 4 小时;

最强阶段。选取气旋波移动路途上 14 个测站的最大瞬时风速作为入流风,持续 1 小时。

得出的可能最大入流风如图 9.3.3 所示。

各层比湿采用通常暴雨期地面露点的湿绝热上升值,而对最强阶段则取地面最大饱和露点 26℃(如图 9.3.3),且为使高空比湿较小,采用 1957 年 7 月 14 日郑州探空资料订正值作为出流层比湿,以维持湿不稳定状态。

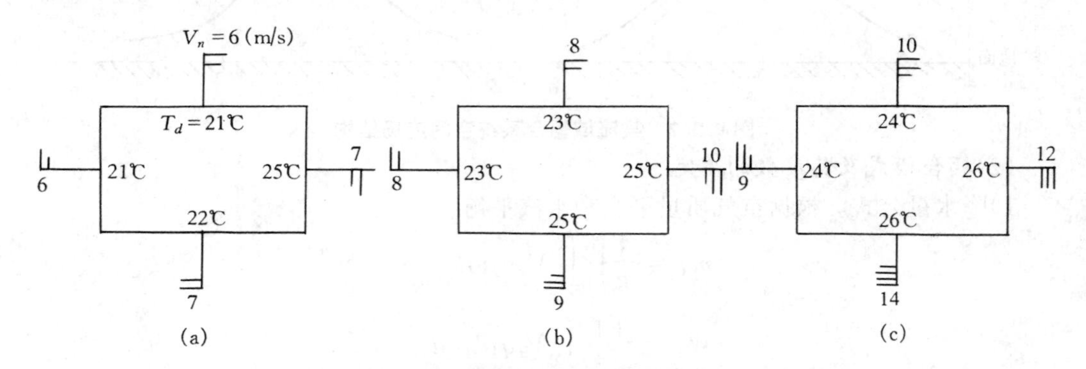

图 9.3.3 不同发展阶段可能最大入流风示意图

(a)一般阶段 (b)较强阶段 (c)最强阶段

由此得出模式各阶段降水强度为:一般阶段:29.8mm/h;较强阶段:48.1mm/h;最强阶段:67.2mm/h。

5)辐合模式的移动速度。根据流域历次暴雨天气分析,辐合系统走向为西南西—东北东,与流域西北—东南向不相一致。考虑到恶劣遭遇,在极大化条件下辐合模式采用西—东向的移动方向。

辐合系统的移动速度一般是不均匀的,为简单起见,假定设计模式按匀加速运动移动。当模式自西进入流域时有

$$S = V_0 t + \frac{1}{2} a t^2$$

式中 S 为模式的长轴与扫过流域距离之和;V_0 为进入流域的初速度,采用常见的平均移速 20km/h;t 为固定站降雨持续时间,根据资料取 12 小时。

由此得加速度 $a = -1.67\text{km/h}^2$,模式作匀减速运动,这时形成流域洪水是恶劣的。

(3)PMP的估算

辐合模式已确定,使它以 $V_0=20\text{km/h}$ 的初速进入流域,按匀减速运动(加速度为 $a=-1.67\text{km/h}^2$)自西而东扫过流域,其间模式经历三个发展阶段,相应的降水量即为流域的PMP,结果1日流域平均雨深为466mm。

顺便介绍,中国台湾地区的翡翠水库,根据台风是形成该库集水区(面积 303km^2)最大暴雨因素的情况,曾用辐合模式计算了PMP和PMF。其最大6小时、12小时、24小时、36小时、48小时和120小时的PMP分别为779mm、1 298mm、1 876mm、2 276mm、2 591mm 和3 585mm,PMF的洪峰为10 500m^3/s[5]。

9.3.6 认识与讨论

辐合模式虽然概括了形成强烈暴雨的主要特征,但是,对称的理想环流模式在实际大气中几乎是不存在的,近来的观测也说明,实际的对流性风暴的流场结构非常复杂,远非上述模式那样简单。目前,由于一些参数的确定依据不充分,难免带有主观任意性,因此,在使用辐合模式计算流域PMP时,应尽可能地收集有关资料,进行深入的暴雨特性分析和检验工作,切忌简单套用。

由于大面积长历时平均风速应用连续性原理要比在局部地区短历时好,而且局部地区参数更难精确测定,因此,应用辐合模式计算面积不宜太小。在国外有用于3 000~6 000km^2 面积,中国过去曾用于3 000~4 000km^2 的流域。

9.4 能量平衡法

9.4.1 基本概念

能量平衡法是从分析暴雨天气系统发生、发展和消亡各阶段能量的增耗与降雨量的关系出发,应用天气系统中大气能量转换与平衡的原理,对某一选定天气模式进行极大化来推求PMP。

能量平衡法的基本思路是:热带气旋的维持和发展依赖于热对流中水汽凝结释放的潜热。潜热能 Q 转换成动能 G,使热带气旋不断发展,但气旋的发展必须克服摩擦而消耗能量 E。

当 $G>E$ 即收入能量大于消耗能量,气旋发展;

$G=E$,即收入能量等于消耗能量,系统强度发展至最大;

$G<E$,即收入能量小于消耗能量,气旋逐渐减弱直至消亡。

本法假设系统水汽供应充分(即水汽已达极大,不再放大),利用能量收支平衡的关系,求得系统强度发展到最大时的动力(风速)指标,以估算PMP。

本法是研究热带气旋系统时提出的[6],其出发点是系统动能的产生取决于水汽凝结所释放的潜热能,因此它仅适用于热对流强烈的天气系统,如台风雨等。

9.4.2 PMP 计算

9.4.2.1 模式的拟定

在分析设计流域暴雨天气成因的基础上拟定模式。模式可采用某一场实测暴雨,也可以根据若干场暴雨综合而成的平均模式。前者采用实测流场,后者采用各场暴雨流场制作的平均流场,并计算其雨深。

9.4.2.2 模式极大化

按 $G=E$ 的平衡关系,对系统强度(风速)进行放大。

1)收入能量(动能生成项)G 的计算。其计算公式为

$$G = eQ \tag{9.4.1}$$

$$Q = 10^9 L_c \rho_w PNA \tag{9.4.2}$$

$$L_c = 597 - 0.57T \tag{9.4.3}$$

式中 G 为收入能量;Q 为水汽凝结释放的潜热能量,J;e 为效率,潜热能 Q 转换成功能 G(供系统发展)的比数(根据许多实例计算,大尺度热对流的效率可达 0.02,只有标准的台风可稍过此值);L_c 为凝结潜热,cal/g;ρ_W 为水的密度,其值为 1g/cm³;N 为天气系统所占面积,km²;A 为热功当量,其值为 4.186J/cal;T 为摄氏温度,℃;P 为 t 时段内的面平均雨量,mm。

对于平均模式,P 值可按下式计算:

$$P = 3.60 \times 10^6 \frac{0.36}{N\rho_w g}\int_t\int_L\int_p V_n q \mathrm{d}p \mathrm{d}L \mathrm{d}t \tag{9.4.4}$$

式中 V_n 为系统周界的法向风速,m/s;L 为系统周界,km;t 为降雨历时,h;g 为重力加速度,m/s²;其余符号意义同前。

2)消耗能量 E 计算。按模式风场用下式计算

$$E = E_g + E_i \tag{9.4.5}$$

式中 E 为消耗能量,J;E_g 为克服地面摩擦(外摩擦)所消耗的能量,J;E_i 为空气内摩擦所消耗的能量,J;E_g 与风速立方成正比,其计算公式为

$$E_g = 3.6 \times 10^{12}\int_t C_D \rho_o \overline{V}_o{}^3 N \mathrm{d}t \tag{9.4.6}$$

式中 C_D 为阻力系数(或称摩擦系数,无量纲值),其值随风速而变,还跟地形的起伏等情况有关,其概量为 $10^{-2} \sim 10^{-3}$,有人认为一般海上可取 $C_D = 0.001\ 3$,陆上可取 $C_D = 0.003$;ρ_o 为空气密度,g/cm³;V_o 为地面观测高度上的标量(不管方向)风速,“—”表示面积 N 上的均值,m/s;其余符号意义同前。

E_i 与风速平方成正比,其计算公式为

$$E_i = 3.60 \times 10^8\int_t\int_Z\int_N A_k\left[\left(\frac{\partial V_x}{\partial Z}\right)^2 + \left(\frac{\partial V_y}{\partial Z}\right)^2\right]\mathrm{d}N\mathrm{d}Z\mathrm{d}t \tag{9.4.7}$$

式中 A_k 为空气的涡动粘性系数,一般认为其数值一般为 50~100P〔1P = 1g(cm·s)〕;V_x 和 V_y 为在水平面上 X 方向和 Y 方向的风速,m/s;Z 为高度,m;其余符号意义同前。

3)极大化。从上列诸式中可以看出,当系统水汽供应充分(在数值上达极大,在时间

上保持不变,即源源不断地输入)时,收入能量 G 和消耗能量 E 仅与系统强度(风速)有关。如收入能量 G,从式(9.4.1)和式(9.4.4)来看,它仅与风速一次方成正比,即 $G=f_1(V)$;外摩擦耗能 E_g,从式(9.4.6)看,它仅与风速的立方成正比,即 $E_g=f_2(V^3)$;内摩擦耗能 E_i,从式(9.4.7)看,它仅与风速平方成正比,即 $E_i=f_3(V^2)$。因此,放大系统强度(风速),并使收入能量和消耗能量两项数值相等,就可求得系统强度(风速)达到最大时的放大倍比。其具体求法如下:设风速放大倍比为 K_1,则在能量平衡时显然有下列关系存在

$$K_1 G = K_1^3 E_g + K_1^2 E_i \tag{9.4.8}$$

此式可改写为

$$E_g K_1^2 + E_i K_1 - G = 0$$

从而可得

$$K_1 = \frac{-E_i \pm \sqrt{E_i^2 + 4E_g G}}{2E_g} \tag{9.4.9}$$

求得 K_1 后,即可计算可能最大降水量

$$P_{\mathrm{m}} = K_1 P \tag{9.4.10}$$

式中 P 为模式雨量。

9.4.3 算例

已知东南某流域有 22 年的暴雨观测资料以及地面和高空的压、温、湿、风资料。根据实测、调查和历史文献记载的资料分析,形成该流域特大暴雨的天气系统系台风。现拟用能量平衡法来推求该流域的 PMP。该流域面积为 3 500km²。

分析步骤

第一步,选定暴雨模式。在本流域的 22 年实测资料中有 7 次台风暴雨,其中以 1974 年 8 月 13 日暴雨为最大,形成的洪水也最严重,故可采用这次暴雨作为模式。

这次暴雨的水汽充沛,暴雨代表性露点 $T_d=26$℃(1 000hPa 面)。最大 1 日流域平均雨量为 410mm。地面气温 26.5℃,凝结高度处(980hPa)的气温(等于露点)$T_c=25.0$℃。

第二步,计算收入能量 G。按公式(9.4.1)计算,即

$$G = 10^9 e L_c \rho_W P N A$$

在本例中,$L_c=594.9-0.51T_c=594.9-0.51\times 25=582.2\mathrm{cal/g}$

$P=410\mathrm{mm}$,$N=3\ 500\mathrm{km^2}$,兹取 $e=0.02$,$\rho_W=1\mathrm{g/cm^3}$,$A=4.186\mathrm{J/cal}$。

将以上各式代入式(9.4.1)得

$$G = 10^9 \times 0.02 \times 582.2 \times 1 \times 410 \times 3500 \times 4.186 = 70 \times 10^{15}\mathrm{J}$$

第三步,计算消耗能量 E。按式(9.4.5)计算,即

$$E = E_g + E_i$$

由于 E_i 一般要比 E_g 小两个量级,故这里暂将 E_i 略去。因此

$$E \approx E_g = 3.6 \times 10^{12} C_D \rho_o \overline{V}_o^3 N \Delta t \tag{9.4.5a}$$

式(9.4.5a)中各值的确定方法如下:

1)摩擦系数 C_D。此数原则上可以按下式确定:

$$C_D = \frac{\tau_0}{\rho {U_S}^2}$$

式中 τ_0 为地面切应力,dyn/cm^2(1dyn=1g.cm/s^2);U_S 为近地面某一高度(或称参考高度,有人取 30m)上的风速,cm/s;ρ 为空气密度,g/cm^3。

但是,由于 τ_0 不好确定,今姑且取一般参考数字,即 $C_D = 0.003$。

2)近地面空气密度 ρ_o。按干空气的状态方程来近似地推求:

$$\rho_o = \frac{p}{R_B T_A}$$

式中 R_B 为干空气的气体常数 $R_B = 2.87 \times 10^6$,cm^2/s^2·℃;其余符号意义同前。

在本例中,8 月 13 日地面平均气压 $p = 960$hPa,近地面的平均气温为 26.5℃。而

$$p = 960\text{hPa} = 9.60 \times 10^5 \text{g/cm.s}^2$$

$$T_A = 273.2 + 26.5 = 299.7℃$$

因此,

$$\rho_o = \frac{9.60 \times 10^5}{2.87 \times 10^6 \times 299.7} = \frac{0.96}{860} = 1.12 \times 10^{-3} \text{g/cm}^3$$

3)近地面流域平均风速 $\overline{V}_o$。按风向杆(距地面 12m 高度)观测出的风速,作为 V_o,并求出其日平均值,再按各站的日平均 V_o 绘制风速 V_o 等值线。然后再将流域面积分成若干小块,用面积加权的办法,求出流域平均风速 $\overline{V}_o$,即

$$\overline{V}_o = \frac{\Sigma N_i V_{oi}}{N} = \frac{57\ 800}{3\ 500} = 16.5 \text{m/s}$$

将以上各值代入式(9.4.5a)得

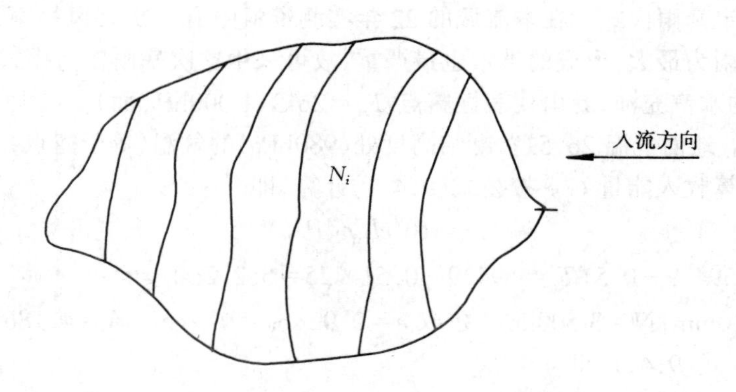

图 9.4.1 近地面风速 V_o 等值线示意图

$$E = 3.6 \times 10^{12} \times 0.003 \times 1.12 \times 10^{-3} \times 16.5 \times 3\ 500 \times 24 = 45.8 \times 10^{15} \text{J}$$

第四步,放大模式。这里所谓放大,就是放大系统强度(风速)。考虑到式(9.4.8)中 E_i 比 E_g 小得多,则

$$K_1 G = {K_1}^3 E_g$$

于是放大倍比

$$K_1 = \sqrt{\frac{G}{E_g}} = \sqrt{\frac{70 \times 10^{15}}{45.8 \times 10^{15}}} = \sqrt{1.52} = 1.23$$

因此，所求的流域平均1日PMP为 $P_m = 1.23 \times 410 = 505\text{mm}$

第五步，成果合理性检查。(略)

9.4.4 认识与讨论

本法为美国气象学家锐尔(H. Riehl)于1960年在研究南美洲委内瑞拉波康诺(Bocono)河的PMP时所提出。

中国有关部门对本法的初步看法如下：

1)华东水利学院水文系水文气象科研小组[7]的看法。用能量平衡观点来处理模式极大化，在理论上较有根据，研究似乎进了一步，它摆脱了对单独因子纯粹统计的外包方法。

2)中山大学等单位❶的看法。本法应用天气系统中大气能量转换与平衡的原理来处理台风暴雨的极大化，在理论上较有根据，它初步摆脱了传统水文气象途径在极大化方法中，以经验处理为主的状态，在一定程度上减少了主观任意性，成为PMP工作中具有新意的一个研究方向。

本法存在的问题是，计算中的一些参数，如效率 e、阻力系数 C_D 和涡动粘性系数 A_k 等，其影响因素较多，变化幅度较大，需要进一步研究。有人认为根本问题还在于降雨量并不完全由能量决定，如台风能量最大时，雨量不一定最大。

3)淮河流域PMP等值线图试点报告❷的看法。用能量平衡法估算台风(包括台风低压)PMP的一个问题，在于如何选择效率的数值。把效率定义为动能产生与水汽凝结所释放的潜热之比。按此，所计算的四个台风(6513,6911,7412,7503)的效率，结果大部分在1%左右，这与通常的估算值1%～2%还接近，但偏小。效率 e 与雨区的大小或上升暖湿空气集中于狭小范围内有关。雨区小，雨强大，效率 e 就大。这次试点报告采用 $e=0.02$，仍有待进一步研究。

其次，登陆台风的衰减填塞不是单靠摩擦消散，主要由于能量——热量和水汽供应减少，从而导致台风区内积雨云对流活动的减弱，台风暖中心结构遭到破坏，所以用此法估算PMP还需从能量供应方面作进一步的分析研究。

参 考 文 献

1 WMO. 1969, Estimation of Maximum Floods. WMO. 233. Technical Note No. 98. Geneva

❶ 中山大学，广东省水电局，水文总站等. 可能最大降水的分析与计算. 1976

❷ 淮河流域可能最大暴雨等值线图编制报告及专题研究报告之六. 用能量平衡估算台风低压的可能最大暴雨. 1977, 2

2 WMO,1986,Manual for Estimation of Probable Maximum Precipitation,2nd Ed. WMO－no. 332. Geneva
3 水利部,电力工业部.水利水电工程设计洪水计算规范 SDJ22－79(试行).北京:水利出版社,1980
4 北京勘测设计院.三岔河流域可能最大降水计算.水利水电技术,1965(12)
5 王如意,易任著.应用水文学(下册).台北:茂昌图书有限公司,1992
6 Riehl. H and Byers H.R, Computing a Design Flood in the Absence of Historical Records, Geofisica pure E Applicate 45, 1960/1 215－226,Milar
7 华东水利学院水文系水文气象科研小组.可能最大降水的计算,水文计算经验汇编第三集.北京:中国工业出版社,1965

10 PMP 的概化估算

10.1 经验公式法

经验公式(或称统计模式)法就是根据一定地区的实测特大暴雨记录所建立的一定形式的经验方程式来估算 PMP。此法对于资料缺乏的地区可用以进行粗估。由于经验公式具有地区性,因此不能任意移用。根据公式的适用面积和公式中包含的参数的不同,经验公式的形式一般有下列几种。

10.1.1 点雨量公式

这类公式系根据特大暴雨记录点绘雨量与历时的关系,取其外包线得出。

按世界实测最大点雨量点绘外包线图,得出经验公式为[1~3]

$$P = 421.6t^{0.475} \tag{10.1.1}$$

式中 P 为降雨量,mm;t 为降雨历时,h。

需要注意的是:式(10.1.1)所依据的资料大都来自热带风暴或台风,而且地形对降雨又十分有利(详见第 16 章),所以对于不常发生这类暴雨的地区,不宜作为 PMP 的数量指标[1,2]。

10.1.2 面雨量公式

10.1.2.1 考虑水汽因子和动力因子的经验公式

这类公式可取下列形式[4]

$$P = (a + bT_d)(c + dV^2) \tag{10.1.2}$$

式中 P 为一定面积一定历时的平均雨量;T_d 为地面露点;V 为代表站的风速;a、b、c、d 为经验常数,需事先根据某地区的特大暴雨记录定出。

如地区的实测资料证明,最大露点与最大风速可以同时出现,就可以将地区上历史最大值代入上式推求 PMP。如两项最大值并不同时出现,则需要进行适当的组合。

10.1.2.2 考虑降雨历时和面积的经验公式

如果有较多的特大暴雨资料,则可以按它们的雨深—历时外包线和雨深—面积外包线综合出下列形式的时面深经验公式

$$P = \sqrt{t}\left(a + \frac{b}{c + \sqrt{F}}\right) \tag{10.1.3}$$

式中 P 为历时 t 的最大平均雨量,mm;t 为降雨历时,h;F 为暴雨笼罩面积,km²;a、b 和 c 为经验系数。

1951 年傅雷池(R.D.Fletcher)收集世界各地的雨量—面积—历时资料综合得到[5]❶

$$P = \sqrt{t}\left(14 + \frac{10\ 900}{30.9 + \sqrt{F}}\right) \tag{10.1.4}$$

式中各参数的单位同上。式(10.1.4)系根据世界范围内不同历时各种面积(1～600 000km²)的实测资料外包而得。

中国长江上游几条支流,按式(10.1.3)所求得的经验系数如表 10.1.1 所示。但未包括近 20 多年来的特大暴雨资料❷。

表 10.1.1 长江上游几条支流时面深公式经验系数

流域	嘉陵江	岷江	乌江	沱江
a	8.0	8.5	8.0	8.0
b	4 800	3 400	1 873	3 535
c	80	31.5	35	70

10.2 统计估算法

10.2.1 概述

统计估算法为美国学者 D·M·赫希菲尔德于 20 世纪 60 年代初期[6,7]提出。它是根据实际雨量资料计算出一个统计量 K_m 以用于估算 PMP 的方法。世界气象组织(WMO)1969 年技术文件 98 号以及于 1973 年和 1986 年先后出版的《PMP 估算手册》第一版[3]和第二版[1],都对此法作了专章介绍。目前这种方法已在许多国家广泛运用。中国在 1975 年 8 月以后,有几十个单位使用此法,且有不少改进。本书将着重介绍中国的一些做法。

10.2.2 K_m 的定义与分析

10.2.2.1 定义

赫希菲尔德认为:"统计量 K_m(有时称为频率因素)定义为某站上实测最大值减去系列的均值再被标准差除的结果。换言之,即站上实测最大值用标准差的倍数来表示。实测最大雨量不包括在均值及标准计算以内。这等于说在确定了基本统计量以后再观察最大事件"。按此定义,K_m 的表达式为

$$K_m = \frac{X_m - \overline{X}_{n-1}}{\sigma_{n-1}} \tag{10.2.1}$$

式中 X_m 为实测系列中的首项,即特大值;$\overline{X}_{n-1}$为去掉特大值的平均值,即

❶ 华东水利学院,水电部上海勘测设计院.可能最大洪水方法简介.1965

❷ 长江流域规划办公室水文处.中小型水利工程水账计算方法.1975,10

$$\overline{X}_{n-1} = \frac{1}{n-1}\sum_{i=2}^{n} X_i \tag{10.2.2}$$

σ_{n-1}为去掉特大值后的均方差,即

$$\sigma_{n-1} = \sqrt{\frac{1}{n-2}\sum_{i=2}^{n}(X_i - \overline{X}_{n-1})} \tag{10.2.3}$$

10.2.2.2 **分析**

从式(10.2.1)看,显然 K_m 与我们习惯应用的标准化的离均差 Φ_m 不是一码事,不能把 K_m 称为离均系数。因为 $\overline{X}_{n-1}$是$(n-1)$项系列的均值,不是 n 项系列的均值,而 n 项是包括 X_m 这一项的,其均值为 $\overline{X}_n$,故不能把$(X_m - \overline{X}_{n-1})$叫做离均差,当然,更不能把 K_m 叫做标准化的离均差或离均系数。

那么 K_m 与 Φ_m 之间是什么关系呢? 现将杨远东教授等[9]的研究介绍如下:

大家知道,

$$\Phi_m = \frac{X_m - \overline{X}_n}{\sigma_n} \tag{10.2.4}$$

而式(10.2.1)中的 X_{n-1}和 Φ_{n-1},可利用原有 n 项系列计算的统计值$\overline{X}_n$、Φ_n 及X_m,直接用下式算得

$$\overline{X}_{n-1} = \frac{n\overline{X}_n - X_m}{n-1} \tag{10.2.5}$$

$$\sigma_{n-1} = \sqrt{\frac{n-1}{n-2}\sigma_n^2 - \frac{n}{(n-1)(n-2)}(X_m - \overline{X}_n)^2} \tag{10.2.6}$$

于是 Φ_m 与K_m 之间的关系,可以用式(10.2.1)和式(10.2.4)~式(10.2.6)四式加以探讨,如取 Φ_m 计算与K_m 计算时的X_m 相同,则可求得

$$\Phi_m = \sqrt{\frac{C_1}{C_2 + \frac{1}{{K_m}^2}}} \tag{10.2.7}$$

式中

$$C_1 = \frac{(n-1)^3}{n^2(n-2)}, C_2 = \frac{n-1}{n(n-2)} \tag{10.2.8}$$

即 C_1 和 C_2 仅与 n 有关,如图 10.2.1。式(10.2.7)的关系如图 10.2.2。

由式(10.2.7)及图 10.2.2 可见:

1)Φ_m 永远小于K_m,仅当 $\Phi_m=0$ 时,$K_m=0$;

2)随 n 的增大,Φ_m 与K_m 的差值愈小;

3)同一 n 时,Φ_m 随K_m 的增加而稳定增加;

4)Φ_m 有极限存在,$\Phi_m=(n-1)\sqrt{\frac{1}{n}}$;

5)Φ_m 不是K_m。

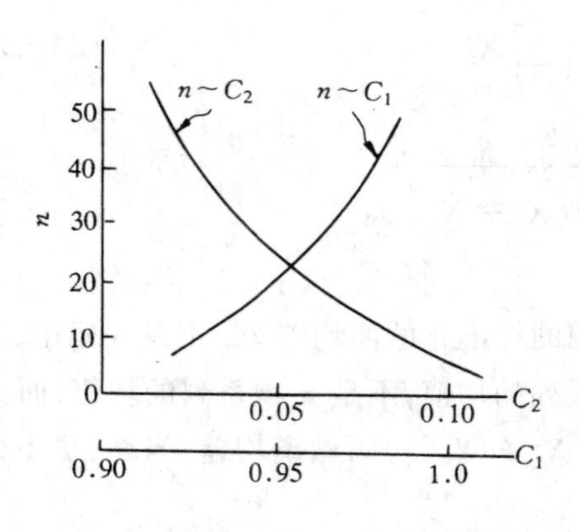

图 10.2.1　C_1 和 C_2 与 n 关系图

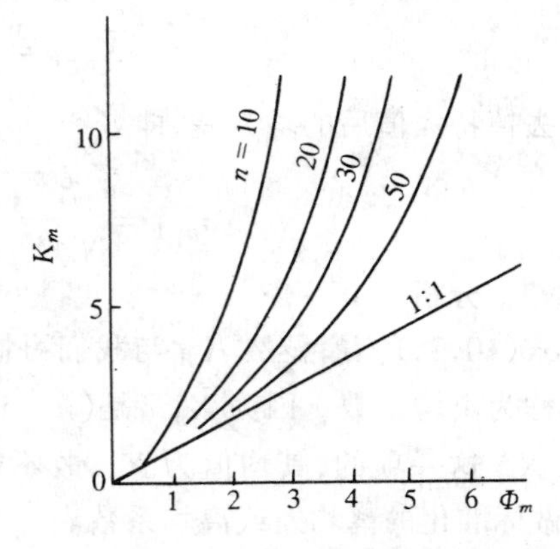

10.2.2　$K_m \sim n \sim \Phi_m$ 关系图

10.2.3　赫希菲尔德对 K_m 的用法及讨论

10.2.3.1　用法

赫氏在文献〔6〕中根据 2 645 个测站的 24 小时雨量记录(其中 90% 为美国测站,其余包括世界最大降雨地区的测站),求其 K_m 的外包值,其中只有一个 K_m 接近 15.0(实际值为 14.5),因此就采用 $K_{mm}=15.0$ 作为估算 PMP 的根据,采用的算式如下

$$\mathrm{PMP} = \overline{X}_n + K_{mm} \times \sigma_n \tag{10.2.9}$$

式中 K_{mm} 表示 K_m 的外包值,$\overline{X}_n$ 和 σ_n 为根据整个系列算得并经两种校正(样本首项和样本容量影响)后的均值与均方差。1965 年〔7〕赫氏又考虑了世界大暴雨区的一些资料(印度四场暴雨,菲律宾一场暴雨)绘出了三种历时(5 分钟,1 小时,24 小时)的 K_m 随 $\overline{X}_n$ 递减的外包线(图 10.2.3)。使用时,先确定 $\overline{X}_n$,然后用图 10.2.3 的外包线上查出 K_{mm} 值,再代入式(10.2.9),即得估算的 PMP。

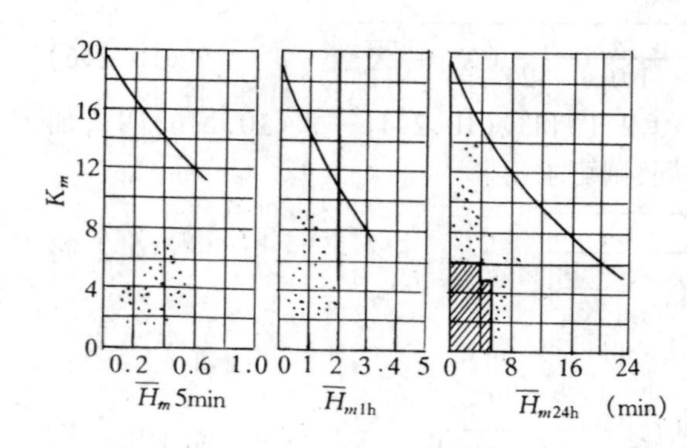

图 10.2.3　K_m 与年最大降水均值关系图

10.2.3.2　讨论

对于赫氏的上述做法,中国许多部门在实际运用中曾有过许多不同的意见。归纳起来,主要有以下两种:

1)基本否定。如丛树铮教授等〔8〕认为,赫氏的做法存在问题很多。首先,这种做法破坏了概念的同一性,因此所得结果是缺乏宏观依据的。由于在点绘 $K_m \sim \overline{X}_n$ 的相关图时,是依据式(10.2.1)来计算 K_m 的,但在计算 PMP 时,则采用式(10.2.9)。由式(10.2.9),我们有

$$K_{mm} = \frac{\mathrm{PMP} - \overline{X}_n}{\sigma_n} \tag{10.2.10}$$

而上式不过是标准化变数

$$\Phi = \frac{X - M_X}{\sigma}$$

的实用形式,即以 $\overline{X}_n$ 代替未知的期望值 M_X,σ_n 代替未知的均方差 σ,于是式(10.2.10)表明,K_{mm} 不是别的,就是与 PMP 所相应的 Φ_{PMP}。因此,K_{mm} 的确定就应该首先求出 $\Phi_m = (X_m - \overline{X}_n)/\sigma_n$,再进而求出其外包值 Φ_{PMP},并以此作为 Φ_m 的外包值,这就是式(10.2.10)所规定的 K_{mm} 的应有含义。然而赫氏方法中,K_m 却是由式(10.2.1)定义的,K_{mm} 是由式(10.2.10)所算得的 K_m 求外包而得出的。由于 $\overline{X}_{n-1} < \overline{X}_n$,$\sigma_{n-1} < \sigma_n$,所以 K_m 恒大于 Φ_m。这样,在同一个问题中,对同一个变量 K_m,事实上赋予了两种不同的含义,在逻辑上是矛盾的。人为地加大了 PMP 的估算值。

2)基本肯定。如杨远东教授等[9]认为,赫氏在定义 K_m 时对均值及标准差的计算不包括实测系列中的"老大值",使其与习惯上应用的标准化的离均差 Φ_m 有所区别,这是有道理的。我们只要深思一下,正是由于 K_m 本身的含义,才有可能在不涉及其他统计量指标的情况下,达到估算 PMP 的目的。这恰恰是赫氏法在思路上惟一可取之处,也就是该法的优点所在。只有根据实测系列中特大暴雨的突出情况从包括特大值与不包括特大值两套统计参数的差异中,进行模拟,从而建立经验关系,才能用来估计尚未出现过的 PMP。

10.2.4 云南省的用法

云南省认为[9],赫希菲尔德的 K_m 是一种统计特征值的表达方式,可以把它理解为统计学上的一种"离中系数",说明系列中"老大值"的影响和实际系列的相对离散程度。它的数值比频率分析中的离均系数 Φ_m 要大得多,不然不容易得到"最大"的水平。因此,仍采用 K_m 来估算 PMP,但是鉴于赫氏法存在的一些问题,在做法上采取了些不同的处理方法。这就是以分析 K_m 作为基础,从实际雨量的统计特征值出发,以推求 PMP。

其基本思路是:先单站计算 K_m,再求 K_m 的外包值 K_{mm},最后按频率方程求 PMP,即

$$\mathrm{PMP} = \overline{X}_n + K_{mm}\sigma_n \tag{10.2.9}$$

但在 K_m 的计算和外包值 K_{mm} 的求法和系列长度校正及特大值的处理上有特点。其做法要点如下:

(1)K_m 值的计算

K_m 值的计算不按赫氏法的定义式(10.2.1)计算,而用自己推导的公式计算,即根据式(10.2.1)、式(10.2.5)和式(10.2.6)可以推导出

$$K_m = \sqrt{\frac{1}{\dfrac{(n-1)^3}{n^2(n-2)} \cdot \dfrac{C_{vn}^2}{\left(\dfrac{X_m}{\overline{X}_n} - 1\right)^2} - \dfrac{(n-1)}{n(n-2)}}} \tag{10.2.11}$$

按照这个公式,就可以利用既有的统计参数,直接算出 K_m 来。为节省计算工作量,可以绘制出 $\overline{X} \sim X_m \sim C_{vn} \sim n \sim K_m$ 的合轴图(图 10.2.4),并由图查出 K_m 来。

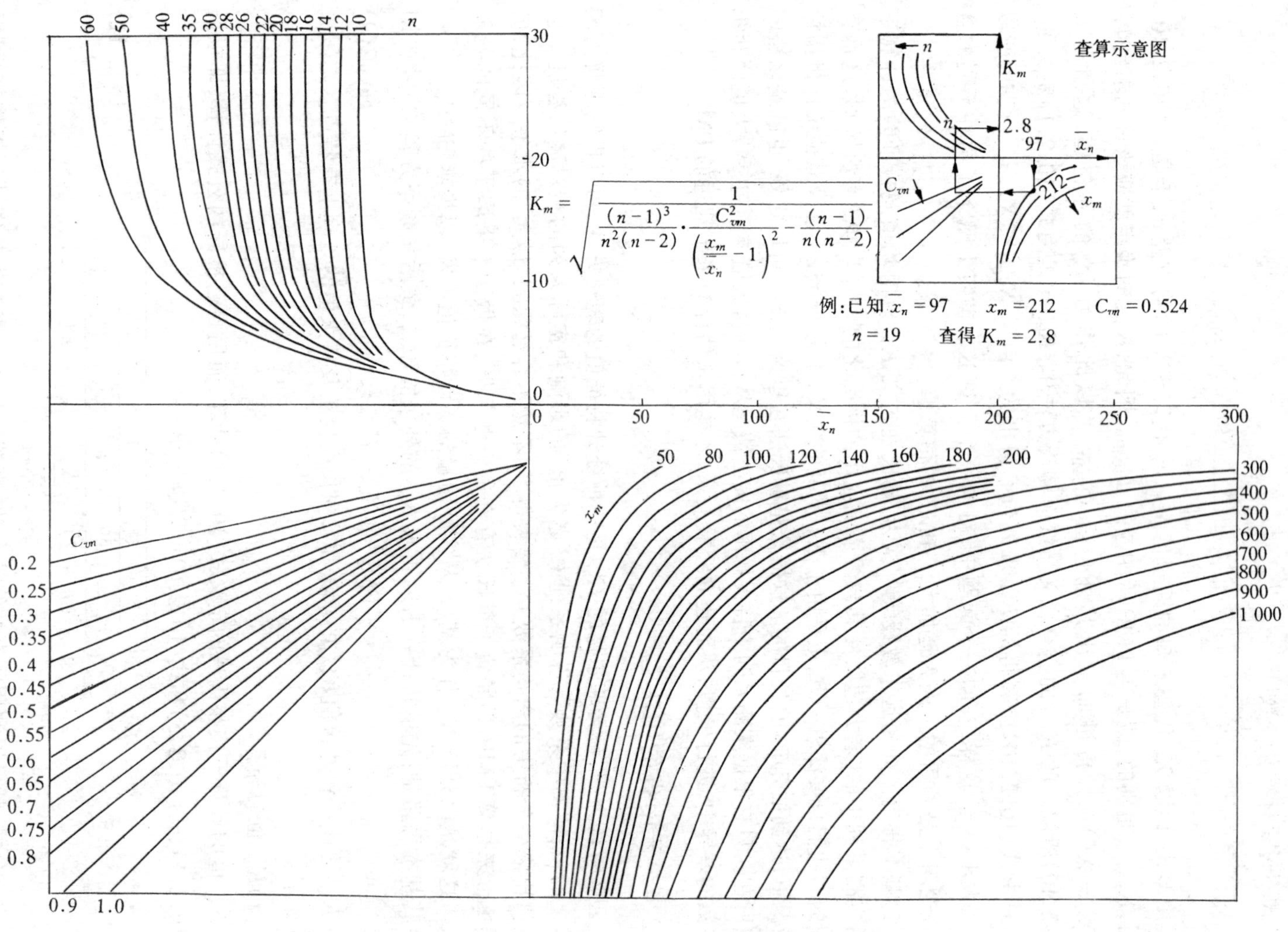

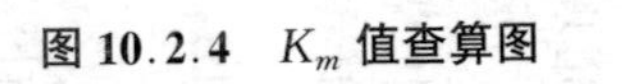

图 10.2.4 K_m 值查算图

(2)系列长度的校正

假定不同长度的资料系均匀分布在频率曲线上，考虑到云南暴雨系列最长不足40年，于是以 $n=50$ 年作为系列长度的稳定指标来控制统计参数的校正计算。不同系列长度的统计参数与 $n=50$ 年之间的差别，仅在于"求矩差"的不同，需要加以修正。于是根据PIII型频率曲线的特征值即可作出 $\overline{X}$、C_v、C_s 的校正图如图10.2.5。

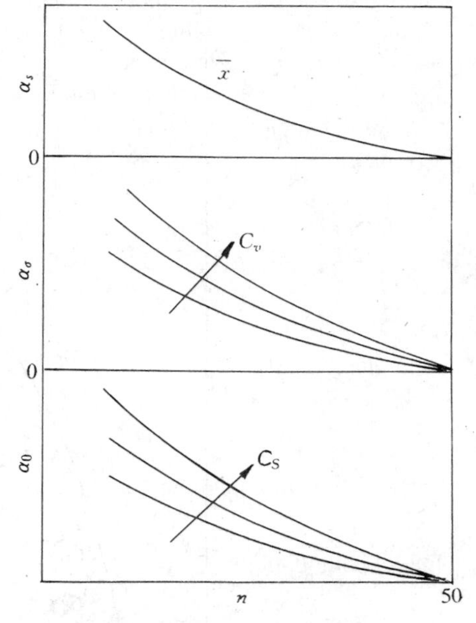

图10.2.5 统计参数校正图

(3)特大值的处理

当实测点据明显地脱离频率曲线(此曲线由计算的统计参数绘制)而出现特大值，但由此频率曲线查得相应的重现期 N，如 $N>3n$ 时，即予以"处理"(n 为实测资料年数)。处理系按一般加入调查洪水计算方法算 $\overline{X}$、C_v，据此再进行系列长度校正。

特大值的处理，为简化计算，可采用下列公式[10]

$$\overline{X}' = \frac{1}{N}[X_N + (N-1)\overline{X}_n] \tag{10.2.12}$$

$$C_v' = \sqrt{(N-1)(1-C^2) + \frac{1}{n}[C^2(n-1)C_{vn}^2 + n(C-1)^2]} \tag{10.2.13}$$

式中角标一撇表示考虑特大值处理后的参数；$C=\overline{X}_n / \overline{X}'$；其余符号意义同前。

(4)K_{mm}的推求

K_{mm}不用赫氏的$K_m \sim \overline{X}$ 外包，而是用 $K_m \sim k_m$ 外包求得。这里 $k_m = X_m / \overline{X}_n$ 为 n 年系列特大值的变率。其图形如10.2.6所示。这一外包线所依据全部实测资料，均在云南范围之内。图中的控制点，当 $K_m=0$ 时，$k_m=1$，系由式(10.2.11)得出。

为了说明上述方法的具体做法，兹结合单站的实际资料实例分述如下：

1)由各站 $\overline{X}_n$、X_m、C_{vn}、n，从图10.2.4查得 K_m，同时计算出 $k_m = X_m / \overline{X}_n$ 点绘 $K_m \sim k_m$ 关系，取外包线。

2)计算各站频率曲线，如图10.2.7为坡脚站10年日雨量资料。老大值为262.0mm，查得的相应重现期 $N \approx 40$ 年，即将图上⊗点改正到○点。考虑到要使$\frac{N+1}{n+1}$为正整数的关系，遂将 N 调整为43年，即有$\frac{43+1}{10+1}=4$，符合 $N>3n$ 的前提，需要对 $X_n=262.0$ 进行处理。

3)方法应用步骤(处理计算时需注意应用资料的脚注含义)。已知 $n=10$，$\overline{X}_{10}=94.42$，$C_{v10}=0.649$，$\sigma_{10}=61.25$

先由式(10.2.5)：$\overline{X}_9 = \frac{10 \times 94.4 - 262.0}{10-1} = 75.80$

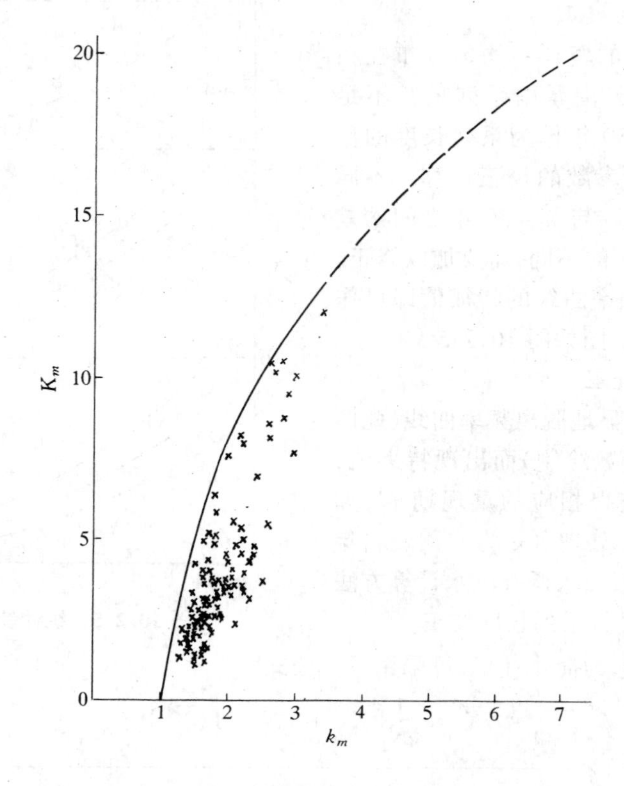

图 10.2.6 $K_m \sim k_m$关系图

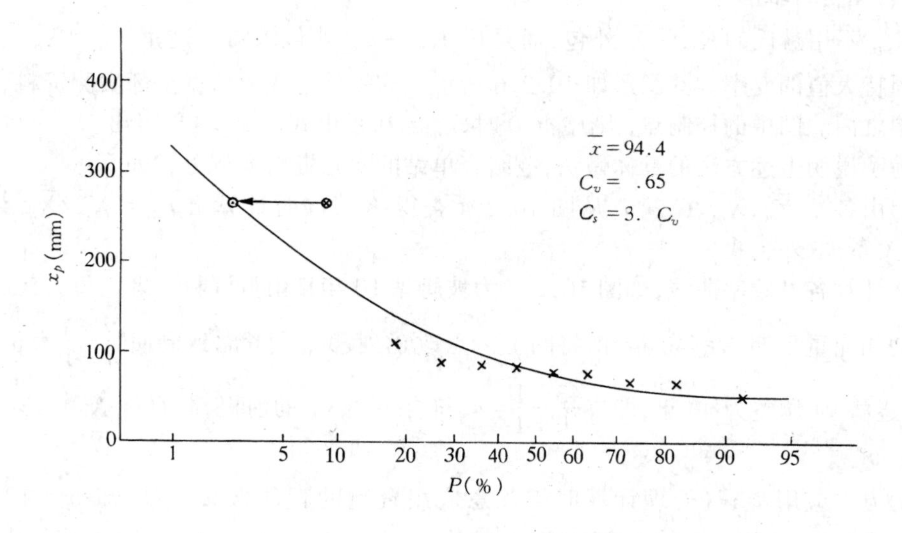

图 10.2.7 坡脚站日雨量频率曲线

式(10.2.6)：$\sigma_9=\sqrt{\frac{9}{8}\times61.25^2-\frac{10}{9\times8}(262.0-94.42)^2}=17.91$

$$C_{v9}=\frac{17.91}{75.80}=0.236$$

再由式(10.2.12)：$\overline{X}'=\frac{1}{43}(262.0+42\times75.80)=80.13$(此处 $\overline{X}_n=75.80$)

(10.2.13)式：$C_v'=\sqrt{42\times0.054^2+\frac{1}{9}(0.946^2\times8\times0.236^2+9\times0.054^2)}$

$=0.410$(此处 $C_{vn}=0.236, n=9$)

其　$C=\frac{75.80}{80.13}=0.946$

4)系列长度校正计算。利用图10.2.5，系列 $n=43$，查得 C_s 的校正系 $\alpha_s=1.02$，算得 $C_s=\alpha_sC_{s计}=1.02(3.5\times0.410)=1.464$

由 C_s, n 查图(10.2.5)得均方差的校正系数 $\alpha_\sigma=1.01$，算得 $\sigma=\alpha_\sigma\cdot\sigma_{计}=1.01\times(80.13\times0.410)=33.18$。

由 C_s, n 查得均值的校正系数 $\alpha_0=0.005$，算得 $\overline{X}=\overline{X}_{计}+\alpha_0\sigma=80.13+0.005\times33.18=80.3$。

5)大值校正。先计算实际变率 $k_m=\frac{262.0}{94.42}=2.78$。由 $K_m\sim k_m$(图10.2.6)查得 $K_m=1.10$。复由式(10.2.9)，算得 $X_m=80.3+11.0\times33.18=445.3$。

6)PMP估算。应用已经校正的 X_m 算得最大变率 $k_m=\frac{445.3}{80.3}=5.55$，然后从 $K_m\sim k_m$ 图查出最大 K_m 为15.0，从而1日 $PMP_d=80.3+15\times33.18=578mm$。

7)24小时 $PMP_{24}=1.18\times578=681mm$。24小时雨量与日雨量的比值1.18为坡脚站所在金沙江流域(云南境内)319站年的平均倍比数。

10.2.5　中国一般用法

由于中国对赫氏法有不同的看法，因此在引进此法后，许多单位已对它逐步加以修正和改造。其一是，不用它作为一种独立的放大方法，而是更多地用来进行暴雨移置。其二是，倾向于以离均系数 Φ_m 取代原法中的 K_m 值，即在计算系列的均值和变差系数时，不再去掉系列的首大项；而遇到特大值时，还要对其重现期进行适当处理。这样，意义更为明确，概念比较合理，做法上也更符合中国的习惯。

Φ_m 的表达式(10.2.4)可写为

$$\Phi_m=\frac{X_m-\overline{x}_n}{\overline{x}_n\cdot C_{vn}} \tag{10.2.14}$$

式中 C_{vn} 为包括特大值在内的 n 年系列的变差系数。

西北片[11]和湖北省[12]等地区在进行PMP编图时，均采用了上述概念。也就是采用下式推求可能最大降水

$$PMP=\overline{x}_n(1+\Phi_{mm}C_{vn}) \tag{10.2.15}$$

式中 Φ_{mm} 为 Φ_m 的外包值，使用时是作为可能最大离均差数看待。

10.2.6 计算步骤

10.2.6.1 Φ_{mm}的确定

总的说来，是根据大范围内的大量雨量资料进行综合分析，得出外包最大值即作为Φ_{mm}，然后加以移用。

(1)单站Φ_m的推求

计算公式采用式(10.2.14)，计算时要选择包含有特大值X_m的雨量站资料进行，并研究X_m的重现期N，按不连续系列计算，然后通过适线法得出X_n和C_{vn}，进而求得Φ_m。

对于某些资料系列较短的站，$\overline{X}$和C_v也可按等值线图求得，以之近似地得出Φ_m。

(2)Φ_m的综合

有了单站Φ_m后，需要进行综合分析以求出其外包值Φ_{mm}。综合方法，一般有两种：

1)分区外包法，即把研究区域分成若干个气象分区，对每一个分区的Φ_m，分别求其外包值作为Φ_{mm}。也就是一个分区通用一个Φ_{mm}值。这种方法所求得的Φ_{mm}只能在一个分区内移用。表10.2.1是印度的K_m的例子[1]。

表10.2.1 印度北部各气象分区最大一日雨量的外包K_m值

气象分区名称		具有50～70年资料的长期雨量站编号	外包值K_m
1	旁遮普和哈利安拉	81	15
2	北方邦	250	12
3	拉贾斯坦	119	11
4	比哈尔	102	11
5	西孟加拉	60	11
6	奥里萨	83	10
7	中央邦	155	9
8	古吉拉特索拉什拉和库奇	74	9

2)相关曲线外包法，即把研究区域内各站的Φ_m全部用来点绘相关图取其外包线作为可能最大离均系数Φ_m，以供移用。这种方法所得的Φ_m可以在较大范围内移用。这里的问题是在绘制相关图时，应采用哪几个参数。为此，我们可以先看一下离均系数Φ与哪些因素有关系。

大家知道，离均系数Φ是与频率曲线线型，频率P以及统计参数有关的。而这里的所谓统计参数，对于常用的线型例如皮尔逊Ⅲ型，克里茨基—明克里型曲线来说，就是指偏态系数C_s。

对于推求PMP而言，移用Φ_m可以看做是利用“等稀遇度”(即设计站和提供Φ_m的站

[1] A·F·雷恩伯尔德.北京水电勘测设计处译.可能最大洪水的估算第二讲“可能最大降水的估算”及第四讲“可能最大降水和最大洪水估算的数理统计法”.原载“暴雨和洪水预报”，世界气象组织秘书处1968年出版，1975,1

二者的PMP的出现频率 P 是相等的)概念来进行的,因此,频率 P 可以不考虑。于是剩下的因素就是频率曲线线型和 C_s 了。线型问题,比较复杂,不同的线型在稀遇频率部分(例如 $P \leqslant 0.01\%$ 时)有相当的差别。中国现在一般是采用皮尔逊Ⅲ型曲线。关于 C_s 值,根据研究是与气候条件有关系的。从文献〔13〕的资料来看,中国河流洪峰流量的 C_s 值,南方湿润地区较小,北方干旱地区较大(表10.2.2)。暴雨的 C_s 值,从定性上来说,也应当基本是这样。

表10.2.2　　中国河流洪峰流量 C_s(计算值)表

地区	南方湿润地区大江大河	南方中小河流	北方大河及部门中等流域	北方干旱地区中小河流
C_s	−1.5～0.3	0.34～0.46	1.4～2.3	1.2～3.4

为了考虑气候条件对 Φ_m 值的影响,国外[1]是采用暴雨的均值 $\overline{X}$(因均值比较稳定)来反映。具体做法是点绘各种历时 t 的 Φ_m 与均值 $\overline{X}$ 的外包线图(图10.2.8)以供设计使用。

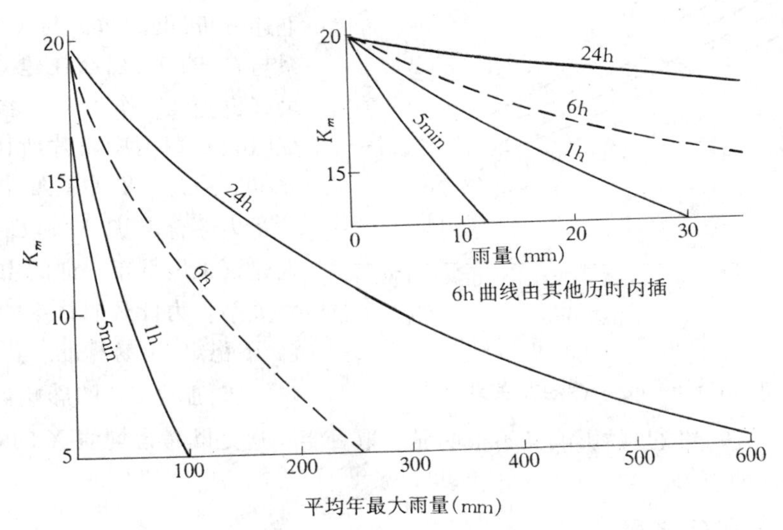

图10.2.8　K_m—雨量均值、历时关系[1]

关于 Φ_m 与均值 $\overline{X}$ 关系的形式,中国在运用中,有不少单位曾进行过研究,存在不同意见。赫希菲尔德于1965年首先提出 K_m 与 $\overline{X}$ 呈反变关系[1,3]。中国引进以后,不少单位也曾采用过。而另一种意见认为二者应呈正变关系[11]。大量的实践表明,有的 Φ_m 与 $\overline{X}$ 略呈反变外包关系,而更多的情况是关系不明显。既然如此,在实际运用时就甚感困难。对此,文献〔11〕进行了以下的分析:

Φ_m 和 $\overline{X}$ 的关系,可以从式(10.2.14)加以阐明。在该式中,Φ_m 随 $\overline{X}$ 的反变关系比较明显,如 $\overline{X}$ 与 C_v 无关,那么这种反变关系是成立的。但是,在编制全国PMP图集时发现 $\overline{X}$ 与 C_v 的关系有明显的地区性规律。在干旱和半干旱地区以及某些湿润多雨但暴雨又不大的地区,C_v 一般随 $\overline{X}$ 反变;而在大暴雨经常出现的地区,包括插花在干旱和半干旱地区中的暴雨中心地带，C_v 大多随 $\overline{X}$ 正变。上述两种现象，已为众所周知，并非特殊现象。当然，在上述两种现象中间，还存在过渡带和过渡现象。

再就 Φ_m 与 C_v 的关系略加分析，(10.2.14)式可写为

$$\Phi_m = \frac{K_{p,m} - 1}{C_v} \qquad (10.2.14)'$$

式中 $K_{p,m}$ 为最大模比系数。此式从表面上看，Φ_m 似与 C_v 呈反变关系，实际不然。当 C_v 改变时，$(K_{p,m}-1)$ 较之 C_v 的同向变化更快，因而是呈正比关系。

因此，在 C_v 随 $\overline{X}$ 反变的地区，Φ_m 必然随 $\overline{X}$ 反变；在 C_v 随 $\overline{X}$ 正变的地区，Φ_m 的变向就不固定，要随 $\overline{X}$ 与 C_v 所占优势而异。

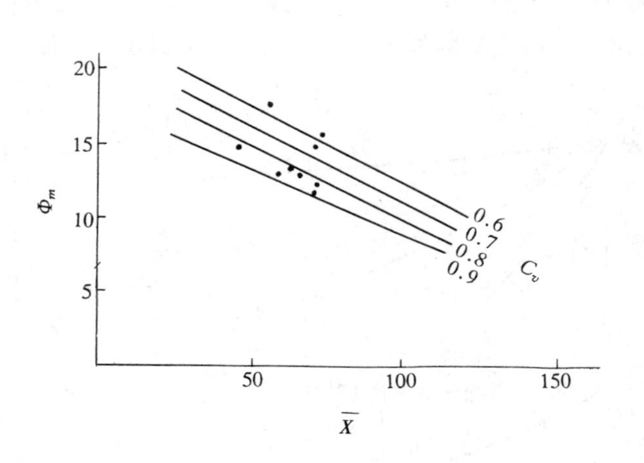

图 10.2.9 $\Phi_m \sim C_v \sim \overline{X}$ 关系图

综合上述，Φ_m 与 $\overline{X}$ 的关系，可能正变，可能反变，也可能关系并不明显。如果没有资料处理上的人为影响，都属正常现象。

我们认为，根据文献〔11〕所作的上述分析，既然 Φ_m 与 $\overline{X}$ 的正反变关系与 C_v 有关，那么在建立相关图时，最好也把 C_v 作为一个参数，就像文献〔14〕对黄河中游片所作的那样，建立 $\Phi_m \sim C_v \sim \overline{X}$ 关系图(图10.2.9)。

为综合考虑 $\overline{X}$ 和 C_v 的影响，有人建议采用百年一遇的雨量与 Φ_m 建立关系。为什么取百年一遇呢？因为 C_v 不稳定，不易算准。若取千年或万年一遇，那受 C_v 的影响就很大；若取五年或十年一遇，那 C_v 的影响又不很明显。取百年一遇是既考虑均值 $\overline{X}$ 的影响，又适当考虑 C_v 的影响。

10.2.6.2 $\overline{X}$ 和 C_v 的确定

关于设计站 $\overline{X}$ 和 C_v 的确定方法，国外的做法是不一样的。

国外的做法是根据实测资料用矩法直接计算出均值 $\overline{X}$ 和均方差 σ，然后再考虑特大值及样本容量的影响，对 $\overline{X}$ 及 σ 进行校正[1,3]。但是，这个所谓校正的校正系数曲线，其编制方法是与统计学基本原理不协调的，且假定样本是来自某条极值分布频率曲线(C_v 采用美国全国平均值，不考虑各地暴雨 C_v 的不同)的理想样本。即制作外包线时，统计参数不加校正，而使用外包线时却进行校正，前后不一致。

中国的做法，现在普遍认为，无论使用何种方法来确定 $\overline{X}$ 和 C_v，从原则上说，都应遵守一个条件："往返一致"，也就是在分析综合 Φ_m 时，$\overline{X}$ 和 C_v 是如何求得的，那么在以后把 Φ_m 用于推求设计地点的 PMP 时，也应按照同样的方法来求定 $\overline{X}$ 和 C_v，否则基础就不一致，从而带来误差。

现在,一般主张用最近编制的 $\overline{X}$、C_v 等值线图来确定。

10.2.6.3　**PMP 的确定**

根据上述求得的 Φ_m 和 $\overline{X}$、C_v 代入式(10.2.15)即得所求的 PMP。

10.2.6.4　**对 PMP 作固定观测时段校正**

根据上一步骤所求得 PMP,应是设计站的 PMP,但是,由于在雨量观测上,一般都是采用固定时段(以日或小时为计时单位)观测,这样所得的时段最大雨量,较之根据自记雨量资料统计所得的相应历时(以分钟为计时单位)的最大量往往偏小。因此,如果 PMP 是从固定观测时段所得的年系列求得的,则需要对其进行校正。其校正方法,最好是根据设计地区的日雨量、时段雨量与自记雨量对应观测资料求得相应的校正值来进行。

在缺乏自记雨量资料作对应关系分析的地点,以下数据可供参考:

1)最大 24 小时雨量的均值一般为最大 1 日雨量均值的 1.10～1.30 倍(平均情况可采用 1.12 倍)。

2)最大 60 分钟雨量的均值一般为最大 1 小时雨量均值的 1.10～1.20 倍(根据北京、上海、广东三站资料求得)。

3)时段最大雨量的平均校正值与时段内雨量观测次数成反比,其关系见图 10.2.10 及表 10.2.3[15]。

表 10.2.3　上海徐家汇站时段最大雨量校正值(按 1951～1973 年资料统计)

对应雨量资料	最大 60min	最大 180min	最大 360min	最大 24h
	最大 1h	最大 3h	最大 6h	最大 1d
平均校正值	1.18	1.03	1.02	1.18*
个别年份的最大校正值	1.84	1.12	1.32	1.68
时段内观测次数	1	3	6	1

* 根据 1916～1921 年、1929～1934 年、1937～1938 年、1949～1973 年资料统计。

国外有人[3]研究了几千站年的雨量资料,说明 1～24 小时固定观测时段的年最大雨量频率分析结果乘以 1.13 就可接近于以真正最大值作分析的结果。但如加密分段观测的次数,则其校正值就要更小一些(图 10.2.10)。

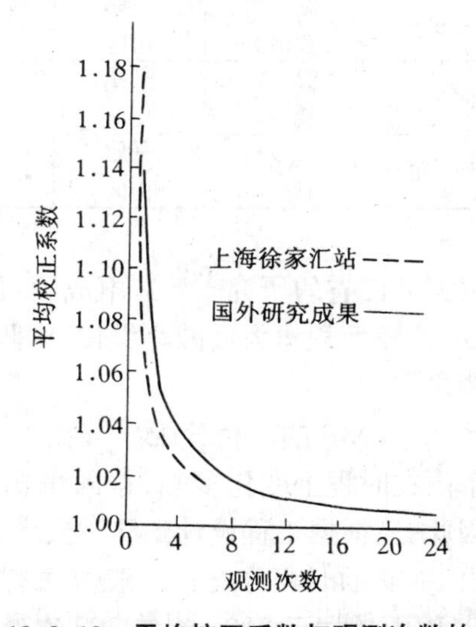

图 10.2.10　平均校正系数与观测次数的关系

10.2.6.5　**由点雨量求面雨量**

本法所求得的 PMP 系点雨量 X_o,还需要换算为面雨量 X_F。换算办法通常是采用点面系数 α_F 进行,而

$$\alpha_F = \frac{X_F}{X_o}$$

长短历时暴雨的点面关系有一定的差别。一般地,短历时暴雨点面系数 α_F 较小;长历时暴雨 α_F 较大。在同一地区内暴雨停滞的时间愈长,则在该地区暴雨的空间分布愈可能接近均匀。反之,暴雨在该地区停滞时间短,很快移出本区,故短历时 α_F 较小。表10.2.4是河南省的情况[17]。

表 10.2.4　河南省暴雨点面关系 $\alpha_F \sim t \sim F$ 关系综合成果表

历时 t (h)	各种面积 $F(km^2)$ 的点面系数 α_F					
	50	100	200	300	500	1 000
24	1	0.92	0.87	0.84	0.78	0.70
12	1	0.91	0.86	0.81	0.75	0.66
6	1	0.91	0.85	0.80	0.073	0.62
4	1	0.90	0.83	0.79	0.72	0.59
3	1	0.90	0.83	0.78	0.69	0.57
2	1	0.90	0.82	0.76	0.67	0.54
1	1	0.89	0.82	0.75	0.65	0.52

山区与平原暴雨点面关系也有差别,在同一场暴雨情况下,平原 α_F 比山区要大(表10.2.5)。

表 10.2.5　山区与平原 24 小时暴雨点面系数比较表[17]

雨次	暴雨中心	地形	各种面积(km^2)的点面系数				
			10	100	200	300	1 000
海河 638	临　颍	平原	1.0	0.975	0.953	0.934	0.860
	象河关	山区	1.0	0.926	0.872	0.834	0.679
淮河 727	界　首	平原	1.0	0.951	0.922	0.898	0.817
	桃花店	山区	1.0	0.946	0.912	0.860	0.765
淮河 758	上　蔡	平原	1.0	0.964	0.930	0.922	0.775
	林　庄	山区	1.0	0.871	0.827	0.802	0.713

根据浙江省的研究[17],暴雨成因对点面关系有明显的影响。当历时一定时,梅雨暴雨的 α_F 值随面积增大而减小缓慢;雷阵雨的 α_F 值减少最快;台风暴雨的 $\alpha_F \sim F$ 关系介于两者之间。

10.2.6.6　PMP 的时程分配

暴雨在时程上变化多端,总雨量相等的一次暴雨,可以由无数不同的降雨过程所组成。因此,应根据工程设计的防洪要求,选择能反映本地区暴雨特点的典型大暴雨资料,以得出 PMP 的时程分配。一般做法有两种:①综合概化,如浙江[17]根据该省实测最大24小时面雨量大于200mm的292次暴雨,综合概化得出的时程分配如图10.2.11所示。②典型年法,即用设计流域或其附近曾经发生的、产生最大径流的暴雨时程分配作为PMP的时程分配。图10.2.12是淮河758特大暴雨中心林庄最大24小时的时程分配。

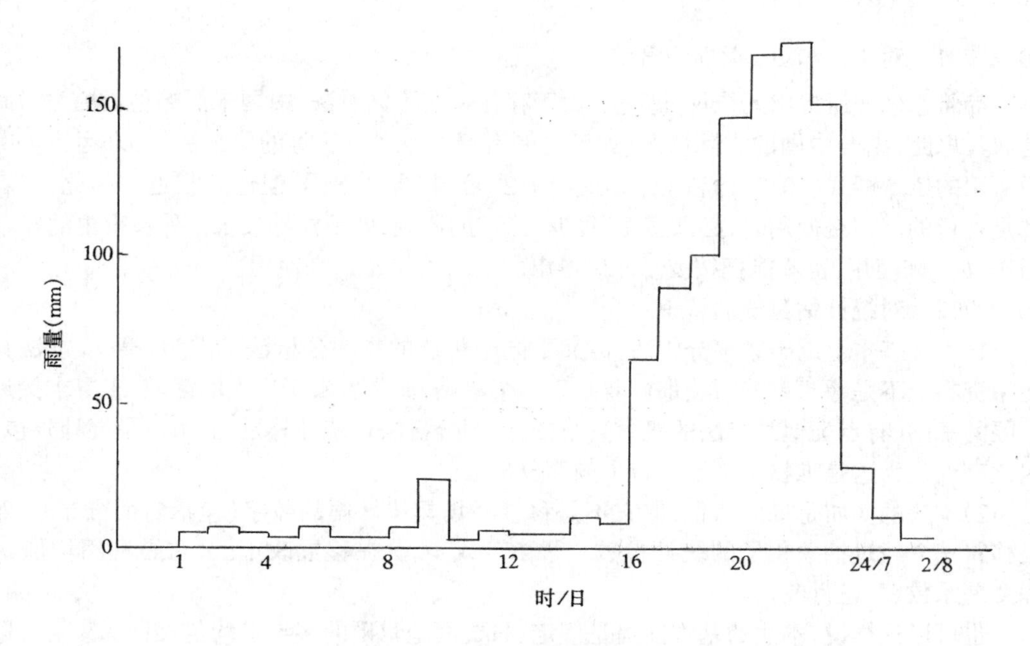

图 10.2.11　24小时雨型柱状图

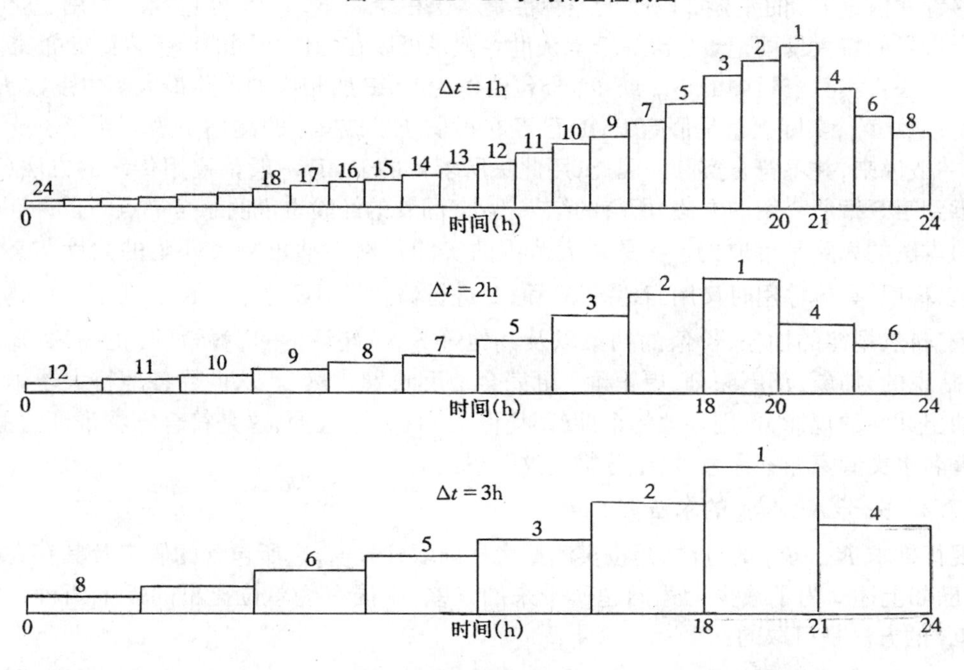

图 10.2.12　林庄1995年8月最大24小时雨量分配

最大3小时或最大6小时雨量对小流域洪峰流量的计算影响较大。因此时程分配雨一般可以最大3小时、6小时、24小时雨量为控制[15]。

10.2.7 认识与讨论

10.2.7.1 对 K_m 和 Φ_m 指标的看法

赫希菲尔德所提出的统计估算法,由于存在一些不同看法,中国未照搬他的方法,而是取其思路,结合中国的实际情况(如已绘制有暴雨 $\overline{X}$ 和 C_v 等的值线图等)来运用。中国所用的 K_m 即式(10.2.1)和 Φ_m 即式(10.2.4),其含义不同,但性质相近。因此,二者都是可行的。但在使用时,必须遵循"往返一致"的原则,即不能把按 K_m 外包得出的 K_{mm} 当作 Φ_{mm} 来使用,也不能把按 Φ_m 外包得出的 Φ_{mm} 当作 K_{mm} 来使用。

10.2.7.2 对统计估算法的认识

1)本法基本上属于频率分析法,但又不同于传统的频率分析法。因为,第一,本法在使用资料上不是像频率分析法那样着眼于一个单站,而是着眼于广大的区域,来寻求接近上限的暴雨(有点类似站年法的概念);第二,频率分析法是统计外延,而本法是统计外包,因此有人认为这是唯物主义地改造了频率分析法。

2)本法的实质是暴雨移置,但它不是移置一场具体暴雨的数字(包括时面分布),而是移置一个经过抽象化了的统计参数—— K_m 或 Φ_m。在移置改正上,它是利用均值 $\overline{X}$ 和变差系数 C_v 进行改正。

也可以这样说,本法的基本前提是假定:只要两地暴雨的多年平均值相同,暴雨可以任意移置并依据 C_v 的差异加以改正。赫希菲尔德在绘制 $K_m \sim \overline{X}$ 外包线时利用了全美国及全世界的特大暴雨记录,这等于承认世界记录可以在均值相同的地区内到处搬家。

3)本法将实测资料中的 K_m 或 Φ_m 外包值作为 PMP 所相应的可能最大离中系数 K_m 或离均系数 Φ_m,实际上就是假定 PMP 已经在提供 K_m 或 Φ_m 的测站上观测到了。这一假定,一般说来,并不符合实际。因此,用此法所求得的 PMP 一般都比用传统的方法(即第 6 章到第 8 章所介绍的方法)所得的结果为小,国外的经验也说明了这一点[3]。

4)本法的思路是可取的。它是从大范围的实测资料中抽出特大暴雨的共性 K_m 或 Φ_m 加以移用,具体移用时又用当地的 $\overline{X}$ 和 C_v 进行修正,即还原于个性。列宁说:"物质的抽象,自然规律的抽象,价值的抽象以及其他等等,一句话,一切科学的(正确的、郑重的、非瞎说的)抽象,都更深刻、更正确、更完全地反映着自然"。从世界各地特大暴雨资料中抽出共性的规律,再用各地的个性(即均值 $\overline{X}$和 C_v)去还原,这是符合唯物辩证法的。中国著名水文专家谢家泽教授,十分赞赏这一思路。

10.2.7.3 关于 K_m/Φ_m 的求法

现行推求 K_m/Φ_m 的方法,是按实测最大暴雨取外包值,它所包含的假定及其存在的问题,已如上述。为了减少上述问题所带来的误差,中国有些单位提出的以下两种推求 K_m/Φ_m 的方法是可取的:

1)在根据暴雨资料综合 K_m/Φ_m 时,可先对 X_m 进行放大。若 X_m 是高效暴雨,则只进行水汽放大;若 X_m 还够不上高效暴雨,则水汽动力均需考虑放大。

2)中国水文气象观测资料不是太多,但调查到历史洪水资料的河段却很多,故也可考虑利用这些宝贵的历史洪水资料求出历史暴雨 X_m 再来推求 K_m/Φ_m。历史暴雨 X_m

的求法,参见 10.3.3.1。

10.2.7.4 关于 $\overline{X}_n$ 及 C_v 的求法

国外的做法是根据实有资料直接计算出 $\overline{X}_n$ 及 σ_n，然后再考虑特大值及样本容量对 $\overline{X}_n$ 及 σ_n 进行校正[3]。但是这个所谓校正的校正系数,是根据假想系列得出来的。而实际情况是很复杂的,例如,许多实测资料表明,水文系列具有不明显的周期变化,故若实测系列正好处于一个枯水时,那么用上述那种校正法无论如何也校正不出一个正确的结果来的。因此,我们认为,关于 $\overline{X}_n$ 及 C_v 的求法,最好采用频率适线并通过地区综合分析来予以确定。在这方面,中国是有着丰富经验。

10.2.7.5 关于各种历时的 PMP 的问题

国外的做法是先求出各种历时(例如 5 分钟、1 小时、6 小时、24 小时等)的 K_m,然后求出各历时的 PMP。中国的自记雨量资料较少,一般都难于求出各种长短历时的 K_m 或 Φ_m。故中国一般都是利用 24 小时的 K_m 或 Φ_m 求得 24 小时的 PMP,然后再通过长短历时暴雨的转换关系得出指定历时的 PMP。此转换关系如下:

目前常用的暴雨强度公式

$$i = \frac{S}{t^n} \tag{10.2.16}$$

可得雨量公式

$$x_t = St^{1-n} \tag{10.2.17}$$

当 $t = 24$ 小时时

$$X_{24} = S(24)^{1-n}$$

或

$$S = \frac{X_{24}}{(24)^{1-n}} \tag{10.2.18}$$

将式(10.2.12)代入式(10.2.11)则得由 24 小时 PMP 变为其他历时 t 的 PMP 的转换公式

$$X_{t,m} = {\frac{t}{24}}^{1-n} X_{24,m} \tag{10.2.19}$$

式中 $X_{24,m}$ 为 24 小时 PMP,mm;$X_{t,m}$ 为 t 小时 PMP,mm;t 为降雨历时,h;i 为暴雨强度,mm/h;S 为雨力,mm/h;n 为暴雨指数。

n 值反映暴雨强度随历时的增长而衰减特性。n 值愈大,说明暴雨强度随历时的增长而递减的速度快,n 值愈小,说明暴雨强度随历时的增长而递减的速度慢。

根据中国的经验[15],n 值随气候地形条件不同,在地区上变化有一定的规律。例如,平原地区多降雨,暴雨历时相对较短,n 值较山区要大些;迎风坡山区,因天气系统受地形阻挡的影响,暴雨历时相对较长,n 值较平原地区要小些。因此,分区综合分析时应注意地形的影响。文献❶❷ 指出,n 值与暴雨频率(暴雨大小)、天气系统等有关。

---

❶ 杨远东.设计点暴雨分析.中国水利学会设计洪水学术讨论文件,1963,4

❷ 王家祁,顾文燕.点设计暴雨的雨量历时关系分析.水文报告选编第二集,水利部南京水文研究所,1982

关于 n 值的确定方法,一般是根据若干场实测特大暴雨的点雨量资料,在双对数坐标纸上点绘雨量 X 和历时 t 的关系,然后定出外包线,此线的斜率即为 n 值。但是由于此外包线往往不是一条直线,而是几段直线所组成的折线,故一般都分段求 n。这种做法的出发点是:认为在实测资料中长短历时的雨量都已出现了特大值,因而该外包线可以看做是某种稀遇频率雨量的相关线,并把此种雨量递减关系看做是接近 PMP 的。

河南省包括 758 和 727 等特大暴雨在内的 $\lg X \sim \lg t$ 图上外包线的暴雨指数分为三段:$t \leqslant 1$ 小时,n_1 为 0.25;$t = 1 \sim 6$ 小时,n_2 为 0.35;$t = 6 \sim 24$ 小时,n_3 为 0.82[16]。

10.3 等值线图法

10.3.1 概述

由于气候具有地区性,故在一定气候条件下形成的气象和水文要素的特征值与统计参数,也具有地区性。而且地区与地区之间气候的变化,除特殊地形障碍影响之外,一般都是渐变的。因此,各种水文气象特征值在地区上的变化也是渐变的。这一特性就是绘制各项特征值等值线图的基本依据。这种等值线图可以清楚地反映出所研究物理量(特征值)的地区变化规律。PMP 是一种特征物理量,故可绘制等值线图。

PMP 等值线图是表示区域内一定历时一定面积 PMP 地理变化的等值线图。这种图主要优点有:①可为区域内任何流域 PMP 估算提供一个方便的信息;②可用于区域内各流域的 PMP 值的协调。

在任何特定区域内,地形变化有随面积的增大而增加的趋势,因而使 PMP 等值线图的绘制较为复杂,山岳地区更是如此。由于这种困难,概化估算通常在山岳地区限于 13 000km^2 以下,在非山岳地区限于 5 200km^2 以下[1]。

中国在 1976~1977 年期间,为满足全国中小型水库保坝洪水设计的需要,在水电部和中央气象局的领导下,组织各地 800 多名科技人员,应用 12 万个站年的雨量观测资料和 100 多场大暴雨调查资料,通过近两年的工作,编制了《中国可能最大 24 小时点雨量等值线图》。

由于 PMP 等值线图绘制工作量很大,有些国家只绘制 1 小时、6 小时、24 小时点 PMP 指标等值线,然后利用长短历时雨量关系、点面雨量关系求出其他历时、面积的 PMP 数值。中国的 24 小时 PMP 等值线就是这种性质的指标图。

本书着重介绍点雨量 PMP 等值线图的绘制。这种点雨量图,一般用于 1 000km^2 以下面积的 PMP 的估算。

10.3.2 绘制等值线图的基本要求

10.3.2.1 所用地图比例尺要合适

绘制等值线图时,通常先在较大比例尺(例如 1∶50 万~1∶100 万)的地图上绘制,以保证一定的精度,然后再缩制成较小比例尺的图形,以便于应用。各种历时和各种面积的等值线图,其比例尺应取得一致。所用地形图应是包含有等高线的地形图,以利于在绘制等值线时考虑地形对等值线走向的影响。

10.3.2.2 所用雨量资料条件要比较好

PMP等值线图应能反映出PMP在地区上的分布规律,故在勾绘等值线时,从原则上讲,所使用的雨量其基础应该一致。所谓资料基础包括资料的测验和分析计算精度、资料系列的长短,以及在时间上(历时上的丰、平、枯水)空间上(地区上)的代表性等。但是,由于各种原因,各站资料的精度和代表性,往往是有差别的。为此,可以按资料条件的好坏将各个点据进行分级(例如分成一级点、二级点、三级点等),分别用不同的符号标出,然后根据自然地理条件,采用定量和定性相结合的办法进行绘制。关于资料站点的多寡,一般平原地区可以少一些,山区需要多一些。

10.3.2.3 绘制等值线图的基本原则

等值线是空间等值面与地面的交线。在绘制等值线时必须遵循下列基本规则:

1)同一条等值线上,该要素值处处相等。

2)等值线一侧的数值必须高于另一侧的数值。这就是说,等值线应在一个高于等值线的测站(或点子)和一个低于等值线的测站(或点子)之间通过,而不能在都高于(或都低于)等值线数值的两个测站(或点子)之间通过。

3)等值线不能相交,不能分支,不能中断。

4)在两个高值区或两个低值区之间,必有两条相邻的等值线,其数值相等。并且这两条等值线的数值,在两个高值区之间是最低值,在两个低值区之间是最高值。

5)由于地形对降水有影响,故绘雨量等值线必须考虑地形对等值线走向的影响。

10.3.2.4 绘出后要进行合理性检查

一个区域的各种历时的PMP等值线图均应符合地区的自然地理特点,而且各图之间应彼此协调,不能有相互矛盾之处。

1)对任一张等值线图来说,等值线的变化趋势,应与地形地理条件相协调。例如,山区迎风坡雨量一般应大于附近的平原和背风坡的雨量,湿润地区的雨量应大于干旱地区的雨量。暴雨中心活动路径上雨量应大于两侧的雨量。水汽障碍前后,雨量应有所差别,即障碍之前雨量应大些,障碍之后雨量应小些。

2)对于各张等值线来说,不同历时点雨量的等值线,其数值均应随着历时的加长而增大。例如24小时的PMP等值线的数值,必须处处大于12小时的PMP等值线的数值。

另外,须注意,不能出现在这张图上是个低凹点的地方,而在另一张图上却是个高凸点的现象。自然,随着历时增大,雨型可能逐渐改变,因而导致两张图上凹凸处在最后可能不一致。

10.3.3 PMP的计算方法

PMP等值线图的绘制,美国是对各个格点(网格通常与经纬度网格一致)的PMP采用水文气象法求得[1,2]。中国由于暴雨资料较少,对各个站点的PMP计算方法,一般采用水文气象法、统计估算和频率分析法三种方法进行,然后通过综合分析,选取各站点的PMP。

10.3.3.1 水文气象法

(1)移置模式法

在移置模式上,需把所研究区域内,可供移置的对象,逐个进行分析,定出它们的移置范围,并勾绘出它们各自的移置界线,以便在界内进行移置。具体移置时各个环节的处理办法,参见第7章。

(2)当地模式法

由于当地模式一般都不属高效暴雨,故需进行水汽因子和动力因子联合放大。动力因子一般是采用效率η。中国在24小时点雨量PMP等值线图的编制工作中,对可能最大效率η_m,有许多单位是采用历史洪水反推。

使用历史洪水反推24小时点雨量,对历史洪水资源的选取,要求具备下列5个条件[18]:

1)洪水调查流量成果应具有一定的可靠性。对调查成果应进行认真审查及必要的现场复查。并注意计算方法和有关参数的定量,以提高洪峰流量的计算精度。

2)所选取的历史洪水应是稀遇的特大洪水。因为只有这种的洪水所对应的暴雨才可以看作是高效暴雨。所谓稀遇特大洪水,一般是指流域面积相近,而洪峰模数最大者,即在洪峰模数—流域面积关系图上靠近上限外包线的点据。

3)调查河段控制流域面积不宜过大,根据四川省的经验,一般以限制在1 500km^2以下为宜[10]。因为面积过大,产流汇流条件比较复杂,点面关系误差也较大,使点雨量推算精度受到影响。

4)在调查河段附近最好有流量站,且流域内有一定数量的雨量站,雨量站的位置基本上能反映雨量在流域内的分布规律,这样才能使按历史洪水求得的暴雨较接近实际。

5)在所研究的流域内,人类活动影响相对较小,即流域的产流汇流条件历年变化不大,或变化虽大,但可进行处理计算。

历史洪水相应的24小时点雨量的推求方法,一般有三种[19]:

1)洪水过程线法。当历史洪水调查访问记录中已有历史洪水发生时间与历时(涨水与退水历时),便可参照实测洪水流量过程线,模拟描绘出历史洪水流量过程线。在小流域也可用概化过程线(包括三角形过程线),估绘历史洪水流量过程线,量算出洪水总量W及径流量深R_H,面雨深X_t,通过时面深关系,即可求得24小时点雨量X_{24}。

2)峰量相关法。峰量相关的形式较多。如绘制洪峰—洪量—暴雨中心24小时点雨量($Q_m \sim W \sim X_{24}$)的合轴相关图,由历史洪水洪峰流量Q_m直接查算24小时点雨量X_{24}。这种关系图属定面动点关系,动点的范围以流域内及附近为宜。也可绘制洪峰流量与流域平均雨深关系,再通过点面关系,求历史洪水的点雨量。在小流域亦可直接用暴雨中心24小时点雨量与洪峰流量建立相关图。在没有水文站的河段,可借用地区综合的暴雨径流关系及峰量关系来推求历史洪水的暴雨。

3)推理公式法。洪峰流量的推理公式,一般可写成

$$Q_m = 0.278 \frac{S}{\tau^n} \psi F \tag{10.3.1}$$

中小河流特大洪水时,一般属于全流域汇流,四川省采用了下列表达式

$$Q_m = 0.278(\frac{S}{\tau^n} - M)F \tag{10.3.2}$$

由此式可得

$$S = (\frac{Q_m}{0.278F} + M)\tau^n \tag{10.3.3}$$

而

$$X_{24} = S\tau^{1-n} \tag{10.3.4}$$

将式(10.3.3)代入式(10.3.4)得历史暴雨估算公式为

$$X_{24} = (\frac{Q_m}{0.278F} + M)\tau \tag{10.3.5}$$

式中 Q_m 为历史洪水的洪峰流量,m^3/s;F 为流域面积,km^2;τ 为流域汇流时间,h;n 为暴雨递减指数;ψ 为洪峰径流系数;M 为平均入渗率,mm/h;S 为暴雨雨力;X_{24}为 24 小时雨量,mm。用推理公式估算历史暴雨关键在于计算汇流时间 τ。这可参考各省区的水文手册分析确定。表 10.3.1 是四川省用历史洪水估算历史暴雨的成果[18]。

表 10.3.1　四川省历史 24 小时点雨量成果表

水　系	河　名	调查河段	集雨面积(km^2)	历史洪水年份	历史洪峰流量(m^3/s)	洪　量 W (10^6m^3)	洪　水径流深(mm)	降雨历时 T (h)	径流系数 α	T 小时面雨深(mm)	24 小时点雨量(mm)	计算方法
渠河	固家河	程家河	276	1896	4 180	162	587	9	0.90	690	720	①
渠河	后　河	毛　坝	1 430	1902	8 270	405	283	14	0.90	400	550	①
渠河	前　河	土　黄	1 309	1896	10 400	618	470	10	0.90	525	700	①
渠河	长荡河	青　溪	258	1958	3 030	49.6	192	5	0.90	220	525	①
渠河	南　江	马掌铺	1 312	1926	91 700	379	289	8	0.90	320	408	①
涪江	平通河	甘　化	1 067	1856	6 340	395	370	8	0.90	412	700	①
青衣江	周公河	孔　坪	690	1887	3 150	100	144	12		160	640	①
长江	磨刀溪	龙　角	2 224	1870	7 520	362	163	8	0.90	181	350	①
渠河	磨滩河	神　谭	600	1926	7 500						780	②
渠河	官渡河	大田沟	142	1872	2 010						550	②
渠河	清溪河	柏　杨	283	1896	2 770						500	②
涪江	石洞河	白　马	311	1938	2 750						500	②
涪江	龙台河	龙　台	660	1920	8 930						860	②
长江	永宁河	墩墙场	376	1906	3 540						500	②
沱江	绵远河	汉王场	410	1934	4 410						600	②

注:计算方法①为峰量相关;②为推理公式。

历史暴雨代表性露点的推估。当有历史气象资料时,尽量按当地水汽入流方向代表站的湿度记录查算。当缺乏历史气象资料时,可借用实测大暴雨资料中天气成因与历史暴雨相同者的露点作为历史暴雨的代表性露点。当无法推估历史暴雨的天气成因时,也可建立实测大暴雨最大 24 小时点雨量 X_{24}与代表性露点 T_d 的相关图,定出内包线来推求历史暴雨的代表性露点(表10.3.2)。

表 10.3.2 江苏省历史暴雨代表性露点表[19]

暴雨发生日期 年 月 日	地 点	中心雨量 (mm)	代表性露点 T_d(℃)
1911.9.11	塔山	600	23.7
1906.8.初	尚城	650	23.9
1696.8.22	句容	650	23.9
1928.9.15	横山	500	23.3

10.3.3.2 统计估算法

中国在绘制 PMP 等值线图时,有很多省区采用了赫希菲尔德所提出的统计估算法,但大都是取其思路,在具体做法上则有所不同。其中比较有代表性的是按下式计算 PMP:

$$PMP = \overline{X}_n(1 + \Phi_{mm}C_{vn}) \tag{10.2.15}$$

也就是用包括特征值 X_m 在内的 n 年系列所求得的离均系数 Φ_m 的外包值 Φ_{mm} 来取代赫氏法中的 K_m。

关于 $\overline{X}_n$, C_{vn} 和 Φ_{mm} 的求法,见本书 10.2.4 节。惟这里只需点雨量,无需求面雨量。

10.3.3.3 频率分析法

对具有 15 年以上雨量资料的站点,采用频率法,频率曲线线型用皮尔逊Ⅲ型。对统计参数均值 $\overline{X}$ 和变差系数 C_v 一般用矩法计算,偏态系数 C_s 用适线法确定。适线时取 $C_s=3.5C_v$,并对 C_v 略作调整。

最后绘出全国均值、C_v 和万年一遇最大 24 小时点雨量等值线图。

10.3.4 中国绘制等值线图的一般步骤

10.3.4.1 全国情况

国外绘制 PMP 等值线图的一般步骤是:先估算各经纬网格点的 PMP 数值,然后勾绘等值线图。

中国在绘制《中国可能最大 24 小时点雨量等值线图》时,多数省的步骤是:先估算若干个实测或调查到的大暴雨中心地点的 PMP 数值作为“支柱点”,然后按一定的相关关系由“支柱点”数值推求各雨量站地点的相应数值(简称为“铺面”),再按此勾绘全省的等值线图,作为初稿。然后经过合理性分析,对照实测及调查的大暴雨记录分布、暴雨统计参数等值线图、万年一遇暴雨量等值线图及地形图等,进行协调修改,作出修改稿。另一些省则选取较多的计算点,以各种方法计算各点的 PMP,并先选取要用值,然后勾绘等值线,最后再按前述方法进行协调修正。

各省的修正稿再按片(全国分成 9 片,每片 3～5 个省)拼接。拼接中,要协调各省 PMP 量级之间以及边界地区等值线数值和趋势方面的矛盾,返修各省的图稿,并绘出各片的等值线图。最后,再将各片等值线图经过协调,拼接成全国的等值线图[20]。

10.3.4.2 个别省的情况

这里介绍云南省的情况[2]。云南省根据多种方法初定出各个控制点的 PMP 数值,再用点面结合及地区综合,予以修匀后,按下列步骤勾图:

1)定中心。根据 PMP 数值定暴雨“高低中心”、“轴向”、“范围”。参照暴雨均值图和地形协调修正轴向、范围。

2)定走向。根据暴雨均值图、流场分布、地形条件勾绘等值线走向。虽同一资料,如仅凭点据勾图,往往可绘出局部地区或较大范围内不同走向的线条来,特别是缺少资料的地区,更是如此。本图主要参照等百分数线法,插补无资料地区并绘制暴雨均值线图,以其走向来修正PMP等值线走向。

3)定梯度。在山前由于动力抬升作用,暴雨量大、迎风坡等值线密集,背风坡面稀疏。暴雨中心则强度大,范围小,等值线梯度大。

4)定最大暴雨带。最大暴雨带高程以下暴雨随高度递增,最大暴雨带以上暴雨则随高度递减。不同地区最大暴雨带也不同,一般海拔1 200～200m或在基底高程以上400～600m为最大暴雨带。参照对比法,分析地形雨规律,绘制坡面PMP等值线图。

10.3.5 中国PMP等值线成果

中国全国和各省(区)的24小时等值线图均已刊布。图10.3.1是全国成果图[20]。

全国可能最大24小时点暴雨量的地区分布,受地理位置(与水汽来源以及与大气环流和天气系统的发展路径有关)、高程、地形(与气团运动的升降、聚散和移速有关)以及地面的水分、热力条件等因素的影响,一般有以下规律[20]❶:

1)接近水汽来源的地区,其PMP大于远离水汽来源的地区。例如中国沿海一带,其PMP值多在1 000mm以上,而西北内陆中心则仅为100mm。

2)由于高原上的空气柱中的水汽含量显著小于其邻近的低地,因此其PMP也相应较小。例如青藏高原虽然离海不远,但其PMP值多在200mm以下。

3)在迎风山坡,由于地形的抬升作用,其PMP往往大于山前平原及背风山坡,PMP等值线的走向也与山系的走向相近。这在燕山、太行山、伏牛山及川西的山系,表现得很明显。

4)在盆地内,水汽受四周山脉的阻挡与屏蔽,气团下沉,不利于大暴雨的产生,故往往是PMP的低值区。

5)在山系转角、两个山脉相交和具有喇叭口的地形处,由于中尺度天气系统容易停滞,气流辐合被迫抬升,往往有较高的PMP值。反之,河谷、山脉的缺口,多是气团的通道,移速快,抬升作用弱,其PMP值相对要低些。

10.3.6 PMP等值线图的应用

中国的24小时点雨量PMP等值线图,是为满足估算重要的中小型水库保坝洪水的需要而作,适用面积一般在1 000km^{2}以下。先推算出所研究工程所要求的各设计时段的可能最大点暴雨量,再通过暴雨的"点面关系"推算出相应于指定流域面积上的各时段相应的面平均雨量,最后按一定典型的时程分配给出降雨的过程。各省的暴雨时面深关系及时程分配,也作为辅助图表,随PMP等值线一并提出。

10.3.7 认识与讨论

中国PMP等值线图与美国的不同,美国是采用水文气象法进行,中国是采用多种方

❶ 编制全国可能最大暴雨等值线图协调小组办公室.中国可能最大24小时点雨量等值线图.1977

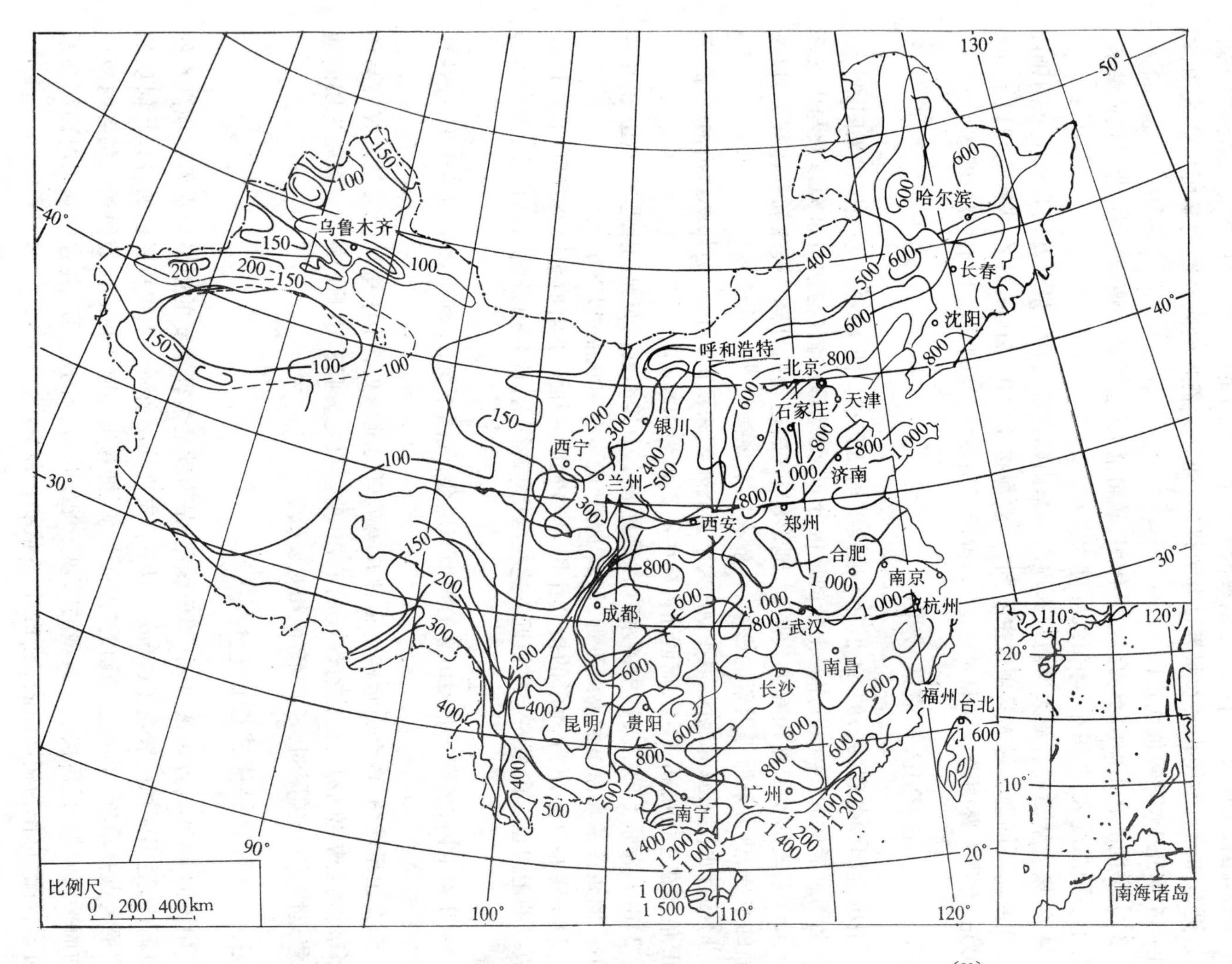

图10.3.1　中国可能最大24小时点雨量等值线图(1978年11月成果)[20]

法综合分析选定的。

中国在编制PMP等值线图时,有一个重要的指导思想:“按照国内外经验,并从保证安全出发,一般认为一地的PMP采用值总是应大于其相应的万年一遇数值”[20]。我们认为,这一指导思想是有待商榷的(详见本书第26章)。

10.4 时面深概化法

10.4.1 概述

暴雨放大、移置、外包是美国用以估算PMP的一整套方法,中国一般简称为时面深概化法。此法亦为英国、澳大利亚、印度等国所运用。世界气象组织1973年和1986年两次出版的PMP估算手册[1,2]均对该法进行了介绍。中国从1987年开始试用。

这套方法在美国适用于平原区52 000km^{2}以下,山区13 000km^{2}以下面积,6～72小时的PMP估算[1,21]。此法的基本思路是:

1)由于平原地区与山丘地区暴雨的物理成因有一定的差别,故推求PMP的方法也应有所不同。

2)平原地区(包括地形起伏相对较小的平坦地区)的降雨是由于天气系统过境而引起的空气辐合上升运动所形成,简称辐合雨。

3)山丘地区的降雨是由两部分组成:一部分是由于天气系统过境引起的降雨(这和平原地区一样),简称辐合分量;另一部分是由于地形的增幅作用增加(或减少)的降雨,简称地形分量。

4)时面深概化法就是将针对辐合雨提出的一套推求PMP的方法,以用于平原地区。如果要将此法的成果应用于山丘地区,则需再考虑地形调整,方能得出山丘地区的PMP。

WMO出版的PMP估算手册所介绍的时面深概化法,1973年是按PMP的老定义(即“特定流域”的PMP)进行的,1986年版是按PMP的新定义(即“给定暴雨面积”的PMP)进行的(有关PMP新老定义的详细情况,参见本书第1.1节)。本书介绍按新定义的做法。

10.4.2 平原地区PMP的推求

10.4.2.1 暴雨面PMP的推求

这里暴雨面是指暴雨等雨深线所包围的面积。其PMP的求法如下。

(1)PMP总量的推求——时面深外包

根据文献[1,3,22,23]的介绍,暴雨面上PMP的总量是通过暴雨时面深外包来求得,其步骤如下:

1)将包括设计流域在内的气象一致区内的若干场(一般不少于6场)大暴雨在原地予以极大化。在美国一般只作水汽放大,在中国由于暴雨资料系较短,也可考虑水汽动力因子联合放大。所选用的暴雨宜为同类暴雨天气系统形成的暴雨。

2)对其中有地形影响的暴雨,应设法割去其地形分量,只保留辐合分量以便移置。

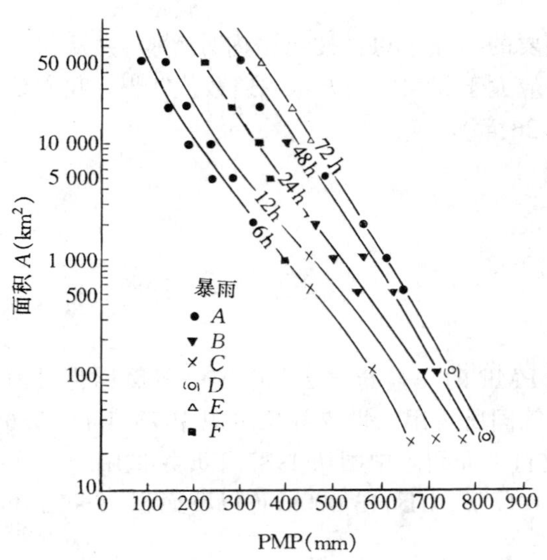

图 10.4.1 雨面 PMP 时面深曲线

3)将上述这些暴雨的辐合分量在半对数坐标纸上点绘时面深关系,然后对各种历时(例如 6 小时、12 小时、24 小时、48 小时、72 小时)绘出光滑的外包线即得各暴雨面 PMP 时深概化图(图 10.4.1)。外包线上的雨深即是各暴雨面上某历时的 PMP 总量。

(2)PMP 面分布的推求——椭圆形概化

经验表明,在没有明显地形影响的地区,大暴雨的等雨量线图有一个共同的特点:其形状为一组同心椭圆。于是美国将 PMP 的面分布概化为一组同心的椭圆形。其步骤如下:

1)标准椭圆图形的概化。椭圆形的形状可用形状比率和雨轴方位表示。形状比率 R 为概化椭圆等雨深线长轴($2a$)与短轴($2b$)的比值,即

$$R = 2a/2b = a/b \tag{10.4.1}$$

雨轴方位用长轴与经线的夹角 θ 表示,θ 以原点向北为零度,顺时针方向量取。

形状比率 R 是根据气象一致区内若干场同种天气成因的大暴雨的等雨量(扣除地分量后的)线图进行分析,分别概化求出每场暴雨的 R,然后通过综合分析,得出供设计使用的 R 值。

根据美国第 52 号水文气象报告利用 53 次特大暴雨资料分析的结果,美国 105°W 以东地区,范围包括 51 800km² 的椭圆模型的 R 值变化于 1~8 之间(表 10.4.1)。其中以 2 最为普遍,其次为 3 和 4,2 和 3 占全部暴雨的 62%,2~4 占 83%。

表 10.4.1 美国 53 次大暴雨形状比率

形状比率 R	1	2	3	4	5	6	7	8	总计
次 数	2	22	11	11	4	2	1	0	53
占总数百分比(%)	3.8	41.5	20.8	20.8	7.5	3.8	1.9	0	100

对形状比率是否存在地区变化的问题,曾按 6 个气象一致区做过分析,包括 33 次暴雨。分析后未发现明显的地域变化,大多为 2 和 3。后来又根据较大的样本(183 次暴雨)分析,形状比率有些地区差别大,但大多分区的样本较小,故可认为地区差异不明显。

此外,还根据 53 次暴雨资料讨论了形状比率和面积大小有没有关系的问题(表 10.4.2)。结果表明,小面积暴雨趋向圆形,如面积在 13 000~130 000km² 时,比率约为 2,面积大时为 3,报告认为这种倾向并不强烈。

第 52 号报告建议采用理想的椭圆等值线形状,长短轴之比为 2.5:1。形式如图 10.4.2,包括 14 条等值线(从 A 到 N),估计可覆盖面积在 7 800km² 以内的实际流域。如想应用于更大的流域,可查读表 10.4.3 所列的标准数据。

表 10.4.2 美国各类总暴雨面积的大暴雨等值线图形状比率发生次数占总次数的百分比值

形状比率 R / 面积 A(km²)	1	2	3	4	5	6	7	8	暴雨次数
800～13 000	40	20	20	20					5
13 000～26 000		67		33					3
26 000～52 000		57		28	14				7
52 000～78 000	12	50	12	25					8
78 000～100 000		50		33	17				6
100 000～130 000		50		50					2
130 000～180 000		22	33	11		22	11		9
180 000～230 000		28	43		28				7
230 000 以上		33	50	17					6
占总次数百分比(%)	4	40	21	21	8	4	2	0	53

表 10.4.3 美国长短轴比例为 2.5 形状的标准椭圆等值线轴距 r(km)

等值线符号	标准等值线包围面积(km²)	区间面积(km²)	辐射轴(°)					
			0	15	30	45	60	90
A	26	26	4.54	3.91	2.98	2.38	2.04	1.82
B	65	39	7.18	6.18	4.72	3.76	3.23	2.86
C	130	65	10.2	8.74	6.68	5.33	4.57	4.06
D	259	129	14.4	12.3	9.44	7.53	6.46	5.74
E	453	194	19.0	16.3	12.5	9.97	8.54	7.59
F	777	324	24.8	21.4	16.3	13.0	11.2	9.94
G	1 166	389	30.4	26.2	20.0	16.0	13.7	12.2
H	1 813	647	38.0	32.7	25.0	20.0	17.1	15.2
I	2 590	777	45.4	39.0	29.8	23.8	20.8	18.1
J	3 885	1 295	55.6	47.8	36.6	29.2	25.0	22.2
K	5 568	1 683	66.5	57.2	43.8	35.0	29.9	26.6
L	7 770	2 202	78.6	67.6	51.7	41.3	35.4	31.4
M	11 655	3 885	96.3	82.8	63.3	50.6	43.3	38.5
N	16 835	5 180	115.7	99.5	76.1	60.8	52.1	46.3
O	25 900	9 065	143.5	123.4	94.4	75.4	64.6	57.4
P	38 850	12 950	175.7	151.2	115.6	92.3	79.1	70.3
Q	64 750	25 900	226.9	195.2	149.2	119.0	102.1	90.8
R	103 600	38 850	287.1	246.9	188.8	150.8	129.2	114.8
S	155 400	51 800	351.6	302.4	231.2	184.7	158.2	140.6
注			半长轴					半短轴

如需在给出的等值线之间内插补充等值线，可由半长轴 a 和半短轴 b 以及面积 A 计算各种角度的辐射轴距 r：

$$b = (A/2.5\pi)^{\frac{1}{2}} \tag{10.4.2}$$

$$a = 2.5b \tag{10.4.3}$$

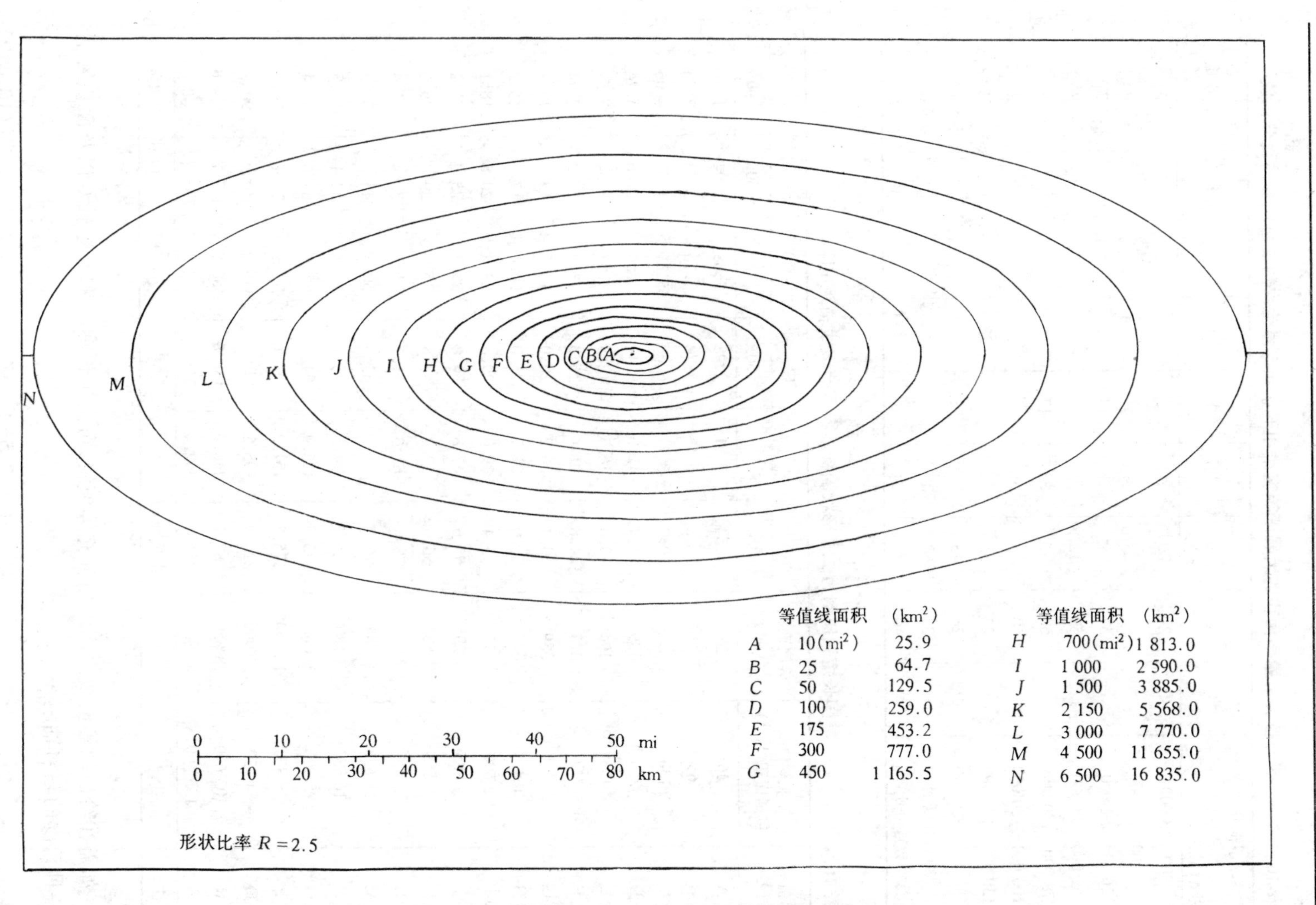

图 10.4.2 美国 105°W 以东 PMP 空间分布的标准等值线图（汉森等,1982）

$$r = ab/(a^2\sin^2\theta + b^2\cos^2\theta)^{\frac{1}{2}} \tag{10.4.4}$$

(3)PMP 时程分布的推求——单峰概化

PMP 的时程分布是在对气象一致区内暴雨分析的基础上确定的。

美国通过对若干实测大暴雨时程分布的分析,发现大多数暴雨的时段最大降水量不发生在暴雨的开始和末尾,而在时期中间偏后时段,于是将暴雨时程分布概化为单峰型,雨峰略偏后(详见 13.2.2 节)。

10.4.2.2 **设计流域 PMP 的推求**

以上求得的是暴雨面上的 PMP,但工程设计要求的是设计流域的 PMP,为此需要将其转化为设计流域的,即求出设计流域的 PMP 总量及其时面分布。这个目标是通过一系列试算来实现的。

按照汉森定义的概念,一场极大化后的暴雨,一般不可能使各种不同历时、不同面积的面平均雨量,都达到可能最大。于是假定对于一定历时而言,只能有一种面积的面平均雨量达到 PMP,这个面积可称为临界雨面 A_m,即大于(称暴雨外)或小于(称暴雨内)这个 A_m 面积的面平均雨量,都要小于同一历时同一面积的 PMP。这就是要求先要得出适用于设计流域的时面深关系曲线来,在这张图上,任一历时只能有一个临界面积 A_m 的雨量达到 PMP 水平(即在图 10.4.1 的外包线上),大于或小于面积 A_m 的雨量都不是 PMP。如图 10.4.3 中的虚线所示。有了这一条虚线,PMP 椭圆形面分布的等雨量线上的具体数值也就定了。

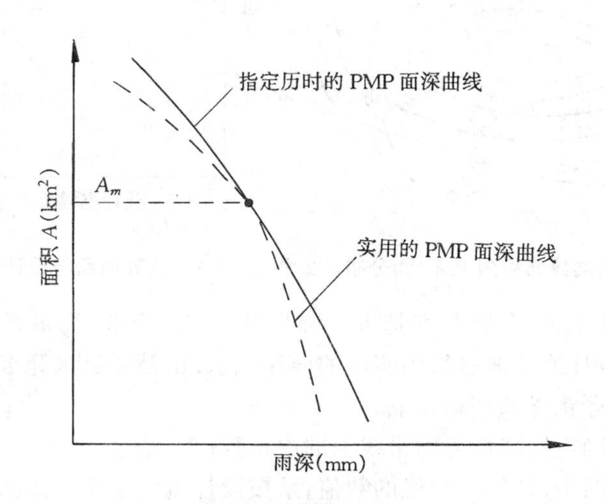

图 10.4.3 指定历时实用的 PMP 面深曲线

以下分别介绍临界面积 A_m,实用的时面深关系和椭圆形等值线图上雨量数值的确定方法。最后再介绍设计流域概化雨量图的安置和 PMP 的时程分配。

(1)暴雨临界面积 A_m 的选定

由于流域形状是不规则的,而设计的概化暴雨图是规则的椭圆形,将两者叠置在一起就出现一个覆盖面积大小的问题,如图 10.4.4 所示。如果选的临界面积 A_m 越大,则完全把设计流域面积覆盖的可能性就越大，但相应流域面平均雨深将减小，就有可能得不到流域面积的PMP。相反，如果选的 A_m 偏小，则其所覆盖住的流域面积就较小，相应流域面平均雨深也较小。因此，A_m 的选取对设计流域的PMP是有影响的。此问题的解决办法是试算。即按设计流域面积 F 的大小，分别选取大于 F 和小于 F 的若干个 A_m，进行试算，然后绘制 A_m 与设计流域面平均雨深 $\overline{P}$ 的关系(图10.4.5)，可得相应于最大雨深 $\overline{P}_m$ 的临界面积 A_m。

(2)设计流域实用的时面深概化图的绘制

在试算中推求某一历时PMP的面分布时，必须建立如图10.4.3中虚线所示的面深关系，这样才能求得椭圆形概化等雨量线的雨量数值。

上述这条虚线是在分析大量实测大量雨面深关系的基础上确定的。首先假定一个临界面积 A_m(注意：A_m 要和设计流域面积 F 接近)，针对各次暴雨，分析其临界面积 A_m 外和 A_m 内的各面雨深和临界面积雨深的关系，取其平均值，再根据暴雨面深外包线(图10.4.3中的实线)，使临界面积指定历时的面雨量达到PMP值。这样就可求得某一历时暴雨临界面积内(外)雨深面积关系，该关系就是实用的面深曲线。同样可做其他历时实用的面深曲线[21]。

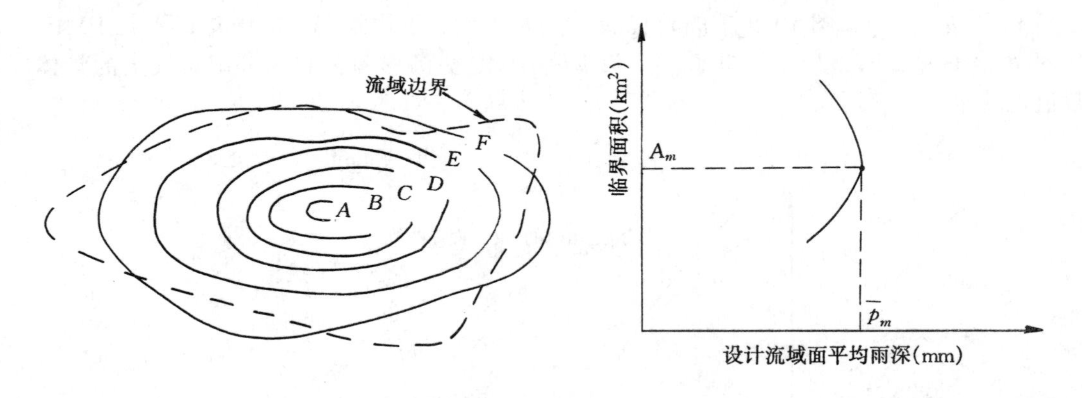

图10.4.4　设计的临界面积内PMP面分布　　图10.4.5　临界面积与设计流域面平均雨深关系

由上可见，实用的面深曲线，与选取的临界面积 A_m 有关，而最终的 A_m 是通过试算确定的。换言之，设计流域最终采用实用的面深关系，也是通过试算求得的。

(3)概化PMP等雨量线图的绘制

这一步就是要确定椭圆形等雨量线上的雨量数值。

椭圆概化暴雨图中，各等雨量线的数值，系按设计流域实用的面深关系(图10.4.3中的虚线)，采用与面深分析相反的分析方法求得。具体做法用下例说明。

例：已求出流域所在地区暴雨时面深外包曲线(见图10.4.6中的实线)及临界面积为3 000km^2 的实用的时面深曲线(见图10.4.6中的虚线)，雨图形状比率为2.3。试求出图10.4.4中临界面积的6小时雨量达到可能最大雨量时，控制面积内各等雨量线 A、B、C、D、E、F 的数值[21]。

由表 10.4.4 中的第⑧栏及第⑥栏数字，绘制等雨量线纵剖面图，见图 10.4.7。根据表 10.4.4 及图 10.4.7 制成表 10.4.5，得等雨量线 *A*、*B*、*C*、*D*、*E*、*F* 的数值。

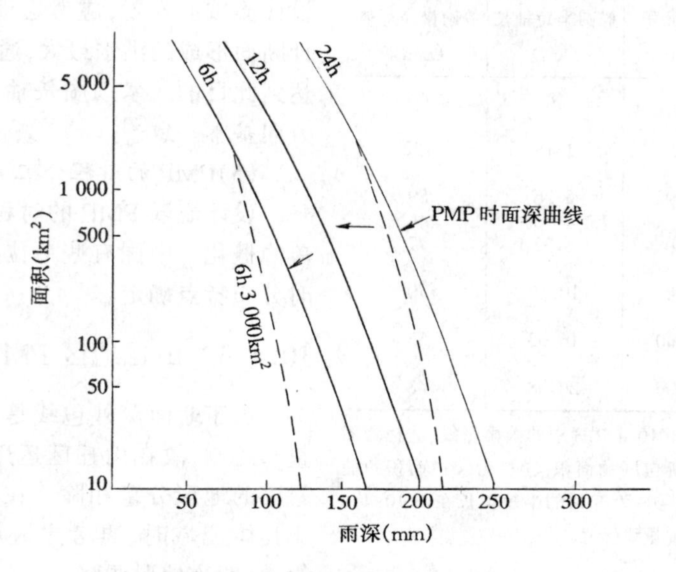

图 10.4.6　PMP 及临界面积内的时面深曲线[21]

表 10.4.4　　等雨量线数值计算表

总面积 (km²)	净面积 (km²)	平均雨深 (mm)	累积雨量 (km²·mm)	净面积雨量 (km²mm)	Δ体积/Δ面积 (mm)	平均面积 (km²)	$\frac{1}{2}$短轴 (km)
①	②	③	④	⑤	⑥	⑦	⑧
10	10	122	1 220	1 220	122	10	1.18
40	30	113	4 520	3 300	110	25	1.86
60	20	110	6 600	2 080	104	50	2.63
80	20	107	8 560	1 960	98	70	3.11
100	20	105	10 500	1 940	97	90	3.53
200	100	100	20 000	9 500	95	150	4.56
400	200	92	36 800	16 800	84	300	6.45
600	200	88	52 800	16 000	80	500	8.32
800	200	84	67 200	14 400	72	700	9.85
1 000	200	81	81 000	13 800	68	900	11.16
2 000	1 000	71	142 000	61 000	61	1 500	14.41
3 000	1 000	64	192 000	50 000	50	2 500	18.61

注　表中①栏为标准面积；②栏为①栏中逐项相减；③栏由图 10.4.6 查出；④栏为①×③；⑤栏为④栏中逐项相减；⑥栏为⑤/②；⑦栏为①栏中相邻两面积平均；⑧栏为⑦栏中面积概化为椭圆的$\frac{1}{2}$短轴长度，其长轴/短＝2.3。

表 10.4.5 图 10.4.4 中标准面积等雨量线标值表

等雨量线	包围面积（km^2）	椭圆半短轴长（km）	等雨量线标值（mm）
①	②	③	④
A	10	1.18	122
B	200	5.26	89
C	500	8.32	77
D	750	10.19	70
E	2 000	16.63	55
F	3 000	20.38	48

注 表中①栏指图 10.4.2.3 中的等雨量线；②栏为图中等雨量线所包围的面积；③栏为②栏面积的椭圆半短轴长；④栏为③栏的半短轴长在图 10.4.6 上查得的等雨量线标值。

(4)概化雨量图的安置

将上述求得的 PMP 暴雨等值线图在设计流域上安置，应考虑地形特点，并使设计断面形成的洪水最大，通常用试错的办法达到此目的。暴雨图长轴方向与水汽入流方向基本一致[21]。

(5)PMP 的时程分配

设计流域 PMP 的时程分配，美国是用单峰概化。中国有些单位是根据流域暴雨时分布特点确定。

10.4.3 山丘地区 PMP 的推求

由于时面深外包线是根据暴雨辐合分量来绘制，故在山丘区运用此法时，应先将暴雨的地形分量扣除。在将此外包线应用于具体流域时，再考虑流域地形影响的雨量，一般称地形调整。

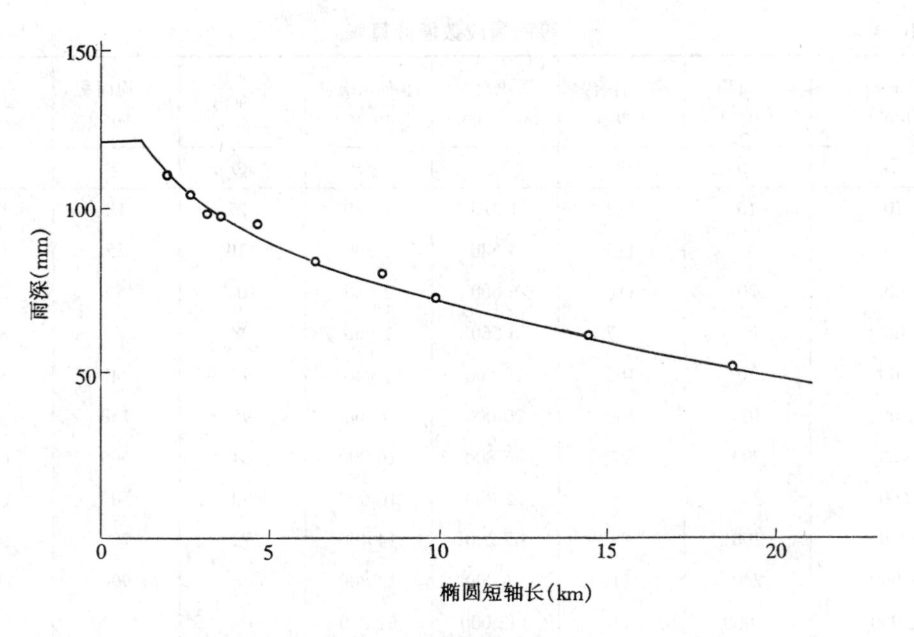

图 10.4.7 等雨量线纵剖面图(形状比率为 2.3)[21]

山丘地区暴雨辐合分量时面深外包线的绘制方法以及将其应用于具体流域的方法与平原地区相同，只是多一道手续，要考虑地形调整。

关于地形调整的方法有多种。如果只要求调整后的 PMP 总雨量，则可用山区平原对比法（见 7.5.5.2 节）。如果要求得出调整后 PMP 的面分布图，则可用分时段地形因子增强法(其基本概念见7.5.5.5部分)。

下面介绍用地形因子增强法对暴雨辐合分量PMP进行地形调整的具体做法。

10.4.3.1 设计流域地形增强分子的计算

由式(7.5.38)知,地形增强因子

$$f_{\Delta t}(x,y)=\frac{R_{\Delta t}(x,y)}{R_{0\Delta t}(x,y)} \tag{10.4.5}$$

式中地形增强因子$f_{\Delta t}(x,y)$和暴雨辐合分量$R_{0\Delta t}(x,y)$均为未知数。在实际工作中,采用下式计算平均地形增强因子$\overline{f}_{\Delta t}(x,y)$

$$\overline{f}_{\Delta t}(x,y)\approx\frac{\overline{R}_{\Delta t}(x,y)}{\overline{R}_{0\Delta t}} \tag{10.4.6}$$

式中$\overline{R}_{\Delta t}(x,y)$为点$(x,y)$上$\Delta t$时段实测雨量的多年平均值;$\overline{R}_{0\Delta t}$为$\Delta t$时段的平均暴雨辐合分量,可利用设计地区或暴雨发生地附近无明显地形起伏地区的雨量近似代替。

由于估算可能最大暴雨所采用的资料均为大暴雨或特大暴雨,因此,在求平均地形增强因子$\overline{f}_{0\Delta t}(x,y)$时,应选用年最大暴雨的均值。例如,可利用中国年最大6小时、12小时、24小时及3天点暴雨均值等值线图,在暴雨发生地入流方向上找出无明显地形起伏的若干雨量站,求群站的年最大Δt时段雨量均值的平均值,即得$\overline{R}_{\Delta t}$。于是,式(10.4.5)即可写成

$$R_{0\Delta t}(x,y)\approx\frac{R_{\Delta t}(x,y)}{\overline{f}_{\Delta t}(x,y)} \tag{10.4.7}$$

利用山区与平原区各站百年一遇雨量,进行对比分析也可间接估算暴雨的辐合分量[1]。

算例:海南岛昌化江流域6小时、12小时、24小时平均地形增强因子计算[21]。

解:首先统计流域内及其附近各雨量站年最大6小时、12小时、24小时的多年平均值$\overline{R}_{\Delta t}(x,y)$。经分析,本流域水汽入流方向大多为西南方向,从本流域西南方向海岸平坦地带选取5个测站,分别计算这5个站的年最大6小时、12小时、24小时雨量的多年平均值,再计算5站的均值作为$\overline{R}_{0\Delta t}$取5站平均是为了减少单站的误差。按式(10.4.6)即得到流域其他各站6小时、12小时、24小时的平均地形增强因子$\overline{f}_{\Delta t}(x,y)$。将昌化江流域划分成(11×7)的网格,将测站上的$\overline{f}_{\Delta t}(x,y)$转化到网格上,即得表10.4.6。经计算,昌化江流域地形对6小时、12小时、24小时暴雨的平均增强幅度分别为8.7%、14.6%、22.1%。这个结果表明,地形对暴雨的增强作用随着历时的增长而逐渐加大,反映出地形对短历时暴雨的增强作用小,对长历时暴雨的增强作用大的一般规律。

10.4.3.2 设计流域PMP的推求

有了地形增强因子,将暴雨辐合分量的概化PMP等值线图置于设计流域,再按下式逐点进行地形调整:

$$\mathrm{PMP}_{\Delta t}(x,y)=\overline{F}_{\Delta t}(x,y)\cdot\mathrm{PMP}_{0\Delta t}(x,y) \tag{10.4.8}$$

式中$\mathrm{PMP}_{\Delta t}(x,y)$为相应流域$\Delta t$时间可能最大暴雨量在$(x,y)$点上的雨量;$\overline{F}_{\Delta t}(x,y)$为设计流域$(x,y)$点上的平均地形增强因子;$\mathrm{PMP}_{0\Delta t}(x,y)$为由暴雨辐合分量概化的暴

雨图置于流域后在(x,y)点上的可能最大雨量。

表 10.4.6 海南岛昌化江流域地形增强因子 $\overline{F}$ 表

y	t	x										
		1	2	3	4	5	6	7	8	9	10	11
1	6	1.02	1.02	1.12	1.22	1.33	1.18	1.01	1.02	1.11	1.22	1.21
	12	1.07	1.04	1.15	1.32	1.50	1.50	1.02	1.02	1.22	1.42	1.21
	24	1.06	1.13	1.20	1.34	1.45	1.65	1.16	1.21	1.39	1.56	1.19
2	6	0.96	0.96	1.06	1.31	1.32	1.09	0.87	0.96	0.95	1.12	1.26
	12	0.97	1.04	1.12	1.51	1.50	1.20	0.92	1.02	1.02	1.14	1.19
	24	1.02	1.08	1.26	1.56	1.74	1.30	1.1	1.23	1.13	1.16	1.20
3	6	1.00	0.96	1.07	0.23	1.20	1.12	0.99	0.99	0.92	0.96	1.18
	12	1.02	0.97	1.05	1.32	1.31	1.07	1.06	1.02	1.08	1.11	1.12
	24	1.05	0.99	1.11	1.45	1.45	1.10	1.05	1.07	1.05	1.37	1.23
4	6	1.42	1.19	0.99	1.14	1.12	0.98	1.04	0.98	0.88	0.97	1.04
	12	1.24	1.22	1.12	1.12	1.12	0.94	1.02	1.02	0.98	1.05	1.12
	24	1.31	1.31	1.16	1.16	1.16	1.02	0.98	1.06	1.16	1.13	1.38
5	6	1.58	1.64	1.00	1.01	1.03	0.92	1.12	1.07	1.04	0.99	1.01
	12	1.72	1.77	1.06	0.96	0.96	1.00	0.16	1.09	1.02	0.98	1.02
	24	1.74	1.88	1.14	1.02	0.95	1.16	1.22	1.15	1.13	1.02	1.23
6	6	1.64	1.21	1.04	1.15	1.16	0.96	1.01	1.01	0.94	0.92	0.92
	12	1.50	1.22	1.11	1.11	1.19	1.12	1.12	1.12	0.92	0.82	0.81
	24	1.45	1.16	1.04	1.16	1.16	1.16	1.18	1.21	0.94	0.87	0.87
7	6	1.04	0.75	0.86	1.12	1.21	1.12	0.98	0.92	0.94	0.92	0.92
	12	1.12	0.86	0.92	1.24	1.27	1.20	1.12	1.02	0.98	0.94	0.92
	24	1.02	0.82	0.79	1.23	1.25	1.16	1.17	1.19	1.15	0.87	0.87

调整后的雨量即为设计流域 PMP 各点的雨量，据之勾绘出等雨深线图即为流域上 PMP 的面分布图。

算例：已知海南岛昌化江流域 24 小时概化 PMP 等值线图如图 10.4.8 所示，将其置于流域中游的付光站和乐东站之间，长轴方向为 225°，求经过地形调整后的暴雨等值线图及流域 24 小时的 PMP[21]。

解：经分析，昌化江流域山区的降水量与离海岸的距离有关，除考虑地形调整外，尚需考虑离海岸距离的调整。为计算方便，将离海岸距离的调整系数和地形增强因子（见表 10.4.6）合并成综合调整系数得到表 10.4.7。

将图 10.4.8（此图根据实用的面深关系绘制，图中 5 000km^2 为临界面积 A_m）按要求置于流域上，按线性内插方式求得网格点上的雨量 $PMP_{0\Delta t}(x,y)$。利用表 10.4.7 及式(10.4.8)分别求得各网格点上的 $PMP_{\Delta t}(x,y)$。再绘制等值线图，即可得到图 10.4.9。由图可见，有 3 个暴雨中心，这 3 个暴雨中心与本流域的 3 个多暴雨地区完全一致，暴雨等雨量线的形状呈不规则的椭圆形，其主轴方向偏于东北—西南向，与五指山脉的走向一致。由图 10.4.9 即可算得昌化江流域 24 小时的可能最大暴雨。

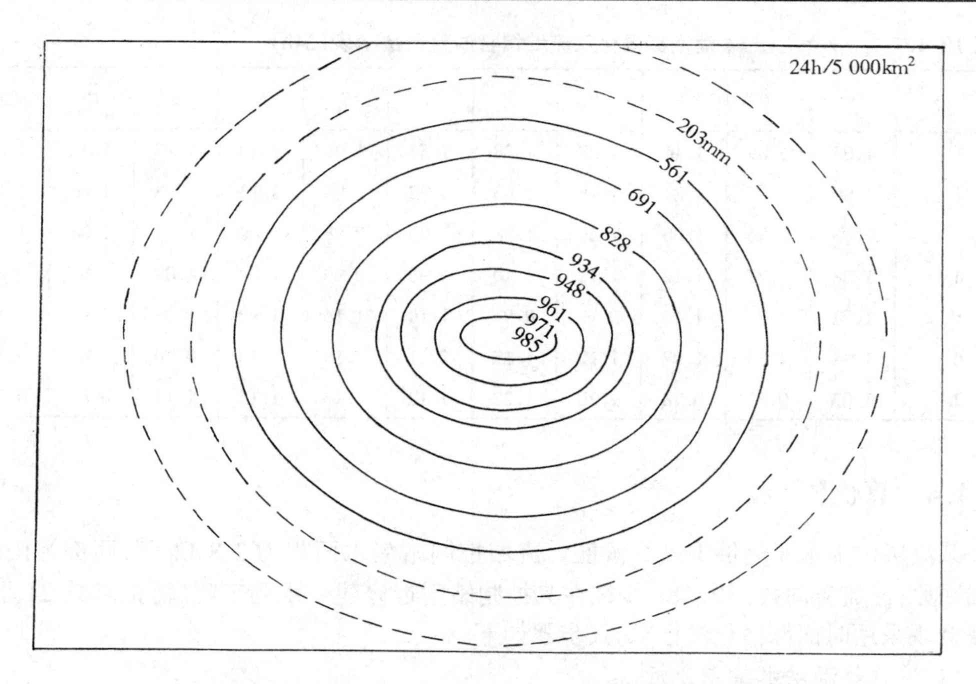

图 10.4.8 设计的 24 小时、5 000km²PMP 暴雨等雨量线图[21]

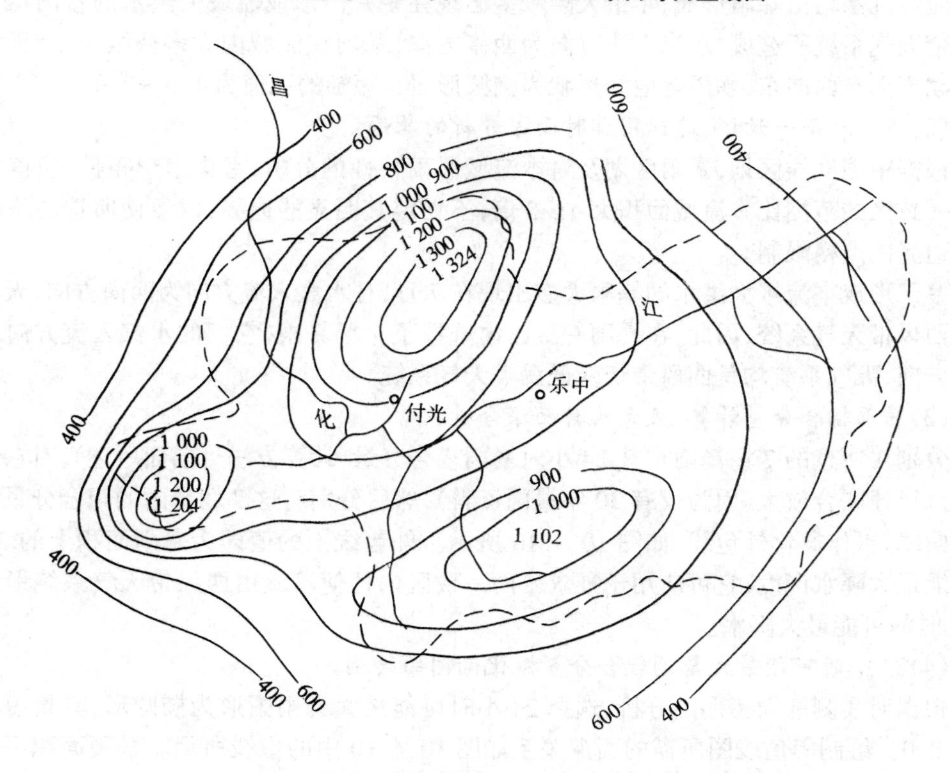

图 10.4.9 海南岛昌化江流域 24 小时 PMP 暴雨等值线图

表 10.4.7 海南岛昌化江流域综合调整系数 f 表(24h)

y \ x	1	2	3	4	5	6	7	8	9	10	11
1	1.04	1.09	1.15	1.27	1.38	1.55	1.08	1.10	1.27	1.42	1.08
2	1.00	1.05	1.21	1.48	1.65	1.22	1.08	1.13	1.02	1.06	1.10
3	1.03	0.96	1.00	1.39	1.38	1.03	0.98	1.00	1.09	1.06	1.31
4	1.28	1.27	1.12	1.11	1.10	0.96	0.99	1.00	1.09	1.06	1.31
5	1.72	1.84	1.10	0.98	0.91	1.10	1.16	1.09	1.07	0.97	1.18
6	1.44	1.13	1.02	1.12	1.12	1.11	1.13	1.16	0.90	0.84	0.84
7	1.02	0.81	0.78	1.20	1.22	1.12	1.13	1.15	1.11	0.84	0.85

10.4.4 算例[1]

某流域位于东亚热带季风气候区。流域控制站集水面积为 3 890km²,西部为山地,东临平原,河流流向自西向东。今欲在其控制站附近修建一水利工程,需推求其 24 小时 PMP。现采用时面深概化法推求,其步骤如下。

(1)流域暴雨洪水特点分析

流域洪水均由暴雨形成,年最大洪峰多出现在 7 月。形成流域大洪水的暴雨均系由西风带天气系统所造成,水汽入流方向为西南方向,暴雨在流域内大多持续 1~2 天。暴雨移动方向自西向东,暴雨等值线形状为椭圆形,长、短轴的比值为 1.5~2.0。

(2)确定暴雨一致区,选择用作时面深分析的暴雨

根据中国气候区划,暴雨区划及对本流域暴雨特性的分析,考虑地形条件,所确定的暴雨一致区的范围比本流域面积大 4~5 倍,不划定其明显的边界,以便使所选的暴雨不受到边界的严格限制。

鉴于形成本流域大洪水的暴雨大多出现在 7 月,且水汽入流方向为西南方向,天气系统是西风带天气系统,因此,在暴雨一致区内选择了 7 场暴雨,它们的水汽入流方向均为西南方向,天气系统均是西风带切变低涡类天气系统。

(3)暴雨辐合分量计算、放大及时面深分析

分别对所选的 7 场暴雨求其 24 小时暴雨辐合分量(计算方法见前面所述),对它们进行水汽风速联合放大(因为仅有 30 年暴雨资料),然后分别对这 7 场暴雨的辐合分量绘制面深曲线,再作概化外包线,如图 10.4.10 所示。外包线上的值即为暴雨面积上的 24 小时可能最大降水深度,它可应用于推求暴雨一致区内任何流域由西风带天气系统形成的 24 小时的可能最大降水。

(4)24 小时可能最大暴雨辐合分量概化雨图的绘制

根据对实测暴雨图形的分析,选择 24 小时可能最大暴雨图形为椭圆形,其长短轴之比为 2.0。绘制等值线图所需的面深关系如图 10.4.10 中的虚线所示。暴雨面积可选择

[1] 本算例为张有芷教授提供。

接近流域面积,如选 4 000km²。图 10.4.10 中虚线的面深关系经试错确定,以使得暴雨面积(即 4 000km²)上的雨深达到可能最大值,即外包线上的值,而小于该面积的任何面积的雨深均小于同样面积的可能最大降水深度,即同样面积外包线上的值。图 10.4.11 中的椭圆即面积为 4 000km² 的可能最大暴雨辐合分量概化等值线图。

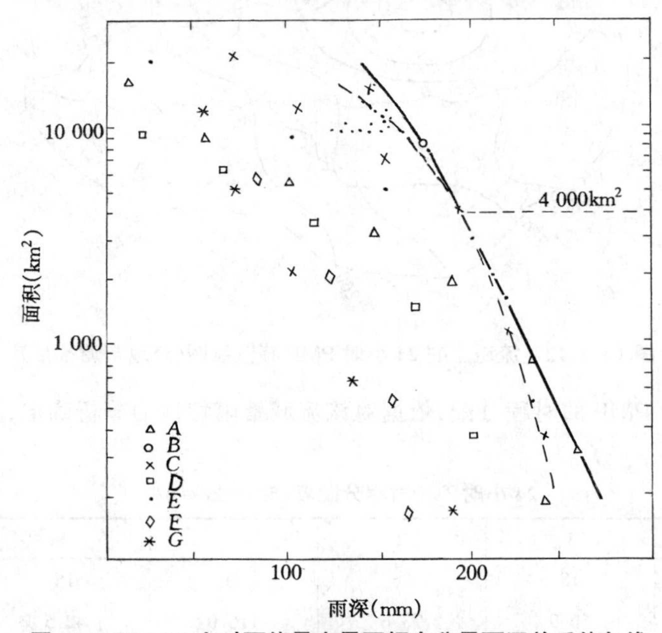

图 10.4.10 24 小时可能最大暴雨辐合分量面深关系外包线

(5)流域上的 PMP 计算

将可能最大暴雨辐合分量概化图放在流域中部,如图 10.4.11 所示,尽量使覆盖流域的面积为最大,并且要求长轴方向与本流域暴雨的长轴方向基本一致,不要超过 20°。再对暴雨辐合分量进行地形调整得到图 10.4.12。根据图 10.4.12 求得流域面上的 24 小时 PMP 为 283mm。

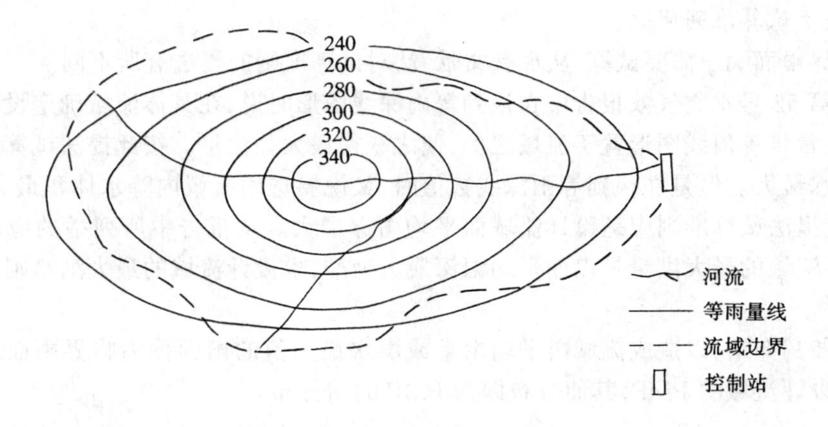

图 10.4.11 置于流域上的 24 小时 PMP 辐合分量概化图

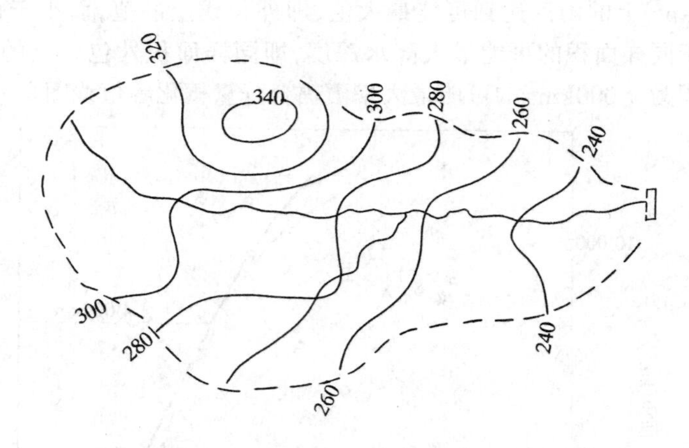

图 10.4.12 流域上的 24 小时 PMP 等值线图(经地形调整后)

流域 24 小时 PMP 的时程分配,依据对该流域暴雨特性的分析确定,其分配情况如表 10.4.8 所示。

表 10.4.8 **24 小时PMP时程分配表**(时段 $\Delta t=6h$)

时段	1	2	3	4	合计
%	18	26	41	15	100
雨量(mm)	50.9	73.6	116.0	42.5	283.0

此外,还有文献〔24〕的算例可供参考。

10.4.5 认识与讨论

10.4.5.1 具体做法问题

这里主要讨论将暴雨面 PMP 转化为设计流域面积上的 PMP 的做法问题。

(1)关于试算准则问题

求临界雨面 A_m 需要试算,从现有文献看,对试算准则的提法有所不同。

美国第 52 号水文气象报告中在谈到等雨深线图形时说,在具体流域确定设计等值线分布时,通常将等值线图形置于流域之上,使之获得最大径流量。按此提法试算准则是设计流域洪水最大。但是在谈到等雨深线数值时,又说要选用流域内降水体积最大的 PMP 图形,按此提法试算准则应是设计流域面平均雨深最大。从报告中所列举的应用实例来看,求设计流域的最大洪量是以面平均雨深最大为准,求设计流域的最大洪峰则是以洪水最大为准❶。

文献〔23〕介绍,以造成流域内平均雨量或洪水最大值的雨面称为临界雨面。这个最大值即为设计流域的 PMP,其面分布即为 PMP 的面分布。

❶ 王家祁编译.美国可能最大暴雨应用研究介绍.暴雨洪水分析计算工作协调小组办公室,1986,5

文献〔25〕介绍，试算结果以推算的洪水最大时的面积作为 A_m 值及面分布雨型。

文献〔21〕介绍，在求 PMP 的等雨深线数值时是以设计流域的面平均雨深最大为准，在等雨深线图的定位(定暴雨中心及雨图轴向)时是以洪水最大为准。

我们认为，从问题的实质看，应以设计流域洪水最大作为准则，因为推求 PMP 的目的正是为了推求 PMF。但是这样在具体操作时，试算起来就很麻烦，因为这不仅牵涉 PMP 的时面分布，还涉及产流汇流的许多问题。为简化计，像文献〔21〕那样，两个准则分别应用，也是可以的。如果设计流域的工程是洪量起控制作用，则像 52 号报告那样以面平均雨深最大为准；如果工程是洪峰起控制作用，则以洪水最大为准。

(2)关于等雨量线图的绘制及试算历时问题

美国第 52 号水文气象报告建议，对 72 小时雨量的面分布，只对最大三个 6 小时雨量制作，而对余下的九个 6 小时雨量按均匀面分布处理，因为这些雨量已很小。显然，这种做法是一种简化处理。

按照以上的建议，试算历时为三个：即最大 6 小时，最大 12 小时和最大 18 小时。

中国由于资料条件限制，有的单位仅采用对工程起控制作用的一种历时进行试算。

(3)关于等值线图形的定位问题

这个问题就是要解决 PMP 等雨量线图在设计流域的具体安置，具体说就是要合理确定暴雨中心位置和雨图的轴线方向。

暴雨中心以求得的流域雨量最大或洪水最大为原则。

雨图轴向，可采用同类暴雨天气系统所形成暴雨的平均轴向。美国 52 号水文气象报告中利用 53 次大暴雨资料，对雨图轴向提出一张综合概化图，供设计查算。

(4)关于临界雨面 A_m 的问题

这有两个问题：一是 A_m 的大小问题，二是 A_m 的个数问题。

A_m 的大小问题：这和设计流域的形状与概化的椭圆图形的相似程度以及二者在方位上的配置(指椭圆长轴与流域最远处至出口断面的直线联线的密合)情况有关：①若相似程度愈高，方位配置愈一致，则 A_m 愈接近于设计流域面积；②若相似程度较差，方向配置基本一致，则一般在流域平均宽度较大的流域，A_m 要小于流域面积；在流域平均宽度较小的流域，A_m 要大于流域面积。

A_m 的个数问题：A_m 是通过试算求得，按理，不同历时一般 A_m 也应不同，但这样试算起来就太复杂了。为简化计，可取对工程起控制作用的一种历时来求 A_m。

(5)总的看法

将暴雨面上的 PMP 转化为设计流域的 PMP，从原则上说是通过一系列的试算来实现。合理试算准则应是设计流域洪水最大。但这个最大的前提，还要考虑以下四个问题，即经过地形调整以后：

1)暴雨要与设计流域同类暴雨规律一致。

2)等雨量线图的轴向，要与设计流域同类暴雨的轴向一致。

3)考虑设计流域面上产流汇流的特点，主要雨区应位于产汇流条件较好的地方。

4)考虑工程特点，若工程是洪峰起控制作用，则暴雨中心宜处于偏下游地区，若工程是洪量起控制作用则暴雨中心宜处于中游地区。

10.4.5.2 时面深概化法的优缺点

暴雨时面深概化法,有几个优点:

1)一个地区所有资料得到充分的利用,避免了在极大化计算中放大因子选择的任意性(因在美国一般只作水汽放大,不作动力因子放大)。

2)地区内采用统一的方式完成历时、面积的地区变化修匀,可减少局部地区资料所反映的偶然误差。

3)保持地区内各流域估值的一致。

4)一旦完成,可把气象一致区的PMP应用于区内的各个流域,并使各流域的PMP相协调。

其缺点是:

1)应用于山区,其精度相对较差,因为在地形雨的分割和回加上,存在有较大误差(详见1.1.4节)。

2)它仍受实测大暴雨资料的限制。WMO手册[1]提出,在理想情况下,要20多场大暴雨来控制PMP的估算,其中要有五六场特大暴雨提供PMP时面深曲线上的控制点据。

3)分析计算工作量大,研究时间长。

4)PMP成果概化统计味道浓厚,物理成因概念模糊。

另外,再补充讨论一个问题,按照汉森伴随PMP新定义提出"暴雨区内/区外"的雨深面积关系的概念,即一场被极大化后的暴雨,某一历时只有某一暴雨面积的雨深达到PMP的水平,其他大于或小于这个面积的面平均雨深,都不可能达到PMP的水平。我们认为这仅是一种假定,是无法从理论上证明的。从中国的实践经验来看,有些地区尽管采用了很多场暴雨进行时面深概化,但是概化的结果,可能某一历时不同面积的PMP,就是一场暴雨决定的,例如文献〔24〕介绍的,长江支流清江流域的PMP估算中,其最大1天暴雨的面深外包线就是由1969年7月这场特大暴雨决定的。当然,这可能是因为本地区的实测大暴雨资料较少,但就是资料再多一些,恐怕也很难出现只有一个面积达到PMP的水平。其实,从物理成因的角度来看,任何一次暴雨(包括PMP),总是具体的(即有其特定的暴雨总量及其时面分布)。既然是具体暴雨,它就不可能是一次被极大化后的暴雨,就一定历时而言,只有一个面积的面平均雨深达到PMP的水平。

参考文献

1 WMO. Manual for Estimation of Probable Maximum Precipitation, 2nd, ed. 1986

2 詹道江,邹进上. 可能最大暴雨与洪水. 北京:水利电力出版社,1983

3 Paulhus, J. L. H. et al., Manual for Estimation of Probable Maximum Precipitaino. WMO, 1973

4 詹道江等. 可能最大洪水的计算. 华东水利学院学报,1963(1)

5 Fletcher R. D. Hydrometeorology in the United States. Compendium o5 Meteorology. 1951. 1033 – 1047

6 Hershfield. D. M. Estimating the Probable Maximum Precipition. Proeceedings ASCE. Journal Hydraulies

Division. Vol. 87 1961

7 Hershfield D. M. Method for Estimating Probable Maximum Precipition. Journal American Waterworks Assocication. vol57. 1965

8 丛树铮,吴正平.关于可能最大暴雨的统计估算法.水文计算技术第4期,1979(6)

9 云南省编制《全国可能最大暴雨等值线图》办公室.对美国赫希菲尔德统计估算法的批判和改造.水文计算技术,第1期,1977(12)

10 庄瑞中,杨远东.加入调查洪水系列后变差系数的简化计算.工程建设,1958(5)

11 王维第.关于暴雨移置统计参数的应用和改进.水文计算技术第4期,1979(6)

12 湖北省可能最大暴雨等值线图小组.用统计估算法计算可能最大暴雨的几点体会.水文计算技术第1期,1977(12)

13 陈志恺等.论皮尔逊Ⅲ型及克里茨基—明克里曲线对设计洪水计算的适用性.水利水电科学研究院论文集(水文·河渠).北京:中国工业出版社,1963

14 叶永毅.编制黄河中游可能最大暴雨等值线图的若干技术问题.水文计算技术第4期,1979(6)

15 水利部,电力工业部.水利水电工程设计洪水计算规范SDJ22-79(试行).北京:水利出版社,1980

16 河南省水利局勘测设计院.暴雨时空分布的初步分析及应用.水文计算技术第4期,1979(6)

17 浙江省可能最大暴雨编图组.浙江省可能最大暴雨时面深关系分析.水文计算技术第4期,1979(6)

18 四川省PMP等值线图办公室.应用历史洪水估算可能最大暴雨.水文计算技术第1期,1977(12)

19 江苏省水文总站等.历史雨洪在估算江苏省可能最大暴雨中的应用.水文计算技术第1期,1977(12)

20 叶永毅,胡明思.关于中国可能最大暴雨等值线图编制中的几个问题.水利水电技术,1979(7)

21 水利部长江水利委员会水文局等主编.水利水电工程设计洪水计算手册.北京:水利电力出版社,1995

22 林炳章.分时段地形因子增强法在山区PMP估算中的应用.河海大学学报,1988(3)

23 詹道江.可能最大洪水与古洪水研究.水科学进展,1991(2)

24 张有芷,王政祥.用时面深概化法估算江中上游流域可能最大暴雨.水文,1998(4)

25 王维第,朱元甡,王锐琛编著.水电站工程水文.南京:河海大学出版社,1995

11 分期 PMP

11.1 概述

在暴雨的季节变化明显的河流,根据工程规划设计或管理运用的要求,需推求分期PMP[1]。

11.1.1 规划设计需要

在规划设计上,为决定工程的规模,需要分析计算年最大 PMP/PMF。但是,有些河流由于暴雨洪水在各季节的气象成因不同和工程情况不同(如高坝方案和低坝方案等),若不经计算,难以判断何种时期、何种成因的 PMP/PMF 对工程规模起控制作用。

例如,中国江淮地区,梅雨期和盛夏期暴雨的成因和特性都不同:前者主要是锋面雨(习称梅雨),其特点是暴雨强度一般较小,历时长,雨区面积广,所形成的洪水,一般峰低量大;后者主要是台风雨,其特点是暴雨强度大、历时短,雨区面积较小,所形成的洪水,峰高量小。对于这种地区,如果工程的库容较小,泄量较大,则一般是台风 PMP/PMF 起控制作用;如果库容很大,泄量较小,则一般是梅雨 PMP/PMF 起控制作用;但对于库容和泄量既不是太大,又不是太小的工程来说,则需分别推求出台风 PMP/PMF 和梅雨 PMP/PMF,经过调洪演算后,才能确定何种 PMP/PMF 对工程起控制作用。此外,对于泄洪能力情况复杂、防洪运用方式为分级控制运用的水库,也需经过调洪演算后,才能知道何种 PMP/PMF 对工程起控制作用。

又如,在最大洪水是由融雪与降雨相遇而成的混合补给的洪水区域,也需要决定分期 PMP,以便从融雪季节内不同时间各种组合中得到一种最危险的情况[2],供设计使用。

11.1.2 管理运用需要

在管理运用上,有些水库为了搞好调度运用,充分发挥水库的综合效益,需要提供分期 PMP/PMF。例如,中国黄河、海河等北方河流的夏汛洪水与秋汛洪水,其特性(主要是峰型)有明显的差别,而且洪水的年际变化很大,故按以年最大洪水为基础来设计的水库,其防洪库容就较大。而北方河流的突出特点是水资源在时程上分布很不均匀,主要集中在汛期(7~10 月)。如果整个汛期都采用一个防洪库容,则汛期的水资源就不能充分地利用。结果造成如有些人所说的:"修个水库汛期不敢蓄水,汛后又没有多少水可蓄,使水库长期躺在那里晒太阳"。中国北方地区,水资源供需矛盾突出,水库在汛期适当蓄水,对缓解这种矛盾有重要的作用。为了在汛期能适当蓄水,又要保证水库的防洪安全,对于那些以 PMF 作为校核洪水的水库,就必须推求分期 PMP/PMF。长江中游支流汉江,其夏汛洪水和秋汛洪水其峰型也有显著的区别。

11.2 分期 PMP 的推求

11.2.1 分期原则

推求分期 PMP,其分期原则是:各分期之间,特大暴雨的气象成因有显著的不同。

11.2.2 分期 PMP 推求方法

分期 PMP 的推求方法与本书前面各章所述的方法是相同的,只不过对暴雨模式和极大化参数,都必须在分期相应的季节内选取。

例如,中国江淮地区,梅雨一般发生在 5~7 月份,台风雨一般发生在 7~10 月份。因此,在推求梅雨 PMP 时,暴雨模式和极大化参数都必须在 5~7 月份这一时段内选取;在推求台风雨 PMP 时,暴雨模式和极大化参数则必须在 7~10 月份这一时段内选取。

关于分期 PMP 的分期点,应根据暴雨和洪水的成因特性分析确定。在具体操作时,可参照数理统计法推求设计洪水的做法,适当跨期,即前期可适当后延一段时间(一般 5~10 天),后期可适当提前一段时间。

11.3 算例

长江中游支流汉江的丹江口水库是个大型水库,其坝高为 97m,总库容为 209 亿 m^3。为满足水库洪水调度的需要,1979 年有关单位曾进行过分期 PMP 计算[1]。

丹江口水库坝址以上集水面积为 95 217km^2,属大流域。根据现有气象和水文资料分析,本流域的洪水特性,夏汛与秋汛有显著差别。从天气成因看,夏汛期的特大暴雨洪水是长江梅雨带的北移,中纬度低值系统和台风等热带系统影响的结果;秋汛期的特大暴雨洪水则是与南支西风环流的建立与发展以及纬向环流波动的东移与滞缓相联系的。天气气候分析表明:本流域内夏季暴雨大于秋季,因此,夏季的 PMP 应大于秋季。

11.3.1 夏季 PMP 的推求

本流域夏季暴雨的特点是:强度大,雨势猛,持续时间较短,一般为 2~5 天,强度分布很不均匀,雨带多呈南北向分布。

在 1929 年以来的实测资料中,1935 年 7 月 3~7 日的暴雨是最严重的一次,7 天洪量、15 天洪量、洪峰流量均居首位。但是从大范围来看,汉江的这场暴雨仅是中国有雨量资料以来的著名特大暴雨之一即 1935 年 7 月长江中游五峰暴雨(简称 357 暴雨)的边缘部分。357 暴雨的暴雨主中心是在五峰。因此,丹江口水库的夏季 PMP,可采用移置模式法,即将 357 暴雨的暴雨中心适当向西北方向挪动,来推求 PMP。

357 暴雨的主要特点是:

---

[1] 南京大学气象系,水利部治淮委员会.可能最大降水研究.1980

1)历时长。降雨从7月1日起至10日止,历时10天;其中大暴雨从7月3日开始,到7日基本结束,持续5天。

2)强度大。群众反映落的是“竹杆雨”、“锥子雨”,“如瓢泼,如桶倒”,暴雨中心五峰最大24小时雨量为423mm,过程最大5天为1 282mm,2~8日总雨量达1 400mm[1]。

3)范围广。雨区范围大于50万km^2。其中7月3~7日这5天200mm等雨深线包围的面积达119 400km^2,比丹江口水库以上流域还大近24 200km^2。

4)总雨量大。200mm等雨深线包围面积内的降雨总量,最大5天达600亿m^3,10天达650亿m^3。

5)暴雨位置少动。7月7日以前,一直停留在湘西北—鄂西山地东侧。

6)雨带呈南北向分布。属经向型暴雨。

357暴雨的天气成因,概括来说,环流形势基本上为经向型;暴雨天气系统为两次移动缓慢的西南涡,高空则为西风槽与暖式切变相结合的人字形涡切变。

在进行暴雨移置时,是将357暴雨五峰中心置于河南省的宝丰,再将其雨图长轴按顺时针方向转20°。这种移法相当于把357暴雨的另一个暴雨中心兴山置于汉江流域的荆紫关附近。

移置改正,采用等百分数线法。

模式极大化采用水汽放大法。357暴雨的代表性露点为24.4℃。历史最大可降水,采用根据20年高空水汽观测资料求得的夏季的最大值。水汽放大系数为1.2。

最后得出夏季7天PMP为404mm,相应坝址以上降雨总量为384.7亿m^3。

11.3.2 秋季PMP的推求

本流域秋季暴雨的特点是:雨势连绵持久,一般为5~7天,长者可达半月或更多,降雨强度较夏季略小,但其时空分布相对要均匀些。雨带多呈东西向分布。环流形势多为纬向型,相应天气系统主要是西风槽与涡、切变线。

秋季PMP采用暴雨组合法推求,具体方法采用相似过程代换法。典型年选择本流域1960年9月1~7日实测暴雨。这次暴雨在秋汛中具有代表性。它的历时长,雨量大,洪量也大,丹江口7天洪量为98亿m^3,居秋汛的首位,年最大的第二位。

这次暴雨是一次西风槽演变成涡切变的过程。高空环流则为经向转为纬向。9月1~2日500hPa为两脊一槽型,槽线大致在110°E,低压中心在蒙古。700hPa为南北向的西风槽自西向东移动。9月1~4日副高加强并向北推进了约7个纬度。这就迫使西风槽南段移速变缓形成切变线并在长江流域上空持续了两星期之久。地面图上相应地有一条准静止锋,因而形成东西向的暴雨带。

这次暴雨,9月3~5日是本流域平均面雨量最大时段(表11.3.1)。现按照相似过程代换原则,选择1964年10月2~3日雨量代换1960年9月1~2日雨量,1974年9月12~13日雨量代换1960年9月6~7日雨量。

模式的极大化,采用水汽放大法,放大其中的3天。因为,实测资料表明,本流域内暴

---

[1] 长江流域规划办公室.长江流域1935年7月上旬特大暴雨调查分析报告.1978

雨期间高值水汽含量一般可保持3天以上。考虑到秋汛暴雨中心多发生在米仓山、大巴山一带,因此着重选用汉中(地面平均气压为950hPa)的秋季历史最大可降水来求水汽放大系数 K,根据计算结果,K 值变动在1.4~1.6之间。

最后求得秋季7天PMP为346.3mm,相应坝址以上流域总降雨量为329.7亿 m^3。

表 11.3.1　　秋季暴雨组合与放大表

1960年9月	1日	2日	3日	4日	5日	6日	7日	合计
天气型	西风槽		涡切变			涡切变		
面雨量(mm)	3.0	18.3	51.8	45.3	41.8	27.7	6.1	194.0
1964年10月	2日	3日						
面雨量(mm)	23.7	55.9						
1974年9月						12日	13日	
面雨量(mm)						30.2	28.2	
代换后雨量(mm)	23.7	55.9	51.8	45.3	41.8	30.2	28.2	276.9
水汽放大系数 K			1.60	1.47	1.40			
PMP(mm)	23.7	55.9	83.0	66.7	58.6	30.2	28.2	346.3

11.4 认识与讨论

1)截止1995年,中国已修建水库8万多座,总库容4 800亿 m^3,其中大型水库(库容1亿 m^3 以上)387座,中型水库(库容0.1亿~1亿 m^3)2 593座(表11.4.1)。这些水库有很多都存在需要推求分期PMP的问题。按照规范〔1〕的要求,努力做好这项工作,对除害兴利、促进国民经济的发展有重要的意义。

表 11.4.1　　中国已建水库统计表

水库类型	统计到1980年底		统计到1995年底	
	座数	总库容(亿 m^3)	座数	总库容(亿 m^3)
大型(库容1亿 m^3 以上)	326	2 975.4	387	3 493.3
中型(库容0.1亿~1亿 m^3)	2 298	605.2	2 593	718.8
小(一)型(库容100万~1 000万 m^3)	14 108	365.8	81 795	584.6
小(二)型(库容100万 m^3 以下)	70 120	184.2		
总　计	86 852	4 130.6	84 775	4 796.7

注　资料来源:1980年底数字来自文献〔3〕,1995年底数字来自水利部规划计划司1995年《水利统计年鉴》。

2)分期PMP与年PMP的关系。由于降雨具有明显的季节特征,因此在不同的季节内,其降雨的物理上限,也应是不同的。但对于一特定流域的特定工程而言,其年PMF

只能由某一季节的PMP所形成,故这个季节的PMP也就是年PMP。因此,分期PMP应小于或等于年PMP,绝对不能大于年PMP。

3)两分期交叉时期PMP的处理。有些地区的分期有交叉,例如江淮地区梅雨一般发生在5~7月,台风雨一般发生在7~10月,即7月为梅雨与台风雨交叉发生期。对这种交叉时期的PMP的处理,其原则是哪一个对工程起控制作用(调洪计算结果库水位最高)就采用它。也就是说,如果是梅雨型PMP对工程起控制作用,则7月份的PMP就采用梅雨型的PMP;如果是台风型的PMP对工程起控制作用,则7月份的PMP就采用台风型的PMP。

参 考 文 献

1 中华人民共和国水利部,能源部.水利水电工程设计洪水计算规范.北京:水利电力出版社,1993
2 Paulhus J.L.H.et a1. Manual for Estimation of probable Maximum precipitation WMO, 1973
3 钱正英主编.中国水利.北京:水利电力出版社,1991

12 梯级水库 PMP

12.1 概述

在梯级水库情况下,上游水库的调节作用对下游水库的入库洪水有重要的影响。中国目前梯级水库较多的河流有黄河上游、红水河、乌江、第二松花江等。

梯级水库除上游龙头水库外,其设计洪水的确定,从洪水上说,是要解决洪水地区组成问题;从暴雨上说,是要解决暴雨的地区分布亦即空间组合问题。因此,梯级水库的 PMP 也就是如何解决 PMP 的空间组合问题。显然,在 PMP 总量和历时一定的情况下,不同的空间组合,所得的 PMF 是不一样的,而且有时差别是很大的,特别是在上游水库调节作用较大的时候。

12.2 梯级水库 PMP 的推求

梯级水库 PMP 的推求方法,现有两种,即“同频率”概念控制法和典型年法。兹分别介绍如下。

12.2.1 “同频率”概念控制法

12.2.1.1 方法概念

此法就是仿照数理统计法推求设计洪水地区组成中同频率组成[1]的概念来推求梯级水库的 PMP。基本思路是:从满足水库防洪安全标准的要求来看,梯级水库 PMP 的推求,应满足以下的条件:

1)拟建水库 B 库(图 12.2.1)坝址以上全面积 F_B 应是 PMP。

2)考虑两个方案组合:①上游水库 A 库(图 12.2.1)坝址至拟建水库 B 库坝址区间面积 F_{AB} 为 PMP,上游 A 库坝址以上面积 F_A 产生相应暴雨 P_A:

$$P_A = (\mathrm{PMP}_B F_B - \mathrm{PMP}_{AB} F_{AB}) / F_A \tag{12.2.1}$$

上游 A 库坝址以上面积 F_A 为 PMP,上下库坝址区间面积 F_{AB} 产生相应暴雨 P_{AB}:

$$P_{AB} = (\mathrm{PMP}_B F_B - \mathrm{PMP}_A F_A) / F_{AB} \tag{12.2.2}$$

以上二式中 PMP_A、PMP_B 和 PMP_{AB} 分别为 A 库、B 库坝址以上面积和 AB 两库坝址区间面积上的 PMP,均以面平均雨深计。

3)将以上两个方案所得的 PMP 转化为洪水,按梯级水库的防洪调度原则和操作规程,进行调洪演算,取其对拟建水库威胁最大(即库水位最高)者,作为设计采用的 PMP。

12.2.1.2 推求方法

梯级水库的 PMP,在推求拟建水库坝址以上全面积的 PMP 和上游水库坝址以上面积的 PMP 以及上游水库坝址至拟建水库坝址区间面积的 PMP 上,其方法与本书以上各

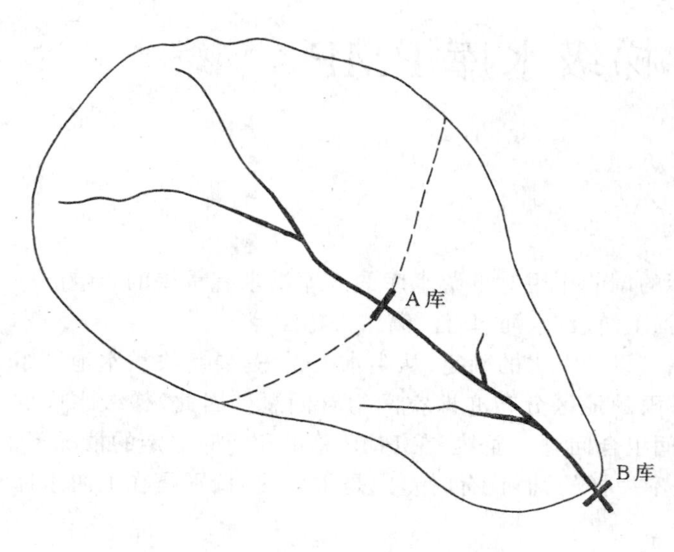

图 12.2.1 梯级水库示意图

章所述的方法是相同的，只是求上游水库坝址以上及两坝址区间面积上的相应暴雨的面分布有两种做法。现以式(12.2.1)为例，说明如下：

1) 对于按特定流域推求PMP的情况。这就是按中国现行的针对具体工程推求PMP的情况。对这种情况，梯级水库PMP的求法如下：

第一步，先求出设计断面 B（参见图 12.2.1）以上全面积的 PMP_B。

第二步，求出上游水库 A 坝址至设计断面 B 区间即 AB 区间面积的 PMP_{AB}。

第三步，将第一步结果减去第二步结果（按 12.2.1 式），其差值即为上游水库 A 坝址以上面积的相应暴雨。

第四步，PMP的时面分布，以第一步求PMP时所相应的暴雨模式（典型年）的时程分布和地区分布为基础：AB 区间按第二步结果放大；A 库坝址以上，按第三步的结果放大。这种做法，通俗点说，就是按典型年分区控制放大。

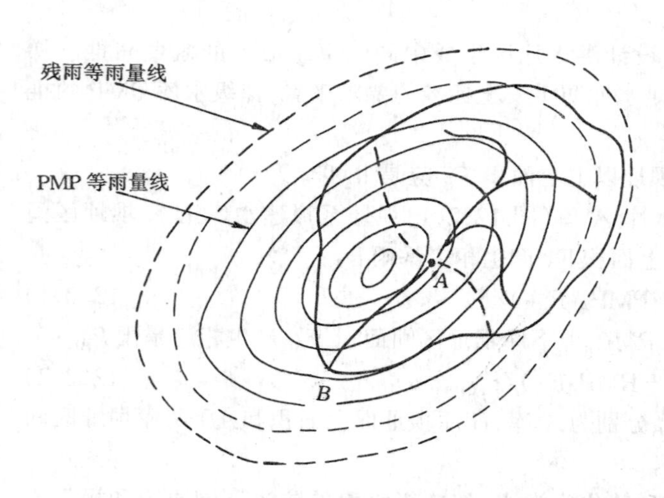

图 12.2.2 与PMP相应的雨量图

2) 对于按概化估算法推求PMP的情况。这就是按美国现行的概化估算法求PMP的情况。对此情况可参照文献〔2〕的精神，推求梯级水库的PMP：

第一步，求出设计历时的概化PMP等雨量线图（椭圆形图）。

第二步，将等雨量线图中心置于 AB 库（图 12.2.2）区间面积的重心或其他造洪效应最大的危险位置上。雨图的长轴方向应与本流域的水汽输送方向基本一致。

第三步，在第二步安置的等雨量线图上量出 AB 区间的雨量即为 AB 区间的 PMP_{AB}，量出 A 库以上面积的雨量即为当 AB 区间发生PMP时 A 库以上相应产生的雨量 PMP_A。

显然，用此法来解决梯级水库的PMP，对 B 库而言，其PMF有可能偏小，因为这样

所得出 B 库以上全面积的雨量,不一定是 PMP。

12.2.2 典型年法

此法是 AB 区间(图 12.2.1)为 PMP,A 库以上按相同典型年同倍比放大与之组合[3]。

方法的基本假定是:梯级工程 PMP 的时空分布形式与实测暴雨资料中的某一场特大暴雨的时空分布形式完全相同,只是在暴雨总量上要增大 K 倍。此法的关键是典型暴雨的选择。AB 区间 PMP 的推求方法,同前。

当上游和区间暴雨 C_v 值相差较大或典型年代表性不好时,此法可能放大出不合理的成果,对放大成果进行合理性检查,标准是不得超过各区的 PMP。

12.3 算例

海河流域滹沱河岗南、黄壁庄水库是两个大型水库。前者坝高 63.19m,总库容 15.71 亿 m^3;后者坝高 128.7m,总库容 12.1 亿 m^3,均为土坝。集水面积,岗南为 16 220km^2,黄壁庄为 23 120km^2,岗黄区间为 6 900km^2。

1994 年有关单位对这两个水库的设计洪水进行了复核❶。在复核中,对 PMP 采用了移置模式法,即移置海河流域 1963 年 8 月上旬(獐 犸中心)的特大暴雨,用暴雨地区和设计地区历年最大 3 日雨量的均值进行地形地理综合改正,并作水汽放大。等雨量线图是平移,暴雨中心置于同类型暴雨常见暴雨中心。最后求得 3 日 PMP 如表 12.3.1 所示。由该表可见,黄壁庄水库的 PMP 为 509mm,岗黄区间 PMP 为 839mm,则岗南以上相应为 369mm。PMP 的时面分布,仿海河 638 暴雨雨型。

表 12.3.1 黄壁庄岗南水库 3 日 PMP 成果

分区		黄壁庄	岗南	岗黄区间
集水面积(km^2)		23 120	16 220	6 900
分区 PMP(mm)		509	398	839
梯级工程 PMP	mm	509	369	839
	亿 m^3	117.68	59.79	57.89

12.4 认识与讨论

梯级水库的 PMP 问题,实质是暴雨的空间组合问题。我们认为,这种组合必须考虑两条原则:①要符合水库工程的防洪安全标准;②要与暴雨洪水的物理成因概念不相矛盾。按此原则,我们来讨论一下现行方法的优缺点及注意事项。

❶ 河北省水利水电勘测设计研究院.岗南黄壁庄水库设计洪水复核报告.1994,4

12.4.1 “同频率”概念控制法

此法的优点是符合工程的防洪安全标准；其缺点是，当两库坝址区间（如图12.2.1的AB区间）面积和上库（A库）坝址以上面积，其特大暴雨的天气成因有显著区别，而且二者不可能同时发生时，则组合的PMP可能与暴雨洪水的物理成因概念相矛盾。

例如黄河小浪底水库，坝址控制面积为694 155km^2，其上游三门峡水库控制面积为688 399km^2，三门峡至小浪底区间（简称三小间，下同）面积仅5 756km^2，若按同频率概念来推求小浪底工程的PMP，就与暴雨洪水的物理成因概念抵触。因为根据实测和调查资料分析，小浪底的特大洪水如1843年和1933年等，全都是来自三门峡以上地区，其暴雨的天气成因是纬向环流形势下的西南东北向切变线为主，在此形势下，三门峡以下地区由于处于西太洋副热带高压边缘控制之下，故三小间地区系处于雨区边缘或无雨的情况。这就表明，当小浪底发生PMF时，三小间绝对不可能出现PMP/PMF。而三小间的暴雨特性与三花间的暴雨特性是一致的，其特大暴雨的天气成因为南北向切变线加低涡和台风影响（详见5.1.5节），故当三小间发生PMP/PMF时，小浪底坝址出现的暴雨/洪水要远小于它的PMP/PMF。因为在此情况下，三门峡以上大部分地区处于北疆高压脊前西北气流控制下，从而无雨。

12.4.2 典型年法

此法的优点是PMP的物理成因概念明确，即假定与典型年一样；其缺点是当上库坝址以上控制面积较大从而在暴雨气候特性上与上下库区间不一致时，则按典型年同倍比放大，有可能出现放大结果脱离实际。

例如，中国西南地区的怒江、澜沧江、金沙江、雅砻江，其上游均属青藏高原气候区，极少出现暴雨（日雨量大于50mm），如果按中下游地区求PMP的放大倍比去放大上游地区，则有可能出现日雨量大范围大于100mm的情况。

综上所述，在使用同频率概念控制法和典型年法时，都要注意梯级上库的上下游地区，其暴雨的成因应基本一致，同场特大暴雨确实能笼罩下库以上地区。

参 考 文 献

1 水利部，能源部．水利水电工程设计洪水计算规范 SL 44－93．北京：水利电力出版社，1993
2 詹道江．可能最大降水与古洪水研究．水科学进展，1991(2)
3 长江水利委员会水文局等主编．水利水电工程设计洪水计算手册．北京：水利电力出版社，1995

13 PMP的时面分布

13.1 概述

13.1.1 问题的意义

在工程规划设计上推求PMP的目的是为了推求PMF。但是,大家知道,在降雨总量一定的情况下,不同的时面分布,所形成的洪水是不一样的,而且有时差别是很大的。因此,合理确定PMP的时面分布,是PMP/PMF分析计算中的一个很重要的环节。

按照美国的新老定义(见1.1.1和1.1.3节),PMP是指某一时段内的最大降水总量,至于这个降水总量的时面分配如何,则需另行研究。

按照本书的定义(见1.1.4节),PMP是指一定时段内的近似上限降水,包括降水总量及其时面分布。

显然,按本书的定义,只要PMP的总量确定了,相应地,其时面分布也定了,无需另行研究。但是根据中国近20年来的实践经验,在下列情况下,对PMP仍需解决时面分布问题:①PMP的降水总量是按多种方法,综合分析,合理选定;②在暴雨移置中,移置对象的雨型特别是时程分配,对设计流域缺乏代表性;③PMP是用推理模式推求;④PMP是用概化方法估算。

13.1.2 问题的解决原则

PMP时面分布的解决原则,总的说来有三条:

1)这种分布所形成的洪水对工程应是最不利的(满足最大性)。

2)这种分布又是设计流域或地区可能出现的,即符合设计流域或地区特大暴雨特性(满足可能性)。

3)对于用时面深概化法PMP的情况,当绘制概化PMP等值线时,须控制各时段各面积的雨量,不得超过各时段各面积的设计PMP数值。

13.2 PMP的时程分布

暴雨的时程分布对洪水过程线的形状有决定性影响。时程分布集中的雨型所形成的洪水过程线形状比较高瘦,时程分布较分散的雨型所形成的洪水过程线形状则比较矮胖。

确定PMP时程分布的方法,一般有典型年法、综合概化法。

13.2.1 典型年法

此法就是从实测资料中,选出有代表性的大暴雨,将其时程分布作为PMP的时程分

布。在选择典型时,应注意下列三原则:

1)所选典型应是实测资料中位居前几位的特大暴雨,因为只有较稀遇的暴雨其产生的天气条件才接近于产生 PMP 的条件。

2)所选典型的天气成因应与 PMP 的天气成因一致,因为天气成因不同,雨型也不同,例如台风雨与梅雨其时程分布,就有明显的差别。

3)所选典型的雨峰(主要降雨时段)应比较靠后,因为这样形成的洪水对工程最为不利。

中国有些地区的 PMP 其时程分布都采用了典型年法,例如黄河三花区间的 PMP,就采用了 1958 年 7 月暴雨的时程分布。

表 13.2.1 是中国若干次最大 3 天(12×6 小时)暴雨过程显示。河南林庄、河北司仓、广东白石门、台湾白石等暴雨的主要暴雨量集中于降雨过程的后部,有利于产汇流;安徽大水河、广西老虎滩暴雨雨量分散,由多阵强雨组成。

表 13.2.1 **中国典型特大暴雨实际雨型**[1] (雨量:mm/6h)

	地区	辽宁	河北	河南	安徽	台湾	广东	广西
	地点	荒沟	司仓	林庄	大水河	白石	白石门	老虎滩
	年份	1958	1963	1975	1969	1963	1977	1960
	月日	8.3/6	8.5/8	8.5/8	7.13/17	9.9/12	5.28/6.1	7.10/13
时段	1	2.7	33.5	4.0	383.8	17.0	30.0	29.0
	2	79.2	56.0	25.1	57.0	38.1	118.0	27.9
	3	106.7	50.0	295.7	8.4	41.9	59.0	176.9
	4	140.4	15.0	54.8	23.0	72.8		130.2
	5	247.2	60.0	12.0	78.9	130.0	193.0	28.1
	6	78.3	67.0	75.8	17.8	200.9	40.0	43.2
	7	12.6	26.0	103.5		177.1	9.0	432.6
	8	7.8	118.5	29.0		429.0	54.0	130.5
	9	2.5	40.0	47.2	28.9	331.0	196.0	0.8
	10	19.6	319.0	274.9	146.4	135.1	174.0	27.3
	11	2.2	256.0	679.5	97.8	9.9	460.0	5.9
	12	0.3	89.0	6.3	117.2	1.0	28.0	64.2
总雨量		699.5	1 130.0	1 605.3	959.2	1 683.8	1 361.0	1 096.3

采用典型年法,必要时也可以实际降雨过程为基础,以形成最大洪水为原则,适当调整各个时段雨量的先后顺序。调整时段雨量先后发生时序时,应注意检查调整后的雨量历时关系应保持各历时雨量不大于 PMP 的相应值。

13.2.2 综合概化法

此法就是根据设计流域或气象一致区的实测特大暴雨资料,综合概化出来一种雨量过程线。

美国通过对若干大暴雨时程分配的分析,发现大多数的时段最大降水量不发生在暴雨的开始和末尾,美国《大坝安全—洪水和地震规程》[2]中采用 PMP 的时程分配形式如下:

主要时段,如 6 小时、12 小时、24 小时、72 小时的雨量达到 PMP 水平,其他时段,如 18 小时、30 小时的雨量都小于同历时的 PMP。

将最大 24 小时雨量置于中间,次大和第三大的 24 小时雨量分别放在最大 24 小时雨量的两边。在最大 24 小时雨量中,最大和次大 6 小时雨量排居中,第三和第四大值排在它们的两边。

图 13.2.1 是美国第 52 号水文气象报告[3,4]所建议的 72 小时 PMP 的时程分布。

美国认为,历时不超过 72 小时,面积不超过 50 000km^2 的流域,单峰雨型是合适的,所有政府机构都采用单峰雨型❶。

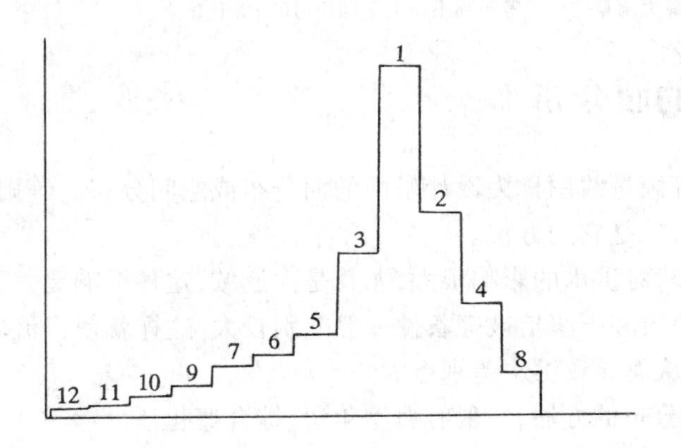

图 13.2.1 72 小时 PMP 时程分布

表 13.2.2 所示为符合 PMP 时面深关系的 PMP 时程分配计算表[3,4]。

中国对 PMP 时程分布的综合概化,一般按设计地区实测的多场大暴雨过程线进行。概化成果应能反映当地暴雨时程分布的规律(详见文献〔5〕第六章第五节)。

由于暴雨天气成因对暴雨和时程分布有明显影响(特别是梅雨与台风雨差别大),故综合概化应对不同天气成因的暴雨分别进行。

❶ 王家祁.美国可能最大暴雨应用研究介绍.暴雨洪水分析计算工作协调小组办公室,1986,5

表 13.2.2 某流域 PMP 时程分配计算表

历时 (h)	PMP (mm)	6 小时增量(mm)		最大累积值 (mm)
		PMP	危险排列	
(1)	(2)	(3)	(4)	(5)
6	284	284	16	284
12	345	61	28	345
18	384	39	20	384
24	419	35	12	419
30	447	28	39	431
36	467	20	61	451
42	483	16	284	479
48	495	12	35	495
54	505	10	5	500
60	513	8	8	508
66	521	8	10	518
72	526	5	8	526

注 1. 第(2)栏是从 PMP 时面深曲线上摘取的。

2. 第(4)栏是按照设计流域产生最大径流的时序重新排列。

3. 第(5)栏的最大雨量应小于等于而不得大于同历时的 PMP 数值。

13.3 PMP 的面分布

设计暴雨的等雨量线图称为设计暴雨的面分布或空间分布。等雨量线图包括两个方面:一是它的形状,二是它的方位。

暴雨的面分布,对洪水的影响很大,尤其是大流域,这种影响更大。面积愈大的流域,其流域内的地形地质和土壤植被等条件一般差别较大,这样就使得流域内各地的产流、汇流条件差别较大,从而导致洪水差别也大。

确定 PMP 面分布的方法,一般有典型年法、综合概化法。

13.3.1 典型年法

此法也是从实测资料中,选出有代表性的大暴雨,将其面分布作为 PMP 的面分布。在选择典型时,也应注意以下原则:

1)所选典型应是实测资料中位居前几位的特大暴雨。

2)所选典型的天气成因应与 PMP 的天气成因一致。

3)所选典型的主要雨区(暴雨中心)应位于产流汇流条件较好的地区,因为这样所形成的洪水其洪峰和洪量都比较大,对工程防洪最为不利。但需注意,有时暴雨中心位于流域出口附近的暴雨能产生更大的洪峰,但洪量不是最大,对于库容较小、泄洪能力很大的水库来说,这种情况的PMP对工程却是起控制作用的。

4)当所选典型暴雨的分布对工程的威胁尚不够严重时,也可以根据暴雨的面分布规律,对实际等雨量线图加以移动或转动暴雨的雨轴(一般不超过20°),构成情况较为恶劣的面分布。把得到的虚拟设计雨图,提供设计使用。

用典型年法来确定PMP的时程分布和面分布,这个典型,一般都是采用同一个典型年。因此,在选择典型时,既要考虑时程分布的原则要求,又要照顾面分布的原则要求。

13.3.2 综合概化法

此法就是根据设计流域或气象一致区的实测特大暴雨资料,综合概化出来的一种等雨量线图。

实测资料表明,在广阔的平原或地形起伏较小的地区,暴雨的等雨量线图,常呈椭圆形。美国第52号水文气象报告[3]用两个特征量来概化椭圆形的等雨深线,这两个特征量就是形状比率和雨轴方位。

13.3.2.1 椭圆形面雨型特征的分析[5]

(1)形状比率与雨轴方位

1)形状比率 R。形状比率为概化椭圆长轴与短轴长度的比率。图13.3.1中椭圆1的半长轴 $a=oA_1$,半短轴 $b=oB_1$,形状比率 R 为

$$R = a/b$$

因椭圆面积 A 为

$$A = \pi ab \tag{13.3.1}$$

故

$$a=(AR/\pi)^{1/2} \tag{13.3.2}$$

$$b=[A/(\pi R)]^{1/2} \tag{13.3.3}$$

当等雨深线为圆形时,$a=b$,$R=1$。

2)雨轴方位 θ。雨轴方位表示暴雨等雨深线长轴与经线的夹角。以原点向北方向为0°,顺时针量取。美国[3]考虑与水汽入流方向作比较,取值180°~270°。中国❶则取用0°~180°的值,即位于第一、第四象限雨轴与原点以北的 y 轴的夹角,如图13.3.1中的 θ_1 和 θ_2。

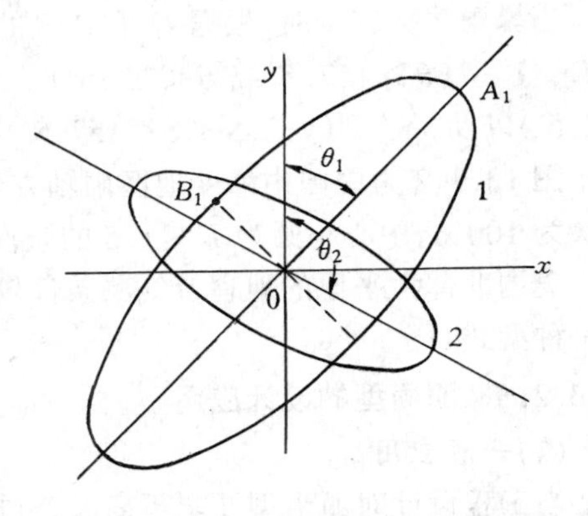

图13.3.1 面雨型特征值示意图

(2)一次暴雨面雨型分析步骤

1)由于不同历时的面雨型有一定差异,需根据工程设计洪水计算的要求,选用若干种标准历时的等雨深线图作面雨型分析。标

❶ 王家祁,顾文燕.中国暴雨时面雨型的地区综合分析.南京水文水资源研究所,1988

准历时的选定应和雨量历时关系分析一致，如面雨型随历时变化较小，也可少选，即适当删去中间部分历时。

2)为了便于对多次暴雨的面雨型作综合分析，宜将各次暴雨的等雨深线图插补出几种标准面积(如 300km²、1 000km²、3 000km²、10 000km²)的等雨深线线条。为此，先对各标准雨深(如 100mm、150mm、200mm)量算等雨深线面积 A，绘制等值线雨深面积关系曲线 $H \sim A$，再从该关系线上查读一组标准面积相应的等雨深线值 H(一般为非整数)，最后在等雨深线图上，内插绘制所需的等雨深线。

3)如等雨深线形状有部分线段呈不规则扭曲，可先行将其粗略概化修匀，再行量算长轴与短轴长度，并计算形状比率 R。

4)如等雨深长轴呈明显弯曲，可对暴雨图的主体部分量算雨轴方位 θ，对次要部分也可量算一个副方位值备用。θ 值量算精度可采用 5°。当 $R \leqslant 1.5$ 时，等雨深线形状近似圆形，θ 值的精度和代表性很差，一般不再量取 θ，并注明该次暴雨接近圆形。

5)最后，对各次暴雨可列出一张不同标准历时、不同标准面积的 R、θ 值表。

13.3.2.2 面雨型特征的地区综合[5]

各次暴雨的面雨型特征值有较大差异，应根据流域内及邻近地区众多暴雨资料作地区综合分析，以得出具有代表性的雨型特征值供设计应用。

(1)形状比率 R 值的地区综合

多次暴雨同历时同面积 R 值的平均值可作为地区代表值。据粗略分析，中国中纬度地区 1 天暴雨 $A = 1\,000\text{km}^2$ 的平均 R 值为 2.3，$A = 10\,000\text{km}^2$ 的平均 R 值为 3.0；美国则全部采用 2.5[3]。

(2)雨轴方位 θ 值的地区综合

θ 值不宜采用多次暴雨平均值作为地区综合值，而应采用各区段 θ 值出现频次最高的 θ 值作为代表值。

在统计中，首先要将 $R \leqslant 1.5$ 的暴雨资料单独成组，因为该类暴雨接近圆形，θ 值难以确定，不宜参加频次比较。

当暴雨次数较少时，根据 R 和 θ 值的大小，至少可粗略分成 5 种类型："O 型"($R \leqslant 1.5$)，"1"型($\theta > 157.5°$ 或 $\theta < 22.5°$)，"/"型($22.5° < \theta < 67.5°$)，"－"型($67.5° < \theta < 112.5°$)以及"\"型($112.5° < \theta < 157.5°$)。

图 13.3.2 为中国中纬度地区雨轴方位 θ 的暴雨发生频次分布玫瑰图，外围大圆表示频次为 100%，中心小圆为 $R \leqslant 1.5$ 的频次。

美国北部大平原的地理及气象条件较为一致，他们绘制了等 θ 线[3]作为 θ 地区综合的一种型式。

13.3.2.3 面雨型的设计应用[5]

(1)一般应用

当工程设计对面雨型要求不高时，可按影响因素及设计要求选用地区综合设计面雨型，也可在流域内及邻近暴雨特性相似地区绘制若干次实际大暴雨等雨深线图，从中选出一次雨量较大，暴雨点面关系和地区分布形状接近于地区综合面雨型的实际暴雨作典型。将综合或典型雨图的雨量中心安置于设计流域暴雨中心经常发生，且面分布对工程安全

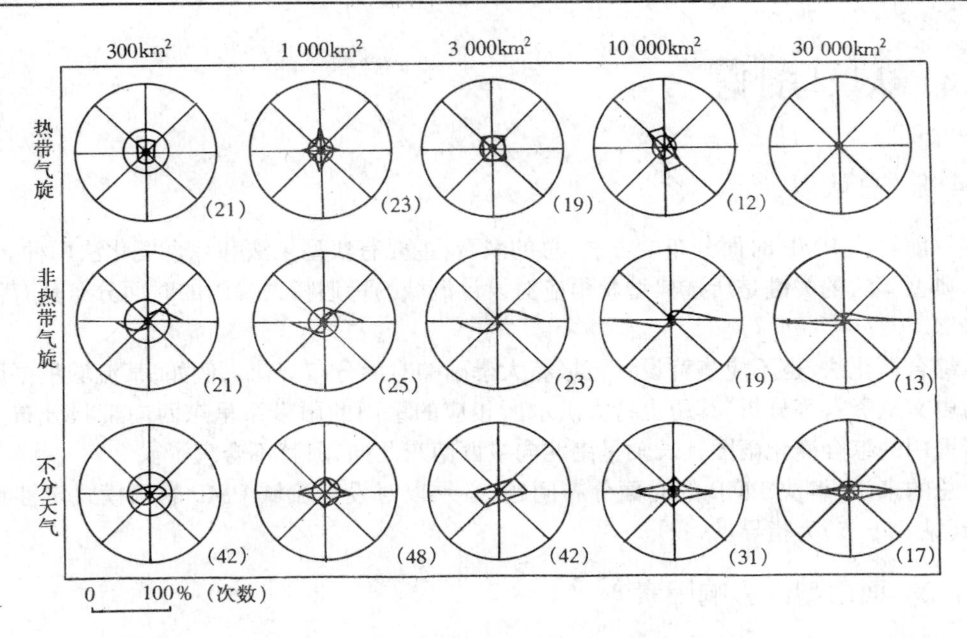

图 13.3.2 中国中纬度地区雨轴方位频率分布[5]

又较不利的地点。移用时还应注意暴雨走向和地形条件的协调。移置后，按流域界线计算综合或典型暴雨的流域平均雨深 H_{AT}，并计算流域设计面雨深 H_{AP} 对 H_{AT} 的比率 K_A：

$$K_A = H_{AP}/H_{AT} \tag{13.3.4}$$

然后将综合或典型雨图各地点或各等雨深线的雨量 H_T 换算为设计等雨深线雨深 H_P：

$$H_P = K_A H_T \tag{13.3.5}$$

H_P 一般不是标准等雨深线值，还需从换算后的等雨深线中内插出一系列标准等雨深线，形成设计等雨深线图。

(2)检查与调整

当设计洪水对面雨型要求较高，面雨型对推算设计洪水过程影响较大时，除了上述简单面雨型计算外，还需作进一步分析检查和调整。

1)雨轴方位转动对洪水推算有影响时，可将综合雨图的雨轴稍作转动，但转轴度数要有分析和控制，台风暴雨转动角度稍大，切变线暴雨转动则应严格控制，转动幅度可参照雨轴频次分布情况确定。

2)暴雨中心地点对洪峰及洪水过程线计算也有一定影响。在大暴雨中心可能出现的地区内，可将暴雨中心作适当移动，使洪峰流量的计算值略偏安全。

3)综合雨图或典型雨图初步安置后，应根据流域地形图作检查，如有明显不符，则应对部分雨图作适当修正。

13.4 认识与讨论

13.4.1 总认识

目前解决PMP时面分布的方法,总的来看,主要有典型年法和综合概化法两种。

典型年法的关键是所选典型暴雨应对设计流域的稀遇特大暴雨的时面分布具有代表性。

综合概化法,也不应违背设计流域特大暴雨的时面分布规律。例如,某流域根据调查和历史文献资料等分析,其历史特大洪水所相应的暴雨的雨带系呈东西向带状分布。如果所采用的综合概化雨图其长轴呈南北向或西南东北向,那就不合理了。

总的来说,解决PMP的时面分布问题,必须以对设计流域PMP暴雨模式定性特征推断(见6.1节)为指导。

13.4.2 面雨型的影响因素[5]

1)对形状比率的影响因素。天气系统对R值有一定影响。如中纬度地区低涡切变暴雨形状狭长者居多,R大;而台风暴雨较接近圆形,R小。

不同面积(指等雨深线包围面积)的R值相差较大,小面积R小,大面积R大。

2)对雨轴方位的影响因素。天气系统对θ的影响较为明显。切变类暴雨雨带以纬向型占明显优势,而台风暴雨则以经向型较多。多数暴雨雨轴方位接近于天气系统或其移动路径的方位。

面积对θ的影响也较明显。如干旱地区,10 000km^{2}时"/"型和"-"型雨带较多,但300km^{2}时,雨带集中于"/"型。

地形对暴雨雨轴方位有时有一定影响。江淮准静止锋暴雨雨带受地形影响甚微,但台风暴雨走向与大尺度山脉走向较为接近。

参考文献

1 王维第,朱元甡,王锐琛.水电站工程水文.南京:河海大学出版社,1995

2 Committe on Safety Criteria for Dams etal Safety of Dams—Flood and Earthquke Critteria, National Academy Press, Washington,D.C. 1985.

3 Hansen E.M., Schriener L.C., and Miller J.F., Application of Probable Maximum Precipitation Estimates, United states East of the 105th Meridian. Hydrometerdogical Report No.52,1982

4 詹道江,邹进上.可能最大暴雨与洪水.北京:水利电力出版社,1983

5 水利部长江水利委员会水文局,水利部南京水文水资源研究所主编.水利水电工程设计洪水计算手册.北京:水利电力出版社,1995

14 PMP 成果的确定

14.1 PMP 成果的选取

中国推求 PMP，一般都要算好几种方案（包括不同的暴雨模式和同类模式中某些环节的不同处理等），最后通过综合分析确定采用成果。

PMP 成果包括暴雨总量及其时面分配[1]。PMP 的时面分配，一般按典型暴雨（包括当地、移置、组合典型）进行分配。对于暴雨时面深概化法或由可能最大点暴雨计算流域 PMP 的情况，一般多采用综合概化的时面分配。

PMP 成果的选定，是在对基本资料和计算过程中各个环节的处理，全面进行检查分析的基础上进行。

对基本资料的分析，就是要检查其代表性和可靠性。如检查是否收集到了流域内外所有特大暴雨资料，雨量站的密度及计算面雨量的代表性，资料系列的长度等。这是影响 PMP 成果的最基本的因素。

对各个环节的分析，就是要检查计算过程中，各个环节处理的正确性和计算方法适用程度。如对暴雨模式的拟定，首先要检查所用模式是否符合暴雨模式定性特征判断的结果。对当地模式，重点要检查模式的“极大性”（因模式系当地发生过的暴雨，自然具有“可能性”）；对移置模式，重点要检查移置可能性和移置改正特别是地形改正；对组合模式，重点要检查组合的合理性；对推理模式，重点要检查概化的流型（如上滑或辐合）是否符合本流域的实际；对极大化处理，重点要检查放大方法的适用性和放大参数的选取是否合理，放大的次数是否得当。最后对各方案误差的可能来源及大小，作出大致的估计[2]。

经过以上的综合分析，择优选取 PMP 的最终成果。

14.2 PMP 成果的合理性检查

PMP 成果的合理性检查，总的来说，就是要检查成果的“可能性”和“极大性”。检查方法，一般有以下四种❶。

14.2.1 用本流域历史暴雨资料比较

对于一个特定的流域来说，水文气象要素在多年期间的变化，是有规律可循的。例如均值比较稳定，观测资料的年限愈长，则测得的极值（最大和最小值）愈接近于流域自然的真实情况。因此，PMP 成果可以用历史暴雨资料进行比较。PMP 的降雨历时、时面分布、暴雨中心位置和暴雨天气系统等方面，应基本符合本地区的暴雨规律。暴雨总量不应

---

❶ 黄河水利委员会规划办公室（王国安执笔）. 推求可能最大降水的典型暴雨法. 黄河水利学校印，1976，4

小于本地区历史上实际发生的特大暴雨。

14.2.2 与邻近流域比较

水文气象要素变化的重要规律之一是具有地区性，而且地区与地区之间的变化，也是渐变的，只有在地形、地质等条件特殊的地方，才可能有突变[1]，故 PMP 成果可以用邻近流域的资料来进行比较。可以比较的项目有：最大露点、最大效率、最大入流指标，以及 PMP 的历时、降雨总量和时面分布等，看看它们的变化是否符合地区规律。这种比较，应注意地形条件的差别。

14.2.3 用国内外最大暴雨记录比较

稀遇的特大暴雨，在某一固定的较小区域出现的几率是较小的，但从大范围来看，出现的几率则较大，也就是说在大范围内有可能观测到稀遇的特大暴雨[1]。因此，可以把设计流域的 PMP 与国内外最大暴雨记录作比较。当然，这种比较应考虑地理、地形及气候等条件的差异。

世界不同历时的最大雨量记录的外包线，可以认为已接近于降水的物理上限，故所求得的 PMP 一般不能超过它。世界著名的水文学家杜格(J.C.I.Dooge)教授 1985 年在《探索水文规律》一文中说：现在，世界气象组织的 PMP 估算手册中，已经给出了世界暴雨记录的经验公式(WMO,1973)：

$$R(\mathrm{mm}) = 422[D(\mathrm{hr})]^{0.475}$$

此式可作为 PMP 计算的上限❶。中国水文界元老谢家泽教授 1976 年 3 月 14 日向王国安畅谈他对 PMP 的见解时说："求出的 PMP 要以世界记录作控制，不能超过它。"国内外最大暴雨记录详见第 16 章。

表 14.2.1、表 14.2.2 和表 14.2.3 分别为中国全国 38 场大暴雨特征要素、全国降水量最大的 5 次涡切变大暴雨和 5 次台风大暴雨的时、面、量特征。图 14.2.1 为中国 1930～1985 年全国 40 场大面积暴雨地区分布。这些资料均来自文献[3]。

14.2.4 用国内外已有 PMP 成果比较

主要比较相似地区的成果。比较时应考虑地理位置和地形的差异。

流域面积小于 1 000km^2 的小流域，可与图 10.3.1《中国可能最大 24 小时点雨量等值线图》[4]查算出来的成果进行比较。比较时应注意编图后(该图为 1978 年完成)出现的特大暴雨资料。表 14.2.4 是中国干旱地区 24 小时 PMP 点雨量与编图后新出现的最大 24 小时点雨量比较。

孙双元教授认为，在中国干旱地区，由于雨量站稀少，实测资料系列不长，按 1978 年编制的等值线图所得出的 PMP，在有些地区有可能偏小。

图 14.2.2 和图 14.2.3 分别是中国大中型水利工程 24 小时和 3 天 PMP 与面积关系图[2]。

---

❶ 河海大学科技情报，1986，(1)(增刊)

表 14.2.5 是湄公河下游台风最大 1 天 PMP 值[5]。

美国 PMP 成果,见第 15 章的表 15.3.2 和表 15.3.3。

表 14.2.1　　中国主要大面积暴雨特征统计[3]

地区	名称	历时(天)	暴雨中心 地点	暴雨中心 雨量(mm)	笼罩面积(万 km²)	总降水量(亿 m³)	主要天气系统
东北地区	1951 年 8 月 13 日～15 日辽河西丰暴雨	3	西丰县	440	5.39	99.8	冷锋
	1953 年 8 月 18 日～20 日辽河西丰暴雨	3	西丰县凉水泉子	354	10.0	173	气旋、台风
	1956 年 8 月 6 日～8 日第二松花江下游暴雨	3	舒兰县七里二	284	6.75	102	华北气旋
	1960 年 8 月 2 日～4 日浑太地区暴雨	3	宽甸县黑沟	557	10.2	207	台风、冷锋
	1966 年 7 月 28 日～30 日第二松花江下游暴雨	3	五常县新发屯	297	6.73	92.7	低压
	1981 年 7 月 26 日～28 日辽东半岛暴雨	3	复县唐家屯	769	2.17	35.7	台风
海滦河	1956 年 7 月 29 日～8 月 4 日海河南系暴雨	7	平山县狮子坪	786	9.10	400	台风倒槽、冷锋
	1958 年 7 月 13 日～15 日海河北系暴雨	3	蓟县九王庄	519	7.42	134	低空急流
	1962 年 7 月 24 日～26 日滦河暴雨	3	兴隆县石庙子	458	19.2	377	台风倒槽、低压槽
	1963 年 8 月 2 日～8 日海河南系暴雨	7	内丘县獐犸	2 050	10.3	545	西南涡、低压槽
黄河	1958 年 7 月 14 日～18 日三花区间暴雨	5	渑池县仁村	(700)	2.90	79.1	涡切变、台风倒槽
	1977 年 7 月 4 日～6 日陕北暴雨	3	安县大屋基	411	6.50	101	西风槽、涡切变
	1982 年 7 月 29 日～8 月 2 日伊洛河暴雨	5	宜阳县石碣	905	6.52	208	西风槽、台风低压
淮河	1954 年 7 月 1 日～7 日淮河干流暴雨	7	固始县蒋家集	538	11.1	323	涡切变、气旋波
	1956 年 6 月 2 日～11 日淮河干流暴雨	10	信阳县大庙畈	788	11.5	372	涡切变、气旋坡
	1957 年 7 月 10 日～12 日沂沭运潍河暴雨	3	临沂县角沂	412	8.78	158	黄淮气旋
	1965 年月 19 日～21 日苏北沿海暴雨	3	大丰县大丰闸	917	8.36	160	台风
	1974 年 8 月 11 日～13 日淮河中下游暴雨	3	泗县刘圩	606	14.0	279	台风倒槽
	1975 年 8 月 4 日～8 日淮河上游暴雨	5	泌阳县林庄	1 631	4.38	201	台风、低空急流、西风槽
长江	1935 年 7 月 3 日～7 日长江中游暴雨	5	五峰县	1 282	11.9	593	低涡
	1954 年 6 月 22 日～28 日长江南岸暴雨	7	慈利县广福	487	16.3	421	涡切变
	1960 年 8 月 3 日～5 日江苏沿海暴雨	3	如东县潮桥	934	4.60	97.1	台风
	1969 年 7 月 10 日～16 日长江中下游暴雨	7	潜山县大水河	1 206	21.9	722	涡切变
	1981 年 7 月 9 日～14 日四川暴雨	6	广元县上寺	490	6.96	192	涡切变、西南低涡
	1981 年 8 月 15 日～17 日嘉陵江汉江上游暴雨	3	南江县槐树	590	6.88	124	切变线、低涡、西风槽
	1982 年 6 月 11 日～19 日闽赣湘地区暴雨	9	光泽县上观	718	18.2	628	切变线、低涡、静止锋
珠江、海南岛	1976 年 7 月 6 日～12 日柳江、桂江上游暴雨	7	融水县双站	692	14.0	411	涡切变
	1979 年 9 月 23 日～25 日西枝江暴雨	3	惠东县石涧	1 009	4.91	138	台风
	1982 年 5 月 9 日～14 日北江暴雨	6	清远市	825	5.76	186	冷锋、南支槽
	1963 年 9 月 6 日～9 日海南暴雨	4	东方县江边	738	3.10	130	台风
	1970 年 10 月 16 日～18 日海南中部暴雨	3	昌江县三派	642	2.60	65.6	台风
	1983 年 7 月 16 日～17 日海南西南部暴雨	2	乐东县七林场	770	2.48	54.8	台风
浙闽台地区	1955 年 6 月 17 日～23 日浙赣地区暴雨	7	奉新县	681	15.0	530	涡切变、静止锋
	1956 年 7 月 31 日～8 月 2 日浙江北部暴雨	3	临安县市岭	688	3.38	62.3	台风
	1962 年 9 月 5 日～7 日浙江沿海暴雨	3	乐清县庄屋	633	8.37	225	台风倒槽
	1963 年 9 月 9 日～11 日台湾暴雨	3	台北巴棱	1 783	3.22	113	台风
	1965 年 8 月 19 日浙闽沿海暴雨	1	福鼎县南溪	438	9.27	163	台风
	1968 年 6 月 14 日～19 日闽江暴雨	6	宁化县湖村	527	11.6	309	涡切变、静止锋

注　1. 括号内数据为调查值。

2. 暴雨笼罩面积和降水总量按以下规定量算:次暴雨历时为 3 天者,计算至 100mm 等雨量线闭合的面积和相应面积内降水总量;历时超过 3 天者,则按 200mm 闭合等雨量计算;历时 3 天以下者,则按 50mm 闭合等雨量线计算。如果暴雨图在中国国界线或海岸线处不闭合,只量算中国国界内大陆部分的笼罩面积和相应降水总量。

表 14.2.2 中国 5 次涡切变大暴雨时、面、量特征[3]

名称	历时 (d)	笼罩面积 (万 km^2)	降水总量 (亿 m^3)	中心点雨量 (mm)
1935 年 7 月长江中游暴雨	5	11.9	593	1 282
1963 年 8 月海河南系暴雨	7	10.3	545	2 050
1969 年 7 月长江中下游暴雨	7	21.9	722	1 206
1982 年 6 月闽、赣、湘暴雨	9	18.2	628	718
1955 年 6 月浙、赣暴雨	7	15.0	530	681

表 14.2.3 中国 5 次台风大暴雨时、面、量特征[3]

名称	历时 (d)	笼罩面积 (万 km^2)	降水总量 (亿 m^3)	中心点雨量 (mm)
1960 年 8 月江苏省潮桥暴雨	3	4.60	97.1	934
1963 年 9 月台湾省暴雨	3	3.22	168	1 783
1965 年 8 月江苏省大丰闸暴雨	3	8.36	160	917
1965 年 8 月福建省福鼎暴雨	2	8.20	145	484
1979 年 9 月广东省西枝江暴雨	3	4.91	138	1 009

注 笼罩面积按 100mm 雨量线包围面积量算。

表 14.2.4 中国干旱地区 24 小时 PMP 点雨量与新出现点雨量比较

省区	地点	北纬	东经	时间 (年·月·日)	新出现 24h 雨量 (mm)	PMP_{24} (mm)	倍比 K	100km^2 内原最大值 (mm)
甘肃	高家河	34°51′	104°40′	1985.8.12	440*	330	1.33	154
甘肃	新荣	35°27′	103°51′	1979.8.10	401*	330	1.22	132
新疆	苏洛克	37°48′	76°19′	1980.5.23	92.3	100	0.92	53
新疆	若羌	38°53′	88°12′	1981.7.5	73	90	0.81	15
甘肃	阿克塞	39°24′	94°16′	1979.7.25	123.3	105	1.17	45
新疆	安集海	44°21′	85°19′	1981.6.29	240*	125	1.92	60
新疆	天池	43°53′	88°07′	1978.6.12	120.4	180	0.67	100
内蒙古	什卜太附近	41°42′	111°51′	1981.6.30	400*	410	0.98	300

注 本表数字由胡明思于 1994 年 5 月提供,原统计者为王家祁,表中带 * 者为调查值。

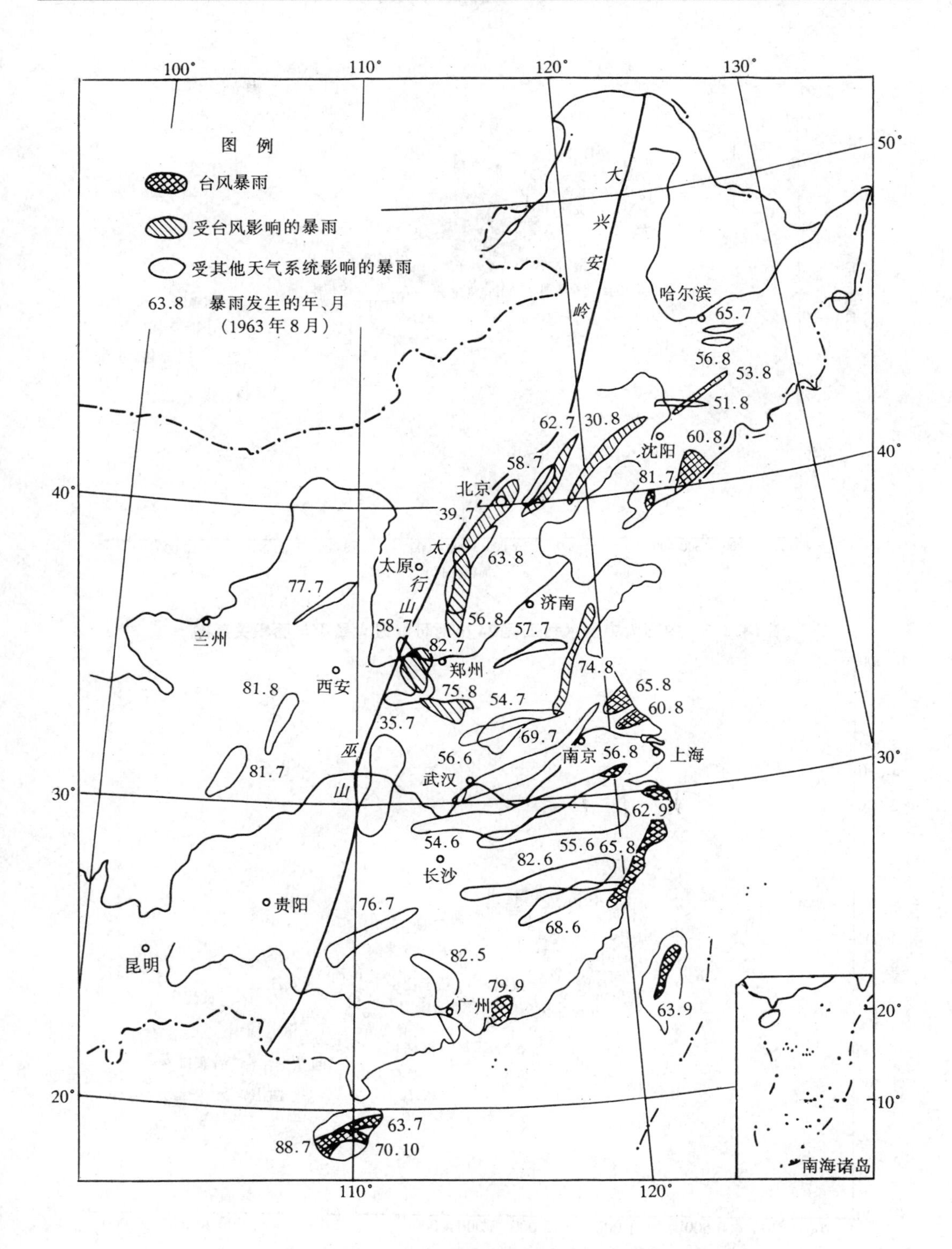

图 14.2.1　中国大面积暴雨地区分布[3]

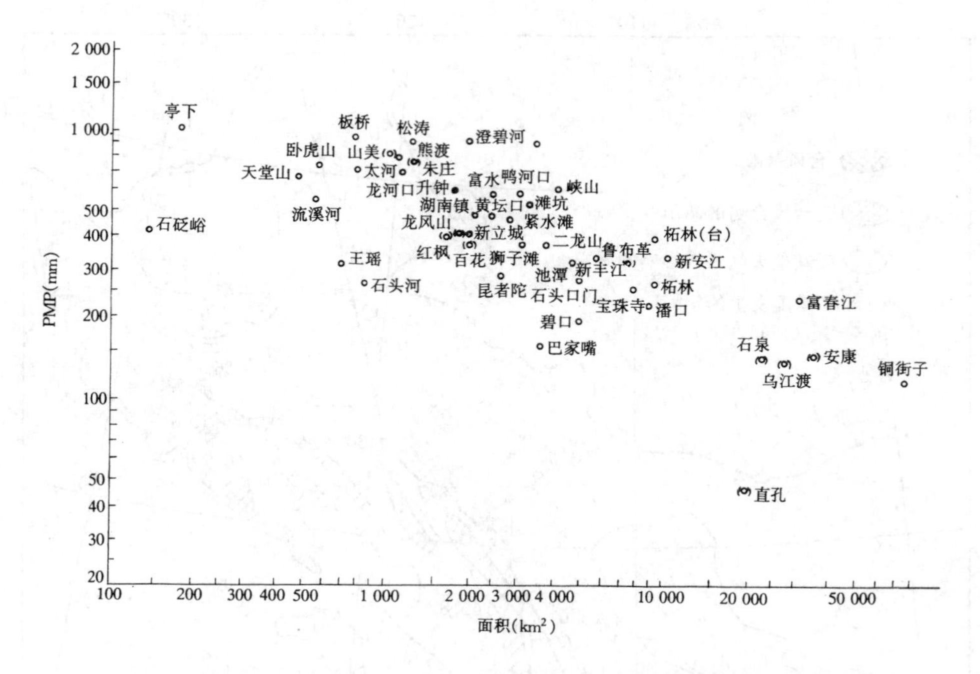

图 14.2.2 中国大中型水利工程 24 小时可能最大暴雨与面积关系图[2]

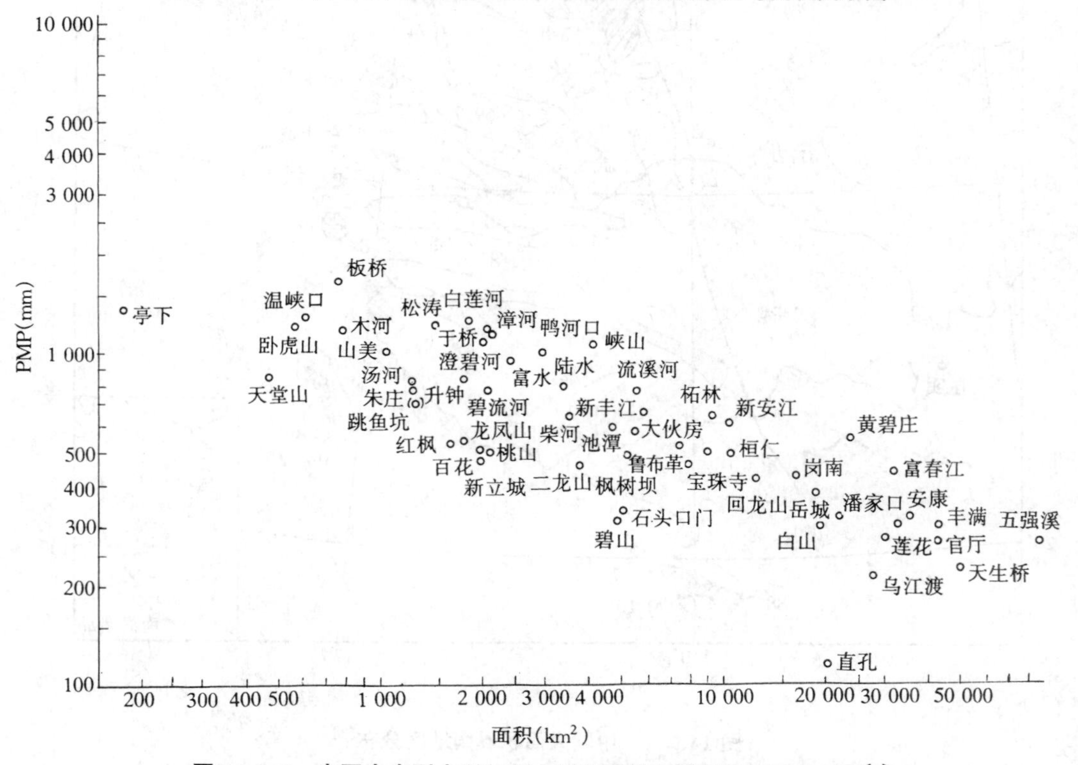

图 14.2.3 中国大中型水利工程 3 天可能最大暴雨与面积关系图[2]

表 14.2.5　　　湄公河下游台风最大 1 天 PMP 值表

等值线标志	等值线值 P (mm)	等值线面积 F (km²)	面平均雨深 $\overline{P}$ (mm)
(1)	(2)	(3)	(4)
P	1 300*	20	1 300
A	850*	200	1 098
B	541	2 260	732
C	366	11 170	510
D	234	29 690	379
E	173	56 420	296
F	135	103 730	231
G	119	139 650	204
H	109	184 160	183
I	102	245 170	163

注　1. 表中(1)、(2)、(3)栏摘自美国水文气象报告第 46 号[5]的表 5-14、表 3-6 及图 3-11。
2. 带 * 者为按(2)、(3)栏数据点绘 $P \sim F$ 对数关系曲线外延求得。
3. 第(4)栏为根据(2)、(3)两栏算得。

图 14.2.4 是加拿大阿尔伯达省红鹿河(Red Deer River)流域的 PMP 时面深关系[6]。图 14.2.5 是日本分区(全国分为 11 个区)最大可能洪水(MPF)的洪峰模数图[7]。

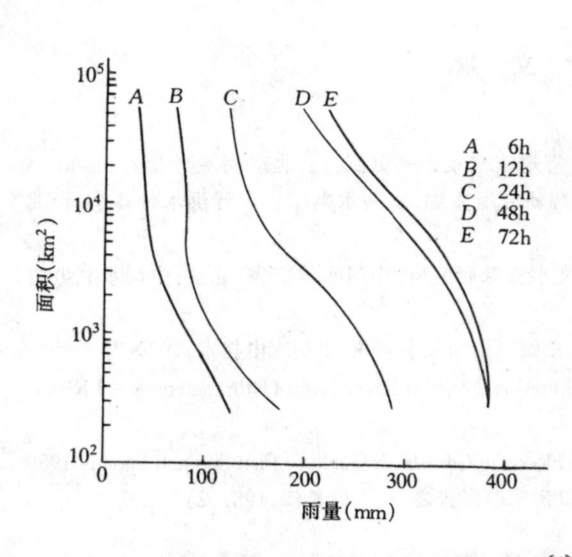

图 14.2.4　加拿大红鹿河流域 PMP 时面深关系[6]

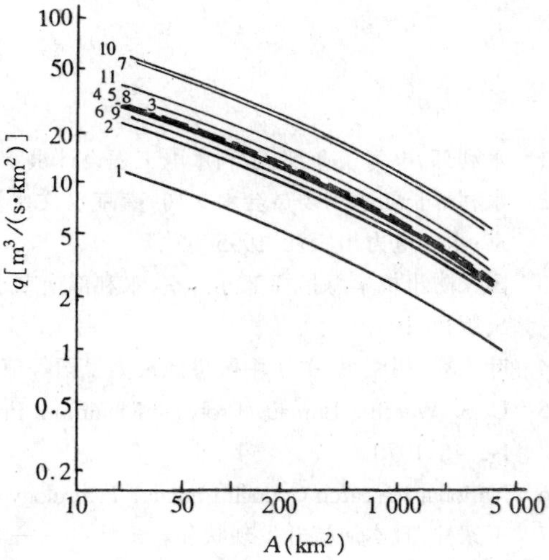

图 14.2.5　日本分地区单位 MPF 曲线图[7]

1—北海道　2—东北　3—关东　4—北陆
5—中部　6—近畿　7—纪伊半岛南部
8—山阴　9—濑户内　10—四国南部
11—九州

表 14.2.6 是印度四个流域的 PMP 成果❶。印度采用概化法估算,除极南部和北部喜马拉雅山边境外,整个次大陆被看做气象一致区,大暴雨由热带气旋和季风低压产生。印度的三大暴雨(1880.9,1929.7,1941.7)出现于 20°～30°N 的印度西部,都是孟加拉湾低压西移形成,暴雨分布无明显地形影响。在分析 PMP 时考虑了水汽放大、障碍调整、离海洋距离调整因素等。所计算的四个流域位于 20°～26°N。

表 14.2.6 印度四流域 PMP 估算成果

流 域	地 点	流域面积(km²)	PMP(mm)		
			24h	48h	72h
默希河 Mahi		25 486	600	920	1 180
贝德瓦河 Betwa		16 317	520	890	1 000
苏伯尔讷雷卡河 Subarmekha	Ghatsila	14 162	820	1 260	1 500
苏伯尔讷雷卡河 Subarmekha	Ghandi	5 663	1 080	1 520	1 780

通过以上几个方面的检查,经综合分析后即可判定所选取的 PMP 成果的合理性。有时,由于情况复杂,还需要把初步选定的 PMP 转化为 PMF,以分析其合理性,降雨和洪水两相对照,从而最终确定 PMP 及其相应的 PMF 成果。

参 考 文 献

1 水利部,电力工业部.水利水电工程设计洪水计算规范 SDJ22—79(试行).北京:水利出版社,1980

2 水利部长江水利委员会水文局,南京水文水资源研究所主编.水利水电工程设计洪水计算手册.北京:水利电力出版社,1995

3 国家防汛抗旱总指挥部办公室,水利部南京水文水资源研究所.中国水旱灾害.北京:中国水利电力出版社,1997

4 叶永毅,胡明思.关于中国可能最大暴雨等值线图编制中的几个问题.水利水电技术,1979(7)

5 U.S. Weather Bureau. Probable Maximum Precipitation, Mekong River Basin Hydrometeorolgical Report No.46.1970

6 National Research Council Canada. Hydrology of Floods in Canada: A Guide to Planning and Design. 1989

7 王家柱.日本河流开发现状和若干特点——访日考察题报告之一.人民长江,1987(2)

❶ 王家祁.八十年代国外可能最大暴雨估算研究简介.水利部南京水文水资源研究所,1992

15 国外 PMP 估算的进展

15.1 基本资料的积累和分析

根据王家祁教授的研究❶,世界各地的暴雨记录仍在不断被刷新。例如美国 Alvin 1979 年最大 24 小时雨量 1 092mm 创美国新记录。同年,澳大利亚的贝伦登克尔(Bellenden Ker)最大 24 小时降雨 1 140mm,为该国最大值。根据张海仑教授提供的资料〔1〕,印度洋西侧留尼汪岛,1980 年 1 月在科默松(Commerson)又出现了一次超过当地记录的暴雨,其 5～15 天雨量接近世界记录外包线,3 天雨量超过世界记录外包线 8‰(表 15.1.1)。

表 15.1.1 留尼汪科默松(Commerson)1980 年 1 月暴雨〔1〕

历时(d)		3	5	6	7	8	9	10	15
雨量(mm)	留尼汪	3 240	3 951	4 303	4 653	4 936	5 342	5 678	6 083
	世界记录	3 215	4 097	4 468	4 808	5 122	5 417	5 695	6 905

注 世界记录为本书作者按世界记录外包线公式 $R=421.6D^{0.475}$算得(公式来源见本书 16.1.1.1 节)。

新记录的出现使 PMP 的估算具有更坚实的基础,同时又使 PMP 估算的数值发生变动。如美国 1978 年 24 小时 518km^2 的 PMP 估算值在南部地区一般为 800～1 000mm,比 1947 年相应的估算值 700～800mm 有较明显的增大。

为使所估算的 PMP 较接近实际,各国都注意暴雨极值资料的观测、收集和整理。例如:美国从 1945 年开始积累本国及邻国加拿大等地的暴雨资料,并对近年世界特大暴雨如 1975 年红河暴雨、1976 年日本暴雨、1979 年印度暴雨等进行个例分析。

有的国家对与暴雨有关的气象要素资料进行整理,如美国有每半个月的最大可降水值,北大西洋 1871～1980 年热带气旋、澳大利亚 1909～1980 年热带气旋等。

有的国家对稀遇的暴雨资料进行处理,如美国、印尼、印度、牙买加等国已完成地区最大雨量分布的分析工作,成果可供类似地区使用。

15.2 PMP 概念的进展

15.2.1 PMP 的定义

1982 年,美国天气局汉森等人〔2〕将美国气象学会 1959 年提出的 PMP 定义作了修

❶ 王家祁.八十年代国外可能最大暴雨估算研究简介.水利部南京水资源研究所,1992

改,即将"特定流域"的理论最大降水量,改为"特定地理位置给定暴雨面积"的理论最大降水量(详见1.1.1和1.1.3节)。但是由于工程设计所要求的仍是"特定流域"(设计流域)的PMP,于是又提出一套方法将"给定暴雨面积"的PMP转换为设计流域的PMP。新定义强调暴雨区的等值线分布与流域分水线有出入,并提出了"暴雨区内"(within storm)和"暴雨区外"(without storm)雨深面积关系的新概念,即当某一历时一定暴雨面积的面平均雨量达到了PMP的水平,那么小于或大于这个面积的暴雨都不可能达到PMP水平。

有关PMP新定义的详细情况及讨论参见本书1.1.5节,具体方法参见10.4节。

15.3 PMP估算方法的进展

15.3.1 暴雨移置

15.3.1.1 移置范围

关于暴雨可移置的范围,近年的研究认为❶:若一个地区面积达几十万平方公里,有比较稠密的雨量站网,资料系列达40年以上,则可根据气象资料、气候特征和下垫面条件,明确划定移置范围。若一个地区雨量站网比较稀疏,资料系列不长,暴雨移置范围不便明确划定,此时暴雨移置范围可适当放宽。在热带地区,海域宽广,实测雨量资料更为稀少,移置范围更可放宽。

15.3.1.2 移置调整

对暴雨移置中的地形改正,美国1984年出版的报告第55号(HMR55)《大陆分水岭到103°经线之间美国PMP的估算》❶[5]中提出一个考虑暴雨强度因子的办法。其基本思路是:将山区的PMP分解成辐合(非地形)分量和地形分量。辐合分量即自由大气产生的暴雨,假定其可以进行水汽放大和移置。地形分量即地形对暴雨的影响值,假定其由地形因素和暴雨强度因素所决定。PMP的最终算式为

$$\mathrm{PMP} = \mathrm{FAFP}\left[M^2\left(1 - \frac{T}{C}\right) + \frac{T}{C}\right] \tag{15.3.1}$$

式中FAFP为自由大气产生的PMP(辐合PMP);M为暴雨强度因素,为降雨最强部分与所考虑暴雨历时雨量之比,现用6小时雨量与24小时雨量之比表示;T/C为地形因素,其中T为实测雨量,C为辐合分量。具体应用时,T和C均取百年一遇24小时的雨量。C值的求法为找出平原和宽广河谷的最小值,假定其为辐合降雨,据之进行频率分析,绘制地区辐合降雨分量等值线图,以供使用。由式(15.3.1)可见,对短历时强对流性暴雨,M值很大,地形因素被削减;对于强度不大的持续性降雨,地形作用就较大。

15.3.2 概化PMP估算❶

概化估算PMP的工作得到了发展,国外对概化估算的作用有很高的评价。近年美国、英国、澳大利亚、印度等国都进行了概化研究,特别是美国又对各个地区作了重新研

---

❶ 王家祁.八十年代国外可能最大暴雨估算研究简介.水利部南京水资源研究所,1992

究。随后又利用这些研究结果来估算个别流域的值。

概化或地区估计有两种形式,一种为一系列等值线图,描绘各历时各面积 PMP 的地理变化;另一种为一系列关系,使用户可以估算任意地点的 PMP 值。

美国各地区的概化估算是分阶段制作的,全国没有统一制作,但有的地区过了若干年之后,重新研究。美国本土除阿拉斯加和夏威夷以外的大陆中部 48 州外,对 PMP 的采用成果为:103°W 以东大片地区采用 1978 年水文气象报告 HMR51 成果,从 103°W 到大陆分水岭采用 1984 年 HMR55 成果,西南地区采用 1977 年 HMR49 成果,西北地区采用 1966 年 HMR43 成果,加州沿海流域采用 1961 年 HMR36 及 1977 年 HMR49 成果。

美国 HMR51(1978)详细分析了本国 500 多次暴雨时面深资料,给出了多种历时多种面积的概化时面深等值线图。主要采用水汽放大、移置和外包的方法。根据 53 次特大暴雨分析,水汽调整的分布如表 15.3.1。

表 15.3.1　美国水汽调整次数分布

调整值(%)	100/109	110/119	120/129	130/139	140/149	150/159	160/169	170/179
次　数	2	7	17	5	13	4	4	1

对于水汽放大超过 50% 的 8 次暴雨,逐个进行了检查分析,其中 6 次暴雨经与周围其他暴雨分析论证的仍被采用,另两次暴雨调整值则作了适当降低。

在分析过程中还制作了下列内容的图表供估算 PMP 应用:各选定历时和面积的实测最大和水汽放大雨量分布图、最大平均月降水分布图、最大平均周雨量分布图、最大 1 天单站雨量分布图、最大持续露点图、单站百年一遇 24 小时雨量图以及其他要素分布(如雷暴、雹、龙卷、云高等)。

综合分析 PMP 的面积有 26km^2、518km^2、2 590km^2、12 950km^2、25 900km^2、51 800 km^2 共 6 种,历时有 6 小时、12 小时、24 小时、48 小时、72 小时共 5 种,少数图分析 129 500km^2 和 96 小时。

按经纬度间距相隔 2 度划分成 154 个格点,对每个格点作各种 PMP 数值的检查。改正后的成果,按历时为 6 小时、12 小时、24 小时、48 小时、72 小时和面积为 26(点)km^2、518km^2、2 590km^2、12 950km^2、25 900km^2、51800km^2 制作 PMP 等值线图共 30 幅。大致的雨量变化范围见表 15.3.2。

表 15.3.2　美国 105°W 以东各历时各面积 PMP 大致范围　(单位:mm)

面积 (km^2)	历时 (h) 6	12	24	48	72
26	350~800	400~1 000	450~1 200	500~1 300	550~1 400
518	250~600	300~800	350~1 000	400~1 100	400~1 200
2 590	200~450	200~650	250~850	300~950	350~1 000
12 950	100~250	150~400	200~550	250~700	250~800
25900	100~200	125~300	200~450	200~550	250~650
51 800	75~150	125~250	150~350	200~450	200~550

美国105°W以东地区最大的PMP点雨量、地区最大实测点雨量及其比值见表15.3.3和表15.3.4,比值介于1.10～1.54,以短历时和大面积情况较多。

表15.3.3 美国中东部各历时各面积最大实测雨量和PMP (单位:mm)

面积(km^2)	历时(h)											
	6		12		24		48		72		96	
	实测	PMP	实测	PMP	实测	PMP	实测	PMP	实测	PMP	实测	PMP
点	627	813	757	983	983	1 196	1 095	1 316	1 148	1 415	1 148	
100	550	760	700	920	930	1 140	1 040	1 260	1 080	1 370	1 085	
300	490	680	660	830	880	1 050	980	1 170	1 020	1 300	1 025	
1 000	410	560	630	720	850	940	910	1 060	970	1 170	975	
3 000	325	440	555	620	740	820	830	940	860	1 020	880	
10 000	228	285	325	420	160	610	550	720	660	810	670	
30 000	130	180	185	285	290	420	420	550	520	640	550	
100 000	70		105		180		275		365		415	

表15.3.4 美国中东部最大PMP与最大实测雨量的比值

面积(km^2)	历时(h)				
	6	12	24	48	72
点	1.30	1.30	1.22	1.20	1.23
100	1.38	1.31	1.22	1.21	1.27
300	1.39	1.26	1.19	1.19	1.27
1 000	1.36	1.14	1.10	1.16	1.21
3 000	1.35	1.12	1.11	1.13	1.19
10 000	1.25	1.29	1.33	1.31	1.23
30 000	1.38	1.54	1.45	1.31	1.23

对概化方法的使用,也有一些限制:对山地一般限用于13 000km^2之内,对平地限于52 000km^2之内。

15.3.3 短缺大暴雨资料地区PMP估算

在资料短缺地区如何引入已进行分析地区的成果,1985年《澳大利亚短历时小面积PMP估算》是个例子。澳大利亚地广站稀,大暴雨资料很少,但分析认为澳大利亚和美国的降雨能力相似。澳大利亚暴雨记录为:12分钟32mm,24分钟64mm,40分钟174mm,60分钟330mm,4.5小时607mm,24小时1 140mm。美国暴雨记录为:5分钟64mm,14分钟100mm,42分钟305mm,2.75小时559mm,4.5小时782mm,24小时1 092mm。

因此,澳大利亚提出了采用"修正美国资料"的方法来推求PMP。他们将全国划分为3小时1 000km^2应用的中部干旱地区,6小时1 000km^2应用的沿海地区以及中间地区三个部分。将美国的时面深外包曲线调整到水汽28℃,采用山地与平地两套曲线,并作有持续24小时露点温度极值图,应用时采用极值露点与28℃露点可降水的比率作指标。

时程分布采用两次雷雨单体资料的分布。面分布由于资料少,无法制作,建议采用美国西比雷雨模型❶。

1994年,澳大利亚气象局发表了53号公报《澳大利亚PMP估算:短历时概化法》[1],旨在为小于1 000km² 流域的PMP估算,提供一种协调、快速的估算方法。对于热带和亚热带海岸地区,估算历时限制为6小时,澳大利亚内陆和南部地区是3小时。本方法考虑了两种地形,并充分考虑了当地有效水汽和流域平均高程。PMP的深度按下式计算:

$$PMP=(S\times D_S+R\times D_R)\times MAF\times EAF$$

式中 S 和 R 为设计流域平滑地区(Smooth terrain)和粗糙地区(Rough terrain)的权重因子,S 与 R 之和为1;D_S 和 D_R 为从时面深概化图(本书摘录成表15.3.5)上读得的平滑地区和粗糙地区的雨深,该图为根据美国和澳大利亚最大的暴雨记录的雨深统一调整到一个共同的水汽指标(即地表露点温度为28℃的水汽指标),经综合分析概化后所得出;MAF 为流域水汽调整因子,根据设计流域潜在的有效水汽(即相应于PMP的水汽)确定(从一张全国水汽调整因子图上查得,该因子从该国东南部的0.45递增到西北部为1.00);EAF 为流域高程调整因子,按流域平均高程确定,该高程按相应的地形图估算。如果这个值小于或等于1 500m,EAF 等于1。对高程超过1 500m,EAF 应当减少。超过部分,每300m减少0.05。澳大利亚大多数流域 $EAF=1$。

表15.3.5　澳大利亚在地面露点为28℃条件下短历时PMP的时面深关系　(单位:mm)

历时(h)	地区	面积(km²)							
		点	1	5	10	50	100	500	1 000
0.25	R和S	250	245	222	212	183	167	124	102
0.50	R和S	360	350	325	312	268	247	183	154
0.75	R和S	460	440	412	396	342	312	236	200
1	R和S	570	510	480	467	408	378	284	238
1.5	R	740	655	618	592	524	487	377	322
	S	640	580	547	528	467	428	329	282
2	R	880	770	722	695	607	561	426	383
	S	710	647	613	592	524	487	377	322
2.5	R	990	852	795	765	678	632	498	425
	S	760	690	652	630	560	520	412	360
3	R	1 090	938	872	837	736	683	532	458
	S	810	727	685	661	588	552	450	402
4	R	1 250	1 065	998	958	834	771	605	521
	S	900	793	752	728	657	618	508	455
5	R	1 360	1 177	1 098	1 054	917	844	645	558
	S	960	855	812	783	708	667	550	493
6	R	1 450	1 242	1 165	1 118	977	898	690	587
	S	1 000	900	857	830	753	708	587	529

注　1.本表数字根据文献〔1〕图4读得。
2.R表示粗造地区(Rough terrain),S表示平滑地区(Smooth terrain)。

❶　王家祁.八十年代国外可能最大暴雨估算研究简介.水利部南京水资源研究所,1992

PMP的设计时程分布,按澳大利亚暴雨的自计雨量计记录概化得出(表15.3.6)。

表15.3.6 澳大利亚短历时PMP设计时间分布[1]

时间(%)	0	5	10	15	20	25	30	35	40	45	50	55	60	65	70	75	80	85	90	95	100
PMP(%)	0	4	10	18	25	32	39	46	52	59	64	70	75	80	85	89	92	95	97	99	100

PMP的设计面分布,由椭圆形概化图得出。该图是根据美国气象局(1966)和世界气象组织(1986)给的对流性暴雨设计的。

15.3.4 热带地区PMP估算

热带地区的海陆分布、气候和暴雨特点与温带有很大差异,PMP的估算方法与温带地区有所不同。文献〔2〕对热带地区的PMP估算相当重视,单独写成了第六章。

国外对热带地区PMP的研究,仅限于南北纬30°之间湿润多雨热带气候(但不包括高山和干旱区),该地区没有大片毗连的大陆地区,多岛屿,且缺乏众多测站的大面积暴雨资料[6]。

热带地区,暴雨天气类型较为简单,主要有热雷雨、热带气旋和季风暴雨。

15.3.4.1 天气和时面深分析

热带暴雨的天气分析,包括从地面到高空的各层天气图,高空图分析特别重要,300hPa或200hPa也有重要信息。天气分析内容,包括研究降雨的主要成因、水汽源地、入流风的量级和垂直分布、气温垂直分布、云结构和云顶信息等,以便分析热带暴雨的结构。

热带大暴雨的时面深分析资料应广泛收集。由于测站稀少,宜最大限度利用间接的补充观测资料,如卫星观测资料。对一些现有的分析成果,如印尼、牙买加最大点雨量、美国飓风暴雨、印度暴雨极值资料,也应加以利用[6]。

15.3.4.2 暴雨放大

热带地区暴雨的类型和水汽的差异很小,水汽的补给总是很充沛,水汽的水平梯度极微,饱和假绝热大气的假定不适用,地面露点不能代表大气水汽的多或少,简单的水汽放大得不到合理的PMP估值。而异常的海面水温对水汽的变化和产生大暴雨则有重要的作用,故对水汽放大,有的研究认为,用海温资料较好,有人建议用均值加1~2倍标准差,有的说采用均值海温加3℃[6]。

风速放大不能像温带地区那样采用地面1 500m处的风速,应在对大暴雨入流风进行分析的基础上找到向暴雨区输送水汽的主要大气层,研究该层风速和降水量之间的关系,若两者有正相关趋势,则可采用风速放大,放大计算只限于该大气层[7]。

文献〔3〕认为,热带地区的暴雨放大,其主要方法应是时空放大法,即调整发生顺序,资料不限于本流域的暴雨。

15.3.4.3 暴雨移置

热带,海域比陆地宽广得多,观测资料稀少,气象一致区难以确定。据热带暴雨动力学条件分析,热带地区同类暴雨可发生的地区很广,暴雨可移置的范围比温带地区要宽广得多。有人建议用几个大陆的资料联合确定 PMP❶。

热带地区暴雨移置调整,除作地形调整外,还应进行海温差异的调整〔7〕。

15.3.4.4 印度 PMP 估算

印度 PMP 估算是 1986 年新版 PMP 估算手册〔3〕的增补内容。印度大部分地区的 PMP 是由热带气旋或季风低压造成,可以认为是一个气象一致区。印度记录到三次特大暴雨,即 1880 年 9 月暴雨,1927 年 7 月暴雨和 1941 年 7 月暴雨。其中 1880 年 9 月暴雨和 1927 年 7 月暴雨长历时(1 天以上)大面积(5 000km^2 以上)面平均雨深超过了美国。1927 年和 1941 年暴雨主要分布在平坦地区。

水汽放大工作参考了澳大利亚资料。印度极端露点温度比极端海面温度低 4℃,最大持续 24 小时露点温度在北部平原达 28～30℃以上,南部高原中央最低在 26℃以下。由于热带暴雨取决于水汽的连续供应,所以要对气流跨越大地的距离作调整。这样,印度绘制了基于 30℃露点温度的全国非地形 PMP 的时面深曲线❶。

15.4 PMP 成果评价的进展

在确定 PMP 数值时,如何知道其正确性,是从事 PMP 工作者经常遇到的一个问题。美国水文气象学家 E·M·汉森认为,无法知道什么是 PMP 的真值,仅仅能做到所提出的成果是在现代知识和现有资料基础上所得到的最好的估值〔8〕。

我们认为,对 PMP 的成果和其他水文分析计算成果一样,目前我们只能做到使它具有相对的合理性。

15.4.1 伏南科—洛德尔 K 因子

1984 年,洛德尔(Rodier)和 Roche 在文献〔9〕中介绍了伏南科(Francou)和洛德尔于 1967 年通过对全世界大约 1 200 个极限洪峰的研究,所得出的表征洪峰流量大小的 K 因子计算公式

$$K=10(1-\frac{\lg Q_{\mathrm{m}}-6}{\lg A-8})$$

式中 Q_{m} 为最大洪峰流量,m^3/s;A 为流域面积,km^2。在双对数坐标纸上,流域面积大于 100km^2 的各种面积世界最大洪水洪峰流量的外包线(从文献〔9〕提供的图 1 上看,有 10 个点子还在此线以上)为一直线,相应的 K 值为 6。也就是流域面积大于 100km^2 的世界洪水记录的外包线公式为

$$Q_m = 631A^{0.4}$$

上式 K 值可以用来判断 PMF 的极大性。南非水文界很注重 K 因子的运用❷。1981

❶ 王家祁.八十年代国外可能最大暴雨估算研究简介.水利部南京水资源研究所,1992

❷ W.J.R.Alexander,X.P.KOVA'CS.南非特大洪水的启示.见:第 16 届国际大坝会议论文设计洪水译文选集.长委水文局,1990,1

年和1984年南非的南部和东部分别遭受特大洪水的侵袭,许多测站的实测洪峰,其 K 因子都在4.90～5.27之间。Willem Nels河 H_4M_{05} 水文站1981年实测洪峰 $551m^3/s$(按1950～1981年系列,用对数皮尔逊Ⅲ型曲线,1981年洪峰重现期为150年),其 K 因子为5.08,该值接近该地区的PMF。

表15.4.1 **PMP/PMF估算保守性指标**[6]

因子及方法		组合情况	指标及注	
PMP	概化法	美国105°W以东,非山地	100	
		美国105°W以东,山　地	80	
		美国105°W以西,非山地	90	
		美国105°W以西,山　地	80	
	本流域专门水文气象分析	大地区大样本历史暴雨的移置和极大化	100	
		大地区小样本历史暴雨的移置和极大化	90	
		小地区大样本历史暴雨的移置和极大化	90	
		小地区小样本历史暴雨的移置和极大化	80	
	统计估算法	大样本外包	120	
		小样本外包	100	
		大样本接近外包	100	
		小样本接近外包	90	
		大样本平均	80	
		小样本平均	60	
面积与流域形状折减		无形状折减,综合面深、时面深曲线	8　概　化PMP	
		有形状折减,综合面深、时面深曲线	4　概　化PMP	
		无形状折减,用暴雨专门面深曲线	4　统计法PMP	
		有形状折减,用暴雨专门面深曲线	0　统计法PMP	
		暴雨移置和放大	0	
时深关系及时雨型		时深关系外包,雨型最恶劣	10	
		时深关系接近外包,雨型最恶劣	5	
		时深关系和雨型次于最恶劣	2	
		时深关系和雨型次于接近恶劣	0	
前期暴雨			湿润区	干旱区
		40%　PMP	4	10
		30%　PMP	4	8
		100年一遇降水	2	4
		50年一遇降水	2	3
		20年一遇降水	0	2
流域滞留			长历时暴雨	短历时暴雨
		给定幅度中的最低值	12	6
		平均值以下	6	3
		平均值	0	0
		平均值以上	−6	−3
		给定幅度中的最大值	−12	−6
单位线		流域出口水库	大超蓄	小超蓄
		直接法	0	0
		无因次过程线法	1	2
	综合法	外包参数值	4	8
		平均参数值以上	2	4
		平均参数值	0	0
		平均参数值以下	−2	−4
		低参数值	−4	−8

15.4.2 王碧辉评分指标

1983年,美国水文专家王碧辉和R·W·雷吴尔提出了一个对PMP和PMF成果进行综合评价的方法[6,10]。他们认为,对PMF有影响的因素,最主要的是PMP,其他还有时面雨型、前期雨量、流域滞留、单位线等。判断PMF保守性的合理方法是决定每一个极大化因子的概率,并计算这些因子同时发生的组合概率。但目前这种方法是不实际的,因为个别因子的重现期远远长于资料记录长度,各因素之间的相互作用也不完全清楚,难以计算联合概率。为此,他们建议一种不太严格的主观方法,不明确给出PMF的概率,但反映其相对保守性。方法对每个因素指定指标值,较高指标反映较大保守,各因子之和即为PMF的保守性。表15.4.1列举了六种因子的指标,指标大小反映了保守程度,100代表实用上一般接受的基本保守情况,正值为增加保守程度,负值为降低保守程度,总指标超过100则为偏于保守。在估算出总的保守程度后,工程师在设计建筑物时可作出较好的决定。如PMF估算的总指标远远超过100,除非具有不寻常的保守设计理由,在设计建筑物时应考虑采用较小的洪水。反之,如指标值远小于100,工程师应给予必要的安全因素,以保证建筑物的安全[10]。

王碧辉等在他们的文中承认,上述建议尚有待讨论和改善,期望将来能提供大坝和溢洪道设计洪水较好的选择。

参 考 文 献

1 Bureau of Meteorogy. The Estimation of Probable Maximum Precipitation in Australia: Generalised Short－Duration Method. Bulletin 53. AGPS, Canberra. 1994

2 Hansen E.M, Schreiner L.C and Millers F. Application of Probable Maximum Precipitation Estimates, U.S. east of the 105th Meridian, Hydrometeorological Report. No. 52. 1982

3 WMO. Manual for Estimation of Probable Maximum Precipitation, 2nd ed, 1986

4 詹道江.可能最大降水与古洪水研究.水科学进展,1991(2)

5 Miller J.F, Hansen E.M, Fenn D.D, Schreienir L.C and Jensen D.T. Probable Maximum Precipitation Estimates, United States Between the Continental Divide and the 103rd Meridian. Hydrometeorological Report No. 55. 1984

6 王维第,朱元甡、王锐琛.水电站工程水文.南京:河海大学出版社,1995

7 张有芷.可能最大降水方法的进展.人民长江,1992(6)

8 Hanson E.M. Probable maximnm precipitation for design floods in the United State. J. Hydrol. 96, 1987

9 Rodier J.A and Roche M, World Catalogue of Maximum Observed Flood. IAHS—AISH Publication, No. 143. 1984

10 Bi—Huei Wang and Russell W. Revell, Conservatism of Probable Maxium Flood Estmates. Journal of Hydraulic Engineering Vo1. 109. No. 3. 1983

16 世界和中国暴雨记录

16.1 世界暴雨记录

世界上创记录的特大暴雨都是发生在热带、亚热带和暖温带内地形条件对降雨特别有利的地区。

16.1.1 点雨量记录

16.1.1.1 世界点雨量记录

根据联合国世界气象组织的出版物[1]和澳大利亚气象局的出版物[2]以及中国有关部门对38万余站年暴雨资料的分析[3,4]，经作者综合，得出世界实测点雨量记录如表16.1.1和接近世界实测点雨量如表16.1.2。

据文献〔1〕的介绍，表16.1.1和表16.1.2中的数值中长历时来自热带风暴(飓风或台风)，本书作者综合补充的中国台湾和河南的一些数值，均为台风暴雨。表16.1.1中9小时至15天的数值来自非洲东南面印度洋中马斯克林群岛西南部的留尼汪(La Reunion)岛(面积2 510km^2)上几场不同的热带暴雨。在以上的地方，台风或被称为“气旋”，冲击高达3 000m以上的陡峻山脉，造成对降水十分有利的条件，对不具有同样条件离海又远的地方，不可轻易移置。

台湾的新寮和白石也都位于地形陡峻的迎风坡喇叭口地形之内[5]，对台风暴雨的形成十分有利。阿里山亦如此。

位于加勒比海西北部的岛国牙买加和位于太平洋西部的岛国菲律宾，前者属热带雨林气候，后者属热带季风型热带雨林气候，雨量丰沛[6]。而且牙买加的银山植物园(Silver Hill Plantation)和菲律宾的碧瑶(Baguio)均位于高山地区的迎风坡上，故极有利于暴雨的形成。

印度乞拉朋齐(Cherrapunji)位于印度东北部梅加拉亚邦，在布拉马普特拉河(雅鲁藏布江下游)冲积平原北缘(大地形是口袋形的东北端)，南面有印度洋的孟加拉湾送来的水汽，北处1 000～2 000m高山南侧的迎风坡，极其有利于长历时特大暴雨的形成。

图16.1.1是文献〔1〕提供的世界实测最大点雨的雨量与历时的关系图，其外包线为

$$P=16.6t^{0.475}$$

式中P为降雨量，in；t为降雨历时，h。若P以mm计，则

$$P=421.6t^{0.475}$$

本书补充新资料〔2〕后，以上公式仍然成立。

表 16.1.1 **世界实测点雨量记录**

序号	历时	雨深(mm)	地点		发生日期(年·月·日)	资料来源
1	1min	38	巴 罗 Barot	瓜德罗普岛	1970.11.26	〔1〕
2	8min	126	菲森,巴伐利亚州 Fussen,Bavaria	德国	1920.5.25	〔1〕
3	15min	198	普伦角 Plumb Pount	牙买加	1916.5.12	〔1〕
4	20min	206	阿尔杰什河畔库尔泰亚 Curtea—de—Arges	罗马尼亚	1947.7.7	〔1〕
5	42min	305	霍尔特,密苏里州 Holt,Missouri	美国	1947.6.22	〔1〕
6	2h10min	483	罗克波特,西弗吉尼亚州 Rockport,WV	美国	1889.7.18	〔1〕
7	2h45min	559	德黑尼,得克萨斯州 D'Hanis,TX	美国	1935.5.31	〔1〕
8	4h30min	782	斯梅斯波特,宾夕法尼亚州 Smethport,PA	美国	1942.7.18	〔1〕
9	6h	830	河南林庄,	中国	1975.8.7	〔4〕
10	9h	1 087	伯卢夫 Belouve	留尼汪岛	1964.2.28	〔1〕
11	12h	1 340	伯卢夫 Belouve	留尼汪岛	1964.2.28/29	〔1〕
12	18h	1 589	FOC FOC	留尼汪岛	1966.1.7/8	〔2〕
13	18h30min	1 689	伯卢夫 Belouve	留尼汪岛	1964.2.28/29	〔1〕
14	20h	1 697	FOC FOC,	留尼汪岛	1966.1.7/8	〔2〕
15	22h	1 780	FOC FOC	留尼汪岛	1966.1.7/8	〔2〕
16	24h	1 825	FOC FOC	留尼汪岛	1952.3.15/16	〔1〕
17	2d	2 467	欧雷尔 Aurere	留尼汪岛	1958.4.8/10	〔2〕
18	3d	3 240	格兰德 伊埃特 Grand llet	留尼汪岛	1980.1.24/27	〔2〕
19	4d	3 721	乞拉朋齐 Cherrapunji	印度	1974.9.12/15	〔1〕
20	5d	3 951	科默松 Commerson	留尼汪岛	1980.1.23/27	〔2〕
21	6d	4 303	科默松 Commerson	留尼汪岛	1980.1.22/27	〔2〕
22	7d	4 653	科默松 Commerson	留尼汪岛	1980.1.21/27	〔2〕
23	8d	4 936	科默松 Commerson	留尼汪岛	1980.1.20/27	〔2〕
24	9d	5 342	科默松 Commerson	留尼汪岛	1980.1.19/27	〔2〕
25	10d	5 678	科默松 Commerson	留尼汪岛	1980.1.18/27	〔2〕
26	15d	6 083	科默松 Commerson	留尼汪岛	1980.1.14/28	〔2〕
27	31d	9 300	乞拉朋齐 Cherrapunji	印度	1861.7	〔1〕
28	2mo	12 767	乞拉朋齐 Cherrapunji	印度	1861.6/7	〔1〕
29	3mo	16 369	乞拉朋齐 Cherrapunji	印度	1861.5/7	〔1〕
30	4mo	18 738	乞拉朋齐 Cherrapunji	印度	1861.4/7	〔1〕
31	5mo	20 412	乞拉朋齐 Cherrapunji	印度	1861.4/8	〔1〕
32	6mo	22 454	乞拉朋齐 Cherrapunji	印度	1861.4/9	〔1〕
33	11mo	22 990	乞拉朋齐 Cherrapunji	印度	1861.1/11	〔1〕
34	1y	26 461	乞拉朋齐 Cherrapunji	印度	1860.8/1861.7	〔1〕
35	2y	40 768	乞拉朋齐 Cherrapunji	印度	1860/1861	〔1〕

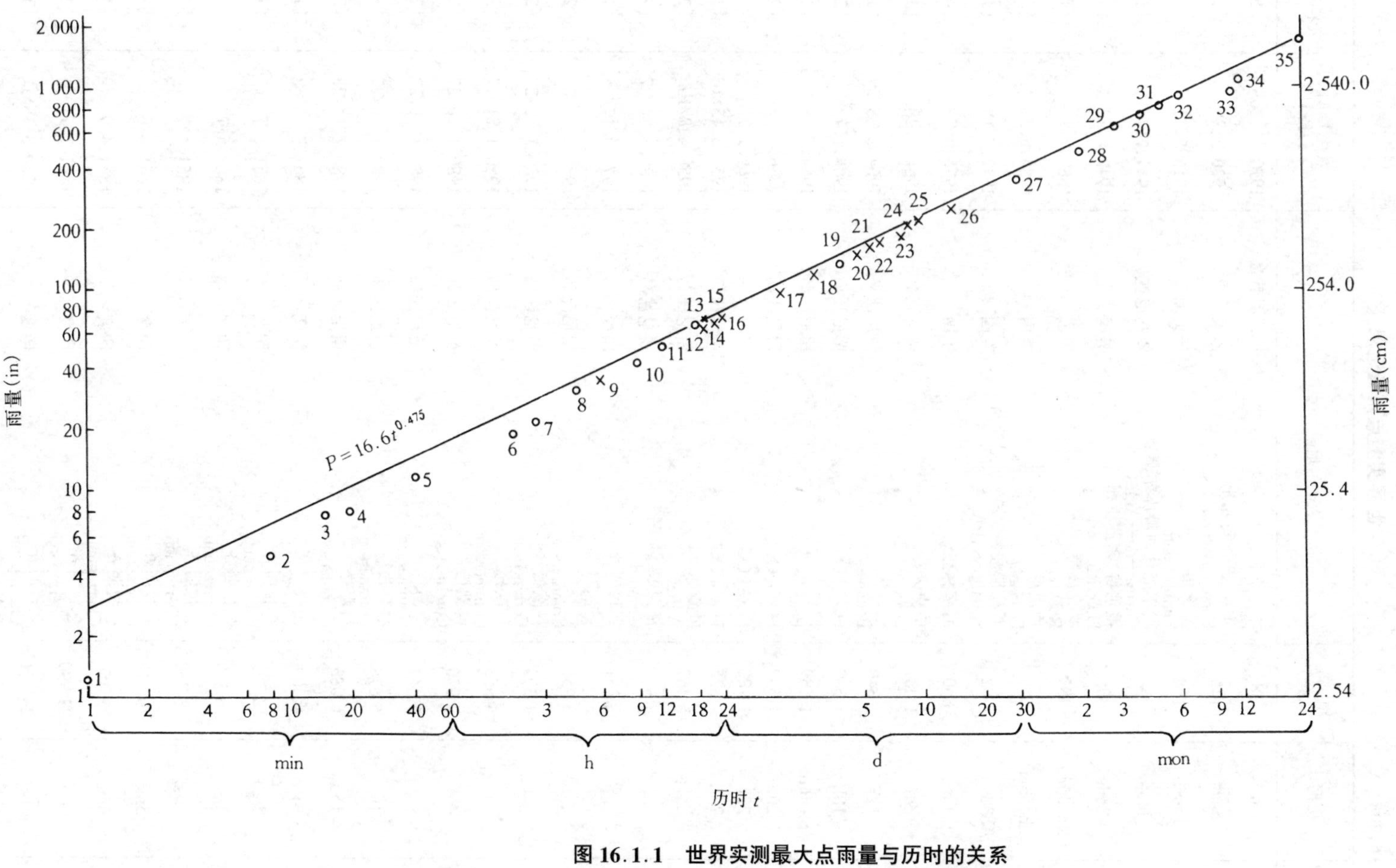

图 16.1.1 世界实测最大点雨量与历时的关系

○点及关系线引自文献[1],×点为本书作者补充数据

表 16.1.2 接近世界记录的实测点雨量

历时	雨深(mm)	地点		发生日期(年·月·日)
1min	31.0	尤宁维尔,马里兰州 Unionville, MD	美国	1956.7.4
5min	63.0	波塔贝约 Porta Bello	巴拿马	1911.11.29
5min	64.0	海恩斯坝宁,加利福尼亚州 Haynes Canyon, CA	美国	1976.2.2
14min	100.0	加尔维斯顿,得克萨斯州 Galveston, TX	美国	1871.6.4
15min	117.0△	福建崩山	中国	1992.7.4
40min	235.0	几内亚,弗吉尼亚州 Guinea, VA	美国	1906.8.24
1h	254.0	卡茨基尔,纽约州 Catskill, Ny	美国	1819.7.26
1h20min	292.0	坎波,加利福尼亚州 Campo, CA	美国	1891.8.12
2h	310.0*	山东前城子	中国	1963.7.24
3h	495.0*	河南林庄	中国	1975.8.7
3h	381.0	伊丽莎白港 Port Elizabeth	南非	1965.9.1
3h	406.0	康科德,宾夕法尼亚州 Concord, PA	美国	1843.8.5
4h	584.0	巴斯特尔,圣·基特斯西印第乌斯 Basseterre, st. Kitts, W. Indies	巴西	1880.1.12
5h	516.5	台湾阿里山	中国	1996.7.31
6h	616.5	台湾阿里山	中国	1996.7.31
7h	714.5	台湾阿里山	中国	1996.7.31
7h	686.0	台湾新寮	中国	1996.7.31
8h	795.5	台湾阿里山	中国	1996.7.31
9h	889.5	台湾阿里山	中国	1996.7.31
10h	983.0	台湾阿里山	中国	1996.7.31
11h	1 075.5	台湾阿里山	中国	1996.7.31
12h	1 157.5	台湾阿里山	中国	1996.7.31
12h	780.0	碧瑶 Baguio	菲律宾	1967.10.17
12h	954.0*	河南林庄	中国	1975.8.7
13h	1 246.0	台湾阿里山	中国	1996.7.31
14h	1 322.0	台湾阿里山	中国	1996.7.31
15h	1 370.0	台湾阿里山	中国	1996.7.31
15h	876.0	斯梅斯波特,宾夕法尼亚州 Smethport, PA	美国	1942.7.17/18
16h	1 404.5	台湾阿里山	中国	1996.7.31

续表 16.1.2

历时	雨深(mm)	地点		发生日期(年·月·日)
17h	1 473.5	台湾阿里山	中国	1996.7.31
18h	1 537.5	台湾阿里山	中国	1996.7.31
18h	925.0	斯罗尔,得克萨斯州 Thrall,TX	美国	1921.9.9
18h	1 041.0	台湾白石	中国	1963.9.11
19h	1 575.0	台湾阿里山	中国	1996.7.31
20h	1 606.5	台湾阿里山	中国	1996.7.31
21h	1 634.5	台湾阿里山	中国	1996.7.31
21h	1 059.0	嘉手纳空军基地,冲绳 Kadena Air force Base, Okinawa	日本	1956.9.8
22h	1 668.5	台湾阿里山	中国	1996.7.31
23h	1 694.0	台湾阿里山	中国	1996.7.31
24h	1 748.5	台湾阿里山	中国	1996.7.31/8.1
24h	1 092.0	阿尔文,得克萨斯州 Alvin,TX	美国	1979.7.25/26
24h	1 110.0	瑞穗 Mizuko	日本	1957.7.25/26
24h	1 672.0	台湾新寮	中国	1967.10.17
24h	1 248.0	台湾白石	中国	1963.9.10/11
24h	1 216.0	碧瑶 Baguio	菲律宾	1967.10.17/18
24d	1 036.0	乞拉朋齐 Cherrapunji	印度	1876.6.14
24h	1 019.0	杰瓦伊 Jawai	印度	1897.9.11
24h	1 060.0*	河南林庄	中国	1975.8.7
24h	1 035.0*	台湾奋起湖	中国	1911.8.31
1d	1 127.0*	台湾潮可	中国	1934.7.19
1d	1 094.5	台湾阿里山	中国	1996.7.31
1d	1 060.0*	台湾火烧寮	中国	1921
39h	1 585.0	碧瑶 Baguio	菲律宾	1911.7.14/16
2d	2 086.0	鲍登 Bowden Pen	牙买加	1960.1.22/23
2d	1 986.5	台湾阿里山	中国	1996.7.31/8.1
2d	2 259.2	台湾新寮	中国	1967.10.17/18
2d	1 616.0	乞拉朋齐 Cherrapunji	印度	1876.6.14/15
2d15h	2 010.0	碧瑶 Baguio	菲律宾	1911.7.14/17
3d	2 759.0	乞拉朋齐 Cherrapunji	印度	1974.9.12/14
3d	2 749.0	台湾新寮	中国	1967.10.17/19

续表 16.1.2

历时	雨深(mm)	地　　点		发生日期(年·月·日)
3d	2528	鲍登 Bowden Pen,	牙买加	1960.1.22/24
3d	2 070.0*	台湾奋起湖	中国	1913.7.18/20
3d	2 045.0	乞拉朋齐 Cherrapunji	印度	1931.6.25/27
3d15h	2 210.0	碧瑶 Baguio	菲律宾	1911.7.14/18
4d	2 789.0	鲍登 Bowden Pen	牙买加	1960.1.22/25
4d	2 587.0	乞拉朋齐 Cherrapunji	印度	1876.6.12/15
5d	2 908.0	银山植物园 Silver Hill Plantation	牙买加	1909.11.5/9
5d	2 899.0	乞拉朋齐 Cherrapunji	印度	1876.6.12/16
6d	3 112.0	银山植物园 Silver Hill Plantation	牙买加	1909.11.5/10
6d	3 032.0	乞拉朋齐 Cherrapunji	印度	1876.6.11/16
7d	3 331.0	乞拉朋齐 Cherrapunji	印度	1931.6.24/30
7d	3 277.0	银山植物园 Silver Hill Pantation	牙买加	1909.11.4/10
8d	3 847.0	贝伦登克尔 Bellenden Ker	澳大利亚	1979.1.1/8
8d	3 430.0	乞拉朋齐 Cherrapunji	印度	1931.6.24/7.1
8d	3 429.0	银山植物园 Silver Hill Pantation	牙买加	1909.11.4/11
15d	4 798.0	乞拉朋齐 Cherrapunji	印度	1931.6.24/7.8

注　带△者为胡明思提供,带＊者为文献〔4〕,阿里山 1996 年资料为台湾大学姜善鑫教授提供,其余为文献〔1〕。

这里,顺便说明一下,WMO1973 年出版的《PMP 估算手册》中,24 小时和 2～8 天的雨量记录,发生在留尼汪岛的赛路斯站,其值分别为 1 870mm、2 500mm、3 240mm、3 504mm、3 854mm、4 055mm、4 110mm 和 4 130mm,时间是 1952 年 3 月 11～19 日〔7〕。但 1986 年 WMO 出版的《PMP 估算手册》第二版〔1〕中,对这个站的资料,全未采用。其原因估计可能是该站这场暴雨记录不可靠。

16.1.1.2　几个国家的点雨量记录

1)菲律宾的点雨量记录。菲律宾位于 5°～19°N 之间,属季风型热带雨林气候,多台风(平均每年遭受台风袭击达 180 次之多〔6〕),雨量大。大部分地区年平均降水量2 000～3 000mm,由北向南渐多。最多的在中吕宋盆地(面积 18 000km^2,东北西三面有高山)西北边缘的碧瑶,年平均降雨量达 4 600mm,最大达 9 038mm,1911 年 7 月观测到的大暴雨接近世界记录(表 16.1.3)❶。

2)日本的点雨量记录。日本平均年降水量约 1 800mm,6～7 月为梅雨季节,8～9 月

❶　水利电力部科学技术情报所.一些国家的水库设计洪水及标准,1976

为台风暴雨季节[6]，每年有4～5次风速达100km/h以上的台风，带来很频繁的暴雨❶。表16.1.4是日本的点雨量记录。

表16.1.3　　菲律宾碧瑶站1911年7月实测雨量表

发生日期(月·日)	降雨历时	降雨量(mm)
7	12h	780
7	24h	1 216
7.14～16	39h	1 585
7.14～17	2d15h	2 010
7.14～18	3d15h	2 210

表16.1.4　　日本点雨量记录

历时	雨深(mm)	地点	发生日期(年·月·日)	资料来源
10 min	49	足摺	1946.9.13	[8]
10 min	55.9	潮岬	1944.4.19	(1)
20 min	64	足摺	1944.10.17	[8]
30 min	88	足摺	1944.10.17	[8]
1h	167	福井	1952.3.22	[8]
1h	157	清水	1944.10.17	(1)
2h	296	足摺	1944.10.17	[8]
3h	358.8	清水	1957.10.17	(1)
3h	377	西乡	1957.7.25～26	[8]
4h	467.0	西乡	1957.7.25～26	[8]
10h	844.5	西乡	1957.7.25～26	[8]
13h	1 004.5	西乡	1957.7.25～26	[8]
24h	1 109.2	西乡	1957.7.25～26	(1)
24h	1 011.0	大台原山	1923.9.14	(1)
1d	1 138	日早(德岛)	1951.9.10～11	[8]
2d	1 692	日早	1951.9.10～11	[8]
3d	2 237	日早	1951.9.10～13	[8]
1 mo	3 514	大台原山	1938.8	[8]
1y	8 518	大台原山	1919.9～1920.8	[8]
1y	10 216	屋久岛	1950	(1)

注　(1)为水电部四川勘测设计处.国外特大暴雨资料(初稿).1976,6

3)澳大利亚和美国点雨量记录。根据文献❷的介绍，澳大利亚和美国点雨量记录如表16.1.5所示。由该表可见，澳美两国的降雨能力相似。按文献[2]的介绍，澳大利亚的点暴雨记录如表16.1.6所示。

❶　水利电力部科学技术情报所.一些国家的水库设计洪水及标准.1976,1

❷　王家祁.国外可能最大降水研究进展.南京水文研究所,1988

表 16.1.5 **澳大利亚和美国的暴雨记录比较**

澳大利亚		美国	
历时	点雨量(mm)	历时	点雨量(mm)
12min	32	5min	64
20min	64	14min	100
40min	174	42min	305
60min	330	2.75h	559
4.5h	607	4.5h	782
24h	1 140	24h	1 092

表 16.1.6 **澳大利亚实测点暴雨记录**

地点	发生日期(年·月·日)	历时(min)	雨量(mm)
沃拉瓦拉隆(Worawarralong)	1904.1.25	3	27*
图鲁卡(Toorooka)	1964.3.8	6	51*
旺多恩(Wandoona)	1983.2.17	10	86*
诺贝(Nobby)	1939.3.11	20	203
弗洛伦斯(Florence)	1920.12.4	60	230
贡野沃里利(Gunyerworilli)	1937.11.20	80	270
上罗斯(Upper Ross)	1946.3.3	120	305
贡布拉(Kumbia)	1941.3.14	180	356
宾比(Binbee)	1980.1.6	270	607
旺加威利(Wongawilli)	1984.2.18	720	717*
贝伦登克尔(Bellenden ker Top)	1979.1.4	1 440	960
贝伦登克尔(Bellenden ker Top)	1979.1.5	2 880	1 947
贝伦登克尔(Bellenden ker Top)	1979.1.5	4 320	2 517
贝伦登克尔(Bellenden ker Top)	1979.1.8	11 520	3 847

注 雨量带*者为新南威尔士州,其余为昆士兰州。

16.1.2 暴雨时面深记录

16.1.2.1 美国的记录

美国根据约700场暴雨分析,得出的最大时面深关系如表16.1.7,这种关系大部分来自热带暴雨[1]。表中所列这些极值暴雨的发生地,都在美国东南部墨西哥湾沿岸和大西洋沿岸的一些州。

表 16.1.7 美国实测最大时面深资料

面积 ($\frac{mi^2}{km^2}$)	各种历时(h)的面平均雨深(in/mm)						
	6	12	18	24	36	48	72
10 26	24.7a (627)	29.8b (757)	36.3e (922)	38.7e (983)	41.8e (1 062)	43.1e (1 095)	45.2e (1 148)
100 259	19.6b (498)	26.3e (668)	32.5e (826)	35.2e (894)	37.9e (963)	38.9e (988)	40.6e (1 031)
200 518	17.9b (455)	25.6e (650)	31.4e (798)	34.2e (869)	36.7e (932)	37.7e (958)	39.2e (996)
500 1 295	15.4b (391)	24.6e (625)	29.7e (754)	32.7e (831)	35.0e (889)	36.0e (914)	37.3e (947)
1 000 2 590	13.4b (340)	22.6e (574)	27.4e (696)	30.2e (767)	32.9e (836)	33.7e (856)	34.9e (886)
2 000 5 180	11.2b (284)	17.7e (450)	22.5e (572)	24.8e (630)	27.3e (693)	28.4e (721)	29.7e (754)
5 000 12 950	8.1bh (206)	11.1b (282)	14.1b (358)	15.5e (394)	18.7i (475)	20.7i (526)	24.4i (620)
10 000 25 900	5.7h (145)	7.9j (201)	10.1k (257)	12.1k (307)	15.1i (384)	17.4i (442)	21.3i (541)
20 000 51 800	4.0h (102)	6.0j (152)	7.9k (201)	9.6k (244)	11.6i (295)	13.8i (351)	17.6i (447)
50 000 129 500	2.5em (64)	4.2n (107)	5.3k (135)	6.3k (160)	7.9k (201)	9.9r (251)	13.2r (335)
100 000 259 000	1.7m (43)	2.5om (64)	3.5k (89)	4.3k (109)	6.0p (152)	6.7p (170)	8.9q (226)

表中暴雨代号说明

暴雨	日期	中心位置	天气
a	1942.7.4	斯梅斯波特(Smethpoort),宾夕法尼亚州	
b	1921.9.8/10	斯罗尔(Thrall),得克萨斯州	
e	1950.9.3/7	扬基敦(Yankeetown),佛罗里达州	飓风
i	1899.6.27/7.1	赫恩(Hearne),得克萨斯州	
k	1929.3.13/15	埃尔巴(Elba),亚拉巴马州	
q	1916.7.5/10	博尼费(Bonifay),佛罗里达州	飓风
n	1900.4.15/18	尤托(Eutaw),亚拉巴马州	
m	1908.5.22/26	查塔努加(Chattanooga),俄克拉何马州	
o	1934.11.19/22	米尔里(Millry),亚拉巴马州	
h	1936.6.27/7.4	贝韦(Bebe),得克萨斯州	
j	1927.4.12/16	杰斐逊 帕里什(Jefferson Parish),路易斯安那州	
r	1967.9.19/24	锡沃拉(Cibolo CK),得克萨斯州	飓风
p	1929.9.29/10.3	弗农(Vernon),佛罗里达州	飓风

16.1.2.2　印度暴雨记录

根据文献〔9〕介绍，印度暴雨的时面深记录如表16.1.8所示。由该表可见，印度记录是由两场暴雨决定的。这两场暴雨都发生在印度西海岸，雨区主要在古吉拉特邦。

表16.1.8　印度暴雨时面深记录

面积		各种历时(d)的面平均雨深(mm)						
mi^2	km^2	1	2	3	4		5	
(1)	(2)	(3)	(4)	(5)	(6)	(7)	(8)	(9)
点	点	987	1 270	1 448	1 499	1 554	1 524	1 615
100	259	945	1 248	1 410	1 435	1 450	1 485	1 525
200	518	904	1 225	1 380	1 405	1 375	1 460	14 80
300	777	870	1 200	1 355	1 375	1 333	1 430	1 440
500	1 295	825	1 158	1 315	1 335	1 263	1 400	1 370
1 000	2 590	737	1 070	1 245	1 275	1 159	1 340	1 270
1 500	3 885	678	1 008	1 203	1 235	1 103	1 300	1 206
2 000	5 180	640	965	1 170	1 205	1 065	1 270	1 165
3 000	7 770	577	890	1 095	1 145	1 018	1 215	1 120
5 000	12 950	498	775	985	1 045	960	1 117	1 053
10 000	25 900	386	595	787	875	838	935	941
15 000	38 850	320	492	668	745	752	825	840
20 000	51 800	272	425	580	660	685	730	771
25 000	64 750	240	375	525	605	635	670	713

注　(7)和(9)栏为1927年7月24～29日暴雨，其中心在达戈尔(Dakor)，其余(3)到(6)和(8)栏为1941年7月1～5日暴雨，其中心在特伦布尔(Dharampur)。

一场是1941年7月1～5日暴雨，暴雨中心位于古吉拉特邦苏拉特(Surat)地区的特伦布尔。另一场是1927年7月24～29日暴雨，暴雨中心位于达戈尔，位置在苏拉特的北方近200km的地方。

最大1～3天暴雨，各种面积都是1941年暴雨居首位。最大4～5天暴雨，1941年和1927年相差不大，大小有交叉，在300km^{2}以下，10 000km^{2}以上，是1927年居首位，300～10 000km^{2}之间，是1941年居首位。

古吉拉特邦是印度洪水问题严重的地区之一。在每年6～9月的西南季风期间，来自孟加拉湾或阿拉伯海的低气压，常带来很大的暴雨。在最近100年内，该邦经历了15次由于特殊气象条件导致的特大洪水，其中除1941年和1927年外，还有1894年、1913年、1945年、1950年、1959年、1968年、1970年、1973年、1979年、1980年、1982年和1983年❶。

16.1.2.3　中印美记录

根据联合国教科文组织出版物[1]的介绍，中国、印度和美国的实测最大时面深外包

❶　J·F·米斯特莱，印度古吉拉特邦土石坝的设计洪水、泄洪能力和超高的复核．见：《国际大坝安全会议论文集》，1984年，转引自土石坝网刊《土石坝工程》1987(4)

关系如表16.1.9。

表16.1.9 中国、印度和美国实测最大时面深

面积		各种历时(h)的面平均雨深(mm)						
mi²	km²	6	12	18	24	36	48	72
10	25.9	627a	757b	1 036c	1 232c	1 488c	1 585c	
100	259	526d	716c	950c	1 166c	1 405c	1 473c	
200	518	500d	686c	925c	1 120c	1 354c	1 412c	
500	1 295	452d	625c	856c	1 036c	1 242c	1 308c	
1 000	2 590	381d	594c	744c	881c	1062c	1 113c	
2 000	5 180	284b	450e	572e	630e	693e	734f	792g
5 000	12 950	206h	282b	358b	472f	475f	734f	792g
10 000	25 900	145h	200j	257k	371f	384i	587f	671g
20 000	51 800	102h	152j	201k	264f	295i	424f	546g
50 000	129 000	64k	107n	135k	160k	201k	279g	389g
100 000	259 000	43m	64mo	89k	109k	152p	170p	226q

表中暴雨代号说明

暴雨	日期	中心位置	
a	1942.7.17～18	期梅斯波特,宪夕法尼亚州(Smethport,PA),	美国
b	1921.9.8～10	斯罗尔,得克萨斯(Thrall,TX),	美国
c	1963.9.11	台湾白石,	中国
d	1969.8.7	台湾大湖山,	中国
e	1950.9.3～7	扬基敦,佛罗里达州(Yankeetown,FL),	美国
f	1880.9.17～18	北方邦(Uttar Pradish),	印度
g	1927.7.26～28	吉古拉特邦(Gujarat),	印度
h	1936.6.27～7.4	贝韦,得克萨斯州(Bebe,TX),	美国
i	1899.6.27～7.1	赫恩,得克萨斯州(Hearne,TX),	美国
j	1927.4.12～16	杰斐逊教区,路易斯安娜州(Jefferson Parish,LA),	美国
k	1929.3.13～15	埃尔巴,亚拉巴马州(Elba,AL),	美国
m	1900.5.22～26	查塔努加,俄克拉何马州(Chattanooga,ok),	美国
n	1900.4.15～18	尤托,亚拉巴马州(Eutaw,AL),	美国
o	1934.11.19～22	米尔里,亚拉巴马州(Millry,AI),	美国
p	1929.9.29～10.3	弗农,佛罗里达州(Vernon,FL),	美国
q	1916.7.5～10	博尼费,佛罗里达州(Bonifay,FL),	美国

16.1.2.4 澳大利亚记录

根据文献[1]的介绍，澳大利亚最大暴雨的时面深关系如表16.1.10所示。

表16.1.10　　澳大利亚最大暴雨时面深关系

面积		面平均雨深(mm)		
mi^2	km^2	1d	2d	3d
点	点			
100	259	820	1 260	1 615
500	1 295	730	1 025	1 340
1 000	2 590	640	885	1 160
5 000	12 950	435	525	645
10 000	25 900	320	410	505
20 000	51 800	120	170	230

16.1.2.5 北美的台风暴雨记录

文献〔10〕从所有北美的台风暴雨资料中，总结出的北美的时面深最大值，如表16.1.11。这些台风雨资料中，8次都出现在美国，其余1次出现在墨西哥。

表16.1.11　　北美最大的台风和衰减台风雨量

面积(km^2)	历时(h)					
	6	12	24	36	48	72
	面平均雨深(mm)					
1 000	414a	640f	848f	902f	930f	965f
2 000	361a	602f	800f	859f	884f	917f
3 000	328a	554f	748f	810f	841f	871f
5 000	284a	462f	643f	706f	739f	767f
10 000	229a	325a	455f	523h	572h	655h
20 000	170b	224e	323h	417h	475h	572h
30 000	135b	183e	267h	366h	424h	523h
50 000	104b	142g	208h	302h	358h	455h
100 000	69b	107g	160c	213i	277i	356i
200 000	38c	74c	114c	157e	203i	279i
300 000	28d	56d	89d	122e	150e	208e

表中编号所代表的暴雨

暴雨编号	暴雨中心		暴雨日期
a	斯罗尔，得克萨斯州(Thrall, Texas)，	美国	1921.9.8/10
b	贝韦，得克萨斯州(Bebe, Texas)，	美国	1936.6.27/7.4
c	达灵顿，南卡罗米纳州(Darlington, S.C.)，	美国	1928.9.16/19
d	希尔斯伯勒，得克萨斯州(Hillsboro, Texas)，	美国	1936.9.25/28
e	博尼费，佛罗里达州(Bonifay, Fla)，	美国	1916.7.5/10
f	扬基敦，佛较里达州(Yenkeetown, Fla)，	美国	1950.9.3/7
g	贝米内特，亚拉巴马州(Bay Minetee, Ala)，	美国	1926.9.17/21
h	赫恩，得克萨斯州(Hearne, Texas)，	美国	1899.6.27/7.1
i	松布雷雷蒂约(Sombreretillo)，	墨西哥	1967.9.19/26

[1] 水电部四川勘测设计处．国外特大暴雨资料(初稿)．1976，6

16.1.2.6 湄公河台风暴雨记录

据文献〔10〕介绍,造成湄公河连续几天大雨的重要天气系统是台风,至10万km^2以上的面积上,最大1日或2日的雨量是由于这种风暴造成的。

统计分析,1884～1967年间,将近有500个热带低压、风暴影响东南亚和南亚地区。热带风暴的季节分布,以9月份最多,10月份次之。

湄公河流域内有两场最严重的台风雨记录,它们的3天雨量远超出于其他记录。一次是1964年9月21～25日的Tilda台风,另一次是1952年10月21～22日的Vae台风。其外包值如表16.1.12。

表16.1.12 湄公河Tilda台风和Vae台风求得的外包雨量

面积(km^2)	历 时 (h)					
	6	12	24	36	48	72
	面平均雨深(mm)					
1 000	165	282	385	412	427	470
2 000	130	240	352	380	395	436
3 000	112	219	336	364	378’	420
5 000	100	200	315	345	370’	396
10 000	90	179	283	315	355’	362
20 000	75	155	245	278	332’	*
30 000	70	140	222	252	315’	*
50 000	62	119	186	216	287’	*
100 000	50	83	123	150	225’	*
200 000	35	59	82	104	130	170
300 000	28	45	65	81	100	130

注 1.除带有“’”号者外所有数字都来自Tilda。
2.带*号者Vae的48h雨深比Tilda的72h雨深大。

16.2 中国暴雨记录

中国位于副热带和北温带大陆东岸的季风气候区。夏季盛行西南风和东南风,水汽丰沛,炎热多雨,尤多特大暴雨,是世界上多暴雨的国家之一。

中国地域辽阔,地形、气候复杂,暴雨极值的时空变化规律,具有明显的地域性。接近世界记录的特大暴雨,都出现在中国的东南部(108°E以东,40°N以南)。

16.2.1 点暴雨记录

中国实测点暴雨记录如表16.2.1和图16.2.1所示,接近全国记录的实测点雨量如表16.2.2所示,调查点暴雨记录如表16.2.3所示。中国各省(区)重要的最大24小时点雨量记录如表16.2.4所示。中国实测和调查最大24小时点雨量分布和中国最大10 000km^2面平均雨深分布,如图16.2.2和图16.2.3所示〔11〕。

表 16.2.1 中国实测最大点雨量记录

地点〔省·县(市)·站〕	地理位置		发生日期(年·月·日)	降雨历时	降雨量(mm)	天气
	东经	北纬				
山西·太原·梅洞沟	112°19′	37°49′	1971.7.1	5min	53.1	
陕西·周至·黑峪口	108°13′	34°03′	1973.5.27	5min	59.1▲	
台湾·南投·红叶谷	121°10′	24°10′	1916	10min	86.5▲	
福建·光泽·崩山	117°24′	27°50′	1992.7.4	15min	117.0*	梅雨
广东·澄海·东溪口	116°51′	23°27′	1979.6.10	30min	148.4▲	锋面
广东·澄海·东溪口	116°51′	23°27′	1979.6.10	40min	182.4▲	锋面
河北·迁安·罗家屯	118°35′	40°09′	1942.7.20	50min	172.0	
河南·泌阳·下陈	113°35′	33°09′	1975.8.5	60min	218.1	台风
广东·澄海·东溪口	116°51′	23°27′	1979.6.10	60min	245.1▲	锋面
陕西·渭南·大石槽	109°37′	34°16′	1981.6.20	65min	273.0▲	
广东·澄海·东溪口	116°51′	23°27′	1979.6.10	90min	347.1▲	锋面
广东·澄海·东溪口	116°51′	23°27′	1979.6.10	2h	380.9▲	锋面
山东·蒙阴·前城子	118°00′	35°37′	1963.7.24	2h	310.0	
河南·泌阳·林庄	113°38′	30°03′	1975.8.7	3h	494.6	台风
河南·泌阳·林庄	113°38′	30°03′	1975.8.7	4h	641.7▲	台风
河南·泌阳·林庄	113°38′	30°03′	1975.8.7	6h	830.1	台风
台湾·嘉义·阿里山	121°44′	23°31′	1996.7.31	9h	889.5	台风
台湾·嘉义·阿里山	121°44′	23°31′	1996.7.31	10h	983.0	台风
台湾·嘉义·阿里山	121°44′	23°31′	1996.7.31	11h	1 075.5	台风
台湾·嘉义·阿里山	121°44′	23°31′	1996.7.31	12h	1 157.5	台风
台湾·嘉义·阿里山	121°44′	23°31′	1996.7.31	13h	1 246.0	台风
台湾·嘉义·阿里山	121°44′	23°31′	1996.7.31	14h	1 322.0	台风
台湾·嘉义·阿里山	121°44′	23°31′	1996.7.31	15h	1 370.0	台风
台湾·嘉义·阿里山	121°44′	23°31′	1996.7.31	16h	1 404.5	台风
台湾·嘉义·阿里山	121°44′	23°31′	1996.7.31	17h	1 473.5	台风
台湾·嘉义·阿里山	121°44′	23°31′	1996.7.31	18h	1 537.5	台风
台湾·嘉义·阿里山	121°44′	23°31′	1996.7.31	19h	1 575.0	台风
台湾·嘉义·阿里山	121°44′	23°31′	1996.7.31	20h	1 606.5	台风
台湾·嘉义·阿里山	121°44′	23°31′	1996.7.31	21h	1 634.5	台风
台湾·嘉义·阿里山	121°44′	23°31′	1996.7.31	22h	1 668.5	台风
台湾·嘉义·阿里山	121°44′	23°31′	1996.7.31	23h	1 694.0	台风
台湾·嘉义·阿里山	121°44′	23°31′	1996.7.31/8.1	24h	1 748.5	台风
台湾·宜兰·新寮	121°45′	24°35′	1967.10.17	24h	1 672.6	台风
台湾·宜兰·新寮	121°45′	24°35′	1967.10.17/18	2d	2 259.0	台风
台湾·嘉义·阿里山	121°44′	23°31′	1996.7.31/8.1	2d	1 986.5	台风
台湾·宜兰·新寮	121°45′	24°35′	1967.10.17/19	3d	2 749	台风
台湾·嘉义·大埔	120°33′	23°17′	1910.8.31/9.6	7d	2 623.0△	
河北·内邱·獐犭厷	114°13′	37°22′	1963.8.2/8	7d	2 050.8▲	涡切变
台湾·屏东·泰武			1922.8	1mo	3 403.0△	
台湾·台北·火烧寮	121°42′	24°57′	1911	1y	8 507.0△	

注 资料来源:带▲号者为文献〔12〕,带＊号者为文献〔13〕,带△号者为文献〔14〕,1996 年阿里山暴雨为台湾大学姜善鑫教授,其余为文献〔4〕。

表 16.2.2 中国接近全国记录的实测最大点雨量

地点〔省·县(市)·站〕	地理位置		发生日期(年·月·日)	降雨历时	降雨量(mm)
	东经	北纬			
福建·安溪·安 溪	118°11′	25°03′	1961.9.8	5min	35.0
广西·灵山·陆 屋	108°57′	22°16′	1968.4.9	5min	32.2
山东·费县·许家崖	117°53′	35°12′	1966.7.24	5min	31.4
山西·太原·梅洞沟	112°19′	37°49′	1971.71	10min	53.1
广西·灵山·陆 屋	108°57′	22°16′	1968.4.9	10min	50.5
福建·安溪·安 溪	118°11′	25°03′	1961.9.8	10min	50.0
浙江·德清·埭 溪	120°01′	30°40′	1964.9.10	10min	48.0
福建·安溪·安 溪	118°11′	25°03′	1961.9.8	15min	63.0
甘肃·宕昌·三盘子	104°33′	33°53′	1967.7.1	15min	62.0
广西·灵山·陆 屋	108°57′	22°16′	1968.4.9	15min	61.5
山东·沂南·葛 沟	118°28′	35°21′	1971.7.21	15min	53.3
浙江·德清·埭 溪	120°01′	34°40′	1964.9.10	20min	79.2
广西·灵山·陆 屋	108°57′	22°16′	1968.4.9	20min	77.5
福建·安溪·安 溪	118°11′	25°03′	1961.9.8	20min	75.0
四川·绵竹·晓 坝	104°19′	31°37′	1970.9.5	20min	69.5
湖南·耒阳·排水片	112°52′	26°32′	1966.8.13	20min	67.8
浙江·德清·埭 溪	120°01′	30°40′	1964.9.10	30min	111.3
河南·泌阳·林 庄	113°38′	33°03′	1975.8.7	30min	105.0
广西·灵山·陆 屋	108°57′	22°16′	1968.4.9	30min	93.5
广东·屯昌·屯 昌	110°06′	19°22′	1964.7.22	30min	93.0
山东·崂山·李 村	120°25′	36°09′	1964.7.16	30min	91.3
江苏·扬州·扬 州	119°27′	32°24′	1953.9.2	45min	114.9
浙江·德清·埭 溪	120°01′	30°40′	1964.9.10	45min	135.5
山东·崂山·李 村	120°25′	36°09′	1964.7.16	45min	109.3
广西·灵山·陆 屋	108°57′	22°16′	1968.4.9	45min	107.3
河北·迁安·罗家屯	118°39′	40°09′	1942.7.20	50min	172.0
广东·恩平·康 垌	112°42′	21°57′	1965.9.29	50min	164.0
河北·宝坻·新 集	117°11′	39°53′	1959.7.21	60min	155.8
山东·蒙阴·前城子	118°00′	35°37′	1963.7.24	60min	155.0
广东·台山·苗 圃	112°40′	22°01′	1955.5.8	1h	177.0
河南·泌阳·林 庄	113°39′	33°03′	1975.8.7	1h	173.0
浙江·德清·埭 溪	120°01′	30°40′	1964.9.10	1h	165.4
河北·宝坻·新 集	117°11′	39°53′	1959.7.21	1h	155.8
吉林·吉林·吉 林	126°32′	43°50′	1952.7.14	78min	183.9

续表 16.2.2

地点〔省·县(市)·站〕	地理位置		发生日期(年·月·日)	降雨历时	降雨量(mm)
	东经	北纬			
辽宁·庄河·永 记	123°23′	39°54′	1971.9.1	2h	225.5
广西·东兴·长 歧	108°10′	21°49′	1967.8.6	2h	222.9
台湾·嘉义·阿里山	121°44′	23°31′	1996.7.31	2h	210.5
河南·济源·瑞 村	112°40′	35°03′	1958.7.16	2h	209.4
广东·阳江·双 捷	111°48′	21°57′	1970.5.11	3h	334.0
台湾·嘉义·阿里山	121°44′	23°31′	1996.7.31	3h	308.5
辽宁·庄河·永 记	123°23′	39°54′	1971.9.1	3h	297.3
河北·大兴·胡芦垡	116°13′	39°42′	1959.8.6	3h	291.2
河南·唐河·祁 仪	112°52′	32°29′	1965.7.8	3h	285.1
广西·东兴·长 歧	108°10′	21°49′	1967.8.6	4h	339.5
山东·蒙阴·前城子	118°00′	35°37′	1963.7.24	4h	320.0
河北·宝坻·九王庄	117°24′	39°46′	1958.7.14	4h	298.5
陕西·渭南·大石槽	109°37′	34°16′	1981.6.20	4.58h	229.9
台湾·嘉义·阿里山	121°44′	23°31′	1996.7.31	5h	516.5
广西·东兴·老虎滩	107°54′	21°35′	1960.7.12	6h	440.7
广东·阳江·双 捷	111°48′	21°57′	1970.5.11	6h	432.0
安徽·界首·界 首	115°21′	33°16′	1972.7.1	6h	402.2
辽宁·宽甸·黑 沟	124°36′	40°34′	1962.7.27	6h	386.1
台湾·嘉义·阿里山	121°44′	23°31′	1996.7.31	7h	714.5
台湾·嘉义·阿里山	121°44′	23°31′	1996.7.31	8h	795.5
广东·阳江·双 捷	111°48′	21°57′	1970.5.11	12h	664.0
辽宁·宽甸·黑 沟	124°36′	40°34′	1962.7.27	12h	643.3
广西·东兴·老虎滩	107°54′	21°35′	1960.7.12	12h	577.5
河北·完县·司 仓	115°03′	38°58′	1963.8.7	12h	575.0
台湾·宜兰·新寮	121°45′	24°35′	1967.10.17	24h	1 672
台湾·白石	121°12′	24°31′	1963.9.10	24h	1 248
河南·泌阳·林庄	113°39′	33°03′	1975.8.7	24h	1 060
台湾·嘉义·奋起湖	120°44′	23°30′	1911.8.31	24h	1 035
河北·内邱·獐 亥	114°13′	37°22′	1963.8.4	24h	950
台湾·屏东·潮可	120°	22°	1934.7.19	1d	1 127
台湾·嘉义·阿里山	121°44′	23°31′	1996.7.31	1d	1 094.5
台湾·台北·火烧寮	121°42′	24°57′	1921	1d	1 060
台湾·嘉义·奋起湖	120°44′	23°30′	1911.8.31	1d	1 034
河南·泌阳·林庄	113°39′	33°03′	1975.8.7	1d	1 005

续表 16.2.2

地点〔省·县(市)·站〕	地理位置		发生日期(年·月·日)	降雨历时	降雨量(mm)
	东经	北纬			
台湾·嘉义·奋起湖	120°44′	23°30	1913.7.19～20	2d	1 670
河北·内邱·獐 犾	114°13′	37°22′	1963.8.4	2d	1 296
河南·泌阳·林庄	113°30′	33°03′	1975.8.7～8	48h	1 279
台湾·嘉义·奋起湖	120°	23°	1913.7.18～20	3d	2 070
河南·泌阳·林庄	113°39′	33°03′	1975.8.5～7	3d	1 605
河北·内邱·獐 犾	114°13′	37°22′	1963.8.4	3d	1 560
广东·恩平·康垌	112°42′	21°57′	1965.9.27	3d	1 396
河南·泌阳·林庄	113°39′	33°03′	1975.8.4～9	5d	1 631
河北·内邱·獐 犾	114°13′	37°22′	1963.8.2～8	7d	2 051
福建·连城·罗胜	117°01′	25°35′	1964.6.10～16	7d	1 336
河北·完县·七峪	115°02′	39°09′	1963.8.7	7d	1 329
湖北·五峰·五峰	110°40′	30°12′	1935.7.2～8	7d	1 318
广东·台山·果子园	112°22′	21°53′	1973.5.24～30	7d	1 268

注 资料来源:除 1996 年阿里山暴雨为台湾大学姜善鑫教授外,其余均为文献〔4〕。

表 16.2.3 中国调查点雨量记录

省(区)县(旗)	地 点	发生日期(年·月·日)	暴雨历时	雨量(mm)
内蒙古·赤峰	大碾子	1982.5.26	20 min	120
河北·围场	四棵树沟	1974.7.3	30 min	280
青海·大通	小叶坝	1976.6.19	30 min	240
河北·隆化	官 地	1973.6.11	40min	350*
内蒙古·赤峰	上 地	1975.7.3	60min	401
新疆·沙湾	安集海	1981.6.29	1h	240
河北·丰宁	德会元	1974.7.30	1h	315*
甘肃·武山	高家河	1985.8.12	1.2h	440
河北·尚义	玻璃沟	1973.6.25	1.5h	430
内蒙古·宁城	于家湾子	1975.7.19	2h	489
河北·康保	白脑包	1972.6.25	2.5h	550
河北·阳原	段家庄	1973.6.28	3h	600
内蒙古·商都	张家房子	1959.7.19	3.5h	600
山东·莱阳	石河头	1958.8.4	4h	740
山西·介休	陶村堡	1970.8.10	5h	600
内蒙古·乌审	木多才当	1977.8.1	10h	1 400

注 资料来源:带 * 者为冯焱教授著作〔15〕、其余为文献〔3〕。

表 16.2.4　中国各省(区)重要的最大24小时点雨量记录表[16]

编号	省(区)	县(旗)	地名	年 月 日	雨量(mm)	编号	省(区)	县(旗)	地名	年 月 日	雨量(mm)
1	黑龙江	克山	克山	1957.7.15	〔221〕	30	宁夏	陶乐	贺兰山	1975.8.5	212
2	黑龙江	五常	二河	1966.7.29	480*	31	宁夏	隆德	李士	1977.7.5	255
3	吉林	珲春	太平川	1938.8.14	335	32	陕西	神木	杨家坪	1971.7.25	409
4	辽宁	义县	复兴堡	1930.8.3	900*～1 000*	33	陕西	城固	朱砂沟	1970.8.5	500*
5	辽宁	建昌	六家子	1967.7.19	526	34	甘肃	庆阳	驿马	1958.7.13	258*
6	辽宁	宽甸	黑沟	1962.7.26	658	35	甘肃	宕昌	化马	1976.7.25	330*
7	河北	尚义	大山进沟	1974.7.30	620*	36	青海	大通	小叶镇	1976.6.19	240*
8	河北	完县	司仓	1963.8.7	762	37	青海	互助	西台子	1977.8.1	200*
9	河北	内丘	獐 犴	1963.8.4	952	38	新疆	乌鲁木齐	英雄桥	1953.8.2	100*
10	北京		东直门	1891.7.23	〔609〕	39	新疆	额敏	哈拉依敏	1963.6.13	〔122〕
11	内蒙古	中后	杭盖戈壁	1975.8.5	500*	40	新疆	温宿	台兰	1971.7.7	88
12	内蒙古	和林	二道凹	1974.7.5	520*	41	四川	安县	雎水关	1972.7.8	577
13	内蒙古	乌审	木多才当	1977.8.1	1 400*	42	四川	夹江	千佛岩	1938.7.11	〔565〕
14	山西	太原	顺道	1971.7.31	570*	43	福建	福清	高山	1974.6.21	738
15	山西	霍县	陶村堡	1970.8.10	600*	44	福建	南安	凤巢	1956.9.18	593
16	山东	莱阳	石河头	1958.8.4	740*	45	台湾	宜兰	新寮	1967.10.17	1 672
17	山东	徽山	夏镇	1971.8.9	576	46	台湾	嘉义	阿里山	1996.7.31～8.1	1 749
18	河南	泌阳	林庄	1975.8.7	1 060	47	广东	陆丰	白石门	1977.5.30	884
19	安徽	泗县	江塔	1974.8.12	596	48	广东	电白	利垌	1959.5.20	858
20	安徽	来安	杨郢	1975.8.17	653	49	广东	屯昌	屯昌	1954.10.11	697
21	江苏	如东	潮桥	1960.8.4	822	50	广东	乐东	七林场	1974.6.13	783
22	上海	宝山	塘桥	1977.8.21	581	51	广西	灵山	太平圩	1971.5.30	644
23	浙江	临安	市岭	1956.8.1	682	52	广西	东兴	老虎滩	1960.7.11	658
24	江西	庐山	植物园	1953.8.17	900*	53	贵州	剑河	白道	1970.7.11	328
25	江西	东乡	东乡	1953.8.17	500	54	贵州	罗甸	罗甸	1976.5.24	337
26	湖北	长阳	都镇湾	1975.8.9	630	55	云南	会泽	坡脚	1968.9.1	262
27	湖北	黄梅	老祖寺	1975.8.13	515	56	云南	昆明	大普吉	1957.9.15	257
28	湖南	浏阳	宝盖洞	1954.7.24	412	57	西藏	聂拉木	聂拉木	1968.10.4	105
29	湖南	安化	梅城	1955.8.25	401	58	西藏	亚东	帕里	1973.10.12	121

注　加*号为调查值；方括号内为一日暴雨量；有的降雨实际历时不到24小时；阿里山资料来源见表16.2.1的注。

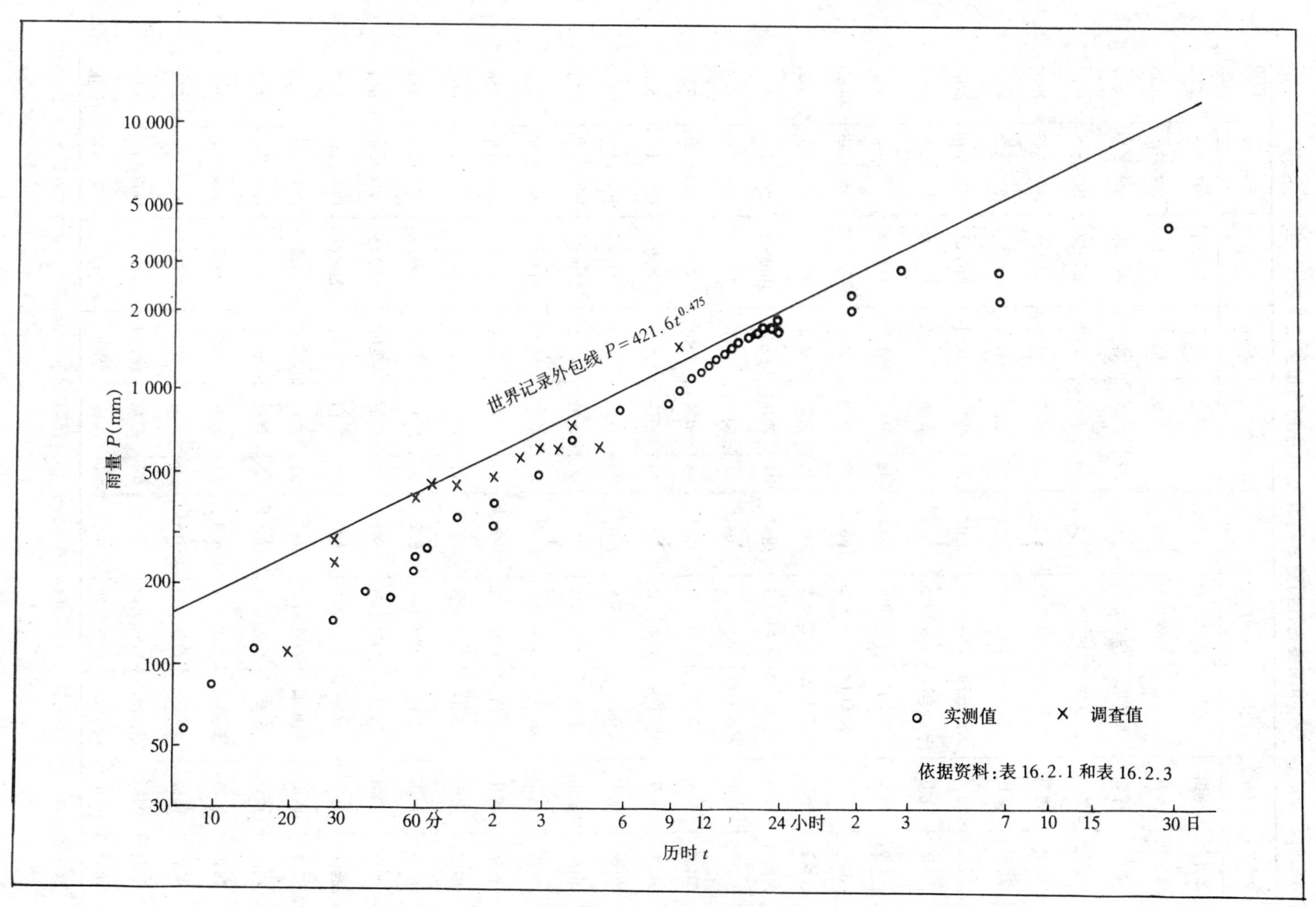

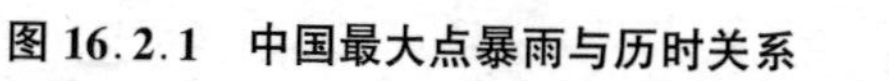
图16.2.1 中国最大点暴雨与历时关系

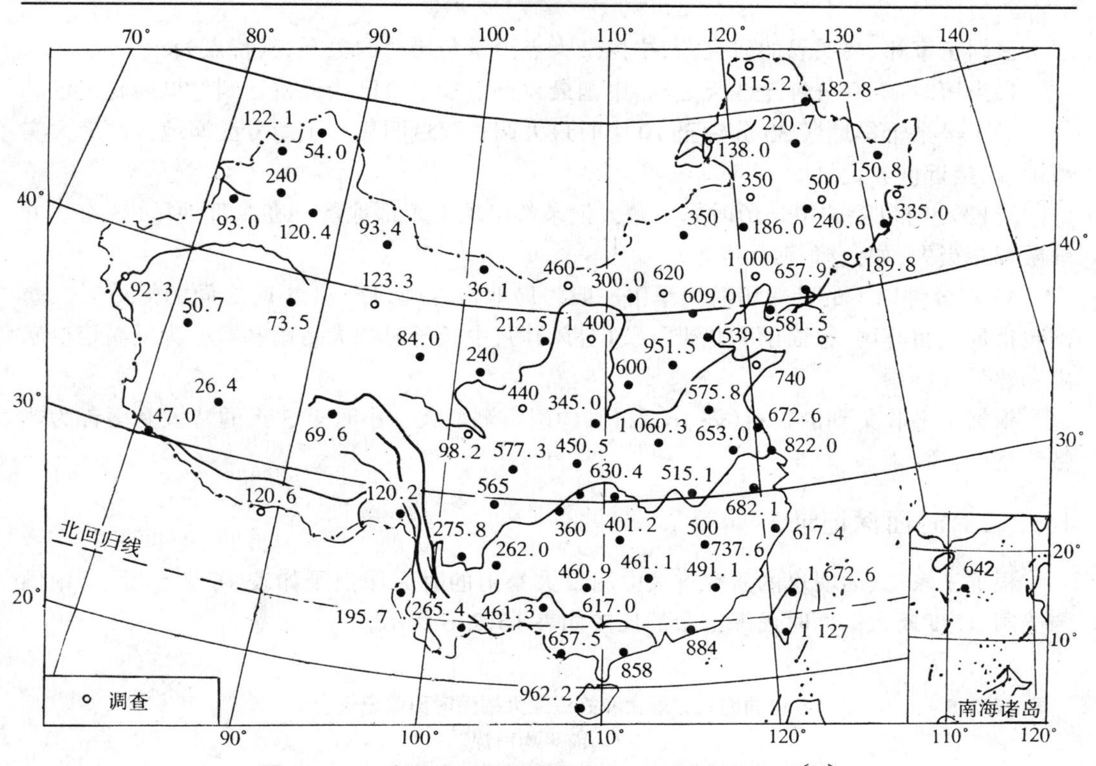

图 16.2.2 中国实测和调查最大 24 小时点雨量分布[11]

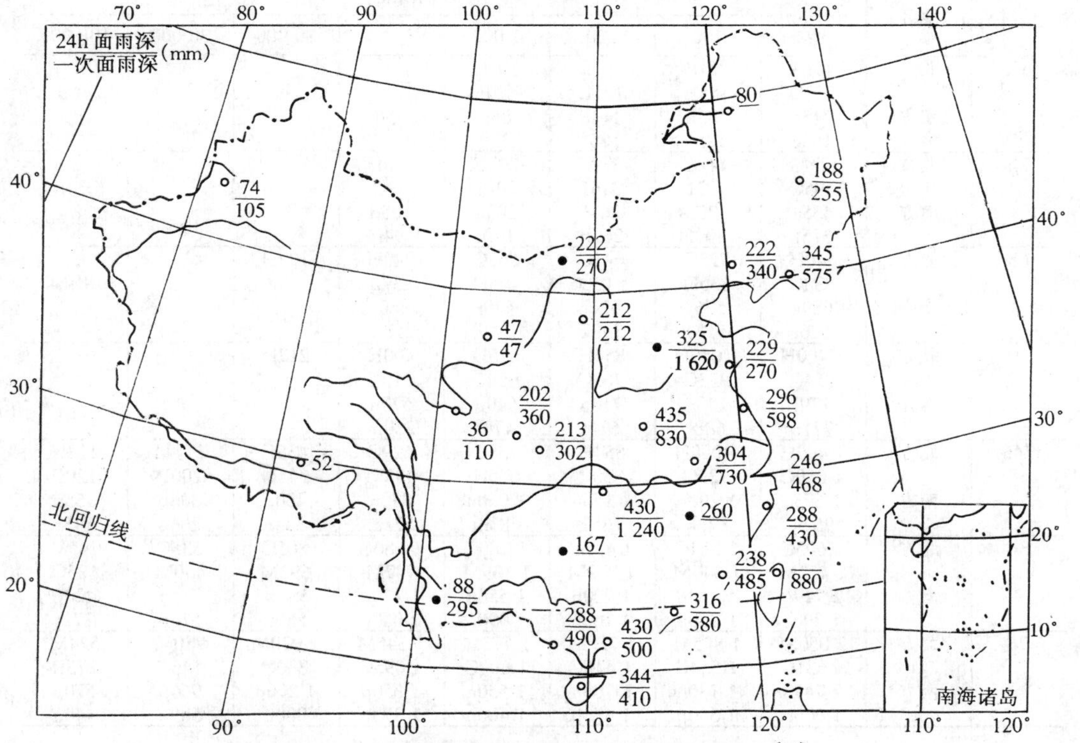

图 16.2.3 中国最大 10 000km^2 面平均雨深分布[11]

根据王家祁、胡明思的研究[3]，中国最大点雨量与历时的关系，其特点为：

1)当历时在 30 分钟至 3 天之间，中国最大点雨量记录已接近或达到世界最高记录。

2)干旱半干旱地区 30 分钟至 10 小时最大调查雨量明显大于南方湿润地区的最大实测雨量，接近世界记录。

3)12 小时以上的中长历时暴雨最大记录都出现于东部地区。在东部地区内，南北方暴雨都相当大，如台湾、河北等地。

4)60 分钟以下的特短历时大暴雨一般为局地雷阵雨，1～24 小时之间的短历时大暴雨包括局地雷阵雨、锋面雨和热带气旋(台风)雨，中长历时特大暴雨基本上为低涡切变暴雨和热带气旋雨。

根据本书收集到的资料(表 16.2.1)，中国实测最大 3 小时至 3 天的特大暴雨皆为热带气旋(台风)雨。

16.2.2　时面深记录

根据王家祁、胡明思的研究[17]，中国最大暴雨的时面深记录如表 16.2.5 所示，中国与美国、印度最大暴雨时面深记录的比较如表 16.2.6 所示。

表 16.2.5　　中国南北方最大和接近最大暴雨时面深记录[17]

(a)面平均雨深　　(单位:mm)

历时	地区	面积(km²)							
		点	100	300	1 000	3 000	10 000	30 000	100 000
1h	北方	401A	267B	167B	107C				
		253D	155E	121E	95F				
	南方	245a	185b	111c	85c	41d			
		165e	125f	105f	83g				
3h	北方	600G	447C	399C	297C	120H			
		495C	422I	316I	204J	98K			
	南方	435a	328b	264f	203h	105d			
		325f	300f	260h	199f	94i			
6h	北方	840H	723C	643C	503C	240H	127H		
		830C	630H	512H	405H	239L			
	南方	689a	526j	520j	470j	360j			
		526j	512a	390k	292l	218m			
12h	北方	1 400H	1 050H	854H	675H	400H	212H		
		954C	833C	763C	658C	310L			
	南方	779l	750n	710n	640n	570n			
		771n	688l	614l	478l	350m			
24h	北方	1 400H	1 050H	854H	738C	629C	435C	214M	122N
		1 060C	929C	850C	675H	496M	345O	200P	120P
	南方	1 673o	1 200n	1 150n	1 060n	830n	430p	306p	155p
		962k	872k	765k	683m	572m	344c	206q	145r
3d	北方	1 605C	1 554C	1 442C	1 280C	1 080C	805C	535C	245M
		1 457M	1 340M	1 272M	1 139M	947M	692M	450M	135Q
	南方	2 749o	1 730n	1 700n	1 550n	1 270n	940p	715p	420p
		1 396s	1 260p	1 160p	1 090p	1 060p	880n	515n	272t
7d	北方	2 050M	1 805M	1 720M	1 573M	1 345M	1 020M	780M	524M
		1 631C	1 554C	1 445C	1 300C	1 095C	830C	545C	275R
	南方	2 749o	1 730n	1 700n	1 550n	1 350p	1 200p	960p	570p
		1 600p	1 530p	1 470p	1 400p	1 270n	880n	589u	440u

续表 16.2.5

(b)暴雨中心情况

南方(秦岭—淮河以南)				北方(秦岭—淮河以北)			
符号	地点	省区	年·月·日	符号	地点	省 区	年·月·日
a	东溪口	广东	1979.6.10	A*	上 地	内蒙古	1975.7.3
b	茅洞水库	广东	1979.5.12	B*	高家河	甘 肃	1985.8.12
c	志 道	海南	1977.7.20	C	林 庄	河 南	1975.8.7
d	潭 头	浙江	1973.8.27	D	大石槽	陕 西	1981.6.20
e	埭 溪	浙江	1964.9.10	E	缸窑岭	辽 宁	1978.7.11
f	老虎滩	广西	1960.7.11	F*	唐家屯	辽 宁	1981.7.27
g	化 州	广东	1969.7.29	G*	段家庄	河 北	1973.6.28
h	黎 班	海南	1977.7.20	H*	木多才当	内蒙古	1977.8.1
i	黄 山	安徽	1954.5.19	I*	张家房子	内蒙古	1959.7.19
j	大湖山	台湾	1959.8.7	J	大张庄	天 津	1978.7.25
k	天 池	海南	1983.7.17	K	药王庙	辽 宁	1963.7.19
l*	吴 阳	广东	1976.9.21	L	界 首	安 徽	1972.7.1
m	潮 桥	江苏	1960.8.4	M	獐 么	河 北	1963.8.4
n	白 石	台湾	1963.9.10	N*	二 河	黑龙江	1966.7.29
o	新 寮	台湾	1967.10.17	O	荒 沟	辽 宁	1958.8.4
p*	泥 市	湖南	1935.7.4	P	刘 圩	安 徽	1974.8.12
q	东 乡	江西	1953.8.17	Q	七里二	吉 林	1956.8.6
r	螺 山	湖北	1954.6.25	R	狮子坪	河 北	1956.8.3
s	康 垌	广东	1965.9.29				
t	柯 坦	安徽	1969.7.14				
u	大水河	安徽	1969.7.13				

注 南北方以秦岭—淮河为界。英文字母大写代表北方,小写代表南方;* 为调查暴雨。

由表 16.2.5 可见,中国最大雨量记录均发生在东部地区,3~7 天记录主要由长江 357 暴雨和海河 638 暴雨产生。12~24 小时记录基本上为内蒙古 778 暴雨和河南 758 暴雨造成,3~6 小时记录几乎全部由河南 758 暴雨控制,1 小时记录则分别出现于广东、河南、内蒙古等地区。24 小时以内短历时暴雨记录中有不少发生于北方干旱和半干旱地区。

由表 16.2.6 可见,中国暴雨最大时面深记录与外国记录比较,暴雨中心雨量和小面积(1 000km² 以下)雨量大于美国和印度;面积较大时,短历时雨量小于美国,长历时雨量大于美国小于印度。

表 16.2.6 中国、美国、印度最大暴雨时面深记录

历时	国家	各种面积(km²)的平均雨深(mm)							
		点	100	300	1 000	3 000	10 000	30 000	100 000
1h	中国	401	267	167	107	41			
	美国	224	178	150	125	96			
3h	中国	600	447	399	297	120			
	美国	478	410	370	315	245			
6h	中国	840	723	643	503	360	127		
	美国	627	550	490	410	325	228	135	73
12h	中国	1 400	1 050	854	675	570	212		
	美国	757	700	660	630	540	325	190	118
24h	中国	1 673	1 200	1 150	1 060	830	435	306	155
	美国	983	930	880	850	740	460	290	180
	印度	987		940	850	720	540	365	
3d	中国	2 749	1 730	1 700	1 550	1 270	940	715	420
	美国	1 148	1 080	1 020	970	860	660	520	365
	印度	1 448		1 400	1 340	1 240	1 040	750	
5d	印度	1 615		1 510	1 420	1 330	1 180	900	
7d	中国	2 749	1 730	1 700	1 550	1 350	1 200	960	570

参 考 文 献

1 WMO. Manual for Estimation of Probable Maximum Precipitation. Secretariat of the WMO. 1986
2 Bureau of Meteorology. The Estimation of Probable Maximum Precipitation in Australia: Generalised Short – Duration Method. Bulletin 53. AGPS, Canberra. 1994
3 王家祁,胡明思.中国点暴雨极值分布.水科学进展,1990(1)
4 詹道江,邹进上.可能最大暴雨与洪水.北京:水利电力出版社,1983
5 陶诗言等.中国之暴雨.北京:科学出版社,1980
6 水利部科技教育司等.各国水利概况.长春:吉林科学技术出版社,1989
7 WMO. Manual for Estimation of Probable Maximum Precipition, Ist ed, 1973
8 岡本芳美著.技術水文學.日刊工業新聞社,1987
9 Dhar. O. N, et al. Most Severs Rainstorm of India—a brief appraisal, Hydrol. Scien, J. 29(2), 1984

10 U.S. Weather Bureau. Probable Maximum Precipitation, Mekong River Basin. Hydrometeorological Report No.46.1970

11 王维第,朱元甡,王锐琛.水电站工程水文.南京:河海大学出版社,1995

12 水利部长江水利委员会水文局等主编.水利水电工程设计洪水计算手册.北京:水利电力出版社,1995

13 朱永泉,熊清华.闽浙赣邻区"92.7"暴雨洪水分析.水文,1997(3)

14 吴建民.台湾集水区之水文问题.中华林学季刊第一卷第四期,1968,9

15 冯焱主编.中国江河防洪丛书(海河卷).北京:水利电力出版社,1993

16 叶永毅,胡明思.关于中国可能最大暴雨等值线图编制中的几个问题.水利水电技术,1979(7)

17 王家祁,胡明思.中国面雨量极值分布.水科学进展,1993(1)

中　篇

可能最大洪水

17 总 论

17.1 PMF的定义与假定

17.1.1 PMF的定义

和PMP一样,目前在世界上PMF(Probable Maximum Flood)也没有统一的定义。现将一些有代表性的提法和本书采用的定义,分述如下。

17.1.1.1 一些有代表性的定义

1)世界气象组织(Technical Note No.98. Estimation of Maximum Floods,1969):研究一个流域或地区的降雨,目的在于估算暴雨的物理上限,得到的估计值称为“可能最大暴雨”或“可能最大降水”。当用第四章中概述的方法之一将它转换为洪水流量时,得到的洪水就称为“可能最大洪水”。

2)美国陆军工程师团(EC1110-2-27“Policies and Procedures Pertaining to Determination of Spillway Capacities and Freeboard Allowance for Dams, Par 7. Enclosure Z,1966”):PMF是假想的洪水特性(洪峰、洪量和过程线形状)估算值,建立在形成径流的危险性降水(融雪,若有关的话)和有利于最大洪水径流水文因素的相当复杂的水文气象分析基础上,这种估算值被认为在特定地点上是最严重“合理而可能的”。

3)美国田纳西河流域管理局:由于水文气象情况的结果预期在某一地点上可能发生的最严重的洪水。假定PMP危险地集中在流域上,而且一系列对特大暴雨有代表性的有关水文和气象因子同时发生。

4)美国核能管理委员会(Standards for Determing Design Basis Flooding at Power Reactor Sites, ANST Standard N170-1976):假想的洪水(洪峰,洪量和过程线形状)被认为是最严重、合理而可能的,它以水文气象上综合应用PMP及其他有利于最大洪水径流诸如连续暴雨和融雪等水文因素为依据[1]。

5)美国土木工程师学会:在美国,PMF是根据美国气象局提供的PMP推求。PMF的含义是在某一区域可能出现的极端水文和气象条件最不利的组合而产生的洪水❶。

6)H·S·李斯波尔(1963年):多种因素均取其极限值组合而成的洪水,就得到极限洪水;而各因素取其可能值则得可能最大洪水[2]。

7)布勒(1973年):概念上,PMF是一种无风险的洪水,即超过它的概率为零[2]。

8)美国气象局1970年提出的美国水文气象报告第46号:PMF是在研究地区内由不利而又有可能出现的气象和水文条件的组合而产生的最严重的洪水。

---

❶ 美国土木工程学会编.水电工程规划设计土木工程导则,第一卷 大坝的规划设计与有关课题.环境,1989

17.1.1.2 本书的定义

本书采用的PMF定义与1.1.4节中PMP定义的提出一致,即在现代气候条件下,一年的某一时期特定设计流域上一定历时内物理上可能发生的近似上限降水(包括降水总量及其时空分布)称为可能最大降水,它通常是经由气象成因分析途径求得,将其转化为洪水过程就是工程设计所要求的近似上限洪水,即可能最大洪水。简言之,PMF就是根据近似上限降水PMP求得的近似上限洪水。

17.1.2 由PMP求PMF的基本假定

由PMP推求PMF的基本假定是:将PMP经过产流汇流计算所得出的洪水流量过程线,即为PMF。这个假定和使用数理统计法由设计暴雨推求设计洪水时所作的基本假定——暴雨和洪水同频率是一样的。事实上,暴雨和洪水不一定同频率,但目前世界各国都是这样做的。

同样,由PMP推得的洪水,不一定就是PMF,因为在一个特定的流域上面平均雨深最大,所形成的洪水不一定就是最大,特别是流域面积较大,而流域内上中下游或左右岸产流、汇流条件相差较大时,更是如此。因为在此情况下,暴雨的不同时空(面)分布,所形成的洪水就有较大的差别。

为了满足由PMP求PMF的基本假定,本书在1.1.4节和5.1.2节中特别强调了在推求PMP时,要把着眼点放在如何才能形成工程所需的PMF上。这一点,是本书作者通过多年工作实践经验总结出来的重要认识。

17.2 由PMP推求PMF的一般步骤

PMP的总量及其时面分布确定以后,推求PMF有三大步骤:

第一步,是产流计算,也就是由降雨过程,通过适当的方法,求出净雨过程;

第二步,是汇流计算,也就是由净雨过程,通过适当的方法,求出洪水过程;

第三步,是对算得的PMF成果进行合理性检查(见21.2节)。

为了做好这项工作,首先要广泛收集资料,对设计流域的产流汇流特性进行深入分析。特别是对那些上中下游或左右岸下垫面条件相差较大,人类活动较多,因而使各地的产汇流条件相差也较大的大流域,这种分析就更加重要。

17.3 产流汇流特性分析

17.3.1 产流特性分析

影响产流的因素,从下垫面条件来说,主要是土壤、植被、地质、地形等。

对设计流域进行产流特性分析的目的,主要是确定其产流类型,以便选取相应的产流计算方法。产流类型,按中国水文界的划分,有蓄满产流和超渗产流两种。

蓄满产流是指不透水层以上的土壤缺水量未满足以前降雨不产生径流,而在不透水层以上的土壤缺水量满足以后的降雨则全部转化为径流。湿润地区因年降雨充沛,地下水位较高,包气带不厚,上层虽因蒸发有时含水量很低,但下层常达田间持水量,包气带缺水量不大。而且,在湿润地区或非湿润地区的多雨季节,植物茂盛,土壤覆盖层的下渗能力较大,在流域内的大部分土地上,当土壤缺水量尚未满足时,所有降雨都被土壤所吸收,不容易形成超渗产流[3]。蓄满产流以满足包气带缺水量为产流的控制条件,降雨强度不是这些地区产流的主要影响因素。

超渗产流是指干旱地区的地下水埋深很深,包气带可达几十米甚至上百米,降雨不易使这样厚的包气带蓄满(下渗的水量全蓄于包气带而后耗于蒸发),因而这种地区,一般不会产生地下径流。降雨强度超过下渗率时才有地面径流产生。故称这样的产流方式为超渗产流。

表 17.3.1 是杨远东教授于 1979 年所总结的产流方式的初步判别条件,可供参考。

概括一下,从产流机制上说,湿润地区是蓄满产流,干旱地区是超渗产流,而半湿润和半干旱地区则是蓄满和超渗二者皆有。

表 17.3.1　　产流方式的初步判别条件

序 号	条 件	产 流 方 式	
		超 渗	蓄 满
1	地区	主要西北、华北	主要南方、东北部分
2	气候	主要干旱、半干旱	主要湿润
3	降雨	稀少	丰沛
4	土层	厚度大	较薄
5	地下水	埋藏深	埋藏浅
6	地表土壤	一般透水性差	一般透水性强
7	植被	不良	良好
8	土壤缺水量	一般大	一般不大
9	超渗雨产生条件	一般入渗率减少	一般“蓄满”
10	超渗雨时包气带土壤水分	尚未达到田间持水量	一般已达到田间持水量
11	超渗雨产生后	形成地面径流	形成地面径流
12	地下径流	不产生	下渗部分形成地下径流
13	雨强对径流的影响	起决定性作用	关系不大
14	洪水过程线形状	接近对称	退水历时长
15	峰量关系	峰高量小	峰低量大
16	暴雨径流关系	较为复杂	相对简单

17.3.2 汇流特性分析

净雨沿着流域坡面流动进入河网,最后汇集到指定断面形成出流的这一过程,称为汇流。净雨在坡面的流动过程称为坡面汇流(或坡面漫流),在河网内的流动过程称为河网(或河槽)汇流。坡面漫流的流程一般不长,约为数米至数百米,故河槽汇流是最主要的。

影响汇流的因素,主要有流域坡面和河道的坡度和糙率、河网密度、流域形状等。一般地说,坡度陡、糙率小、河网密度大、流域形状呈宽短型者,形成的洪水流量过程线,比较尖瘦;而坡度缓、糙率大、河网密度小,流域形状呈狭长型者,则形成的洪水流量过程线比较低胖。

在汇流特性分析中,特别要注意人类活动和河道地形对汇流过程的影响。例如,在黄河支流洛河与伊河的交汇处地势低洼,河道两岸修有堤防,在交汇口下游还有陇海铁路的大铁桥,遇大洪水时,堤防决溢滞洪和桥梁卡水,对洪峰流量的削减作用较大(可削减约20%)。又如黄河上游下段萨拉齐(土默特右旗)河段,河道堤防标准为6 000m^3/s(50年一遇),超过这个标准,洪水就漫溢进入右岸地势较为低洼的毛乌素沙漠北部地区。因此,设计部门在进行黄河北干流(河口镇至龙门)河段内的大型工程(碛口、龙门、三门峡)的PMF分析时,对河口镇以上来水最多也只考虑6 000m^3/s❶。

17.3.3 PMP条件下的产汇流特点

在PMP条件下,笼罩设计流域的暴雨,其突出特点是:暴雨强度及总雨量比之常遇的暴雨大而集中。这对下垫面的产流与河网汇流特性将发生什么变化?这是水文计算工作者所关心的重要问题。实质上,这一问题是研究如何扣除实测资料范围以外的降雨损失及如何对待汇流计算中的非线性问题。

对这两大问题的解决思路,中国著名水文预报专家华士乾教授有精辟的见解。以下拟较为详细地介绍他的研究成果[4]。

17.3.3.1 产流特点

在PMP条件下的产流特点是径流系数较大,一般都要超过实测最大值,特别是干旱和半干旱地区更是如此。

华士乾教授认为,产流计算的重要性,在设计洪水计算中比之在水文预报中要小得多。因为设计暴雨值都超过流域最大初损值(I_m)很多,故扣损计算误差比之设计暴雨值所占百分数很小,即使用较简单的方法扣除损失,其计算误差对设计洪水影响很小;在PMP条件下,这种影响就更小。即使目前我们对流域下渗的机制还不甚了解,但对各个流域的最大初损值及稳渗值还可以分析出来;在PMP条件下,I_m值的变化不会很大;稳渗f_c的下限是渗透系数,如果在实测资料范围内f_c随雨率的变化不大,一般可视作常量;根据设计的P_a值去扣除初损(I_o)及稳渗,其误差比之计算PMP的误差是微不足道的。

为说明以上论点的正确性,华氏从以下两个方面进行了分析:

1)从1975年8月河南特大暴雨(约比PMP小30%)的产流情况看,最大4天暴雨:板桥和石漫滩水库的径流系数分别达0.89和0.85,其中最大也是最后一场暴雨的径流系数分别高达0.98和0.99,其稳定入渗率f_c分别为0.54mm/h和0.23mm/h(表17.3.2),入渗量极微。这样,无论用什么方法扣损,误差都不大。

在与洪汝河流域下垫面条件出入很大的流域,或是流域内没有实测的大暴雨洪水资料,产流计算误差可能要大些,但占PMP的百分数仍然是不大的。

❶ 黄委会勘测规划设计院(易维中执笔).黄河中游大面积PMP/PMF工作总结.1992,6

2)从实验流域资料分析。这里又用了两个实验区:一个是浙江姜湾实验区,属于南方湿润地区,汛期中前期土壤含水量常接近田间持水量,因而初损很小,稳渗的变动范围也小。这样的流域在 PMP 条件下,产流计算误差也很小。另一个是陕北黄龙实验站,属黄土高原沟壑区,通过天然及人工降雨观测资料分析,发现各次降雨产流时的土壤入渗锋面的深度仅限于极薄的土壤表层。河谷草地不过 5~10cm,在透水性很强的森林土壤,也不过 20~30cm,可以推想开始产流时刻的入渗锋面尚可小于此值。初损(产流前)历时与初损量随雨率而变,较之土壤含水量大小更为明显。雨率愈大,产流前所需满足的饱和差愈小,入渗锋面到达的深度也愈小,所以在 PMP 条件下的损失可根据雨率进行估算,一般不会大于长历时低强度降水的损失。

以上两个实验流域分别位于湿润区和干旱区,说明在 PMP 条件下的产流计算,都可以用简单的扣损办法,而不致有大的误差。

表 17.3.2 板桥和石漫滩水库 1975 年 8 月特大暴雨产流情况表

河名	库名	流域面积(km^2)	雨次	起止(日·时)	历时(h)	雨量(mm)	产流量(亿 m^3)	径流深(mm)	径流系数	入渗率(mm/h)
汝河	板桥	762	最大4天	4.8~8.8	96	1 028.5	6.67	915	0.89	1.18
			最大一场	7.16~8.8	16	492.7	3.68	484	0.98	0.54
洪河	石漫滩	230	最大4天	4.8~8.8	96	1 074.4	2.10	914	0.85	1.67
			最大一场	7.20~8.8	12	360.7	0.822	358	0.99	0.23

17.3.2.2 汇流特点

在 PMP 条件下的汇流特点是河槽汇流速度接近一常数,因此可以用线性单位线去计算 PMF 的过程线。

华教授从理论推导和实测特大洪水资料两个方面来说明。

(1)理论推导

大量实测资料表明,流域出口断面的水位(H)—流速(V)关系曲线,在高水位部分一般为常量(因在高水时,若河道断面无突变,水流受到的阻力将随着流速的增大而加大,则断面平均流速将逐渐趋于稳定),而中、低水位则随水位而变化(图 17.3.1)。

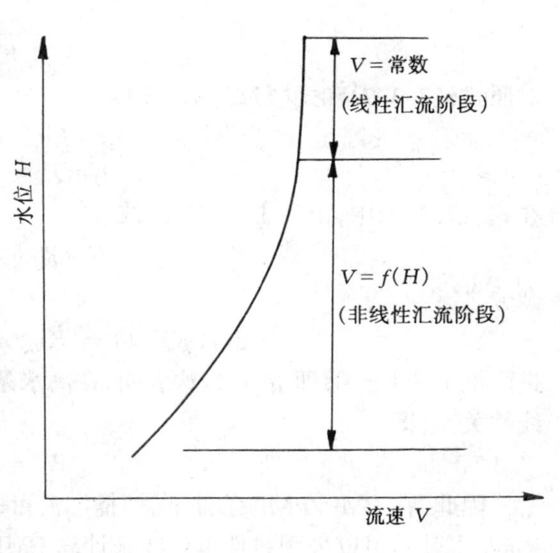

图 17.3.1 出口断面 $H \sim V$ 关系

这是个十分重要的特性,有助于我们对在 PMP 条件下的非线性问题作出判断。现从理论上作证明如下:

设
$$W=KQ^n \tag{17.3.1}$$
式中 W 为河槽蓄量；Q 为断面流量；K 为时间因子系数；n 为指数(非线性指标)。又
$$Q = VA \tag{17.3.2}$$
式中 A 为断面面积；V 为断面平均流速。则
$$\frac{\mathrm{d}Q}{\mathrm{d}A} = \omega = V + A\frac{\mathrm{d}V}{\mathrm{d}A} \tag{17.3.3}$$
式中 ω 为波速。
对式(17.3.1)微分
$$\mathrm{d}W = L\mathrm{d}A = KnQ^{n-1}\mathrm{d}Q \tag{17.3.4}$$

$$\frac{\mathrm{d}W}{\mathrm{d}Q} = \tau = KnQ^{n-1} \tag{17.3.5}$$
式中 L、为河段长；τ 为河段洪水波汇流历时。故
$$\tau = L/\omega \tag{17.3.6}$$
当高水位时，断面平均流速 V 趋近于常数，$V=$ 常数，故 $=\frac{\mathrm{d}V}{\mathrm{d}A}=0$，$\omega = V =$ 常数，因 $\tau = L/V =$ 常数，故为线性汇流，$n=1$，$\tau = K$。

以上是华氏的证明。其实证明还可以更清楚一些：

由于高水时断面平均流速 V 趋近于常数，也就是 $\mathrm{d}V/\mathrm{d}A = 0$，由式(17.3.3)
$$\frac{\mathrm{d}Q}{\mathrm{d}A} = V = \text{常数} \tag{17.3.7}$$
由式(17.3.4)可得
$$\frac{\mathrm{d}Q}{\mathrm{d}A} = \frac{L}{KnQ^{n-1}} \tag{17.3.8}$$
对照式(17.3.7)和式(17.3.8)，显然
$$\frac{L}{KnQ^{n-1}} = \text{常数} \tag{17.3.9}$$
在式(17.3.9)中，由于 L 是常数，故
$$KnQ^{n-1} = \text{常数}$$
微分之，得
$$\mathrm{d}(KnQ^{n-1}) = Kn(n-1)Q^{n-2}\mathrm{d}Q = 0$$
进而得 $n-1=0$，即 $n=1$。这表明，在高水条件下，河槽蓄量 W 与断面流量 Q 为单一的线性关系，即
$$W = KQ \tag{17.3.10}$$

因此，在 PMP/PMF 条件下，河槽汇流可以按线性水库出流处理，无需考虑非线性的影响，也就是可以采用线性单位线来计算 PMF 的过程线。

(2)实测特大洪水情况

从河南省 1975 年 8 月两场特大洪水来看 PMP 条件下非线性影响。

板桥水库以上流域从 8 月 5 日 18 时至 6 日 3 时降雨产生的第一场洪水分析出来的

单位线见表17.3.3。用之推算8月7日17时至8日5时净雨产生的第二次洪峰，经用实测库水位反推的流量对照，涨洪段基本符合，其成果如表17.3.4。由此可见，第二场汇流计算未作大量线性处理，但成果相当满意。

表17.3.3 板桥水库时段单位线

时段数($\Delta t = 1h$)	1	2	3	4	5	6	7	8	9	10	11	12	13
单位线纵高(m^3/s)	960	520	260	140	80	50	40	30	20	11	5	3	1

表17.3.4 用单位线推算和库水位反推入库流量比较表

时间(日·时:分)		7.17:30	7.18:30	7.19:30	7.20:30	7.21:30	7.22:30
入库流量(m^3/s)	单位线推	3 660	5 710	8 390	9 990	11 540	12 780
	库水位推	3 570	5 390	8 370	10 480	11 000	12 400

对此两场洪水的一二小时的降雨及净雨列表如17.3.5。

表17.3.5 最大一二小时降雨净雨比较表

项目	最大降雨(mm)		最大净雨(mm)		两场洪水降雨比	
	1h	2h	1h	2h	最大1h	最大2h
第一场洪水(5日18时~6日3时)	56.8	102.4	49.3	90.2	1	1
第二场洪水(7日17时~8日5时)	70.5	135.1	56.8	102.4	1.24	1.32

从上表可见，两场洪水降雨量相差约30%，用线性汇流计算的洪水过程相当满意。而PMP比758实际降雨还要大30%，可以推论，同样可以用线性汇流方法来进行计算。

因此，华教授认为，如果设计流域内有两次大洪水，并证明其已达到线性汇流的高水段，就可用这种线性单位线去计算PMF的过程，其成果比用中、低水阶段分析出来的非线性汇流指标一直外延到计算PMF过程更有把握。

以上是华士乾1984年提出的见解。

1991年，中国另一位著名的水文预报专家赵人俊教授在《流域水文模型的验证与发展》一文中说，在流域汇流系统中，中大洪水是接近线性的，而小洪水的差异则较大。这与实测流速变化是一致的。因此，只要分水源处理得当，对中大洪水的汇流作线性处理是可行的[5]。

1991年，沈冰和沈晋教授在文献〔6〕中的《黄土坡面降雨漫流实验与数学模拟的研究》一文的几点结论中说："雨强对坡面出流量影响呈两种状态。局部面积汇流条件下，雨强与坡面出流量呈非线性关系(图17.3.2)；而在全面汇流条件下，二者呈线性关系(图17.3.3)。"

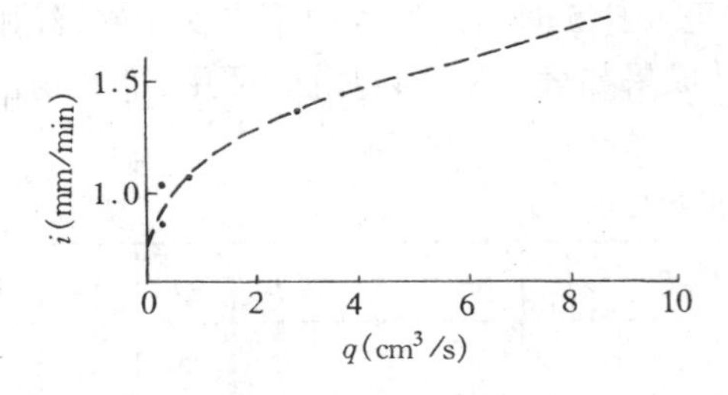

图 17.3.2 部分面积汇流时的 $i \sim q$ 关系

·实测；－－－模拟计算

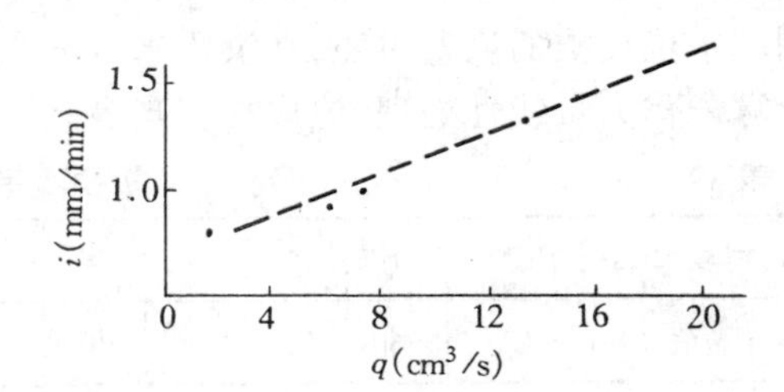

图 17.3.3 全面汇流时 $i \sim q$ 关系

·实测；－－－模拟计算

因此，他们认为，华士乾(1984 年)在文献〔4〕中分析河南 758 暴雨洪水时指出“特大暴雨洪水条件下，汇流呈线性。从本实验研究结果推断，其重要原因之一是特大暴雨洪水时达到了全面汇流条件”。

17.4 应注意的两个问题

17.4.1 确定产汇流参数应遵循“往返一致”的原则

大家知道，任何一种产流、汇流计算方法，都是根据一定的物理概念和概化条件建立起来的，而每一种方法都包含有一定的参数。也就是说参数是方法的组成部分。

参数一般是以实测水文气象资料作为根据(用于推求 PMF 的产汇流参数，应以实测特大暴雨洪水资料为依据)，通过分析计算得出。判断所确定的参数是否合理，就是要看用它所计算出来的产汇流结果，是否与实测资料相符(基本相符)。也就是说，用产流参数计算得的流域平均净雨深应与流域出口断面实测洪水的地面径流深相符，用汇流参数所算得的流域汇流曲线，应与流域出口断面实测洪水的地面径流过程相符；如不相符，说明所取参数值不合理。

由上述可见，产汇流参数是与下列两大条件紧密联系的。

1)计算方法。不同的方法，概化条件不一样，参数也各异。有些方法之间，某些参数的物理意义虽然相同，但表达方式却不一样。同时，方法所作的概化，一般都与物理实际有差别，这就是方法误差。由于参数是用实测资料来率定，即通过参数的调整使方法所计算的结果接近实际，那么这种方法性的误差是包含在参数之中的。因此，不同方法之间，参数一般不能混用。

2)水文气象资料。这种资料一般都是有误差的。这包括两个方面：一为测验误差；二为时间和空间代表性的误差。因此，同一方法的同一参数，用不同测验精度和不同时空代表性的资料所求得的结果也是有差别的。也就是说，在同一流域，根据不同资料条件所得出的同一方法的同一参数，不宜混用。

把以上两条件合起来看，对每一方法来说，虽然参数有误差，但是用它们计算的结果，却是与实测资料基本相符的，因为如果不符合就要返过来调整参数了。因此，为了减少计算误差，在确定 PMP/PMF 的产汇流参数时，应遵循“往返一致”的原则。

所谓"往返一致"原则,又称咋来咋去原则,就是在求这个参数时使用的什么方法,把它用在 PMP/PMF 上也应使用同一方法。例如求产流参数中的稳定入渗率 f_c 时,计算雨量是按泰森法进行的,那么用于 PMP/PMF 上,也应用泰森法。又如在汇流计算中,推求单位线时是用直线分割基流,那么在求 PMF 时也得用直线过程的基流。

17.4.2 要合理考虑可能与最大

在从 PMP 到 PMF 的转换过程中的一些重要环节上,水文人员有一些选择的余地。这个余地如何掌握呢?我们从多年的工作实践中体会到,应该有一个原则,这样才可以避免因人而异,使 PMF 成果保持相对稳定。那么,这个原则如何定呢?让我们先看看国内外一些专家学者的见解。

世界著名的美国水文学家林斯雷(Ray K. Linsley),在谈到由 PMP 推求 PMF 时说:"如果假定流域的初始条件很湿润,使用非常高峰的单位过程线,而且假定暴雨开始时水库蓄满,这样就会使溢洪道的泄洪流量比稍小的极端情况要大得多。这些组合的条件应根据判断来决定。因为 PMP 本身已属于异常的事件,不一定能说它要在所有其他条件都最有利于促使洪峰极大化时才会发生。根据实测大洪水资料的判断,往往会暗示着其他条件,倾向于落入一个接近正常的范围"[7]。

美国田纳西河流域管理局(TVA)的水文专家牛顿(D. W. Newton),在总结分析美国已建水库的设计和运行经验的基础上,建议确定 PMF 的步骤中说:"一切有关气象、水文和初始库水位的假定,都以暴雨出现季节的中值情况为依据"。认为这样做可以"保持极值事件的概念,不致将不可能事件与不可能事件组合成为不现实的极值"[1]。

中国詹道江教授在谈到 PMP 的产汇流计算时也说:"PMP 是非常事件,与其相应的其他事件也不一定都要取最安全的数值。"他在总结中国几场特大暴雨主要雨区的洪水的实况(表 17.4.1)后,建议对干旱地区的前期影响雨量 P_a,可取各次洪水 P_a 的平均情况作为 PMP 的 P_a[8]。

表 17.4.1 中国特大暴雨主要雨区的洪水径流系数

暴雨	河流	站名	流域面积 (km²)	面平均雨量		径流深 (mm)	前期土壤含水情况	径流系数
				历时(d)	雨量(mm)			
357	澧水	三江口	14 500		660.2	589.6	处于平均情况,即	0.893
	清江	搬鱼嘴	15 560		367.6	337.3	$P_a \approx I_m/2$	0.917
638	界河	刘家台	174	3	725	594	邢台、邯郸地区接近	0.820
	槐河	马村	760		1 221	1 021	平均情况,其他地区比	0.835
	泜河	临城水库	384		1 568	1 391	平均情况偏小 50%	0.888
	小马河	马河水库	113		1 282	1 115		0.869
	渡口川	佐村水库	224		1 257	1 084		0.862
	沙河	朱庄	1 318		1 202	993		0.826
758	洪河	板桥水库	762	4	1 028.5	915	干燥	0.890
	唐河	唐河站	4772		498	378	平均情况	0.760
	唐河	郭滩站	7591		397	307	湿润情况	0.773

以上三位的意见,基本思想是一致的,即都是认为 PMP 是非常事件,对与其有关的其他事件不一定都要取最安全的数值,在设计上可以取平均值。

据中国南方湿润地区 50 年一遇大洪水资料分析,大多数洪水发生时的前期土壤含水量(或 P_a)接近 $2/3I_m$[9]。文康教授认为,在 PMP 条件下,湿润地区和干旱、半干旱区的 P_a 可考虑采用 $2/3I_m$。我们同意这一看法。

参 考 文 献

1 牛顿 DW 著.石诚真,王炜译,詹道江校.水文上的安全——改进可能最大洪水的估算.水文计算,1983(1)
2 杨远东.可能最大降水(暴雨、洪水)的定义(涵义、含义)摘辑.水文计算技术,1977(1)
3 长江流域规划办公室主编.水文预报方法.北京:水利出版社,1982
4 华士乾.在可能最大降水条件下的流域产流汇计算问题.水文,1984(1)
5 赵人俊.水文预报文集.北京:水利电力出版社,1994
6 沈晋,王文焰,沈冰.动力水文实验研究.西安:陕西科学技术出版社,1991
7 林斯雷 RK 等著.刘光文等译.工程水文学.北京:水利出版社,1981
8 詹道江,邹进上.可能最大暴雨与洪水.北京:水利电力出版社,1983
9 水利部长江水利委员会水文局等主编.水利水电工程设计洪水计算手册.北京:水利电力出版社,1995

18 传统方法求 PMF

18.1 产流计算

根据降雨计算出净雨量(径流量),在中国称为产流计算。就径流的来源而论,河流出口断面的洪水流量过程,在不同的产流类型区是不一样的。

在蓄满产流地区,一场洪水的径流量是由地面径流、表层流(壤中流)、浅层地下径流和深层地下径流所形成。深层地下径流数量很小,而且较为稳定,又非本次降雨所产生,计算时往往从次径流中分割出去。地面径流和表层流直接进入河网,合称直接径流,计算中常合并考虑。

在超渗产流地区,一场洪水的径流量是由地面径流和深层地下径流所形成。后者和蓄满产流一样,与本次降雨无关。

由降雨中所产生的那部分径流,总称为径流量,其值等于降雨量减去相应的流域损失量,亦即等于净雨量。根据 17.3.3.1 的分析,在 PMP 条件下,由于降雨量远远超过流域最大初损 I_{m},故产流计算,即使采用较简便的方法对 PMF 成果的影响也不致很大。中国常用的产流计算方法有扣损法、暴雨径流相关法和径流系数法。

18.1.1 扣损法

扣损法亦称水量平衡法。此法的总概念是:降雨量 P 减去相应的流域损失量 I_f,即为产流量(净雨量),其值常用 mm 表示[1]。它等于流域出口处扣除基流后的流量过程线所计算的洪水径流除以流域面积。

18.1.1.1 蓄满产流地区的产流计算

蓄满产流的流域,在全面产流的情况下,水量平衡方程为

$$R = P - I_f \tag{18.1.1}$$

而

$$I_f = I_o + E \tag{18.1.2}$$

$$I_o = I_{\mathrm{m}} - P_a \tag{18.1.3}$$

于是

$$R = P + P_a - I_{\mathrm{m}} - E \tag{18.1.4}$$

式中 P、R 为本次降雨的降雨量及相应径流量(包括直接径流和地下径流),mm; I_o 为初损量,mm; E 为本次降雨过程中的蒸散发量,mm; I_{m} 为流域最大损失量; P_a 为前期影响雨量,mm。

在暴雨期间, $E = 0$,故

$$R = P - (I_{\mathrm{m}} - P_a) \tag{18.1.5}$$

在上式中,$(I_{\mathrm{m}} - P_a)$ 与降雨强度无关,说明降雨强度只影响径流的分配,而不影响径流

总量的大小[2]。

流域包气带缺水量满足以后,产流量中有一部分按稳定不变的下渗率下渗。稳定下渗的水量形成地下径流 R_g ,超过稳定下渗的部分就形成直接径流 R_d ,即

$$R = R_d + R_g \tag{18.1.6}$$

显然,在蓄满产流情况下,地下径流

$$R_g = f_c t_c \tag{18.1.7}$$

式中 f_c 为稳定入渗率,mm/h; t_c 为稳定入渗历时,h。

将式(18.1.6)和式(18.1.7)代入式(18.1.5)得

$$R_d = (P + P_a) - (I_m + f_c t_c) \tag{18.1.8}$$

由式(18.1.8),在蓄满产流情况下,扣损参数有 I_m、P_a 和 f_c 三个。

(1) I_m 的推求方法

I_m 是流域平均综合指标,一般直接用水文资料分析确定。选取久旱不雨后一次降雨量较大且全流域产流的资料,计算其流域平均雨量 P 及其所产生的径流 R。因为久旱不雨,$P_a = 0$,故由式(18.1.4) 得

$$I_m = P - R - E \tag{18.1.9}$$

当然,这只是一个近似的办法,实用上可分析多次雨洪资料,经综合分析比较后选定。中国湿润地区的 I_m 值一般在 80～120mm[2]。

中国若干省(市 、区)的 I_m 值,见表 18.1.1[1]。

(2) P_a 的推求方法

P_a 是水文学上用作土壤含水量的一种指标。其计算公式如下[2]:

如前后两日连晴

$$P_{a,t+1} = KP_{a,t} \tag{18.1.10}$$

式中 $P_{a,t}$ 为 t 日的前期影响雨量,mm; $P_{a,t+1}$ 为 $t+1$ 日的前期影响雨量,mm; K 为土壤含水量的日消退系数。

如果 t 日有降雨量 P_t,但未产流,则

$$P_{a,t+1} = K(P_{a,t} + P_t) \tag{18.1.11}$$

如果日降水量 P_t 产生了径流深 R_t,则

$$P_{a,t+1} = K(P_{a,t} + P_t - R_t) \tag{18.1.12}$$

不过上式中的 R_t 在原始资料中不易求得,实际计算时用 P_a 不超过土壤的最大含水量 I_m 作为土壤含水量的上限,并利用式(18.1.11) 计算逐日的 P_a 值,当 $P_a > I_m$ 时,只取 I_m 作为该日的 P_a 值,即认为 P_a 不应大于土壤的最大含水量。

P_a 是分站计算的,全流域的 P_a 应由各站的 P_a 按代表面积加权平均得出。

消退系数 K 通常按气象因子确定。其算式为

$$K = 1 - \frac{E_m}{I_m} \tag{18.1.13}$$

式中 E_m 为流域蒸散发能力,即在充分供水条件下的流域日总蒸发量,mm。

表 18.1.1　　中国部分省(市、区)土壤最大含水量 I_m 与设计 P_a 值表

省(市、区)	分区		最大初损 I_m (mm)	设计 P_a 值 $P_{a设}$ (mm)	$P_{a设}/I_m$
北　京			140	110	0.79
山西	1.半湿润土石山区			30	
	2.全省石山区			30	
	3.全省林区			25	
	4.全省土石山林区			30	
	5.中等漏水灰岩林区			35	
	6.石山采煤坍陷中等漏水区			30	
辽宁	东部饱和产流地区	Ⅲ$_4$	160	$P\geqslant5\%$: 60 (其中上层20,下层40)	
		Ⅲ$_5$	140		
		Ⅲ$_6$	130		
		Ⅲ$_1$	130		
		Ⅲ$_2$	110		
		Ⅲ$_3$	130		
		Ⅳ	130		
	西部非饱和产流地区	Ⅱ,Ⅲ$_7$	140	$P<5\%$: 40 (其中上层20,下层20)	
		Ⅴ$_1$	150		
		Ⅴ$_{2,3}$	140		
		Ⅵ$_1$	160		
		Ⅵ$_2$	150		
		Ⅵ$_3$	160		
吉林	Ⅰ$_1$		100	80	0.80
	Ⅰ$_2$		100	80	0.80
	Ⅱ$_1$		130	90	0.69
	Ⅱ$_2$		130	80	0.62
	Ⅲ$_1$		130	80	0.62
	Ⅲ$_2$		130	90	0.69
	Ⅳ		130	100	0.77
	Ⅳ$_2$		150	100	0.67
	Ⅴ$_1$		180	90	0.50
	Ⅴ$_2$		260	90	0.35
	Ⅵ		170	90	0.53
黑龙江	1		140	90	0.64
	2		140	100	0.71
	3		140	80	0.57
	4		140	95	0.68
	5		140	90	0.64
	6		140	95	0.68
	7		140	110	0.79
	8		140	105	0.75
	9		140	100	0.71
	10		140	100	0.71
	11		140	110	0.79
	12		140	98	0.70
	13		140	95	0.68
	14		140	90	0.64
陕西	陕　北		100	33.3	0.33
	渭　北		100	50	0.50
	渭　南		70	47	0.67
	汉江北		80	53	0.67
	汉江南		55	36	0.65

续表 18.1.1

省(市、区)	分区	最大初损 I_m (mm)	设计 P_a 值 $P_{a设}$ (mm)	$P_{a设}/I_m$
山东	丘陵区 崂山区	65 80	32.5 40	0.50 0.50
江苏	平原区 山丘区	95 75	47.5($P\leqslant250$mm) 61.8($P>250$mm) 37.5($P\leqslant250$mm) 48.8($P>250$mm)	0.50 0.65 0.50 0.65
浙江		100	75	0.75
四川	1.盆地丘陵区 I 2.盆地丘陵区 II 3.盆地东北山区 4.盆地西北山区 5.盆地西山地区 6.长江南岸地区 7.西昌凉山地区	80 100 100 100～120 80～90 80～90		
云南	滇西北 其他地区	120 200		

注 本表除所列的省(市、区)I_m 及设计 P_a 值外,其余未列的省份所采用的扣损方法如下:

1.河北省采用 $P\sim R$ 关系计算产流量;

2.内蒙古、甘肃、宁夏、青海、新疆五省区采用 $H_{tc}\sim t_c\sim f$ 关系扣损;

3.安徽省江淮地区采用初损后损法扣损;皖南地区采用一次总损失量扣损;

4.贵州省采用平均入渗法和径流系数法扣损。

根据试验得知,E601 蒸发器的观测值大致作为 E_m 的近似值,此项蒸发量随着地区季节晴雨等条件而不同,一般按晴天或雨天采用月平均值以计算 K 值。I_m 也取为常数,因而 K 的计算值也是近似的。

P_a 从何时起算呢?时间越长,计算工作量越大;时间过短,精度不足。如 $K=0.85$,$K^t=(0.85)^{30}=0.008$,说明 P_a 起始时间只需 30 天,其误差不到1%。但 K 值较大时,其起始计算时间就宜长些。一般前期一段时间无雨时,可令 $P_a=0$;一次大雨后,土壤饱和,可令 $P_a=I_m$。

中国部分省(市、区)用数理统计法推求洪水时所确定的设计 P_a 值列于表 18.1.1,供参考。现举例说明 P_a 的计算方法[2]。

某流域经分析 $I_m=100$mm,E_m 在 5 月份取为 5.00mm/d,6 月份取 6.2mm/d(表 18.1.2)。

由资料可以看出,5月18～20日这3天雨量很大,产生了径流,土壤完全湿润,所以这3天的 P_a 不必计算,直接取20日的 P_a 为100mm。其后逐日的 P_a 值计算如下:

5月21日 $P_a=0.950\times(100+10.1)>100$,取为100mm;

5月22日 $P_a=0.950\times(100+1.2)=96.3$mm;

5月23日 $P_a=0.950\times(96.3)=91.5$mm;

⋮ ⋮ ⋮

到了6月2～4日又下一场雨,这3日雨量为 $P=7.6+32.6+16.0=56.2$mm,其

P_a 就是 2 日起始时的土壤含水量(等于 63.4mm),径流按实测流量过程线求得为 11.5mm。

(3)f_c 的推求方法

按照式(18.1.7),稳定入渗率

$$f_c = R_g / t_c \tag{18.1.14}$$

而按式(18.1.6)求地下径流

$$R_g = R - R_d \tag{18.1.15}$$

式中总径流量 R 和直接径流量 R_d 可根据实测流量过程线求得[3]。这涉及过程线的分割(划分水源)问题。

表 18.1.2 P_a 计算表

月	日	P (mm)	E_m (mm)	K	P_a (mm)
5	18	78.2	5.0	0.950	
	19	35.6		0.950	
	20	10.1		0.950	100.0
	21	1.2		0.950	100.0
	22			0.950	96.3
	23			0.950	91.5
	24			0.950	87.0
	25			0.950	82.6
	26			0.950	78.5
	27			0.950	74.5
	28			0.950	70.7
	29	11.3		0.950	67.1
	30	0.5		0.950	74.5
	31			0.950	71.2
6	1		6.2	0.938	67.6
	2	7.6		0.938	63.4
	3	32.6		0.938	66.5
	4	16.0		0.938	93.0
	5				100.0

划分水源的要点是找到退水曲线上壤中流终止即地下径流的始退点。可应用地下水退水曲线,与洪水退水曲线的相切点来决定。如图 18.1.1(a),地下水退水曲线 DC 与洪水退水曲线 BD 的切点为 D,如起涨点 A 全系地下水,可以直接连结 AD,此直线就是地下水分割线,线下为地下水,线上 ABD 为直接径流 R_d。此外,还常采用雨止到壤中流终止的时距 N,作为分割的辅助。N 是壤中流的流域汇流时间,对某一流域为一常数。国外有将 N 值按不同大小流域分别选取常数的经验,可参考表 18.1.3。

表 18.1.3 N 值 表[8]

流域面积(km^2)	250	1 250	5 000	12 000	25 000
N(d)	2	3	4	5	6

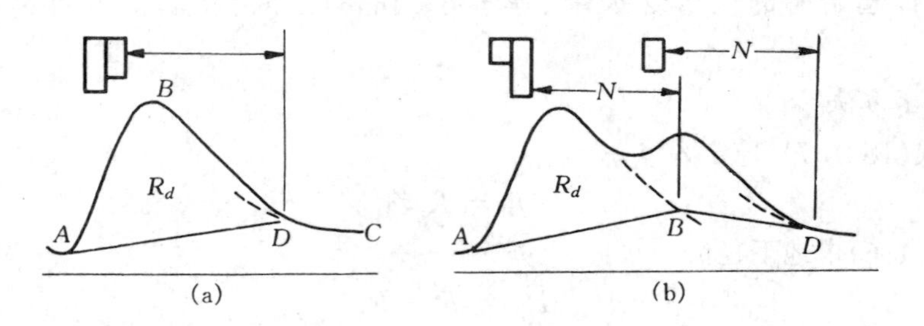

图 18.1.1 地下水的分割[3]

(a)孤峰;(b)复式峰

根据 N 值,不但可对孤峰作分割,还可对复式峰作分割,见图 18.1.1(b)。把第一洪峰的退水作些外延,到达雨止后 N 天,得点 B。用直线连接 AB 与 BD,就是地下水分割线。

据同理,可以从流量过程线求出次洪的产流总量,见图 18.1.2(a)。本次洪水的径流总量,当以 $ABCGFA$ 面积表示。但实际上 F 与 G 点滞后很长时间,不易求得。兹利用地下水退水规律,操作如下:作 $AC//DE$,则可用 $ABCEDA$ 面积,代替 $ABCGFA$ 面积。原因在于任一流域其退水规律都是不变的,这样 ADF 与 CEG 面积就完全相同,故可以代替。计算 $ABCEDA$ 面积是十分容易的。可以在图上量,也可以用数字算。而且不必作 AC 平行线,而直接用数解。图 18.1.2(b),ADF 是流量 AD 的蓄量,等于流量 AD 乘以蓄泄系数 K,可以求得。同样,CEG 等于流量 CE 乘 K,也可求得。则产流量为 $DABCED - ADF + CEG$,可以求出。

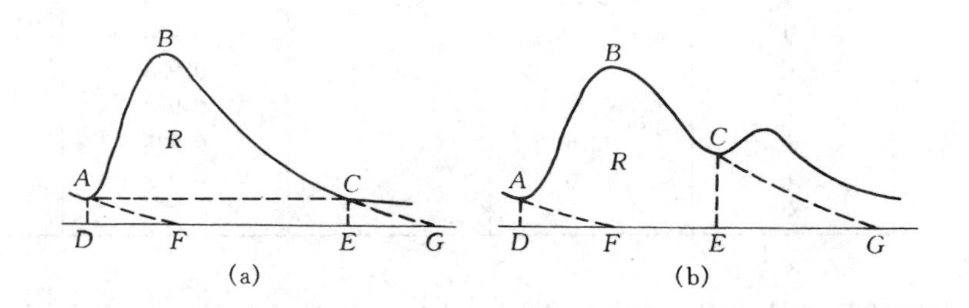

图 18.1.2 次洪产流总量的推求[3]

上述蓄泄系数 K,可按下式计算:

$$K = \frac{-1}{\ln K_r} \tag{18.1.16}$$

式中 K_r 为退水曲线的消退系数,即相邻时段流量之比。式(18.1.16)系根据退水曲线公式推得

由
$$Q_{t+\Delta t} = Q_t e^{-\frac{\Delta t}{K}}$$

得
$$K_r = \frac{Q_{t+\Delta t}}{Q_t} = e^{-\frac{\Delta t}{K}}$$

如 t 的单位为 Δt，即 $\Delta t = 1$，得

$$K_r = e^{-\frac{1}{K}}$$

对上式两端取对数即得式(18.1.16)。

从图 18.1.1 上求出 R_d，从图 18.1.2 上求出 R，则按式(18.1.15) 可得 R_g，再按式(18.1.14) 即得 f_c。其中净雨历时 t_c 可根据降雨和入渗情况求得。

以上推求 f_c 的方法是近似的。实际情况说明各次洪水所得的 f_c 并不一致。一般可选多次洪水进行分析，取其平均值供设计使用。

18.1.1.2　超渗产流地区产流计算

在超渗产流地区的产流计算，应按下渗曲线进行。

下渗曲线(实际是流域下渗容量曲线) 是从土壤完全干燥时开始在充分供水条件的流域下渗能力过程，即下渗能力与下渗历时之间的关系曲线，如图 18.1.3 中的 $f(t)$ 曲线所示。

超渗产流的流域，在全面产流的情况下，水量平衡方程为

$$R_s = P - I_0 - \int_{t_o}^{t_p} f \mathrm{d}t - E \tag{18.1.17}$$

式中 R_s 为本次降雨量 P 所产生的地面径流，mm；f 为下渗强度，即单位时间单位面积上渗入土壤的水量，mm/h；t_o 和 t_p 为超渗开始和降雨终止的历时，h；I_0 和 E 的意义同前。

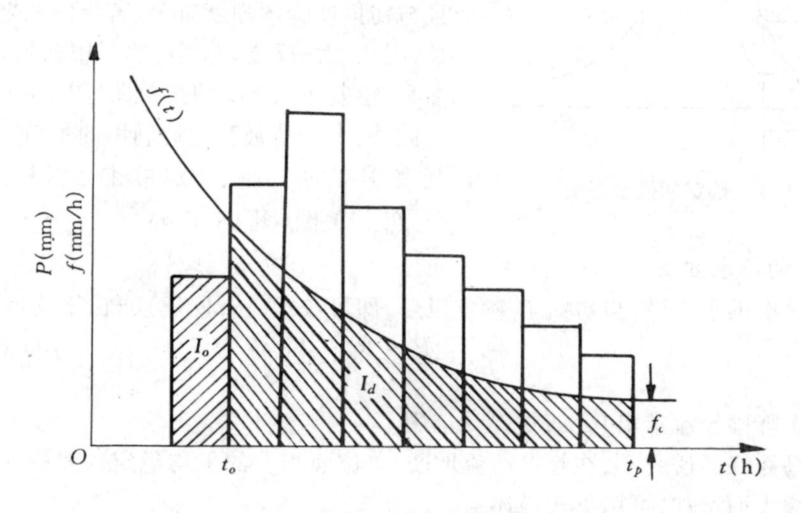

图 18.1.3　应用下渗曲线求净雨示意图

流域上每次降雨的实际下渗曲线都是不同的。造成这种差异的原因，首先是由于土壤含水量的不同；其次还有降雨强度不同等。

下渗曲线的表达式有多种类型，常见的是霍顿(R. E. Horton)公式和菲利浦(J. R. Philip)公式[3]。

下渗曲线法用于超渗产流计算，概念比较清楚，但是由于降雨和下渗强度的资料很少，一般常采用简化方法 —— 初损后损法。所谓后损(I_d) 即式(14.2.11) 中的积分项。对

其简化,即

$$I_d = \int_{t_o}^{t_p} f \mathrm{d}t = \overline{f}_c t_c$$

式中 $\overline{f}_c$ 为产流期的平均下渗强度,即平均后损率,mm/h;t_c 为产流历时,h。

于是式(18.1.17)可写为 $R_s = P - I_0 - \overline{f}_c t_c - E$,由于在暴雨期间 $E = 0$,所以

$$R_s = P - I_0 - \overline{f}_c t_c \tag{18.1.18}$$

此为初损后损法的计算公式。它说明,在超渗产流情况下的产流计算,需要确定初损 I_0 和平均后损率 $\overline{f}_c$ 两参数。在湿润地区计算产流量时,也有人采用初损后损法。

(1)I_0 的推求方法

各次降雨的初损 I_0 可根据实测洪水过程线及雨量累积曲线定出。

小流域汇流时间短,出口断面的起涨点大体可作为产流开始时刻,因而起涨点以前雨量的累积值,可作为 I_0 的近似值(图 18.1.4)。

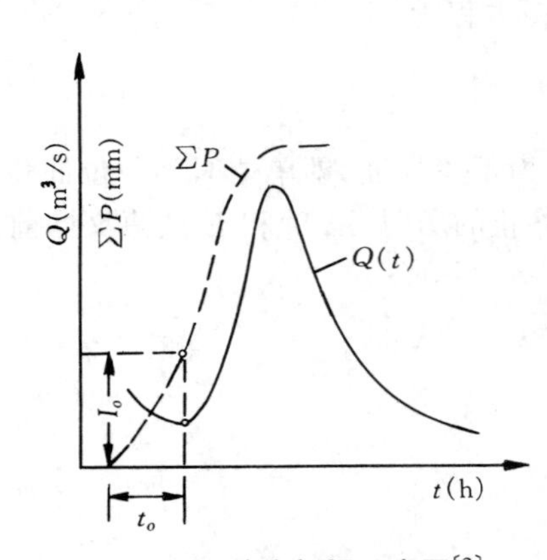

图 18.1.4　确定初损示意图[2]

对较大流域,如考虑到流域内各雨量站至出口断面汇流时间不等,可分站按不同汇流时间,定出流量起涨以前的时刻,并取该时刻以前各站的累积雨量的平均值或其中的最大值作为流域的初损量 I_0[2]。

初损量 I_0 不仅与流域前期影响雨量 P_a 有关,而且与初损期降雨强度有关。若降雨初期雨强小,历时长,则 I_0 大,反之,I_0 小,故可用初损期平均雨强作参数,绘制 P_a 与 I_0 的相关图(图 18.1.5)。

此外,由于植被和土地利用的季节变化,初损量 I_0 还受季节的影响,故也可建立以月份为参数的 P_a 与 I_0 相关图(图 18.1.6)[4]。

(2)$\overline{f}_c$ 的推求方法

对于一次洪水来说,当初损 I_0 确定以后,即可按式(18.1.18)求出平均后损率 $\overline{f}_c$,即

$$\overline{f}_c = \frac{P - R_s - I_0}{t_c}$$

可以用多次降雨径流求出其 $\overline{f}_c$,供设计选用。

根据马秀峰的研究[5],在超渗产流地区,单位面积上的平均稳定入渗率 $\overline{f}_c$(mm/min)随雨强的增大而增加,可用下式描述:

$$\overline{f}_c = \frac{f_m \cdot i}{f_m + i - i_c} \tag{18.1.19}$$

式中 f_m 为在雨强极大时土壤的上限,mm/min;i 为超渗期间的降雨强度,mm/min;i_c 为临界雨强,即在表层土壤充分湿润条件下,能够产生地表径流的最小降雨强度,根据陕北团山沟坡面径流场观测资料统计,其值为 0.05～0.15mm/min。

公式(18.1.19)结构合理,物理概念明确(图 18.1.7)。

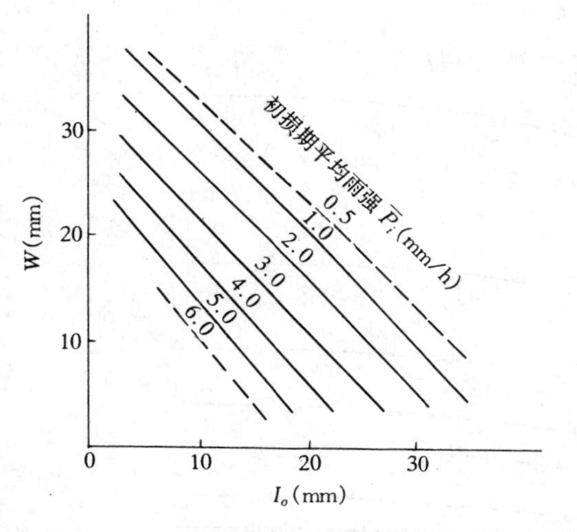

图 18.1.5 湟水西宁—民和区间初损关系曲线[4]

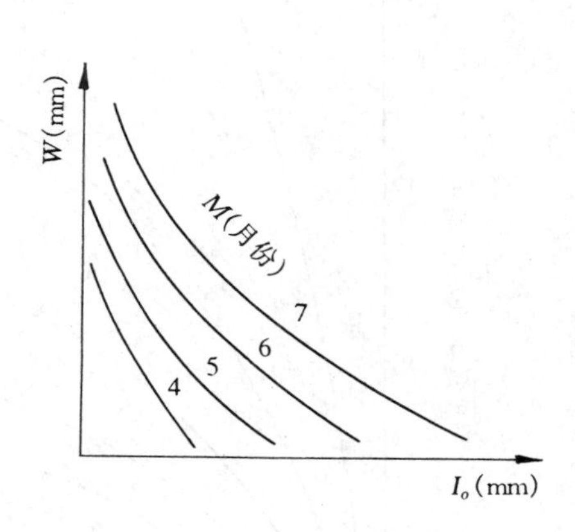

图 18.1.6 沩水宁乡站以上流域初损曲线[4]

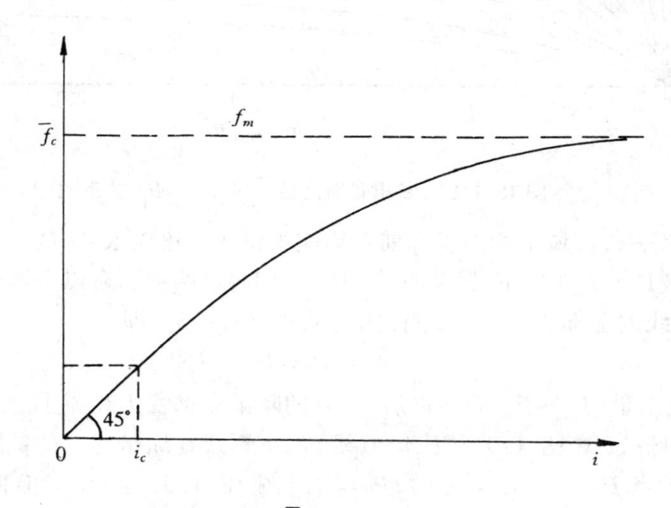

图 18.1.7 $\overline{f}_c \sim i$ 关系图

实验表明,产流期的平均雨强 i 对 $\overline{f}_c$ 的关系密切。王维第等[6]提出的推求 $\overline{f}_c$ 的方法是将产流期的平均雨强 i 分解为产流期的雨量 P_{tc} 和历时 t_c 两个因子,建立 $\overline{f}_c \sim t_c \sim P_{tc}$ 相关图(图 18.1.8),使方法更适合实际并富有弹性。本法已成为西北干旱半干旱地区应用范围较广的一种方法[1]。

18.1.2 暴雨径流相关法

暴雨径流相关图的形式很多,本书只介绍中国在水文分析工作中,常用的几种形式。

18.1.2.1 **蓄满产流地区暴雨径流相关**

在蓄满产流地区,可根据多次实测暴雨径流资料,分别求出其总径流量(包括地面径

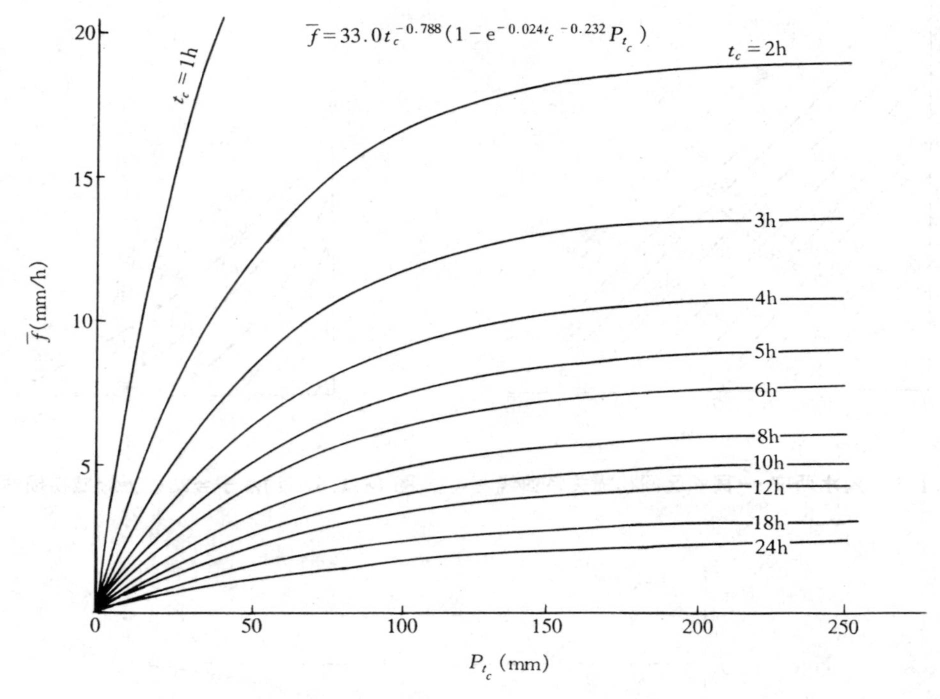

图 18.1.8 甘肃省黄土区 $\bar{f}\sim t_c\sim P_{t_c}$ 关系图[1]

流和地下径流)R,流域平均雨量和前期影响雨量 P_a,建立 $R\sim P_a\sim P$ 相关图(图 18.1.9)或简化的$(P+P_a)\sim R$ 相关图(图 18.1.10)。这两种图有以下两个共同的特点:

1)关系线的上部与 45°线平行。因为从式(18.1.5),即

$$R=P+P_a-I_{\mathrm{m}}$$

看,当流域缺水量$(I_{\mathrm{m}}-P_a)$满足以后,所有的降雨量都变为径流了。

2)直线部分(图 18.1.9 为 $P_a=0$ 线)的下延线在纵坐标上的截距等于 I_{m}。因为从式(18.1.5)看,当 $P_a=0,R=0$ 时,$P=I_{\mathrm{m}}$(图 18.1.9);当 $R=0$ 时,$P+P_a=I_{\mathrm{m}}$(图 18.1.10)。

应用降雨径流相关图不但可求出一次降水的总径流量,还可推出各时段的径流量(图 18.1.11)。设本次雨的 $P_a=58$mm,本次雨降了 4 个时段,各时段的雨量分别为 P_1、P_2、P_3、P_4,则在 $P_a=58$mm 的相关线上可取得 1、2、3、4 等点,相应的 R_1、R_2、R_3、R_4 就是这 4 个时段的径流量。

对于简化的$(P+P_a)\sim R$ 相关图,求时段径流量的方法与图 18.1.11 相似。

对于没有实测暴雨洪水资料的区域,可以利用地形、土壤、植被条件相似的邻近地区暴雨径流相关图,来估算暴雨径流。

18.1.2.2 超渗产流地区暴雨径流相关

超渗产流地区的特点是雨强起决定性的作用(表 18.1.4),因此暴雨径流相关图中必须有间接反映雨强的参数,例如产流历时 t_c 或降雨历时 t 等。

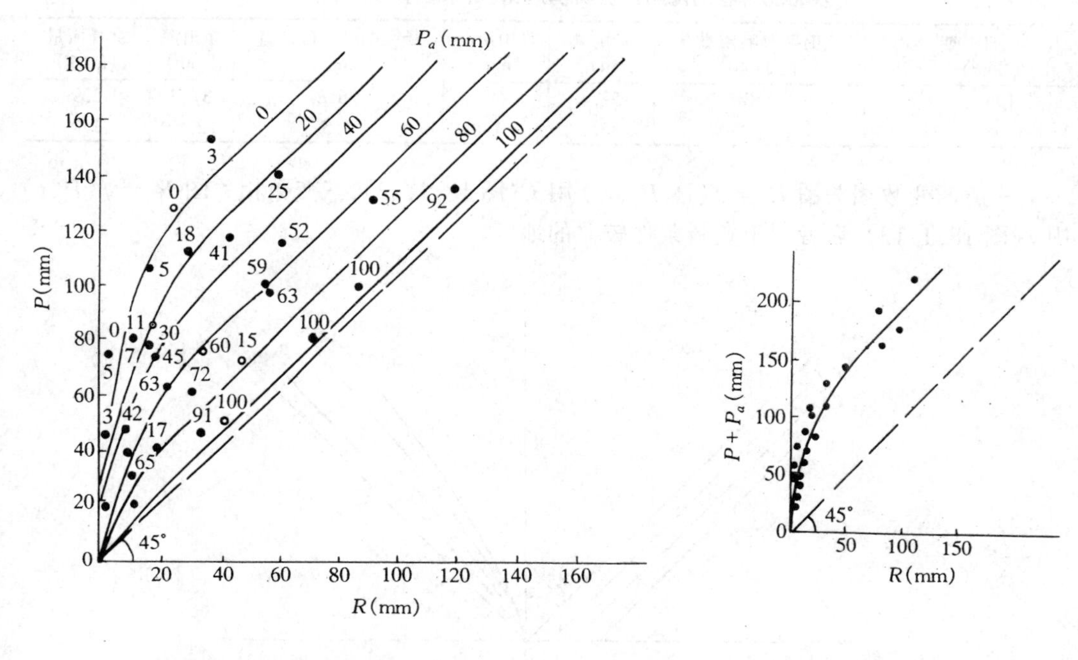

图 18.1.9 降雨径流相关图[2]

图 18.1.10 简化的降雨径流相关图[2]

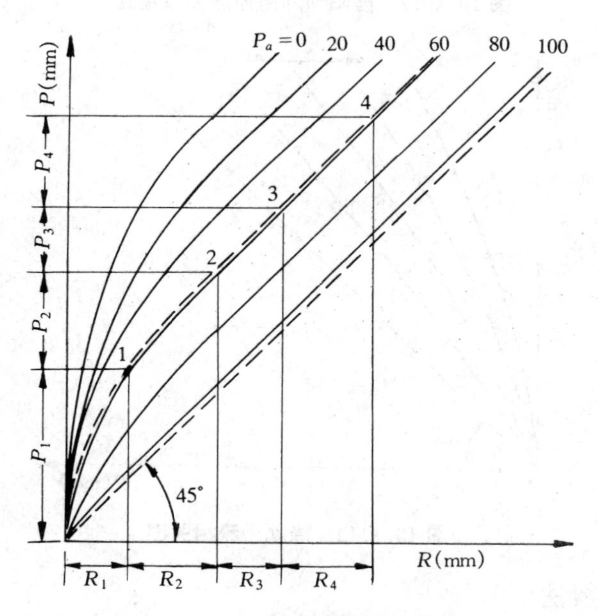

图 18.1.11 时段净雨量的标准示意图[2]

表 18.1.4 **陕北驼耳巷沟降雨产流实例对比**(集水面积 $5.74km^2$)[5]

日 期 (年·月·日)	前期影响雨量 P_a(mm)	降雨量 (mm)	降雨历时 (min)	最大 20min 降雨量 (mm)	净雨深 (mm)	洪峰流量 (m^3/s)
1963.8.26	1.0	57.4	60	36.8	37.8	239
1964.9.27	26.1	86.2	1 140	1.5	2.0	1.1

一般四变数相关图 $R = f(P, P_a, t_c)$ 用 t_c(图 18.1.12),三变数相关图 $R = f(P, t)$ 用 t(图 18.1.13)。后者用于资料条件较差的地区。

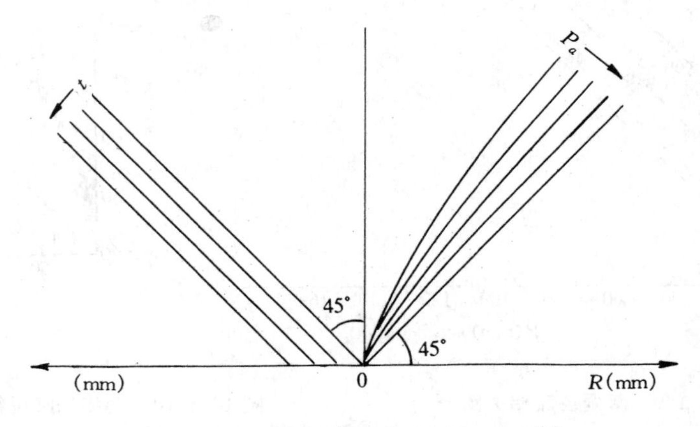

图 18.1.12 滏阳河降雨径流关系曲线[4]

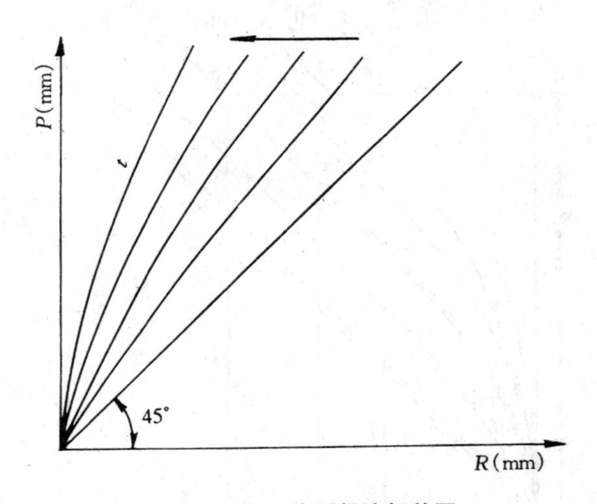

图 18.1.13 降雨径流相关图

18.1.3 径流系数法

一次暴雨洪水的径流系数 α 按下式计算

$$\alpha = \frac{R_s}{P}$$

在设计中,如有多次较大的暴雨洪水资料,可分别求出其地面径流 R_s 和流域平均雨深P,进而得出径流系数α,然后再绘制$P\sim\alpha$相关图外延相关线,得出PMP情况下的径流系数α。

总的来说,径流系数法最为简便,在湿润地区应用,效果尚好,但用于干旱地区效果则较差。

图18.1.14是广西红水河岩滩水电站(控制面积130 870km^2)PMF计算中所绘制的流域平均降雨量P与径流系数α的相关图[7]。

18.1.4 认识与讨论

18.1.4.1 关于产流计算方法

在PMP条件下的产流计算,对湿润地区来说,无论采用什么方法,对PMF成果的影响的确不是太大。但对于干旱和半干旱地区来说,产流计算方法仍较重要。因为干旱和半干旱地区的暴雨洪水主要有以下四个特点[1]:①短历时暴雨特别强烈,时空分布不均现象突出。②下垫面经常处于干燥状态。③洪水过程短促,陡涨陡落,基潜流比重很小。④部分产流和部分汇流现象比较普遍。因此,产流计算方法的选定,也主要以能否反映上述四个特点为依据。

当然,在PMP条件下,以上四个问题和中小暴雨比较起来,相对要小得多。

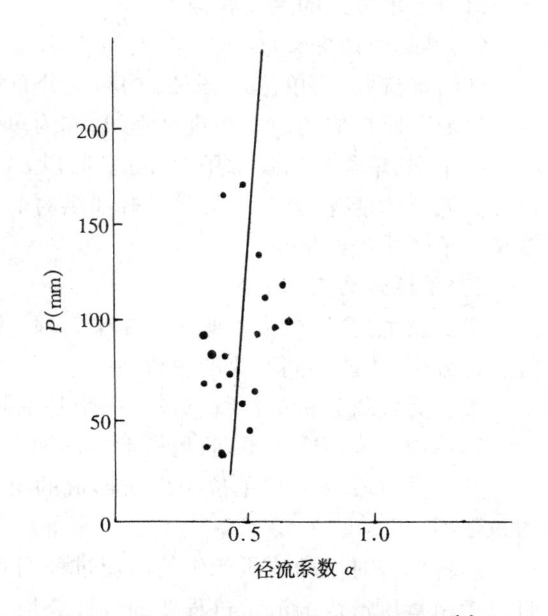

图 18.1.14 降雨量与径流系数相关图[7]

根据中国的实践经验,在干旱和半干旱地区,产流计算方法,以扣损法较之相关法更为合适。

18.1.4.2 关于扣损参数

在湿润地区,如果设计流域面积较大,流域内下垫面条件相差较大,则可以分类型区推求I_m和f_c,供设计使用。例如黄河三花间的PMF计算中,就按石山区与丘陵平原区分别推求I_m和f_c。具体作法是,在各分区内分别选取有代表性的小支流站的实测雨洪资料,进行分析。

同样,在干旱和半干旱地区,如果设计流域内下垫面条件差别较大,也可分类型区推求I_0和$\overline{f_c}$。

18.2 流域汇流计算

将PMP转化为PMF的所谓汇流计算,就是把PMP产生的净雨过程,转化为设计断面的直接径流(地面径流)过程,然后再加上地下径流(基流),以得出PMF的流量过程。

中国在PMF计算中所采用的流域汇流计算方法,主要有单位线法、单元汇流法、差值流量汇流法、典型洪水放大修正法和峰量控制放大法等。

18.2.1 单位线法

单位线法于1932年由美国人谢尔曼(L.K.Sherman)提出,它是根据实测暴雨和洪水资料求出,故又常称经验单位线。它简明易行,效果较好,在水文预报和水文计算中常被采用。

18.2.1.1 单位线的定义和假定

(1)单位线的定义

在给定流域上,单位时段Δt内时空分布均匀的一次降雨所产生的单位净雨量,在流域出口断面所形成的地面径流过程线,称为单位线,记为UH。

在中国,单位净雨量常用10mm。时段Δt一般选用2小时、3小时、6小时、12小时等,视各流域具体情况而定,一般是洪峰滞洪时的1/3～1/4。其选取的准则是:按此Δt分析出来的单位线误差最小。

(2)单位线的基本假定

实际发生的净雨,常常既不是1个时段,也不是一个单位深度。因此,只有对实测资料进行分析,才能得到所要的单位线。

按实测资料分析单位线有以下三个基本假定[4]:

1)单位时段内净雨不同,但所形成的地面径流过程线的总历时(即底宽)不变;

2)单位时段内n倍单位净雨所形成的出流过程的流量值是同一时刻单位线纵坐标的n倍;

3)各单位时段净雨所产生的出流过程相互独立,出口断面的流量过程线等于各单位时段净雨量所形成的流量过程线的线性叠加。

在应用单位线时,也是基于这三个假定。

上述三个假定的实质是:假定流域汇流符合线性叠加原理。

根据上述假定,净雨r_d,出流Q_d与单位线纵标值q之间的关系如下:

$$Q_{d,t} = \sum_{i=1}^{m} r_{d,i} q_{t-i+1} \tag{18.2.1}$$

式中$i = 1,2,3,\cdots,m$,为净雨时段数。Q及q以m^3/s计,r_d以单位净雨深的n倍计。

如果单位线为已知,根据上式,可由净雨转换为出流(图18.2.1),计算十分简便[8]。

18.2.1.2 单位线的推求

用实测暴雨和洪水资料分析单位线,宜选择一次在时空分布较均匀的短时段降雨所形成的孤独较大洪水来分析。传统的分析方法有分析法、图解法、试错法、最小二乘法等,这些都属于“黑箱”方法。

每次洪水可分析出一条单位线,流域单位线是多次洪水分别求出的单位线的综合分析选择值。

单位线应用流域面积的大小,按流域自然地理特征和降雨特征以及实际要求而定,一般不宜过大。在湿润地区一般应用面积可以大一些。但降雨特征应基本上符合单位线的假定,流域面积分配曲线不宜呈双峰型[4]。

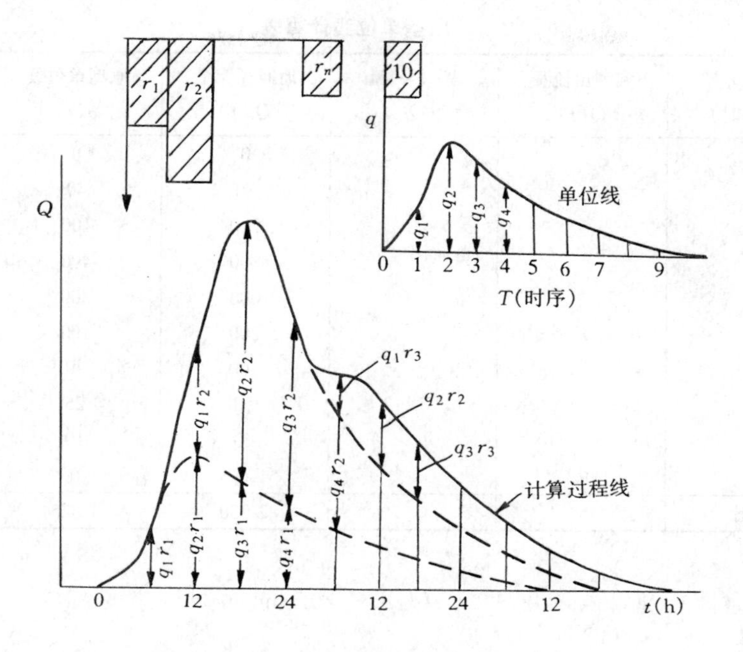

图 18.2.1 单位线推流计算[8]

图中 r 省略下角标 d

现将常用的几种简便分析方法简介如下：

(1)原型单位线[4]

这是推求单位线的最简单方法。把一次时段长为 T_y 的净雨R 所形成的单峰流量过程线的各时段节点上的流量值，除以本次洪水的径流量再乘以 10 即得。由于所求单位线的时程分配与原来洪水的一样，故常称为原型单位线。其计算公式为

$$q(t) = \frac{10}{R}Q_s(t) \tag{18.2.2}$$

式中 $q(t)$ 为 10mm 单位线，m^3/s；$Q_s(t)$ 为地面径流过程，m^3/s。

算例：某流域有一次洪水，经分析其净雨历时约 3 小时，以实测出流量过程减去基流后求得的地面径流深为 20mm，则以 3 小时为时段长的原型单位线计算方法如表 18.2.1 所示。

因该流域面积是 1 110km^2，检查单位线的径流量：

$$R = \frac{1}{F}\sum q_i(t)\Delta t = \frac{1}{1\ 110} \times 1\ 025 \times 3 \times 60 \times 60 = 9.97(\text{mm})$$

其误差小于 0.1mm，不必改正。

(2) 分析法[8]

分析法即直接代数求解。对于有两个时段净雨量(特别是有一个时段净雨量较大) 形成的洪水，宜用此法推求单位线。

由式(18.2.1)：

表 18.2.1　　原型单位线计算表　　(流量：m^3/s)

时　间 (月·日·时)	实测出流量 $Q(t)$	基　流 Q_b	地面径流量 $Q_s(t)$	原型单位线 $q(t)$	时段($\Delta t = 3h$) n
8.1.2			0	0	0
8.1.5			80	40	1
8.1.8			200	100	2
8.1.11			800	400	3
8.1.14			600	300	4
8.1.17			200	100	5
8.1.20			100	50	6
8.1.23			50	25	7
8.2.2			20	10	8
8.2.5			0	0	9
共　计			2 050	1 025	

$$Q_{d,1} = r_{d,1}q_1 \tag{18.2.3}$$

依此递推得

$$Q_{d,2} = r_{d,1}q_2 + r_{d,2}q_1 \tag{18.2.4}$$

$$Q_{d,3} = r_{d,1}q_3 + r_{d,2}q_2 + r_{d,3}q_1 \tag{18.2.5}$$

$$\vdots$$

因此,式(18.2.1)为一个多元线性代数方程组,求解方程组可得未知坐标 $q_1, q_2, q_3, \cdots$ 的数值。最简单的解法是逐一消去法。由式(18.2.3),$Q_{d,1}$,$r_{d,1}$ 已知,可解得 q_1:

$$q_1 = \frac{Q_{d,1}}{r_{d,1}}$$

q_1 已知,代入式(18.2.4),可得 q_2:

$$q_2 = \frac{Q_{d,2}r_{d,2}q_1}{r_{d,1}}$$

如此递推而下,得

$$q_t = \frac{Q_{d,t} - \sum_{i=2}^{m} r_{d,i}q_{t-i+1}}{r_{d,1}} \tag{18.2.6}$$

计算实例见表 18.2.2。为计算方便,可先算出部分径流 $r_d q_i$,再化算为 q_i。

此法虽较简便,但因净雨量的计算和流量测验均有误差以及净雨时空变化等原因,常使单位线后段的纵坐标出现锯齿形,有时甚至为负。这时可从后向前来推求单位线的纵坐标,或者以单位线总量 10mm 为控制来调整。

(3)试错法

当时段净雨深超过三个时段时,用以上方法常得不到满意的结果。这时可采用试错法推求单位线。此法最适于诸时段净雨中有一个时段净雨最大的情况。

这个方法就是:先假定一条单位线q(t),求出最大时段净雨量以外的各时段净雨量

表 18.2.2 **单位线计算**(分析法) (r_d:mm; Q_d, q: m³/s)

日	时	q 时序	$Q_{d,0}$	r_d	部分径流 24.5	部分径流 20.3	q 计算值	q 修正值	q_d
7	6	0	0		0		0	0	0
	12	1	186	24.5	186	0	76	76	186
	18	2	667	20.3	513	154	210	210	668
8	0	3	1 935		1 510	425	617	617	1 940
	6	4	2 450		1 200	1 250	490	490	2 450
	12	5	1 900		910	990	372	355	1 860
	18	6	1 280		525	755	214	240	1 310
9	0	7	850		415	435	170	155	867
	6	8	560		216	344	88	105	571
	12	9	400		221	179	90	73	392
	18	10	277		94	183	38	52	276
10	0	11	202		124	78	51	38	199
	6	12	142		39	103	16	22	131
	12	13	80		48	32	20	12	74
	18	14	40		0	40	0	0	24
11	0	15	0			0			0
		Σ	44.8mm	44.8mm				10mm	44.7mm

注 q 计算值的退水段坐标值有跳动,q 修正值为修正后的定案结果;Q_d 由 q 修正值推流得;本流域 $A=5\ 290$ km²。

产生的部分地面径流过程,如图 18.2.2 中的 $r_1q(t)$,$r_3q(t)$;把它们错开时段叠加,与总地面径流过程相减,其差值就是最大时段净雨量 r_2 所产生的地面径流过程 $r_2q(t)$;把它乘以 $10/r_2$,就得一条试算单位线 $q'(t)$。若与第一次假设的单位线 $q(t)$ 接近,即为所求。否则,将两条单位线相应的纵标平均值,作为第二次假定的单位线。重复上述步骤,直至假定单位线与试算的单位线基本相符时为止。

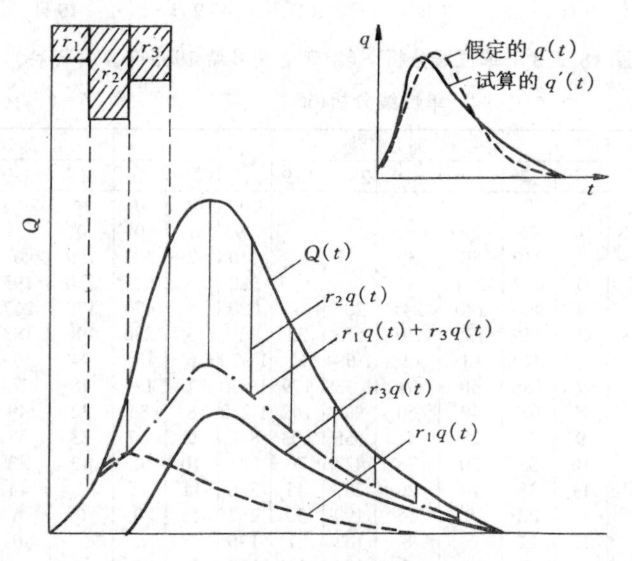

图 18.2.2 试错法分解多时段净雨量形成的单位线[4]

初始的单位线,可参考本流域中单独时段净雨量分析的单位线成果,或用别的方法求得的成果,也可任意假定。

实例见表 18.2.3,原始资料及分析成果见图 18.2.3[8]。

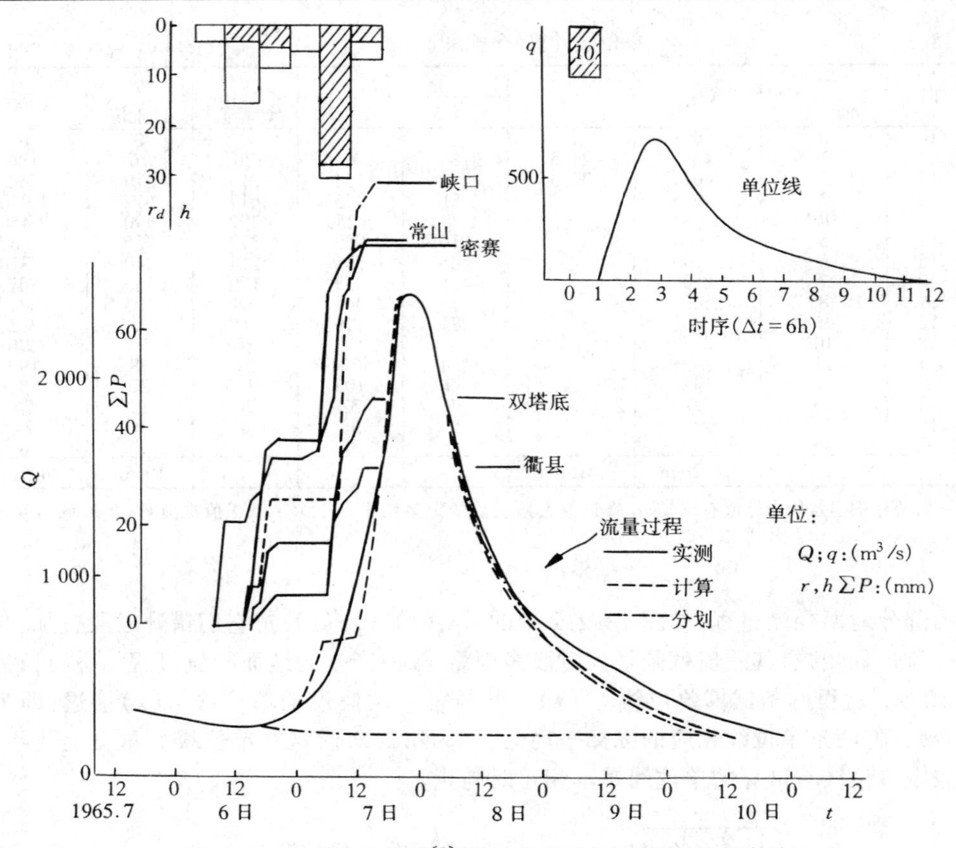

图 18.2.3 单位线分析[8](浙江省衢县站 1965 年 7 月资料)

表 18.2.3 **单位线分析**(试错法) (r_d:mm ;Q, q: m^3/s)

时 间	$Q_{d,0}$	r_d	q_0		部分径流				Q_d	q		部分径流				Q_d
			时序	值	3.8	3.9	27.3	2.9		时序	值	3.8	3.9	27.3	2.9	
1965.7.6.11	0		0	0					0	0	0					0
1965.7.6.17	0	3.8	1	76	29				29	1	0	0				0
1965.7.6.23	50	3.9	2	210	80	30			110	2	500	190	0			190
1965.7.7.5	252	0	3	617	234	82			320	3	685	260	195			455
1965.7.7.11	662	27.3	4	490	180	241	207		630	4	470	179	267	0		446
1965.7.7.17	1 700	2.9	5	355	135	191	573	22	921	5	280	106	183	1365	0	1 650
1965.7.7.23	2 210		6	240	91	138	1 684	61	1 970	6	195	74	109	1 870	145	2 200
1965.7.8.5	1 630		7	155	58	94	1 338	179	1 670	7	125	48	76	1 283	199	1 610
1965.7.8.11	1 020		8	105	40	60	969	142	1 210	8	85	32	49	764	136	981
1965.7.8.17	650		9	73	28	41	655	103	872	9	60	23	33	532	81	669
1965.7.8.23	440		10	52	20	28	423	70	541	10	35	13	23	341	56	433
1965.7.9.5	290		11	38	14	20	287	45	366	11	15	6	14	232	36	288
1965.7.9.11	100		12	22	8	15	199	30	252	12	0	0	6	164	25	195
1965.7.9.17	100		13	12	5	8	142	21	176				0	96	17	113
1965.7.9.23	40		14	0	0	5	104	15	124					41	10	51
1965.7.10.5	0					0	69	11	71					0	4	4
							33	6	39						0	0
							0	3	3							
								0	0							
Σ	37.9	37.9		10.0					37.9		10.0					37.9

注: q_0 系初始 UH,取自表 18.2.2 成果,q 为经试错后求定的单位线。

18.2.1.3 PMF 的推求

有了单位线以后，根据 PMP 求得的时段（与单位线的时段应一致）净雨过程，按式（18.2.1）即可推出 PMF 的地面径流过程，再加上基流即得 PMF 的流量过程。

计算表格形式与表 18.2.5 类似，为节省篇幅，这里不再举例。

18.2.2 单元汇流法

18.2.2.1 基本思路

按照单位线的基本要求，在一个单位时段内，降雨和产流（净雨）在空间上的分布，是均匀的。但是，对于较大流域来说，这个要求一般很难满足。为此，可以采取化整为零，即根据流域情况把它划分为若干个单元面积，分别使用单位线，然后通过河道汇流演算到出口断面叠加起来，得到所求的地面径流过程。

说清楚一点，就是先将全流域分成若干块单元面积，然后分单元计算产流和汇流，亦即先单独计算出每块单元面积的出流过程，再将第一块（最上游）单元面积的出流进行河道演算到第二块单元面积出口断面处，加上第二块单元面积的出流过程，即为第二块单元出口断面处的径流过程。如此逐段演算，最后求得流域出口断面的径流过程。

18.2.2.2 单元面积的划分原则

1）单元内暴雨特性应较一致。这样在单位时段内，降雨的时空分布，才可能比较均匀。

2）单元内下垫面条件（地形地质、土壤、植被等）应相近。这样在降雨空间分布较均匀的情况下，产流（净雨）的空间分布才可能较均匀。

3）单元内应具有代表性的雨量站并尽可能有一个流量站，以便计算净雨和分析单元单位线。

4）要按自然水系划分，每个单元应有一个出流断面（在干流或支流上），以利于进行河道汇流演算。

5）各单元的面积不要相差太大，以便使用相同的单位线。

6）若支流上已建有水库，应将水库以上流域当作一个单元，以便考虑其对 PMF 的影响。

以上六条原则，是从方法的理论要求提出来的，在实际运用中，一般不可能全部做到。

18.2.2.3 单元单位线的推求

各单元面积的单位线，一般按单位线法和瞬时单位线法推求。无水文资料的地区，可采用综合单位线等方法[4]推求。

单元单位线，可采用设计流域内或邻近相似地区有代表性的小支流站的实测暴雨洪水资料，来分析得出。

实践经验说明，对于流域特性相似的各单元面积，使用相同的单位线，不致有较大的误差；而对于流域特性有显著差别（例如蓄满产流的流域内，有部分地区系超渗产流等）的单元面积则不宜采用相同的单位线。

在将所求得的单位线，应用于其他单元面积时，分两种情况：

1）第一种情况是有因次单位线 $q(t)$（即经验单位线），应用时对纵坐标（m^3/s）需加流域面积比修正。其理如下：

设有 a,b 两流域,其流域面积分别为 F_a 和 F_b,其经验单位线分别为 $q_a(t)$ 和 $q_b(t)$,则按照单位线的概念必有

$$\int_0^T q_b(t)\mathrm{d}t/F_b = \int_0^T q_a(t)\mathrm{d}t/F_a = 10\mathrm{mm}$$

于是

$$\int_0^T q_b(t)\mathrm{d}t = \frac{F_b}{F_a}\int_0^T q_a(t)\mathrm{d}t$$

故

$$q_b(t) = k_1 q_a(t) \tag{18.2.7}$$

式中 $k_1 = F_b/F_a$ 为面积修正系数。式(18.2.7)说明,如果要将 a 流域的经验单位线 $q_a(t)$ 移用于 b 流域时,则需乘以面积修正系数 k_1。

2) 第二种情况是无因次单位线 $U(t)$(即汇流系数 P),应用时对纵坐标需乘以换算因子 k_2:

$$k_2 = \frac{rF}{3.6\Delta t}$$

式中 r 为净雨深,mm;F 为单元面积,km^2;Δt 单位时段长,h;3.6 为单位换算系数。显然,k_2 就是 Δt 时段内的平均流量,m^3/s。其理如下:

按无因次单位线的概念

$$\int_0^T U(t)\mathrm{d}t = \int_0^T q(t)\mathrm{d}t/\frac{rF}{3.6\Delta t} = 1$$

故

$$\int_0^T q(t)\mathrm{d}t = \frac{rF}{3.6\Delta t}\int_0^T U(t)\mathrm{d}t$$

$$q(t) = \frac{rF}{3.6\Delta t}\cdot U(t) = k_2\cdot U(t) \tag{18.2.8}$$

表 18.2.4 是将 a 流域的单位线移用于 b 流域的算例。流域面积 a 为 1 400km^2,b 为1 000km^2,二者 $\Delta t = 3\mathrm{h}$,$r = 10\mathrm{mm}$,则

$$k_1 = 1\,000/1\,400 = 0.714$$

$$k_2 = 10\times 1\,000/3.6\times 3 = 926(\mathrm{m}^3/\mathrm{s})$$

18.2.2.4 各单元地下径流过程的处理

各单元面积的地下径流过程因其汇流时间很长,大大超过河槽汇流时间,故可以不考虑地下径流在流域面上分布不均匀性和分散的调蓄,而把全流域作为一个整体对待,其误差不会很大[4]。

18.2.2.5 河道汇流计算

对河道汇流的计算,一般是采用马斯京根法,详见 18.3.2 节。

图 18.2.4 是汉江丹江口以上流域用单元汇流法进行汇流计算,单元面积划分的示意和单元汇流法的流程图。

表 18.2.4 单位线移用算例

时段数 (Δt = 3h)	a 流域		b 流域单位线 $q(t)$(m^3/s)	
	经验单位线 $q(t)$(m^3/s)	无因次单位线 $U(t)$	按经验单位线推	按无因次单位线推
(1)	(2)	(3)	(4)=0.714×(2)	(5)=926×(3)
0	0	0	0	0
1	14	0.011	10	10
2	84	0.065	60	60
3	367	0.283	262	262
4	271	0.209	193	193
5	163	0.126	117	117
6	132	0.102	94	94
7	97	0.074	69	69
8	70	0.054	50	50
9	49	0.038	35	35
10	32	0.025	23	23
11	17	0.013	12	12
12	0	0	0	0
Σ	1 296	1.000	926	926

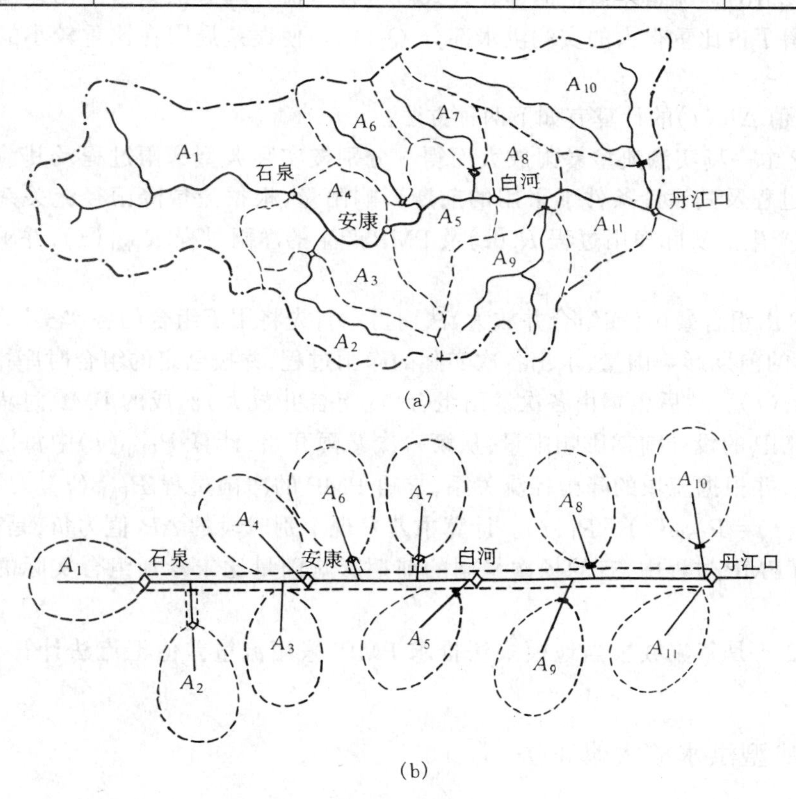

图 18.2.4 汉江丹江口以上流域单元汇流法流程图[4]
(a)单元面积划分示意图; (b)单元汇流法流程图

18.2.3 流量差值汇流计算法

此法为长江水利委员会高级工程师李心铭于80年代初提出。这是一种适合于以PMP为典型暴雨放大,典型暴雨组合或典型暴雨组合并放大的简便而计算误差较常规产汇流方法小的线性汇流计算方法[1]。

这里的流量差值定义为典型洪水实测流量 $Q_r(t)$ 与PMF流量 $Q_{PMF}(t)$ 之差 ΔQ:

$$\Delta Q = Q_{PMF}(t) - Q_r(t) \tag{18.2.9}$$

根据线性汇流理论,可以有

$$Q_{PMF}(t) = Q_r(t) + \int_0^t \Delta R(\zeta) U(t-\zeta) \mathrm{d}\zeta \tag{18.2.10}$$

式中 $\Delta R(t)$ 为净雨过程差值,$\Delta R(t) = R_{PMP}(t) - R_r(t)$;$R_{PMP}(t)$ 为由PMP产生的净雨过程;$R_r(t)$ 为由实际典型暴雨产生的净雨过程;$U(t)$ 为单位线或汇流曲线。

式(18.2.10)即流量差值汇流计算公式。这种汇流计算方法只对净雨差值进行汇流计算,而保留了占比重很大的实测洪水部分 $Q_r(t)$。使误差局限在比重较小的 ΔQ 计算内。

净雨差值 $\Delta R(t)$ 的计算有如下两种方法:

1)PMP由一场实测典型暴雨放大而得。分别按实际典型暴雨过程及其前期影响雨量与PMP过程及其设计条件下采用的前期影响雨量,根据流域降雨径流关系得出实际暴雨、PMP产生的实际净雨过程 $R_r(t)$ 及PMP产生的净雨过程 $R_{PMP}(t)$,并求得净雨差值 $\Delta R(t)$。

2)PMP由组合暴雨(或组合并放大)法而得。首先将用于组合的各次实际暴雨,分别根据其实际的前期影响雨量,求出各次实际的净雨过程,并按已定的组合时序排列成一个净雨过程 $R_r(t)$。然后根据由各次暴雨组合(或组合并放大)而成的PMP过程 $P_{PMP}(t)$ 及给定的PMP的设计前期影响雨量,从第一次暴雨开始,计算 $P_{PMP}(t)$ 中每次暴雨的前期影响雨量,并根据流域的降雨径流关系,求得PMP的净雨过程 $P_{PMP}(t)$。最后求出净雨差值 $\Delta R(t) = P_{PMP}(t) - R_r(t)$。计算中若发现个别时段的 ΔR 值为负,是合理的,因为组合后的PMP过程中,有的场次暴雨的前期影响雨量比未参加组合实际的前期影响雨量还小。

表18.2.5是某流域按当地模式法推求PMP,采用流量差值汇流法计算PMF的示例。

18.2.4 典型洪水放大修正法

此法为我们在1973年搞黄河三花间PMP/PMF分析时所提出❶[9]。此法适用于当地模式的推流。

由于当地模式法,其PMP和典型暴雨的历时及时面分布比例是完全相同的,只是前

❶ 水电部黄河水利委员会,华东水利学院(王国安、吴庆雪执笔).黄河三门峡至花园口区间,可能最大洪水分析技术总结(初稿).兰州全国设计洪水计算经验交流会文件,1973,11

表 18.2.5 流量差值汇流法推求 PMF 算例

时间（月·日·时）	净雨(mm)			单位线 $q(t)$ (m^3/s)	部分径流 $\frac{\Delta R}{10}q(t)$ (m^3/s)					$\sum\frac{\Delta R}{10}q(t)$ (m^3/s)	实测 Q (m^3/s)	Q_{PMF} (m^3/s)
	R	R_{PMP}	ΔR		ΔR_1	ΔR_2	ΔR_3	ΔR_4	ΔR_5			
7.2.11	0											
7.2.17	18.0	23.0	5.0	0								
7.2.23	103	134	31.0	0							700	700
7.3.5	147	191	44.0	380	190					190	3 000	3 190
7.3.11	34.0	44.0	10.0	1 000	500	1 180				1 680	11 800	1 348
7.3.17	16.0	21.0	5.0	340	170	3 100	1 670			2 150	20 300	22 450
7.3.23				190	95	1 050	4 900	380		5 930	14 100	20 030
7.4.5				140	70	589	1 500	1 000	190	3 350	9 180	12 530
7.4.11				110	55	434	836	340	500	2 170	6 700	8 870
7.4.17				90	45	341	616	190	170	1 360	5 000	6 360
7.4.23				70	35	279	484	140	95	1 030	4 000	5 030
7.5.5				50	25	217	396	110	70	821	3 100	3 920
7.5.11				30	15	155	308	90	55	623	2 600	3 220
7.5.17				20	10	93	220	70	45	438	2 300	2 740
7.5.23				10	5	62	132	50	35	284	2 000	2 280
7.6.5				0		31	88	30	25	174	1 700	1 870
7.6.11							44	20	15	79	1 500	1 580
7.6.17								10	10	20	1 400	1 420
7.6.23									5	5	1 300	1 305

者的雨强和降雨总量比后者大 K 倍。根据这个特点，可以利用 *PMP* 的净雨与实测典型暴雨净雨之比，放大实测典型洪水的地面径流过程线，以求得 *PMF*。但是由于 *PMP* 的雨强比典型暴雨要大 K 倍，故在降雨初期（这个问题中后期也可能有，为说理简便，这里只说初期）的一定时段内，就会出现原典型暴雨不产流（因降雨尚未满足初损或雨强小于渗强），而在 PMP 情况下却要产流了。显然，PMP 的净雨历时，一般要比典型暴雨长，在这个增加的时段（即提前产流历时）内的净雨（即提前产流量）还将形成地面径流。所以不能用上述方法简单地放大。为此，采用 PMP 的净雨过程与典型暴雨的净雨过程两相对照，其相应部分（即净雨历时相同部分）按典型洪水的地面径流过程，用该历时内净雨同倍比放大；其不相应部分（即提前产流部分），另作处理（用单位线法或汇流曲线法），再加上去。以式表之，即

$$Q_{PMF}(t) = K[Q_r(t) - Q_o(t)] + \int_o^{t_1} \Delta R U(t) \mathrm{d}t + Q_o(t) \qquad (18.2.11)$$

式中 $Q_r(t)$ 和 $Q_o(t)$ 分别为典型洪水的流量过程线和基流；ΔR 为提前产流量；$U(t)$ 为单位线或汇流曲线。

算例如表 18.2.6 所示。本例提前产流量 $\Delta R = 20$mm，典型暴雨与 PMP 同期（即 8 月 5 日 12 时至 6 日 12 时）净雨倍比 $K = 1.5$。

表 18.2.6　　　　典型洪水放大修正法计算表

时间（月·日·时）	净雨(mm)			单位线 $q(t)$ (m^3/s)	流量 (m^3/s)				
	R	R_{PMP}	ΔR		提前产流 $\frac{\Delta R}{10}q(t)$	典型地面径流 $Q(t)$	PMP 地面径流 $KQ(t)$	基流	$Q_{PMF}(t)$
(1)	(2)	(3)	(4)	(5)	(6)	(7)	(8)	(9)	(10)=(6)+(8)+(9)
8.5.0	0	0		0	0			1 000	1 000
8.5.6	0	20	20	0	40	0	0	1 000	1 040
8.5.12	20	30		20	300	40	60	1 000	1 360
8.5.18	100	150		150	1 160	500	750	1 000	2 910
8.6 0	140	210		580	1 060	2 940	4 410	1 100	6 570
8.6.6	40	60		530	730	9 040	13 600	1 100	15 430
8.6.12	10	15		365	530	14 800	22 200	1 100	23 830
8.6.18				265	350	14 100	21 200	1 100	22 650
8.7.0				175	270	10 800	16 200	1 200	17 670
8.7.6				135	200	7 720	11 600	1 200	13 000
8.7.12				100	140	5 430	8 150	1 200	9 490
8.7.18				70	80	4 000	6 000	1 200	7 280
8.8.0				40	40	2 900	4 350	1 200	5 590
8.8.6				20	0	1 960	2 940	1 100	4 040
8.8.12				0		1 140	1 710	1 100	2 810
8.8.18						510	765	1 100	1 870
8.9.0						120	180	1 200	1 380
8.9.6						20	30	1 200	1 230
8.9.12						0	0	1 200	1 200

18.2.5　峰量控制放大法

当 PMF 的洪峰和洪量用某种方法求得以后，可选一典型洪水流量过程线，按峰量控制放大。其放大方法和用频率分析法推求设计洪水按峰量同频率控制法放大一样。

此法适用于产汇流资料条件较差的地区。黄河天桥、碛口、龙门等工程运用了此法。这三个工程均位于黄河北干流，其洪水主要来自河口镇至工程坝址区间。区间洪量用暴雨径流相关法求得，区间洪峰用雨量与洪峰相关或洪量与洪峰相关求得[10]。这种推求洪峰、洪量的方法，关键在于关系线的外延是否合理。这需要结合流域的具体情况，多方面进行分析。

18.2.6　认识与讨论

本书介绍的五种汇流计算方法，前四种都属于线性单位线的范畴。

18.2.6.1　**单位线法**

谢尔曼提出的单位线，原是纯经验性的，但是，用线性系统理论的观点来看，它仍有较明确的理论概念。

单位线法假定净雨在面上分布均匀，将流域作为整体，不考虑内部的不均匀性；又假定净雨与其所形成的流量过程之间的关系符合叠加性，将汇流视为线性时不变系统。所以单位线的定义及假定归结起来就是：集总线性时不变。

大家知道,一个线性时不变系统可用线性常系数常微分方程来描述。当起始条件为零时,方程的解,即卷积公式

$$Q(t) = \int_0^t u(0, t-\tau) I(\tau) \mathrm{d}\tau \tag{18.2.12}$$

此公式表示系统的输出 $Q(t)$,可由系统的输入 $I(t)$经过线性运算而得出。运算的函数(核函数)$u(0,t-\tau)$称瞬时单位线或汇流曲线,是输入为瞬时脉冲时系统的响应。

比较式(18.2.1)与式(18.2.12)可见,式(18.2.1)为卷积公式的离散形式,即单位线是输入为矩形脉冲时系统的响应,也就是汇流曲线。因此,单位线法的定义、假定及运算,全部概括在卷积公式之内[8]。

18.2.6.2 单元汇流法

单元汇流法的基本思路,也可以理解为:把流域汇流分为坡面汇流和河槽汇流两大部分;坡面汇流用坡地单位线解决,河槽汇流用马斯京根法解决。为了满足单位线的基本假定而在单位时段内净雨在面上分布均匀的要求,需要将全流域的坡面划分为若干小块即所谓的单元面积。

单元汇流法采用分单元的办法考虑了净雨量在空间的变化,有明确的产流场;又用分河段汇流考虑相同净雨量在不同流程所受不同调节作用,有明确的传播场。它吸取了单位线法和等流时线法的部分优点,避免了它们的部分缺点,可以考虑不同水源的汇流以及非线性处理,并且可以用扣除面积的办法,考虑水库拦蓄的影响,所以它是一个在实用上较为灵活的方法,值得今后进一步探讨和完善[4]。

18.2.6.3 差值流量汇流法

此法其实是差值净雨汇流法,因为它是把 PMP 的净雨与典型暴雨净雨的差值,用单位线(或汇流曲线)的方法推出径流过程线,再与典型洪水的流量过程相加,以得出 PMF 的流量过程。此法的优点是抓住了汇流的主要部分(实测洪水),计算误差是在差值净雨汇流部分,因而成果精度较高。

18.2.6.4 典型洪水放大修正法

此法的基本思路,与差值流量汇流法相同:都是要充分利用典型洪水的实测流量过程线。其差别是:本法是只对提前产流期间的净雨 ΔR 用单位线(或汇流曲线)推出流量过程,后面的净雨差值就不推流了,而是用把典型洪水的地面径流过程放大 K 倍的办法处理。差值流量汇流法是对所有的差值净雨都推流。显然,本法比差值流量汇流法更简便。

18.2.6.5 峰量控制放大法

这是中国采用数理统计法推求设计洪水所惯用的方法。其优点是洪峰、洪量均达到设计要求,缺点是物理成因概念较差(主要是没有考虑在 PMP 条件下,提前产流量对洪水过程线形状的影响[9])。

18.3 河道汇流计算

18.3.1 概述

在划分单元推求单元洪水后需要将其演算到坝址处,或需将上游流量资料移用到下

游断面，或需将下游处总的洪水分割出区间洪水时，需要用到河道汇流计算。

河道汇流计算是在圣维南(Saint－Venant)方程组简化的基础上，利用上断面流量过程演算出下断面的流量过程。简化求解圣维南方程组的方法，可分为两大类。一类是水力学方法(如扩散法等[4])，另一类是水文学方法。目前在水文分析计算中常用的是水文学方法，也就是以水量平衡方程代替反映质量守恒的连续方程，以槽蓄曲线代替反映能量守恒的动力方程进行求解，例如特征河长法、马斯京根法和滞后演算法等[4]。在中国的PMP/PMF分析中，一般是采用马斯京根法。

18.3.2 马斯京根法

马斯京根法(简称马法)是由麦卡锡(G.T.McCarthy)于1938年提出，因首先应用于美国马斯京根(Muskingum)河而得名。该法原系纯经验性的，现已上升为具有一定水力学基础的理论方法[4,8,11]，其物理意义业已完全弄清[3]。

18.3.2.1 方法的基本思路

在天然河道的洪水演算中，一般是采用槽蓄曲线代替动力方程与水量平衡方程联立求解。但由于不稳定流的槽蓄曲线不是直线，故对此联立方程，不能用代数方法简单求解，而需用试算法求解。这样，就显得太麻烦。为此，马斯京根法设想引入适当的参数把不稳定流的非线性槽蓄方程换算为线性槽蓄方程，从而使计算工作简化。马法提出的槽蓄方程为

$$W = KQ' = K[xI + (1-x)D] \tag{18.3.1}$$

$$Q' = xI + (1-x)D \tag{18.3.2}$$

式中 W 为河段槽蓄量；Q'为储流量；I 和 D 为入流量和出流量；K 为槽蓄量与流量的关系曲线的坡度，可视为常数；x 为流量比重因素。

由此可见，马法是通过流量比重因素 x 这个参数来调整流量，使其与槽蓄量成线性关系。

将式(18.3.1)与水量平衡方程

$$\frac{1}{2}(I_1 + I_2)\Delta t - \frac{1}{2}(D_1 + D_2)\Delta t = W_2 - W_1 \tag{18.3.3}$$

联解，得

$$D_2 = C_0 I_2 + C_1 I_1 + C_2 D_1 \tag{18.3.4}$$

式中

$$\left.\begin{aligned} C_0 &= \frac{0.5\Delta t - Kx}{K - Kx + 0.5\Delta t} \\ C_1 &= \frac{Kx + 0.5\Delta t}{K - Kx + 0.5\Delta t} \\ C_2 &= \frac{K - Kx - 0.5\Delta t}{K - Kx + 0.5\Delta t} \end{aligned}\right\} \tag{18.3.5}$$

且 $C_0 + C_1 + C_2 = 1.0$

公式(18.3.4)即为马斯京根法的常用演算公式。

18.3.2.2 Q'，K，x 的物理意义[11]

马斯京根法应用了单一的槽蓄曲线 $W = KQ'$。但是，如众所周知，能与 W 成这种关系的流量，不可能是入流量 I，出流量 D 和河段平均流量 $\overline{Q} = (I + D)/2$ 等，而只能是该

W 之下的稳定流量 Q_0。因此 $Q' = Q_0$。这就是 Q' 的物理意义。

既然 $Q' = Q_0$,则马斯京根法的槽蓄曲线就是 $W \sim Q_0$ 关系,其坡度 $K = \mathrm{d}W/\mathrm{d}Q_0$ 就是稳定流时河段的传播时间。这就是 K 值的物理意义。换言之,

$$K = \frac{L}{\omega_0} \tag{18.3.6}$$

式中 ω_0 为稳定流的波速;L 为河段长度。

由式(18.3.6)可知,当 ω_0 为常数时,K 也是常数,式(18.3.1)正确。现知一般河段在中、高水时,ω_0 与 K 是接近常数的,所以在 PMF 计算中,式(18.3.1)可用。

关于 x 值,一些著作认为,其物理意义是反映河段"楔蓄"的作用。x 值随楔蓄作用的增大而增大。如湖泊、水库,入流影响可以忽略,x 值接近于 0。而如入流和出流影响相等,则 $x = 0.5$。但是,在实践中发现,有些河段 x 值为负值;对于同一河流,x 值常由上游至下游逐渐减小。这些现象是难以用"楔蓄"概念来解释的[4]。

根据理论分析[4,12],x 的公式如下:

$$x = x_1 - \frac{l}{2L} \tag{18.3.7}$$

$$l = \frac{Q_0}{i_0}\left(\frac{\mathrm{d}H}{\mathrm{d}Q}\right)_0 \approx \frac{Q_0}{i_0}\left(\frac{\overline{\Delta H}}{\Delta Q}\right)_0 \tag{18.3.8}$$

式中 x_1 为反映水面曲线形状的参数;l 为特征河长;Q_0、i_0 和 $\left(\frac{\mathrm{d}H}{\mathrm{d}Q}\right)_0$ 为稳定流状态下的流量、比降和水位流量关系曲线的坡度。

当流量沿程呈直线变化时,$x_1 = 1/2$,则式(18.3.7)变为

$$x = \frac{1}{2} - \frac{l}{2L} \tag{18.3.9}$$

由上可见,x 由两部分组成,一是 x_1 代表水面曲线的形状,反映楔蓄的大小;二是 L/l,即河段长按特征河长所划分成的段数 $n = L/l$,反映河段的调蓄能力。这就是 x 的物理意义。

18.3.2.3 K、x 值的确定

求参数 K、x 有两种途径:一种是根据实测流量资料反推,试算法属于此类。另一种是根据水力学特征正推,如应用特征河长 l 等。前者是验证,后者是根据[11]。有条件的地方,最好两种途径都采用,最后经过综合分析,合理选定 K、x 值。

(1)根据实测流量资料反推

这里只介绍常用的试算法。其方法要点如下:

第一步,从实测洪水资料中选一场洪峰较大而且区间加水较小的孤独洪水,作为分析对象。

第二步,根据上下游断面的流量过程,假定一个 x 值,按公式(18.3.2)计算出流量 Q',同时算出相应的槽蓄量 W。

第三步,将计算得的 W 和 Q' 在方格坐标纸上点绘出 $W \sim Q'$ 关系线,若关系线呈直线,则 x 即为所求,此关系线的坡度也就是所求的 K 值。若 $W \sim Q'$ 关系不呈直线,则需重新假定 x,再行计算,直至呈直线为止。

(2)根据水力学特性正推

K、x 值采用理论公式计算。此法又称解析法。

1)x 值的计算。x 值按式(18.3.7)和式(18.3.8)进行计算。

2)K 值计算。K 值按式(18.3.6)计算。对该公式中的波速 ω_0,亦可用公式求得。由 $Q=AV$,令 $V=aH^mS^{1/2}$, $A=bH^n$,可以推得波速计算公式

$$\omega = \frac{\partial Q}{\partial A} = (1+\frac{m}{n})V = \lambda V \tag{18.3.10}$$

$$\lambda = 1+\frac{m}{n} \tag{18.3.11}$$

式中 λ 是波速系数,与断面形状(n)和流速公式的形式(m)有关。n 值:矩形断面为1,抛物线形断面为3/2,三角形断面为1/2;m 值:按满宁公式 $V=\frac{1}{n}R^{2/3}S^{1/2}$ 为2/3,按谢才公式 $V=C\sqrt{RS}$ 为1/2。

不同断面形状的波速系数如表 18.3.1 所示。

表 18.3.1 波速系数 λ 数值表[4]

断面形状	λ	
	满宁公式	谢才公式
矩　形	1.67	1.50
抛物线形	1.44	1.33
三角形	1.33	1.25

3)算例。现以沅水沅陵至王家河河段为例说明用试算法和解析法推求 K、x 值的具体方法[8]。

试算法:

以 1968 年 7 月一次洪水为例。取 $\Delta t=3$ 小时,从实测流量过程中摘录 I 与 D 值(表 18.3.2)。本河段长 112km,约估本河段的传播时间为 9 小时,因此,表中 I 与 D 的起止时间差 9 小时,区间来水总量为 4 840(单位是 $3h \cdot m^3/s$),约占入流量的 1.6%,此值不大,可以 1.016 乘 I 得 $I+q$ 值(q 代表区间入流)。根据水量平衡方程式计算时段槽蓄增量 ΔW。假定 13 日 9 时的槽蓄量为 0,累积各 ΔW 值得各时刻的槽蓄量。假定 $x=0.40$与 0.45,按 $Q'=xI+(1-x)D$ 的公式计算 Q'值,点绘 $Q' \sim W$ 关系如图 18.3.1 所示。当 $x=0.45$时,关系线近乎为单一直线,即取 $x=0.45$,量得关系线的坡度$\frac{dW}{dQ}=K=\frac{19\ 600}{6\ 150}=3.19\times3\approx9.5$ 小时。

解析法:

计算 K 值:沅陵、王家河断面的形状介于抛物线形与矩形之间,取 $\lambda=1.48$,于是

$$\omega = 1.48V$$

再根据沅陵和王家河的实测资料,分别建立 $Q \sim V$ 关系,取其平均线代表河段平均情况(图 18.3.2)。最后按公式 $K=L/\omega$ 求得中高水时的K 值如表 18.3.3。

计算 x 值:沅陵和王家河的水位—流量关系基本上呈单一线,历年变化不大。据此,利用公式 $x=1/2-l/2L$ 和 $l=(Q_0/i_0)(dH/dQ)$。计算 x 如表 18.3.4。

表 18.3.2 马斯京根法 W 与 Q' 计算表 （流量:m^3/s,槽蓄量:$3h·m^3/s$）

时间（年·月·日·时）	I	D	$I+q$	$I+q-D$	ΔW	W	Q'	
							$x=0.40$	$x=0.45$
1968.7.13.0	2 300		2 320					
1968.7.13.3	2 340		2 380					
1968.7.13.6	2 400		2 440					
1968.7.13.9	2 480	2 400	2 520	120		0	2 430	2 440
1968.7.13.12	2 520	2 430	2 560	130	125	130	2 470	2 470
1968.7.13.15	2 600	2 480	2 640	160	145	270	2 530	2 530
1968.7.13.18	2 700	2 500	2 740	240	200	470	2 580	2 590
1968.7.13.21	2 810	2 520	2 840	320	280	750	2 640	2 650
⋮	⋮	⋮	⋮	⋮	⋮	⋮	⋮	⋮
1968.7.15.6	8 800	6 820	8 940	2 120	2 220	17 270	7 610	7 710
1968.7.15.9	9 300	7 700	9 450	1 750	1 935	19 200	8 340	8 420
1968.7.15.12	9 500	8 380	9 650	1 270	1 510	20 710	8 830	8 880
1968.7.15.15	9 700	8 950	9 850	900	1 085	21 800	9 250	9 290
1968.7.15.18	9 700	9 310	9 850	540	720	22 520	9 470	9 490
1968.7.15.21	9 650	9 600	9 800	200	370	22 890	9 620	9 620
1968.7.16.0	9 550	9 700	9 700	0	100	22 990	9 640	9 630
1968.7.16.3	9 430	9 700	9 580	−120	−60	22 930	9 590	9 580
1968.7.16.6	9 250	9 650	9 400	−250	−185	22 750	9 490	9 470
1968.7.16.9	9 100	9 600	9 250	−350	−300	22 440	9 400	9 380
⋮	⋮	⋮	⋮	⋮	⋮	⋮	⋮	⋮
1968.7.18.21	4 400	5 020	4 470	−550	−640	7 480	4 770	4 740
1968.7.19.0	4 350	4 850	4 420	−430	−490	6 990	4 650	4 630
1968.7.19.3	4 300	4 750	4 370	−380	−405	6 590	4 470	4 550
1968.7.19.6		4 600						
1968.7.19.9		4 510						
1968.7.19.12		4 500						
	Σ= 308 810	Σ= 313 650	Σ= 313 650	Σ=0				

表 18.3.3 K 值计算表

Q (m^3/s)	V (m/s)	$\omega=1.48V$ (m/s)	$K=112\times1\ 000/3\ 600\omega$ (h)
9 000	2.15	3.18	9.78
11 000	2.33	3.45	9.02
15 000	2.70	4.00	7.79

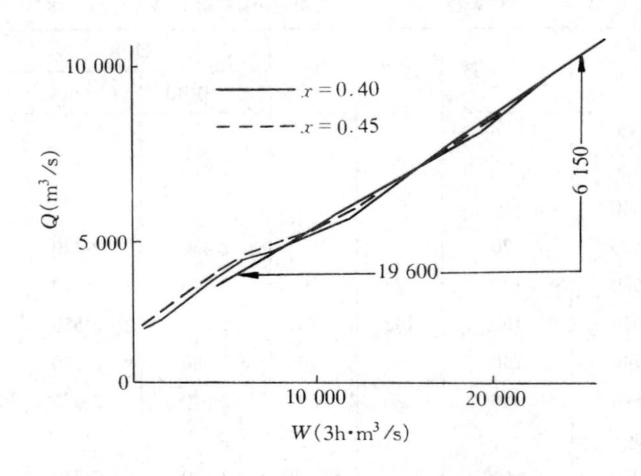

图 18.3.1 马斯京根法的 $W=f(Q')$ 关系[8]

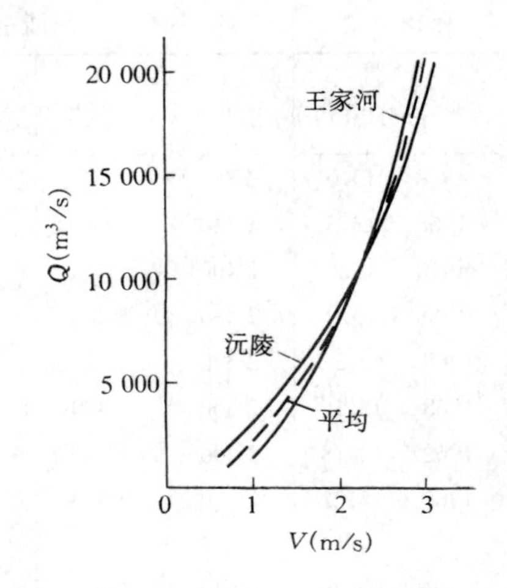

图 18.3.2 $Q\sim V$ 关系[9]

表 18.3.4 x 值计算表

Q (m³/s)	沅陵 H_1 (m)	王家河 H_2 (m)	$i_0=\frac{H_1-H_2}{L}$	$(\frac{\Delta H}{\Delta Q})_1$	$(\frac{\Delta H}{\Delta Q})_2$	$(\overline{\frac{\Delta H}{\Delta Q}})$	l (km)	x
3 000	90.78	47.16	0.000 390					
				0.000 570	0.000 735	0.000 652	8.4	0.46
7 000	93.06	50.10	0.000 384					
				0.000 437	0.000 561	0.000 499	13.2	0.44
11 000	94.81	52.35	0.000 380					
				0.000 392	0.000 488	0.000 440	15.2	0.43
15 000	96.38	54.30	0.000 376					
				0.000 368	0.000 470	0.000 419	19.1	0.41
19 000	97.85	56.18	0.000 372					

现将试算法和解析法所求得的 K、x 值列如表 18.3.5。对中高水来说，二者差别不是太大，可取其平均值作为采用值。

表 18.3.5 K、x 值采用成果表

方 法	K (h)	x	说 明
试算法	9.5	0.45	依据洪水 $Q_m=9\ 700\text{m}^3/\text{s}$
解析法	8.4	0.43	Q 为 1 100～1 500m³/s
采 用	9.0	0.44	

18.3.2.4 Δt 的确定

由上可知，马斯京根法实际上就是河段流量演算方程经简化后的线性有限差解。它不但要求参数 K、x 为常数，而且要求 I、D 在时段 Δt 内及流量沿河长的变化呈直线变化。因此，在选取 Δt 时应注意这一条件，以提高演算精度。

由水量平衡方程式(18.3.3)知，时段平均值流量是用时段始末流量的平均值来代替，这就要求上、下站的流量在时段 Δt 内呈直线变化，时段 Δt 越小，越接近实际情况。但

Δt 太小，一方面由于计算时段的增加，大大加重了计算工作量；另一方面 Δt 很小，时段始末会出现洪峰与波谷在河段中间的现象，显然这就不能满足流量及水位沿程呈直线变化的要求。也就是不能满足槽蓄曲线的线性关系的假定，以致出现较大的演算误差。为满足上述条件，应取 $\Delta t = K$，或 Δt 接近于 K。

另外，Δt 值的确定，还应考虑汇流曲线的合理性，根据式(18.3.4)、式(18.3.5)，单一河段的马斯京根法应为光滑的单峰曲线[4,8]，要满足这一条件，C_0、C_2 值必须大于或等于零。因此演算时段 Δt 应满足下列不等式：

$$2Kx \leqslant \Delta t \leqslant 2K(1 - x) \tag{18.3.12}$$

因为 $x \leqslant 0.5$，当 $\Delta t = K$ 时，式(18.3.12)自然成立。当 Δt 按上式取值时，能保证汇流曲线的合理性，可供实际应用。

18.3.2.5 **长河段演算 Δt、K、x 的确定**

对于入流洪水的涨(落)洪历时远小于河段传播时间的长河段，在 Δt 时段内，I、D 不呈直线变化，流量和水位沿程也不呈直线变化，故马斯京根法计算误差较大。

为解决这一问题，可将演算河段长 L 按单元河段长 L_l 划分成 n 段，假定每个单元河段的 K_l 和 x_l 都相等，进行 n 次连续演算，即得出流过程线。实际应用时，常用汇流系数直接推求出流过程(详见文献[4,8])。

单元河段 Δt_l、K_l 和 x_l 的求法如下[4,8]：

1)已知演算河段的 K 和 x 时。先按洪水过程线的形状和实际需要选定 Δt 值。令 $K_l = \Delta t$，则

$$n = \frac{K}{K_l} = \frac{K}{\Delta t}$$

$$L_l = \frac{L}{n}$$

根据式(18.3.9)，对于单元河段 L_l 而言

$$x_l = \frac{1}{2} - \frac{l}{2L_l} \tag{18.3.13}$$

因 $\quad l = (1-2x)/L = (1-2x)nL_l$

代入式(18.3.13)得

$$x_l = \frac{1}{2} - \frac{n(1-2x)}{2} \tag{18.3.14}$$

2)演算河段无 K 和 x 时。令 $K_l = \Delta t$，根据河道断面情况及断面平均流速资料，利用式(18.3.10)计算出波速 ω，则

$$L_l = \omega \Delta t$$

$$n = \frac{l}{L_l}$$

$$x_l = \frac{1}{2} - \frac{l}{2L_l}$$

上式中的特征河长 l，可按式(18.3.8)计算。

算例：已知沅水沅陵至王家河河段 $L = 112\text{km}$，$K = 9$ 小时，$x = 0.44$，试求单元河段

的 Δt_1、K_l 和 x_l。

解:1)根据洪水流量过程线形状和实际需要,取 $\Delta t=3$ 小时。

2)令 $K_l=\Delta t=3$ 小时,则 $n=K/K_l=9/3=3, L_l=L/n=112/3=37.3\text{km}$。

3)$x_l=1/2-n(1-2x)/2=1/2-3(1-2\times0.44)/2=0.32$。

18.3.2.4 河道汇流算例

已知长江万县—宜昌河段的 $x=0.15, K=\Delta t=18$ 小时[4],按式(18.3.5)计算:$C_0=0.259, C_1=0.482, C_2=0.259$,则该河段的马斯京根法演算公式为

$$D_2 = 0.259I_2 + 0.482I_1 + 0.259D_1$$

按上式将万县流量演算为宜昌流量过程,如表 18.3.6 所示。

表 18.3.6 **马斯京根法流量演算表** (流量:m^3/s)

时 间 月·日·时	入流 I	$0.259\ I_2$	$0.482\ I_1$	$0.259\ D_1$	出 流 D
7.1.14	19 900				19 900
7.2.8	24 300	6 290	9 590	5 150	21 030
7.3.2	38 800	10 050	11 710	5 450	27 210
7.3.20	50 000	12 950	18 700	7 050	38 700
7.4.14	53 800	13 930	24 100	10 020	48 050
7.5.18	50 800	13 160	25 930	12 440	51 530
7.6.2	43 400	11 240	24 490	13 350	49 080
7.6.20	35 100	9 090	20 920	12 710	42 720
7.7.14	26 900	6 970	16 920	11 060	34 950
7.8.8	22 400	5 800	12 970	9 050	27 820
7.9.2	19 600	5 080	10 800	7 210	23 090
7.9.20	17 900	4 640	9 450	5 980	20 070

18.3.3 认识与讨论

18.3.3.1 对马斯京根法的认识

马斯京根法的实质是:认为河道汇流现象是线性的。这从物理上讲,就是要求断面流速以及断面流速分布在河段之内各个断面上以及在各种不同流量之下,都是不变的。从数学上讲,就是要求各个入流的出流过程都是相互独立的,总出流可以由各个部分叠加而成。

马斯京根法的基本假定有两条:

一条是假定流量 I、D 在时段 Δt 内呈线性变化。这样,$\overline{I}=(I_1+I_2)/2$,$\overline{D}=(D_1+D_2)/2$,于是水量平衡方程可以写成式(18.3.3)。

另一条是假定在任何计算时刻,流量在计算河段 L 内呈线性变化。这样,河段平均流量 $\overline{Q}=(I+D)/2$,于是槽蓄方程可写为式(18.3.1)。

因此,在实际应用中,必须符合这种假定条件,否则会出现负反应之类的怪问题,与此相适应,入流条件是三角形的[4,11],计算步长 Δt 应取为与 K 相接近。

我们认为,在 PMP/PMF 分析中,马斯京根法是一种物理概念清楚、简便易行,而且具有足够精度的方法。

18.3.3.2　在 PMF 条件下 K、x 的推求方法

以上介绍的 K、x 值的推求方法，无论是试算法，还是解析法，都是以实测洪水资料为基础的，但是如果实测洪水资料中缺乏特大洪水时，则求得的 K、x 用于 PMF 情况下，就不一定合适，因为这里有一个非线性外延问题。

我们认为，这个问题的解决办法，仍可采用解析法，只是在计算 K、x 值时所需的水位(H)—流速(V)曲线和水位(H)—流量(Q)关系曲线，要作高水外延。这种外延的方法也较简便，兹介绍如下。

根据本书 17.3.2.2 节所述，在河道断面无突变的河流，当出现特大洪水时，高水部分的断面平均流速近似于常数，因此，只要设法把 $H\sim V$ 关系曲线延长出来，则 $H\sim Q$ 关系曲线，就迎刃而解了。

关于 $H\sim V$ 曲线的延长方法，通常采用 $R\sim K$ 曲线(图 18.3.3)的办法。其原理如下：

由满宁公式

$$V=\frac{1}{n}R^{2/3}S^{1/2}$$

可得

$$\frac{V}{R^{2/3}}=\frac{\sqrt{S}}{n}=K$$

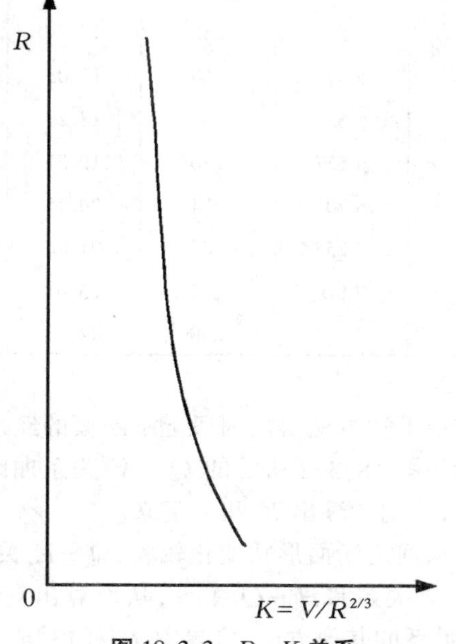

图 18.3.3　$R\sim K$ 关系

于是根据实测资料计算出 R 和 K ($=V/R^{2/3}$)值(表 18.3.7)，在方格坐标纸上点绘 $R\sim K$ 关系。由于在高水时，V 趋近于常数，故 $R\sim K$ 关系线上部，K 随 R 的增大而减小，且趋近于直线。这样，高水部分可以用一较平直的曲线板加以外延。有了经过外延后的 $R\sim K$ 关系，就可以按表 18.3.8 的格式，计算出高水部分的 $H\sim V$ 关系和 $H\sim Q$ 关系。

表 18.3.7　　某站 $R\sim K$ 关系计算表

时间			水位 H (m)	面积 A (m²)	水面宽 B (m)	水力半径 R (m)	$R^{2/3}$	流速 V (m/s)	K
月	日	时							
(1)			(2)	(3)	(4)	(5)	(6)	(7)	(8)=(7)/(6)
7	11	9	136.36	754	219	3.34	2.23	2.40	1.075
7	12	15	137.69	1 220	235	4.97	2.91	2.91	1.000
7	15	6	139.03	1 990	244	7.65	3.88	3.73	0.961
7	16	10	140.22	2 320	278	7.87	3.96	3.78	0.954
7	16	18	141.89	2 720	278	9.14	4.37	4.08	0.934
7	17	10	144.46	3 510	304	10.73	4.87	4.38	0.900
7	17	17	140.76	2 350	291	7.65	3.88	3.60	0.950

表 18.3.8　　某站 $H\sim V$ 和 $H\sim Q$ 关系延长计算表

H (m)	A (m)	B (m)	R (m)	$R^{2/3}$	K	$V=KR^{2/3}$ (m/s)	$Q=AV$ (m^3/s)
(1)	(2)	(3)	(4)	(5)	(6)	(7)	(8)
146	3 600	235	13.55	5.685	0.840	4.775	17 190
148	4 080	245	14.66	5.991	0.820	4.913	20 040
150	4 580	255	15.74	6.282	0.800	5.026	23 010
152	5 095	260	17.03	6.620	0.780	5.164	26 310
154	5 621	266	18.23	6.928	0.756	5.238	29 440
156	6 157	270	19.51	7.248	0.723	5.240	32 260
158	6 701	274	20.75	7.552	0.698	5.271	35 320
160	7 255	280	21.86	7.820	0.676	5.285	38 340
162	7 820	285	23.01	8.090	0.655	5.299	41 440
164	8 395	290	24.13	8.351	0.635	5.302	44 500

按照上述方法得出河段上下断面的经过高水延长后 $H\sim V$ 关系和 $H\sim Q$ 关系后，即可绘制如图 18.3.2 所示的 $Q\sim V$ 关系曲线。这样，就可以按照表 18.3.3 和表 18.3.4 的格式，分别计算出 K 和 x 值来。

如果河道断面形状变化较大，$Q\sim K$ 关系较散乱，不便外延，也可采用其他方法来外延 $H\sim V$ 关系和 $H\sim Q$ 关系，从而算出高水情况下的 K 和 x 值。关于外延 $H\sim V$ 和 $H\sim Q$ 关系的其他方法，可参阅文献〔13〕或其他有关书籍。

参 考 文 献

1　水利部长江水利委员会水文局，南京水文水资源研究所主编.水利水电工程设计洪水计算手册.北京:水利电力出版社，1995

2　吴明远，詹道江，叶守泽.工程水文学.北京:水利电力出版社，1987

3　赵人俊.流域水文模拟——新安江模型与陕北模型.北京:水利电力出版社，1984

4　长江水利委员会主编.水文预报方法.第二版.北京:水利电力出版社，1993

5　马秀峰.子洲径流实验站的实验与研究.黄河水利科学技术丛书《黄河水文》(陈先德主编).郑州:黄河水利出版社，1996

6　王维第，许冀正.西北干旱半干旱地区设计净雨模型探讨.水文，1986(1)

7　詹道江，邹进上.可能最大暴雨与洪水.北京:水利电力出版社，1983

8　庄一鸰，林三益编.水文预报.北京:水利电力出版社，1992

9　陈先德.设计雨量、洪峰、洪量、过程线之间关系的探讨.人民黄河，1984(4)

10　王国安，陈先德，高治定，易维中.黄河可能最大洪水分析计算.见:黄河水利科学技术丛书·黄河水文.郑州:黄河水利出版社，1996

11 赵人俊．水文预报文集.北京:水利电力出版社,1994
12 华东水利学院．中国湿润地区洪水预报方法.北京:水利电力出版社,1978
13 严义顺主编.水文测验学.北京:水利电力出版社,1987

19 流域模型法求 PMF

19.1 概述

19.1.1 模型概念

在 20 世纪 50 年代后期，随着电子计算机和系统理论应用的迅速发展，水文学中提出了流域水文模型的概念和方法。它是把流域视为一个系统，并研究流域形成径流的输入因素与径流输出因素之间的数学关系和逻辑表达式，目前已成为降雨径流计算的一种途径，正在推动水文预报和水文计算学科的发展[1]。

水文模型有多种，有确定性模型与不确定性模型——随机模型。确定性模型又分黑箱子模型与概念性模型，本书介绍的是概念性模型[2]。

概念性模型，亦称白箱子模型，它是根据水文循环概念，对水文过程进行模拟而建立的一套逻辑计算系统，用以计算流域系统的径流输出。

所谓模拟，就是将客观条件加以简化，把次要的与偶发的因素去掉，保留主要的与基本的规律部分，根据这种条件建立起有物理意义的方程式或逻辑判断，进行计算。模型是否合理，简化是否得当，应以是否能反映客观水文规律为标准[2]。

模型是由模型结构与模型参数两大部分组成。模型结构就是模型的计算步骤与方法，相当于计算机的程序，可以用框图或流程图表示。流域水文模型的结构是根据我们对水文规律的认识而构造出来的。模型参数是具体规定流域水文特性的一些特征量，相当于计算机程序中需输入的常量。参数的定量估计是流域水文模型主要组成部分之一，通常是经过不断的调试、修正而确定的。

模型参数大体可分为两大类：一类为可以通过实地测量获得，如流域面积、河长，河道坡度，雨量站权重，单元流域的面积等，这一类参数一经确定一般不再修改。另一类则随流域降雨径流特性以及下垫面条件不同而不同。不同的参数值反映不同的流域特性和雨洪特性，如土层最大蓄水容量、自由水库最大容量、蒸散发系数、入渗曲线的系数和指数以及各种水流的出流和消退系数等。这类参数在模型结构中有其明确的物理含义，原则上可以通过物理成因分析推导或计算得出[1]。

19.1.2 建立模型的步骤

建立流域水文模型，大致可以分为下列几个步骤：

第一步，以框图或流程图的形式，表达从降雨到流域出口断面发生径流过程各个环节之间的相互关系；

第二步，建立模型各部件的数学表达式或逻辑计算系统；

第三步，根据实测降雨、径流资料，初步确定模型中所包含的待定参数；

第四步，对所建模型进行检验，其中不但要对模型的计算精度、适用范围作出客观的估计和评价，而且要尽可能地对模型结构加以合理性检查和论证，经适当调整后付诸应用[1]。

19.1.3 模型的选择

从目前发展状况看，对于模型结构设计的看法，下列三点大概是比较一致的[2,3]：①模型结构要符合水文现象，参数要有明确的物理意义；②结构不太复杂，参数不宜太多，每件每个都是必不可少的；③确定模型参数的函数简单，便于实际应用与参数优选。

1974 年，世界气象组织，曾对当时有代表性的 10 个模型，用 6 个国家的 6 个流域作为模拟对象进行模型的对比检验。其主要结论有四条，前两条是[1]：

1)湿润地区简单模型与复杂模型可以得到同样好的效果。但在干旱与半干旱地区，则需要仔细选择模型。

2)一般说来，在久旱之中与久旱之后，计算土壤含水量的模型能较好地模拟河川径流。

考虑到上述目前大家比较一致的三点认识和 WMO 的对比检验结论，同时也为节省篇幅，本书着重介绍蓄满产流模型(新安江模型)和超渗产流模型(陕北模型)。当然，有条件的地区，也可采用水箱模型、API 模型等(详见文献〔1,3,4,6〕)。

19.2 蓄满产流模型

19.2.1 概述

蓄满产流模型即新安江模型。60 年代初，河海大学(原华东水利学院)赵人俊等开始研究蓄满产流模型，配合一定的汇流计算，可以用于水文预报和水文设计。1973 年，他们在对新安江水库做入库流量预报工作中，把他们的经验归纳成一个完整的降雨径流流域模型——新安江模型。该模型可用于湿润地区与半湿润地区的湿润季节。

最初的新安江模型为两水源——地表径流、地下径流；到 80 年代初，模型研制者将萨克拉门托模型与水箱模型中的用线性水库函数划分水源的概念引入新安江模型，提出了三水源新安江模型——地面径流、壤中流和地下径流；1984～1986 年，又提出了四水源新安江模型——地面径流、壤中流、快速地下径流和慢速地下径流。新安江模型愈来愈复杂，是为了提高模拟精度和提高参数的稳定性。在壤中流较多的流域，把地表径流分成地面径流和壤中流两种水源分别进行模拟，将使汇流的非线性有所改善。应用三水源新安江模型模拟地下水丰富地区日径流过程精度不够理想，月径流合格率较低，根据地下水丰富地区慢速地下水比重较大的特点，乃在新安江三水源模型中增加了慢速地下水结构，成为四水源新安江模型[4]。

考虑到 PMP/PMF 分析计算，属于水文设计，不同于真实的暴雨/洪水预报，因此没有必要把计算模型搞得过于复杂。为简化计算，我们推荐二水源新安江模型。有条件的地方，也可以用三水源模型。

19.2.2　模型结构

本模型是一个具有分散参数的概念性模型，将全流域划分成若干单元面积，对每个单元面积分别进行产汇流计算。把每个单元面积的出流过程演算到出口断面相加，得出流域总出流过程。

每单元面积的计算流程图，见图19.2.1。图中在方框内写的是状态变量，方框外写的是模型参数。

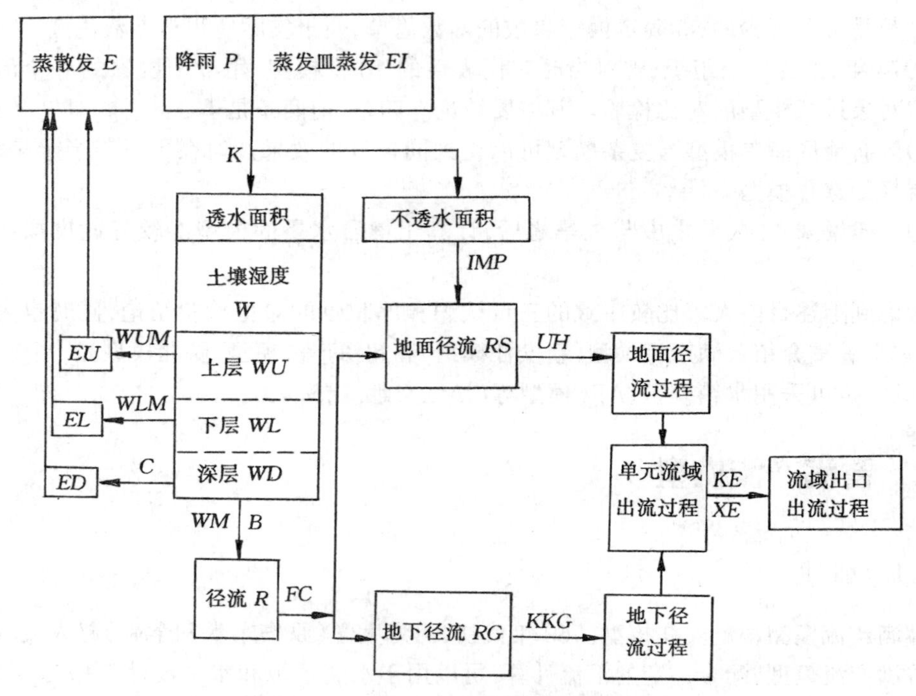

图19.2.1　二水源新安江模型流程图[2,4]

模型的输出是流域出流过程 $Q\sim t$ 和流域蒸发过程 $E\sim t$。输入则为时段雨量 P、蒸发器蒸发量 EI 和模型参数，以及全流域面积，各单元面积等流域特征。

计算程序为：①单元面积的产流量计算及直接径流与地下径流的划分；②单元面积上直接径流及地下径流汇流过程计算；③单元面积以下河槽汇流计算。

19.2.3　模型参数及其调试

19.2.3.1　模型参数

新安江二水源模型共有13个参数，可分为4类。

第1类为蒸散发参数，共有5个：

K——流域蒸散发能力与蒸发皿蒸发量之比；

WUM——流域平均上层张力水蓄水容量；

WLM——流域平均下层张力水蓄水容量；

WDM——流域平均深层张力水蓄水量（$WDM = WM - WUM - WLM$）；

C——深层蒸散发系数。

第 2 类为产流参数，共有 3 个：

WM——流域平均蓄水容量；

B——蓄水容量曲线指数；

IMP——不透水面积比重。

第 3 类为分水源参数，只 1 个：

FC——时段稳定下渗能力。

第 4 类为汇流参数，共 4 个：

KKG——地下水消退系数；

UH——无因次的地表径流单位线纵坐标；

KE——单元河段的马斯京根 *K* 值；

XE——单元河段的马斯京根 *X* 值。

模型的状态变量有：

W——流域蓄水量，$W = WU + WL + WD$；

WU——上层土壤蓄水量；

WL——下层土壤蓄水量；

WD——深层土壤蓄水量；

R——径流量，$R = RS + RG$；

RS——地面径流；

RG——地下径流；

Q——流域出口断面流量，$Q = QS + QG$；

QS——地面径流流量；

QG——地下径流流量。

19.2.3.2 部分参数初值的求法[2]

新安江二水源模型的 13 个参数中，有 5 个求法与本书第 18 章中所述的方法相同，这些参数是 *WM*（相当于 I_m），*FC*（即 f_c），*UH* 和马斯京根法的参数 *KE*、*XE*。剩下的 8 个参数其初值的求法如下：

K：系将蒸发皿观测的蒸发量 *EI* 换算为流域平均蒸散发能力 E_M 的折算系数

$$K = \frac{E_M}{EI}$$

E_M 的数量，并没有实测值，要靠间接推算。一般用试算法求得[2]。E601 蒸发器的实测值，基本上可以作为 E_M 的初始值，但必须考虑高程改正[2]。

WUM：它包括植物截留量。在植被与土壤很好的流域，约为 20mm，在植被与土壤颇差的流域一般为 5～10mm。

WLM，可取 60～90mm。

$$WDM = WM - WUM - WLM$$

IMP：如有详细地图，可以量出。但一般不可能，可找干旱期降雨小的资料来分析，

这时有一很小的洪水,完全是不透水面积上产生的。求出此洪水的径流系数,就是 *IMP*。这个参数在湿润地区不重要,可不用。

B:蓄水容量曲线〔见式(19.2.4)〕指数反映流域上蓄水容量分布不均匀性。如有降雨径流相关图(图 19.2.2),则可根据 $W=0$ 的曲线反求出蓄水容量曲线,并据此估出 *B* 值。一般经验,流域愈大,各种地质地形配置愈多样,*B* 值也愈大。在山丘区,很小面积(几平方千米)的 *B* 为 0.1 左右,中等面积(300km^2 以内)的 *B* 一般为 0.2～0.3,较大面积(数千平方千米)的 *B* 一般为 0.3～0.4,可供参考。但需注意,这里列的是一般条件下的数值,因 *B* 值与 *WM* 值有关,相互并不完全独立。同流域同蓄水容量曲线,如 *WM* 加大,*B* 就相应减小,或反之。

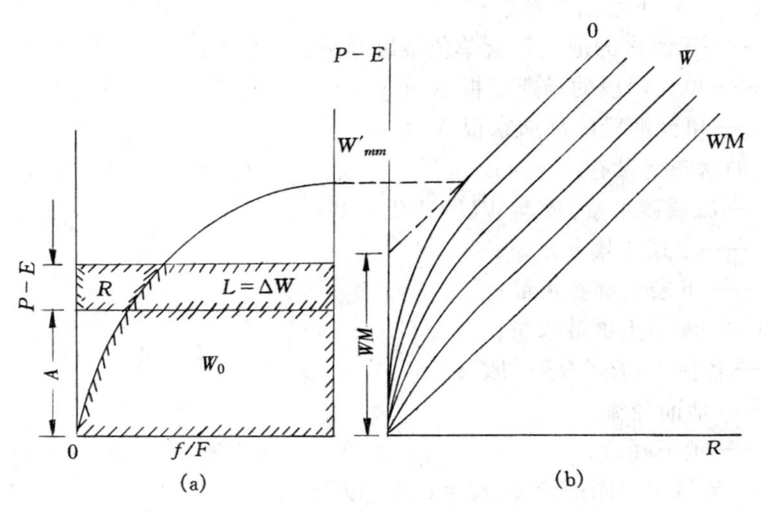

图 19.2.2　流域蓄水容量曲线与降雨径流关系[2]

(a)流域蓄水容量曲线;(b)降雨径流关系线

C:一般经验,在江南湿润地区 *C* 值一般为 0.15～0.20,而在华北半湿润地区则一般为 0.09～0.12。

KKG:求法见 19.2.4.5 节。

19.2.3.3　模型调试参数的步骤[1]

1)定出各参数的初始值,取 6 年左右连续资料,以日为时段长,进行计算。

2)比较多年总径流,这是最基本的水量平衡校核,如有误差,可修改 *K* 值。

3)比较年径流,如干旱、湿润年份有系统偏差,应调整 *WUM*、*WLM* 和 *C* 值,减少 *WUM* 将使少雨季的蒸散发减少,而对很干旱的季节则无影响,*WLM* 的作用与此相仿,加大 *C* 值将使很干旱季节的蒸散发增大,而对有雨季则没有影响。

4)比较年内干旱季与湿润季的差别,在南方,若伏旱以后的初次洪水各年中都有系统误差,则应调整 *WUM*、*WLM* 和 *C*,如在计算中发现 *W* 值在久旱后出现负值,则应加大 *WM*。只要蒸散发计算基本正确,一般流域约 80% 的年份年径流计算误差在 7% 以下。

5)比较枯季地下径流,如有系统偏差可调整 *FC*,如过程消退有系统偏快偏慢可调整

消退系数 KKG。

6)比较小洪水的产流量,如有系统偏差可调整 IMP 和 B,因为有可能只是在不透水面积上或流域部分面积上产流形成小洪水。

经过上述日模型计算成果比较检验后,产流与地下汇流参数即被认为选好,然后再选取一些大暴雨洪水实测资料,缩短计算时段进行模拟计算,以调试有关地面与河道汇流参数。因为只有按大暴雨洪水资料率定的产汇流参数,才可能更接近于 PMP 产汇流情况。

19.2.4　各个分部结构的计算方法

19.2.4.1　单元面积划分

单元面积最好按自然水系划分(划分原则见 18.3.2.2),也可按泰森多边形法分块,以一个雨量站为中心划一块。

图 19.2.3 为新安江水库(坝址为罗桐埠)以上流域单元面积的划分,$F=10\ 480\text{km}^2$,雨量站 10 个,分布大体均匀。划分只考虑降雨的均匀性,以泰森法求得雨量站的控制面积,作为单元面积(表 19.2.1),单元面积的雨量以点雨量代表。由于水库库面很大,产汇流条件与天然流域不同,故另划分[7]。

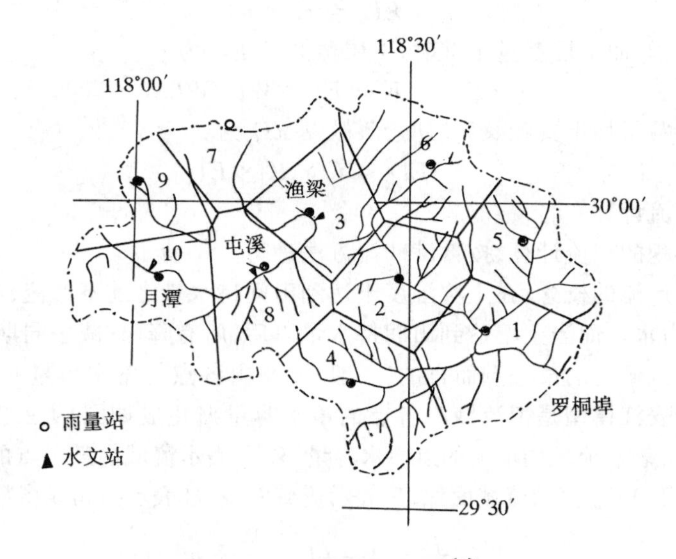

图 19.2.3　新安江流域简图[7]

表 19.2.1　各单元面积控制面积与库面面积

单元面积号	1	2	3	4	5	6	7	8	9	10	库面
面积(km^2)	755	1 050	965	1 163	1 362	995	660	1 140	640	1 270	480
权重(%)	7.6	10.5	9.6	11.6	13.6	10.0	6.6	11.4	6.4	12.7	
河槽汇流段数 n	0		1				2		3		

流域划分成单元后,每个单元面积不都具有水文资料,原则上属于无资料地区。模型采用代表性流域的方法,即在流域内或自然条件相近的附近地区找一个面积与单元面积

相近,具有实测资料的小流域,作为代表性流域,移用它的分析成果于各单元面积,作为计算的初值。

19.2.4.2　**蒸散发计算**

新安江模型中的蒸散发计算采用的是三层蒸发计算模式,它的输入是蒸发器实测水面蒸发和流域蒸散发能力的折算系数 K,模型参数是上、下、深三层的蓄水容量 WUM、WLM、WDM($WM = WUM + WLM + WDM$)和深层蒸散发系数 C。输出是上、下、深各层的流域蒸散发量 EU、EL、ED($E = EU + EL + ED$)。计算中包括三个时变参数,即各层土壤含水量 WU、WL、WD($W = WU + WL + WD$)。WM、E、W 分别表示总的土壤蓄水容量、蒸散发量和土壤含水量。

各层蒸散发的计算原则是,上层按蒸散发能力蒸发,上层含水量不够蒸发时,剩余蒸散发能力从下层蒸发,下层蒸发与剩余蒸散发量能力及下层含水量成正比,与下层蓄水容量成反比。要求计算的下层蒸发量与剩余蒸散发能力之比不小于深层蒸散发系数 C,否则,不足部分由下层含水量补给,当下层水量不够补给时,用深层含水量补[8]。所用公式如下[3,8]:

当上层张力水蓄量足够时,上层蒸散发 EU 为

$$EU = K \times EI \tag{19.2.1}$$

当上层已干,而下层蓄量足够时,下层蒸散发 EL 为

$$EL = K \times EI \times WL / WLM \tag{19.2.2}$$

当上下层蓄量均干要触及深层时,蒸散发 ED 为

$$ED = C \times K \times EI \tag{19.2.3}$$

19.2.4.3　**产流计算**

各单元面积的产流计算,按蓄满产流方法进行。

按照蓄满产流的概念,在土壤湿度未达到田间持水量之前不产流,所有降雨都被土壤吸收,成为张力水。而当土壤达到田间持水量以后,所有降雨(减去同期蒸发)全部产流。

以上是对流域上的某一点而言的,一般,流域内各点的蓄水容量并不相同,即土湿分布不均匀。新安江模型是把流域内各点的蓄水容量概化成如图19.2.2(a)所示的一条抛物线。用 W'_{mm} 表示流域内最大的点蓄水容量,W'_m 表示流域内某一点的蓄水容量,f 表示蓄水能力不大于 W'_m 值的流域面积,F 表示流域面积,B 表示抛物线指数,则其表达式为

$$\frac{f}{F} = 1 - (1 - \frac{W'_m}{W'_{mm}})^B \tag{19.2.4}$$

流域平均蓄水容量为

$$WM = \int_0^{W'_{mm}} (1 - \frac{f}{F}) \mathrm{d}W'_m = \frac{W'_{mm}}{1 + B} \tag{19.2.5}$$

显然,

$$W'_{mm} = WM(1 + B) \tag{19.2.6}$$

与流域初始平均蓄水量(W_0)相应的纵坐标(A)为

$$A = W'_{mm}[1 - (1 - \frac{W_0}{WM})^{\frac{1}{(1+B)}}] \tag{19.2.7}$$

当考虑不透水面积占全流域面积之比的参数 IMP 时,式(19.2.6)需改为

$$W'_{mm} = WM \times (1 + B)/(1 - IMP) \quad (19.2.8)$$

新安江模型的产流计算,是先按时段蒸发皿蒸发量 EI 求流域蒸散发能力 $EM = K \cdot EI$,再求有效降雨 $PE = P - EM$,按 PE 是否大于零,分别不同情况计算产流。

显然,当 $PE > 0$ 时,则产流;否则不产流。产流时,当 $PE + A < W'_{mm}$ 时

$$R = PE - WM + W_0 + WM\left(1 - \frac{PE + A}{W'_{mm}}\right)^{1+B} \quad (19.2.9)$$

当 $PE + A \geqslant W'_{mm}$ 时

$$R = PE - (WM - W_0) \quad (19.2.10)$$

19.2.4.4 分水源计算

以上求得的产流量是总产流量,包括地面径流和地下径流,需要将其分割开来。按照蓄满产流概念,当 $PE \leqslant FC$ 时

$$RS = 0, RG = R \quad (19.2.11)$$

当 $PE > FC$ 时

$$\left.\begin{aligned} RG &= FC \cdot (f/F) = FC \cdot (R/PE) \\ RS &= (PE - FC) \cdot (f/F) = R - FC \cdot (f/F) = R - RG \end{aligned}\right\} \quad (19.2.12)$$

当考虑 IMP 时,式(19.2.10)需改为[2]

$$\left.\begin{aligned} RG &= FC \cdot (R - IMP \cdot PE)/PE \\ RS &= R - RG \end{aligned}\right\} \quad (19.2.13)$$

19.2.4.5 汇流计算

(1)坡地汇流

1)地面径流汇流。采用经验单位线并假定每个单元面积上的无因次单位线都相同[2],这样,模型结构比较简单。要使各个单元面积的无因次单位线相同,首先要求地形条件一致,其次要求流域面积相近。因此,在划分单元面积时,应尽可能使各块面积相差不要太大。

2)地下径流汇流。单元面积上地下径流汇流计算采用线性水库模型,所用公式为[4]

$$QRG_2 = QRG_1 \cdot KKG^{1/D} + RG_2(1 - KKG^{1/D}) \cdot \frac{F}{3.6\Delta t} \quad (19.2.14)$$

式中 QRG_2、QRG_1 为 Δt 时段初、末的地下径流流量,m^3/s;KKG 为地下径流日消退系数;Δt 为计算时段长度,h;F 为单元流域面积,km^2;D 为 1 日内的时段数,$D = 24/\Delta t$;RG 为时段内的地下径流产流量,mm。

地下径流消退系数 KKG 与时段 Δt 长短有关(一般在调试参数时取 $\Delta t = 1d$),它可取无雨期实测退水流量过程线的拐点 a(图 19.2.4)以后部分作相邻时段流量相关图(图 19.2.5)来求得。该关系线一般为直线,其坡度即为 KKG,对各次洪水来说,基本上为一常数。

(2)河网汇流

河网汇流采用马斯京根法。

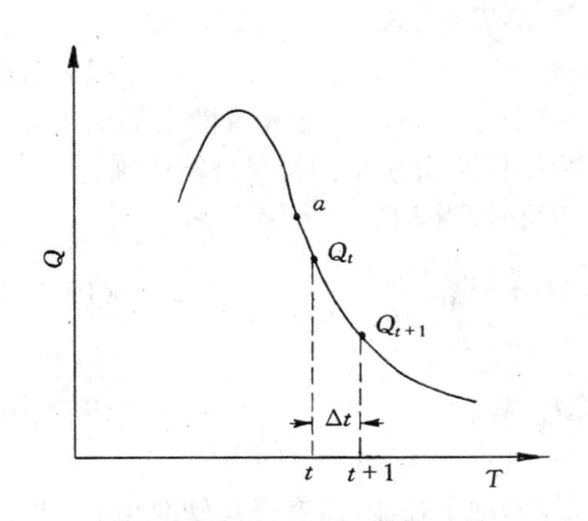

图 19.2.4　退水曲线示意图

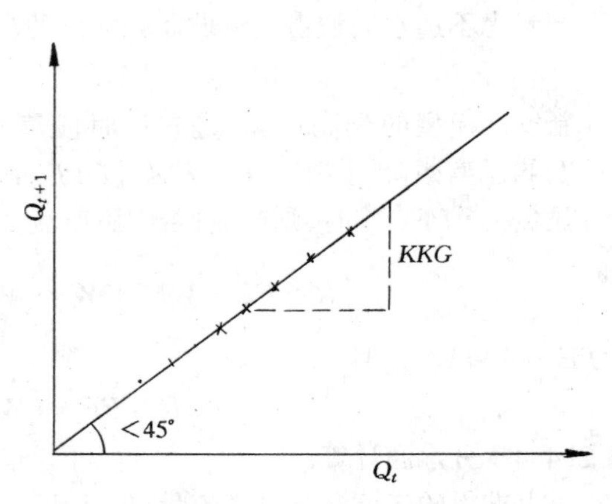

图 19.2.5　相邻时段流量相关示意图

19.2.5　算例

19.2.5.1　流域和资料概况

L 工程集水面积 3 500km²,坝址至河源长 170km。流域地处湿润地区,产流方式以蓄满产流为主。流域示意图见图 19.2.6。

19.2.5.2　单元面积的划分

考虑流域降雨的不均匀性,全流域分单元块计算产汇流,各块面积大致相等。工程以上共分为 10 块,每块一般为 300～400km²,分块图和每单元面积见图19.2.6及表19.2.2。

表 19.2.2　　单元面积表

单　元	1	2	3	4	5	6	7	8	9	10
面积(km²)	425	351	318	325	364	246	279	321	369	502
权　重	0.121	0.091	0.091	0.093	0.104	0.070	0.080	0.092	0.105	0.143
汇流段数	4	3	3	2	1	2	1	1	0	0

19.2.5.3　产流计算

采用蓄满产流模型计算,模型流程图见图 19.2.1。模型参数根据前面介绍的方法进行率定,其中:上层张力水容量 $WUM=15$mm;下层张力水容量 $WLM=85$mm;深层张力水容量 $WDM=100$mm;蒸发能力折减系数 $K=0.93$;深层蒸散发系数 $C=0.155$;张力水蓄水容量曲线指数 $B=0.25$;不透水面积比例 $IMP=0.02$;地下水日消退系数 $KKG=0.985$。

该流域 24 小时 PMP 为 298mm,72 小时 PMP 为 457mm,各单元面积的时程分配如表19.2.3。流域前期土壤含水量上层张力水 $WU=0$,下层张力水 $WL=25$mm,深层张力水 $WD=90$mm,流域总缺水量 85mm,稳定入渗率 $FC=1.0$mm/h。

19.2.5.4　汇流计算

1)坡地汇流。地面径流汇流,采用该流域某单元面积分析的经验单位线进行计算。为了简化,各单元都用同一单位线,无因次单位线见表 19.2.4。

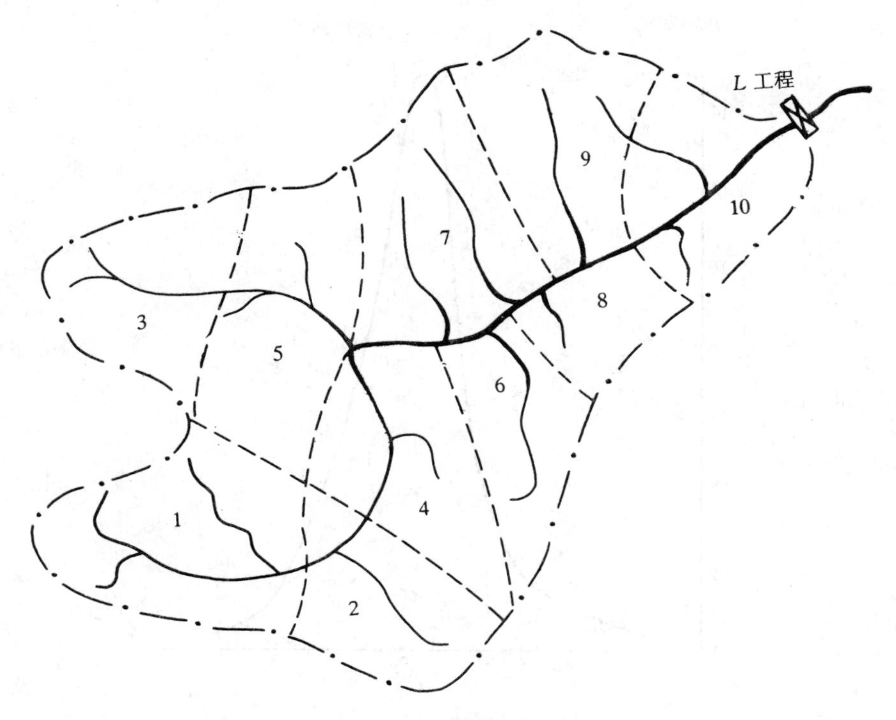

图 19.2.6　L 工程流域示意图

表 19.2.3　L 工程 PMP 流域平均时程分配表

时程(h)		6	12	18	24	30	36	42	48	54	60	66	72
雨　量 (mm)	时　段	8	12	18	24	33	39	72	131	56	30	23	11
	累　计	8	20	38	62	95	134	206	337	393	423	446	457

表 19.2.4　无因次坡地单位线($\Delta t=2$h)

时段序	1	2	3	4	5	6	7
单位线	0.004	0.036	0.132	0.326	0.163	0.102	0.071
时段序	8	9	10	11	12	13	14
单位线	0.051	0.040	0.030	0.021	0.014	0.008	0.002

地下径流汇流,按式(19.2.11)计算。

2)河网汇流。采用分段马斯京根连续演算,从单元面积出口演算至流域出口。然后线性叠加,得出口断面的过程线。经分析,该河段演进系数 $x=0.48$,$\Delta t=K=2$ 小时。

19.2.5.5　计算成果

上述河网汇流计算的结果即为 L 工程 PMF 的流量过程线(图 19.2.7)。最后得到 PMF 的洪峰流量为 14 900m^3/s,最大 24 小时洪量为 9.43 亿 m^3,最大 72 小时洪量为 13.35亿 m^3。

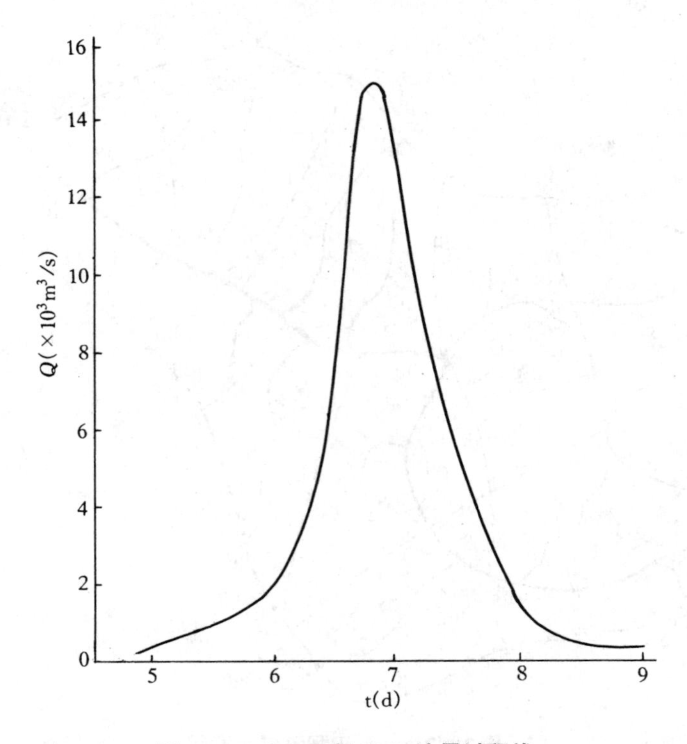

图 19.2.7　L 工程 PMF 流量过程线

19.2.5.6　**成果合理性检查**

（略）

19.3　超渗产流模型

19.3.1　概述

超渗产流模型本书以陕北模型为代表，它由华东水利学院于 1977 年正式提出，适用于黄河流域陕北黄土高原的产流模型。黄土高原是半干旱的荒瘠地区，产流以超渗为主，超渗坡面流几乎是惟一的径流来源，没有水源划分问题，故产流模型的下渗公式可采用霍顿型或菲利浦型。汇流模型，可以自行配置[3]。对陕北三个小流域的分析说明，霍顿公式基本符合本地区的情况。因此，“实际上，陕北模型就是霍顿公式的直接应用”[2]。

19.3.2　模型结构

在陕北模型中，对产流起主导作用的是降雨强度，当雨强小于地面下渗能力（充分供水时的下渗率）时，所有降雨被土壤吸收，不产流；而当雨强大于地面下渗能力时，吸收率只等于下渗能力，其余部分产流，即当 $i \leqslant f, R = 0$

$$i > f, R = R_s = i - f \tag{19.3.1}$$

式中 i 为雨强，f 为地面下渗能力，R 为产流率，R_s 为地面径流率。

要解式(19.3.1)，关键在于定 f 值[2]。其值按霍顿公式计算，其式如下：

$$f = f_c + (f_o - f_c)e^{-\beta t} \tag{19.3.2}$$

式中 f_o 为最大下渗率，相当于土壤干燥时的下渗率，mm/h；f_c 为稳定下渗率，mm/h；β 为反映土壤下渗特性的指数。

由于干旱地区降雨的主要特点是时空分布不均匀，故超渗产流模型也是采用划分单元面积的办法分别进行产汇流计算。求出各单元面积的出流过程线，然后再演算到流域出口相加，即得出总的出流过程线。

根据中国的实践经验，干旱半干旱地区的流域汇流计算以瞬时单位线较好[6]。河道汇流仍采用马斯京根法。

超渗产流模型每个单元面积计算的流程图如图 19.3.1 所示。

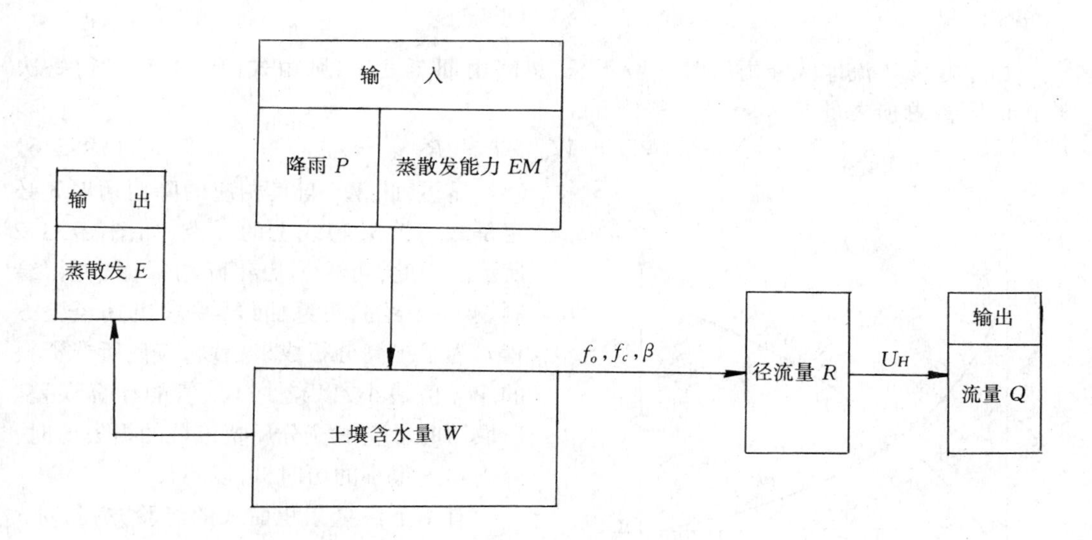

图 19.3.1 超渗产流模型流程图

19.3.3 各个分部结构的计算方法

19.3.3.1 下渗曲线的确定与应用

(1)下渗曲线的确定

霍顿下渗曲线公式(19.3.2)中有三个参数：f_o、f_c 和 β。但该式只是单点的下渗曲线，它是反映特定土壤条件下充分供水的下渗过程，并与土壤初始含水量 W_0 有关。而设计所要求的是流域下渗曲线。在实际流域中，土壤类型可能各处不同，而且含水量也是分布不均的，因此在同一时刻，各点的下渗能力也是不同的，存在特定的不均匀的空间分布，这种不均匀的空间分布又随时间而变。某个流域的下渗曲线实际上是极其复杂的，要求得流域下渗曲线相当困难，这里存在着复杂的点面关系问题。为了解决实际应用方面的问题，一般根据实测降雨径流资料，分析求得近似的流域下渗曲线。分析方法可用下渗损失累积曲线法。其理如下[1]：

将霍顿公式(19.3.2)从0→t积分，则

$$W_t = f_c t + \frac{1}{\beta}(f_o - f_c) - \frac{1}{\beta}(f_o - f_c)e^{-\beta t} \tag{19.3.3}$$

式中 W_t 为0→t 时段内的下渗总损失量，mm。

令$\frac{1}{\beta}(f_o - f_c) = a$，$f_c = b$，则

$$W_t = a + bt - ae^{-\beta t} \tag{19.3.4}$$

在超渗产流情况下，一次降雨的水量平衡方程为

$$P - E - R = W - W_0 \tag{19.3.5}$$

式中 W 为雨末包气带蓄水量，它并未达田间持水量，是一个变数；W_0 为降雨开始时的土壤含水量(即初始含水量)；$(W - W_0)$为一次降雨的实际下渗量，它决定于实际下渗过程[7]。

由于超渗产流地区降雨历时一般不长，忽略雨期蒸发 E，则由式(19.3.5)可得每次降雨的下渗总损失量

$$W_t = W_0 + P - R \tag{19.3.6}$$

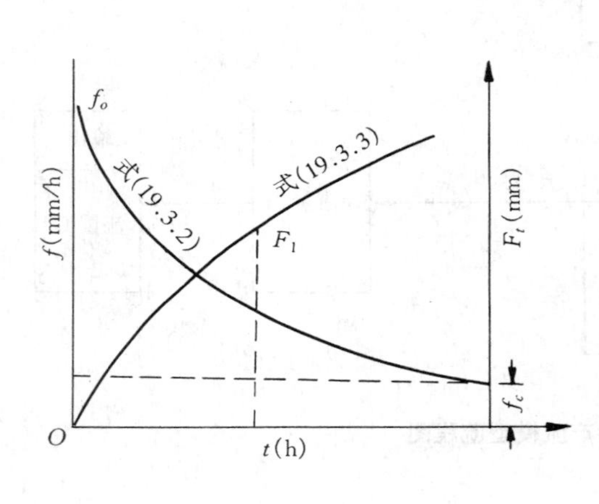

图 19.3.2　下渗曲线及下渗累积曲线示意图

显然，此 W_t 与其相应的降雨历时 t 必定是式(19.3.4)线上的一点，如图 19.3.2 所示。因此，可根据历年降雨径流资料，绘制 $W_t \sim t$ 经验关系曲线，并求出其经验方程。为了提高分析成果精度，应使所选资料的 W_0 值最小，以减少 W_t 值的计算误差。所取历时 t 应能充分反映流域的损失历时，降雨强度很小的历时，可以不计[1]。

有了下渗量累积曲线的经验方程，对 t 进行微分，即得下渗曲线。

具体求法见以下的算例。

〔算例〕 霍顿下渗曲线的推求

已知大凌河上窝堡站实测降雨径流资料如表 19.3.1 的(1)～(5)栏。现欲据此求其霍顿下渗曲线。

第一步，先求下渗量累积曲线

1)按式(19.3.6)计算 W_t 如表 19.3.1 的第(6)栏。

2)按最小二乘法原理推求下渗量累积曲线式(19.3.4)中的参数 a，b，β。

将式(19.3.4)写成

$$\begin{aligned} W_t &= a(1 - e^{-\beta t}) + bt \\ &= a \cdot G + bt \end{aligned} \tag{19.3.7}$$

式中 $G = 1 - e^{-\beta t}$

表 19.3.1　上窝堡站降雨径流资料表[1]

时　间（年·月·日）	P（mm）	R（mm）	W_0（mm）	t（h）	$W_t = P + W_0 - R$（mm）
(1)	(2)	(3)	(4)	(5)	(6)
1956.7.25	27.8	10.0	19.7	5	37.5
1956.8.4	111.0	40.0	5.0	15	76.0
1957	23.4	2.7	10.0	3	30.7
1959.6.1	23.4	2.5	9.5	3	30.4
1959.6.4	86.6	17.8	10.9	21	79.7
1959.7.3	11.8	1.4	14.6	3	25.0
1959.8.5	14.4	1.4	12.9	3	25.9
1959.8.7	45.4	5.8	9.2	12	48.8
1959.8.8	48.8	11.5	24.2	12	61.5
1960.9.3	23.6	1.2	11.0	4	33.4
1961.7.1	41.6	3.3	16.0	8	54.3
1961.7.2	35.0	0.5	19.0	9	53.5
1962.7.2	68.5	2.6	8.1	15	74.0
1962.7.25	184.0	68.2	26.9	45	142.7

欲求式(19.3.7)中的 a, b，按最小二乘法原理，要取

$$\varepsilon = \sum_{i=1}^{n}[W_i - (aG_i + bt_i)]^2 = \text{最小}$$

为此，可取

$$\frac{\partial\varepsilon}{\partial a} = 0,\text{得}\sum(W_i - aG_i - bt_i)G_i = 0$$

$$\frac{\partial\varepsilon}{\partial b} = 0,\text{得}\sum(W_i - aG_i - bt_i)t_i = 0$$

亦即

$$a\sum G_i^2 + b\sum G_it_i = \sum W_iG_i \tag{19.3.8}$$

$$a\sum G_it_i + b\sum t_i^2 = \sum W_it_i \tag{19.3.9}$$

联解式(19.3.8)和式(19.3.9)即可求得 a, b。

现将式(19.3.8)和式(19.3.9)中所需的各项列表计算如表 19.3.2。

由于参数 G 中包含有 β，故 β 需按试算法确定。

将表 19.3.2 中的有关项分别代入式(19.3.8)和式(19.3.9)，则得

$$9.273a + 145.39b = 675.0$$

$$145.39a + 3\,426b = 13\,241.8$$

联解以上二式，得

$$a = 36.41, \qquad b = 2.32$$

将 a, b 代入式(19.3.4)则得下渗量累积曲线

表 19.3.2　　上窝堡站入渗量累积曲线计算表（$G=1-e^{-\beta t},\beta=0.25$）

t (h)	W (mm)	G	G^2	GT	t^2	WG	Wt
5	37.5	0.713	0.509	3.567	25	26.756	187.5
15	76.0	0.976	0.954	14.647	225	74.213	1 140
3	30.7	0.528	0.278	1.583	9	16.198	92.1
3	30.4	0.528	0.278	1.583	9	16.040	91.2
21	79.7	0.995	0.990	20.890	441	79.282	1 673.7
3	25.0	0.528	0.278	1.583	9	13.191	75
3	25.9	0.528	0.278	1.583	9	13.666	77.7
12	48.8	0.950	0.903	11.403	144	46.370	585.6
12	61.5	0.950	0.903	11.403	144	58.438	738
4	33.4	0.632	0.400	2.528	16	21.113	133.6
8	54.3	0.865	0.748	6.917	64	46.951	434.4
9	53.5	0.895	0.800	8.051	81	47.861	481.5
15	74.0	0.976	0.954	14.647	225	72.260	1 110
45	142.7	1.000	1.000	44.999	2 025	142.698	6 421.5
合　计			9.273	145.39	3 426	675.0	13 241.9

$$W_t = 36.41 + 2.32t - 36.41e^{-0.25t} \tag{19.3.10}$$

第二步，求下渗曲线

将式（19.3.10）对 t 微分，即得下渗曲线

$$f = 2.32 + 9.10e^{-0.25t} \tag{19.3.11}$$

将式（19.3.11）与式（19.3.2）对照，得 $f_0=11.42\text{mm/h}, f_c=2.32\text{mm/h}, \beta=0.25$。

（2）下渗曲线的应用

已知下渗曲线 $f(t)$，把降雨强度减去下渗能力就得到净雨过程 $R=f(t)$。

由于下渗能力 f 与土壤含水量 W 有关，故需要找出 f 与 W 的函数关系，才便于实际应用。为此可联解式（19.3.2）和式（19.3.3）消去 t，得出 $f \sim W$ 关系为

$$f = f_c + (f_0 - f_c)e^{(f_0-\beta W-f)/f_c} \tag{19.3.12}$$

上式为包含未知数 f 的隐式方程，故求解时需用迭代法计算[5]。

对于大凌河上窝堡站这个例子来说，将 f_c、f_0 和 β 代入式（19.3.12）得

$$f = 2.32 + 9.10e^{(4.922+0.108W-0.431f)} \tag{19.3.13}$$

（3）产流计算

为得出净雨过程，产流需按时段计算。

当有效降雨 $PE \leqslant f$ 时

$$R = 0, W_{t+1} = W_t + P \tag{19.3.14}$$

当 $PE > f$ 时，

$$R = P - f, W_{t+1} = W_t + f \tag{19.3.15}$$

其计算步骤如下：

1）根据时段降雨（P）和时段流域蒸散发能力（EM），计算有效降雨（PE），$PE=P-EM$。对于 PMP 来说，EM 一般可不予考虑。

2)用时段初土壤含水量 W_t 代入式(19.3.12)算出 f_t。

式(19.3.12)需用迭代计算法求解,迭代过程是,以 $T=W_t/f_0$ 作为 t 的第一次近似值,即可由式(19.3.3)得出土壤含水量(W_t)的第一近似值 ST,如果 $|ST-W_t|>$ 允许误差(DW),则由公式(19.3.2)计算 f 的第一个近似值 U,然后改变 T 的初始值,令 $T=T+(W_t-ST)/U$,再从头算起,经这样多次迭代,直到 $|ST-W_t|\leqslant DW$,即可求得所需的 f 值[8]。

3)将 f_t 与 PE 对照:当 $PE\leqslant f_t$ 时,$R=0$,用式(19.3.14)计算时段末土壤含水量 W_{t+1}。

4)当 $PE>f_t$ 时,用式(19.3.15)计算时段产流量 R 和时段末土壤含水量 W_{t+1}。

5)重复上述步骤,进行下时段计算,即可得出全部时段净雨过程。

19.3.3.2　瞬时单位线的推求

(1)基本概念与公式

若净雨历时无限小($\Delta t\rightarrow 0$),则相应的单位线 UH 称为瞬时单位线,记为 IUH。

1957 年,纳希(J.E.Nash)提出把流域对净雨的调节作用,视为等效于 n 个相同的串联"线性水库"(图 19.3.3)的调节作用。一个单位的瞬时入流通过 n 个水库演进,即可导出 IUH 的基本公式[1]:

$$u(o,t)=\frac{1}{K\Gamma(n)}\left(\frac{t}{K}\right)^{n-1}\mathrm{e}^{-t/K} \tag{19.3.16}$$

式中 Γ 为伽玛函数;n 为线性水库个数;K 为有关流域汇流时间的参数,亦可称为每个水库的滞时。

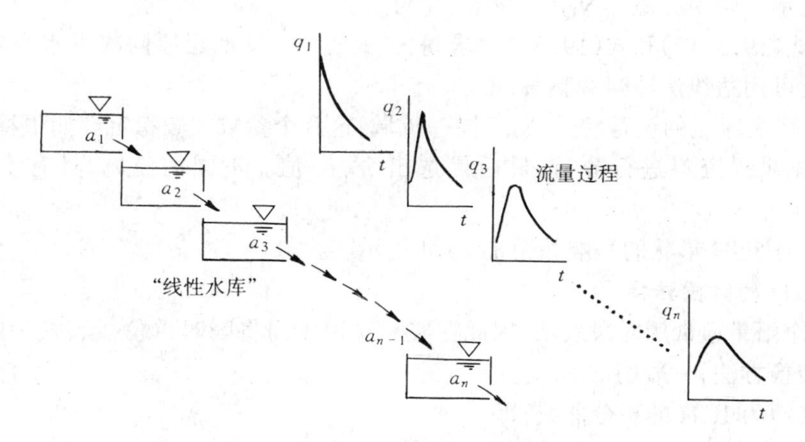

图 19.3.3　J·E·纳希模型示意图[1]

式(19.3.16)亦称纳希模型,是主要的瞬时单位线公式。

(2)参数 n、K 的确定

一场暴雨产生的洪水过程,是各个瞬时净雨量乘以瞬时单位线所得的单位洪水过程叠加而成。那么,净雨过程 $I(t)$、瞬时单位线 $u(t)$和出流过程 $Q(t)$三者之间必然存在一定的关系。纳希提出了以面积矩表达这三种过程的特征和三者的相互关系,以及根据IUH形状特征的面积矩与 n、K 的关系,推求参数 n、K 的方法。由于有两个参数,故只须求至二阶矩。

经过数学推导(详见文献〔1〕),得到 n、K 的计算公式如下:

$$n = \frac{[M_Q^{(1)} - M_I^{(1)}]^2}{N_Q^{(2)} - N_I^{(2)}} \tag{19.3.17}$$

$$K = \frac{N_Q^{(2)} - N_I^{(2)}}{M_Q^{(1)} - M_I^{(1)}} \tag{19.3.18}$$

式中: 净雨一阶原点矩 $M_I^{(1)} = \frac{\sum_{i=1}^{n}\overline{I}_i(\tau)m_i}{\sum_{i=1}^{n}\overline{I}_i(\tau)} \cdot \frac{\Delta t}{2}$ (19.3.19)

净雨二阶原点矩 $M_I^{(2)} = \frac{\sum_{i=1}^{n}\overline{I}_i(\tau)m_i^2}{\sum_{i=1}^{n}\overline{I}_i(\tau)} \cdot (\frac{\Delta t}{2})^2$ (19.3.20)

流量一阶原点矩 $M_Q^{(1)} = \frac{\sum_{i=1}^{n}\overline{Q}_i(t)m_i}{\sum_{i=1}^{n}\overline{Q}_i(t)} \cdot \frac{\Delta t}{2}$ (19.3.21)

流量二阶原点矩 $M_Q^{(2)} = \frac{\sum_{i=1}^{n}\overline{Q}_i(t)m_i^2}{\sum_{i=1}^{n}\overline{Q}_i(t)} \cdot (\frac{\Delta t}{2})^2$ (19.3.22)

净雨二阶中心矩 $N_I^{(2)} = M_I^{(2)} - [M_I^{(1)}]^2$ (19.3.23)

流量二阶中心矩 $N_Q^{(2)} = M_Q^{(2)} - [M_Q^{(1)}]^2$ (19.3.24)

利用式(19.3.17)和式(19.3.18)求得 n、K 后,当发现还原同次洪水与实测洪水不相符时,则可用适线法适当调整 n、K。

n、K 代表流域的调蓄特性,对于同一流域,这两个参数比较稳定。如不稳定时,可取若干次暴雨洪水资料进行分析,最后优选出 n、K 值。不同的流域,具有不同的 n、K 值[9]。

n、K 对IUH形状的影响如图19.3.4所示。

(3)IUH的时段转换

由于净雨量通常用时段表示,因此在实际应用中需将瞬时单位线转换为时段单位线(UH)。转换方法,一般用 S 曲线。

设 $S(t)$ 为IUH的积分曲线,即

$$S(t) = \int_0^t u(0,t)\mathrm{d}t$$

则时段单位线定义为

$$u(\Delta t, t) = \frac{1}{\Delta t}[S(t) - S(t - \Delta t)]$$

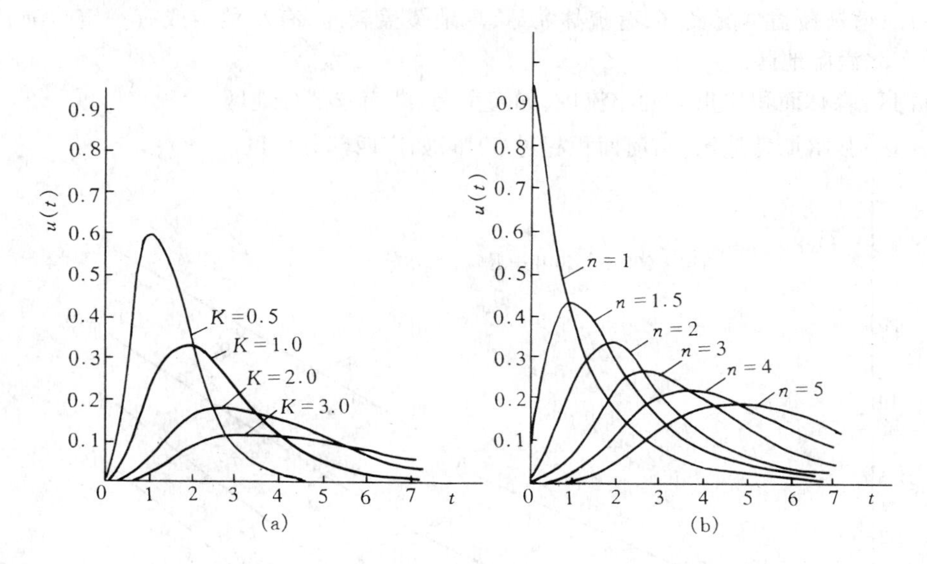

图 19.3.4 参数 n、K 对瞬时单位线的影响[9]

当 n 为正整数时,经推导有[6]

$$S(t)=1-\mathrm{e}^{-m}\sum_{i=0}^{n-1}\frac{m^{\lambda}}{\lambda!},(t<\Delta t) \tag{19.3.25}$$

$$u(\Delta t,t)=\mathrm{e}^{-M}\sum_{i=0}^{n-1}\frac{m^{\lambda}}{\lambda!}-\mathrm{e}^{-m}\sum_{i=0}^{n-1}\frac{m^{\lambda}}{\lambda!},(t\geqslant\Delta t) \tag{19.3.26}$$

式中,$m=t/K, M=m-m_k, m_k=\Delta t/K, \lambda=n-i$。

为方便应用,$S(t)$曲线有专用表可查,详见附表 5。

(4)IUH 的地区综合

IUH 的地区综合,就是对参数 n、K 进行地区综合。综合的目的是便于将 IUH 应用于短缺水文资料的地区。其显著优点是只要通过自然地理特征得到了参数,就解决了整个单位线的问题。

可以证明,纳希模型式(19.3.16)的一阶原点矩 $m_1=nK$。实践证明,n 值相对稳定。因此,一般选对 m 进行地区综合,并用比较简单的方法确定 n 值,从而定出 K 值。

根据中国的经验,对 m_1 的综合,可以用 m_1 与流域的地理因子(如面积 F,干流比降 J,干流河 长 L 等)建立关系。

大洪水时的参数 m_1 相对稳定,为此,中国按全国 150 场 50 年一遇以上大洪水相应的参数 m_1 与 $\theta=L/J^{1/3}$建立相关图(图 19.3.5),供设计条件下选择参数时参考。

图中下垫面条件被划为五种类区:

Ⅰ区:干旱、半干旱土石山区,黄土地区,这些地区多荒坡、旱作物且植被覆盖情况很差,如西北广大地区。

Ⅱ区:植被长势较差,杂草不茂盛,有稀疏树木,如河南西部山丘及南方水土保持条件相对较差的地区。

Ⅲ区:植被覆盖情况良好,有疏林灌丛,草地覆盖较厚,有水稻田或有一定喀斯特,如南方及东北润湿地区。

Ⅳ_1 区:森林面积比重大的小流域,如海南岛、湖南省部分地区。

Ⅳ_2 区:强喀斯特地区,暗河面积超过50%,如广西部分地区。

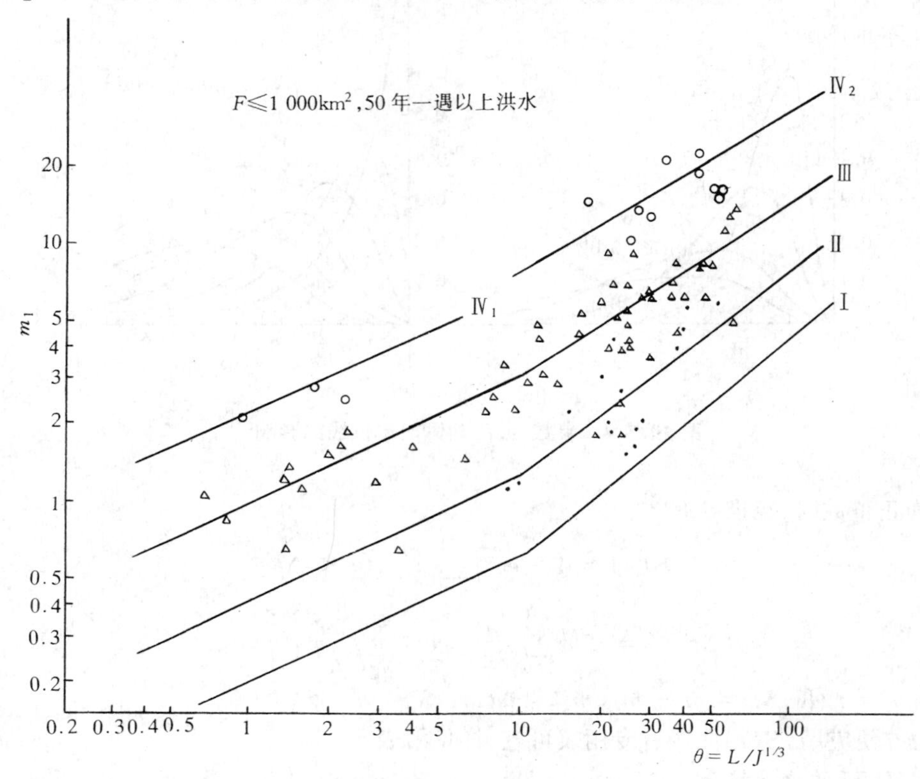

图 19.3.5 大洪水时瞬时单位线滞时 m_1~θ 关系[6]

关于参数 n,由于它比较稳定,故综合方法比较简单。例如,江苏省山丘区给定 n 为3,黑龙江省 $n=0.2m_1^{0.74}$,浙江省建立了 n 值随流域面积变化的关系如表 19.3.3 所示[6]。

表 19.3.3 浙江省 n~F 关系表

流域面积 (km²)	50~200	200~500	500~1 000	>1 000
n	1.5~2.0	2.0~3.0	3.0~4.0	4.0

显然,求得了 m_1 和 n 值,则 $K=m_1/n$。

当然,也可对 n、K 分别求出综合关系,例如[1]:

$$n = 0.795\ F^{0.200}\ J^{-0.135}$$

$$K = 12.74\ F^{0.089}\ J^{-0.523}$$

(5)IUH的计算实例[1]

以某站1959年一次洪水为例,说明推求瞬时单位线的方法步骤。

1)求入流量、出流量的矩值。已知净雨量过程 $I(\tau)$和出流量过程 $Q(t)$(应先分割基流),求矩值,见表 19.3.4、表19.3.5。

表 19.3.4 某站一次洪水净雨量原点矩计算表

时间 t (年·月·日)	起止时间 (h)	$\overline{I}_i$ (mm)	m_i	$\overline{I}_i m_i$ (mm)	$\overline{I}_i m_i^2$ (mm)
(1)	(2)	(3)	(4)	(5)	(6)
1959.7.9	2~8	30.0	1	30.0	30.0
1959.7.9	8~14	10.8	3	32.4	97.2
合计		40.8		62.4	127.2

表 19.3.5 某站一次洪水出流量原点矩计算表

时间 t (年·月·日)	实测出流量 Q (m^3/s)	基流 Q_b (m^3/s)	地面径流量 Q_1 (m^3/s)	Q_i (m^3/s)	m_i	$Q_i m_i$ (m^3/s)	$Q_i m_i^2$ (m^3/s)
(1)	(2)	(3)	(4)	(5)	(6)	(7)	(8)
1959.7.9.2	100	100	0	204	1	204	204
1959.7.9.8	516	109	407	648	3	1 944	5 832
1959.7.9.14	1 000	112	888	936	5	4 680	23 400
1959.7.9.20	1 100	115	985	846	7	5 922	41 454
1959.7.10.2	827	120	707	510	9	4 590	41 310
1959.7.10.8	436	122	314	234	11	2 574	28 314
1959.7.10.14	280	125	155	110	13	1 430	18 590
1959.7.10.20	190	126	64	51	15	765	11 475
1959.7.11.2	165	127	38	19	17	323	5 491
1959.7.11.8	128	128	0				
合计				3 558		22 432	176 070

注 表中 Q_i 与公式 $Q_i(t)$意义相同。

由式(19.3.19)得

$$M_I^{(1)} = \frac{\sum_{i=1}^{n} \overline{I}_i(\tau) m_i}{\sum_{i=1}^{n} \overline{I}_i(\tau)} \cdot \frac{\Delta t}{2} = \frac{62.4}{40.8} \times \frac{6}{2} = 4.59(\mathrm{h})$$

由式(19.3.20)得

$$M_I^{(2)} = \frac{\sum_{i=1}^{n} \overline{I}_i(\tau) m_i^2}{\sum_{i=1}^{n} \overline{I}_i(\tau)} \cdot (\frac{\Delta t}{2})^2 = \frac{127.2}{40.8} \times (\frac{6}{2})^2 = 28.06(\mathrm{h}^2)$$

由式(19.3.21)得

$$M_Q^{(1)} = \frac{\sum_{i=1}^{n} \overline{Q}_i(t) m_i}{\sum_{i=1}^{n} \overline{Q}_i(t)} \cdot (\frac{\Delta t}{2}) = \frac{22\ 432}{3\ 558} \times \frac{6}{2} = 18.9(\mathrm{h})$$

由式(19.3.22)得

$$M_Q^{(2)} = \frac{\sum_{i=1}^{n} \overline{Q}_i(t) m_i^2}{\sum_{i=1}^{n} \overline{Q}_i(t)} \cdot (\frac{\Delta t}{2})^2 = \frac{176\ 070}{3\ 558} \times (\frac{6}{2})^2 = 445.32(\mathrm{h}^2)$$

再由式(19.3.23)及式(19.3.24)求净雨量(入流量)。出流量的二阶中心矩值为

$$N_I^{(2)} = M_I^{(2)} - [M_I^{(1)}]^2 = 28.06 - (4.59)^2 \approx 7.05(\mathrm{h}^2)$$

$$N_Q^{(2)} = M_Q^{(2)} - [M_Q^{(1)}]^2 = 45.32 - (18.9)^2 \approx 88.1(\mathrm{h}^2)$$

2)求参数 n、K 值。由式(19.3.17)得

$$n = \frac{[M_Q^{(1)} - M_I^{(1)}]^2}{N_Q^{(2)} - N_I^{(2)}} = \frac{(18.9 - 4.59)^2}{88.1 - 7.0} = 2.52$$

由式(19.3.18)得

$$K = \frac{N_Q^{(2)} - N_I^{(2)}}{M_Q^{(1)} - M_I^{(1)}} = \frac{88.1 - 7.0}{18.9 - 4.59} = 5.67(\mathrm{h})$$

3)求瞬时单位线及时段单位线。用 $n=2.5$ 和 $K=5.7$ 查附表 3 求 $S(t)$,并转化为 6 小时单位线 $u(\Delta t,t)$,具体计算见表 19.3.6。

表 19.3.6 计算步骤如下:①用 $K=5.7$ 除第(2)栏相应的 t 值,得第(3)栏。②用 $n=2.5$ 及第(3)栏的 t/K 值在附表 5 中查相应的 $S(t)$值得第(4)栏,因表 t/K 只有一位小数,故需进行内插。③将第(4)栏错后一个时段得第(5)栏。④第(6)栏为第(4)栏与第(5)栏同时间的差值,即时段为 6 小时的单位线。

表 19.3.6 用 $S(t)$ 曲线转化时段单位线计算表

N	(1)	0	1	2	3	4	5	6	7	8	9	10	11	12
t(h)	(2)	0	6	12	18	24	30	36	42	48	54	60	66	72
t/K	(3)	0	1.053	2.105	3.158	4.210	5.263	6.315	7.368	8.420	9.473	10.525	11.578	12.630
$S(t)$	(4)	0	0.165	0.480	0.723	0.865	0.938	0.973	0.989	0.995	0.998	0.999	1.000	
$S(t-\Delta t)$	(5)		0	0.165	0.480	0.723	0.865	0.938	0.973	0.989	0.995	0.998	0.999	1.000
$u(\Delta t,t)$	(6)		0.165	0.315	0.243	0.142	0.073	0.035	0.016	0.006	0.003	0.001	0.001	0

4)还原和综合。用本次洪水的净雨量及所求时段单位线,推算出流量过程与实测出流过程比较,如图 19.3.6 所示。综合分析两者符合情况,作出判断和修改。

19.3.4 算例

19.3.4.1 流域和资料概况

M 工程位于黄河某支流,集水面积 5 891km^2,到河源长 172.3km,河道平均比降 2.60‰。流域地处中国西北黄土高原区,产流方式以超渗产流为主。流域示意图见 19.3.7。

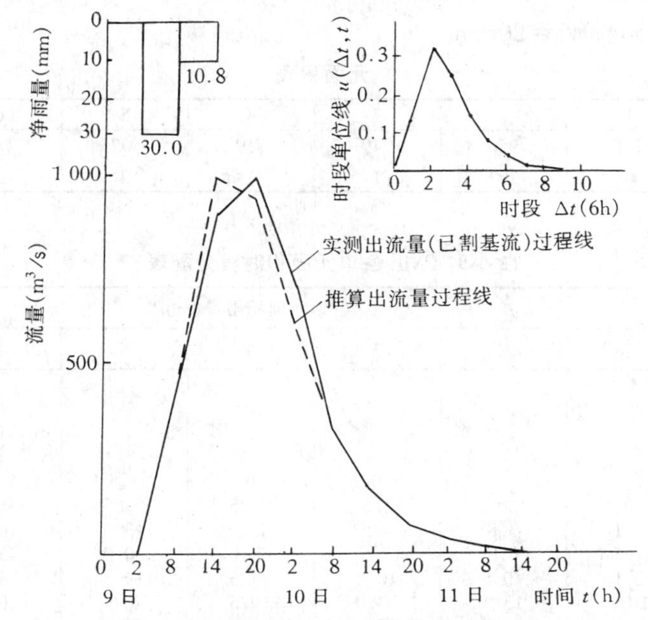

图 19.3.6　用 J·E·纳希瞬时单位线还原成果和实测流量过程比较图[1]

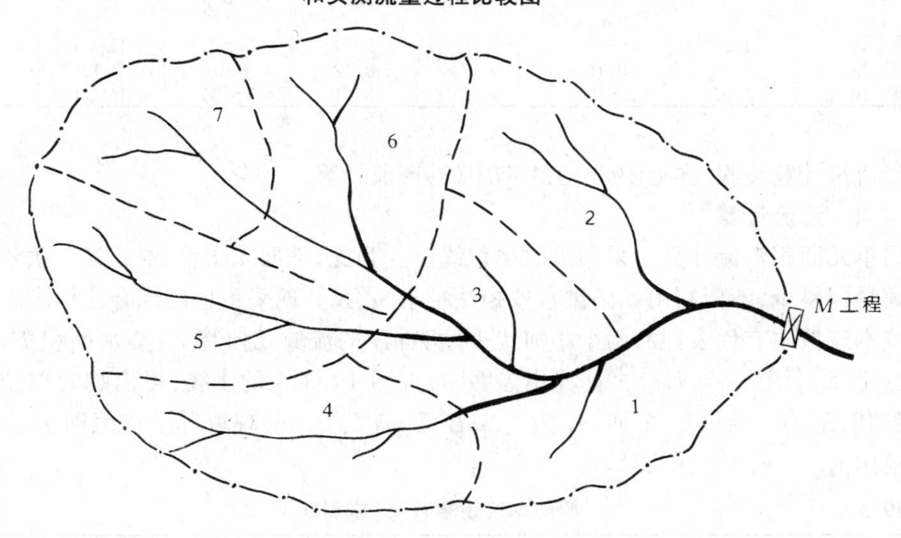

图 19.3.7　M 工程流域示意图

19.3.4.2　**单元面积的划分**

根据流域内雨量站情况，本次划分了 7 个单元面积（划分原则见 18.3.2.2），各单元面积大小见表 19.3.7。

19.3.4.3　**产流量计算**

流域 12 小时 PMP 为 88.7mm，各单元面积的时程分配如表 19.3.8。

采用超渗产流模型，模型流程图见图 19.3.1。该流域模型参数根据代表性小流域的降雨径流资料，按前面 19.3.3.1 节算例所介绍的方法进行率定，其中 $f_o = 15\text{mm/h}$，$f_c =$

4.94mm/h，$\beta=0.504$，$W_o=20$mm。

表 19.3.7 单元面积表

单 元 号	1	2	3	4	5	6	7
面积(km^2)	945	956	749	719	1 075	740	707
汇流段数 n	0	0	1	1	2	2	3

表 19.3.8 12 小时 PMP 各单元面积时程分配表

时序 ($\Delta t=1$h)	各单元面积雨量(mm)						
	1	2	3	4	5	6	7
1							0
2							1.5
3						0	7.5
4					0	3	13.5
5			0	0	1.5	6.75	19.5
6	0	0	1.5	0.75	8.85	9.0	48.0
7	1.1	3.8	4.5	2.6	13.5	16.5	25.5
8	1.5	6.8	7.5	3.8	30.0	45.8	12.0
9	2.1	10.5	10.5	17.5	19.5	26.9	7.5
10	10.8	13.5	33.0	19.5	8.6	10.5	3.8
11	22.1	22.5	17.3	12.0	3.8	4.5	1.5
12	8.9	10.5	1.5	4.5	2.3	3.0	0
13	3.2	15.8	0	2.7	0	0	0
14	0	0					
合 计	49.7	96.3	75.8	53.4	88.1	126.0	140.3
权 重	0.16	0.16	0.13	0.12	0.18	0.13	0.12
权 雨	7.95	15.41	9.85	6.41	15.86	16.38	16.84

产流量计算步骤，详见 19.3.3.1 节中(3)产流计算。

19.3.4.4 汇流计算

1)单元面积汇流计算。采用瞬时单位线法。为此，需要求出参数 n、K。由于本流域自记雨量资料少，不便利用暴雨洪水按矩法推求 n、K。现采用地区综合法推求。

按本流域内有代表性的两个小河代表站 A、B 的流域几何特征：集水面积 F，河长 L 和河道比降 J，用式 $\theta=L/J^{1/3}$ 计算出参数 θ，查图 19.3.5 的 I 线，得出瞬时单位线滞时 m_1(表 19.3.9)。结果是 A 河 m_1 为 1.6，B 河 m_1 为 2.4。现取其平均值即 $m_1=2.0$ 为设计采用值。

表 19.3.9 瞬时单位线滞时 m_1 求算表

代表站	F (km^2)	L (km)	J (‰)	$\theta=\frac{L}{J^{1/3}}$	m_1
A	719	53.2	6.38	28.7	1.6
B	1 275	87.7	4.32	53.8	2.4

因 $m_1=nK$，考虑到本流域洪水过程线型具有尖瘦的特点，结合水文预报经验，取 $n=1.0$，于是 $K=m_1/n=2.0/1.0=2.0$。利用 $n=1.0$，$K=2.0$，按表 19.3.6 所示的方法步骤，查附表 5 得出 $S(t)$ 曲线，进而求得无因次时段单位线如表 19.3.10。

表 19.3.10　无因次时段单位线($\Delta t = 1\text{h}$)

时段序	1	2	3	4	5	6	7	8	9	10	11	12	13
单位线	0.393	0.239	0.145	0.088	0.053	0.032	0.020	0.013	0.007	0.004	0.003	0.002	0.001

2)河槽汇流。采用马斯京根法分段连续演算。经计算,该河段系数 $x = 0.47$, $K = 2.15$, $\Delta t = 1\text{h}$,并将全河段分为 4 段,将各单元径流过程演进至流域出口断面。

19.3.4.5　计算成果

将上述河槽汇流计算的结果加上基流即得 PMF 的流量过程线。

根据历年实测资料分析,本流域设计基流可采用 $50\text{m}^3/\text{s}$。

最后得到 M 工程 PMF 的洪峰为 17 850m^3/s,最大 24 小时洪量为 2.93 亿 m^3。流量过程如图 19.3.8 所示。

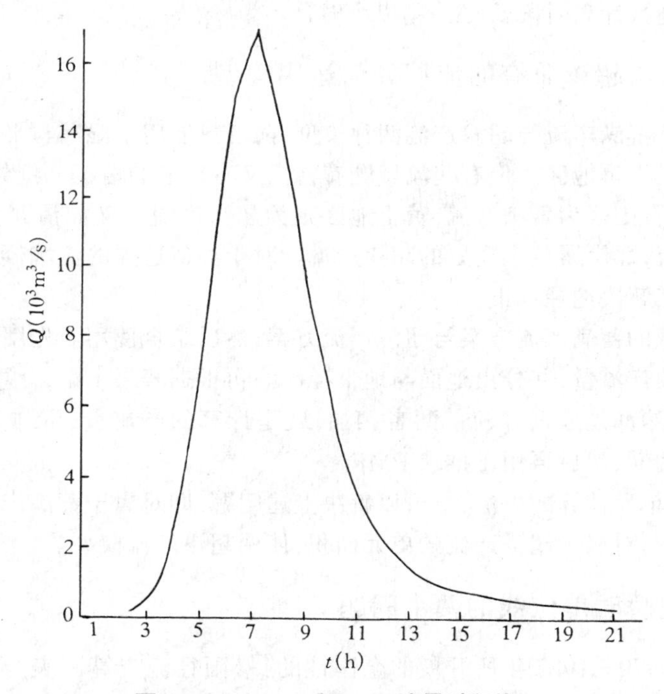

图 19.3.8　M 工程 PMF 流量过程线

19.3.4.6　成果合理性检查(略)

19.4　认识与讨论

19.4.1　模型结构问题

在新安江模型的产流模型中,要考虑时段蒸散发和流域上土湿分布不均。根据许多专家的意见,在 PMP/PMF 计算中,对这两个问题,一般均可不予考虑。这就相当于作以下两个假定:①假定雨期蒸散发量等于零,这样蒸散发子模型就可以不要;②假定流域内土湿分布均匀,这样蓄水容量曲线子模型就可省去。

我们认为,在 PMP 条件下,第一个假定是符合实际的;第二个假定问题也不大。后者问题不大的原因有二:①把流域划分成若干小块(单元面积)后,土湿分布不均的问题本身就小多了;②求扣损参数的时候是根据代表性流域的实测降雨径流资料进行的,所得的参数是反映流域平均情况,这样均匀与不均匀的问题已经包含在参数之中了。

关于超渗产流模型,本书实际上只是采用了陕北模型的基本思路,也就是霍顿公式的具体运用。原陕北模型的参数是根据径流实验场(面积小于 0.20km^2)的实测降雨径流资料率定的[10],计算径流所取的时段 Δt 很短,仅为 2 分钟[2]。本书把陕北模型用来计算 PMF。由于要算 PMF 的工程其控制面积都较大,一般都在数千平方千米以上,降雨历时一般都在 10 小时以上。模型参数选取有代表性的小流域分析确定(这样也可不考虑土湿分布不均的问题),计算时段长(Δt)则以小时计。

19.4.2 蓄满与超渗兼有的流域如何运用模型

本书介绍了蓄满产流与超渗产流两种模型,前者只能用于湿润与半湿润地区,后者只能用于干旱与半干旱地区。但有些流域既有蓄满又有超渗的情况。例如黄河三门峡到花园口区间,其中石山区为蓄满产流,黄土地区则为超渗产流。又如渭河流域,南岸属秦岭北坡为蓄满产流,北岸属黄土高原的超渗产流。对于类似这样的流域,可以把两种模型结合起来运用。其解决途径如下:

作出该流域的蓄满产流方案与超渗产流方案,然后结合使用。先用蓄满产流方案,求得产流面积上的产流量,并分出地面与地下径流。再根据表层土湿,计算不蓄满面积上的超渗产流量,必然都是地面径流。两者相加,就是计算的产流量,可与实测值比较[2],以检验模型的适用性,然后再用于推求 PMF。

其实,用分单元计算的方法,也可以解决上述问题,即对属于蓄满产流的单元面积,使用蓄满产流模型;对属于超渗产流的单元面积,使用超渗产流模型。

19.4.3 有关瞬时单位线的两个问题

在中国于 1979～1982 年所开展的全国性的《暴雨径流查算图表》编制工作中,有 18 个省(市、区)运用了纳希瞬时单位线❶,取得了丰富经验,这些经验对于做好 PMF 分析工作很有帮助。

19.4.3.1 在干旱、半干旱地区的运用问题

根据王维第教授等❷的总结,瞬时单位线法在中国西北干旱、半干旱地区应用效果良好。而且他们还发现此法有以下一些优点:

1)西北大部分地区暴雨历时较短,流量过程线尾部较陡,特别是黄土地区,基潜流比

---

❶ 暴雨洪水分析计算工作协调小组办公室.编制全国《暴雨径流查算图表》技术报告及各省(市、区)主要成果(产流汇流计算部分).1984,9

❷ 王维第,许翼正.瞬时单位线法在西北片干旱、半干旱地区的应用.水利电力部西北勘测设计院,1983,4

重很小，线型很易拟合。试点结果，在甘肃、青海、宁夏三省区计算的约 200 次洪水中，一次还原洪峰误差在 10%以内的占 70%；误差在 15%以内的占 90%。这是本法能够适用于本地区的一项基本检验。

2)本法只用 n、K 两个参数，就能完整地描述出洪水的全部过程，而且由于参数少，较易进行地区综合。因此，无论从理论上或实用上，无疑都是经典单位线的一个重大发展。

3)对资料的要求不高，有一场暴雨和出流过程对应观测资料，即可采用本法。和其他计算方法比较起来，对资料没有特殊的要求。

4)可以较大程度地利用实测洪水资料。特别是除短历时降雨的孤独洪峰外，对净雨时段较多的复式洪峰，也往往可以直接进行分析，而无须进行洪水分割。在资料较少的西北地区，这是一个不容忽视的优点。

19.4.3.2 非线性外延问题

纳希单位线属线性汇流计算模型。

从单位线概念上讲，所谓非线性指的是随着雨强的不同，单位线的峰及形状都随之变化的事实。

中国在 60 年代初期引进纳希单位线后，在水文预报应用中，深感非线性问题突出，遂对参数 m 加以非线性改正。在全国《暴雨径流查算图表》编制中，许多省区都在这方面做了不少工作❶。

但是，关于非线性外延问题，华士乾教授认为："在山区流域，由于坡度陡，河网蓄水量变化较小。因之雨率变化是导致非线性的主要因素。但据实测资料分析，雨率达到一定量级以后，单位线的洪峰滞时反趋于稳定；这种现象表明，在有一定量级大暴雨资料分析出来的单位线后，用之计算超过此量级的更大暴雨洪水时，也不需要再作非线性影响的校正了"（转引自文献❶）。

19.4.4 新安江模型地下径流的汇流计算方法

新安江模型对地下径流的汇流计算方法，系采用式(19.2.12)计算，这里再介绍一种较简便的方法，即马斯京根法。其原理如下：

大家知道，地下水退水期，其蓄泄关系为线性水库。由于地下水的水面比降平缓，可以认为涨落洪蓄泄关系一致，则可将线性水库的演算法应用于地下水涨落洪水全过程。此时，水量平衡方程与蓄泄关系为[5]。

$$I - Q_G - E = \mathrm{d}W/\mathrm{d}t \qquad (19.4.1)$$

$$W = KQ_G \qquad (19.4.2)$$

式中 I、Q_G、E 为地下水库入流量、出流量、蒸发量（在 PMP 条件下，E 可视为 0）；K 为蓄泄系数，是一个反映消退速度的物理量，其因次是时间。联解式(19.4.1)和式(19.4.2)即可得出地下径流的出流过程。其解法甚多[5]，其中之一是马斯京根法。

---

❶ 暴雨洪水分析计算工作协调小组办公室．编制全国《暴雨径流查算图表》技术报告及各省（市、区）主要成果（产流汇流计算部分）．1984，9

由于线性水库 $x=0$,故由式(18.3.5)得演算系数如下:

$$C_0 = C_1 = 0.5\Delta t/(K + 0.5\Delta t)$$

$$C_2 = (K - 0.5\Delta t)/(K + 0.5\Delta t)$$

演算公式为

$$Q_{G_2} = C_0(I_1 + I_2) + C_2 Q_{G_1} \tag{19.4.3}$$

关于 I 值的求法。当时段 Δt 内 $P-E<FC$ 时

$$I = FC \cdot F/3.6\Delta t$$

当时段 Δt 内 $P-E>FC$ 时

$$I = (P - E) \cdot F/3.6\Delta t$$

式中流域面积 F 以 km^2 计,计算时段长 Δt 以 h 计,蒸发 E 可以忽略。

关于 K 值的求法。可按下列退水曲线公式求得

$$Q_t = Q_0 \mathrm{e}^{-t/K} \tag{19.4.4}$$

式中 Q_0 为退水曲线拐点流量,Q_t 为拐点以后 t 时刻的流量(参见图 19.2.4)。

将式(19.4.4)两边取对数,可得

$$t = K \ln \frac{Q_0}{Q_t} \tag{19.4.5}$$

显然,式(19.4.5)在半对数坐标纸上呈一直线。因此,利用实测流量过程线退水段的流量资料,在半对数坐标纸上,点绘 $t \sim \ln \frac{Q_0}{Q_t}$ 关系(图 19.4.1),其直线坡度,即为 K 值。

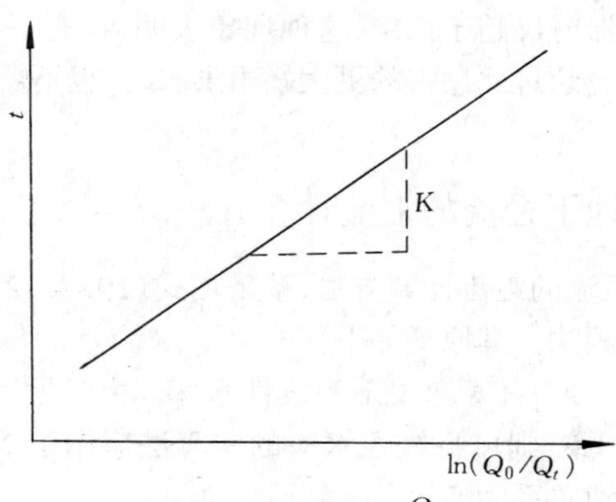

图 19.4.1 退水曲线 $t \sim \ln \frac{Q_0}{Q_t}$ 关系示意图

19.4.5 在 PMP 条件下流域模型的必要性

目前常用的一些流域模型,其差别是在产流计算上,而在汇流计算上则基本上是相同的,即一般都是线性水库调蓄的概念。

根据 17.3.2.2 节和 19.4.3 节所述,在 PMP 条件下的汇流计算,按线性水库处理,一般都是可以的。

产流计算是要得出径流量,为此要先求出降雨的蒸散发损失和土壤入渗损失。

关于蒸散发损失:在 PMP 条件下,由于在雨期流域地面以上的暖湿空气在湿润地区通常处于饱和状态,故蒸散发量可视为0;在干旱半干旱地区,虽不一定全流域都饱和,可能尚有一定的蒸散发,但因这种地区降雨历时一般较短,故此部分蒸散发数量不大,也可忽略。

关于入渗损失:其流域平均值的主要影响因素是降雨开始时的土壤含水量 $W_0(P_a)$,产流期的下渗率和流域土湿分布不均匀指数 B。

在蓄满产流地区,由于雨量充沛,在 PMP 条件下,$B=0$;一般 $W_0(P_a)$都很大,接近于 $WM(I_m)$,即土壤缺水量 $W_s(I_0)$很小($W_s=WM-W_0, I_0=I_m-P_a$);产流期的下渗率为稳定入渗率 F_C,而且变成地下径流 Q_G 汇入河网中。因此,入渗损失就是 W_s,但数量不大。南方有些地区,在 PMP 条件下,土壤已基本饱和,有的已无稳渗。

在超渗产流地区,PMP 条件下,按单元面积计算产流量,B 值可视为0;雨前土壤缺水量 W_s 一般比湿润地区大,但在尚未满足 W_s 以前,只要雨强超过入渗能力,随即产流,因此 W_s 对产流量的影响,相对来说不是很大;产流期的入渗率变化较大,随超渗雨历时的增长而减小,但由于超渗雨历时一般较短,因此只要抓住雨强这个因素来确定超渗期的平均入渗率 $\overline{f}_c$,按其进行产流量计算,误差不会太大。

综上所述,并结合华士乾教授的意见(见17.3.3.1节)考虑,在PMP条件下的产流计算,即令是采用简单的方法,也不致有大的误差。

因此,文康教授认为,在 PMP 条件下的产汇流计算,不一定要用流域模型。对产流计算,他倾向于用两刀切的办法,即扣初损和后损。对汇流计算,他主张用单位线,认为分析几场大洪水(50 年一遇以上)的单位线就够了。

我们的意见是,对流域模型可以用,也可以不用,但用时一定要简化。

参 考 文 献

1 长江水利委员会主编.水文预报方法(第二版).北京:水利电力出版社,1993

2 赵人俊.流域水文模拟——新安江模型与陕北模型.北京:水利电力出版社,1984

3 赵人俊.水文预报文集.北京:水利电力出版社,1994

4 袁作新主编.流域水文模型.北京:水利电力出版社,1990

5 庄一鸰,林三益.水文预报.北京:水利电力出版社,1986

6 水利部长江水利委员会水文局等主编.水利水电工程设计洪水计算手册.北京:水利电力出版社,1995

7 华东水利学院.中国湿润地区洪水预报方法.北京:水利电力出版社,1978

8 翟家瑞编著.常用水文预报算法和计算程序.郑州:黄河水利出版社,1995

9 吴明远,詹道江,叶守泽.工程水文学.北京:水利电力出版社,1987

10 赵人俊,王佩兰.霍顿与菲利浦下渗公式对子洲径流站资料的拟合.人民黄河,1982(1)

20 特大面积PMP/PMF的推求

20.1 概述

关于特大面积(50 000km^2 以上)的PMP/PMF的推求方法,目前国内外都尚未很好解决。其困难主要表现在以下两个方面:

1)大面积,特别是几十万平方千米以上的面积,洪水历时较长,往往在十天或几十天以上。在这类流域,由于现有暴雨资料不够充分,当地模式法和移置模式法一般都行不通,故多采用组合模式法。而组合模式法的主要缺点是:①当组合单元过多、组合历时过长时,组合序列的合理性论证不太容易;②在极大化时,到底放大那几场暴雨(或那几个组合单元)不好确定。

2)大面积,特别是几十万平方千米以上的面积,往往是东西横跨上千千米,北南纵越也常在千千米以上。这样,由于地理位置差异较大,再加上山脉和地形等影响,造成流域内上中下游,或某一部分与另一部分之间的气候特性和暴雨天气成因特性不同,从而使得在暴雨模式的拟定上和模式极大化上如何反映这种差异,不好解决。

在70年代和80年代,中国有些生产单位在工程实践中,针对以上问题,提出了两种比较适用的方法,即水文气象学与水文学结合法和特大历史洪水暴雨模拟法❶。兹分述如下。

20.2 水文气象学与水文学结合法

20.2.1 基本思路

这种方法的基本思路是:把对设计断面的PMF影响较大的部分用水文气象学的方法解决,影响较小的部分用水文学的方法解决。

所谓影响较大或影响较小的部分是指:从洪水来源上(即从空间上)说,影响较大的部分就是形成PMF的主要来源地区,影响较小的部分就是其余地区;从洪水过程线上(即从时间上)说,影响较大的部分就是在设计洪水历时(例如12天)内,对工程防洪影响较大的某一较短时段(例如5天)最大洪量的流量过程线,影响较小的部分就是其余时段(例如12天-5天=7天)的流量过程线。

所谓水文学方法是指:按典型洪水的空间来水比例或时程分配比例处理的方法、相关

---

❶ 王国安,高治定.试谈中国PMP分析方法的主要特色.《大中型水利水电工程可能最大暴雨工作总结会》论文,1983,12

法(地区洪量相关或长短时段洪量相关)、多年平均情况或丰水情况分配法等。

20.2.2 方法步骤

这可以分为解决空间分布和时间分布两个问题来说明。

20.2.2.1 解决空间分布的一般步骤

1)把设计断面 A(图 20.2.1)以上的流域,按暴雨的天气成因划分为两大部分,即 B 断面以上和 BA 区间。

2)运用水文气象法求出 BA 区间的 PMP。

3)将 BA 区间的 PMP 通过产流汇流计算,再加上基流得出 BA 区间的 PMF。

4)运用水文学的方法,求出在 BA 区间发生 PMF 的情况下,B 断面以上相应的洪水,然后将其推演到设计断面 A 与 BA 区间的 PMF 相加,即得出设计断面 A 的 PMF。B 断面以上相应洪水,按典型来水比例或上游河道堤防过水能力等方法确定。

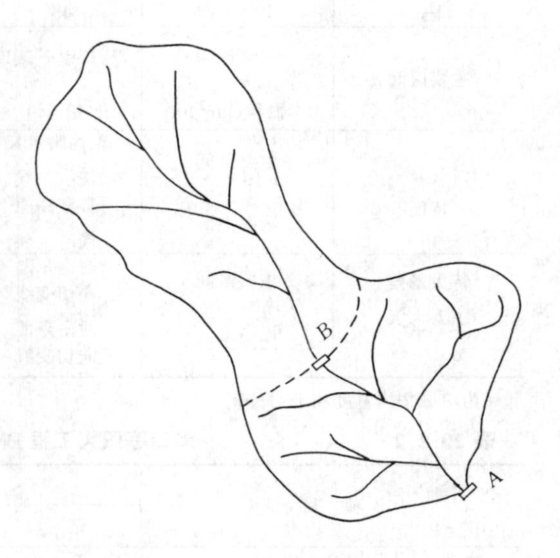

图 20.2.1 A 工程流域示意图

20.2.2.2 解决时间分布的一般步骤

1)运用水文气象学的方法求出设计洪水时段 T 内的主要时段 t_1 的 PMF。

2)对其余时段 $t_2(=T-t_1)$洪水的计算方法视区间面积大小而定:当区间面积相对较小时,用水文气象学法;当区间面积相对较大时,用水文学方法。

3)将以上两步所得的洪水过程线连接起来,即得设计洪水时段的 PMF。

20.2.3 算例

表 20.2.1 和表 20.2.2 为中国四大工程流域基本情况和 PMP/PMF 的推求方法。

20.3 特大历史洪水暴雨模拟法

众所周知,中国历史洪水资料相当丰富,其中有不少是罕见的特大洪水,有的不仅可以得出洪峰流量,而且还可以得出洪水过程线及其相应暴雨的主要特征。对于这样的历史洪水,就有可能用它来推求 PMP/PMF。

20.3.1 基本思路

本法的基本思路是:罕见的特大历史洪水,其相应的暴雨可以看作是高效暴雨,如能设法求出此高效暴雨,再对之进行水汽放大,即可得出 PMP。最后将 PMP 转化成洪水则得 PMF。

表 20.2.1 碛口等四大工程流域基本情况表

河名		黄河	黄河	雅砻江	澜沧江
工程名称		碛口	三门峡	二滩	漫湾
流域面积(km^2)		430 900	688 421	116 360	114 500
河长(km)		3 893	4 439	1 467	1 579
流域最大直线长度(km)	东西方向	1 470	1 480	137 *	104 *
	南北方向	480	870	950 *	1 100
主要区间	名称	河口镇—碛口	河口镇—三门峡	雅安—小得石	溜筒江—戛旧
	面积(km^2)	44 934	320 513	50 633	31 600
气候特征	主要区间	副热带季风气候	副热带季风气候	高原亚热带至寒带过渡性气候	高原亚热带至寒带过渡性气候
	区间上游	青藏高原气候	青藏高原气候	青藏高原气候	青藏高原气候
特大暴雨主要天气系统	主要区间	西南东北向切变线	西南东北向切变线	涡切变	季风低压台风、副高边缘
	区间上游	西南东北向切变线	西南东北向切变线,但出现时间相差较大	西风槽、涡切变	

* 为流域平均宽度和平均长度。

表 20.2.2 碛口等四大工程 PMP/PMF 推求方法表

项目			工程名称			
			碛口	三门峡	二滩	漫湾
主要地区PMP的求法	设计历时(d)		12	12	3	10
	主要时段	天数	5	5	1	5
		PMP 求法	水文气象法	水文气象法	水文气象法	水文气象法
	其余时段				水文学法	水文气象法
全流域PMF的求法	主要区间	主要时段	水文气象法	水文气象法	水文气象法	水文气象法
		其余时段	水文学法 $W_5\sim W_{12}$	水文学法 $W_5\sim W_{12}$	水文学法	水文气象法
	区间上游地区		水文学法(流量按内蒙古河段堤防下泄能力考虑)	水文学法(流量按内蒙古河段堤防下泄能力考虑)	水文学法(流量按实测最大和调查最大平均取整 5 000m^3/s 考虑)	水文学法(流量按 1966 年典型来水比例考虑)

20.3.2 方法步骤

这里已知条件是特大历史洪水的洪峰、洪量及洪水过程线,关键问题是如何求出其相应暴雨的时面分布和代表性露点。

20.3.2.1 历史洪水相应暴雨时面分布的推估

推估方法的要点如下:

1)根据历史文献记载及野外调查的暴雨洪水资料,推估出该次洪水的天气成因(包括环流形势及暴雨天气系统)、雨区分布型式、主要雨区位置、暴雨走向及粗略的暴雨时程分配型式等。

2)根据在一定地区、一定季节的暴雨天气成因相似、暴雨基本特征相似的原则,从实测资料中挑选与历史特大洪水同类型、同季节的大暴雨若干场。

3)将选出的暴雨,按上述所推估的特大历史洪水的粗略的暴雨时程分配型式,排列成一组合暴雨序列。

4)将组合暴雨序列通过产流汇流计算,求出洪水过程线,看看它与历史洪水的过程线,是否基本吻合(洪峰和主要时段的洪量要基本相等)。如不吻合,则可适当调整(包括时间和空间调整)暴雨序列,直至所推得的洪水过程线与历史洪水过程线基本吻合为止,此时的暴雨时面分布即为所求的历史洪水所对应的暴雨的时面分布。在这一步骤上,产流汇流计算方案需经实测大洪水资料验证。

20.3.2.2 历史洪水相应暴雨代表性露点的推估

代表性露点是反映暴雨时大气水汽含量的一种指标,而形成暴雨的水汽主要来自海洋。海洋上空的水汽要源源不断地输送到某一地区并辐合上升,成云致雨,必须在一定的环流形势和暴雨天气系统的条件下才能实现。

实测资料表明,在一定的地区,同季节、同天气成因、同量级的暴雨,其代表性露点也基本上相近,这是因为同季节、同天气成因(包括环流形势和天气系统),就意味着水汽源地、水汽输送路径、水汽输送方式基本相同。因此,历史洪水相应暴雨的代表性露点,可以从本地区实测的大暴雨资料中,寻找与历史洪水的天气成因相同的某场特大暴雨的代表性露点,来近似地代替,也可以按同类型暴雨的代表性露点与设计流域最大1日面平均雨深点绘的相关关系来确定。

20.3.2.3 算例

长江三峡工程(控制流域面积100万km^2)的PMF估算,采用了多种方法,其中之一是特大历史洪水暴雨模拟法。具体说是用1870年7月特大洪水进行模拟放大。

(1)洪水概况

长江上游1870年7月洪水是一场罕见的特大洪水。这次洪水的资料丰富,通过大规模的野外实地调查,在长江干支流上调查到500多个洪痕点据,在合川至宜昌长达754km的河段发现91处洪水题刻,还有故宫奏折、水利史书以及近800个县州的文史资料[1]。通过这些资料分析,这场洪水主要来自嘉陵江和重庆到宜昌干流区间。其暴雨特点是历时长、强度大、笼罩面积广;暴雨位置稳定且缓慢东移,是长江洪水遭遇恶劣的典型。

这次暴雨是在稳定的经向环境背景及有利的地形条件下,连续几个强大的西南低涡沿西南东北向切变线活动所造成。

洪水过程为双峰型,主峰在前,次峰在后,根据调查资料推算,宜昌站(三峡坝址附近)的洪峰洪量如表20.3.1所示[2]。

表20.3.1 宜昌站1870年洪水洪峰洪量表

洪峰(m^3/s)	洪量(亿m^3)			
	3d	7d	15d	30d
105 000	265	537	975	1 650

在三峡河段，这次洪水的重现期，根据历史文献和文物考证，在 840 年以上（1153 年以来的最大）[2]，根据古洪水研究成果，则约为 2 500 年[3]。

(2)暴雨模拟

从大量历史文献记载来看，1870 年 7 月长江特大洪水，是在金沙江下段降雨的基础上，加上四川地区连续 7 天面积特大的暴雨所造成。暴雨在时间和地区分布上，大致可划分为 7 月 13～17 日及 18～19 日两个过程。第一个过程主要集中在嘉陵江地区，第二个过程主要集中在川东南地区及长江上游重庆—宜昌区间。暴雨是西南—东北向带状分布。分布范围从金沙江下段至汉江中游的广大地区，暴雨中心分布在嘉陵江中游和渠江一带。

从各地县志对雨水情记载时间上看，这次暴雨大致是自西向东缓慢移动的，7 月 13 日在涪江，14 日在嘉陵江合川县持续 3 天，15 日以后向川东移动，17 日和 20 日暴雨主要集中在川东和万县一带[2]，前后历时 7 天左右[3]。

根据以上对 1870 年 7 月暴雨时面分布的定性描述和宜昌站的洪水过程线，即可将该次洪水对应暴雨的时面分布定量地模拟出来。具体做法如下：

把 1870 年的历史记载与 20 世纪的暴雨过程记录加以比较，从中找出若干暴雨中心主要位于嘉陵江中下游的低涡切变类大暴雨典型，按 1870 年 7 月暴雨的动态，把这些实测大暴雨的日雨量图一张张地组合起来，依据 1870 年 7 月宜昌站洪水过程线的涨落趋势，在该特大暴雨过程前后再安排适当的雨量，构成一个组合暴雨序列，通过产、汇流计算，得出宜昌断面的洪水过程线。如果计算的过程和调查的洪水过程接近，则认为构思的组合暴雨序列，可以代表形成 1870 年长江大洪水的实际暴雨序列，从而定量地求得形成这次特大洪水的特大暴雨过程。

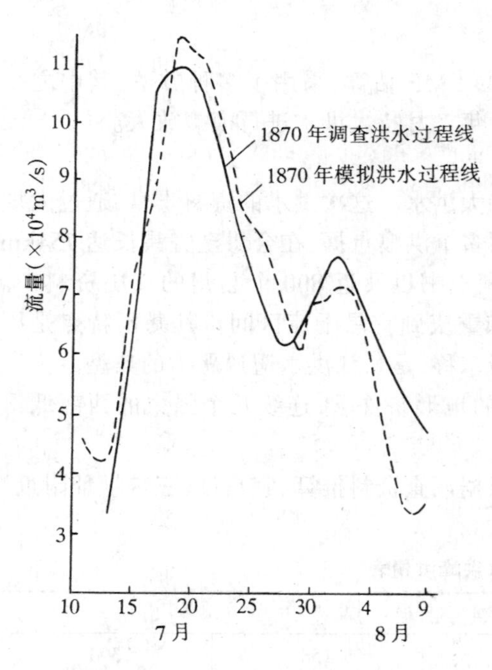

图 20.3.1 调查及模拟的 1870 年洪水流量过程线

在进行产汇流模拟试算前，先用 1974 年 7 月 25 日～9 月 2 日的实测资料对产汇流计算方案进行了检验。结果表明，各种计算误差均在 9% 以下，经过 60 次试算，得到的模拟洪水和调查洪水过程基本吻合（图 20.3.1）。最后选定的模拟暴雨序列如表 20.3.1。表中第 21～27 日序的暴雨是形成 1870 年宜昌特大洪峰的特大暴雨，历时 7 天，模拟过程总雨量分布如图 20.3.2 所示[4]。

(3)放大

根据历史文献对 1870 年形成洪峰的特大暴雨描述，可以认为该次暴雨为高效暴雨，只需进行水汽放大。

这次暴雨其水汽来源为印度洋和南海。限于资料条件，水汽入流方向站只能取贵阳站，其代表性露点为 20℃，订正到 1 000hPa，为 24.5℃。贵阳站 1 000hPa 高程上历史最大露点为 26.2℃，于是水汽放大系数为

表 20.3.1　**1870年模拟暴雨序列表**

日　序	1	2	3	4	5	6	7	8	9	10	11	12	13	14	15	16	17	18	19	20
模拟暴雨(年)									1957										1956	
序列日期	6.21	22	23	24	25	26	27	28	29	30	7.1	2	3	4	5	6	7	6.16	6.26	27
日　序	21	22	23	24	25	26	27	28	29	30	31	32	33	34	35	36	37	38	39	40
模拟暴雨(年)	1956	1973	1957	1937		1957	1937	1965		1957							1974			
序列日期	6.28	6.30	7.3	7.14	15	7.2	7.16	7.7	8	7.18	19	7.31	8.1	2	3	4	8.8	9	8.16	17
日　序	41	42	43	44	45	46	47	48	49	50	51	52	53	54	55	56	57	58	59	60
模拟暴雨(年)											1974									
序列日期	18	8.10	11	12	13	14	15	16	17	18	19	20	21	22	23	24	25	26	27	28

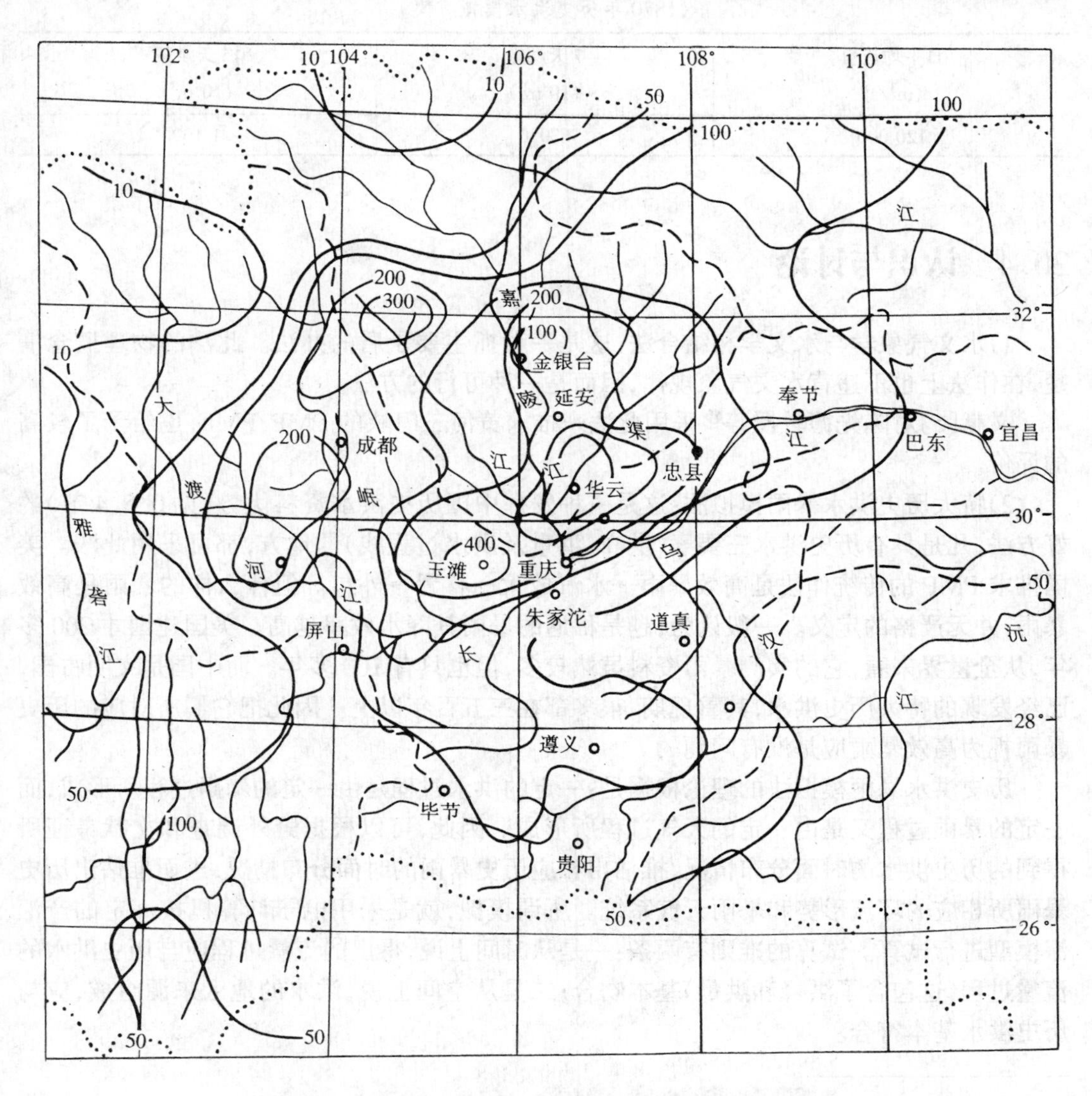

图 20.3.2　1870 年 7 月 13～19 日模拟雨量等值线图

$$K=\frac{(W_{Td})m}{W_{Td}}=1.17$$

用此系数放大形成洪峰的5天降雨,同时考虑长江洪水长包短的特点,所以除峰顶的一场雨用水汽放大外,还对次峰替换了一次降水过程,组成PMP系列[3,4]。

(4)可能最大洪水

将宜昌以上分为18个区,分别进行产汇流计算。分区洪水过程,或按典型年或按单位线计算。河槽汇流采用长办汇流曲线公式计算。最后得到的PMF成果如表20.3.2所示[3,4]。

表20.3.2　长江三峡(宜昌)PMF成果表

(1870年历史洪水模拟方案)

日平均流量 (m^3/s)	7天洪量 (10^8m^3)	15天洪量 (10^8m^3)
120 000	630.0	1 109

20.4　认识与讨论

1)水文气象学与水文学相结合法:这是一种抓主要矛盾的办法。此法的物理概念清楚,在作法上也不违背水文气象规律,因而是一种可行的方法。

文献[5]对陈先德教授等❶采用此法来推求黄河三门峡的PMP/PMF,也给予了较高的评价。

2)特大历史洪水暴雨模拟法:这是一种发挥中国历史洪水资料优势(见0.5.4节)的好方法,凡是具有历史洪水三要素(洪峰、洪量及洪水过程线)的地方,都可采用此法。美国推求PMP的传统作法是高效暴雨→水汽放大→移置→外包。但什么样的暴雨是高效暴雨,并无严格的定义。一般认为,越是稀遇的暴雨其降水效率越高。美国建国才200多年,从全世界来看,它的实测暴雨资料虽然较多,但也只有100多年。而中国是文明古国,已经发现的特大历史洪水,其重现期,很多都在三五百年以上。因此把它们所对应的历史暴雨视为高效暴雨应是没有问题的。

历史洪水暴雨模拟法的理论根据是:一定的洪水过程是由一定的暴雨过程所形成,而一定的暴雨过程又是由一定的天气过程所形成。因此,可以根据野外调查和文献考证所得到的历史洪水的时面分布情况,推估出相应历史暴雨的时面分布情况,进而推估出历史暴雨所相应的环流形势和暴雨天气系统。所谓模拟,就是采用电子计算机按一定的产汇流模型进行试算。试算的准则有两条:一是从时间上说,得出的流量过程应与历史洪水的流量过程(这包含了洪峰和洪量)基本吻合;二是从空间上说,洪水的地区来源组成,应与历史洪水基本符合。

---

❶ 陈先德.暴雨组合法估算三门峡断面的可能最大洪水.可能最大暴雨及产汇流经验交流会议文件选编,1981.8

最近,在中国黄河中下游的设计洪水复核中,也采用了此法。具体是采用该地区重现期在 400 年以上 1761 年洪水进行模拟,所得的 PMP/PMF 成果,基本合理。

参 考 文 献

1　赵毅如,张有芷,周良芳.1870 年 7 月长江上游特大暴雨分析.水文,1983(1)

2　胡明思,骆承政.中国历史大洪水(下卷).北京:中国书店,1992

3　长江水利委员会.三峡工程水文研究.武汉:湖北科学技术出版社,1997

4　金蓉玲,李心铭.三峡工程至上游水库区间可能最大洪水估算.水文,1989(6)

5　詹道江,邹进上.可能最大暴雨与洪水.北京:水利电力出版社,1983

21 PMF 成果的确定

21.1 PMF 成果的选取

和推求 PMP 一样,中国在推求 PMF 的工作中,一般都要算多种方案(包括不同的暴雨模式,不同的产汇流计算方法等),最后通过综合分析,合理选定成果。

PMF 成果包括洪峰、洪量和洪水过程线。

PMF 成果的选定,主要是在对产汇流计算各个环节的处理,全面进行检查分析的基础上进行。如何进行检查分析,这可以按 PMF 的推求方法,分别说明。

21.1.1 对于按传统方法求 PMF 的情况

21.1.1.1 产流计算检查

1)如采用水量平衡法,则需检查扣损参数 I_m、P_a 和 f_c 等的确定是否合理。

土壤最大含水量指标 I_m 有一定的地区规律,全国高值区在东北,一般在 130mm 以上,在东北高值区内,I_m 的分布也极不均匀,个别地区小到 100mm,大到 180～260mm;云南省除滇西北地区外,I_m 约 200mm。全国 I_m 的低值区在河南省、陕西省汉江以南及山东省的山丘区,一般为 40～65mm。除此以外,其他地区的 I_m 值在 100～120mm 之间。I_m 的高低值区主要同下垫面因素有关。例如东北 I_m 高值区,一般位于深山老林,植被覆盖好,透水,持水性强,云南省情况亦然❶。

土壤前期含水量指标 P_a,也有一定的地区规律,一般说来,在相对湿润地区,特大暴雨发生前的土壤含水量以接近 I_m 的情况居多。根据中国南方收集到的 50 年一遇以上大洪水的分析统计,约有大多数洪水,土壤的 P_a 接近或超过$\frac{3}{4}I_m$。湖南省按全省 200 场较大洪水 P_a 值的统计分析,P_a 发生频次的众值约为$\frac{2}{3}I_m$。全国湿润地区的设计 P_a 值的统计分析结果也大致为$\frac{2}{3}I_m$,干旱地区 P_a 较小,一般为$\frac{1}{3}I_m$❶。

流域产流期内的平均下渗率 $\bar{f}$,与下垫面条件及降雨强度有关。表 21.1.1 是中国部分省区的 $\bar{f}$ 值❶。

稳定入渗率 f_c,它只与土质有关而与土壤含水量无关,比较容易掌握,表 21.1.2 为淮河水利委员会的实验资料[1],可供参考。但是由于一个流域内、特别是大流域的土质,一般都不是单一的,故其 f_c 值,也是随具体情况而异的。

---

❶ 暴雨洪水分析计算工作协调小组办公室.编制全国《暴雨径流查算图表》技术报告及各省(市、区)主要成果(产流汇流计算部分).1984,9

表 21.1.1 **中国部分省区 $\overline{f}$ 值表**

省 区	流 域 情 况	$\overline{f}$ (mm/h)
辽宁	西部非饱和产流区	1.5~2.0
河北	太行山迎风南区	0.5~3.0
河北	太行山迎风北区	0.5~3.0
河北	燕山迎风南区	0.5~3.0
河北	燕山迎风北区	1.5~2.0
河南	淮河浅山丘陵区	1.0~2.0
河南	豫北豫西深山区	4.0~6.0
新疆	乌鲁木齐河土石山林区	0.5~2.7
四川		0.5~1.5
云南		2.0~3.0
浙江		0.5~1.5
广东	$F>100km^2$	3.0~5.0
广西	原始森林覆盖度很大	10~14
广西	一般山区	6~10
江西		1.9~2.3

表 21.1.2 **不同土壤的稳渗率 f_c 表**

土 质	黄粘土	中性粘土	砂壤土	细 砂
f_c(mm/h)	1~1.3	2.0	2.7~3.3	可达7~8

2)如采用暴雨径流相关图法,则需检查建立相关图时所用的径流资料其基础是否一致(有无受人类活动影响等),图线的分布及外延趋势是否合理。

3)如采用径流系数法,则需检查所用径流系数是否反映了地区特点,而且其数值不能小于设计流域的实测最大值。

从现有分析成果看,径流系数具有地区规律。对于大范围而言,这种规律特别明显。例如,中国南方地区一次洪水的径流系数总在0.5~0.9之间,而北方许多河流则只有0.1~0.4[2],这是土壤植被与流域蓄水特性不同而造成的。对于中等流域,地形的影响比较明显,山区径流系数大,丘陵区次之,平原区最小。至于小流域,由于面积小,自然条件具有很大程度的特殊性和单一性。这时,局部的地质、植被、河道特性以及水利措施的影响等,都要显示它的特殊作用和单一作用,其径流系数的变化规律又可能与本地区一般规律相差很大。因此,在进行合理性检查时,要具体情况具体分析。

21.1.1.2 汇流计算检查

1)如采用单位线法,则首先要检查本流域在单位时段内一个单位深度的净雨能否在流域内均匀分布(这是单位线的基本假定所要求的)。一般流域面积愈小,符合程度愈高,故使用面积不宜过大。其次要看用所采用的单位线去推算实测大暴雨的洪水过程线,与实测洪水过程线的比较结果,只有误差不太大时,才可使用。

2)如采用单元汇流法,则需要注意两点:①单元面积的汇流曲线(单元单位线)的代表性。因为一般为简化计算,对各单元面积都采用相同的单位线,所以从全流域来看,单位线就有个代表性问题。②河槽汇流计算参数的合理性。如用马斯京根法分段演算,就是要检查各河段 K、x 系数的合理性。

以上两方面的检查方法,主要是采用实测大暴雨洪水资料来验算,看看推得的洪水流量过程与实测值的符合情况如何。如二者差别较大,则需要分析问题的所在,进行适当调整。

21.1.2 对于按流域模型求 PMF 的情况

对流域模型,主要是检查模型结构与参数的确定是否合理,以及模型验证所表现的误差大小。特别要注意对实测大洪水的验证情况。

流域模型的产流汇流计算中,参数的合理性检查,与上述 21.1.1 节中所述的方法基本相同。

瞬时单位线的参数 n、K 具有地区规律,在实际运用中,可根据相似地区的成果,进行分析比较。

文康教授认为,应用流域模型,在 PMP 条件下,重点问题是汇流参数,因为这些参数一般是用中小洪水率定的,受非线性影响,而在 PMF 时洪水汇流参数已趋于线性了。

21.2 PMF 成果的合理性检查

21.2.1 概述

PMF 成果的合理性检查是 PMP/PMF 分析工作的最后一个环节。这一环节非常重要,因为它是保证成果质量的关键所在。

PMF 成果的合理性检查和 PMP 成果的合理性检查,其目的和基本思路是相同的,都是要检查其可能性和极大性,应既是可能的,又是最大的。

在 PMF 成果的合理性检查中,有时发现成果不合理,还要反过来修正 PMP,最后做到 PMP 和 PMF 都合理。

21.2.2 合理性检查方法

根据中国的经验,PMF 的合理性检查,一般都从以下 5 个方面进行:用本流域历史洪水资料比较;与邻近流域比较;用国内外最大洪水记录对照;用国内外已有 PMF 成果比较;与频率分析成果比较。兹分别说明如下。

21.2.2.1 用本流域历史特大洪水资料进行比较

PMF 是一种近似于物理上限的特大洪水,因此它不应小于本流域历史上已经发生过的特大洪水。

中国地域辽阔,历史悠久,在历史洪水信息方面,具有得天独厚的条件。自1950年以来,为满足水利水电建设的需要,全国各地先后通过野外调查、历史文献考证和文物考古等手段取得了大量的历史洪水资料,按河段计,据不完全统计,就有11 600多个河段资料。按统一技术要求,经汇编刊印的全国就约有6 000个调查河段的20 000多个大洪水数据[3]。中国主要河流的历史特大洪水,见25.1.2节。这些宝贵的资料,为我们判断PMF成果的合理性提供了条件。

在用历史洪水作比较时,PMF要比历史特大洪水大多少才算合理呢?这取决于历史洪水的稀遇程度。一般说,越是稀遇的历史洪水越接近于PMF。例如长江三峡历史特大洪水为1870年,洪峰流量105 000m^3/s。其重现期,根据历史文献和文物考证,在830年以上,根据古洪水研究,约为2 500年[4]。三峡工程的PMF按四种方法计算,洪峰流量为117 500~127 000m^3/s[5],仅比1870年洪水大12%~21%,审查专家们认为,这一成果是合理的。

21.2.2.2 与邻近流域比较

由于暴雨和洪水都具有地区规律,因此可以把PMF与邻近流域成果进行比较。这种比较包括两个方面:

1)与邻近流域的PMF成果比较。这种比较,要看所求的PMF的数值与邻近流域的PMF(经过主管机关正式审定的)数值是否协调。

2)与邻近流域的特大洪水(包括实测和调查的)比较。一般说,所求得PMF的峰量数值,不应小于邻近的相似流域已经发生过的特大洪水的峰量数值。

以上两方面的比较,都可以把洪峰或洪量与流域面积点绘在双对数坐标纸上,检查所求得PMF在关系图上所处的位置是否合理。

中国一些大中型水利工程的PMF成果,见表26.2.7。但必须注意,该表所列的PMF数据,一般都是偏大的(偏大原因详见26.2节)。

21.2.2.3 用国内外最大洪水记录对照

稀遇的特大洪水,在某一固定的较小区域出现的几率是较小的,但从大范围来看,其出现几率则较大,即有可能在大范围内观测到稀遇的特大洪水。故可以将设计流域的PMF与世界最大洪水记录进行比较。需要注意,这种比较,应考虑自然地理条件的差别。

一般认为,世界洪水记录已接近于洪水的上限值,如所求得的PMF超过世界相似地区记录太多(例如20%),就可能过大。

国内外最大洪水记录,详见第22章(世界和中国洪水记录)。

表21.2.1是世界一些国家的历史洪水。该表录自美国水文专家王碧辉博士的手稿。

21.2.2.4 用国内外已有PMF成果比较

这里,主要是用相似地区的PMF成果来进行比较。比较时也应注意地理位置和地形条件的差别。

中国一些大中型水库的PMF成果,见第26章表26.2.6。但应注意,这些成果一般都偏大。

表21.2.2是作者根据美国全国约600座工程的PMF成果统计的在外包线上的40多座工程的PMF值。其洪峰Q_m与集水面积F的关系见图21.2.1所示。

表 21.2.1　　世界一些国家的历史洪水表

序号	国家	河流	地点	F (km^2)	Q_m (m^3/s)	日期 (年·月·日)
			中美洲和西印度群岛			
1	哥斯达黎加	大特拉瓦河 Grande de Terraba	帕尔马 Palmar	4 765	7 300	1973.8.29
2	古巴	布埃伊河 Buey	圣米格尔 San Miguel	73	2 060	1963.10.7
3	多米尼加	北亚克河 Yaque del Norte	博马 Boma	710	5 080	1979.9.1
4	萨尔瓦多	伦帕河 Lempa	拉皮塔 La Pintada	17 000	25 000	1934.6
5	危地马拉	阿奇危地河 Achiguate	卡雷特拉 Carretera CA－2	188	1 733	1969.9.5
6	马提尼克岛(法)	布朗什河 Blanche	阿尔马 Alma	4.31	120	1970.8.20
7	墨西哥	阿罗约—圣巴托洛河 Arroyo San Bartolo	圣巴托洛 San Bartolo	81	3 000	1976.9.30
8	巴拿马	圣玛丽亚河 Santa Maria	圣弗兰西斯科 San Francisco	1 200	3 080	1955.11.13
9	波多黎各	洛斯塞德罗斯河 Q. de los Cedros	伊莎贝拉 Isabela	1.79	212	1970.5.7
10	波多黎各	阿雷西沃大河 Grande de Arecibo	博斯 博卡斯坝 Bos Bocas dam	438	6 853	1899.8.8
			南美洲			
11	阿根廷	乌拉圭河 Uruguay	帕索—埃尔韦德罗 Paso Hervidero	254 000	39 300	1959.4.15
12	玻利维亚	贝尼河 Beni	安戈斯图巴拉 Angosto del Bala	67 770	23 370	1978.2.5
13	巴西	亚马孙河 Amazon	奥比杜斯 Obidos	4 688 000	239 000	1971.6.16
14	巴西	亚马孙河 Amazon	奥比杜斯 Obidos	4 688 000	354 000(a)	(b)
15	巴西	亚马孙河 Amazon	奥比杜斯 Obidos	4 640 300	370 000	1953.6
16	巴西	欣古河 Xingu	阿尔塔米拉 Altamira	446 570	32 670	1974.4.7
17	巴西	托坎廷斯河 (Tocantins)	伊图皮兰加 Itupiranga	727 900	38 780	1974.4.2
18	巴西	卡皮贝里比河 Capibaribe	圣洛伦索—达马塔 Sao Lourenco da Mata	7 200	3 440	1975.7.17
19	巴西	圣弗朗西斯科河 Sao Francisco	特赖普 Traipu	622 600	15 890	1960.4.1
20	巴西	热基蒂尼奥尼亚河 Jequitinhonha	伊塔马里 Itamart	62 000	9 340	1943
21	巴西	伊瓜苏河 Iguacu	萨尔图 卡塔拉塔斯 Salto Cataratas	68 950	32 500	1983.7
22	乌拉圭	乌拉圭河 Uruguai	伊拉伊 Irai	62 200	32 800	1983.7.8
23	巴西	塔夸里河 Taquari	穆孙 Mucum	16 150	12 500	1941.5.5
24	巴西—巴拉圭	巴拉那河 Parana	伊泰普坝 Itaipu dam	820 000	38 000	1983.6.18
25	哥伦比亚	马格达莱纳河 Magdalena	卡拉马尔 Calamar	257 438	14 700	1975.11.20

续表 21.2.1

序号	国　家	河　流	地　点	F (km^2)	Q_m (m^3/s)	日　期 (年·月·日)
26	厄瓜多尔	科卡河 Coca	圣拉斐尔 San Rafael	3 950	5 120	1974.7.7
27	法属圭亚那	马罗尼河 Maroni	兰加 塔比克 Langa Tabiki	60 900	7 000	1968.6.2
28	圭亚那	马扎鲁尼河 Mazaruni	阿帕克瓦 Apaikwa	14 000	2 640	1971.7.4
29	乌拉圭	内格罗河 Negro	林孔—博内特坝 Rincon de Bonete dam	38 000	17 100	1959.4
30	乌拉圭	乌拉圭河 Uruguay	萨尔托 Salto	244 000	33 000	1959.4.16
31	委内瑞拉	奥里诺科河 Orinco	安戈斯图拉 Puente Angostura	836 000	98 120	1892
			非　洲			
32	阿尔及利亚	吉尔干河 Guir	朱尔夫图勒拜 Djort Torba	22 100	17 148	1975.4.20
33	贝　宁	韦梅河 Oueme	蓬德萨韦 Pont de save	23 600	2 650	1949.8.28
34	布基纳法索	库河 Kou	纳苏 Nasso	405	550	1959
35	喀麦隆	贝努埃河 Benoue	加鲁阿 Garoua	64 000	6 000	1948
36	佛得角	里韦拉布拉瓦河 Ribeira Brava	里韦拉布拉瓦镇(圣尼古拉岛) Vila de Ribeira Brava (Ile de sao Nicolao)	6.7	253	1978.9.26
37	中非共和国	乌班吉河 Oubangui	班吉 Bangui	500 000	15 800	1916.10.23
38	乍　得	巴奇凯莱河 Bachikele	巴森雷普雷森塔蒂夫 Bassin Representatif	20	114	1958.7.26
39	刚　果	刚果河 Congo	布拉柴维尔比奇 Brazzaville Beach	3 475 000	76 900	1961.12.27
40	刚　果	马宗波支流 Mazoumbou Affluent	代韦索尔 Deversoir	1.18	22.4	1974.4.14
41	埃　及	尼罗河 Nile	阿斯旺 Aswan	1 500 000(c)	13 200	1878.9.25
42	加　蓬	奥果韦河 Ogooue	兰巴雷内 Lambarene	204 000	13 600	1961.11.18
43	加　纳	沃尔特河 Volta	森奇 Senchi	394 000	14 260	1963.9.23
44	几内亚	孔库雷河 Konkoure	蓬泰梅耶 Pont Teiimeie	10 250	2 930	1958.9.6
45	象牙海岸	洛泽里奇河 Lozerique	科霍戈 Korhogo	3.6	40	1966.8.12
46	肯尼亚	塔纳河 Tana	加里萨 Garissa	42 220	3 570	1961
47	利比里亚	马诺河 Mano	马诺米内斯 Mano Mines	5 540	1 610	1960.8.19
48	马达加斯加	芒戈基河 Mangoky	巴尼扬 Banian	50 000	38 000	1933.2.5
49	马达加斯加	贝齐布卡河 Betsiboka	安布迪鲁卡 Ambodiroka	11 800	24 000(d)	1927.3.4
50	马拉维	鲁奥河 Ruo	桑库拉尼 Sankuiani	4 840	5 525	1956.4.6
51	马　里	尼日尔河 Niger	库利科罗 Koulikoro	120 000	9 670	1925.10.5

续表 21.2.1

序号	国家	河流	地点	F (km^2)	Q_m (m^3/s)	日期 (年·月·日)
52	毛里塔尼亚	莫克塔河 Moktar	巴森雷普雷森塔蒂夫站1 Bassin Representatif Sta.1	12.2	80	1959.8.27
53	摩洛哥	卢库斯河 Loukkos	姆富村 Mf. Douar	667	3 500	1977.1.23
54	莫桑比克	马普托河 Maputo	马杜布亚 Madubuia	31 600	16 000	1984.1.31
55	尼日尔	塔姆加克河 Tamgak	锡亚 Si	620	1 100	1977.8.4
56	尼日利亚	尼日尔河 Niger	洛科贾 Lokoja	1 080 000(c)	27 140	1969
57	留尼汪岛	罗什河 Roches	格朗布拉 Grand Bras	23.8	750	1952.3.18
58	塞内加尔	塞内加尔河 Senegal	巴克尔 Bakel	218 000	9 340	1906.9.15
59	塞拉利昂	莫阿河 Moa	莫阿桥 Moa Bridge	1 750	2 942	1974.10.7
60	南非	姆福洛兹河 Mfolozi	姆图巴图巴 Mtubatuba	9 250	16 000	1984.1.31
61	苏丹	青尼罗河 Blue Nile	鲁赛里斯 Roseires	210 000	11 300	1946.8.21
62	多哥	达耶斯河 Dayes	佐格贝干 Dzogbegan	52	605	1979.9.4
63	突尼斯	祖鲁德河 Zeroud	西迪萨阿德 Sidi Saad	8 950	17 050	1969.9.27
64	扎伊尔	扎伊尔河 Zaire	博马 Boma	3 815 540	90 000	1961.12.20
65	赞比亚	赞比亚河 Zambezi	卡拉博坝 Kariba dam	640 000(e)	16 100	1958.3.1
66	津巴布韦	穆嫩迪河 Munendi	维多利亚堡 Fort Victoria	130	1 860	1946.1
			南欧和西亚			
67	伊朗	卡仑河 Karun	阿斯克至戈特文德 Rsk to Gotvand	5 200	6 100	1980.2.11
68	伊朗	卡仑河 Karun	阿瓦士 Ahwaz	60 800	11 700	1924.1
69	伊拉克	底格里斯河 Digla(Tigris)	巴格达 Baghdad	134 000	7 640	1941.2.12
70	以色列	贝尔谢巴河 Beer sheva	贝尔谢巴 Beer sheeva	1 090	1 000	1965.1.19
71	意大利	奥尔巴河 Orba	泽必诺坝 Zerbino dam(44°37′N)	150	2 270	1935.8.13
72	意大利	泰拉罗河 Teiro	佩罗 Pero(44°25′N)	22	580	1968.11.1
73	意大利	安辛纳拉河 Ancinale	拉佐纳 Razzona(38°40′N)	116	1 650	1935.11.22
74	西西里(岛)	迪泰诺河 Dittalaino	拉佐纳 Razzona	79.2	1 300	1959.11.30
75	约旦	莫吉布河 Mojib	卡拉克公路 Kerak Road	4 380	1 890	1971.11.13
76	阿曼	康奇恩维鲁普河 Country envelope		14	470	1977~1982
77	阿曼	康奇恩维鲁普河 Country envelope		1 200	9 300	1977~1982

续表 21.2.1

序号	国　家	河　流	地　点	F (km²)	Q_m (m³/s)	日　期 (年·月·日)
78	西班牙	阿拉姆佐拉河 Alamnzora	圣巴巴拉 Santa Barbara	1 850	5 600	1973.10.19
79	土耳其	克普吕河 Koprucay	贝什科纳克 Beskonak	1 942	2 200	1976.12.13
			东南亚、东印度群岛和南太平洋			
80	澳大利亚	沃尔夫冈河 Wolfgang Cr.	克莱蒙特 Clermont	810	11 000	1916.12
81	澳大利亚	派厄尼河 Pioneer	普莱斯托 Pleystowe	1 490	9 840	1918.1.23
82	澳大利亚	尼平 Nepean	费桑斯内斯特 Pheasants Nest	710	6 740	1898.2
83	澳大利亚	斯诺伊河 Snowy	杰拉蒙德 Jarrahmond	13 420	7 500	1971.2.6
84	澳大利亚	托伦斯河 Torrens	戈吉韦尔 Gorge Weir	343	485	1889.9.21
85	澳大利亚	奥德河 Ord	库利巴 波克特 Coolibah Pockett	46 100	30 800	1956.2.27
86	澳大利亚	维多利亚河 Victoria	库利巴 HS Coolibah HS	44 900	20 000	1974.3.9
87	孟加拉国	布拉马普特拉河 Brahmaputra	巴哈杜拉巴德 Bahadurabad	800 000	81 000	1974.8.6
88	柬埔寨	湄公河 Mekong	桔井 Kratie	646 000	66 700	1939.9.3
89	法属 波利尼西亚,塔西堤岛	帕佩诺河 Papenoo	科特 45 Cote 45	78	2 200	1983.4.12
90	夏威夷(美)	霍诺波河 Honopo	胡埃洛 Huelo	1.7	162	1930.11.18
91	夏威夷(美)	瓦卢阿河 S.F. Waliua	利胡埃 Lihue	58	2 470	1963.4.15
92	夏威夷(美)	哈拉瓦河 Halawa	哈拉瓦 Halawa	12	762	1965.2.4
93	印　度	布拉马普特拉河 Brahmaputra	班杜 Pandu	404 000	72 700	1962.8.24
94	印　度	哥达瓦里河 Godavari		309 000	77 900	1953.8.16
95	印　度	道勒斯沃勒姆河 Dowlaishwaram		309 000	>80 000	1907.7
96	印　度	默杰河 Machu	默杰 Machu Ⅱ(f)	1 930	14 160(g)	1979.8.11
97	印　度	讷尔默达河 Narmada	加鲁德什瓦尔 Garudeshwar	88 000	69 400	1970.9.6
98	印度尼西亚	安代河 Anda	克卢贡桥 Klugkung Bridge	205	2 500	1964.2
99	日　本	新宫川 Shingu	男鹿 Oga	2 350	19 025	1970.9.6
100	朝　鲜	大同江 Taedonggang	米林 Mirim	12 175	29 000	1967.8.29
101	韩　国	汉江 Han	戈昂 Goan　1	23 880	37 000	1925.7.18
102	老　挝	湄公河 Mekong	巴色 Pakse	545 000	57 800	1978.8.17

续表 21.2.1

序号	国家	河流	地点	F (km^2)	Q_m (m^3/s)	日期 (年·月·日)
103	马来西亚	丁加奴河 Trengganu	甘榜唐戈尔 Kampong Tanggol	3 380	12 500	1967.1.6
104	尼泊尔	马斯扬蒂河 Marsyangdi	马斯扬蒂坝址 Marsyangdi damsite	3 850	3 350	1973～1981
105	新喀里多尼亚(法)	瓦莱媚河 Ouaieme	德尼尔斯拉皮德 Derniers Rapides	330	10 400	1981.12.24
106	新喀里多尼亚(法)	乌因内河 Ouinne	恩博金 Embouchure	143	4 000	1975.3.8
107	新西兰	哈斯特河 Haast	罗灵比利 Roaring Billy	1 020	7 690	1979.12.2
108	巴基斯坦	杰赫勒姆河 Jhelum	曼格拉 Mangla	33 330	30 000	1929.8.29
109	菲律宾	卡加延河 Cagayan	吕宋 Luzon	10 620	27 750	1936.12.4
110	斯里兰卡	马勒沃图河 Malwathu	卡帕奇奇 Kapachchi	3 300	6 510	1957.12.6
111	泰　国	湄公河 Mekong	穆达汉 Mukdahan	391 000	36 620	1996.9.15
112	越　南	红河 Song koi	越池 Vietri	113 000	32 500	1945.
			北大西洋和北太平洋			
113	阿拉斯加	育空河 yukon	兰帕特 Rampart	537 000	26 900	1964.6.15
114	加拿大	斯图尔特河 Stewart	梅奥 Mayo	31 600	4 110	1964.6.10
115	芬　兰	凯米河 Kemijoki	塔伊瓦尔科斯基 Taivalkoski	50 820	4 824	1973.5.26
116	冰　岛	尚尔索河 Thjorsa	于尔达弗斯 Urrdafoss	7 200	3 500	1948.3.5
117	挪　威	盖拉河 Gaula	哈加布鲁 Haga Bru	3 080	2 795	1940.8.24
118	瑞　典	达尔河 Dalalven	诺斯隆德 Norslund	25 300	2 640	1860.6.1
119	苏　联	伯朝拉河 Petchora	乌斯季齐利马 Usttsiima(65°)	248 000	39 500	1952.6.8
120	苏　联	勒拿河 Lena	基尤修尔 Kusur(71°)	2 430 000	189 000	1967.6.8
121	苏　联	鄂毕河 Ob	萨列哈尔德 Salekhard(66°)	2 430 000	44 800	1979.8.10

注 a 从图上读得。
b 已知最大值(USGS,1973)。
c 近似有效面积。
d 另一来源说是 22 000m^3/s。
e 另一来源说是 518 000km^2。
f 邻近莫武(Morvi),古吉拉特(Gujarat)邦。
g 可能是 19 800m^3/s,受上游玛曲(Machu)Ⅰ库调节,该库未失事。

表 21.2.3 和表 21.2.4 是除美国以外世界一些国家的 PMF 成果。其洪峰 Q_m 与集水面积 F 的关系见图 21.2.2。

表 21.2.3 资料录自美国水文专家王碧辉博士的手稿,表 21.2.4 资料来源见该表后的说明。

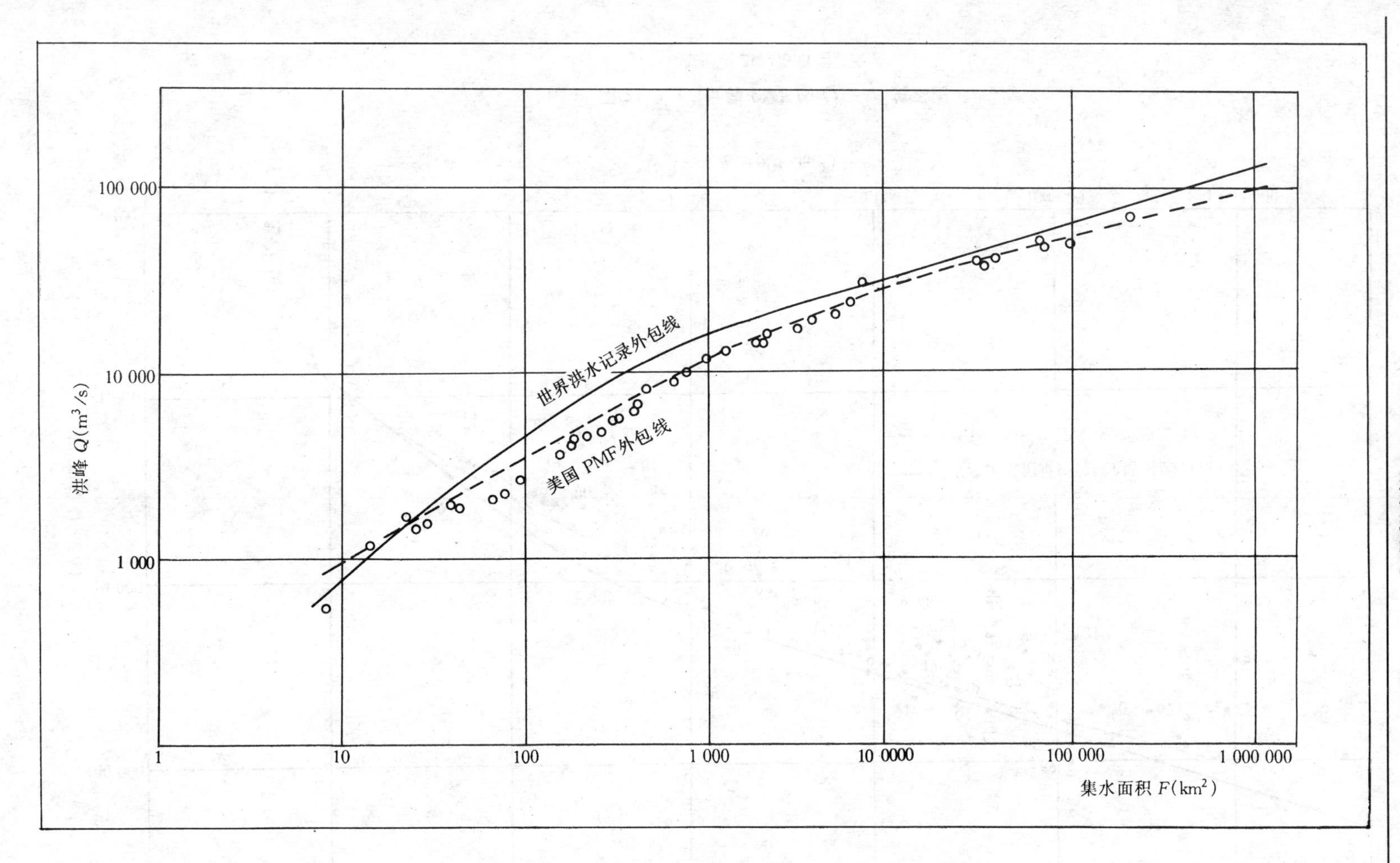

图 21.2.1 美国 PMF 外包线与世界洪水记录外包线比较

美国 PMF 外包线根据约 600 座工程的外包值(表 21.2.2)点绘,世界洪水记录外包线按图 22.1.1 点绘

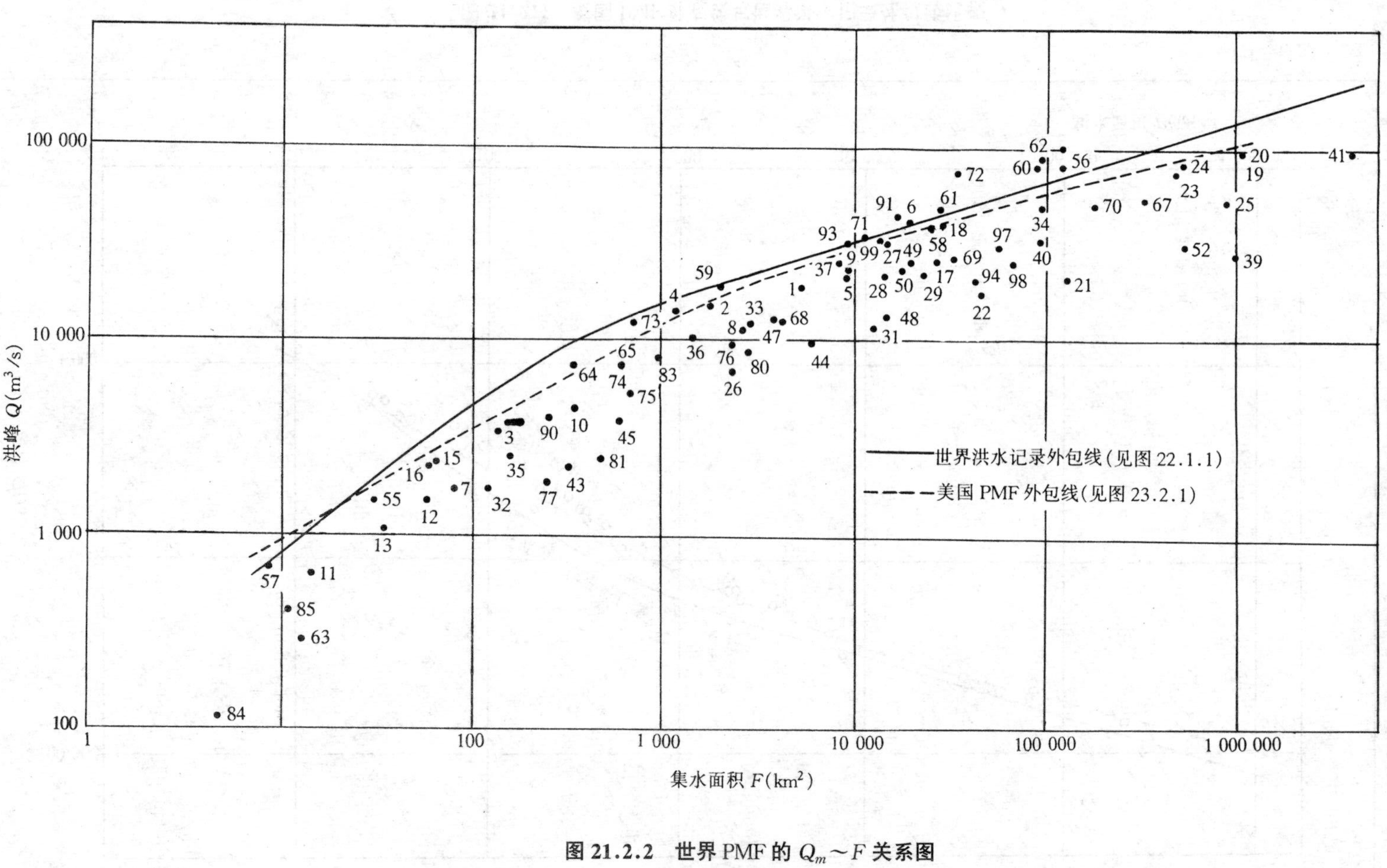

图 21.2.2 世界 PMF 的 Q_m～F 关系图

根据表 21.2.3 数据点绘

表 21.2.2 美国约600座工程PMF的外包值(在外包线上工程的PMF)

序号	工程	州	流域	河流	集水面积 F (km^2)	流域平均(mm)		洪峰 Q_m (m^3/s)
						降水	径流	
1	巴斯县 Batn County	弗吉尼亚 Va.	詹姆斯河 James	小巴克河 Little Back Creek	2.80			85
2	德赖河 Dry Fork	密苏里 Mo.	密苏里河 MissOuri	菲兴河 Fishing River	8.29	663	572	551
3	霍姆斯 Holmes	内布拉斯加 Nebr.	密苏里河 MissOuri	安蒂洛普河 Antelope Creek	14.0	688	605	1 180
4	扬基山 Yankee Hill	内布拉斯加 Nebr.	密苏里河 MissOuri	索尔特河 卡德韦尔支流 Cardwell Br. Salt Creek	21.8	660	577	1 650
5	斯特治科齐 StageCoach	内布拉斯加 Nebr.	密苏里河 MissOuri	索尔特河 希克曼支流 Hickman Br. Salt Creek	25.1	660	577	1 430
6	双湖 Twin Lakes	内布拉斯加 Nebr.	密苏里河 MissOuri	米德尔河 S. Br. Middle Creek	28.5	658	574	1 590
7	比莱德尔斯河 Blieders Creek	德克萨斯 Tex.	瓜达卢佩河 Guadalupe	比莱德尔斯河 Bileders Creek	38.9	1 113	879	1 990
8	布卢斯特姆 Blue Stem	内布拉斯加 Nebr.	密苏里河 Missouri	索尔托河 奥利夫支流 Olive Br. Salt Creek	44.0	635	551	1 960
9	卡顿伍德斯普林斯 Cottonwood Springs	南达科他 S.D.	密苏里河 Missouri	夏延河 Cheyenne River	67.3	475	282	2 120
10	米尔河西 West FK. Mill Ck.	俄亥俄 Ohio	俄亥俄河 Ohio	米尔河 Mill Creek	77.7	810	762	2 310
11	赫多格 He Dog	南达科他 S.D.	怀特河 White	卡特米特河 Cut Meat Cr.	90.7			2 630
12	卡尔河 Carr Fork	肯塔基 Ky.	俄亥俄河 Ohio	肯塔基河 No. Fk. KentucKy River	150	696	635	3 750
13	科曼奇山 Comanche Peak	得克萨斯 Tex.	布拉索斯河 Brazos	斯阔河 Squaw Creek	166	993	866	4 220
14	达马里 Darmalee	南达科他 S.D.	怀特河 White	卡特米特河 Cut Meat Cr.	176			4 530
15	谢龙哈里斯 Shearon Harrils	北卡罗来纳 N.C	开普菲尔河 Cape Fear	怀特卡特河 White Cak Creek	205			4 630
16	雷迪斯 Reddies	北卡罗来纳 N.C	皮迪河 Pee Dee	雷迪斯河 Reddies River	243	711	630	4 930
17	迪克斯 Dierks	阿肯色 Ark.	雷德河 Red	萨林河 Saline River	293	919	843	5 720
18	锡达波因特 Cedar Point	堪萨斯 Kans.	阿肯色河 Arkansas	锡达河 Cedar Creek	308	645	574	5 890
19	惠特罗牧场 Whitlow Ranch	亚利桑娜 Ariz.	科罗拉多河 Colorado	昆河 Queen Creek	370	292	246	6 510
20	奥科尼 Oconee	南卡罗来纳 S.C.	萨凡纳河 Savannah	利特尔河 Little River	383		677	6 940
21	帕托卡 Patoka	印第安纳 Ind.	俄亥俄河 Ohio	帕托卡河 Patoka River	435	650	597	8 270
22	莱克维尤 Lakeview	得克萨斯 Tex.	特里尼蒂河 Trinity	芒廷河 Mountain Creek	601	803	732	9 490
23	锡尔哈姆 Cillham	阿肯色 Ark.	雷德河 Red	科萨托河 Cossatot River	702	879	800	10 100
24	泰勒斯维尔 Taylorville	肯塔基 Ky.	俄亥俄河 Ohio	索尔托河 Salt River	914	630	564	12 100
25	奥科尼 Oconee	南卡罗来纳 S.C.	萨凡纳河 Savannah	凯奥威河 Keowee River	1 137	673	597	12 700
26	派恩河 Pine Creek	俄克拉何马 Okla.	雷德河 Red	利特尔河 Little River	1 645	833	757	14 800
27	莱恩波特 LanePort	得克萨斯 Tex.	布拉索斯河 Brazos	圣加布里埃尔河 San Gabriel River	1 836	734	602	14 800

续表 21.2.2

序号	工程	州	流域	河流	集水面积 F (km²)	流域平均 (mm)		洪峰 Q_m (m³/s)
						降水	径流	
28	布罗肯鲍水库 BroKen Bow	俄克拉何马 Okla.	雷德河 Red	芒廷支流 Mountain Fork	1 953	826	747	16 100
29	克里斯费里 Creers Ferry	阿肯色 Ark.	雷德河 Red	小雷德河 Little Red River	2 968	455	445	17 800
30	斯蒂尔豪斯霍洛水库 Stillhouse Hollow	得克萨斯 Tex.	布拉索斯河 Brazos	兰帕瑟斯河 Lampasas River	3 414	704	572	19 400
31	麦圭尔 McGuire	北卡罗米纳 N.C.	桑蒂河 Santee	卡托巴河 Catawba River	4 584			21 200
32	哈特维尔 Hartwell	佐治亚 Ga.	萨凡纳河 Savannah	萨凡纳河 Savannah River	5 408	630	478	24 800
33	克莱特 Claytor	弗吉尼亚 Va.	俄亥俄河 Ohio	纽河 New River	6 169	566	457	31 400
34	沃尔夫 Wolf 博约	阿肯色 Ark.	怀特河 White	怀特河 White River	27 900			40 800
35	塞尼卡 Seneca	马里兰 Md.	波托马克河 Potomac	波托马克河 Potomac River	29 530	343	262	53 500
36	道格拉斯波因特 Douglas Point	马里兰 Md.	波托马克河 Potomac	波托马克河 Potomac River	33 970	340	259	42 200
37	比弗瓦利 Beaver Valley	宾夕法尼亚 Pa.	俄亥俄河 Ohio	俄亥俄河 Ohio River	59 570			53 500
38	富尔顿(哈里斯堡) Fulton(Harrisburg)	宾夕法尼亚 Pa.	萨斯奎汉纳河 Susquehanna	萨斯奎汉纳河 Susquehanna River	62 420	323	208	49 600
39	丹尼森 Denison	俄克拉何马 Okla.	雷德河 Red	雷德河 Red River	87 500	328	165	51 800
40	梅斯维尔 Maysville	俄亥俄河 Ohio	俄亥俄河 Ohio	俄亥俄河 Ohio River	181 640	249	213	73 300
41	麦克纳里 McNary	俄勒冈 Oreg.	哥伦比亚河 Columbia	哥伦比亚河 Columbia River	554 260		584	73 900
42	约翰迪 John Day	俄勒冈 Oreg.	哥伦比亚河 Columbia	哥伦比亚河 Columbia River	585 340		536	75 000
43	达尔斯 The Dalles	俄勒冈 Oreg.	哥伦比亚河 Columbia	哥伦比亚河 Columbia River	613 830		536	75 300
44	邦纳维尔 Bonneville	俄勒冈 Oreg.	哥伦比亚河 Columbia	哥伦比亚河 Columbia River	621 600		561	77 000

注 资料来源:序号 1、11、14 为王碧辉手稿,34 为文献〔6〕,其余为文献〔7〕。

表 21.2.3 世界一些国家的 PMF 成果表(a)

序号	国家	河流	地点	集水流面 F (km²)	洪峰 Q_m (m³/s)
			中美洲和西印度群岛		
1	哥斯达黎加	特拉瓦河 Terraba	帕尔马水文站 Palmar gage	4 860	19 300(a)
2	多米尼加	亚克+巴奥坝 Yaque+Bao dams	塔韦+巴奥 Taver+Bao	1 672	15 100(a,b)
3	多米尼加	萨纳特河 Sanate	萨纳特坝 Sanate dam	131.5	3 190
4	萨尔瓦多	圣米格尔河 Grade de san Miguel	圣米格尔 San Miguel	1 085	14 000
5	萨尔瓦多	兰帕河 Lompa	塞龙格兰德坝 Cerron Grande dam	8 350	21 500(c)

续表 21.2.3

序号	国　家	河　流	地　点	集水流面 F (km^2)	洪峰 Q_m (m^3/s)
6	萨尔瓦多	兰帕河 Lempa	圣洛伦索坝 San Lorenzo dam	17 530	41 500(d)
7	萨尔瓦多	泰西瓦特河 Taisihuat	里奥塔斯瓦特坝 Rio Taisihuat dam	79.4	1 710
8	海　地	瓜亚莫克河 Guayamouc	古－1 Gu－1	2 490	11 500
9	洪都拉斯	侯穆亚河 Humuya	埃尔卡洪坝 El Cajon dam	8 390	22 850(a)
10	洪都拉斯	约华湖 Lake yojoa	约华湖坝 Lake Yojoa dam	320	4 510
11	洪都拉斯	林杜河 Lindo	里奥林多坝 Rio Lindo dam	14	630
12	洪都拉斯	巴索维亚河 Varsovia	里奥巴索维亚附近 near Rio Varsovia dam	55	1 500
13	洪都拉斯	尤雷河 yure	里奥尤雷坝 Rio Yure dam	34	1 060
14	牙买加	巴夫贝 Buff Bay	特朗奎利蒂 Tranquility	61.6	2 720
15	波多黎各	托阿瓦卡河 Toa Vaca	瓜亚瓦尔坝 Guayabal dam	58.0	2 380(a)
16	圣卢西亚	罗索河 Roseau	迪兰杜坝 Durandeau dam	28.5	1 470
			南美洲		
17	阿根廷	贝尔梅霍河 Bermejo	桑哈蒂格雷坝 Zanja del Tigre dam	23 962	26 200
18	阿根廷	圣胡安河 San Juan	乌卢姆坝 Ullum dam	26 000	4 040
19	阿根廷—巴拉圭	巴拉那河 Parana	科尔普斯坝 Corpus dam	970 000	95 000(a)
20	阿根廷—巴拉圭	巴拉那河 Parana	亚西雷塔坝 Yacyreta dam	975 000	95 000
21	巴　西	格兰德河 Grande	马林邦杜坝 Marimbondo dam	118 500	21 000(a, e)
22	巴　西	雅里河 Jari	伊塔佩乌拉坝 Itapeuara dam	43 000	17 700
23	巴　西	欣古河 Xingu	巴巴普阿拉 Babapuara	446 000	75 900(a,f)
24	巴　西	欣古河 Xingu	卡拉沃 Kararao	477 000	80 400(a,f)
25	巴西－巴拉圭	巴拉那河 Parana	伊泰普坝 Itaipu dam	820 000	53 800(a,g)
26	智　利	梅拉多河 Melado	佩胡恩切坝 Pehuenche dam	2 228	6 950
27	哥伦比亚	马格达雷那河 Magdalena	贝塔尼亚坝 Betania dam	13 572	32 480
28	哥伦比亚	帕蒂亚河 Patia	帕蒂亚坝 Patia dam	13 123	22 600
29	哥伦比亚	索加莫索河 Sogamoso	索加莫索坝 Sogamoso dam	21 343	22 600
30	厄瓜多尔	亚纳亚库河 Yanayacu	皮萨亚姆波坝 Pisayambo dam	179	485
31	苏里南	苏里南河 Surinam	布罗科蓬多坝 Brokopondo dam	12 100	11 900

续表 21.2.3

序号	国　家	河　流	地　点	集水流面 F (km²)	洪峰 Q_m (m³/s)
32	乌拉圭	萨普凯河 Zapucay	洛斯蒙特斯 Los Montes dam	119	1 610
33	委内瑞拉	卡帕罗河 Caparo	拉布埃尔托萨 La Vueltosa	2 700	12 400
34	委内瑞拉	卡罗尼河 Caroni	古里坝 Guri dam	89 230	48 100
35	委内瑞拉	多拉达斯河 Doradas	拉斯库埃瓦斯 Las Cuevas	150	2 500
36	委内瑞拉	乌里万特河 Uribante	拉翁达 La Honda	1 340	10 150
			非　洲		
37	阿尔及利亚	凯比尔河 Kebir	贝尼哈隆坝 Beni Haroun dam	7 725	25 400
38	埃塞俄比亚	芬恰阿河 Finchaa	芬恰阿坝 Finchaa dam	1 275	1 550(h,i)
39	莫桑比克	赞比亚河 Zambesi	卡布拉巴萨坝 Cabora Bassa dam	900 000	27 500(a,j)
40	突尼斯	祖鲁德河 Zeroud	西迪萨阿德坝 Sidi Saad dam	8 575	32 500(a,k)
41	扎伊尔－刚果	刚果河 Congo	大因加坝 Grand Inga dam	3 810 000	96 000(a, l)
			南欧和西亚		
42	阿富汗	赫尔曼德河 Helmand	卡季卡凯坝 Kajkakai dam	47 300	20 100
43	塞浦路斯	库里斯河 Kouris	库里斯坝 Kouris dam	308	2 400(a,m)
44	希　腊	阿谢洛奥斯河 Acheloos	克雷马斯塔坝 Kremasta dam	3 570	9 800(a)
45	希　腊	莫尔诺斯河 Mornos	莫尔诺斯坝 Mornos dam	560	3 800(a)
46	伊　朗	卡伦河 Karun	礼萨沙哈凯瓦尔坝 Reza shah kebir dam	26 000	22 500
47	伊　朗	马伦河 Marun	纳德尔沙哈坝 Nader shah dam	3 634	12 500
48	伊拉克	欧宰姆河 Adhaim(n)	河口 mouth	13 800	13 000
49	伊拉克	迪亚拉河 Diyala	德尔本迪哈恩坝 Derbendi khan dam	17 800	25 000
50	伊拉克	大扎卜河 Greater zab	贝克梅坝 Bekhme dam	16 600	23 000
51	伊拉克	小扎卜河 Lesser zab	杜坎坝 Dokan dam	11 700	18 000
52	伊拉克	底格里斯河 Tigris	艾斯基摩苏尔坝 Eski Mosul dam	50 200	30 000
53	约　旦	耶尔穆克河 Yarmouk	迈加林水文站 Maqarin gage	5 950	7 940
54	约　旦	扎尔卡河 Zarqa	金塔拉尔坝 King Talal dam	3 300	4 800
			东南亚、东印度群岛和南太平洋		
55	澳大利亚	滨海河 Coastal	昆士兰 Queensland	30	1 500(a)

续表 21.2.3

序号	国　家	河　流	地　点	集水流面 F (km^2)	洪峰 Q_m (m^3/s)
56	澳大利亚	伯德金河 Burdekin	伯德金福尔斯坝 Burdekin Falis dam	114 000	>79 600(a)
57	孟加拉国	乔达古米拉河 Chhoto kumira	乔达古米拉坝 Chhota kumira dam	8.42	680
58	印　度	昌巴尔河 Chambal	甘地萨格尔坝 Gandisagar dam	23 000	39 760(a)
59	印　度	德门根加河 Damanganga	德门根加坝 Damanganga dam	1 813	19 950(a)
60	印　度	默哈讷迪河 Mahanadi	希拉库德坝 Hirakud dam	83 400	81 000(a)
61	印　度	默希河 Mahi	格达纳坝 Kadana dam	25 500	49 500(a)
62	印　度	讷尔默达河 Narmada	萨尔达萨罗瓦坝 Sardar Sarovar dam	88 000	87 000(a)
63	印度尼西亚(o)	西阿哈瓦贡河 West Aghawagon	滕巴戈波坝 Tembagapura dam	12.7	289(p)
64	韩　国	五台川 Odae	华维 Hwaeui	323	7 480
65	韩　国	平昌江 Pyeongchang	平昌 Pyeongchang	641	9 730
66	韩　国	松江 Song	多阿姆 Doam	145	3 740
67	老　挝	湄公河 Mekong	巴蒙坝 Pa Mong dams	305 000(q)	52 000(a)
68	尼泊尔	马斯扬蒂河 Marsyangdi	马斯扬蒂 Marsyangdi	3 850	12 300(a)
69	巴基斯坦	戈马尔河 Gomal	克久里格杰坝 Khajuri kach dam	30 170	27 470
70	巴基斯坦	印度河 Indus	德尔贝拉坝 Tarbela dam	169 600	50 200(a,r)
71	巴基斯坦			10 360	33 220(a,s)
72	巴基斯坦	杰赫勒姆河 Jhelum	门格拉坝 Mangla dam	33 330	73 600(a)
73	菲律宾	阿格诺河 Agno	安布克劳坝 Ambukiao dam	686	12 350(t)
74	菲律宾	昂阿特河 Angat	昂阿特坝 Angat dam	570	7 500
75	斯里兰卡	科特马勒河 Kotmale oya	科特马勒坝 Kotmale dam	554	4 000～5 550
76	斯里兰卡	马哈韦利河 Mahaweli Ganga	兰登戈拉坝 Randenigala dam	2 330	9 750
77	泰　国	兰济河 Lam Chi Long	兰济坝 Lam Chi Long dam	225	1 880
78	泰　国	兰普龙昆佛河 Lam Prong kun phet	兰普龙昆佛坝 Lam Prong kun phet dam	528	2 960
79	泰　国	兰萨河 Lam sae	兰萨坝 Lam sae dam	601	3 000
80	泰　国	南锡河 Nam Chi	南锡坝 Nam Chi dam	2 670	8 880
81	泰　国	蒙河 Nam Mun	蒙河坝 Nam Mun dam	454	2 480

续表 21.2.3

序号	国家	河流	地点	集水流面 F (km^2)	洪峰 Q_m (m^3/s)
			北大西洋和北太平洋		
82	阿拉斯加(美)	阿利塔克坎纳利 #1 坝 Alitak Cannery Dam #1	科迪亚克岛 Kodiak Isiand	0.13	3.23(a)
83	阿拉斯加(美)	艾利恩河 Alien	奇库米努克坝 Chikuminuk dam	901	8 040
84	阿拉斯加(美)	布莱克河 Black Cr.	威尔士王子岛布莱克贝尔湖 Black Bear Lake, Prince of wales Island	4.71	113(a)
85	阿拉斯加(美)	莫纳什卡河 Monashka Cr.	莫纳什卡克里克坝 Monashka Creek dam	10.9	411(a)
86	阿拉斯加(美)	苏西特纳河 Susitna	德弗尔坎宁坝 Devil Canyon dam	15 050	10 250
87	阿拉斯加(美)	苏西特纳河 Susitna	沃塔加坝 Watana dam	13 400	8 750
88	加拿大	拉格兰德河 La Grande	拉格兰德#3 坝 La Grande #3 dam	63 900	13 400(a)
89	冰 岛	尚尔索河 Thjorsa	布尔坝 Burfell dam	6 350	7 750

说明: a 为非哈扎(Harza)工程公司资料。

b 周文德的数字,哈扎公司估计为 15 800m^3/s。

c 受上游贵加(Guija)湖调节。

d 受上游数库调节。

e 根据流域面积 F 和 $C=Q_m/F$ 近似计算。

f 10 000 年一遇值。

g 天然值(上游无坝)

h 从流量过程线上读得。

i 流域 32%为沼泽,无代表性。

j 10 000 一遇的天然值。河流上游有 2 个沼泽,卡莱巴(Kariba)坝控制了该流域面积的一半以上。

k 10 000 年一遇值。

l 溢洪道的泄流能力,哈扎公司的面积。哈扎公司在 1957 年估计为 85 000m^3/s。1961 年在其下游约 100km 的波玛(Boma)曾出现过 90 000m^3/s。

m 根据初步检查,怀疑此数太小。

n 在沙玛拉(Samarra)坝和贝格达德(Baghdad)之间,增加泰格雷斯(Tigris)平原面积。

o 新几内亚岛。

p 标准洪水,小于 PMF。

q 帕芒(Pa Mong)河为 299 000km^2,纳门莱克河(Nam Lik)河为 5 114km^2,豪芒(Hua Mong)河为1 307km^2。

r PMP(仅 10 360km^2)加融雪。

s PMP 的面积。

t 按记录洪水的 2 倍估计。

PMF 值除带标注者外,其余为哈扎工程公司资料。

表 21.2.4 世界一些国家的 PMF 成果表(b)

序号	国 家	河 流	工 程	F (km²)	Q_m (m³/s)
1	印 尼	芝利翁河 Ciliwung	德波 Depok	240	3 870
2	印 度	因德拉沃蒂河 Indrayati	博哈特 Bodhghat	15 280	43 400
3	巴西－阿根廷	乌拉圭河 Uruguay	加拉比 Garabi	115 820	101 900
4	突尼斯	祖鲁德河	锡迪萨阿德	8 600	32 500
5	加拿大		麦克塔盖尔 Mactagual	40 100	20 020
6	巴 西		波爱斯卜兰萨水库	84 700	14 800
7	巴 西	哈瓜里勃河	阿诺斯	26 700	7 510
8	巴 西	圣弗兰西斯科河	索布那丁霍	520 000	30 000
9	土耳其		凯班水库	63 800	25 080
10	印 度	比阿斯河	比阿斯	12 560	33 560

资料来源：

1. 序号 1～4 来自第 16 届国际大坝会议论文,转引自长江水利委员会水文局 1990 年印的《水资源研究:第 16 届国际大坝会议论文设计洪水译文选集》。序号 3 的洪峰为 MPF。
2. 序号 5～9 来自水文计算专业情报网编《水文计算技术》第 2 期,1978 年 12 月。
3. 序号 10 来自水电部科学技术情报所编《一些国家的水库设计洪水及标准》,1976 年 1 月。

21.2.2.5 用古洪水进行比较

采取河流古代非常洪水时的平流(最高水位时期)沉积物,利用地质学、古气候学、年代学和水文学的理论和方法进行研究,以获取反映该次洪水的主要特征(如发生年代、洪峰水位与流量、重现期、洪水来源等),这是近一二十年才发展起来的河流古洪水研究方法。通过这一方法,可以得到全新世内几千年的古洪水信息。方法要点如下:

利用沉积物中的含碳物质(如孢粉、枝叶等)以放射性碳同位素(^{14}C)进行测年,定出古洪水的发生年代;

根据沉积物所在位置的高程,考虑沉积物高程与最高洪水位高程间的关系,确定古洪水的最高洪水位与水面线;

根据地质地貌学和水文学的理论,研究古洪水沉积物所在河段的断面变化,进而求出古洪水的洪峰流量及相应的重现期;

根据沉积物泥沙的粒径与磨损度以及重矿物的组合特征,推断古洪水的地区来源和大致的天气成因。

显然,用古洪水与 PMF 进行比较,不失为一种检验 PMF 的较好方法。无疑,PMF 也不应小于古洪水。

表 21.2.5 是河海大学教授詹道江等人在 1985～1995 年期间,与淮河、海河、长江[4]和黄河的生产部门合作进行研究,所取得的晚全新世(距今 2 500～3 000 年,这一时期的气候条件与现代相近,所得洪水资料符合统计上样本一致性的要求)的古洪水成果,可供参考。

表 21.2.5 中国四大江河古洪水成果

流域	河名	地点	集水面积（km^2）	古洪水发生年代		洪峰流量（m^3/s）	估计重现期（a）
				公元	距今（1950 年）年数		
淮　河	湨　河	响洪甸	1 400		1 736	15 400	3 000
淮　河	湨　河	响洪甸	1 400		2 700	13 500	1 500
海　河	滹沱河	黄壁庄	23 400	公元前 550	2 500	35 000	3 000
海　河	滹沱河	岗　南	15 900	公元前 50	2 000	22 300	3 000
海　河	冶　河	平　山	6 420	公元前 1550	3 500	25 500	3 000
长　江	长　江	三　峡	1 000 000	1870	80	105 000	2 500
长　江	长　江	三　峡	1 000 000		2 420±295	102 000	
长　江	长　江	三　峡	1 000 000		2 230±263	98 500	
长　江	长　江	三　峡	1 000 000		2 580±220	90 800	
长　江	长　江	三　峡	1 000 000		1 937±407	87 200	
黄　河	黄　河	小浪底	694 155		2 360±375	38 000	2 500

注　1. 平山为滹沱河支流冶河的控制站。
2. 三峡 1870 年洪水为调查历史洪水。

表 21.2.6 是美国 3 条河流的古洪水。

表 21.2.6 美国通过平流沉积物和古洪水水位标记所得到的若干古洪水

地　点	参考文献	近似集水面积（km^2）	实测资料长度（a）	实测最大流量（m^3/s）	古洪水流　量（m^3/s）	古洪水近似年龄（a）
佩科斯河(Pecos)，得克萨斯州(Texas)	Kochel and Baker(1982) Patten and Dibble(1982)	90 000	85	23 000 11 000 10 000 10 000	23 000 11 000 10 000 10 000	30 500 1 000 2 000
德弗尔斯河（Devils），得克萨斯州(Texas)	Kochel etal (1982)	11 150	60	16 600	16 600 16 500 16 000 15 000	30 500 1 000 2 000
萨克河(Sak)，亚利桑那州(Arizona)	Partrige and Baker (1987)	11 153	60	2 900	3 000 3 200 4 600	200 600 1 000

资料来源：Victor R. Baker, Paleoflood Hydrology and Extraordinary Flood Evevts, Journal of Hydrology, 96(1987)88.

21.2.2.6　用河谷地层考古所得的近似极限洪水进行比较

通过河谷地层的考古来推估极限洪水，目前在中国有两种做法：

1)用地貌学与水文学相结合的方法，推估极限洪水，一般称为阶地洪水。其基本概念

如下:

每一条河流的河谷地形,大都是长期水流作用的结果。河谷地形有低河漫滩、高河漫滩和河流阶地之分。在一般情况下,河漫滩冲积层都有明显的两层结构。在下层分布着砂层,有时夹有砾石或砾石层;在上层堆积着细砂或粉砂或细砂质壤土和壤土层。这二层不同的冲积物为河漫滩二元结构。河漫滩上的地形及沉积物堆积的特性取决于该地区的地理条件(地质构造、地形特征、植被特征和降水量),它是随时间而改变的。因此,根据河流淤积物的分布高程可以推求最高洪水位。

河流阶地一般是古河流本身活动所造成的,其平台面就是古河流的河漫滩。阶地的形成是由于河流侵蚀基准面相对变动的结果。在地壳稳定区域或轻微上升区,一级阶地由于地壳轻微上升,河流下切,或气候条件发生变化而水量增加,下切作用加强,原来的河漫滩相对提高,使最大洪水也不能淹没。据此,我们可以用一级阶地的地面高程来估算极限洪水[8]。表21.2.7上半部分是有关单位[8,9]运用此法推估的成果。

表21.2.7　　中国河谷地层考古洪水

洪水类别	河流	地点	集水面积 (km^2)	最大流量 (m^3/s)	资料来源
阶地洪水	浊漳河	古城	11 980	18 500	〔9〕
	清漳河	邵庄	5 400	16 200	〔9〕
	漳河	小王庄	17 410	28 400	〔9〕
	漳河	石梯	17 440	27 800	〔9〕
	红水河	龙滩(二)	98 500	25 900	〔8〕
	郁江	西津	77 300	32 620	〔8〕
	郁江	南宁(三)	69 700	29 500	〔8〕
淤积物考古洪水	龙江	金城江		8 200	〔10〕
	红水河	都安	113 500	35 400	〔10〕
	黔江	武宣	196 255	83 500	〔10〕

2)用河流动力学、地质地貌学与水文学相结合的方法,推估极限洪水,一般称为淤积物考古洪水。其基本概念如下:从河流动力学的观点看,河床影响水流结构,水流促使河床变化,而水流和河床的相互作用,又是以泥沙运动为纽带的。因此,河道演变的基本规律是以泥沙运动的基本规律为基础的,故可从研究泥沙的淤积规律并结合淤积物的物理特征和化学特征,推估出现代(第四纪冰川后期以来约1万年时间)最大洪水[10]。表21.2.7下半部是广西水电部门的研究成果。

采用上述两种方法估算的极限洪水的重现期,一般认为,约为10 000年。

我们认为,虽然把以上两种方法求得的极限洪水与PMF成果进行比较,有一定的价值,但只能作为参考。这一方面是因为成果精度一般较差,另一方面是因为10 000年以来的气候条件和现代是否相近,还有争论。

21.2.2.7 与频率分析成果比较

和PMP一样,PMF是没有明确的频率概念的,而且PMF与洪水频率之间,没有也不可能有任何固定的关系(理由详见26.2.1节)。我们认为,所求得的PMF所相当的重现期,如果在600年以下,则可能偏小。

21.2.3 讨论

文康教授认为,PMF的成果合理性检查,要远比计算重要得多。因为在PMF条件下,一般洪水都不归槽,不是传统的洪水演算的概念。所以在合理性检查过程中,不能用传统的概念来评判PMF成果是否合理。像在频率计算的合理性检查中,所采用的与邻近流域对比,与上下游对比,用经验公式 $Q=AF^n$ 检查。这些对PMF的检查,在某些情况下,可能都不适用。

例如用上下游成果比较时,一般应是下游洪峰大于上游洪峰,但在PMF时,由于下游洪水大漫滩或堤防决溢等分洪滞洪的影响,下游洪峰就有可能小于上游洪峰。我们认为,文康教授的意见,是正确的。事实上,在实测特大洪水资料中,就已有这种例子。如美国中西部的上密西西比河流域1993年6～8月发生了一场罕见的特大洪水,其重现期约为500年,但这场洪水演进到下游,由于漫滩和堤防决溢等影响,使洪峰减小,其重现期只有100多年❶。

参 考 文 献

1 华东水利学院等.工程水文学.北京:中国工业出版社,1962
2 长江水利委员会主编.水文预报方法.北京:水利电力出版社,1993
3 胡明思、骆承政主编.中国历史大洪水(上卷).北京:中国书店,1989
4 长江水利委员会.三峡工程水文研究.武汉:湖北科学技术出版社,1997
5 中国水力发电工程学会主编.1992～1994中国水力发电年鉴(第四卷).北京:中国电力出版社,1995
6 詹道江,邹进上.可能最大暴雨和洪水.北京:水利电力出版社,1983
7 U.S.Nuclear Regulatory Commission REGULATORY GUIDE ,office of standards Development, Revison 2, August 1977
8 徐润滋.关于用地貌学方法估算河流极限洪水问题的初步探讨.水文,1982(5)
9 冯焱主编.中国江河防洪丛书·海河卷.北京:水利电力出版社,1993
10 李建枢.现代最大洪水考证和应用的初步探讨.水利水电技术,1981(6)

❶ 文康,李琪.1993年美国上密西西比河流域特大洪水与21世纪美国江河防洪减灾对策.水利部南京水利水资源研究所,1995,6

22 世界和中国洪水记录

22.1 世界洪水记录

22.1.1 全球洪水记录

根据联合国教科文组织(UNESCO)1984 年 143 号文件[1]和国际灌溉与排水委员会 1976 年出版的文件[2]以及文献[3~7]等综合,世界洪水记录如表 22.1.1 所示。该表列有美国、中国、墨西哥、法国、印度、日本、朝鲜、韩国、菲律宾、马达加斯加、巴基斯坦、孟加拉、苏联和巴西等 14 个国家的洪水记录。对这些国家如加以分类,则可看出一些规律性的东西。

22.1.1.1 从与海洋的关系上看

大家知道,降水的水汽主要来自广阔的海洋,因此距海洋愈近,水汽愈充沛。

表 22.1.1　世界洪水记录表

序号	国家	站名	集水面积 (km²)	洪峰流量 (m³/s)	发生日期 (年·月·日)	资料来源
1	波多黎各	洛斯塞得罗斯,伊莎贝拉 Q. de los cedros, Isabela	1.79	212	1970.5.7	
2	美国	洪堡河,内华达州 Humboldt River trib, Nevada	2.2	251	1973.5.31	[4]
3	美国	圣拉斐尔,加里福尼亚州 San Rafael, California	3.2	250	1973.1.16	[1]
4	美国	比格克里克,韦恩斯维尔,北卡罗来纳州 Big Creek NR Waynesville, North Carolina	3.4	368	1940.8.30	[7]
5	中国	汾河,成家曲	5.6	457	1971.7	[5]
6	美国	哈拉瓦,夏威夷州 Halawa, Hawaii	12	762	1965.2.4	[1]
7	美国	莱恩坎宁,俄勒冈州 Lane Canyon, Oregon	13.1	807	1965.7.26	[4]
8	美国	埃尔兰乔阿罗约,波瓦基,新墨西哥州 EL Rancho arroyo NR Pojoazue, New Mexico	17.4	1 250	1952.8.22	[7]
9	美国	迈耶斯坎宁,俄勒冈州 Meyers Canyon, Oregon	32.9	1 540	1956.7.13	[4]
10	美国	怀卢阿,夏威夷州 S. F. Wailua, Hawaii	58	2 470	1963.4.15	[1]
11	墨西哥	圣巴托洛 San Bartolo	81	3 000	1976.9.30	[1]
12	中国	海河,南抵河,西台峪	127	3 990	1963.8.4	[3]
13	法国	乌因,新喀里多尼亚 Ouinn e New Caledonia	143	4 000	1975.3.8	[1]
14	中国	渤海岸、石河、小山口	171	7 000△	1894.7	[5]
15	中国	台湾,浊水溪,桶头	259	7 780	1979.8.24	[3]
16	法国	瓦莱梅,新喀里多尼亚 Ouaieme, New Caledonia	330	10 400	1981.12.24	[1]
17	中国	淮河,汝河,板桥	762	13 000*	1975.8.7	[3]
18	美国	西努埃西斯河,得克萨斯州 West Nueces River, Texas	1 041	16 400	1935.6.14	[4]

续表 22.1.1

序号	国家	站名	集水面积 (km^2)	洪峰流量 (m^3/s)	发生日期 (年·月·日)	资料来源
19	墨西哥	锡特瓦特兰 Cithuatlan	1 370	13 500	1959.10.27	〔1〕
20	中国	海南,南渡河,松涛	1 480	15 700*	1977	〔3〕
21	日本	仁淀井野 Niyodo lno	1 560	13 510	1963.8.9	〔1〕
22	美国	西努埃斯,得克萨斯州 West Nueces, Texas	1 800	15 600	1935.6.14	〔1〕
23	中国	淮河,淠河,佛子岭	1 840	17 600*	1969.7.14	〔3〕
24	印度	默丘 Machhu	1 900	14 000	1979.8.11	〔1〕
25	中国	台湾,乌溪,大肚	1 980	18 300	1959.8	〔3〕
26	日本	新宫川马鹿 Shingu oga	2 350	19 025	1959.9.26	〔1〕
27	日本	吉野岩澄 Yoshino lwazu	3 750	14 470	1974.9.9	〔1〕
28	菲律宾	卡加延 Cagayan	4 244	17 550	1959	〔1〕
29	中国	海南,昌化江,宝桥	4 634	28 300△	1887	〔1〕
30	美国	伊尔河,加里福尼亚州 Eel, California	8 060	21 300	1964.12.23	〔1〕
31	美国	佩科斯,得克萨斯州 Pecos, Texas	9 100	26 800	1954.6.28	〔1〕
32	中国	沂河,临沂	10 315	30 000△	1730.8	〔5〕
33	朝鲜	道洞江美林 Toedonggang Mirim	12 175	29 000	1967.8.29	〔1〕
34	中国	渠江,凤滩	16 595	32 300△	1847.9	〔5〕
35	韩国	汉川 Han Koan	23 880	37 000	1925.7.18	〔1〕
36	巴基斯坦	杰赫勒姆河,芒吉亚 Jhelum Mangia	29 000	31 100	1929	〔1〕
37	马达加斯加	曼戈基班延 Mangoky Banyan	50 000	38 000	1933.2.5	〔1〕
38	印度	讷尔默达 Narmada Garudeshwar	88 000	69 400	1970.9.6	〔1〕
39	印度	讷尔默达 Narmada	98 420	70 790	1954	〔2〕
40	印度	戈达瓦里 Godavari	299 320	78 686	1959.9.17	〔2〕
41	印度	戈德瓦利代什瓦拉姆 Godavari Ddaishwaram	309 000	>80 000	1907.7	〔1〕
42	印度	戈达瓦里 Godavari	314 680	88 350	1959	〔2〕
43	孟加拉	布拉马普特拉河 Brahmaputra Jiamuna	530 000	93 500	1955.8.1	〔2〕
44	孟加拉	布拉马普特拉河,巴哈杜拉巴德 Brahmaputra Bahadurabad	580 000	98 500	1988.8.30	〔1〕
45	中国	长江,万县	974 900	108 000△	1870.7.18	〔3〕
46	孟加拉	恒河巴卢利亚 Ganges Baluliya	1 650 000	132 000	1988.9.1	
47	苏联	勒拿河,库苏尔 Lena Kusur	2 430 000	194 000	1944.6.11	〔2〕
48	苏联	叶尼塞河,伊加尔卡 Yenisei	2 440 000	154 000	1959.6	〔6〕
49	巴西	亚马孙河,奥比杜斯 Amazonas Obidos	4 640 300	370 000▲	1953.6	〔1〕

注 1. 资料来源:序号 1 为王碧辉;46 为文献 46 为《中国水力发电工程学会手册》(中国水力发电工程学会 1984 年编)。
2. ▲巴西这个 370 000m^3/s 的数字,可能严重偏大,详见 22.1.2.3 节。
3. 带△号者为调查值;带 * 号者为入库洪水。

上述14个国家可以分为三种类型:①位于海洋之中的国家,即属于海岛的国家,如菲律宾、日本、马达加斯加等3国。此外,法国产生最大洪水的新喀里多尼亚(New Caledonia)岛(面积16 750km^2)和塔希提(Tahiti)岛(面积1 042km^2)都是法国海外领地,属于小岛,前者位于太平洋西南164°E~166°E,20°S~22°S之间;后者位于太平洋中南部,在149°34′W,17°32′S左右。中国产生最大洪水的台湾和海南也是海岛。②国土四周绝大部分(约3/4)环海,属半岛性质的国家,有墨西哥、朝鲜、韩国、印度。③国土四周有相当大一部分环海,即属临海型的国家,有美国、中国、巴基斯坦、孟加拉、巴西、苏联(表22.1.1中所涉及的流域)。

22.1.1.2 从地理位置看

地理位置即所处的经纬度,由于它的不同,距海远近,水汽来源和气候条件等也不同。

上述14国,苏联位于北半球高纬度,美国、中国、日本、朝鲜、韩国、巴基斯坦位于北半球中纬度,菲律宾、印度、孟加拉、墨西哥,基本上位于北半球的低纬度,巴西、马达加斯加和法属海外领地(新喀里多尼亚和塔希提)则位于南半球的低纬度地区。

22.1.1.3 从大地形上看

地形对降水有重要的影响。世界记录大面积(10万km^{2}以上)的暴雨洪水,集中发生在两大地区:

1)世界上最大的高原即位于东半球亚洲的青藏高原的南侧(印度、孟加拉)和东南侧(中国的长江),这里有利于自印度洋孟加拉湾来的暖湿气流的辐合上升。

2)世界上最长的山系,即纵贯西半球南北美洲大陆西部的科迪勒拉(Cordillera)山系(长约15 000km,北美部分较宽,较低,一般海拔为1 500~3 000m,南美部分较窄、较高,一般海拔在3 000m以上)的东侧(如巴西),这里有利于自大西洋来的暖湿气流的辐合上升。

22.1.1.4 从气候类型上看

属热带雨林型的有巴西、马达加斯加、墨西哥、菲律宾和法属新喀里多尼亚。属季风型热带和亚热带气候的有印度、孟加拉、巴基斯坦、日本(南部)、朝鲜、中国台湾和海南岛、美国东南部和西南部。属温带季风气候有日本、朝鲜、韩国、中国大陆。苏联勒拿河和叶尼塞河位于亚洲50°~73°N之间,属温带—寒带气候。

22.1.1.5 从洪水类型上看

世界洪水记录的类型可以概括为两大类型,即强烈融雪、融冰型和强烈降雨型。

1)强烈融雪融冰型。这种类型的河流就是苏联的勒拿河和叶尼塞河。二者均地处高纬度,冬季积雪量大,且河流结冰河段长(一般为1 000~1 500km),封冻时间长(每年一般在半年以上),冰盖也厚(一般为1~2m)。在春季,气温升高,流域面上的积雪和河道内的冰层逐渐融化,使河流水位上升,流量加大。再者,由于勒、叶二河都是自低纬度(南方,温暖)流向高纬度(北方,寒冷),最后注入北冰洋,故河流的结冰封冻时间的先后是自下而上(从下游往上游逐渐推进),而解冻开河时间的先后则自上而下,这样在封冻时易形成冰塞,解冻时易形成冰坝。

根据文献〔8〕的研究,最大的冰坝是发生在春季洪水形成较缓而流量接近最大值的情况下。勒拿河为春季冰坝的形成创造了最有利的条件,这里不仅是在暖和的春季影响下,洪水波的推进很快,而且还在于其干流和支流几乎同时解冻。勒拿河的解冻自上游向下发展,平均速度为 100km/d。在冰坝形成区,解冻持续 5~6 天。特别是位于大量冰堆积地段下游的一些大河段(200~300km)几乎同时解冻,虽然冰坝地段的段数沿河向下游逐步减小,但其长度却增加 5~10 倍,在下游达到 50~100km。

叶尼塞河的解冻是发生在春季洪水发展较慢的情况下,特别是在流域的北部,解冻速度平均为 70km/d。冰坝率从上游向河口递增。在图鲁汉斯克、伊加尔卡、杜金卡等地区具有最大的冰坝堆积。冰坝壅高水位达 8~9m。

以上的研究说明,勒、叶二河的最大流量能够达到世界记录的水平,除了大量的融雪、消冰之外,还可能有冰坝溃决的影响。

2)强烈降雨型。表 22.1.1 中除苏联的勒拿河和叶尼塞河之外,均属此型,且都位于中低纬度地区,并有有利于降雨的地形(即有利于暖湿空气辐合上升运动的地形)的配合。这里按集水面积大小,可大致分为以下三种类型:

小面积创记录洪水。即面积在数千平方千米以下,降雨历时一般只有几小时,最长的可超过 1 天的强烈暴雨所形成的洪水。这种类型的洪水,在干旱、半干旱和湿润地区均可出现。其天气成因,在干旱和半干旱地区,主要是强烈的热对流(热雷雨);在距海较近的湿润地区,主要是强台风;在距海较远的湿润地区和半干旱地区,主要是热带、副热带与西风带低压系统的共同作用。

中等面积创记录洪水。即面积在数千平方千米至十万平方千米之间,降雨历时一般为 3~7 天的强烈降雨所形成的洪水。这种类型的洪水,出现在半干旱和湿润地区。其天气成因,在半干旱地区主要是热带低压系统与西风带低压系统的共同作用;在湿润地区,沿海主要是强台风,内陆主要是副热带与西风带低压系统的共同作用。

大面积创记录洪水。面积在十万平方千米以上,降雨历时一般在 7 天以上。这种类型的洪水都出现在湿润地区。其天气成因主要是西风带低压系统的稳定连续作用或热带季风低压的持续作用与热带辐合带的长期维持。

图 22.1.1 是世界洪水记录洪峰流量 Q_m 与集水面积 F 的关系图。面积 1 000km² 至 300 万 km² 的外包线可用如下的经验公式(王国安 1983 年求得)表示:

$$Q_m = 1\,830F^{0.316}$$

式中 Q_m 为最大流量, m^3/s;F 为集水面积,km^2。

22.1.2 几个国家的洪水记录

22.1.2.1 美国洪水记录

根据文献〔4〕〔7〕的介绍,美国的洪水记录如表 22.1.2 所示。

美国本土按降水的地区和季节分布,大致以 100°W 为界,分成东西两个区域。西部为干旱和半干旱地区,东部为湿润和半湿润地区[9]。

表 22.1.2 中序号 1~22 所代表的各州,除 10 号位于美国东部,15 号为海外州外,其余均位于美国本土西部;序号 23~25 这 3 州均位于美国本土东部。换言之,美国中小面积(10 000km² 以下)的洪水记录,主要出现在干旱和半干旱地区,大面积的洪水记录则是出现在湿润和半湿润地区。

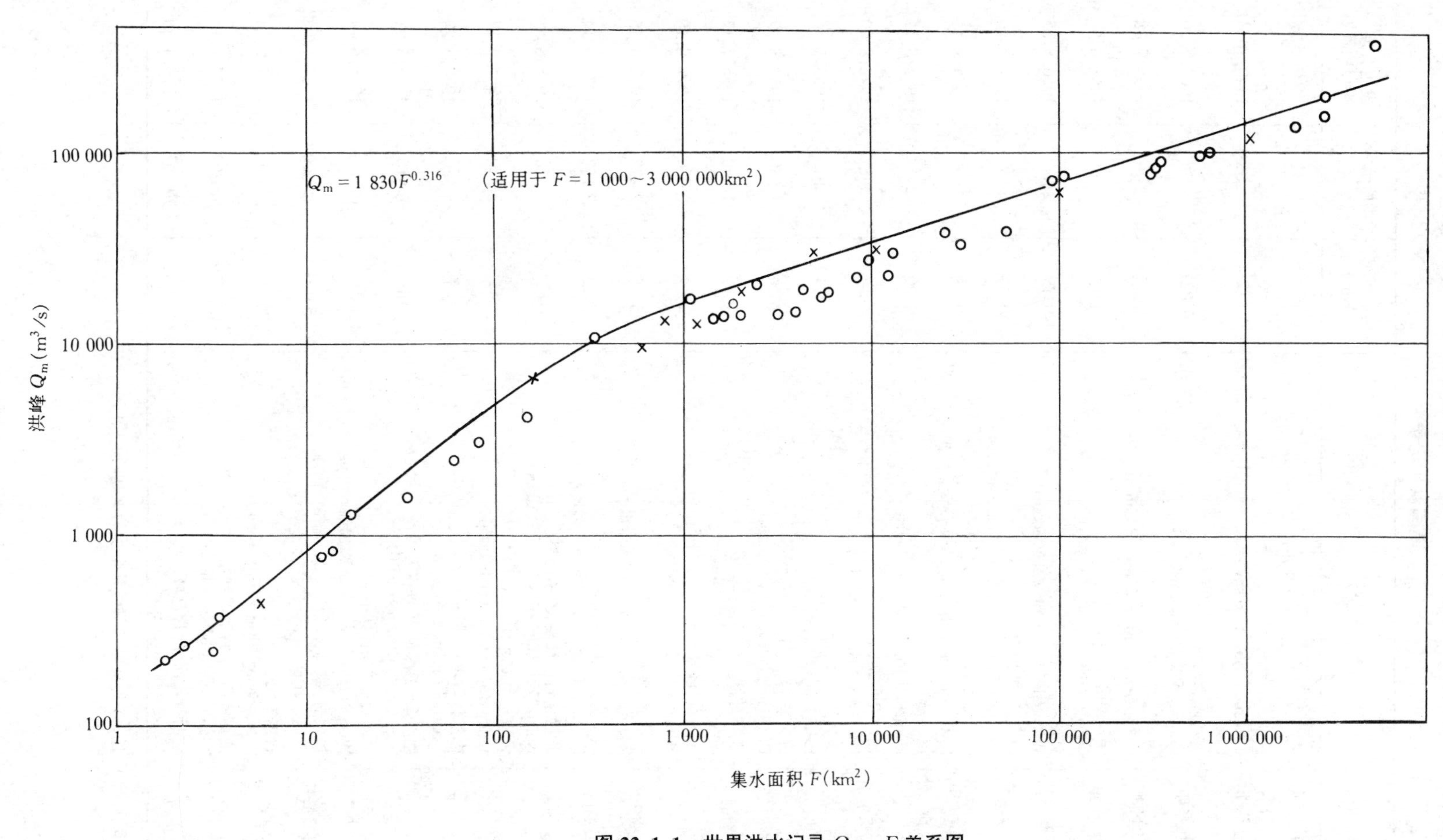

图 22.1.1 世界洪水记录 $Q_m \sim F$ 关系图

根据表 22.1.1 数据点绘，×为中国资料，○为外国资料

表 22.1.2 美国洪水记录

序号	州名	站名	集水面积 (km²)	洪峰流量 (m³/s)	发生日期 (年·月·日)
1	得克萨斯	普雷里河,泰勒 Praire Creek trib, near Tyler	0.006 5	0.31	1936.5.8
2	得克萨斯	里萨尔 Unnamed trib, in Brushy and Sandy CK. basins near Risel	0.012 4	0.65	1940.10.31
3	亚利桑那	布劳利·图森 Brawley Wash trib, near Tucson	0.021	1.95	1962.9.26
4	南达科他	博克福特 Castle Creek Trib. no2 near Bockford	0.05	2.8	1955.7.28
5	新墨西哥	锡马龙 Cimarron ck. trib. near Cimarron	0.13	9.54	1958.6.5
6	华盛顿	莫尼特,韦纳奇河 Wenatchee River trib. near Monitor	0.39	25.6	1956.8.25
7	内华达	银泉,拦洪坦河 Lahontan Reservoir trib. no3 near silver springs	0.57	47.6	1971.7.20
8	犹他	纽卡斯尔 Litte Pinto ck. trib. near Newcastle	0.78	74.5	1964.8.11
9	内华达	洪堡河 Humboldt River trib near Patch	2.20	251	1973.5.31
10	北卡罗来纳	比格克里克,韦恩斯维尔 Big creek NR Waynesville	3.4	368	1940.8.30
11	俄勒冈	莱恩坎宁,诺林 Lane Canyon near Nolin	13.1	807	1965.7.26
12	新墨西哥	埃尔兰乔,波瓦基 EL Rancho arroyo NR Pojoazue	17.4	1 250	1952.8.22
13	俄勒冈	迈耶斯谷,米切尔 Meyers canyon near Mitchell	32.9	1 540	1956.7.13
14	亚利桑那	布龙口,威基阿普 Bronco CK. near Wikieup	49.2	2 080	1971.8.18
15	夏威夷	利胡埃,怀卢阿河南支流 South Fork Wailua River near Lihue	58.0	2 472	1963.4.15
16	内华达	埃尔多拉多峡,纳尔逊兰丁 Eldorado Canyon at Nelson Landing	59.3	2 152	1974.9.14
17	得克萨斯	北福克哈伯德溪,奥尔巴尼 North Fork Hubbard CK. near Albany	102	2 920	1978.8.4
18	科罗拉多	吉米坎普河方廷 Jimmy Camp CK. near Fountain	141	3 510	1965.6.17
19	得克萨斯	梅尔特雷尔河,阿尔塔 Mailtrail CK. near Alta	195	4 810	1948.6.24
20	得克萨斯	塞科溪,德黑尼上 11 英里 Seco CK. 11 mi. above D'Hanis	368	6 510	1935.5.31
21	得克萨斯	西纽埃西斯河,基卡普 West Nueces River near Kickapoo Spgs	1 041	16 425	1935.6.14
22	加利福尼亚	伊尔河,斯科舍 Eel River at scotia	8 063	21 300	1964.12.28
23	马里南	科纳温戈 Suszuehanna River at Conowingo	70 189	32 000	1972.6.24
24	伊利诺伊	俄亥俄河,米特罗波利斯 Ohio River at Metropolis	525 770	52 392	1937.2.1
25	阿肯色	密西西比河,阿肯色城 Mississippi River near Arkansas city	2 928 513	70 007	1927.4.20

注 资料来源,除序号 10、12 为文献〔7〕外,其余均为文献〔4〕。

22.1.2.2 印度洪水记录

根据文献〔1〕〔2〕❶综合,印度的洪水记录如表22.1.3所示。

印度的形状像一个三角形,底边为东北的喜马拉雅山,顶角为南部孟加拉湾。国土从北向南伸向印度洋,形成印度半岛,东南濒临孟加拉湾,西南濒临阿拉伯海〔2〕,国土面积297万 km^2〔9〕。

印度西北部属山地气候,恒河流域属季风型亚热带森林气候,印度河平原属亚热带草原沙漠气候,印度半岛的大部分属季风型热带草原气候,半岛西南属热带雨林气候〔2〕。

从表22.1.3看,印度的洪水记录,中小面积主要发生在印度西海岸的古吉拉特邦的河流,大面积主要发生在印度半岛东南部的戈达瓦里(Godavari)河及发源于喜马拉雅山脉的布拉马普特拉(Brahmaputra)河与恒河(Ganga)。

表22.1.3 印度洪水记录

序号	河名或邦名	站名或坝址名	集水面积(km^2)	洪峰流量(m^3/s)	发生日期(年·月·日)	资料来源
1	布拉马普特拉河 Brahmaputra cish	Br. n°91	133	1 170	1968.7.13	〔1〕
2	古吉拉特邦	莫依	440	3 980		❶
3	古吉拉特邦	布拉玛尼	699	5 450		❶
4	玛曲 Machu	玛曲一级	735	9 340		❶
5	古吉拉特邦	达曼冈加	1 813	12 900		❶
6	玛曲 Machu	玛曲二级	1 930	16 307		❶
7	达莫德尔河 Damodar	朗达 Rhondia	19 900	18 100	1935.8.12	〔1〕
8	古吉拉特邦	喀达那	25 491	33 000		❶
9	贝特瓦河 Betwa	萨希纳 Sahijna	34 870	43 800	1971.7.26	〔1〕
10	古吉拉特邦	乌卡依	62 225	42 475		❶
11	纳尔默达河 Narmada	加鲁德什瓦 Garudeshwar	88 000	69 400	1970.9.6	〔1〕
12	纳巴达		98 420	70 790		〔2〕
13	戈达瓦里河		299 320	78 686	1959.9.17	〔2〕
14	戈达瓦里河 Godavari	多莱什瓦拉姆 Dolaishwaram	309 000	80 000	1907.7	〔1〕
15	戈达瓦里河 Godavari	道勒斯沃勒姆	314 680	88 350	1959	〔2〕
16	布拉马普特拉河 Brahmaputra	班杜 Pandu	404 000	72 700	1962.8.24	〔1〕
17	恒河 Ganga	法拉卡 Farrakka	935 000	72 900	1954.8.22	〔1〕

❶ J·F·米斯特莱.印度古吉拉特邦土石坝的设计洪水,泄洪能力和超高的复核.原载《国际大坝安全会议论文集》1984年,转引自土石坝网刊《土石坝工程》1987,4

22.1.2.3 巴西洪水记录

根据文献[1]统计,巴西的洪水记录如表22.1.4所示。

巴西大部分地处热带,降水丰沛,年平均降水量在1 000mm以上。降水量最多的是亚马孙(Amazonas)河上游及其河口地区和圣保罗州"大陆坡"的临海面,年降水量在2 000mm以上。其余大部分地区降水量在1 000~1 500mm之间。东北部地区较干旱,降水较少[9]。

由表22.1.4可见,巴西的洪水记录是出现在其国土的南部(濒临大西洋)多雨地区的河流及北部的亚马孙河流域。

表22.1.4 巴西洪水记录

序号	流域	河流	测站	集水面积 (km^2)	洪峰流量 (m^3/s)	发生日期 (年·月·日)
1	巴拉那	伊瓜苏河 lguacu	亚马孙港 Porto Amazonas	3 660	919	1983.7.16
2	大西洋南 Atlantico sul	卡皮贝里比河 Capibaribe	圣洛伦科马塔 S. Lourenco da Mata	7 200	3 440	1975.7.17
3	乌拉圭	佩洛塔斯河 Pelotas	帕苏索科罗 Passo Socorro	9 010	4 800	1954.9.24
4	大西洋南 Atlantico sul	安塔斯河 Antas	蓬蒂-里奥-安塔斯 Ponte do Rio das Antas	12 690	11 000	1983.7.6
5	大西洋南 Atlantico sul	塔苏阿里河 Tazuari	穆孙 Mucum	16 150	12 500	1941.5.5
6	大西洋南 Atlantico sul	雅库伊河 Jacui	卡舒埃拉 Cachoeire	30 210	13 000	1936.10.9
7	乌拉圭	乌拉圭河 Uruguai	伊塔 lta	43 900	23 200	1983.7.8
8	乌拉圭	乌拉圭河 Uruguai	伊拉伊 lrai	62 200	32 800	1983.7.8
9	巴拉那	伊瓜苏河 lguacu	塞特凯达斯瀑布 Salto Cataratas	68 950	32 500	1983.7.10
10	亚马孙	欣古河 Xingu	阿尔塔米拉 Altamira	446 570	32 670	1974.4.7
11	托坎廷斯	托坎廷斯河 Tocantins	伊图皮兰加 ltupirangs	727 900	38 780	1974.4.2
12	巴拉那	巴拉那河 Parana	夸莱,伊泰普 Cuaire DNAEE ltaipu	802 200	40 260	1983.7.15
13	亚马孙	亚马孙河 Amazonas	奥比多斯 obidos	4 640 300	370 000	1953.6
14	亚马孙	亚马孙河 Amazonas	奥比多斯 obidos	4 688 000	227 000	1944.5.2

这里,我们对巴西亚马孙河奥比多斯(Obidos)站的最大流量作一讨论。该站的最大流量,按文献〔2〕〔3〕为22.7万m^3/s(发生时间1944年5月2日),按文献〔1〕为37万m^3/s(1953年6月)。但在文献〔1〕的268页有注明说,这个37万m^3/s包括洪泛平原(With flood Plain);其第二位洪峰流量为25万m^3/s(1963年6月)。

1990年,王国安按文献〔1〕第352~353页的表1世界最大洪水资料在双对数坐标纸

上点绘最大流量 Q_m 与集水面积 F 的关系，发现该站1953年洪水点子偏离世界外包线太远，故怀疑其偏大。为落实此事，遂请水文专家戴申生教授在1990年10月去北京参加水文学基础水资源国际讨论会之便，向巴西水文学者询问一下。1990年10月底戴申生回郑州后，告诉王国安，他在北京会议上，已向巴西水文学家卡尔瓦罗(Newtou de Oeiveira Carvalho)问过此事。卡尔瓦罗说，该年洪峰37万 m^3/s，是用动船法测流，可能偏大，估计可能只有32万 m^3/s。卡尔瓦罗答应回国后详细了解一下情况，再告诉他。1991年6月下旬，戴教授告诉王国安说，卡尔瓦罗已来信，1953年洪峰应为30.3万 m^3/s，过去的37万 m^3/s 是偏大了。

王国安认为，这个30.3万 m^3/s，仍可能偏大，主要理由有四：

1)从世界洪水记录外包线来看，这个点子仍然很突出(见图22.1.1)。

2)亚马孙河地处热带雨林地区，气候湿润，雨量充沛，流域年平均降雨量2 150mm[9]，洪水的年际变化不应很大。

3)从地形看，巴西全境地势较平坦，地形几乎全部是平原(占3/8)和低缓的高原(占5/8)。全国平均海拔仅500m。全国只有0.5%的国土面积超过1 200m(最高点为3 014m)，58.5%是高程不到200m的丘陵平原地带[9]。亚马孙平原为亚马孙河及其支流所形成的冲积平原，面积约560万 km^2，大部分在巴西境内，地势低平，海拔一般不超过150m。亚马孙河水深河宽、巴西境内河深大部分在45m以上，马瑙斯附近深达99m。下游河宽达20～80km[10]。从这种地形和河道情况来看，亚马孙河洪水的涨落过程，必然是很平缓的，洪峰流量的年际变化也不应很大。

4)从全世界来看，流域面积大于90万 km^2 的许多大江大河现有洪水资料中，其第一、二位洪峰流量相差不大(表22.1.5)，其倍比 K 值为1.00～1.17，平均为1.05，而亚马孙河是世界上流域面积最大的河流，其 K 值理应不是很大。而今 K 值为1.21，显得突出。

对亚马孙河1953年的洪峰流量，如按平均 K 值1.05估计，则为26.3万(1.05×25万) m^3/s，如按最大 K 值1.17估计，也仅为29.3万 m^3/s。

鉴于这场洪水的最大流量对认识世界河流非常洪水的全球变化规律，有很重要的作用，我们建议巴西水文工作者对它再仔细分析研究一下，提出一个较为合理的数字，供世界同行使用。

22.1.2.4 澳大利亚洪水记录

根据文献〔1〕统计，澳大利亚的洪水记录如表22.1.6所示。

澳大利亚大陆四面环水，因受亚热带高压及东南信风的影响，沙漠和半沙漠占全国面积的35%[9]。全国有1/3以上的面积位于热带[10]，多年平均年降水量约为460mm。总面积中39%的面积平均年降水量低于254mm，32%的面积平均年降水量为254～508mm。降水量最高的地区是道格拉斯和卡德维尔港之间的昆士兰州东海岸，在图利地区，年平均降水量达4 500mm。年平均降水量最低的地区是南澳大利亚埃尔湖周围约465 000 km^2 的范围，平均年降量仅100～150mm[9]。澳洲大陆西北部地区，澳北地区以及昆士兰北部内陆地区都不同程度受到澳亚大洲季风影响。因此夏季湿润，降雨也充沛[2]。

表 22.1.5　亚马孙河与世界若干大河第一、第二位洪峰流量比较表

序号	国　名	河　名	站　名	集水面积 (km²)	首大洪水		次大洪水		$K=\frac{(6)}{(8)}$
					Q_m (m^3/s)	年·月·日	Q_m (m^3/s)	年·月·日	
(1)	(2)	(3)	(4)	(5)	(6)	(7)	(8)	(9)	(10)
1	印　度	恒河 Ganga	法拉卡 Farrakka	935 000	72 900	1954.8.12	71 300	1980.9.6	1.02
2	孟加拉	恒河 Gahges	哈丁桥 Hardings Bridge	950 000	74 060	1973.8.21	73 200	1961.9.1	1.01
3	中　国	长　江	宜　昌	1 000 000	105 000	1870.7.19	96 300	1227	1.09
4	尼日利亚	尼日尔河 Niger	洛科贾 Lokoja	1 080 000	27 100	1969	27 000	1915	1.00
5	加拿大	马更些河 Mackenzie	辛普森堡 Fort simpson	1 270 000	23 500	1961.5.30	23 000	1977.6.6	1.02
6	喀麦隆	萨纳加河 Sanaga	埃代阿 Edea	1 315 000	7 700	1969.10.7	7 570	1955.10.18	1.02
7	苏　联	伏尔加河 Volga	伏尔加格勒 Volgograd	1 350 000	51 900	1926.5.29	46 700	1919.5.25	1.11
8	埃　及	尼罗河 Nile	阿斯旺 Aswan	1 500 000	13 200	1878.9.25	12 640	1892.9.12	1.04
9	苏　联	黑龙江 Amur	共青城 Komsomolsk	1 730 000	38 900	1959.9.20	38 200	1951.9.21	1.02
10	阿根廷	巴拉那河 Parana	巴拉那 Parana	2 047 000	29 900	1905.6.15	27 800	1966.3.17	1.08
11	苏　联	勒拿河 Lena	库苏尔 Kusur	2 430 000	194 000*	1944.6.11	189 000	1967.6.8	1.03
12	苏　联	鄂毕河 Ob	萨列哈尔德 Salekhard	2 430 000	44 800	1979.8.10	43 800	1971.7.4	1.02
13	苏　联	叶尼塞河 Yenisei	伊加尔卡	2 440 000	154 000△	1959.6	132 000*	1937.6.3	1.17
14	刚　果	刚果河 Congo	布拉柴维尔比奇 Brazzaville Beach	3 475 000	76 900	1961.12.27	73 250	1962.12.20	1.05
15	扎伊尔	扎伊尔河 Zaire	博马 Boma	3 816 000	90 000	1961.12.20	78 200	1969.12.11	1.15
16	巴　西	亚马孙河 Amazonas	奥比杜斯 Obidos	4 640 300	303 000	1953.6	250 000	1963.6	1.21

注　本表资料来源：除中国为文献〔6〕，带 * 号者为文献〔2〕，带△号者见表 22.1.1 的注以外，其余均为文献〔1〕。

表 22.1.6 澳大利亚洪水记录

序号	州名	河名	站名	集水面积 (km^2)	洪峰流量 (m^3/s)	发生日期 (年·月·日)
1	新南威尔士州	威伊河 Wyee	威伊 Wyee	19.8	35	1963.4
2	新南威尔士州	奥利姆本河 Ourimbah	塔格拉 Tuggerah	153	270	1977.3
3	南澳大利亚州	托伦斯河 Torrens	戈吉闸 Gorge Weir	343	485	1889.9.21
4	北部地方	托德河 Todd	威尔斯特特勒斯 Wills Terrace	445	900	1901.3
5	北部地方	马格拉河 Magela C K	下游贾比鲁 Downstream Jabiru	605	1 550	1980.2.4
6	新南威尔士州	尼平河 Nepean	菲桑斯,内斯特 Pheasants Nest	710	6 740	1898.2
7	昆士兰州	沃尔夫冈 Wolfgang Cr.	克莱蒙特 Clermont	810	11 000	1916.12
8	昆士兰州	派厄尼河 Pioneer	普莱斯托 Pleystowe	1 490	9 840	1918.1.23
9	新南威尔士州	肖尔黑文河 Shoalhaven	韦尔科姆里夫 Welcome Reef	2 770	8 900	1925.5.11
10	新南威尔士州	麦克利河 Macleay	特纳斯弗拉特 Turners Flat	9 980	14 300	1949.8
11	新南威尔士州	尼平河 Nepean	彭里斯 Penrith	11 000	21 000	1867
12	新南威尔士州	克拉伦斯河 Clarence	利利代尔 Lilydale	16 690	18 300	1954.2.21
13	北部地方	维多利亚河 Victoria	库利巴 Coolibah H S	44 900	20 000	1947.3.9
14	南澳大利亚州	奥德河 Ord	库利巴 Coolibah Pockett	46 100	30 800	1956.2.27
15	昆士兰州	伯德金河 Burdekin	克莱尔 Clare	129 860	36 000	1958.4.13
16	昆士兰州	菲茨罗伊河 Fitzroy	扬巴 Yaamba	142 645	32 620	1918.2.1

注 序号6、7来自王碧辉手稿。

从世界各大洲来看,包括南极洲,澳大利亚大陆平均降水深度最小,而且从河流入海的径流量也最少,大陆内只有一很小的地区,降雨充沛。

从表22.1.6来看,澳大利亚的洪水记录,是出现在它的东南部和北部的降雨较丰沛的河流。

22.1.2.5 苏联洪水记录

根据文献〔1〕〔2〕❶统计,苏联的洪水记录如表22.1.7所示。

苏联国土位于41°~81°N之间,大部分地区冬季严寒,大部分河流以融雪洪水为主,或在融雪洪水之上再加春季霪雨,组成大洪水,洪峰也不太陡高❶,所以苏联河流洪水的最大特点是汛期出现在春季〔2〕。但东部太平洋沿岸,暴雨洪水较大,欧洲部分的北部和

❶ 水利电力部科学技术情报所.一些国家的水库设计洪水及标准.1976,1

中部,有些小河流的暴雨洪水较融雪洪水为大。西部往往以霪雨洪水较大❶。

从表22.1.7看,苏联的洪水记录,主要发生在欧洲的中南部和西伯利亚地区。

表22.1.7 苏联洪水记录

序号	流域,河名,站名	集水面积(km²)	洪峰流量(m³/s)	发生日期(年·月·日)	资料来源
1	克列诺瓦亚,萨尔草原小河流	4.05	67.6	调查洪水	❶
2	柯雅科大卡,萨尔草原小河流	11.3	80	调查洪水	❶
3	大谷,萨尔草原小河流	87	180	调查洪水	❶
4	叶尼塞河,科拉维卡,利戈塔 Craviyka,lgark	323	212	1958.6.15	〔1〕
5	贝加尔湖,大列奇卡,波索尔塔亚 Lak Baikal,Bolshaya Rechka,Posolskaya	565	445	1942.7.15	〔1〕
6	勒拿河,京普通河,纳戈尔内 Timpton,Nagorny	615	698	1958.7.16	〔1〕
7	勒拿河,俄比蒂埃姆 Ebitiem,Ebitem	1 000	748	1952.8.4	〔1〕
8	西德维纳,维捷勃斯克	2 730	3 320	1931	❶
9	顿河,乌萨河,梅日杜 Tom,Usa,Mezhdurechensk	3 320	2 590	1958.6.2	〔1〕
10	阿穆尔河,乌苏里基洛夫斯克 Ussuri Kirovski	24 400	10 300	1950.7.24	〔1〕
11	乌苏里江,列索扎沃茨克	26 000	11 100	1956	〔2〕
12	黑海,第聂伯河,基辅 Dnieper,Kiev	32 800	23 100	1931.5.2	〔1〕
13	结雅河,结雅城	84 000	18 000	1886	〔2〕
14	结雅河,玛卓诺伏	200 000	40 000	1861	〔2〕
15	佩特乔拉河,乌斯季齐利马 Petchora sea,Petchora,Ust-Tsilma	248 000	39 500	1952.6.8	〔1〕
16	伏尔加河,高尔基城	478 700	38 000	1926	〔2〕
17	卡马河,索科利尼高里	504 400	34 950	1914	〔2〕
18	伏尔加河,古比雪夫	1 210 000	63 900	1926	〔2〕
19	里海,伏尔加河,伏尔加格勒水电站 Caspian sea,Volga	1 350 000	51 900	1926.5.29	〔1〕
20	北冰洋喀拉海,叶尼塞河,叶尼塞斯克 Kara sea Arctic ocean,Yeniseisk	1 400 000	57 400	1937.5.18	〔1〕
21	阿穆尔河,共青团城	1 700 000	50 000	1876	〔2〕
22	勒拿河,苏库尔	2 430 000	194 000	1944.6.11	〔2〕
23	叶尼塞河,伊加尔卡	2 440 000	132 000	1937.6.3	〔2〕

❶ 水利电力部科学技术情报所.一些国家的水库设计洪水及标准.1976,1

22.1.2.6 加拿大洪水记录

根据文献〔11〕的介绍,加拿大的洪水记录如表22.1.8所示。

表22.1.8 加拿大洪水记录

序号	省区	地点	集水面积(km^2)	洪峰流量(m^3/s)	发生年份
1	不列颠哥伦比亚(BC)	哈维溪 Harvey Creek	7	127(a)	1969
2	不列颠哥伦比亚(BC)	雷尼河河口 Rainy R. at the mouth	69.4	428(b)	1958
3	不列颠哥伦比亚(BC)	诺里斯 Norrish CK. near Dewdney	117	500	1984
4	温哥华岛(Vcvr. Is.)	泽巴勒斯河,泽巴勒斯 Zebalos R. near Zeballos	181	1 180	1975
5	不列颠哥伦比亚	希尔谢河口 Hirsch CK. near the mouth	347	807	1974
6	安大略南部(SONT)	亨伯河,韦斯顿 Humber R. at Weston	800	1 280	1954
7	阿尔伯塔西南部(SW ALTA)	卡斯尔河 Castle R. at Cowley	1 130	1 250	1923
8	纽芬兰(NFLD)	贝迪诺河 Bay du Nord R. at Big Falls	1 340	1 840	1983
9	纽芬兰	埃克斯普洛伊茨河,斯托尼布鲁克 Exploits R. below Stony Brook	3 480(c)	2 400	1983
10	新不伦瑞克(NB)	米拉米希河 SW Miramichi R. at Blackville	5 050	2 790	1973
11	不列颠哥伦比亚	伊斯库特河,约翰逊河 Iskut R. below Johnson River	9 350	7 930	1961
12	阿尔伯塔西北部(NW ALTA)	沃皮蒂河,大草原城 Wapiti R. near Grande Prairie	11 300	6 300	1982
13	西北地区(NWT)	北极红河·马丁 Arctic Red R. at Martin House	15 100	7 640	1970
14	阿尔伯塔南部(S ALTA)	老人河,莱斯布里奇 Oldman R. at Lethbrige	17 200	5 660	1908
15	不列颠哥伦比亚	舒马尔河上游纳斯河 Nass R. above Shumal CK.	19 200	9 460(b)	1961
16	不列颠哥伦比亚	马斯夸河,纳尔逊 Muskwa R. near Ft. Nelson	19 700	4 670	1971
17	魁北克(QUE)	里维耶尔,欧海伦 Riviere George aux chutes Helen	35 200	8 810(d)	1965
18	不列颠哥伦比亚	纳尔逊堡河,纳尔逊 Fort Nelson R. at Ft. Nelson	43 500	6 630	1971
19	阿尔伯塔西北部	斯莫全河,沃蒂诺 Smoky R. at Watino	50 200	9 200	1972
20	西北地区	塞隆河,贝弗利 Thelon R. above Beverley L.	65 300	8 290	1984
21	阿尔伯塔北部(N ALTA)	皮斯河 Peace R. at Peace River	186 000	15 500(e)	1965
22	西北地区	利亚德河河口 Liard R. near themouth	277 000	16 200	1977

注 a 根据洪水痕踪估算。
b 日平均最大值,瞬时最大值未公布。
c 扣掉上游水库控制面积后的有效面积。
d 估计瞬时值,由加拿大环境署水资源局根据日流量资料修正得出。
e 经分析计算,1972年受上游调节后的洪水,其天然洪峰高达18 500m^3/s。

加拿大位于北美洲的北半部，东临大西洋，西濒太平洋，北滨北冰洋，南界美国，国土面积 9 976 140km^2，居世界第二。

加拿大气候，除北面极地属寒带草原气候外，其余大部分地区呈大陆性温带针叶林气候。全国平均年降水深接近 730mm。大部分地区降水比较充沛，年降水量多数地区为 760～910mm。西部太平洋沿岸地区气候温和湿润，背靠落基山脉，年降水量平均值高达 2 400～2 700mm。东部大西洋沿岸地区，气温较低，年降水量 1 000～1 400mm。中部地区冬夏温差悬殊，气候干燥，平均年降水量只有 250～500mm。其余内地的一些省区以及北极和次北极的一些地区降水甚少，而且越往北越少，最北部只有 125mm[9]。冬季全国绝大部分地区有积雪，东部地区积雪厚达 1～1.5m。各河流的最大洪水，常由春季暴雨与最大融雪相遭遇形成❶。

由表 22.1.8 可见，加拿大的洪水记录主要发生在西部靠近太平洋地区的河流和东部靠近大西洋的河流以及西北地区的一些河流。

22.2 中国洪水记录

22.2.1 主要河流洪水记录

中国洪水多由暴雨形成，径流集中，洪水量级较大。主要河流的实测和调查最大洪水记录如表 22.2.1[5]。由该表可见，调查到的最大洪水，有时可以远远超过实测最大洪水，如辽河通江口站有 30 年实测系列，调查的历史最大洪水相当实测最大值的 4.61 倍；大凌河复兴堡站 36 年系列，历史最大值为实测最大值的 3.48 倍。即使具有百年以上实测系列的宜昌站，洪峰流量年际变化相当稳定，然而历史最大值，仍比实测最大值大 48%。一般说，南方河流 C_v 较小，历史最大洪水超过实测记录的幅度较小，北方河流 C_v 大，历史最大洪水超过实测记录的幅度要大得多。

另一方面，在实测期间，也有可能出现打破历史记录的特大洪水。如河南 758 洪水就是一个突出例子，位于暴雨中心区的汝河板桥站，流域面积为 762km^2，洪峰流量高达 13 000m^3/s，这个记录无论同国内或世界最大洪水记录比较，都是罕见的，而调查到的历史最大洪水仅为 4 810m^3/s(1832 年)。

22.2.2 全国洪水记录

根据文献〔5〕、〔6〕、〔3〕等的介绍综合，中国最大洪水记录如表 22.2.2 所示。

表中所列的 43 个数据，其中有 8 个为实测值(带 * 号者)，5 个为入库洪水(带△号者)，其余 31 个为历史(调查)洪水。按表 22.2.2 所绘制的外包线(图 22.2.1)来看，中国洪水所达到的最大量级，大致如表 22.2.3 的第(2)栏所示。

如果将中国的最大洪水记录与世界洪水记录外包线〔图 22.1.1 及表 22.2.3 中的第(3)栏〕比较，可以看到：10 000km^2 以下的中小面积，中国记录与世界记录较接近；

❶ 水利电力部科学技术情报所.一些国家的水库设计洪水及标准.1976,1

表 22.2.1 中国主要河流调查及实测最大洪峰流量表[5]

河名	站名	集水面积 F (km²)	调查洪水		实测洪水		实测系列长度（年）	$\frac{Q_{m调}}{Q_{m实}}$
			Q_m (m³/s)	发生时间（年·月）	Q_m (m³/s)	发生时间（年·月）		
嫩江	江桥	177 300	15 600	1932.8	10 600	1969.9	41	1.47
第二松花江	吉林	44 100	12 900	1909.7	7 720	1953.8	39	1.67
浑河	沈阳	7 920	11 900	1888.8	5 550	1935.7	47	2.14
太子河	本溪	4 190	10 200	1888.8	14 300	1960.8	41	0.71
辽河	通江口	110 300	6 910	1890.8	1 500	1962.8	30	4.61
大凌河	复兴堡	2 932	16 200	1930.8	4 660	1959.8	36	3.48
大凌河	大凌河	17 690	30 400	1949.8	15 000	1962.7	24	2.03
滦河	滦县	44 100	35 000	1886	34 000	1962.7	47	1.03
永定河	官厅	43 400	9 400	1801.7	4 000	1939.7	60	2.35
拒马河	千河口	4 740	18 500	1801.7	9 920	1963.8	33	1.86
滹沱河	黄壁庄	23 270	20 000～27 500	1794.7	13 100	1956.8	58	1.53～2.10
漳河	观台	17 800	16 000	1569	9 200	1956.8	25	1.74
黄河	兰州	222 550	8 500	1904.7	5 900	1946.9	50	1.44
黄河	陕县	687 900	36 000	1843.8	22 000	1933.8	41	1.64
无定河	绥德	28 720	11 500	1919.8	4 980	1966.7	32	2.31
渭河	咸阳	46 860	11 600	1898.8	7 220	1954.8	53	1.61
泾河	张家山	43 220	18 800	1841▲	9 200	1933.8	52	2.04
北洛河	洑头	25 150	10 700	1855	4 420	1940.7	51	2.42
伊河	龙门镇	5 320	20 000	223	7 180	1937.8	43	2.79
淮河	长台关	3 090	12 400	1848	7 570	1968.7	34	1.64
洪汝河	板桥	762▲	4 810	1832.7	13 000	1975.8	32	0.37
沙颍河	官寨	1 120	9 000	1896.6	12 100▲	1975.8	30	0.74
沂河	临沂	10 320	30 000	1730.8	15 400	1957.7	33	1.95
长江	李庄	639 200	65 600	1520	48 200	1955.7	17	1.36
长江	寸滩	866 600	100 000	1870.7	65 300	1968.7	44	1.53
长江	宜昌	1 005 500	105 000▲	1870.7	71 100	1896.9	107	1.48
岷江	高场	135 400	51 000	1917.7	34 100	1961.6	45	1.50
乌江	龚滩	58 350	24 700	1830	17 400	1964.6	41	1.42
嘉陵江	北碚	156 100	57 300	1870.7	37 100	1974.10	45	1.54
澧水	三江口	15 240	31 100	1935.7	15 900	1950.7	34	1.96
沅江	沅陵	78 600	40 200	1649	27 300	1943.8	46	1.47
资水	桃江	26 700	21 500	1926.6	15 300	1955.8	43	1.41
湘江	湘潭	81 640	21 900	1926.6	20 300	1968.6	34	1.08
汉江	黄家港	95 200	61 000	1583.6	27 500	1958.7	30	2.22
赣江	外洲	80 950	24 700	1924	20 900	1962.6	35	1.18
钱塘江	芦茨埠	31 490	26 500	1901	29 000	1955.6	37	0.91
瓯江	圩仁	13 500	30 400	1912.8	23 000	1952.7	34	1.32
闽江	竹岐	54 500	29 400	1900.6	29 400	1968.6	30	1.00
东江	博罗	25 320	10 300	1940.7	12 000	1959.6	31	0.86
北江	横石	34 000	21 000	1915.7	18 000	1982.5	31	1.17
西河	梧州	32 9000			54 500	1915.7	44	

注 本表均采用全国调查洪水资料汇编成果，但带▲号者为本书作者根据有关资料修正。

系列长度截止期为 1982 年。

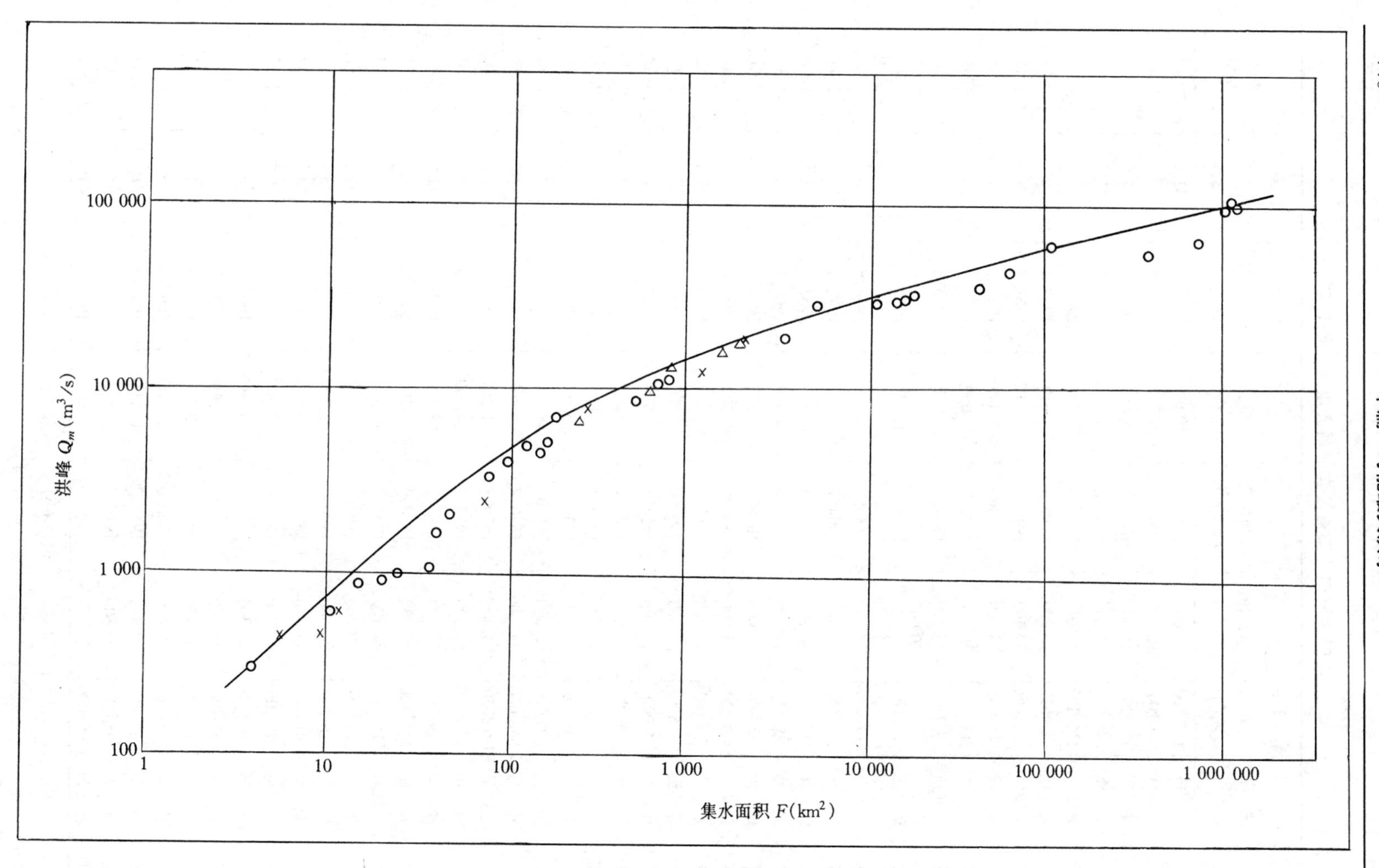

图 22.2.1 中国洪水记录 $Q_m \sim F$ 关系

根据表 22.2.2 数据点绘，×为实测洪水；△为入库洪水；○为历史洪水

表 22.2.2 中国洪水记录

序号	地点			集水面积 (km^2)	洪峰流量 (m^3/s)	发生日期 (年·月·日)
1	泾河支流	路家沟	路坡	4.0	304	1911
2	汾河支流	成家曲沟	成家曲	5.6	457	1971
3	南运河支流	长盛沟	长盛	9.5	456*	1963.7
4	沭河支流	官坊河	官坊街	10.8	630	1907.9
5	洪汝河支流	汝河	下陈	11.9	618*	1975.8.5
6	嘉陵江支流	小河坝沟	街上	14.2	867*	1976.7
7	汾河支流	浮萍石	口子上	15.0	893	1919.8
8	沂河支流	浚河	吴家庄	21.0	913	1926.8
9	黄河支流	张家沟	张家坪	24.8	996	1933.8
10	汉江支流	唐白河	大官坟	36.6	1 070	1896.8
11	黄河支流	梅力更沟	梅力更召	39.4	1 640	1900
12	浙闽	大荆溪	南阁	47.0	2 080	1853
13	洪汝河支流	石河	祖师庙	71.2	2 470*	1975.8.8
14	海南岛	南渡江	白沙	75.3	3 420	1894
15	大凌河支流	汤头河	稍户营子	97.2	4 000	1930.8
16	闽江支流	溪源溪	溪源宫	142	4 600	1909.8
17	大凌河支流	瓦子峪河	瓦子峪	154	5 320	1930.8
18	渤海岸	石河	小山口	171	7 000	1894.7
19	淮河支流	洪河	石漫滩	230	6 280△	1975.8.7
20	台湾	浊水溪	桶头	259	7 780*	1979
21	沙颍河支流	沙河	中汤	485	8 550	1943.8
22	洪汝河支流	臻头河	薄山	578	9 550△	1975.8.7
23	海南岛	宁远河	雅亮	644	10 700	1946
24	沙颍河支流	干江河	裴合	746	11 300	1896.6
25	洪汝河支流	汝河	板桥	762	13 000△	1975.8.7
26	沙颍河支流	干江河	官寨	1 124	12 100*	1975.8.8
27	海南岛	南渡河	松涛	1 480	15 700△	1977.7.21
28	淮河	淠河	佛子岭	1 840	17 600△	1969.7.14
29	台湾	乌溪	大肚	1 980	18 300*	1959.8
30	台湾	浊水溪	集集	2 310	20 000*	1996.8.1
31	浙闽	小溪	白岩	3 255	19 200	1912.8
32	海南岛	昌化江	宝桥	4 634	28 300	1887
33	沂河		临沂	10 315	30 000	1730.8.9
34	瓯江		圩仁	13 500	30 400	1912.8
35	澧水		三江口	15 242	31 100	1935.7.5
36	渠江		凤滩	16 595	32 300	1847.9
37	汉江		安康	38 700	36 000	1583.6.12
38	鸭绿江		荒沟	55 420	44 600	1888.8
39	汉江		黄家港	95 200	61 000	1583.6
40	西江		梧州	329 700	54 500*	1915.7.10
41	长江		李庄	639 200	65 600	1520
42	长江		寸滩	866 600	100 000	1870.7
43	长江		万县	974 900	108 000	1870.7.18
44	长江		宜昌	1 005 500	105 000	1870.7.20

注 1. 表中带*号为实测值,带△者为入库洪水,其余为历史洪水。

2. 资料来源,序号26为《河南省洪水调查资料》;27、28为文献〔3〕;19、43、44为文献〔4〕;30为王涌泉;其余为文献〔5〕。

3. 汉江安康站的集水面积,文献〔5〕为41 439km^2,有误。

表 22.2.3 中国和世界洪水记录量级比较表

集水面积(km^2)		(1)	10	50	100	500	1 000	5 000	10 000	50 000	100 000	500 000	1 000 000
最大流量(m^3/s)	中国	(2)	720	2 800	4 600	11 000	15 000	26 000	33 000	51 000	62 000	92 000	110 000
	世界	(3)	800	2 900	4 700	13 000	16 000	27 000	34 000	56 000	70 000	116 000	144 000
$K=(3)/(2)$		(4)	1.11	1.04	1.02	1.18	1.07	1.04	1.03	1.10	1.13	1.26	1.31

10 000km^2以上的大面积，中国记录小于世界记录，而且面积愈大，小得愈多。

同时，还应该看到，世界(除中国以外)记录，均为本世纪内的实测洪水，而中国记录有11.6%(5/43)为入库洪水，72.1%(31/43)为历史洪水，实测洪水只占18.6%(8/43)。

大家知道，由于水库修建后库区产流汇流条件的变化，入库洪水一般要比坝址洪水更大。根据中国许多湖泊型水库的实际计算资料统计，入库洪水洪峰流量，一般为坝址洪峰流量的1.20倍左右，有的达1.5倍[12]。表22.2.2中所列的石漫滩、薄山、板桥、松涛、佛子岭五水库，均属湖泊型水库，自然，其入库洪峰要比坝址洪峰为大。历史最大洪水(一般通过调查得到)，一般都比实测最大洪水为大，在中国一般大50%～150%(表22.2.1)。因此，我们认为，中国洪水量级，虽然很大，但是还不能说其中一些记录已经达到甚至超过世界最大记录。

22.2.3 最大洪水量级的地区分布

认识最大洪水量级的地区分布情况，对作好PMF分析工作，有重要的意义。

中国最大洪水量级的地区分布问题，骆承政等人曾进行过较深入的研究[5]。为便于地区之间的比较，他们先将各地最大流量记录标准化，即将不同流域面积的最大流量统一转换为某一标准面积下的最大流量值，其换算公式为

$$Q_{MA} = Q_m(\frac{A}{F})^n$$

式中：Q_{MA}为标准面积最大流量，m^3/s；A为标准面积，采用1 000km^2；Q_m为调查(或实测)最大流量，m^3/s；F为相应于Q_m的流域面积，km^2；n为指数，当F在300～5 000km^2时采用0.55。为减少由于这种转换所造成的误差，流域面积的变化幅度不宜过大，分析时采用流域面积为300～5 000km^2的河段资料。最后得到全国各地最大流量分布情况如图22.2.2所示。

从该图的结果可以看到，虽然每个河段最大流量记录具有不同的重现期，但点据的分布趋势仍然具有一定的规律性，从中可以看到三个明显特点：

1)从地区来看，洪水的量级差别很大，量级最低的青藏部分地区，Q_{MA}(即每1 000km^2最大流量值)不足100m^3/s，而东部一些高值区，可以达到8 000m^3/s，最高甚至可以达到15 000m^3/s，地域上的差别可以使东部高值区较青藏部分地区高150倍。

2)大致从腾冲、康定、松潘、岷县北上经贺兰山、阴山至东北小兴安岭西侧地带可以绘出一条相当于$Q_{MA}=1\ 000m^3/s$的区域分界线(图22.2.2)。此线以东地区Q_{MA}值均在

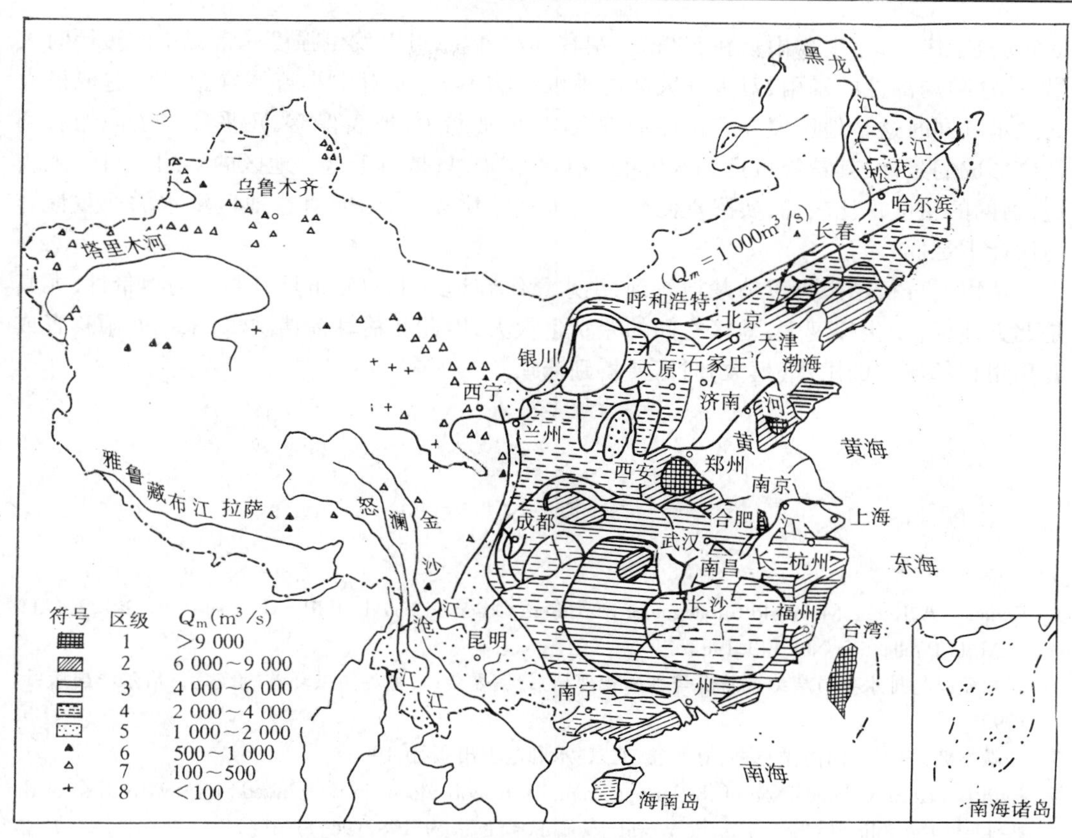

图 22.2.2 中国最大流量分布示意图[5]

1 000m³/s 以上，为中国主要暴雨洪水区，以西 Q_{MA}值均低于 1 000m³/s，基本上属非暴雨洪水区。而这条线所处的位置恰好与年最大 24 小时平均雨量为 50mm 的等值线相重合，这也反映了暴雨与洪水之间的区域分布上的内在联系。

3)等量级洪水的分布具有明显的地带性。①洪水量级最高地区的主要分布。从辽东半岛至千山山脉东段往西沿着太行山(海河流域)、伏牛山、大别山(淮河流域)的迎风山区，构成一个向东部开敞的弧形地带(包括沂蒙山区)；东南滨海地区，东段位于浙闽滨海丘陵区以及台湾岛，南段位于两广滨海地区以及海南岛；此外在中部地区还分布着 4 个零星高值区，即陕北高原区、大巴山区、峨眉山区以及武陵山区的澧水流域。以上这些地区每 1 000km² 的最大流量均在 6 000m³/s 以上。在上述高值区内还存在若干突出的局部高区(辽西大凌河地区、沂蒙山区、伏牛山区、大别山区、浙闽沿海地区、台湾、海南岛)，每 1 000km²最大洪峰流量可以达到 9 000m³/s 以上，最大可以达到 15 000m³/s(伏牛山区)。还可以注意到，上述这些高值区的位置同地形条件有密切联系，其中除陕北高原外，均处于地形变化剧烈的迎风山区。②长江及其以南地区，洪水量级相对为小，空间变化也比较均匀。四川盆地、南岭、武夷山背风面的湘赣闽江流域成为相对的低值区，其值在 2 000~4 000m³/s 之间，西南地区暴雨量级较小，而且岩溶发育，洪水量级显著减小，一般只能达到 1 000~2 000m³/s，与东北林区处在同一量级范围之内。③值得注意的是黄河中游地区，气候干燥，每年平均雨量在500mm左右，但是偶尔可以发生强度非常集中的短历时大暴雨，这种局部性的暴雨，对大江大河的洪水影响不大，而对中小流域常常可以造成极大的洪水。同时这个地区覆盖着深厚的黄土层，植被稀少，地表裸露，几乎集中了一切有利径流形成的条件，其量级可达到6 000～9 000m^3/s，只是由于这一地区的实测资料年限较短，站网的密度也比较稀，实际观测到的洪水量级比较小，因而对这地区洪水的严重性容易估计不足。

从以上分析结果可以清楚地看到，洪水量级在地理上的分布具有明显的地带性，尤其是北方地区，变化梯度大，地区之间的差别也很大，因此在估算稀遇洪水，采用暴雨移置或者移用相邻流域的洪水(模数)时需要特别谨慎。

参考文献

1 Rodier J. A. Roche M. World Catalogue of Maximum Observed Floods. IHP－II Proeject, A. 2. 7. 2. IAHS－AISH Publlcation NO. 143, 1984
2 国际灌溉与排水委员会编.《防洪与水利管理丛书》编委会译.世界防洪环顾.哈尔滨：哈尔滨出版社，1992
3 冯焱主编.中国江河防洪丛书，海河卷.北京：水利电力出版社，1993
4 John E. Costa. A Comparison of the largest Rainfall－Runoff Floods in the United States with those of the People's Republic of China and the World. Journal of Hydrogy. 1987:96(1)～(4)
5 骆承政，沈国昌.中国最大洪水记录及其地理分布.水文，1987(5)
6 胡明思，骆承政主编.中国历史大洪水(下卷).北京：中国书店，1992
7 Crippen J. R and Conrad D. Bue. Maximum Floodflows in the Conterminous United States. Washington United states Government Printing office. 1977
8 多钦科 P·B著.张瑞芳等译.苏联河流冰情.北京：中国科学技术出版社，1991
9 水利部科技教育司等编.各国水概况.长春：吉林科学技术出版社，1989
10 中国科学院地理研究所等编.世界地名词典.上海：上海辞书出版社，1984
11 National Research Counncil Canada. Hydrology of Floods in Canada. A Guide to Planning and Design. 1989
12 水利水电规划设计总院等主编.水利水电工程设计洪水计算手册.北京：水利电力出版社，1995

下　篇

认识与讨论

23 对 PMP/PMF 方法的评价与认识

23.1 方法的实质及优缺点

23.1.1 方法的实质

从 PMP/PMF 方法的基本思路(见 0.1 节)来看,它是从物理成因出发的;从方法的一些主要环节,如暴雨模式的拟定和产流汇流计算等来看,基本上都是建立在物理成因分析的基础之上的。但是,在另一些环节,如暴雨移置、组合以及极大化参数的选取等仍或多或少带有一定的经验性。因此,PMP/PMF 方法的实质是一种半成因半统计(经验)性的方法。

23.1.2 方法的优点

方法主要优点有以下三点[1]:

1)成果相对地较为稳定。从国外来看,在中低纬度的一些国家,例如美国,对于不允许失事的大中型工程,之所以抛弃数理统计途径而采用成因分析途径,其主要原因在于数理统计途径成果,一般都不太稳定,往往发生一场特大洪水以后,就使设计洪水数据大幅度地变动,而成因分析途径成果,相对地说则较为稳定。这主要是因为成因分析途径,可以通过一些特殊手段来增 加资料样本的容量。

首先,它考虑问题是着眼于一个大的区域(即所谓气象一致区),当设计流域本身没有特大暴雨资料时,它可以在气象一致区内移置,也就是自己没有,可以向别人“借”。而现行的数理统计法恰恰缺乏这一点,即它是死守一个流域(对于面雨量频率分析而言),或死守一个断面(对于洪水频率分析而言),因为它所用的资料系列是由本流域或本断面的实测、调查和插补延长三部分资料所组成的,一般都没有考虑移置资料。

其次,它可以能动地“造”资料,即当设计流域本身没有特大暴雨资料时,它可以利用现代气象科学的成就,人为地组合成一理想的特大暴雨,也就是自己没有现成的,可以自己“创造”,而数理统计法也缺乏这一点。

由于有以上所说的“借”(移置)和“造”(组合)这两个手段,这样就大为扩充了资料的来源,从而使得有可能得到接近于 PMP 的那种暴雨的机会增多,也就是说,这样就使得它的资料基础较之数理统计途径更为雄厚。

此外,对于历史文献记载的远年(几百年前或一两千年前)历史特大暴雨洪水,即令是只有定性的描述,也能在 PMP 分析中起作用。例如,根据文献记载的暴雨(洪水)历时、暴雨中心位置、雨区分布范围和洪水来源等,我们就可以推估当时的暴雨天气形势,以之

---

[1] 王国安.试论可能最大洪水的推求途径.黄河水利委员会勘测规划设计院,全国 PMP 咸宁会议论文,1978,5

对照现代实测资料,从而有助于正确地拟定暴雨模式。

2)本法是从研究现有资料中的稀遇特大暴雨洪水的特征入手,来推估将来可能发生的更为稀遇的特大暴雨洪水,即它是从特殊规律来推估更为特殊的规律。因而,至少从理论上讲,它得出的成果,应比其他方法所推求的稀遇暴雨洪水要合理一些。因为,唯物辩证法告诉我们:自然界一切事物的发展,都遵循着从量变到质变这一普遍规律。而一般暴雨和特大暴雨的特点(包括暴雨天气形势,暴雨的时空分布等)是不同的。因此,根据特大暴雨的规律所推求出来的稀遇暴雨洪水,应比根据一般暴雨(或不管暴雨大小)的规律,所推求出来的稀遇暴雨洪水,要接近实际一些。

中国著名的水文学者刘光文教授1975年1月14日在由水利电力部于郑州召开的水利水电工程设计洪水规范讨论会上发言谈到对频率法和PMP法求"极限洪水"(这很难求准)的认识时指出,这两种方法求"极限"都是用现有资料往外推。频率法是用大小洪水一齐来往外推,像打靶一样,是远射。PMP法是用稀遇暴雨推更稀遇暴雨,是边界外延,像近射。近射要不了几次射击,即可判断成绩,而远射则要求射击很多次,因为远射射不准。我们十分赞赏刘先生的这一形象生动的比喻。

3)所得成果在一些主要环节上,能够从物理成因上进行解释,具有形象、直观的特点,使人易于理解。

23.1.3 方法的缺点

方法主要缺点有二:

1)由于目前科学技术水平和资料条件的限制,在暴雨移置、组合、极大化因子的选取,以及由雨转化为洪水的某些环节上,都或多或少带有一定的经验性和任意性,同时在极大化原理上还存在一些问题,这就给成果带来一定的误差和变幅。

2)在雨量站稀少、地势较高大的山区、产流汇流条件复杂的地区,运用此途径求得的成果,精度也不高。

23.2 对美国PMP/PMF数值的认识

人们进行PMP/PMF分析计算的目的是要把它用于重要水利水电工程的规划设计,因此,其数值的大小,与工程的安全与经济是紧密相联的。

从原则上说,凡是用PMP/PMF设计的大坝是不允许失事的,因此PMP/PMF的数值应是足够大的,大到不致于被未来实际发生的特大暴雨/洪水所超过。但在具体求法上,又应该是脚踏实地的,不能把PMP/PMF的数值搞得过大,超出当地自然条件的实际可能,以致造成很大的浪费。

美国开展PMP/PMF的工作已有60多年,现在我们从它的做法上,来看看PMP/PMF的数值究竟相当于什么样的概念。

23.2.1 从PMP的推求方法上看——是历史暴雨加成

50多年来,美国推求PMP的传统方法,主要是高效暴雨—水汽放大—移置—外包。

由于水汽因子(露点)比较稳定,对其放大,一般只放大 20%～30%(表 15.3.4),为了防止在某些情况下,对水汽因子的放大可能导致不切实际地增大 PMP 特别是当与暴雨移置相结合的时候,所以美国天气局对放大因子给出了较宽范围的限制。在地形影响小的地区,以 1.5 作为限值;而对于山区坡地采用限值为 1.7[1]。换句话说,最多可以放大 70%。

因此,美国的 PMP 其实质就相当于历史暴雨加成,这样它所得出的 PMP 的数值,也就不致太大。

实际情况也是这样。美国汉森[2]介绍了 1980 年里德尔(Riedel)等人对美国 PMP 成果的检验,经与美国 800 多场暴雨比较,制作了各种历时各面积的实测雨量与 PMP 的比值(K)分布图。对比表明,大多数暴雨的比值(K)在 0.5 以下,东部地区有 75 次,西部地区有 67 次超过 0.5(表 23.2.1)。

表 23.2.1　美国实测暴雨超过各级比值(K)的暴雨次数

(6h、24h　26km^2,　24h、48h　2 590km^2)

比值 K(%)		50	60	70	80	90	总次数
超过次数	105°W 以东	75	35	18	6	3	75
	大陆分水岭以西	67	33	10	4	0	67

东部地区的大暴雨次数为西部地区的 5 倍,但比值超过 0.5 的次数却未能反映类似比例,他们的解释是:东部地区控制估算的少量大暴雨的量级很高。在 1980 年之后,又出现了两次大暴雨,1983 年 9 月亚利桑那州的暴雨相当于 PMP 的 92%,1984 年 10 月得克萨斯州的暴雨相当于 PMP 的 80%。

1989 年,美国土木工程师学会编写 的《水电工程规划设计土木工程导则》第一卷第一篇第三章中,在谈到重要大坝的溢洪道的设计洪水——PMF 时说,PMF 系根据美国气象局提供的 PMP 推求。虽然 PMP 代表着非常稀遇的状态,但美国气象局仍从许多大暴雨的研究中发现有些暴雨量已达到 PMP 的 50%。有的暴雨也达到 PMP 的 80%～90%❶。

23.2.2　从将 PMP 转化为 PMF 的方法上看——任意性较小

美国在将 PMP 转化为 PMF 的过程中,有一套通用的做法。

首先,PMP 是由国家天气局(NWS)等政府机构统一分析,编制成等值线图和一些配套的查算图表供各地使用。

其次,如何把 PMP 转化为 PMF,国家天气局还有一些规范性的具体规定。

例如国家天气局在 1978 年就颁布了估算美国 105°W 以东地区 PMF 的方法,1982 年又颁布了确定 PMP 时空分布特征的通用规范(NWS,1982)。

NWS1982 规范规定,确定 PMP 的时空分布特征,需要估算下面四个变量:①暴雨中心位置,②暴雨面积,③雨轴走向,④雨量的时程分配。这四个变量的取值,一般要使计算

❶ 美国土木工程学会编.水电工程规划设计土木工程导则第一卷(大坝的规划设计与有关课题,环境)第三章(水文和地质分析).1989

出来的 PMF 洪峰或洪量为最大。因此,要通过试算来确定这四个变量[3]。

PMP 的面分布,概化为椭圆形。其时程分布以略偏安全(雨峰偏后)的雨型概化。产汇流计算,一般是采用单位线或模拟模型来完成。美国国家天气局对东部地区由 PMP 推求 PMF 还编制有计算程序 HMR52(解决 PMP 的时面分布特征)和 HEC-1(解决产汇流)。这样,就使得推求 PMF 的人为任意性相对较小。

由于美国的 PMP 数值不是太大,在将其转化为 PMF 的过程中,人为任意性又较小,故它所求得的 PMF 也不是太大。

根据美国古水文学家科斯达(J.E.Costa)博士 1985 年收集美国大陆近万年以来的最大洪水资料和现有 PMF 资料研究的结果,美国最大洪水一般为 PMF 的 66%~91%(即 PMF 为最大洪水的 1.1~1.5 倍),只有少数点据超过了 PMF 值。他认为这可能是由于泥石流或选用糙率不当而使流量计算值偏大所造成的[4]。

根据我们所收集到的美国约 600 座工程的 PMF 成果[5]的外包(上包)值(表 23.2.2)所点绘的洪峰 Q_m 与集水面积 F 的关系图(见图 21.2.1)来看,其外包线低于世界记录外包线。据分析[6],美国 PMF 外包线仅约相当于中国东部和中部地区的参窝、桃林、紫荆关、王快、峡山、佛子岭、板桥、梅山、昭平台、丹江口、三峡、五强溪、滩坑、新安江、松涛、大广坝等 20 余座水库工程 500 年一遇的洪峰数值(表 23.2.2)。

表 23.2.2 中国一些河流 500 年一遇洪水与美国 PMF 外包线值比较表

序号	流 域	水系	库(站)名	流域面积 (km^2)	洪峰(m^3/s)		$K=\frac{(6)}{(7)}$
					500 年一遇	美国 PMF 外包线	
(1)	(2)	(3)	(4)	(5)	(6)	(7)	(8)
1	辽 河	太子河	参 窝	6 175	21 900	27 000	0.81
2	海 河	拒马河	紫荆关	1 800	13 400	15 500	0.86
3	海 河	沙 河	王 快	3 770	20 800	22 000	0.95
4	海 河	中易水	安格庄	476	9 060	8 600	1.05
5	海 河	洋 河	洋 河	755	9 570	10 800	0.89
6	滦 河	青龙河	桃林口	5 060	21 500	25 000	0.86
7	胶东沿海	潍 河	峡 山	4 210	23 500	23 500	1.00
8	淮 河	沂 河	临 沂	10 090	36 700	32 000	1.15
9	淮 河	淠 河	佛子岭	1 840	16 300	16 300	1.00
10	淮 河	洪 河	板 桥	762	12 300	11 000	1.12
11	淮 河	史 河	梅 山	2 100	20 000	17 500	1.14
12	淮 河	史 河	磨子潭	570	11 100	9 200	1.21
13	淮 河	沙 河	昭平台	1 500	21 100	15 000	1.41
14	淮 河	臻头河	薄 山	575	9 000	9 300	0.97
15	长 江	汉 江	丹江口	95 217	52 000	60 000	0.87
16	长 江	长 江	三 峡	1 000 000	94 600	108 000	0.88
17	长 江	沅 水	五强溪	83 800	47 700	58 000	0.82
18	浙江沿海	飞云江	珊 溪	1 259	14 300	15 100	0.95
19	浙江沿海	瓯 江	滩 坑	3 330	20 600	21 000	0.98
20	钱塘江	新安江	新安江	10 442	25 800	32 000	0.81
21	海南岛	南渡江	松 涛	1 440	15 600	14 700	1.06
22	海南岛	昌化江	大广坝	3 498	28 500	21 500	1.33

23.2.3 从工程实践上看——坝基本上未垮过

1992 年 10 月，原美国天气局局长、水文气象学家克拉克（Robert. A. Clark）博士因公来华，王国安等人就美国有关 PMP/PMF 的问题与之进行座谈。其要点如下[7]：

王国安问：美国用 PMP/PMF 设计修建的水库有没有垮过？

克拉克答：到目前为止，还没有因 PMP/PMF 有问题而垮坝的事。美国的垮坝都是由于其他原因引起的。1976 年垮过一次坝，即 Teton 坝，那是由地质原因引起的，损失 5 亿美元。

问：美国的 PMP 有没有被后来的实测大暴雨超过的情况？

答：近 20 年没有发现超过 PMP 的情况。美国东南部的暴雨曾出现过接近 PMP 的例子。据我所知，现在已出现的实测最大暴雨只达 PMP 的 90%。

问：美国如何使用洪水频率分析方法？

答：美国不用千年、万年洪水这样的标准。只对失事后危险性小的水库使用 25～100 年一遇的洪水。因为频率计算使用的实测资料一般不长，把 30～40 年的资料外延到千年、万年，这是赌博。主要是外延的线型不知道，可能是耿倍尔曲线，也可能是高斯曲线。前些年，美国有些人曾作过 PMP 的概率研究，最后得到 PMP 的概率为 10^{-4}，10^{-6}，10^{-7}，这种数字都很不可靠，总之，洪水频率非常不可靠。美国用 PMP 比频率实际，现在，美国暴雨的最高记录也只达 PMP 的 90%，目前美国也就是这个标准。但是，坝也未垮过，垮坝都是由于其他原因所致。

从以上克拉克博士的谈话来看，美国没有因 PMP/PMF 有问题而导致水库垮坝的事。

F·朗普里埃在《国际水力发电和坝工建设》（International Water Power Dam & Construction）杂志 1993 年第 9～10 期上发表的题为《因洪水失事的坝：对 70 座失事坝的分析》的文章中说："美国 1930 年以来所投入运行的 4 000 座土石坝，有 15 座报导失事，但无一是由漫坝引起的。对于按 PMF 建造的坝，这是可以理解的。"这间接证明克拉克的谈话是正确的。

23.2.4 从法律上看——不能有风险

使用 PMP/PMF 设计的水库，都是要求按其设计，没有垮坝风险的。

据克拉克博士介绍[7]，对重要的坝，美国不用频率，也有个不愿承担风险的考虑。例如美国现有较重要的坝 6 万座，如果都按万年一遇洪水来设计，那么从几率理论的概念来看，平均每年可能会有 6 座坝失事，美国政府不愿承担这个风险。而用 PMP/PMF，从概念上说，已经是暴雨/洪水的极限了，则没有风险问题。

克拉克博士说：美国是个很注重法制的国家，全世界的律师约有 80% 在美国，这些人要找事干，如果哪里垮坝，他们就会主动帮助受害者上诉，控告大坝拥有者。所以修建大坝一定要按当地政府规定的洪水标准进行设计，否则大坝失事后，大坝拥有者就要承担法律责任，赔偿损失。

克拉克博士说，美国有个地方为了满足钓鱼者的需要修建了一个小水库，后来遇到一场大暴雨,水库垮了使下游的农田受淹,于是农田所有者向法院提出控告。他当时曾出庭作证,证明该水库没有按当地政府规定的标准进行设计,结果法院判水库拥有者赔偿400万美元。

所以从法律上讲,用PMP/PMF设计的坝,不能有垮坝风险。

23.2.5 从实际做法上看——隐含合理的风险

美国在PMP/PMF的实际做法上,据我们看,它是隐含有合理风险的,并非追求万无一失的绝对保险。这可以从下列几个方面看出:

1)求PMP采用高效暴雨—水汽放大—移置—外包的方法,这样所得出的PMP/PMF数值就不致太大,这已如上述。

汉森谈到,在确定PMP时,常常会遇到这样的问题:"PMP估值太大!你怎么知道它是正确的?"回答是,要知道什么是正确的PMP,答案是不可能知道的。所提出的PMP估算仅仅是现代知识和现有资料所得到的最好估值。接着汉森说,经过里德尔(Riedel)等人用800多次暴雨与PMP进行了检验比较以后,现在在美国"普遍都承认现行的PMP的估算值不是太高这一事实"[2]。

据美国著名的水文学家叶夫捷维奇(V. Yevjevich)介绍[8],在美国也有PMF被后来实测洪水所超过的例子,如Sapuehanna河两度突破PMF,原因是过去资料不足。

2)认为应该承认合理的风险度。1979年,美籍华人世界著名的水文学家周文德教授来中国南京讲学时,在谈到设计洪水在工程上的安全与经济的问题时说:"建造一个工程,一定要研究它的安全与经济问题。如建筑一座水坝要不被洪水冲毁,同时也要考虑到生活、环境、卫生等问题。不要过于考虑经济,否则影响安全;但是,也不可能达到100%的安全,总还存在它的危险性"[9]。

1984年,《国际大坝安全会议论文集》中J·F·米斯特莱所写的一篇文章说:美国最近的一次调查表明,该国66 000座现有坝中,约有30%是不安全的,其中75%是由于泄洪能力不足。

1985年,美国大坝安全规程委员会等权威机构合著的总结美国已建工程的设计、施工和运用管理的实践经验的书《大坝安全——洪水和地震规程》中,在书的开头部分说:"近年实践经验表明,根据估计的PMP推算PMF来设计坝,并不需要绝对保证在每一种可能洪水情况下都安全"。在谈到溢洪道设计洪水不能过大时说:"我们中间很少人会接受为了减少由于车祸而遭受死、伤的意外事件去购买和使用军用坦克一样的概念"[10]。显然,此书的作者也是认为应该承认合理的风险。同时该书还指出,最近,美国陆军工程师团所做国家大坝检查大纲的成果表明,大约总数有9 000座坝处于高度险情之中,有三分之一暂定为不安全。

1989年,美国著名的水文专家王碧辉博士在第16届国际大坝会议的一篇论文《溢洪道设计洪水的确定》中谈到工程安全标准时说:"由于没有一个大坝可以按绝对安全进行设计,因此,任何一个大坝都必须接受有失事的可能性。"

1989年,叶夫捷维奇在《应付洪水和干旱灾害的基本途径》[8]一文中说:"洪水和干旱作为自然的和人造的灾害,它们永无休止地给人类带来问题。这里有一个基本的设想:洪水和干旱的灾害可以有所减轻,但要完全消除则是不可能的。"

1993 年,美国联邦应急管理局推出的《全国大坝目录》第二册中,提供了美国各州和联邦机构的 75 000 多座大坝的各种数据一览表。该书指出,在所列出的这些坝中,有 1/3 的大坝对下游地区存在着较大的或重大的潜在危险,而且这些坝的大多数没有应急行动计划。2/3 有较大潜在危险的大坝没有应急行动计划。仅大约 10%有重大的潜在危险的大坝有应急行动计划。

这些说明,像美国这样经济高度发达的国家,现有大坝实际也存在着很大的风险,并未做到万无一失。

23.2.6 PMP/PMF 数值今后是否还会继续增大

1967 年,美国天气局的迈尔斯(V. A. Myers)在展望未来设计洪水估算方法的发展时,提出一个问题:以往几十年来随着估算途径的演变,设计洪水一直在不断加大,那么今后会不会变得更大呢?他认为,一般来说不会再普遍加大了(当然,个别工程除外)。只要有足够的资料,并且充分运用移置、极大化,以及对被移置与极大化的暴雨进行外包等处理方法,现今的 PMP 法似乎能够得出足够接近于自然界所可能发生的极限降雨的估值。今后的任务主要是在相似地区进行更详细的分析,修正现有的 PMP 成果,而不是追求更高的标准[1,11]。

我们认为,PMP 成果今后是否会继续增大,这主要取决于在推求 PMP 时所依据的一些特大暴雨量是否够大,分析研究工作是否深入。如果分析研究不够深入,后来实际又发生了更大的暴雨,即有新记录出现,那么相应地,PMP 也可能增大。如美国 1978 年 24 小时 518km^2 的 PMP 估算值在南部地区为 800～1 000mm,比 1947 年相应的估算值 700～800mm 有较明显的增加❶。

但是,随着观测资料的积累和研究工作深度的增加,也可能使 PMP 成果减小。美国大坝安全规程委员会等机构,曾提请注意:由于较多的水文气象研究,会使 PMP 的趋向,比早先研究成果减小[10]。

参 考 文 献

1 Hansen E.M. Fifty years of PMP/PMF. 1990

2 Hansen E.M. Probable Maximun Precipitation for Design Floods in the United States. J. Hydrol. 1987. 96: 267～278

3 艾勒 P·B,彼得 J·C 著. 李致家译,王国安校. 美国东部的 PMF 估算 . 黄河水利水电,1988(2)

4 丛树铮,朱元甡. 中美双边水文极值学术讨论会——美方论文综述. 水文,1987(1)

5 U. S. Nuclear Regulatory Commission REGULATORY GUIDE, Office of standards Development. Revison 2. 1977(8)

❶ 王家祁. 80 年代国外可能最大暴雨估算研究简介. 水利部南京水文水资源研究所,1992

6 王国安.中国设计洪水及标准问题.水利学报,1991(4)
7 王国安等.与美国水文气象学家罗伯特·A·克拉克(Robert. A. Clark)博士座谈PMP/PMF记录.水文科技信息,1993(1)
8 Yevjevich. V..Basic Approaches to coping with Floods and Drought. 1989
9 朱云海.美籍著名水文学者周文德教授讲学简介.水文技术动态·水文计算,1980(2)
10 Committe on safety criteria for Dams etal, Safety of Dams—Flood and Earthquake criteria. Washington, D.C National Academy Press. 1985
11 Myers V.A.. Meteorological Estimation of Extreme Precipitation for Spillway Design Floods. Technical Memorandum WBTM HYDRO－5. U.S. Weather Bureall. 1967

24　中国非常暴雨的特性

24.1　概述

为有利于了解中国非常暴雨和洪水的特性，这里先就与中国暴雨洪水有关的地理地形特点、气候特点和河流特点，作一简要的介绍。

24.1.1　中国的地理地形特点

中国在地球上位于73°39′～135°05′E，3°12′～53°43′N间，在欧亚大陆的东南部，东南滨临太平洋，北部、西北部和西南部均在大陆上与邻国接壤，深入亚洲腹地。东西横跨约5 200km。全国国土面积约960万km^2，约占全球陆地面积的1/15。按国土面积计，居世界第三位[1]。

中国地势西高东低。从大趋势看，自西向东大体可分为三级阶梯（图24.1.1）。这种地形特点对中国降水及暴雨的分布有重大影响。

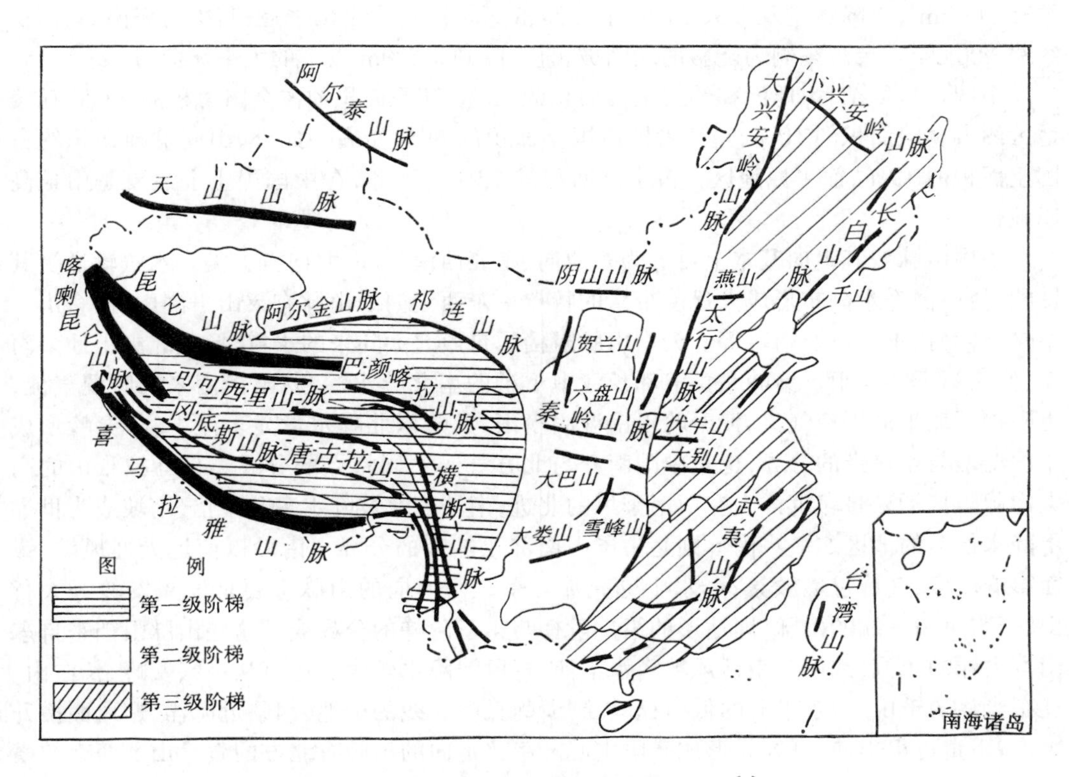

图24.1.1　中国地势及主要山系示意图[2]

第一级阶梯为青藏高原，海拔高程一般都在 4 000m 以上，面积约 250 万 km^2〔3〕。高原上岭谷并列，雪峰连绵，湖泊众多，主要山脉有昆仑山、阿尔金山、祁连山、唐古拉山、喀喇昆仑山、冈底斯山和喜马拉雅山，高原东南部为横断山脉的一部分。喜马拉雅山是世界最高大的山脉，平均海拔 7 000m 左右，其最高峰珠穆朗玛峰海拔 8 848m，为世界第一高峰。青藏高原内部因地势很高，使西南水汽受到阻挡，水汽难以送达，大气中水汽含量极少，平均不足 5mm，其西侧降水稀少。年降水量不足 100mm，东部年降水量较多，可达 800mm 以上，高原边缘地区因气流上升运动强烈，成为相对多雨带。

第二级阶梯为青藏高原以北、以东，海拔 1 000～2 000m 地区，由蒙古高原、黄土高原、云贵高原和阿尔泰山、天山、秦岭、大兴安岭和太行山等山脉组成。高原之间有巨大的盆地构造，如准噶尔盆地、塔里木盆地、四川盆地等。新疆吐鲁番盆地中的艾丁湖湖底海拔高程为 -155m，是中国陆地最低点。夏季风北缘可伸入二级阶梯上空，区域内年降水量地区差异大。

第三级阶梯沿大兴安岭、太行山、巫山、武陵山、雪峰山及云贵高原东侧，直到海滨地区。这一地带丘陵和平原交错，大部山丘高程多在 1 000m 以下，少数山峰可高达 2 000m 以上，滨海平原高程则在 50m 以下，包括东北平原、华北平原、长江中下游平原和珠江三角洲平原等。这一阶梯上空，夏季风活动频繁，降水量丰沛。这一阶梯向东向南延伸到海，并构成中国的大陆架。在中国海域内共领有岛屿 6 500 多个，最大的是台湾岛，面积约35 700km^2，年降水量及最大 24 小时、2 天、3 天暴雨均为全国之冠；其次为海南岛，面积约34 000km^2。台湾东侧为陡斜的大陆坡，直下降到 -400m 以下的太平洋深海。

中国地形复杂，山地面积约占全国面积的 33%，高原面积约占全国面积的 26%，丘陵地区约占全国面积的 10%，这三者即占国土面积的 69% 左右。此外，山间盆地面积约占国土面积的 19%，而平原地区只占全国面积的 12%。因此，在中国国土上主要是山丘高原地带。

中国山脉按其走向基本上可分为东西向、东北西南向、南北向三大类。水汽输送受其影响，使中国降水分布形成大尺度带状的特点。东西走向的山脉有天山—阴山、昆仑山—秦岭、喜马拉雅山以及南岭等。天山山脉阻挡了自西北大陆来的水汽，形成北疆山地多雨带，使南疆干旱少雨。秦岭是黄河和长江中下游的南北分水岭，既阻挡南来的暖湿气流，也阻挡了北来的干冷气流，使秦岭以南湿润多雨，秦岭以北降水量显著减少，故秦岭形成中国温带与亚热带的分界，也是中国南方与北方气候不同特点的分界。喜马拉雅山的高大山脉阻挡了来自印度洋上空西南季风的北进，南坡较北坡降水多几十倍，南坡成为世界上降水最多的地区之一。南岭则是中国中南部亚热带的分界。南岭以南地处迎风坡、锋面影响较多，气旋过境频繁，降水十分充沛。东北西南向的山脉主要是大兴安岭经太行山，至雪峰山一线的山脉，即地形的第二阶梯与第三阶梯的分界线。这些山脉阻挡来自东南方大洋的水汽，致使东南迎风坡降水丰沛，背风坡降水较少。还有从小兴安岭、长白山、辽东半岛的千山，山东半岛的低山丘陵，到浙闽丘陵一线的山地，因临近海洋，迎风面抬升水汽，雨量也很丰沛，且容易形成暴雨中心。南北走向的山脉有北方的贺兰山及西南的横断山脉。贺兰山以东为夏季风所及地区，由于贺兰山阻挡水汽西进，东侧降水明显多于西侧。横断山脉西侧处于西南湿舌位置，阻挡了来自孟加拉湾水汽的东进，使西侧降水明显大于东侧。

青藏高原、内蒙古高原、云贵高原和黄土高原是中国的四大高原。青藏高原在中印、中尼边界上坡折明显，北缘以昆仑山北坡、东缘以龙门山东坡均有明显坡折，但藏东、川西和滇北就没有明显的阶坡。青藏高原总面积约占全国国土面积的1/4，海拔4 000～5 000m，是世界上最高大的高原。高原中盆地地面高程最大高差约300m，盆地周围山地有许多高峰又高出盆地3 000～4 000m，地面起伏巨大。内蒙古高原在中国北部，西起甘肃边境和祁连山麓，东至大兴安岭，海拔1 000～2 000m，地势波状起伏，沙漠草原遍布。云贵高原位于青藏高原的东南，海拔1 000～2 000m，地面崎岖不平，喀斯特地貌发育。黄土高原在黄河中游，海拔也为1 000～2 000m，广泛分布着黄土丘陵和特殊的塬、梁、峁、川，地形破碎，土质疏松，是严重水土流失区。

塔里木盆地、准噶尔盆地、柴达木盆地和四川盆地是中国四大盆地。塔里木盆地在新疆南部，地面高程300～1 300m，由边缘向中部呈带状分布着戈壁、绿洲和沙漠。准噶尔盆地在新疆北部，地面高程500～1 000m，中部多固定沙丘，南缘为冲积扇平原。柴达木盆地在青海省西北部，地面高程为2 700～3 000m，是中国地势最高的内陆盆地。四川盆地在四川省东部，地面高程为500m左右，东部多低山丘陵，西北部为成都平原。

中国丘陵地形主要分布在东部，如辽东丘陵、山东丘陵、长江中下游以南的红色丘陵、黄土高原上的黄土丘陵、四川盆地的紫色丘陵等。丘陵多与山地交错分布，地形起伏和缓，没有明显的山脉走向，相对高度一般低于200m。

平原大多分布于山前、山间和沿海地带。东北平原、华北平原和长江中下游平原是中国三个最大的平原，其高程前者在200m以下，后者均在50m以下[1]。

24.1.2　中国的气候特点

中国位于世界上著名的东亚季风气候区。冬季盛行偏北风，气候寒冷，降水稀少。夏季盛行西南风和东南风，水汽丰沛，炎热多雨，尤多特大暴雨，是世界上多暴雨的国家之一。

冬季，偏北季风来自西伯利亚。

夏季，东南季风来自太平洋，主要影响中国东部地区；西南季风来自印度洋和南海，主要影响中国东部地区，对西南和南部沿海影响尤甚。中国西北内陆地区距海洋远，受山脉高原层层阻挡，季风难以深入，降水很少，仅新疆西部北部山区，受西来水汽影响，降水较多。东南地区则因受夏季风控制时间长，降水多。

中国东部地区各地雨季开始和结束的早晚，与西太平洋副热带高压脊线的北进、西伸、南撤、东退的时间的早晚关系密切。图24.1.2是中国历年各月副热带高压脊线的平均位置和相应的中国东部的雨带位置分布[1]。冬季西太平洋副热带高压脊线在20°N以南，雨带位置在华南沿海一带。春季(4月初至6月初)低纬度的暖湿空气开始活跃，副热带高压脊线在15°～20°N，暴雨洪水多出现在珠江流域，南岭以南进入前汛期。初夏(6月中旬至7月上旬)副热带高压脊线第一次北跳至20°～25°N，雨带北移至江淮流域，南岭以南前汛期结束，江淮梅雨开始。7月中旬，副热带高压脊线第二次北跳至30°N附近，雨带移至黄河流域，江淮梅雨结束，黄河两岸雨季开始。7月下旬至8月中旬，副热带高压脊线第三次北跳，跃过30°N，达到全年最北位置，雨带也到达海滦河流域、河套地区和东北一带。此时华南受副热带高压脊以南的东风带影响，低层的赤道辐合线上热带气旋扰动经常出现，热带风暴和台风不断登陆，酿成第二个降水高峰期，副热带高压脊部控制下的地区则出现伏旱，其范围可扩大到陕甘交界处。8月下旬，副热带高压脊开始南撤，华北、华中雨季相继结束，有些年份在结束前出现秋涝。新疆西部和北部4～5月进入雨季[1,4,5]。

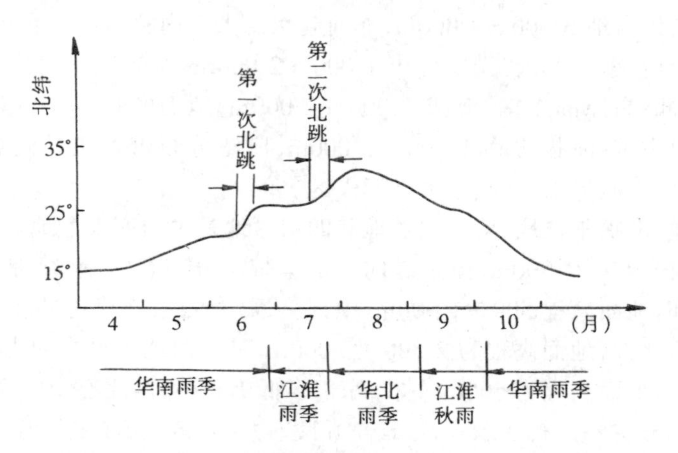

图 24.1.2 中国历年各月副热带高压脊线的平均和相应的东部雨带位置图[1]

24.1.3 中国的河流特点

中国地形复杂,河流众多,流域面积大于100km²的河流有50 000多条,流域面积在1 000km²以上的河流有1 500多条,绝大多数河流分布在东部气候湿润多雨的季风区,西北内陆气候干旱少雨,河流较少,并有范围较大的无流区。

中国河流多数由降雨直接补给。完全由降雨直接补给的河流有珠江、东南沿海诸河、淮河、长江中下游、怒江和澜沧江的中下游,台湾和海南岛诸河等。由冬季积雪和春夏秋雨水混合补给的河流有黑龙江、松花江、黄河、海河、辽河、长江上游通天河、怒江、澜沧江上游以及甘肃河西和新疆的部分河流。另外,在甘肃河西及新疆、青藏高原上还有一部分河流,除受降雪和降雨补给外,还受冰川融水的补给。

中国的河流最重要的有长江、黄河、淮河、海河、松花江、辽河和珠江,常称七大江河。它们的中下游都是平原地区,防洪问题突出,多年平均水灾面积约占全国90%。

从中国各大江河在地域上的分布上看,长江、黄河、澜沧江、怒江、雅鲁藏布江发源于第一阶梯——青藏高原东南坡,长江、黄河穿越第二和第三阶梯;黑龙江、松花江、辽河、滦河、海河、淮河、珠江发源于第二阶梯迎风坡,流经第一阶梯;鸭绿江、钱塘江、闽江发源于东南沿海(第三阶梯内)的丘陵山地,直接入海。

随地势的西高东低,中国外流大河多自西向东流入太平洋。流入太平洋的河流有长江、黄河、黑龙江、辽河、海河、淮河、钱塘江、闽江、珠江、澜沧江等。怒江和雅鲁藏布江则向南流入印度洋。额尔齐斯河则向西流入俄罗斯境内后向北流入北冰洋。内陆河则分为新疆、青海、河西、羌塘和内蒙古各内陆河区域。在内陆河区域内还有无流区大约160万

km²。外流河区域的面积约占全国面积的65.2%,其中流入太平洋的面积占全国总面积的58.2%,流入印度洋的占6.4%,流入北冰洋的占0.6%,内陆河区域约占全国总面积34.8%[4]。

中国主要河流的基本特征值见表24.1.1(表中年径流系数和流域平均宽度为作者根据表内数据计算)。

表24.1.1 中国主要河流基本特征[1,4]

序号	河名	河长(km)	流域面积(km^2)	平均年降水量(mm)	平均年径流深(mm)	年径流系数	流域平均宽度(km)	流域形状系数
1	长江	6 300	1 808 500	1 070.5	526.0	0.491	287.1	0.045 6
2	黄河	5 464	752 443	474.6	87.5	0.184	137.9	0.025
3	黑龙江	3 420	1 620 170①	513.2②	161.3	0.314	473.7	0.139
4	松花江	2 308	557 180	526.8	136.8	0.260	241.8	0.105
5	珠江	2 214	453 690	1 469.3	751.3	0.511	204.9	0.093
6	雅鲁藏布江	2 057	240 480	949.4	687.8	0.724	116.9	0.057
7	塔里木河	2 046	194 210	102.0	32.3	0.317	94.9	0.046
8	澜沧江	1 826	167 486	984.9	450.2	0.457	91.7	0.050
9	怒江	1 659	137 818	922.2	506.7	0.549	83.1	0.050
10	辽河	1 390	228 960③	472.6	64.6	0.137	164.7	0.119
11	海河	1 090	263 631	558.7	86.5	0.155	241.9	0.222
12	淮河	1 000	269 283	888.7	231.0	0.260	269.3	0.269
13	滦河	877	44 100	564.8	109.5	0.194	50.3	0.057
14	鸭绿江	790	61 889①	927.1	499.0	0.538	78.3	0.099
15	额尔齐斯河	633	52 730	395.0	189.6	0.480	83.3	0.132
16	闽江	541	60 992	1 710.1	960.8	0.562	112.7	0.208
17	钱塘江	428	42 156	1 587.0	875.3	0.552	98.5	0.230
全国			9 545 322	648.4	284.1	0.438		

注 ①流域面积包括中国境外部分,在中国境内:黑龙江为903 418km²;鸭绿江为32 466km²。
②黑龙江的降水和径流均为干流区间(面积119 644km²)数。
③根据松辽水利委员会提供:辽河流域面积为219 000km²。

24.2 非常暴雨类型

按照中国气象部门的规定,单站24小时雨量不小于200mm者,称为特大暴雨。但在为水利水电工程规划设计服务的PMP/PMF分析中,不仅要求出单站雨量,而且还要求出流域面平均雨量,然而,中国大部地区其PMP的单站雨量,特别是暴雨中心地区的最大24小时雨量,要远远大于200mm。有些地区,尤其是中小面积,其PMP的最大24小时面平均雨量,也要远大于200mm。因此,为适应PMP/PMF分析的需要,我们提出了非常暴雨的概念。

所谓非常暴雨是指现场调查与文献考证到的历史特大暴雨和在近50~100年内所观

测到的前 1～3 位特大暴雨。这些暴雨或者是在强度、量级、范围上的极大；或者因区域性暴雨持续或短暂间歇地多次重复出现，从而以其在时间过程上的超短或超长、小范围或大范围总雨量的极大为其特征。它们往往造成局地性、地区性或者跨越几条江河的巨大洪涝灾害。

由上可见，我们定义的非常暴雨，是从降雨强度、总量、历时、范围几个侧面的极大性来综合分析确定的。

关于中国非常暴雨的分类，目前尚无成熟的见解。为便于研究中国非常洪水的成因规律，现利用有关研究成果，按中国各区非常暴雨的主要特点，将中国非常暴雨划分为五种类型，即①超短历时局地性非常暴雨，②较短历时移动性的区域性非常暴雨，③中等历时停滞性的区域性非常暴雨，④长历时大范围强淫雨型非常暴雨，⑤青藏高原东部较长历时较大范围强淫雨过程❶。

各类型的划分标准及主要特点如表 24.2.1 所示。下面再就各类型的特点作进一步的说明。

表 24.2.1 中国非常暴雨分类特征指标表

暴雨类型		过程降水历时(天)	主要暴雨过程特征				出现地区	天气系统
类别	名称		历时	日暴雨面积*(km²)	中心最大日雨量(mm)	降雨总量(亿 m³)		
1	超短历时局地性非常暴雨		数分钟至数小时	数十至数百	200～500及其以上	0.02～1.0及其以上	西北干旱半干旱地区为主	局地强对流
2	较短历时移动性的区域性非常暴雨	1～3	12～48小时	数万至10多万	400～1 000及其以上	100～300及其以上	中国东部和中部地区、东南沿海、台湾、海南岛	涡切变、台风、西风槽
3	中等历时停滞性的区域性非常暴雨	5～10	3～7天	10万～20万及其以上	300～1 000及其以上	300～700及其以上	中国第二阶梯和第一阶梯边坡地带	第一阶梯边坡为低槽(切变)、低涡，第二阶梯边坡为涡切变、台风(倒槽)
4	长历时大范围强淫雨型非常暴雨	60～90	10～15天	50万～60万及其以上	200～400	1 000～2 000及其以上	江淮与黄淮平原，珠江流域	地面静止锋、高空涡切变
5	青藏高原东部较长历时较大范围强淫雨过程	15～30	5～10天	20万～30万**及其以上	40～70	100～200及其以上	青藏高原东部	高原涡切变

注 *指日雨量不小于 50mm 的面积；**为日雨量不小于 25mm 的面积。

❶ 高治定，王国安，刘占松. 我国非常暴雨的分类及特征. 黄河规划设计，1996(4)

24.2.1 超短历时局地性非常暴雨

这类非常暴雨历时数十分钟至数小时，暴雨笼罩面积(50mm 等值线范围)几十平方千米至几百平方千米，中心雨量达 200～500mm，甚至更大。在暴雨区周围没有成片区域性降水，故表现出强烈的局地性。位于暴雨中心区的小河流，可以产生极大的洪水。如 1976 年 7 月 25 日甘肃宕昌县化马公社，3 小时雨量 343mm，暴雨笼罩面积很小，仅 50km^2。暴雨区内的小河坝沟，流域面积仅 13.5km^2，洪峰高达 867m^3/s，接近相同流域面积世界最大记录(1 030m^3/s)。又如 1985 年 8 月 12 日渭河上游武山县天局暴雨，70 分钟雨量达 436mm(调查值)，接近世界记录外包线数值(453.6mm)，暴雨笼罩面积 446km^2，由于暴雨强度特大，形成了罕见的泥石流洪水，使桦林沟口的天局村遭受毁灭性的灾害[6]。这类暴雨所形成的洪水是小型水库和核电站规划设计所应考虑的防御对象。这类暴雨的其他实例见表 24.2.2[6,7]❶。

表 24.2.2 超短历时局地性非常暴雨典型实测及特征

降雨日期(年·月·日)	地点		暴雨历时(h)	暴雨中心雨量(mm)	等值线数值(mm)	面积(km^2)	降水量(亿 m^3)
1981.6.29	新疆	安集海	1	240	50 20	103 260	0.11 0.17
1975.7.3	内蒙古	上地	1	401*			
1976.7.25	甘肃	化乌	3	343		50	0.016
1981.6.20	陕西	大石槽	4.5	339.9	100 50	40 107	
1979.8.10	甘肃	临洮	6	401		425	0.66
1959.7.19	内蒙古	张家房子	6	620*		300 1 000	1.11 2.26
1972.6.25	河北	白脑包	6	550			
1985.8.12	甘肃	天局	$1\frac{1}{6}$	436		446	0.65

注 带*号者为调查值。

24.2.2 较短历时移动性的区域性非常暴雨

这类暴雨因影响暴雨的天气系统处于移动中，暴雨历时 10 小时左右至 48 小时以内(过程降雨历时可达 3～5 天)。随着暴雨落区地域不同，日(或最大 24 小时)暴雨范围(50mm 雨区笼罩面积，下同)可达数万至 10 多万平方千米，日大暴雨范围(100mm 雨区笼罩面积，下同)达 1 万～6 万平方千米，日特大暴雨范围(200mm 雨区笼罩面积，下同)由数千至万余平方千米。日暴雨中心雨量可达 400～1 000mm 以上。

这类非常暴雨的实例，如 1977 年 8 月 1 日发生在内蒙古自治区与陕西省交界地区的一场暴雨。暴雨中心在内蒙古乌审旗木多才当，10 小时降雨量 1 400mm(调查值)。这场

❶ 水利电力部南京水文研究所编. 中国暴雨历时面积雨深资料. 暴雨洪水分析计算工作协调小组办公室，1984

暴雨过程历时不超过24小时，日暴雨区达24 650km^2，日大暴雨区面积8 700km^2，日特大暴雨区仅1 860km^2，但在这小区域内降雨总量达9.55亿m^3(面平均雨深513mm)。又如1974年8月11～13日山东沂蒙山区、淮河下游平原发生了一场区域性暴雨。暴雨主要发生在12日。这天暴雨面积达93 160km^2，日大暴雨面积达47 000km^2，日特大暴雨面积达8 750km^2。暴雨中心位于刘圩，日雨量达553.6mm。沂河、沭河、潍河均发生了大洪水，中运河、骆马湖水位超过了实测最高记录。这类非常暴雨所形成的洪水是大中型水库规划设计所应考虑的防御对象。这类暴雨的其他实例见表24.2.3[6,8]❶。

表24.2.3 较短历时移动性的区域性非常暴雨典型实例与特征

过程日期(年·月·日)	落区位置	最大日暴雨			暴雨区特征			各等级日暴雨(mm)区面积(km^2)					主要天气系统
		中心位置	雨量(mm)	日期	轴向	长轴(km)	短轴(km)	50	100	200	300	500	
1960.8.1～5	辽宁东部、鸭绿江中下游、辽东半岛以北	黑沟	417.2	3	东北—西南	500	200	110 000	60 000	15 000			台风，低槽
1977.8.1	内蒙古、陕西交界区	木多才当	1 400*	1	东—西	300	90	24 650	8 700	1 860			涡切变
1965.8.18～20	浙闽沿海	南溪	438.1	19	东北—西南	450	(150)	92 710	49 110				台风
1974.8.11～13	潍河、沂河、沭河	刘圩	553.6	12	东北—西南	600	130	93 160	47 000	8 750	2 300	140	台风倒槽
1979.9.23～25	广东南与东南部	多祝	670.3	24	东—西				20 000	8 000	3 600		台风

注 *调查值。

24.2.3 中等历时停滞性的区域性非常暴雨

这类非常暴雨落区位置随暴雨影响系统相对稳定，雨区停滞少动，故日暴雨面积达1万km^{2}的日数可维持3～7天。其中最大日暴雨范围可达8万～14万km^{2}以上，日大暴雨区范围可达3万～8万km^2，日特大暴雨区范围可达数千至1万余km^2。日最大暴雨中心雨量可达300～400mm，甚至更大，过程总雨量可达1 000mm上下。

这类非常暴雨的实例，如1981年7月9日～14日在四川省境内出现的历史罕见的大面积暴雨，嘉陵江、涪江、沱江以及岷江和渠江部分地区均为暴雨所笼罩。日暴雨面积超过1万km^{2}的日数持续达5天之久，日大暴雨面积超过1万km^{2}的日数也有两天。过程中最大日暴雨面积为137 440km^2，最大日暴雨面积为43 720km^2。日最大暴雨中心在上寺，7月12日雨量达345.8mm。这场暴雨在长江干流寸滩站洪峰达85 700m^3/s，为20世纪以来最大洪水[8]。又如1963年8月2～8日稳定于海河上游7天的特大暴雨过程，1969年7月10～16日长江中下游持续大暴雨过程等均属此类。这种类型的非常暴雨所

❶ 黄河水利委员会勘测规划设计院.黄河流域暴雨洪水特性分析报告.1989,12

形成的洪水更是大中型水库规划设计所必须考虑的防御对象。其他一些实例及特征见表24.2.4[6,8]❶。

表 24.2.4　中等历时停滞性的区域性非常暴雨典型实例与特征

过程日期(年·月·日)	落区位置	最大日暴雨			各等级日暴雨(mm)区最大面积(km²)			各等级日暴雨区超过某面积持续日数			雨带走向	主要天气系统
		中心位置	雨量(mm)	日期	≥50	≥100	≥200	50mm,>1万km²	100mm,>1万km²	200mm,>0.5万km²		
1935.7.3~7	湘西北、鄂西、豫西	湾潭	600~900	3	85 740	50 160	25 160	3	2	2	南北向	涡切变
1957.7.10~19	许昌以东至胶东半岛	高里	267.3	10	81 900	33 580	2 125	(5)	>1	0	近东西向	黄淮气旋
1963.8.2~8	海河上游	獐 獁	865	4	80 800	40 500	11 200	7	6	4	南北向	西南涡低压槽
1969.7.10~16	长江中下游鄂皖地区	大水河	482.8	16		114 900			5		近东西向	涡切变
1975.8.5~7	淮河上游、豫西南	林庄	1 005	7	>40 000	26 600	13 100	3	3	2	近南北向	台风倒槽
1981.7.9~14	川西地区	上寺	345.8	12	137 440	43 720	3 700	6	2	0	东北—西南	涡切变
1982.7.28~8.2	淮河上游、黄河三花间、汾河下游、陕北南部	石碣	734.3	29	62 500	17 800	1 691	4	1		近南北向	南北向切变线

24.2.4　长历时大范围强淫雨型非常暴雨

这类非常暴雨过程降雨持续历时长达2~3个月之久。暴雨过程稳定在一个更大的区域内,多次重复出现,致使过程内出现暴雨区的范围达50万~60万km²以上,区域性降雨总量在3 000亿~4 000亿m³以上。这类过程雨区基本上呈纬向分布。其中出现的暴雨过程中,可能夹有一个以上第2类或第3类非常暴雨过程。例如,1954年5~7月江淮梅雨期暴雨便是这类典型。这期间江淮地区共出现大范围暴雨达12次之多。每次暴雨过程历时一般3~5天,最长一次7~9天。日暴雨面积在10万km²的雨日达19天。其中5月24、25日暴雨笼罩面积最广,分别达22万km²、21万km²。该实例中最大一次暴雨过程出现在长江中下游,其笼罩面积降雨总量见表24.2.5[8]。1998年6~8月长江全流域性的暴雨、1931年5~7月江淮暴雨和1915年6~7月珠江地区暴雨,均属这种类型的非常暴雨。其主要特征见表24.2.6[8]。由于这种类型暴雨历时长、范围广,故形成的洪水其洪量特大,洪水所造成的灾害最为严重,对于江河防洪来说,它是最为严重的暴

❶ 黄河水利委员会勘测规划设计院.黄河流域暴雨洪水特性分析报告.1989,12

雨类型。这类非常暴雨所形成的洪水是流域规划和地区防洪规划所应考虑的防御对象。

表 24.2.5　1954 年 6 月 22～28日暴雨逐日雨量(≥50mm)特征表

日期		暴雨中心				暴雨笼罩面积	相应降水量
月	日	站名	东经	北纬	雨量(mm)	(万 km^2)	(亿 m^3)
6	22	观音阁	114°40′	23°25′	122	0.85	6.53
6	23	柳　城	109°15′	24°42′	85	2.20	14.9
6	24	李　集	115°30′	31°10′	311	9.62	93.6
6	25	螺　山	113°10′	29°30′	339	20.1	216.9
6	26	找　桥	114°45′	28°40′	189	15.7	132.5
6	27	宁　都	116°00′	26°30′	181	2.90	26.1
6	28	洺　湖	115°20′	27°50′	221	18.9	170.5
合计							661.03

表 24.2.6　长历时大范围淫雨型非常暴雨实例主要特征表

暴雨名	时　期	等雨深线数值(mm)	笼罩面积(万 km^2)	降水总量(亿 m^3)
1931 年江淮暴雨	6 月 28 日～7 月 27 日(最大 30 天)	200 300 400	164.7 75.7 49.4	3 423
1954 年江淮暴雨	5 月 6 月 7 月	300 300 300	74.0 71.0 91.0	3 010 3 220 4 280
1915 年珠江暴雨	6 月下旬至 7 月上旬	大雨和暴雨	约 60	

24.2.5　高原东部较长历时较大范围强淫雨过程

这类非常暴雨过程仅指发生在青藏高原东部地区的持续性强降水过程。该区域包括黄河贵德以上的上游区,以及怒江、澜沧江、金沙江、雅砻江和大渡河的河源区及其流经的横断山脉区。这个区域地势高峻(3 000～5 000m),大气中水汽含量少,故区域的非常降雨过程的主要特点有四:①强度小,32°N 以北区域最大日降水量很少超过 50mm,横断山脉区南侧可达到 100～200mm。②历时较长,一般为 10～15 天,并在过程前后伴有长久持续阴雨天气。③范围较广,从过程降水来看,不小于 25mm 的面积可达 30 万～50 万 km^2,不小于 50mm 的面积为 3 万～5 万 km^2(主要在横断山脉区)[1]。④降水总量较大,过程总雨量一般在 100 亿 m^3 以上。这样,再加上这个地区各河在汛期底水高,基流大[1],故常形成高原东部数条大江大河同时出现特大洪水。例如,1981 年 8 月 30 日～9 月 13 日在黄河上游出现的一场堪称近 40 年来最强的淫雨过程,雨区笼罩黄河上游唐乃亥以上,并涉及长江流域的通天河、雅砻江、大金川等流域。大部分地区次降雨总量达 100mm 以

[1] 能源部,水利部成都勘测设计院,昆明勘测设计院. 雅砻江、金沙江、澜沧江、怒江暴雨特性及天气成因分析 .1989

上。9月13日唐乃亥洪峰达5 450m^3/s,45天洪量达119.7亿m^3,相当多年平均年径流量的40%。又如1966年8月21～31日出现在怒、澜、金、雅四江流域的持续淫雨过程,使澜沧江和金沙江出现有实测资料以来的最大洪水。这场降雨过程150mm以上雨区面积23.4万km^2,降水总量533.7亿m^3[9]。这类暴雨的其他实例及特征见表24.2.7(资料来自❶和1989年黄河流域暴雨洪水特性分析报告)。

表24.2.7 青藏高原东部较长历时大范围强淫雨过程典型实例

河名	区间	集水面积(万km^2)	各实例面平均雨深(mm)			
			1981.8.30~9.13	1966.8.21~8.31	1970.7.9~7.17	1962.8.3~8.12
黄河	吉迈以上	4.50	(112.5)			
	吉迈—玛曲	4.10	138			
	玛曲—唐乃亥	3.59	102			
雅砻江	雅江以上	6.57		74.7	91.3	57.4
	雅江—小得石	5.14		161.1	109.7	107.9
金沙江	石鼓以上	21.42		102.5	65.5	71.3
	石鼓—小得石—屏山	12.73		191.5	97.8	92.7
澜沧江	溜筒江以上	8.30		108.3	66.9	74.0
	溜筒江—戛旧	3.16		200.8	35.9	101.4
怒江	贡山以上	10.50		103.9	65.4	61.8
	贡山—道街坝	1.38		114.0	47.5	76.2

24.3 非常暴雨成因的主要特点

暴雨,一般是指可能产生灾害的强烈降水,而非常暴雨,则是指暴雨中在强度、量级和范围或过程总量上具有相当极大性的暴雨。因此,它与一般暴雨气象成因条件既有密切联系,也应有一定区别。再者,中国非常暴雨共有5类,其极大性各有侧重;就同一类非常暴雨而言,其出现时间可跨6～9月,且落区位置南北差20纬度、东西位置也可差20经度以上,而绝对高差也可达3 000m以上,可见各类非常暴雨的气象成因也存在悬殊的差别。

暴雨又是一种特定的天气现象。它的产生是中低纬、高低空及大中小尺度系统相互作用的结果。它们互相联系,缺一不可。因此,研究非常暴雨气象成因,也离不了这个基本认识,并且需从一般暴雨成因规律出发,从它们之间既有联系又有区别的两个侧面来予以揭示。但这项工作是很复杂的,特别是非常暴雨实例不多,且各场非常暴雨资料条件差别大,揭示非常暴雨成因的共性与个性规律困难很大。本文在吸取有关研究成果[6,8~11]的基础上,就中国非常暴雨成因的主要特点归纳为五点,即①有相对稳定的环流形势;②只发生在某几类特定暴雨天气系统下;③有有利的水汽、不稳定能量输送、集中释放和重建的机制;④有有利的地形条件;⑤有各种有利条件的组合。兹分述如下。

---

❶ 能源部、水利部成都勘测设计院,昆明勘测设计院.雅砻江、金沙江、澜沧江、怒江洪水特性及统计参数分析.1989

24.3.1 相对稳定的环流形势

中国的暴雨不仅与东亚地区环流形势有关，而且与亚欧以及更大范围环流形势有关。另外，不仅决定于中高纬环流演变，还与低纬环流也有着密切联系。陶诗言等在《中国之暴雨》一书[4]中，依据副热带高压位置和强度、西风带环流型，以及适当考虑低纬环流型的特征，将中国大暴雨的环流形势分为Ⅲ类。第Ⅰ类是稳定经向型。其主要特征是西风带以经向环流为主，长波系统移动缓慢或停滞少动，副热带高压也比较稳定，但位置偏北；第Ⅱ类是稳定纬向型，其主要特征是西风带环流(35°～55°N)盛行纬向环流，短波槽活动较多，副热带高压也比较稳定，常呈带状。第Ⅲ类是过渡型，其主要特征是副热带高压位置不稳定，西风带系统是移动性系统。这个分型原则，对区分中国非常暴雨环流特征，具有较强的适应性。第1类非常暴雨主要发生在过渡型环流下，暴雨区落在北疆东移加深低槽的后部西北气流控制区下。第2类非常暴雨主要落在西太平洋副热带高压西北侧或西测，影响暴雨的低值系统(低槽、涡、台风)处于较快移动之中，有可能产生在稳定纬向型与过渡型暴雨之中。第3类非常暴雨则与稳定的西太平洋副热带高压密切有关，故稳定经向型与稳定纬向型环流形势分不开。第4与第5类非常暴雨涉及过程较长，环流形势将呈现阶段性调整，它们的环流类型组成比较复杂。近年来，中国气象部门分别就东北、华北、西北、长江流域和华南地区暴雨进行了分区归纳与总结，更进一步加深了各区暴雨环流特征的认识，更侧重于从一些大型环流系统与其活动特点，来归纳暴雨期环流特点。这种认识也有利于加深对中国非常暴雨环流特点认识。与中国非常暴雨有联系的大尺度环流系统有：

西风带系统。乌拉尔山阻塞高压、贝加尔湖阻塞高压、鄂霍茨克海阻塞高压、乌拉尔山大槽、巴尔喀什湖低槽、贝加尔湖低槽和太平洋中部槽。

副热带系统。西太平洋副热带高压、南亚高压、青藏高压。

热带系统。南亚和西太平洋热带辐合带、印缅低压(槽)、西太平洋台风。

上述大型环流系统中，尤以西太平洋副热带高压位置、进退、维持和强度变化同非常暴雨的关系最为密切。它直接影响第2至第5类非常暴雨的雨带位置、走向、范围、量级和强度等。

以上的分析侧重于非常暴雨与一般暴雨的共性上。就中国第2类至第5类非常暴雨的环流演变而言，尚有以下几个特点：

1)环流的异常稳定性。这主要是就影响第3、第4和第5类非常暴雨的环流形势而言的。环流的异常稳定性主要反映在：一是亚欧地区西风带环流槽位置稳定、少动；二是西太平洋副热带高压位置的稳定少动。因此，对环流的平均场而言，则可能出现较大偏离；或从时间上看，出现季节性偏离。例如1954年7月亚欧地区高空槽、脊系统出现在特定地区，变化甚少。在这种形势下，地面锋带、气旋路径以及降雨带便有集中和稳定趋势，使江淮梅雨延续至7月底才结束。再如海河638暴雨、淮河758暴雨、黄河828暴雨均系第3类经向型非常暴雨。它们与西太平洋副热带高压位置偏北，且稳定在日本海至朝鲜半岛5～7天以上密切相关。

2)季节的反常性。这主要是对第3类至第5类非常暴雨的环流形势特点而言，其暴雨的停滞性与持续性常与环流季节的反常性相联系。对第3类非常暴雨,主要是指某一影响的大型环流系统的反常,而对第4、5类非常暴雨,则更主要反映在西风带与副热带、热带系统活动的季节反常性上。例如,第3类非常暴雨实例中的1981年7月9~14日川西北地区非常暴雨过程都是与西太平洋副热带高压反常活动相联系的,西太平洋副热带高压较季节性位置偏北约5个纬距。又如第5类非常暴雨1966年8月21~31日发生在雅砻江、金沙江、澜沧江、怒江流域持续强连阴雨,也是与西太平洋副高反常偏西10个经度以上相关联的。再如,1954年初夏长江梅雨期,6~7月500hPa天气图上西风带南缘位于32.5°N,就7月而言较常年偏南10个纬度,西太平洋副热带高压脊线位于20°N,与常年6月份没有什么变化,而7月份则较常年位置偏南5个纬距以上。

24.3.2 只发生在某几类特定的暴雨天气系统下

据有关分析❶,影响中国暴雨的天气系统多达16类,具体见表24.3.1。

表24.3.1 中国各地区暴雨天气系统

项目		地区				
		华南前汛期	江淮地区梅雨期	华北地区	东北地区	西北地区
统计暴雨次数		159	213	163	293	415
各种暴雨天气系统所占百分数	锋面	54				
	冷锋		6		6	71
	静止锋		23		2	3
	锢囚锋					6
	气旋		1		20	
	低涡	9	9	20	5	7
	热低压	6				
	台风			24	15	
	切变线	8	28	37	6	8
	涡切变	15	27		1	
	槽		6			
	西风槽			19	26	
	北槽南涡		1			
	低压	6			20	
	高压后部		1			
	偏南气流					3

暴雨天气系统是影响暴雨量级、强度的直接因素。高治定等曾统计过黄河中游日暴雨量达3万km²的各类型暴雨个数[12]。统计结果表明,该地区处于南北向切变线+台风倒槽和北槽南涡型(三合点)暴雨影响系统下时,暴雨面积普遍较大。具体归纳影响中国各类非常暴雨的天气系统,也仅主要由几类影响系统所致。详见表24.3.2。

综合各非常暴雨实例的影响天气系统特征,还有以下几个特点。

❶ 王家祁,郑似苹等.中国暴雨地域分布概述.水利电力部南京水文水资源研究所,1988

24.3.2.1　高、低空系统的异常配置

例如第1类非常暴雨是发生在槽后西北气流下，近地层附近配置有较强水汽辐合中心。一般在高空槽后西北气流控制下西北东部地区易形成成片干雷暴或冰雹，而近地层水汽辐合常位于高空槽前西南气流之中，易形成区域性暴雨。再如第2类非常暴雨中的乌审旗778暴雨实例，在对流层低层出现天气尺度切变线的条件下，再加上500hPa高空贝加尔湖有冷锋南下，推移至低层切变线上空，导致24 650km^{2}暴雨区内又形成了平均雨深达514mm的强中心区[13]。一般这种高、低空系统配置是较难形成的。

表24.3.2　影响各类非常暴雨的天气系统

非常暴雨类型		850hPa或700hPa影响系统	地面影响系统	暴雨落区
Ⅰ		西北气流	冷锋(切变)	西北东部
Ⅱ	(1)	低槽(切变)+台风(倒槽)	(冷锋)、台风	辽南、华北平原，粤西南
	(2)	切变线+西北涡	冷锋	陇东、山陕北中部、内蒙古西南
	(3)	台风	台风	浙闽粤沿海、台湾与海南岛
Ⅲ	(1)	低槽(切变)+西南涡	西南涡	华北平原西部的冀、豫、鄂西部山丘地带
	(2)	气旋+台风	冷锋、台风	东北地区
	(3)	低槽(切变)+西南(北)涡	西南与西北涡	川西北、陕南、陇东
	(4)	低槽(切变)+台风	台风(倒槽)	同Ⅲ(1)
	(5)	东西向切变线+西南涡	气旋波	江淮与黄淮平原、珠江流域
Ⅳ		东西向切变线+西南涡	静止锋	同Ⅲ(4)
Ⅴ		高原切变线+高原涡		青藏高原东部(3 000m以上)

24.3.2.2　异常的系统活动路径

西南涡形成于四川盆地，经常沿切变线向东或东北方向移至江淮与黄淮地区。台风在中国东南沿海登陆情况虽为数不少，但能深入到30°N以北、115°E以西的并不多，近百年来不足10次。第3类非常暴雨中的海河638暴雨和淮河758暴雨却是与这些天气系统的反常路径相联系的。1963年8月2日由贵阳附近产生的低涡经湖北移至郑州，3日低涡北上进入河北南部，4日低涡继续北上并得到加强，产生了獐犸附近的特大暴雨。1975年8月4日02时3号台风在厦门附近登陆，5日20时到达湖南常德附近后转向北北东移动，6日21时进入河南省，在桐柏县附近徘徊，7日8时到达这次台风路径的最北位置，即唐河以东大约15km的地方，13时以后折向南下，但仍然徘徊在桐柏山与大别山之间，8日14时以后，台风加速向南南西移出河南境内，最后台风消失在湖北省境内，这次主要发生在河南省境内的特大暴雨与该台风反常活动路径密切相关，具体可参见图24.3.1。

24.3.2.3　暴雨影响系统异常的持续与更替

就第3、第4和第5类非常暴雨过程而言，暴雨天气系统异常的持续与更替是暴雨持续发展的先决条件。它的持续性主要反映在移速减缓，与系统移动受阻相联系。系统更替，反映在2个以上暴雨天气系统比一般衔接过程要短得多的时间间隔内衔接，有的甚至

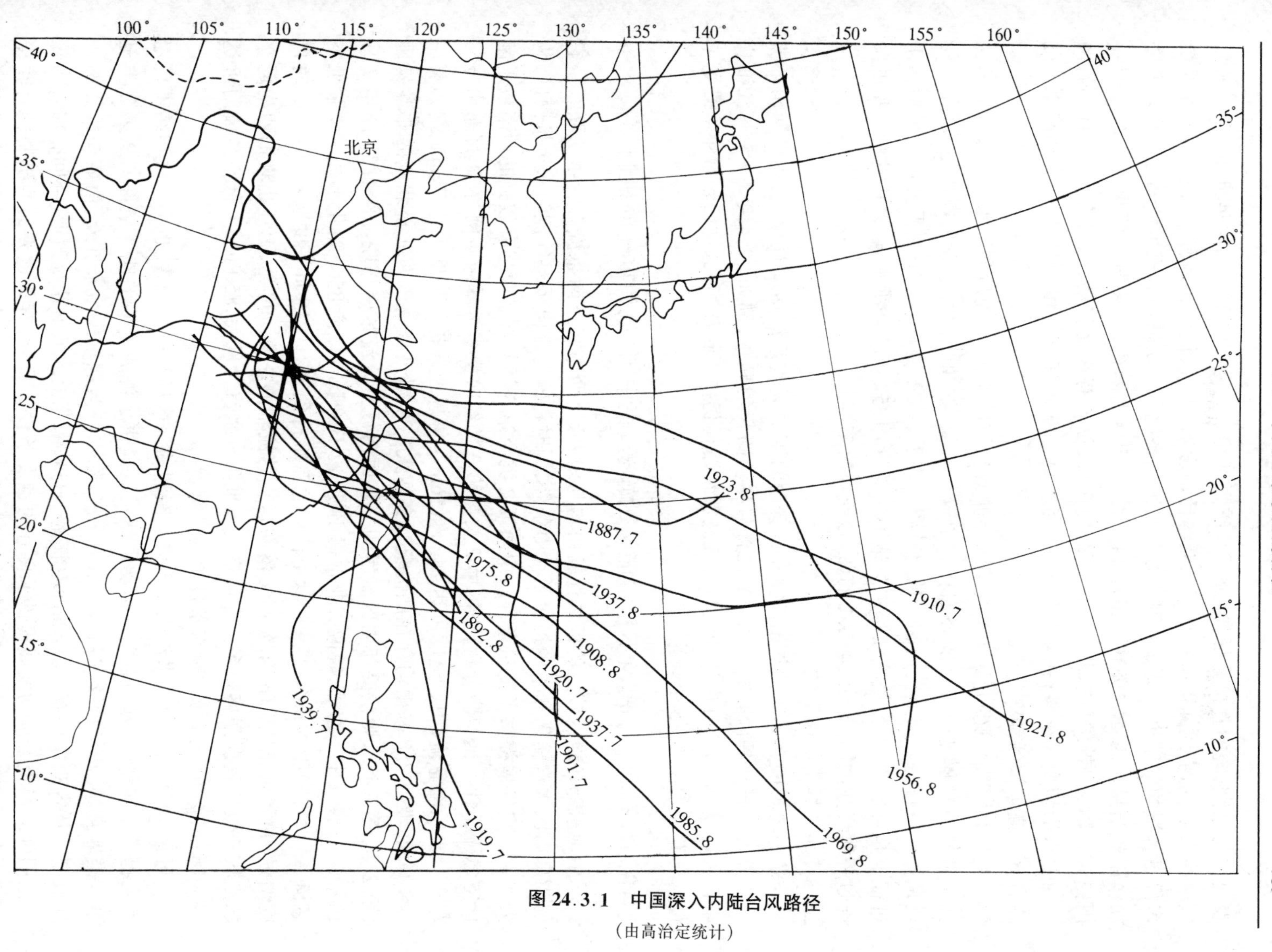

图 24.3.1　中国深入内陆台风路径

（由高治定统计）

表现在前、后系统的直接叠加，导致原系统再度增强。例如，经统计1954年6～7月长江流域梅雨期，切变线暴雨维持27天，低涡活动影响11天，低槽影响有6天，这是多个系统多次更替影响的结果。又如海河638暴雨天气系统是三次低槽和三个低涡连续出现并叠加作用的结果。再如，1981年8月14～23日川西北暴雨，有多种天气尺度系统参与作用：35°N秦岭一带维持东北—西南向的切变线，位置有南北移动；先后有两次西南涡，两次西北涡沿切变线东移；在40°N先后有5个西风槽东移影响和35°N以南青藏高原上陆续有6个高原槽活动[8]。

此外，从目前发生的第2类与第3类非常暴雨过程看，其前后期降水都比较少。这两类非常暴雨过程是否有可能叠加在一个较长时段(如30～60天)较强霪雨过程之上呢？这是一个值得深入研究的问题。从现有资料来看，第2类非常暴雨过程叠加在长期霪雨过程上是可能的，例如松花江哈尔滨站1932年和1957年特大洪水，就是由这种类型的降雨过程所形成的〔详见25.4.2.1的(9)松花江哈尔滨〕。

24.3.2.4 异常的季节性

这主要反映在第4类与第5类非常暴雨的影响天气系统活动规律上，由于暴雨环流形势异常。导致暴雨影响系统季节位置与移动路径的异常，例如1954年6～7月江淮梅雨长久持续，虽然7月份切变线与气旋波活动路径仍位于长江南北，这已较常年7月平均位置与路径偏南3～5个纬距。

24.3.3 有利的水汽及不稳定能量的输送、集中、释放和重建的机制

中国东部各地区较大的区域性暴雨均与中、低空西南和东南急流有着密切联系。它们为暴雨区水汽输送和集中提供了动力条件，同时将偏南方向暖湿气流输送至暴雨区，为大气不稳定发展提供了能量条件。中国第2类至第5类非常暴雨均有较强的西南或东南低空急流相伴。据初步分析，中国第2类与第3类经向型非常暴雨实例，在雨区东南方向存在一支东南急流，中心速度可达24m/s，16m/s等风速线扩展高度可达7km。例如黄河828暴雨、淮河758暴雨均存在此情况。在西太平洋副热带高压西北至北侧的非常暴雨(第2类、第3类)，则主要与雨区东南侧一支西南低空急流紧密相联。例如1969年7月10～16日长江中下游鄂、皖两省非常暴雨期，12日在长江以南850hPa上形成一支强低空急流，最大风速达24m/s，这支强低空西南急流维持到14日，15日一度减弱，16日8时再度增强，长沙风速达21m/s，暴雨区落在这支急流轴的左侧。可见，上述出现的西南低空急流较一般过程要强盛得多。在低空气流轴附近水汽含量大，850hPa上低空急流附近达14～16 g/kg，较一般暴雨水汽条件更为充沛。

可见，这种在暴雨区水汽入流方向上有利的湿度场与风场配置，也为大气层结不稳定发展提供了能量，为暴雨区对流运动强烈发展提供了源源不断的能量条件。从第2类至第4类非常暴雨看，持续的强烈暴雨的发展，除水汽与能量供给条件外，尚需要较优的触发机制。从客观条件看，北方弱冷空气南下与偏南北上的低值系统遭遇(空间叠加)，为较大范围强对流上升运动发展提供了良好的触发条件。目前，有关这方面的机制已有较深入研究，但由于问题的复杂性和资料条件不一的限制，尚难从各地非常暴雨的普遍规律上进行概括。

24.3.4 有利的地形条件

这主要在第2类与第3类非常暴雨落区位置与地形条件的密切关系上得到充分地反映。据各实例分析,非常暴雨中心和主要暴雨区都落在暖湿气流入流方向的迎风坡面上和喇叭状地形内。关于地形对暴雨的制约性,有人曾分析认为华北西部山脉长波地形轴线右侧(东侧)附近为该区域经向类最大暴雨区轴线位置[14],这从统计气候学的角度说明了大地形对经向类非常暴雨区分布的约束性。

24.3.5 各种有利条件的组合

中国各类非常暴雨的实例分析表明,各场非常暴雨在降雨期间的系统配置、系统强度、水汽与动力条件单项指标、不稳定能量等指标,并非均能达到最"优"状态,而往往是各种有利条件较优的组合。例如,我们在讨论乌审旗778非常暴雨动力与热力指标时,曾与该区12个典型实例进行了各单项指标综合对比,发现778暴雨还只有部分指标达到"优"状态,而更重要的是反映在各指标较优的组合上[15],具体见表24.3.3。这个事实说明两个问题,一是在推求PMP的过程中,作暴雨模式极大化时,不能对每一个极大化因子都取最优值,而应取其可能的有利组合;二是目前我们在采用各非常暴雨作为推算各地PMP时,仍存在进一步"放大"的可能性与"必要性"。

表24.3.3　暖切变大暴雨动力、热力特征指标比较

比较个例		切变线							雨区上空		500hPa启动槽		
		850hPa			700hPa			两层配置	850hPa θse (K°)	K (℃)	开始位置 (°E)	结束位置 (°E)	槽前西南风速 (m/s)
		平均辐合量 ($10^{-5}\cdot s^{-1}$)	ΔT (℃)	ΔT_d (℃)	平均辐合量 ($10^{-5}\cdot s^{-1}$)	ΔT (℃)	ΔT_d (℃)						
典型个例	1958.7.25	−1.5	0	9	−1	1	6	重合	341	30	102	113	8~12
	1964.7.05	−2.5	5	7	−1.2	1~2	6	重合	347	38	105	消失	12
	1977.8.05	−1	2	1	−3	1	3	重合	355	38	102	105	18
	1966.7.26	−1	4	4	−1.5	1	4	北倾1.5纬距	347	32	106	111	10~12
	最优组合	−2.5	5	9	−3	1	6		355	38			18
对比个例	1977.8.01	−3	0	13	−3	2	7		357	40	108	110	16
对比结果		相当	不及	优	相当	相当	相当	相当	相当	相当	优		相当

注　ΔT为温差、ΔT_d为露点温度差,θse为假湿球位温。

24.4 非常暴雨时间与空间分布的基本特征

根据我们的研究❶,非常暴雨在时间(季节与多年期间)与空间(流域与地区)上分布

❶ 高治定,王国安,刘占松.我国非常暴雨的分类及特征.黄河规划设计,1996(4)

的基本特征,可概括为四点:即时空分布的极大性、季节上的一般性与特殊性、地域上的差异性和发生条件的稳定性。

24.4.1 时空分布的极大性

非常暴雨是以时空分布的极大性为其首要特征,而不同类型的非常暴雨的极大性则反映在不同的侧面。

从中国南北方暴雨最大时面深记录[16]及归属非常暴雨的类型(表 24.4.1)可知,1~3 小时点中心值和 1 小时 300km^2 以内的面雨深值,是以第 1 类暴雨位居首位。历时 6~12 小时,面积 10 000km^2 以下的面平均雨深的最大值,几乎全由北方第 2 类暴雨(内蒙古 778 木多才当暴雨)和第 3 类暴雨(淮河 758 林庄暴雨)所创。24 小时至 3 天,面积 3 000km^{2}以下的记录全由南方第 2 类暴雨(台湾 6710 新寮暴雨和 639 白石暴雨)所创。3 天以上至 7 天无论南方或北方都由第 3 类暴雨控制(南方为长江 357 暴雨,北方为海河 638 暴雨)。

表 24.4.1　　中国最大时面深记录及其相应的暴雨类别　　(面积:km^2;雨量:mm)

历时	面积(km^2)															
	点		100		300		1 000		3 000		10 000		30 000		100 000	
	雨量	类别	雨量	类别	雨量	类别	雨量	类别	雨量	类别	雨量	类别	雨量	类别	雨量	类别
1h	401A	1	267B	1	167B	1	107C	3								
3h	600G	1	447C	3	399C	3	297C	3	120H	2						
6h	840H	2	723C	3	643G	3	503C	3	240H 360J	2	127H	2				
12h	1 400H	2	1 050H	2	854H	2	675H	2	406H 570n	2	212H	2				
24h	16 730	2	1 200n	2	1 150n	2	738C 1 060n	3 2	629C 830n	2	435C	3	306p	3	155p	3
3d	27 490	2	1 730	2	1 700n	2	1 550n	2	1 270n	2	940p	3	715p	3	420p	3
5d	1 605	3	1 554	3	1 442C	3	1 280	3	1 080	3					292	3
7d	27 490	2	1 730	3	1 720M	3	1 573M	3	1 350p	3	1 200p	3	960p	3	570p	3

注　表中雨量值后英文字母所代表的暴雨见表 16.2.5(b)。

第 4 类非常暴雨是更长历时,更大区域内,多个持续阴雨、暴雨过程的组合。它的极大性主要表现在几十万平方千米范围内过程降雨总量的极大,数量达到数千亿立方米。

第 5 类非常暴雨的极大性,主要指在青藏高原东部地区 10 万 km^2 以上范围内,15 天过程总降雨量达 100 亿 m^3 以上,而且随着面积的扩大,总雨量成正比例增加。显然,这个量级的降雨量,在中国东部地区是常见的。

表 24.4.2 是除台湾岛以外中国第 2 类、第 3 类区域性暴雨的暴雨日最大笼罩面积和

持续历时的初步统计。由该表可见,各等级日暴雨最大面积和持续历时,均以第3类非常暴雨为首。

将表24.2.2,表24.2.3与表24.4.2比较,可以看出,各场第2类、第3类暴雨,其暴雨面积和持续历时,并非都能同时达到最大。

掌握中国区域性非常暴雨的日暴雨区最大笼罩面积和最长持续历时,对研究中国区域性PMF的形成规律,有实际意义。

24.4.2 季节上的一般性与特殊性

中国地处欧亚大陆的东南,濒临太平洋,大部分地区位于典型的季风气候区域,暴雨具有明显的季节变化。从全国来看,非常暴雨大多数发生在7～8月份。珠江流域5月份、江淮流域5月下旬至6月可由静止锋形成第3类、第4类非常暴雨。9月份,广东沿海和海南岛受西进台风的影响,可形成第2类非常暴雨。

表24.4.2 第2类、第3类非常暴雨各等级日暴雨最大面积及最长持续日数对比

暴雨类型	各等级日暴雨最大面积(万 km²)				各等级区域暴雨最长持续历时(d)		
	≥50mm	≥100mm	≥200mm	≥300mm	≥50mm,>1万 km²	≥100mm,>1万 km²	≥200mm,>0.5万 km²
2	11.0	6	1.5	0.36	(2)	1	1
3	22.1	11.49	2.5	1.46	7	6	4

但是,在某些地区,非常暴雨的出现季节,也有其异常性。例如,在西北地区,由于强对流作用,在6月份可出现第1类非常暴雨。黄河中游地区7月中旬～8月中旬是区域性暴雨集中出现时段,9月初暴雨基本结束。但在1662年9月下旬至10月上旬却发生了一场笼罩面积很广的淫雨、暴雨过程[6]。再如汉江流域1583年6月发生的一场非常暴雨形成安康河段近900年来的最大洪水[8],也是很特殊的。

24.4.3 地域上的差异性

中国各类非常暴雨比一般降水过程有着更强的地域性差别。这主要表现在以下三个方面:

1)不同地区发生的非常暴雨类型不同。第1类出现在青、甘、宁、蒙、陕、晋和河北北部。第4类则发生在青藏高原东部。

2)暴雨量级和范围的地区差别大。这主要表现在第2类和第3类非常暴雨过程中,日暴雨、日大暴雨、日特大暴雨范围有显著的地区差别。

对西北地区来说,在黄土高原上尚未见到日暴雨区超过8万 km²,日大暴雨区超过1万km²者,日特大暴雨区仅2 000～3 000km²。在东北地区和长江上游,日暴雨区最大均可达10万 km²以上,日大暴雨区可达5万 km²上下。但日特大暴雨区两地差别则较显著,前者可达1万 km²上下,后者仅在5 000km²以下。海河上游、淮河上游至鄂西、湘西山地以及长江中下游是中国暴雨区范围最大的地区：日暴雨区可达 15 万 km^2 以上，最大已有 22 万 km^2 的记录；日大暴雨区可达 5 万 km^2 上下；日特大暴雨区也可达 1 万 km^2 以上。

3)持续性暴雨具有一定的落区规律。从现有资料看，川西山地，中国地形的第一阶梯与第二阶梯交接地带以及长江中下游是第 3 类非常暴雨易发生地区；而第 4 类非常暴雨主要发生在黄淮、江淮和长江以南至华南的广大地区。

24.4.4　发生条件的稳定性

对于各地而言，非常暴雨是比较罕见的事件，人们往往将其看作是偶然现象。但是，从扩大的空间和时间范围来看，各地非常暴雨的发生条件是具有明显的稳定性。

从扩大的空间即从气象一致区的范围来看，类似的非常暴雨过程(雨型相似，成因条件相似)常有重复出现的情况(这是暴雨移置的基础)。

从扩大的时间即从一个地区的历史上来看，同类非常暴雨常有多次重演的情况。例如，根据大量史料记载，1761 年 8 月 16～20 日在黄河三花间至汾河中下游曾经发生过一场持续 5 天的特大暴雨，它与当今 1982 年 7 月 29 日至 8 月 2 日暴雨过程相比，在大范围暴雨落区位置、暴雨中心位置、暴雨持续状况、暴雨量级等方面，都是很相似的。

参　考　文　献

1　钱正英主编.中国水利.北京:水利电力出版社,1991

2　国家防汛抗旱总指挥部办公室,水利部南京水文水资源研究所.中国水旱灾害.北京:中国水利水电出版社,1997

3　张英,李宪文主编.防汛手册.北京:中国科学技术出版社,1993

4　水利电力部水文局.中国水资源评价.北京:水利电力出版社,1987

5　陶诗言等.中国之暴雨.北京:科学出版社,1980

6　胡明思,骆承政主编.中国历史大洪水(上卷).北京:中国书店,1988

7　安鸿志.西北内陆一次罕见的特大暴雨.水文,1984(3)

8　胡明思,骆承政主编.中国历史大洪水(下卷).北京:中国书店,1992

9　《东北暴雨》编写组.东北暴雨.北京:气象出版社,1992

10　《华北暴雨》编写组.华北暴雨.北京:气象出版社,1992

11　《西北暴雨》编写组.西北暴雨.北京:气象出版社,1992

12　高治定,慕平.黄河中游大面积日暴雨特性及其对洪水的影响.人民黄河,1991(6)

13　77.8 乌审旗特大暴雨会战组.1977 年 8 月乌审旗特大暴雨研究报告.陕西气象,1979(10)

14　熊学农,高治定.黄河三花间可能最大暴雨估算.河海大学学报,1993(5)

15　吴和赓,高治定等."778"乌审旗特大暴雨在西北部分地区可移置范围分析.人民黄河,1980(1)

16　王家祁,胡明思.中国暴雨面雨量极值分布.水科学进展,1993(1)

25 中国非常洪水的特性

中国的洪水类型有暴雨洪水、融雪洪水、冰川洪水、冰凌洪水和雨雪混合洪水等五种[1]。本书仅讨论暴雨洪水,因为造成严重洪涝灾害的洪水,主要是由暴雨产生。

25.1 非常洪水类型

根据文献〔2〕的介绍,按照中国水利部门的习惯概念,洪水可分为三个等级:常遇洪水(或普通洪水);大洪水;特大洪水。中小河流,大于50年一遇的洪水称为特大洪水;大江大河的干流及主要支流,大于100年一遇的洪水称为特大洪水。

本书所谓非常洪水是指现场调查与文献考证到的历史特大洪水和在近50~100年内所观测到的前1~2位特大洪水。

严格讲,非常洪水应是很稀遇的,至少在200~300年一遇以上。那么,为何把实测期内前1~2位特大洪水,都列入非常洪水呢?这是为了便于根据实测水文气象资料,对非常洪水进行分类,并研究非常洪水的天气成因规律,从而有利于搞好PMP/PMF的分析和水文气象预报等工作。

实测期内前1~2位的特大洪水所反映的规律,能否代表很稀遇洪水的规律呢?我们认为,一般都是能代表的。因为一个地区的稀遇洪水,其天气成因是相似的(详见25.4.2节)。

为便于讨论问题,本书25.5节中还将非常洪水又分为稀遇洪水(重现期在400年以上)和较稀遇洪水(重现期为200~400年)。

25.1.1 概述

中国的非常洪水与非常暴雨的类型(见24.2节)相对应,也可分为五大类型:①超短历时局地性非常洪水;②较短历时区域性非常洪水;③中等历时区域性非常洪水;④长历时大范围非常洪水;⑤青藏高原东部较长历时较大范围非常洪水。

超短历时局地性非常洪水是由超短历时局地性非常暴雨所产生,主要发生在中国气候干旱的西北地区的小河沟上。其主要特点是:洪水历时短促(一般为数小时至10余小时),暴涨暴落,洪量很小,洪峰特高(按单位面积的模数来说,可接近世界记录外包线),并常伴有大量泥石流,能使局部地区造成毁灭性的灾害。

较短历时区域性非常洪水,主要是由历时1~3天的一次特大暴雨过程所形成。洪水涨落迅速,峰高量小,主要发生在中国东部地区1万~10万km^2的面积上。

中等历时区域性非常洪水,主要是由历时5~7天的一次特大暴雨过程所形成。洪水涨落相对较慢,峰高量大,主要发生在中国东部地区5万~20万km^2面积上。

长历时大范围非常洪水,系在历时2~3个月之内,由多个地区连续多次特大暴雨组合所形成。洪水涨落缓慢,历时特长、洪量特大、但洪峰相对不高,主要发生在江淮地区和珠江流域 50 万～100 万 km^2 面积上。

较长历时较大范围非常洪水,系在历时 10～15 天之内,由多个地区连续多次强连阴雨过程所形成,洪水涨落亦较缓慢,洪量较大,洪峰较低,只发生在青藏高原东部地区 30 万～50 万 km^2 面积上。

25.1.2 各类型典型实例特征

以上五种类型有代表性的几场洪水其雨洪特征如表 25.1.1 所示。该表主要取自文献〔1〕,其中有些是作者根据文献〔1,3〕中的有关资料补充。

25.2 主要江河洪水

为使读者对中国各地区的大洪水情况有一个概略的了解,从而有助于搞好 PMP/PMF 工作,现主要根据文献〔1,3〕等提供的资料,对中国各地区主要江河的大洪水情况作一简介。

25.2.1 东北地区洪水

东北地区位于 39°～53°30′N,115°～135°E,全区总面积 124 万 km^2。主要河流有松花江、辽河、黑龙江、鸭绿江、图们江、大凌河。

本区范围大,暴雨分布、强度特征以及森林植被等下垫面条件等因素,各地区之间差别很大,因此洪水量级在地区上有悬殊的差别。

东南部的鸭绿江下游蒲石河、叆河,辽东半岛诸河、浑河、太子河以及辽东湾西岸的大小凌河等地区,滨临海域,水汽来源充沛,且常受台风影响,暴雨强度很大,常形成很大的洪水,是东北地区洪水最大的地区。如位于辽东半岛的复州河松树站,集水面积 302km^2,1981 年出现 5 250m^3/s 洪水;大凌河复兴堡站集水面积 2 862km^2,1930 年特大洪水洪峰达 16 200m^3/s;叆河梨树沟集水面积 5 629km^2,1888 年洪水洪峰 17 600m^3/s;大凌河大凌河站集水面积 17 688km^2,1949 年洪水洪峰 34 500m^3/s。这些调查或实测的特大洪水,均接近全国同等流域面积的最大值。

其次,在吉林哈达岭西侧山丘区,包括东辽河,清、柴、泛河以及第二松花江上游,亦是洪水量级较高的地区。如东辽河二龙山河段集水面积 3 796km^2,1953 年大洪水洪峰达 5 850m^3/s,清河开源河段集水面积 4 668km^2,1951 年出现 12 300m^3/s 洪水。

大兴安岭山前台地和小兴安岭山丘区是松花江流域经常出现暴雨的地区,但是由于两地区分布着大片林区,洪峰比上述地区显著减小。

从各地区洪水外包值看,东南部洪水最大地区,10 000km^2 的流域面积其最大流量可以达到 34 000m^3/s,而北部嫩江流域,其最大值约 8 000m^3/s。中小河流,南部洪水最大地区每 1 000km^2 最大流量可达 8 000m^3/s,北部嫩江流域最大值一般只能有 2 000m^3/s。

东北地区主要河流调查和实测最大洪水的特征值如表 25.2.1 所示。

本区非常洪水属第二类与第三类。

表 25.1.1 中国五种类型代表性非常洪水雨洪特征

洪水类型	洪水名称	暴雨特征				主要河流洪水特征										说明
		历时 (d)	暴雨中心雨量 (mm)	笼罩面积 (km²)	降雨总量 (亿 m³)	河名	站名	集水面积 (km²)	洪峰 (m³/s)	时段洪量(亿 m³)					稀遇程度	
										3d	7d	15d	30d	60d		
超短历时局地性非常洪水	1976年7月陇南化马洪水	3 (h)	343(石院,调查,7月25日2:30~5:30)	50	0.016	小河坝沟	街上	13.5	867							一些小河沟造成极大洪峰流量,并伴有大量泥石流
	1979年8月洮河临洮洪水	6 (h)	401(寇家,调查,8月10日21时~11日3时)	425	0.66	塌米沟	孙家寨	0.9	159							一些小河沟造成极大洪峰流量
	1985年8月陇中天局洪水	70 (min)	436(高家河,调查,8月12日21:00~22:10)	446	0.65	桦林沟 大沟	鲍家门 鸳鸯镇	57.9 11.7	1 470 407							有大量泥石流
较短历时区域性非常洪水	1953年8月辽河、第二松花江洪水	3	353.5(凉水泉子,8月18~20日)	100 400	172	第二松花江 辽河	丰满 铁岭	42 693 120 764	15 100 11 400		49.40	55.00			近百年来第二位	铁岭集水面积不包括内流区面积
	1960年8月辽东洪水	3	556.7(黑沟,8月2~4日)	102 000(国内大陆部分)	207	浑河 太子河 鸭绿江 叆河 浑江	抚顺 辽阳 荒沟 梨树沟 桓仁	6 688 8 082 55 420 5 629 10 600	8 200 18 100 37 100 17 400 13 400	8.50 18.01 36.63 13.15 15.70	11.23 21.43 44.08 17.48 19.40	 25.3			太子河为近百年来首位,其余为第二位	

续表 25.1.1

洪水类型	洪水名称	暴雨特征				主要河流洪水特征									
		历时 (d)	暴雨中心雨量 (mm)	笼罩面积 (km^2)	降雨总量 (亿 m^3)	河名	站名	集水面积 (km^2)	洪峰 (m^3/s)	时段洪量(亿 m^3)					稀遇程度
										1d	3d	5d	7d	15d	
较短历时区域性非常洪水	1974 年 8 月潍、沂、沭河洪水	3	572.4（石埠子 8 月 11～13 日）	139 600	279	潍河	辉村	6 312	15 800		12.50		15.6		1881 年以来首位
						沂河	临沂	10 315	13 900		13.00		18.3		1730 年以来第 7 位
						沭河	大官庄	4 609	11 100		10.10		11.6		1730 年以来第 2 位
	1965 年 8 月浙闽沿海地区洪水	2	482.5（黄山，8 月 19～20 日）			交溪	白塔	3 270	11 700*			6.10			有记载以来首位
						永安溪	柏枝岙	2 475	7 840*						
						水北溪	高滩	341	3 040*						
						楠溪	石柱	1 263	9 430*						
	1979 年 9 月广东西枝江洪水	3	997.5（石涧，9 月 23～25 日）			西枝江	平山	2 091	9 000		13.08		16.08		1773 年以来首位
						梅河	横山	12 624	3 090		4.89		6.73		
						螺河	蕉坑	1 104	2 430		3.01		3.83		
						龙江	磁窑	820	1 490		1.53		1.85		
						榕江	东桥园	2 016	2 070		2.54		3.41		

续表 25.1.1

洪水类型	洪水名称	暴雨特征				主要河流洪水特征										说明
		历时 (d)	暴雨中心雨量 (mm)	笼罩面积 (km^2)	降雨总量 (亿 m^3)	河名	站名	集水面积 (km^2)	洪峰 (m^3/s)	时段洪量(亿 m^3)					稀遇程度	
										3d	7d	15d	30d	60d		
中等历时区域性非常洪水	1963 年 8 月海河洪水	7	2050(獐犹,8 月 2～8 日)	102 800	545	(大清河)沙河	王快	3 770	9 600	8.8	10.50					海河流域山区 30 天洪水总量为 264.6 亿 m^3,为 1919 年以来首位
						潴龙河	北郭村	8 550	5 380	12.33	18.96					
						滹沱河	黄壁庄	23 272	12 000	19.70	25.97	30.24				
						滏阳河	衡水铁路口门	17 700	14 500	31.80	54.30	70.32	82.81			
						洺河	临洺关	2 326	12 300	7.96	10.08	10.74				
						(滏阳河)沙河	朱庄	1 220	9 500	10.25	12.34	14.61				
	1975 年 8 月淮河洪水	7	1631.1(林庄,8 月 4～10 日)	43 800	201	洪汝河 石河	祖师庙	71	2 470							汝河板桥洪峰流量为相同流域面积世界最大记录,板桥、石漫滩两座水库失事
						洪汝河 滚河	石漫滩	230	6 280	2.13						
						洪汝河 汝河	板桥	768	13 100	6.02	6.93					
						洪汝河 汝河	宿鸭湖	4715	24 500	16.62	18.67					
						沙颍河 干江河	官寨	1 124	14 700	10.24	10.94					
						唐白河 唐河	唐河	4 573	13 100	16.93	18.60					
						唐白河 鸭河	鸭河口	2 800	11 700							
	1981 年 7 月四川洪水	6	489.6(上寺,7 月 9～14 日)	69 600	192	沱江	李家湾	23 283	15 200	29.20	39.3 (10d)				沱江、涪江、嘉陵江洪峰流量为 50～100 年一遇,长江寸滩仅次于 1870 年	
						涪江	小河坝	29 488	28 700	35.94	46.83 (10d)					
						嘉陵江	北碚	156 142	44 800	97.11	153.7 (10d)		404			
						长江	寸滩	866 559	85 700	193.6	398.3 (10d)					
						长江	宜昌	1 005 501	70 800		420.3 (10d)					

续表 25.1.1

洪水类型	洪水名称	暴雨特征				主要河流洪水特征										说明
		历时 (d)	暴雨中心雨量 (mm)	笼罩面积 (km^2)	降雨总量 (亿 m^3)	河名	站名	集水面积 (km^2)	洪峰 (m^3/s)	时段洪量(亿 m^3)					稀遇程度	
										3d	7d	15d	30d	60d		
中等历时区域性非常洪水	1935年7月长江中游洪水	5	1 281.8 (五峰,7月3~7日)	119 400	593	清江	长阳	15 307	14 900			89.9 (17d,乔家河)			澧水、汉江洪峰流量为近百年来首位,汉口次于1954年	汉口峰量为实测值,上游决口泛滥洪水未计及在内。7月1~10日泥市调查雨量1650mm
						澧水	三江口	15 242	30 300							
						汉江	襄阳	103 261	53 000			182 (17d)				
						长江	汉口	1 488 036	64 600		381	776	1 450	2 548		
	1969年7月长江中下游及淮南山区洪水	7	1 205.7 (大水河7月10~16日)	218 840	722	清江	搬鱼嘴	15 563	18 900	20.38	30.48		56.3		清江、史淠河分别为150年、100年一遇洪水	
						举水	麻城	888	3 670	2.70	3.63					
						巴水	马家潭	2 979	7 300	9.31	16.2					
						皖河	石牌	4 908	4 100	13.42	20.58					
						史河	梅山(入库)	1 970	13 978	5.77	7.59					
						淠河	佛子岭(入库)	1 840	17 200	10.13	12.28					
	1982年6月闽赣湘地区洪水	9	718.5 (上观,6月11~19日)	180 000	640	湘江	湘潭	81 638	19 300	46.10	84.79	96.64	133.46 (19d)		湘、赣江及抚河为新中国成立后第2位	
						赣江	外洲	80 948	20 400	52.28	99.4	151.2	177.5 (24d)			
						抚河	李家渡	15 811	8 480	20.78	40.65	48.75	58.95 (19d)			
						闽江	竹岐	54 502	25 800	51.64	100.3	112.8	162.2 (36d)			
	1968年6月闽赣洪水	6	527.3 (湖村,6月14~19日)	118 500	337	闽江	竹岐	54 502	29 400	58.2	94.0				闽江下游为50年一遇洪水	
						赣江	吉安	55 797	13 500	32.5	49.4 (5d)					

续表 25.1.1

洪水类型	洪水名称	暴雨特征	主要河流洪水特征									备注
			河名	站名	集水面积 (km²)	洪峰 (m³/s)	时段洪量(亿 m³)				稀遇程度	
							7d	15d	30d	60d		
长历时大范围非常洪水	1915 年7月珠江流域洪水	暴雨发生于6月下旬至7月上旬。主要雨区位于珠江、湘江中上游、赣江、闽江流域,大雨区笼罩面积约60万 km²。雨带呈东西向分布,暴雨中心位于南岭山区	西江	梧州	329 705	54 500	288	543	856		西江梧州、北江横石为近二百年来首位;潇水、春陵水、赣江峡江、闽江沙溪为近百年来首位;耒水为近五十年首位	
			北江	横石	34 013	21 000						
			潇水	茆江桥	11 086	10 800						
			春陵水	烟洲	6 320	4 660						
			耒水	排水片	10 034	7 520						
			赣江	峡江	62 724	21 400						
			(闽江)沙溪	安砂	5 184	6 390						
	1931 年江淮洪水	4月中下旬湘赣地区即出现大雨和暴雨,5月份雨区往北扩展,6月中旬至7月,雨区长期停滞在长江中下游及淮河流域,8月上旬雨区北移至黄淮之间及四川、汉江流域,中旬以后大范围降雨基本结束。最大30天雨量(6月28日~7月27日)超过300mm雨区面积为76万 km²	长江	宜昌	1 005 501	64 600			1 065	1 893	长江汉口站最高水位28.28m,低于1954年;淮河中渡站60天洪量大于1954年;北江横石约50年一遇;伊、洛河为近百年首位	长江干流站均为实测值
			长江	汉口	1 488 036	61 300			1 520	2 916		
			长江	大通	1 705 383	69 100			1 775	3 483		
			淮河	中渡	158 160	16 200			513	691		
			(珠江)北江	横石	34 013	17 200						
			黄河 伊河	龙门镇	5 318	10 400						
			黄河 洛河	洛阳	11 581	11 100						

续表 25.1.1

洪水类型	洪水名称	暴雨特征	主要河流洪水特征								
			河名	站名	集水面积 (km²)	洪峰 (m³/s)	时段洪量(亿 m³)				稀遇程度
							7d	15d	30d	45d	
较长历时较大范围非常洪水	1981 年 9 月黄河上游洪水	8 月 30 日至 9 月 13 日降雨 15 天，雨区范围除黄河上游外，还涉及长江流域的通天河，雅砻江、大金川、岷江和白龙江等流域。150mm 等雨量线笼罩面积，全雨区超过 25 万 km²，其中黄河唐乃亥以上占 11 万 km²	黄河	玛曲	86 048	4 330		45.58		86.24	1904 年以来第 2 位
				唐乃亥	121 972	5 450		58.63		119.7	
				上诠	182 821	6 590*		71.0*		148.0*	
				兰州	222 551	7 090*		77.7*		162.0*	
			洮河	红旗	24 973	1 350		11.25		21.27	
			湟水	民和	15 342	362		3.50		8.27	
			大通河	享堂	15 126	700		6.52		14.66	
	1966 年 8 月澜沧江、金沙江洪水	8 月 19～31 日降雨历时 13 天，降雨中心在澜沧江的中下游和金沙江上段五郎河、下段牛栏江一带，雨区包括云南省大部地区及西藏昌都地区，150mm 以上雨区面积 23.4 万余 km²，降水总量 533.7 亿 m³	澜沧江	旧州	88 051	5 850	33.3	64.8	99.6		
				戛旧	108 527	9 150	48.6	92.4	140		
				允景洪	141 779	12 800	74.8	138	211		40 年来首位
			金沙江	石鼓	232 651	7 060	39.8	79.6	133		
				金江街	249 537	10 900	61.3	118	191		
				龙街	423 202	22 900	132	250	396		
				屏山	485 099	29 000	163	307	476		40 年来首位
			雅砻江	雅江	65 729	2 940	16.0	29.9	50.4		
				泸定	108 083	6 480	35.8	71.1	116		
				小得石	118 294	8 750	46.3	90.1	142		

注　带 * 号者为还原值。次暴雨笼罩面积计算：历时在 3 天以下者，按雨量大于 50mm 等值线包围面积量算；历时为 3 天者，按大于 100mm 等值线包围面积量算；超过 3 天者，按大于 200mm 等值线包围面积量算。降雨总量计算同此。

表 25.2.1　　东北地区主要河流洪水特征值表[1]

水系	河名	测站名	流域面积(km²)	历史调查最大洪水		实测最大洪水						
				洪峰(m³/s)	发生时间(年·月)	洪峰(m³/s)	洪量(亿m³)					发生时间(年·月)
							3d	7d	15d	30d	60d	
松花江	松花江	哈尔滨	390 526	16 200△	1932	14 800△	37.4	81.5	151.3		373.9	1957.9
	嫩江	阿彦浅	64 100	13 400	1794	6 250	15.0	29.9	53.5	68.4	80.5	1955.7
	第二松花江	丰满	42 693	15 300	1856.7	15 100△	32.9	49.4	55.0	82.1		1953.8
	拉林河	蔡家沟	18 339		1856	4 030	8.53	14.21	21.2			1956.8
	牡丹江	长江屯	36 200	11 600	1932.8	10 200	19.1	31.9	45.0			1964.8
	呼兰河	兰西	27 305	6 540	1911.7	5 120	11.3	21.1	30.8			1962.8
	汤旺河	晨明	18 857	7 920	1911.7	5 280	11.7	22.7	37.4			1961.8
辽河	辽河	铁岭	120 764	8 740	1886.8	14 200		23.16	24.89			1951.8
	东辽河	二龙山水库	3 796	4 090	1917.8	5 850△	5.68	6.76	8.50 (13d)			1953.8
	老哈河	乌墩套海	24 408	7 840	1883	12 700△		12.78 (6d)	15.60 (13d)			1962.7
	浑河	抚顺	6 688	11 300	1888.8	8 200△	8.50	11.23				1960.8
	太子河	辽阳	8 062	13 900	1888.8	18 100	18.01	21.43				1960.8
	绕阳河	东白城子	2 138	5 370	1930.8	2 110	0.71	0.86				1962.7
图们江	图们江	圈河	31 800	16 800	1914.9	11 300	22.0	33.2	41.4			1965.8
鸭绿江	鸭绿江	荒沟	55 420	44 800	1888.8	30 075△	59.9	79.4				1960.8
	浑江	桓仁	10 600	19 400	1888.8	13 400△	15.70	19.40				1960.8
	叆河	梨树沟	5 629	17 600	1888.8	17 400	13.15	17.48				1960.8
大凌河	大凌河	大凌河	17 688	34 500	1949.8	17 300	11.2	14.3				1962.7
渤海岸	六股河	绥中	3 008	7 930	1930.8	8 720	4.12	4.57				1959.7
黄海岸	碧流河	小宋家屯	2 537	7 900	1879.8	5 460	3.36	3.86				1981.7

注　实测最大洪水中，有△者，为考虑上游水库影响的还原成果。绥中 1959 年洪峰受上游中小水库决口影响。哈尔滨历史调查洪水为考虑上游洪水泛滥还原的成果。

25.2.2 海滦河洪水

海滦河流域位于35°～43°N,112°～120°E之间,总面积30.85万km^2,其中海河为26.36万km^2,滦河为4.49万km^2。流域内水系:滦河位于海河流域的东北,独流入海。海河流域由潮白、蓟运、永定、大清、子牙、南运河五大水系组成,诸水呈扇形分布,于天津附近汇合后始称海河,东流至大沽入渤海。

海滦河流域大洪水发生时间,大多集中在7月下旬至8月上旬。少数年份也可以迟至9月,如1943年南运河支流漳河大洪水,发生在9月23日,观台站(集水面积17 800 km^2)洪峰7 260m^3/s;1871年9月中旬流域内出现7天7夜大暴雨,永定、大清、子牙河同时发生大洪水。

海滦河流域按气候分区属于半干旱半湿润地区,但由于特定的自然地理条件(东临渤海,西面和北面有高大的太行山和燕山等),暴雨和洪水都相当于全国最高记录[4]。如官厅山峡清水涧沟东桃园流域面积83km^2,1888年出现2 010m^3/s洪峰;大清河水系漕河墨斗店流域面积91km^2,1882年最大洪峰流量达2 620m^3/s;滹沱河支流冶河孟贤壁河段流域面积6 400km^2,1569年最大洪峰24 800m^3/s。1963年8月暴雨中心地区滏阳河支流泜河官都河段流域面积109km^2,洪峰3 120m^3/s;沙河营头河段流域面积1 141km^2,洪峰8 420m^3/s;洺名河邓底河段流域面积2 246km^2,洪峰12 100m^3/s。

海滦河流域主要河流调查和实测最大洪水特征如表25.2.2所示。

本区的非常洪水类型属第二类和第三类。

表25.2.2 海滦河主要河流最大洪水[1]

水系	河名	代表站	集水面积(km^2)	实测最大洪水					历史最大洪水	
				洪峰(m^3/s)	洪量(亿m^3)			发生时间(年·月)	洪峰(m^3/s)	发生时间(年·月)
					3d	7d	15d			
南运河	漳河	观台	17 800	9 200	12.25(5d)		17.85	1956.8	16 000	1569
子牙河	洺河	临洺关	2 326	12 300	7.957	10.08	10.74	1963.8	6 680	1917
子牙河	冶河	平山	6 420	8 900	10.74	14.67	16.36	1963.8	24 800	1569
子牙河	滹沱河	黄壁庄	23 272	13 100	18.10	21.40(6d)	25.94	1956.8	20 000～27 500	1794
大清河	唐河	中唐梅	3 480	5 400	5.68	6.65	7.21	1963	11 700	1939
大清河	沙河	阜平	2 200	3 380	3.05	4.09	4.78	1963.8	7 575	1892.8
大清河	拒马河	紫荆关	1 760	4 490	3.38	4.00	4.31	1963.8	9 400	1801
永定河	永定河	官厅	43 400	4 000	7.53(5d)	9.42(9d)	12.07	1939.7	9 400	1801.7
潮白河	潮白河	密云	15 788	10 650		22.0	28.85	1939	10 650	1939.7
蓟运河	州河	于桥	2 060	3 140		1.65		1966	3 160	1872
滦河	滦河	滦县	44 100	34 000	42.62	48.91(6d)	55.70	1962.7	35 000	1886
滦河	青龙河	桃林口	5 060	8 760	11.67	12.81(6d)	13.92	1962.7	14 000～15 000	1949.8

注 观台洪量为岳城(集水面积18 100km^2)数值。

25.2.3 黄河洪水

黄河流域位于32°～42°N,96°～119°E之间,流域面积75.24万km^2。主要支流有洮河、湟水、黄甫川、窟野河、无定河、延水、泾河、北洛河、渭河、伊洛河、沁河等。

黄河特大洪水主要来自中游即河口镇至花园口区间,发生时间为7月、8月两月。

黄河花园口的特大洪水,有两种类型:一是三门峡以上的河口镇至龙门区间和龙门至三门峡区间来水为主,峰量均占88%以上,三门峡至花园口区间来水较小,简称上大型洪水,如1933年和1843年洪水。这类洪水主要是由西南东北向切变带低涡暴雨所形成,其特点是洪峰高、洪量大、含沙量也大,对黄河下游防洪威胁严重。二是三门峡至花园口区间来水为主,洪峰占花园口70%以上,洪量占花园口50%左右,简称下大型洪水,如1958年、1982年和1761年洪水。这类洪水主要是由南北向切变线加上低涡或台风的间接影响而产生的暴雨所形成。其特点是洪水涨势猛、洪峰高、含沙量小,预见期短,对黄河下游防洪威胁也很大[5]。

黄河上游洪水主要来自兰州以上。由于降雨笼罩面积大、历时长、强度小,加上流域湖沼草地的调蓄作用以及汇流路程长等因素,洪水过程涨落平缓,历时长。如兰州站一次洪水过程历时为22～66天,平均40天。黄河上游特大洪水的发生时间,从实测和调查资料来看为7月和9月。

黄河干支流主要调查和实测最大洪水特征如表25.2.3所示。

黄河非常洪水类型,上游属第五类,中游小面积属第一类,大中面积属第二和第三类。

25.2.4 西北地区洪水

西北地区所指的范围,包括甘肃、青海、宁夏、新疆以及内蒙古西部、河北北部。气候上大部分属干旱、半干旱地区。

西北地区深入内陆,距水汽来源地区较远,一般不会产生大范围的暴雨,主要是局地性短历时暴雨。这种大暴雨,降水总量小,对大江大河的洪水影响不大,而对于一些集水面积不大的小河沟,常常可以形成极大的洪峰。如1979年8月10日甘肃省临洮县寇家6小时雨量401mm,其中一条集水面积仅0.9km^2的塌米沟,洪峰高达159m^3/s。1976年7月25日甘肃宕昌县化马公社3小时雨量343mm,在集水面积为13.5km^2的小河坝沟洪峰达867m^3/s。1985年8月12日陇中武山县天局暴雨,70分钟雨量达436mm,集水面积为57.9km^2的桦林沟,洪峰1 470m^3/s。这样大的洪水,即使在中国东部多暴雨的地区也是很少出现的。

这种小河洪水,一般很难直接观测到。近几年来通过实地调查,取得了较多的大洪水资料。表25.2.4列出不同面积最大流量,以示这个地区的洪水可能达到的量级。

表25.2.5是西北地区主要内陆河调查和实测最大洪水特征值。

本区的非常洪水类型属第一类。

25.2.5 淮河洪水

淮河流域由淮河和沂沭泗两水系组成,流域位于31°～36°N,112°～121°E之间,东西长约700km,南北宽约400km,总面积27万km^2,其中淮河水系19万km^2,沂沭泗水系8万km^2。流域除西部、南部和东北部为山丘区外,其余为辽阔的平原。山丘区面积约占1/3,平原约占2/3。地势由西北向东南倾斜[6]。

淮河干流的一级支流面积大于1 000km^2者有21条,南岸较大支流有史河、淠河、东淝河、池河,北岸较大支流有沙颍河、洪汝河、西淝河、涡河、沱河、濉河和安河。

表25.2.3　　黄河干、支流主要控制站调查及实测最大洪峰、洪量表[1]

河名	站名	流域面积(km^2)	实测最大洪水			历史调查大洪水			
			洪峰(m^3/s)	15d洪量(亿m^3)	发生时间(年·月)	洪峰(m^3/s)	洪量(亿m^3) 15d	洪量(亿m^3) 45d	发生时间(年·月)
黄河	玛曲	86 059	4 330	45.6	1981.9				
黄河	贵德	133 650	5 430△	58.9△	1981.9	5 900~6 300	61.5~65.5	144.0~153.0	1904.7
黄河	上诠	182 821	6 590△	71.0△	1981.9	7 880	80.0	174.0	1904.7
黄河	兰州	222 551	7 090△	77.7△	1981.9	8 500	87.0	196.0	1904.7
黄河	河口镇	385 966	5 740△	74.7△	1981				
黄河	吴堡	433 514	24 000	28.6	1976.8	32 000			1842.7
黄河	龙门	497 190	21 000	65.4	1967.8	31 000			1843.8
黄河	陕县	687 869	22 000	107.6	1933.8	36 000			1843.8
黄河	花园口	730 036	22 300	93.5	1958.7	33 000			1843.8
洮河	红旗	24 973	2 370	13.0	1964.7	4 130			1845
湟水	红古城	31 153				4 700			1847
黄甫川	黄甫	3 199	8 400	0.99	1972.7	7 100			1929
窟野河	温家川	8 645	14 000	3.17	1976.8	15 000			1946.7
无定河	绥德	28 719	4 980	3.45	1966.7	11 500			1919.8
延水	甘谷驿	5 891	9 050	1.76	1977.7	6 300			1933.8
泾河	张家山	43 216	9 200	16.4	1933	18 800			1841.7
北洛河	洑头	25 154	4 420	4.27	1940.7	10 700			1855.7
渭河	咸阳	46 856	7 220	10.5	1954.8	11 600			1898.8
伊河	龙门镇	5 318	7 180	11.7	1937.8	20 000			223.8
洛河	洛阳	11 581	7 230	14.7	1958.7	11 000			1931.8
洛河	黑石关	18 563	9 450	24.9	1958.7	10 200			1935.7
沁河	五龙口	9 245	4 240	6.12	1982.8	5 940			1895.8
沁河	九女台	8 405				14 000			1482.7

注 1.带有"△"者系还原后数值。

2.资料统计截止到1982年。

3.洪量为相应于最大洪峰流量的时段洪量。

4.龙门和张家山历史洪水年份为作者根据最新资料补正。

表 25.2.4 中国西北地区若干小河的洪水极值[1]
（调查值）

地点		集水面积 (km^2)	洪峰流量 (m^3/s)	发生日期 (年·月·日)
洮河	塌米沟	0.9	159	1979.8.10
泾河	路家沟	4.0	304	1911
白龙江	小河坝沟	13.5	867	1976.7.25
渭河上游	桦林沟	57.9	1 470	1985.8.12
泾河	张川	120	2 550	1954
无定河	马湖峪	371	5 280	1932

表 25.2.5 中国西北地区主要内陆河调查和实测最大洪水特征值表

河名	站名	集水面积 (km^2)	调查最大洪水		实测最大洪水	
			Q_m (m^3/s)	年·月·日	Q_m (m^3/s)	年·月·日
额尔齐斯河	布尔津	24 246			1 620	1969
伊犁河	雅马渡	49 186			2 220	1963.6.3
叶尔羌河	卡群	50 248			4 780	1978
昆马力克河	协合拉	12 816			1 490	1978
托什干河	沙里桂兰克	19 166			1 000	1969
开都河	大山口	19 022			891	1969
昌马河	昌马堡	10 961	1 560	1 870	595	1952
党河	沙枣园	16 958	872	1 870	314	1959
黑河	莺落峡	10 009	2 300	1 919	1 150	1952
格尔木河	格尔木	18 648	837	1 922	515	1977

注 资料来源:《全国主要河流水文特征统计》,水利电力部水文局,1982 年。

沂沭泗水系由沂河、沭河、泗河组成。

淮河流域位置处于中国气候南北过渡带。6～9 月为汛期,大洪水发生时间多集中在 7～8 月中旬,尤以 7 月居多。

淮河流域曾多次发生大洪水。从 1855 年(黄河北徙)以来淮河水系较突出的有 1866 年、1916 年、1921 年、1931 年、1954 年、1975 年、1991 年洪水,还有淮干上游的 1968 年洪水,淮南地区灌河、淠河的 1969 年洪水,沙颍河 1943 年洪水等。从清代以来,沂沭泗水系较突出的有 1703 年、1730 年、1957 年等洪水,还有沂沭河 1974 年洪水。

由于地理位置和地形的影响,淮河流域的洪水量级很大,洪峰外包点据与国内外最大记录比较,量级几乎相当[6]。

淮河流域主要站调查及实测最大洪水特征如表 25.2.6 所示。

表 25.2.6 淮河流域主要站调查及实测最大洪峰表[3,6]

地区	河名	代表站	集水面积 F (km²)	实测最大洪水		历史调查最大洪水	
				洪峰 (m³/s)	发生时间(年·月·日)	洪峰 (m³/s)	发生时间(年·月·日)
淮 干	淮河	大坡岭	1 640	4 220	1975.8.7	6 000	1898.7.6
淮 干	淮河	长台关	3 090	7 570	1968.7.15	12 400	1848.7
淮 干	淮河	蚌埠	121 000	11 600	1954.8.5		
淮 干	淮河	浮山	139 000	16 100	1931.8.2		
淮 干	淮河	中渡	15 820	16 200	1931.8.9		
淮南山丘区	狮河	南湾	1 058	2 180	1954.7.22	4 920	1931.7
淮南山丘区	游河	顺河店	361	1 250	1967.7.15	3 800	1898.6
淮南山丘区	史河	梅山	1 970	4 380	1954.7.17	11 000	1822
洪汝河	洪河	杨庄	1 037	462	1956.8.4	1 688	1921.8.7
洪汝河	汝河	板桥	760	13 000	1975.8.7	4 810	1832.7.7
沙颍河	沙河	中汤	485	3 800	1975.8.6	8 550	1943.8
沙颍河	沙河	昭平台	1 416	3 110	1975.8.8	8 700	1956.6.6
沙颍河	北汝河	紫罗山	1 800	7 050	1982.7.30	10 000	1943.8
沙颍河	澧河	孤石滩	286	4 650	1955.8.3	5 140	1896.6.28
沙颍河	干江河	官寨	1 124	12 100	1975.8.8	9 000	1896.6
沂 河	沂河	沂水	2 278	6 940	1957.7.19	17 500	1730.8.2
沂 河	沂河	临沂	10 315	15 400	1957.7.19	30 000	1730.8.2
沂 河	东汶河	蒙阴	442	3 010	1970.7.23	2 780	1957.7.19
沂 河	东汶河	付旺庄	2 079	5 050	1957.7.19	9 500	1888.8.10
沂 河	桃墟河	前城子	54.7	915	1964.8.1	1 950	1963.7.24
沂 河	祊河	姜庄湖	2 997	4 150	1960.8.17	10 600	1906.7
沭 河	沭河	彭古庄	4 350	4 910	1957.7.11	15 300	1730.8.2
沭 河	官坊河	官坊街	10.3	183	1971.8.29	630	1907.9
运 河	泗河	东风	1 542	4 020	1957.7.24	4 620	1939.7.17
运 河	沙河	薛城	260	2 430	1971.8.9	760	1908

本区非常洪水的类型，长历时大面积属第四类(如 1931 年、1954 年等)，中小面积属第三类(如 1969 年、1975 年等)和第二类(如 1974 年等)。

25.2.6 长江洪水

长江流域位于 24°27′～35°54′N，90°33′～122°19′E 之间，流域形状呈东西长，南北短的狭长形。流域面积约180万km^2,是中国第一大河。

长江流域支流众多,流域面积大于1万km^2的支流有49条,8万km^2以上的一级支流有雅砻江、岷江、嘉陵江、乌江、沅江、湘江、汉江和赣江等8条。其中嘉陵江和汉江流域面积都在15万km^2以上。曾出现过2万~6万m^3/s的大洪峰。

长江洪水出现时间为5~10月,尤以7~8月两个月最为集中。一般年份下游早于上游,江南早于江北。洞庭湖、鄱阳湖水系为4~7月,澧水稍后为5~8月,乌江为5~9月,长江北岸支流包括汉江及金沙江为6~10月。

长江的特大洪水,大致可分为三种类型:一是全流域型洪水,上、中、下游地区普遍发生大洪水,干支流并涨,洪量大、历时长,如1931年、1954年和1998年洪水;二是上游型洪水,主要来自长江上游,如1860年、1870年和1981年洪水;三是中下游型洪水,主要来自中、下游支流,如1935年、1980年和1983年洪水[6]。

长江洪水的基本特性是峰高、量大、历时长[7]。一次洪水历时:支流一般在10天左右;干流屏山、宜昌站一般为20~30天,汉口、大通超过50天[2]。

长江干支流主要控制站调查和实测最大洪水特征如表25.2.7。

长江流域非常洪水的类型,长历时大面积属第四类,中小面积属第三类和第二类。上游金沙江、雅砻江中上游属第五类。

表25.2.7 长江干支流主要控制站调查及实测最大洪水特征表[2]

河名	站名	集水面积(km^2)	实测最大洪水					调查最大洪水	
			洪峰(m^3/s)	时段洪量		发生年份(年)		洪峰(m^3/s)	发生年份(年)
				洪量(亿m^3)	历时(d)	洪峰	洪量		
长江	屏山	485 099	29 000	784	60	1966	1966	36 900	1924
长江	寸滩	866 559	85 700			1981		100 000	1870
长江	宜昌	1 005 501	71 100	2 448	60	1896	1954	105 000	1870
长江	汉口	1 488 036	76 100	3 220	60	1954	1954		
长江	大通	1 705 383	92 600	4 210	60	1954	1954		
岷江	高场	135 378	34 100	346	30	1961	1949	51 000	1917
沱江	李家湾	23 283	16 200	592	30	1948	1948	18 600	1898
嘉陵江	北碚	156 142	44 800	404	30	1981	1981	57 300	1870
乌江	武隆	83 035	21 000	245	30	1964	1954	30 600	1830
清江	搬鱼嘴	15 563	18 900	56.3	30	1969	1969	18 600	1883
澧水	三江口	15 242	17 600	85.4	30	1980	1954	30 300	1935
资水	桃江	26 704	15 300	102	30	1955	1954	21 500	1926
沅水	桃源	85 223	29 000	285	30	1969	1954		
湘水	湘潭	81 638	20 300	300	30	1968	1968	21 900	1926
汉江	黄家港	95 217	57 200	256	30	1935	1964	61 000	1583
赣江	外洲	80 948	20 900	306	30	1962	1968	24 700	1924

25.2.7 浙闽地区洪水

浙江和福建两省位于中国东南沿海,总面积22.32万km^2。浙江总面积10.18万km^2,其中山地占70%,平原占23%,水面占6.4%;福建总面积12.14万km^2,山地占75%,丘陵占15%,平原仅1.5%。

本地区河流众多,均属山区性河流,比降大、水流湍急,暴雨时洪水暴涨暴落。浙江省主要河流有钱塘江、瓯江、苕溪、曹娥江、甬江、灵江、飞云江、鳌江等8条;其中以钱塘江为最大。福建省主要河流有闽江、九龙江、汀江、晋江和交溪5条;其中以闽江为最大。

本地区属亚热带气候,雨量充沛,年降水量在1 100～2 200mm之间。雨量主要集中在4～9月,其中4～6月多为锋面雨,7～9月为台风雨。台风暴雨强度大,最大日雨量可达500～600mm。福清县高山站最大24小时雨量达737.6mm(1974年6月21日)。最大日点雨量记录见表25.2.8[3]。

表25.2.8 浙闽地区最大日雨量记录

省名	县(市)	站名	1日雨量(mm)	最大24小时雨量(mm)	发生时间(年·月·日)	天气系统
浙江	临安	市岭	563.9	682.1	1956.8.1	台风
福建	拓荣	拓荣	523.0		1956.9.3	台风
福建	南安	凤巢	592.6		1956.9.18	台风
福建	莆田	坑尾	536.5		1958.8.3	台风
浙江	永嘉	中保	436.0	500.2	1960.8.1	台风
浙江	青田	小佐	509.7		1962.9.5	台风
福建	惠安	黄田	555.0		1963.7.1	台风
浙江	鄞县	画龙	440.7	519.2	1963.9.12	台风
福建	连城	罗胜	491.1		1964.6.14	切变
福建	闽侯	坂头	506.8		1966.9.3	台风
福建	福清	高山	467.2	737.6	1974.6.21	涡切变

由该表可见,实测最大点雨量记录,多由台风所创。

从实测洪水资料(表25.2.9)看,本区的最大洪水几乎都出现在6月份,即由锋面暴雨所造成。但是,从调查资料来看,瓯江、汀江和九龙江的历史最大洪水发生在8月和10月,都是由台风暴雨所形成。而闽江的历史最大洪水则是发生在6月份。此外,根据骆承政教授提供的资料,闽江流域自公元767年以来,“大水入福州城”的年份有十余次,从历史文献上目前查出洪水发生月日的年份1609年、1641年、1876年、1877年和1900年为6月,1886年为8月(前二年见《中国历代天灾人祸表》,后四年见《近代中国灾荒纪年》)。

因此浙闽地区非常洪水的天气成因,短历时(3天以内)小面积为台风雨,长历时、大面积为锋面雨。

表 25.2.9 浙闽地区主要河流最大洪水特征值表[3]

水系	河名	站名	流域面积(km^2)	历史调查最大洪水		实测最大洪水				发生时间(年·月)
				洪峰(m^3/s)	发生时间(年·月)	洪峰(m^3/s)	洪水量(亿 m^3)			
							3d	5d	7d	
钱塘江	七里泷	芦茨埠	31 300	26 500	1901	29 000			104	1955.6
	兰江	兰溪	17 900	16 800	1929	19 500				1955.6
	新安江	罗桐埠	10 500	20 000	1942	13 000	23.6	31.5	36.5	1955.6
瓯江	龙泉溪	均溪	3 407	8 560	1912.8	6 310	4.38	5.80		1973.5
	大溪	五里亭	8 797	16 500	1912.8	13 500				1952
	小溪	白岩	3 239	19 400	1912.8	9 490	8.54	10.2	10.7	峰 1960 量 1952
	瓯江	圩仁	13 551	30 400	1912.8	20 400				1952.7
闽江	建溪	七里街	14 787	20 300	1900.6	15 800	18.1	20.7		1939.6
	富屯溪	洋口	12 669	13 200	1876.6	9 810	15.6	19.7		1962.6
	沙溪	沙县	9 922	9 880	1800	7 120	12.6	17.3		1964.6
	闽江	十里庵	42 320	29 500	1900.6	25 000	47.3		74.3	1968.6
	闽江	竹岐	54 500	38 500*	1609.6	30 200	60.6		94.0	1968.6
九龙江	九龙江	浦南	7 870			9 400				1960.6
	西溪	郑店	3 436	8 850	1908.10	6 140		8.89		1960.6
汀江	汀江	上杭	5 888	9 080	1842.8	7 070	8.85	11.8	13.7	1973.6
	汀江	溪口	9 228	10 300	1842.8	8 140	11.9	16.4	19.5	1973.6

注 带*者为福建省闽江水口水电初步设计书(水文部分)数字,电力工业部华东勘测设计院水文队,1979 年 9 月。

本区非常洪水类型,属第二类。

25.2.8 台湾地区洪水

台湾岛位于中国东南海上,东临太平洋,西隔宽约 200km 的台湾海峡与福建省相望,全岛面积约 36 000km^2,主要河流有 19 条,流域面积大于 1 000km^2 的有 9 条。

台湾地处亚热带气候区,雨量丰沛,年平均雨量约 2 500mm,其中山区高达 3 000~5 000mm,为中国雨量最多的省份,也是世界多雨地区之一。

台湾山地约占全岛面积的三分之二,中央山脉纵贯其间,且不乏 3 000m 以上的高山峻岭。在地形的迎风面常可造成强度极大的暴雨,如 1967 年 10 月 17 日台湾北部宜兰县新寮特大暴雨,7 小时雨量 685.6mm,24 小时雨量 1 672mm,两天雨量 2 259.2mm,均为全国最高记录,两天雨量接近世界记录。1996 年 7 月 31 日和 8 月 1 日台湾南部阿里山特大暴雨,7 小时雨量 714.5mm,24 小时雨量 1 748.5mm,更超过了 1967 年新寮暴雨(见表 16.1.1)。台湾省的最大降雨记录如表 25.2.10 所示[3]。

台湾是中国受台风影响最大的地区。根据方勤生等人的研究[9],1949~1994 年的 46 年间的 5~12 月份,在中国登陆的台风(中心风力 8 级以上的热带气旋)共 408 次,其中在台湾登陆的为 81 次(表 25.2.11),占全国的 19.9%。

表 25.2.10　　台湾最大降雨记录

历时	雨量(mm)	站名	日期(年·月·日)
10min	86.5	红叶谷	1916
30min	133.8	红叶谷	1916
60min	176.0	大湖山	1959.8.7
3h	346.0	大湖山	1959.8.7
7h	685.0	新　寮	1967.10.17
18h	1 050.0	白　石	1963.9.11
24h	1 672.6	新　寮	1967.10.17
24h	1 748.5*	阿里山	1996.(7.31～8.1)
2d	2 259.2	新　寮	1967.11.17～18
3d	2 748.6	新　寮	1967.11.17～19
7d	2 623.0	大　寮	1910.(8.30～9.6)
1mo	3 402.8	泰　武	1922.8
1a	8 507.4	火烧寮	1912

注　*资料来源见表 16.1.2 的注。

表 25.2.11　　1949～1994 年 5～12 月在中国各省、市、区登陆台风的次数

省、市、区	各月台风登陆次数								合计
	5	6	7	8	9	10	11	12	
广西	2	3	3	2	3				13
广东	4	17	39	23	33	12	4	1	133
海南	3	8	11	13	19	12	5		71
台湾	2	8	21	23	25		2		81
福建		2	14	26	22	1			65
浙江			9	10	3	1			23
上海			2	1	1				4
江苏			1	2					3
山东			5	5					10
辽宁			1	4					5
合计	11	38	106	109	106	26	11	1	408

另据李鸿源介绍:在 1897～1997 年的 101 年中,入侵台湾的台风共有 350 次,平均每年 3.5 次;这期间并有上千次暴雨出现(见《海峡两岸河川整治与管理学术研讨会论文集》,新竹交通大学,1998 年 7 月 21～22 日)。

根据 1951～1971 年资料统计,台北地区大暴雨的天气系统,58%为台风,16%为静止锋,26%为低压和热对流(雷暴)。台湾一些著名的特大暴雨均由台风产生,如1959年8月梅林暴雨,1963年9月白石暴雨和1967年10月新寮暴雨。近20年(1962~1981年)来,台湾发生了9次大水灾。这9次水灾都是由台风或台风引入的西南气流所造成的[3]。

根据最新资料,1996年7月底到8月初阿里山特大暴雨,也是由台风产生的。

台湾19条主发河流的实测最大流量如表25.2.12所示。

表25.2.12 台湾主要河流最大流量记录[3]

河 流	测 站	集水面积 (km^2)	最大流量 (m^3/s)	发生时间 (年·月·日)	观测年限 (截至1985年)
淡水河	秀朗桥	751	5 040	1971.9.23	16
淡水河	霞 云	623	9 110	1963.9.11	23
头前溪	上 坪	222	1 910	1976.8.10	15
后龙溪	打鹿坑	247	3 640	1970.9.7	31
大安溪	义 里	633	6 340	1976.8.10	20
大甲溪	松 茂	417	1 080	1975.8.3	16
乌 溪	柑子林	952	7 540	1960.8.1	31
乌 溪	大肚桥	1 981	13 100	1970.9.7	22
浊水溪	集 集	2 310	10 500*	1960.8.1	43
浊水溪	西 螺	2 976	12 800	1969.9.27	26
北港溪	北 港	598	3 640	1959.8.1	41
朴子溪	牛稠溪桥	150	1 300	1980.8.28	13
八掌溪	义 竹	441	5 980	1959.8.8	39
急水溪	新营桥	227	1 600	1960.8.1	28
曾文溪	左 镇	121	813	1981.9.3	15
高屏溪	九曲堂	3 075	18 000	1959.8.8	40
林边溪	新 埤	309	2 950	1962.7.23	27
兰阳溪	兰阳大桥	821	4 640	1940.9.30	37
花莲溪	花莲大桥	1 500	11 900	1963.10.10	17
卑南溪	台东大桥	1 584	12 800	1963.10.9	43

注 资料来自《台湾水文年报》,1985年。
* 集集站1996年8月1日实测值为20 000m^3/s(王涌泉提供)。

台北地区是中国著名的冬雨区,在那里冬季也能出现较大洪水。

按本书分类标准,台湾地区的非常暴雨和洪水均属第二类型,其天气成因是台风。

25.2.9　珠江洪水

珠江流域位于21°30′～26°49′N,102°15′～115°53′E之间。流域总面积为45.37万km^2,其中中国境内为44.21万km^2,有1.16万km^2在越南境内。

流域地形的总趋势是由西北向东南呈阶梯状倾斜。上游为云贵高原,中部为广西丘陵,东南部为珠江三角洲平原,山地和丘陵占总面积82.8%[3]。

本流域由西江、北江、东江三大水系组成。西江是主要水系,流域面积35.31万km^2,上游上段称南盘江,上游下段称红水河;中游上段称黔江,中游下段称浔江。主要支流有北盘江、柳江、郁江和桂江等。

本流域属亚热带湿润气候,是中国大陆最热最多雨的地区[9]。由于形成暴雨的天气条件不同,流域内的洪水分前汛期和后汛期。前汛期洪水主要由锋面雨造成,这类洪水峰高、量大、历时长,一般发生在4～7月份;后汛期洪水由台风暴雨造成,这类洪水洪峰高,历时较短,一般发生在8～9月份。北江、东江最大洪水常出现在5～6月份,1次洪水历时7～15天;西江最大洪水多出现在6～8月份,一次洪水历时30～45天。

在20世纪内,1915年7月发生特大洪水,西江、北江特大洪水遭遇,西江干流梧州站洪峰54 500m^3/s,北江干流横石站洪峰21 000m^3/s,均相当于200年一遇洪水。1959年6月东江发生100年一遇洪水,博罗站实测洪峰12 800m^3/s,还原后达14 100m^3/s[2]。

珠江流域主要站的实测和调查最大洪水特征如表25.2.13所示。

本区的非常洪水类型,长历时大面积属第四类,中小面积属第三类和第二类。

表25.2.13　珠江流域干支流主要站实测和调查最大洪水特征表[3]

水系	河名	站名	集水面积(km^2)	实测最大洪水		调查最大洪水	
				洪峰(m^3/s)	年份	洪峰(m^3/s)	年份
西江	南盘江	天生桥	50 199	8 280	1971	17 510	1833
西江	红水河	天峨	105 830	15 800	1968	25 100	1833
西江	红水河	迁江	128 165	17 600	1968	23 300	1926
西江	黔江	武宣	196 255	45 600	1949	51 000	1902
西江	浔江	大湟江口	290 760	44 900	1949	44 900	1924
西江	西江	梧州	329 705	48 900	1949	54 500	1915
西江	西江	高要	351 535	47 200	1976	54 500	1915
西江	北盘江	这洞	19 300	5 430	1979	7 800	1872
西江	柳江	柳州	45 785	27 300	1949	31 200	1902
西江	郁江	南宁	73 728	17 500	1919	20 600	1881
西江	桂江	昭平	14 965	12 500	1954	17 400	1908
北江	北江	横石	34 013	18 000	1982	21 000	1915
东江	东江	博罗	25 325	12 800	1959	14 290	1966

25.2.10 海南地区洪水

海南岛位于南海北部,面积 34 100km²。主要河流有南渡江、昌化江、万泉河,流域面积均超过 3 000km²,占全岛面积 47%[10]。

海南岛地处热带、亚热带季风气候区,纬度低,雨量充沛。本岛台风入侵季节长达 7 个月(5～11 月),素有“台风走廊”之称。据 1949～1987 年资料统计,在中国登陆的台风(含热带低气压)有 443 次,在本岛登陆的有 99 次,其中强台风 44 次。登陆本岛的台风平均每年 2.54 次,最多年可达 6 次(1956 年、1971 年)[11]。

海南岛的非常洪水系由台风暴雨造成(按本书分类标准,非常暴雨和洪水均属第二种类型)。全岛实测最大 24 小时暴雨记录全为台风产生(表 25.2.14)

表 25.2.14　海南岛实测 24 小时最大暴雨记录[3]

(天气系统均为台风)

县名	站名	最大 24h 雨量 (mm)	发生日期 (年·月·日)
白沙	什好	643	1976.9.26
昌江	三派	593	1964.7.1
乐东	尖峰岭	777	1963.9.8
乐东	七林场	783	1974.6.13
乐东	天池	974	1983.7.17
崖县	崖县	489	1971.5.29
琼海	南俸	544	1970.10.16

海南岛的调查和实测最大洪水如表 25.2.15 所示[3]。

表 25.2.15　海南岛调查和实测最大洪水

河名	站名	集水面积 (km²)	调查最大洪水		实测最大洪水	
			Q_m (m³/s)	年·月·日	Q_m (m³/s)	年·月·日
昌化江	宝　桥	4 634	28 300	1887	20 000	1963.9.8
昌化江	亲天峡	2 984	17 900	1877	12 000	1963.9.9
万泉河	琼海	3 236	11 700	1948.8.22	10 100	1970.
万泉河	加报	1 136	7 800	1948.8.22	6 000	1950.
南渡江	加烈	3 081	7 670	1897		

25.2.11 藏滇国际河流洪水

藏滇国际河流雅鲁藏布江、怒江、澜沧江和元江,在中国境内位于 21°～34°N,82°～

104°E 之间,总面积 57.76 万 km^2,各河流域特征见表 25.2.16。

表 25.2.16　　　　藏滇国际河流流域特征表

项　目		单位	各河流域特征			
			雅鲁藏布江	怒　江	澜沧江	元　江
流入国名			印度	缅甸	老挝、泰国、柬埔寨、越南	越　南
出境后河名			布拉马普特拉河	萨尔温江	湄公河	红河
最后流入			孟加拉湾	印度洋	太平洋	太平洋
国境内	集水面积	km^2	240 480	125 000	174 000	38 095
	河长	km	2 057	2 013	2 153	692
	流域平均宽度	km	116.9	62.1	80.8	55.1
	落差	m	5 435	4 840	4 583	
	河道坡度	‰	2.64	2.40	2.13	
	流域平均高程	m	4 500	3 000	3 450	
	多年平均年降水量	mm	949.4	922.2	984.9	1 154.2
	多年平均年径流深	mm	687.8	506.7	450.2	460.2

雅鲁藏布江位于青藏高原西南部,流向自西向东,东西横跨约 14 个经距。怒江和澜沧江流向自北向南,流域形状呈狭长形,南北纵越纬距分别约为 9°及 13°,上游位于青藏高原东南部,中游流经横断山纵谷,下游是云贵高原西部。元江主要位于云贵高原西南部,流向和流域形状与怒、澜二江类同。

怒江、澜沧江南北跨度大、立体气候特征明显,其上游区属青藏高原寒带气候,中游区为高原寒带到亚热带过渡性气候,下游区属亚热带气候❶。

雅、怒、澜、元四江 5～10 月份都受西南季风的控制和东南季风的影响。年最大暴雨洪水发生时间,雅鲁藏布江为 7～9 月,怒江、澜沧江和元江为 8～10 月。

暴雨的地区分布,雅鲁藏布江是由东南部向西部、西北部递减;怒江、澜沧江和元江都是由南向北递减。雅鲁藏布江的最下游的戴林站,多年平均降水量达 5 317mm,1954 年降水量达 7 591mm,为中国大陆上降水量最大的地区〔12〕。

四江的降雨特点是强度小、历时长、面积广,再加上流域呈狭长形,故洪水特点是涨落平缓、峰低、量大、历时长。例如雅鲁藏布江实测最大洪水——1962 年洪水,洪水历时两个多月,洪峰 12 700m^3/s,60 天洪量 486 亿 m^3〔3〕。

根据文献〔3〕❷综合,藏滇国际河流的调查和实测最大洪水特征如表 25.2.17 所示。

❶ 能源部、水利部成都勘测设计院和昆明勘测设计院.雅砻江、金沙江、澜沧江、怒江暴雨特性及天气成因分析.1989

❷ 能源部、水利部成都勘测设计院和昆明勘测设计院.雅砻江、金沙江、澜沧江、怒江洪水特性及统计参数分析.1987

表 25.2.17 藏滇国际河流调查和实测最大洪水特征表

河 名	站 名	集水面积 (km²)	调查最大洪水		实测最大洪水	
			洪峰 (m³/s)	发生日期 (年·月·日)	洪峰 (m³/s)	发生日期 (年·月·日)
雅鲁藏布江	奴各沙	106 378			4 920	1962.8.31
雅鲁藏布江	羊 村	153 191			8 870	1962.9.2
雅鲁藏布江	奴 下	189 843			12 700	1962.8.31
怒 江	道街坝	119 000	20 000*	1750.8	10 400	1979.10.8
澜沧江	昌 都	58 800	7 410	1750.8	3 980	1970.7
澜沧江	旧 州	94 100	12 900	1750.8	6 480	1962.8
澜沧江	戛 旧	115 000	16 000	1750.8.12	9 150	1966.9.1
澜沧江	允景洪	149 000	24 000	1750.8	12 800	1966.9.1
元 江	麻 浪	19 880	8 930	1908	7 510	1986.10.9
元 江	元 江	21 554	9 140	1908	7 520	1986.10.10
元 江	蛮 耗	32 037	9 610	1908	8 050	1986.10.10

*为根据澜沧江插补。

25.3 中国著名的非常洪水

根据野外调查和历史文献、文物的考证,中国著名的非常洪水有:黄河1843年洪水和1761年洪水,伊河223年洪水,沁河1482年洪水,长江1870年洪水,淮河流域沂沭泗1730年洪水,汉江1583年洪水,澜沧江1750年洪水和海河1801年洪水等。这些洪水的重现期都在400年以上。兹分别简述如下。

25.3.1 黄河1843年洪水

1843年(清道光二十三年)洪水是黄河干流潼关至孟津河段所调查到的一次罕见的特大洪水。在三门峡一带至今还流传着"道光二十三,黄河涨上天,冲了太阳渡,捎带万锦滩"的歌谣。这次洪水系来自三门峡以上,主要雨区在泾河、北洛河的中上游和河口镇到龙门区间的西部。雨区呈西南东北向带状分布。主要暴雨中心可能在窟野河、黄甫川一带。根据调查资料推算,三门峡洪峰为36 000m³/s,小浪底洪峰为32 500m³/s(表25.3.1)。

表 25.3.1 1843年洪水各断面洪峰

断 面	集水面积 (km²)	距陕县里程 (km)	洪痕高程 (m,大沽)	洪峰 (m³/s)
陕 县	687 869	0	306.35	36 000
史家滩	688 384	22.1	302.50	36 000
三门峡(四)	688 401	24.5	300.00	36 000
垣 曲		100.5	209.50	33 800
八里胡同	692 473	124.2	183.25	32 600
小浪底	694 155	155.7	150.90	32 500

按照当时河东河道总督慧成的奏报:陕州“万锦滩黄河于七月十三日巳时报长水七尺(1尺=0.32m)五寸,后续据陕州呈报,十四日辰时至十五日(阳历8月10日)寅时复长水一丈三尺三寸,前水尚未见消,后水踵至,计一日十时之间,长水至二丈八寸之多,浪若排山,历考成案,未有长水如此猛骤”的水情,估绘出水位过程线,借用陕县站水位—流量关系曲线推出流量过程,求得最大5天洪量为84亿 m^3,12天洪量为119亿 m^3。

根据三门峡河段沿河古代遗物和1843年淤沙层下面文物的考古,以及河床一级阶地的地质考古,1843年洪水的重现期至少是1 000年[13]。

25.3.2 黄河1761年洪水

1761年(清乾隆二十六年)洪水是以三门峡至花园口区间来水为主的一次特大洪水。从河南府志、新安县志等数十种地方志可知,其雨区范围很广,除三花间外,还包括汾河、漳卫河和洪汝河流域。其中以三花间雨量为最大。根据文献描述的雨情推估,其暴雨中心在黄河干流的垣曲、伊洛河的新安、沁河的沁阳一带。降雨总历时10天左右,其中强度较大暴雨4~5天。雨区呈南北向带状分布。

当时在黑岗口(花园口以下65km)设有志桩水尺观测水势。河南巡抚常钧奏报:“祥符县(今开封)属之黑岗口(七月)十五日测量,原存长水二尺九寸,十六日午时起至十八日(阳历8月18日)巳时,陆续共长水五天,连前共长水七尺九寸,十八日午时至酉时又长水四寸,除落水一尺外,净长水七尺三寸,堤顶与水面相平,间有过水之处。”根据上述水情,估绘水位过程线,考证了当时河道断面形态,并考虑洪水过程中的冲刷及河槽调节作用,推得花园口洪峰为32 000 m^3/s,5天洪量为85亿 m^3,12天洪量为120亿 m^3。

1761年洪水,根据历史文献考证,在三花间至少是1553年以来的最大洪水,即重现期至少是440年[13]。

25.3.3 伊河223年洪水

公元223年(魏文帝黄初四年)洪水是黄河支流伊河流域发生的一场异常洪水。对这次洪水,《水经注》、《三国志·魏书》、《晋书·五行志》、《河渠纪闻》、《禹贡锥指》、《河南府志》和《偃师县志》都有记载。

《水经注》第七卷伊水中称:“伊阙(即龙门)……左壁有石铭云:‘黄初四年六月二十四日(阳历8月8日)辛巳大出水,举高四丈五尺,齐此已下’,盖记水之涨减也。”经考证,魏制一尺合0.242m,“举高四丈五尺”,合涨水10.9m。据王国安估算,伊河龙门镇洪峰约为20 000 m^3/s。

根据文献资料分析,伊河的这场洪水至少是公元223年以来的最大洪水,即重现期当在1 700年以上。

25.3.4 沁河1482年洪水

1482年(明成化十八年)洪水是黄河支流沁河流域发生的一场异常洪水。在沁河山西阳城县九女台最高洪水位比1895年(近百年来的最大洪水)尚高10m左右。与此同时,在丹河、伊洛河也发生了大洪水。

这年气候极为反常，黄河三花间地区汛期降雨特别丰沛，洛阳、沁阳等地区自六月至八月淫雨长达三个月之久，六月中旬至七月份又连续发生强度大的暴雨，使伊河、洛河、沁河、丹河多次发生大洪水。八月份大雨区逐渐移至漳、卫、滹沱河流域，同时黄河下游河南、河北、山东等省也发生了暴雨洪水。三花间各河洪峰发生时间不尽相同，丹河为六月初十(阳历6月25日)，沁河为六月十八日(7月3日)，伊洛河亦有“六月水溢”的记载。七月份沁河再次发生大洪水，《怀庆府志》记载：“七月霖雨大作，沁河暴涨，决堤毁郡城，摧房垣、漂人畜不可胜计。”沁河有“大水围困九女台四十天”的传说。九女台河段位于阳城县沁河河头村以下约10km处。该台为一天然孤丘，矗立于沁河左岸，台高约30m，通过一道石梁(中高水即淹没)与左岸相连，台上建有庙宇。相传明成化十八年，九女台被大水围困40多天，与外界交通断绝，庙内断炊，饿死了两个小和尚。大水过后，老和尚在庙门迎面的崖壁上刻下“成化十八年河水至此”的题刻，还给两个小和尚塑了泥像，1955年调查时，泥像尚存。根据九女台该字位置高程计算，1482年洪水洪峰为14 000m^3/s。

从地方志记载的大量雨情、水情、灾情以及多次调查资料来看，沁河1482年洪水是一次很稀遇的特大洪水，在沁河中下游，至少是近500年(洪水发生年迄今)最大的一次〔13〕。

25.3.5 长江1870年洪水

1870年(清同治九年)7月间，长江上游发生了一场历史上罕见的特大洪水。由于洪水特大、灾情特别严重，在合川、北碚、江北、巴县、涪陵、忠县、丰都、万县、奉节、云阳、巫山、宜昌等地发现有91处洪水题刻，为中国历史洪水调查中发现碑刻最多的一场洪水。另外还调查到500多个洪痕点。

这次洪水相应暴雨的天气成因，根据文献〔14〕在实测资料分析的基础上，按大范围降雨过程相似即天气过程相似的方法间接推测：暴雨是在稳定的经向环流背景及有利地形条件下，连续几个强大的西南低涡系统造成。水汽充沛及小股冷空气的活动，使暴雨强度加大，西太平洋副高位置稳定少动，使暴雨不易东移，在川东及上游干流区间稳定持续达7天之久，从而造成长江上游特大洪水。这次洪水的洪峰，根据洪痕高程推算，成果如表25.3.2。

表25.3.2 长江1870年洪水主要河段洪峰表〔2〕

水系	河名	站名	集水面积(km^2)	洪峰(m^3/s)	发生时间(月·日)
嘉陵江	嘉陵江	武　胜	78 850	38 100	
嘉陵江	渠江巴河	凤　滩	16 595	24 800	
嘉陵江	涪　江	小河坝	29 488	>28 700	
嘉陵江	嘉陵江	北　碚	156 142	57 300	7.16
长　江	长　江	寸　滩	866 559	100 000	
长江上游	龙溪河	邻　丰	3 085	4 020	7.12
长江上游	小　江	新　华	4 574	7 890	7.12
长　江	长　江	万　县	974 881	108 000	7.18
长　江	长　江	宜　昌	1 005 501	105 000	7.20
长　江	长　江	汉　口	1 488 036	66 000	

根据《万县志采访事实》,忠县乌羊溪教书先生华石林的笔记和涪陵李渡周正伯家传簿记的描述估绘出万县(沱口)的水位过程线,推得宜昌站最大3天、7天、15天和30天的洪量分别为265亿m^3、537亿m^3、975亿m^3和1 650亿m^3[3]。

这次洪水的稀遇程度,在三峡河段,根据古洪水研究,为近2 500年以来的最大洪水❶。本次洪水的其他情况,见20.3.2.3节。

25.3.6 淮河流域沂沭泗1730年洪水

1730年(清雍正八年)8月,淮河流域沂沭泗地区发生了一次特大洪水。根据历史文献记载,1730年五月初旬阴雨连绵40余日,于六月下旬发生了3~7天的特大暴雨,整个雨期长达一个半月左右。雨区控制了沂沭泗河流域面积的80%左右,近6万km^2。除沂沭泗地区外,雨区还控制了淮河的沙颍河中游漯河—周口区间的13 000km^2,涡惠河上游约6 000km^2。整个暴雨区大致呈东西向带状分布。

这次暴雨强度很大,如莒州志有"莒州六月十九日(阳历8月2日)大雨如注七昼夜",定陶县志有"夏雨连绵至七月,雨如倾盆"等记载。另外临朐还有"夏六月大霖雨","大雨狂风昼夜三日"的记载。

这次暴雨的天气成因,根据雨区分布型式和历史文献对雨情水情的描述估计,可能与沂沭泗地区1957年7月特大暴雨类似,即地面为黄淮气旋,高空为大体呈东西向切变线。

根据调查资料推算,沂沭泗河主要河段的洪峰见表25.3.3。

沂沭泗水系自明代1470年以后,曾出现过1593年、1703年、1730年、1848年、1957年大水,其中1730年洪水是近500年来最大的一次[3]。

表25.3.3 沂沭泗河1730年洪水调查成果表

水系	河名	地点	集水面积(km^2)	洪峰(m^3/s)	发生时间
沂河	沂河	赵家楼	2 278	17 500	8月2日
沂河	沂河	葛沟	5 563	16 900	8月上旬
沂河	沂河	临沂	10 315	30 000	8月2日
沭河	沭河	吕庄	2 198	15 200	8月上旬
沭河	沭河	彭古庄	4 350	15 300	8月上旬
沭河	老沭河	窑上	4 710	15 200	8月上旬
沭河	浔河	陡山水库	431	4 790	8月上旬

25.3.7 汉江1583年洪水

1583年(明万历十一年)6月汉江发生了一场异乎寻常的特大洪水。这场洪水给汉江沿岸城镇带来巨大灾难,具有悠久历史的陕南重镇安康遭到毁灭性的灾害,洪水过后沦为

❶ 河海大学水资源水文系,长江水利委员会水文局.长江三峡工程古洪水研究报告.1993,12

一片废墟,淹死5 000余人。

1583年洪水是由一次历时数天的特大暴雨所造成的,据陕西通志记载:“万历十一年癸未夏四月兴安州(今安康)猛雨数日,汉江溢溺……全城淹没一空,溺死五千余人”。上游石泉县志也有类似记载:“四月大雨汉水溢,居民溺死无算”。安康下游的白河、郧阳、钟祥等州县也有四月大水的记载,如钟祥县志:“四月汉水暴涨漂没民庐人畜无算”。

对照分析上下河段水情和灾情的文献记载,1583年这场大暴雨的范围较广,雨区呈东西向带状分布,主要雨区位于汉江南岸大巴山区的牧马河、任河、岚河,往东扩展到堵河、南河等流域。

1583年洪水的发生时间,石泉、安康、洵阳、白河、钟祥等沿江州县志均有记载为农历四月。安康下游蜀河镇,在滨江山崖上发现记录该年洪水石刻,其内容为“万历十一年水至此,高三尺四月二十三日起”。此题刻不仅提供了这场特大洪水的最高水位高程,同时也指明了洪水发生的具体时间为农历四月二十三日即阳历6月12日。

1583年洪水出现在6月上旬,从汉江实测资料来看,这比汉江的大汛期提前一个多月[2]。根据邹进上等对汉江流域暴雨洪水特性的分析❶,汉江流域夏汛(6月下旬到7月中旬)与秋汛(7月下旬到10月上旬)明显,夏汛雨量一般大于秋汛。从气候成因来看,这里夏汛应是长江梅雨带的北移,中纬度低值系统和台风等热带系统影响的结果。从5～6月平均降水量分布图可以看出,秦岭以南,28°N以北,雨量等值线基本呈东—西向分布。700hPa天气图上在长江流域往往有明显的约呈东—西向的切变线,而地面上相应地存在着东—西向的准静止锋。这就是中国长江流域夏季节的梅雨形势。

据此,我们推估,汉江1583年6月特大暴雨属于梅雨类,高空700hPa为东西向切变线而且沿切变线有低涡活动,地面为准静止锋。

1583年洪水的洪峰:安康站(集水面积为38 700km^2)根据蜀河口洪水刻记高程推算为36 000m^3/s;汉江下游黄家港(集水面积为95 217km^2)根据调查资料推算为61 000 m^3/s。

根据历史文献考证,1583年洪水的稀遇程度,在安康河段为宋熙宁年间(1068～1077年)以来亦即近900年来的最大洪水[3]。

25.3.8　澜沧江1750年洪水

1750年(清乾隆十五年)8月,澜沧江发生了一次特大洪水。据20世纪70年代中期到80年代初期的多次调查,当地70～90岁的许多老人都反映,听老辈人讲,澜沧江在200多年前曾经发生过一次异常大洪水,灾情特别严重。如1982年进行复核调查时,在橄榄坝河段有7位老人都谈到这场洪水,“水淹橄榄坝,大青树上挂20头牛”;在允景洪河段有17位老人都普遍谈及200多年前“水淹曼广、曼岛”的事。

曼戛村的岩香老人(1901年生)说:“我爷爷讲,他从老辈人那里听说,有一年天天下大雨,下了一个多月,涨了大水。全勐(即整个景洪坝子)都淹了,到处山坡坍塌,水沟冲深,甚至没有沟的地方也冲出了沟。曼戛后面的松树箐就是这次大水冲深的,原来没有那

---

❶ 南京大学气象系等.可能最大降水研究.1980,5

么深。这次水绕着曼广旋来旋去，曼广的名字就是这么来的。水降一点就积在曼岛那里，故取名曼岛。曼广的人当时都搬到山上去住了。”

根据故宫档案资料，清乾隆十五年云南总督硕色曾就澜沧江霁虹桥被洪水冲去一事，呈报乾隆皇帝一奏折，称：“今岁因秋雨频沾，百川聚会，沧江之水涨发，近据永昌府知府曹梦龙报，于七月十一日（阳历8月12日）江水漫溢过桥，将桥板、关门及桥北之卡房、税房等项悉皆冲去。其铁索亦被上流大木冲断。唯北首御书匾亭安然未动”。在同一奏折中还就该年昭通府洛泽河木桥被冲一事说：“于七月初五、六、七等日，大雨如注，河水骤涨，将桥冲倒”[1]。

1750年8月洪水相应暴雨的天气成因，根据昆明勘测设计院的分析，与澜沧江流域实测最大洪水——1966年8月洪水（允景洪站洪峰12 800m^3/s）相似，即为涡切变及季风低压[2]

1750年洪水的洪峰，根据调查资料推算，成果如表25.3.4[1]。

表25.3.4 澜沧江1750年调查成果表

站　名	旧　州	戛　旧	允景洪
集水面积（km^2）	94 100	115 000	149 000
洪峰（m^3/s）	12 900	16 000	24 000
发生日期	8月	8月12日	8月

1750年洪水的稀遇程度：根据文物即允景洪曼果缅寺（中心佛寺）考证，该寺建于1709年，在1750年大水时曾遭水淹，故1750年洪水至少是1709年以来（280多年）的最大洪水；根据历史文献考证，1518年“秋八月澜沧江水涌高百丈，行者七日不渡”[1]，故1750年洪水有可能是1518年以来（约480年）的最大洪水。

25.3.9 海河1801年洪水

1801年（清嘉庆六年）7月，海河流域发了历史上罕见的特大洪水，五大水系均发生漫溢、溃口，天津城为之沉沦（水淹城砖二十六级），广大平原一片汪洋，平地水深六七尺至丈余，受灾地区多达170多州县。

该年气候反常，自7月中旬至8月中旬，淫雨连绵，长达40多天，其间又三次发生强度较大的暴雨：第一次暴雨发生在7月中旬，一般在7月11～17日。这次暴雨范围较广，海河各水系以及滦河流域均发生大雨或暴雨，大雨区主要分布在燕山和太行山山区。该场暴雨持续时间7天左右。1801年特大洪水，主要由该场暴雨造成。第二次降雨出现在7月中旬，一般在7月23～31日。各水系降雨时间先后不一，雨区主要分布在各水系的中上游，降雨强度一般不及第一次大。第三次降雨为8月中旬，这次降雨量级较小，主要分布于平原地区。三次降雨总的雨区，大致呈西南—东北向带状分布。

---

[1] 水利电力部昆明勘测设计院．澜沧江流域历史洪水调查报告．1982，12

[2] 电力工业部昆明勘测设计院．澜沧江漫湾水电站可能最大降水（PMP）可能最大洪水（PMF）专题报告．1981，9

根据文献〔15〕的分析,1801 年暴雨的前两次过程其发生时间与地区分布,与 1939 年暴雨的情况相似,因而推断其天气成因,主要也是受几次强台风的影响。

1801 年洪水的洪峰,根据调查资料推算,成果如表 25.3.5[1]。

综合文献资料考证,1801 年洪水的稀遇程度在永定河干流、官厅山峡和上游桑干河干流为近 500 年来的第一或第二位;在大清河北支及南支重现期可达 100～200 年一遇;在潮白河与滹沱河支流冶河重现期当在 100 年以上,而滹沱河干流则不足 100 年[1]。而“天津水淹城砖二十六级”为明永乐二年(1404 年)建城以来,将近 600 年内水位最高,灾情最惨重的一次。

表 25.3.5　　海河1801年洪水调查成果表

水系	河名	站名	集水面积 (km^2)	洪峰 (m^3/s)	发生时间 (月)
永定河	永定河	官厅	43 402	9 400	7
永定河	永定河	向阳口	43 751	9 340	7
永定河	永定河	卢沟桥	45 202	9 600	7
永定河	桑干河	石匣里	23 944	7 250	7
永定河	清水河北沟	上清水	81.4	1 410	7
大清河	拒马河	紫荆关	1 760	9 400	7
大清河	拒马河	千河口	4 740	18 500	7
大清河	中易水	安各庄	476	4 500	7

25.3.10　淮河 1593 年洪水

1593 年(明万历二十一年)淮河气候异常,发生了一次历史上灾情极为惨重的洪水[3]。这年淮河流域雨期开始早,持续时间长,自四月初至八月淫雨不止,七八月间又发生多次强度很大的暴雨。汛期大雨区的范围很广,约 27 万 km^2,呈西南—东北向带状分布。淮河流域(包括沂沭泗水系)、山东半岛沿海以及长江流域的唐白河水系普遍发生长时间的淫雨或大霖雨。主要暴雨区位于大别山、桐柏山和豫西山区,暴雨区范围约有 11.8 万 km^2(多次暴雨综合以后显示的范围)。从水情记载看,暴雨中心地区主要在洪汝河、沙颍河和淮南的山丘区,其位置与近期 1975 年 8 月特大暴雨相似。

从汝阳县志“三月至八月黑风四塞,雨若县盆,鱼游城关,舟行树杪,连发十有三次”的记载来看,这次暴雨的雨强是非常大的。

1593 年洪水距今已 400 余年,由于地形地貌的改变,当年遗留下来的洪痕、古物已很难查考,故对洪峰无法作定量分析。

根据文献资料查考,在淮河流域,自 1470 年以来的 500 多年中,1593 年洪水所造成的灾情,是最严重的一次。

25.4 非常洪水的成因特性

洪水是暴雨条件(天上)和流域条件(地下)的综合产物。因此,任一流域非常洪水的成因特性都是与该流域的非常暴雨特性和流域特性紧密相联的。

大量实例说明,非常洪水在天气成因特性上,具有十分显著的地区性和相似性。深刻认识这一点,对做好 PMP/PMF 工作大有帮助。

本节仅以大面积的非常洪水为例阐明其天气成因的地区性和相似性,并对它们的物理成因作一初步解释。

25.4.1 地区性

从空间分布看,各地区的非常洪水,其天气成因类型基本上是一定的,但各地区之间有明显的差别,即具有地区性。

25.4.1.1 实例

1)江淮地区,长历时大范围的非常洪水,都是在纬向环流盛行的形势下,梅雨锋系为主的天气系统的长期维持而产生的暴雨所形成。如 1931 年 6~8 月和 1954 年 5~7 月的江淮特大洪水,都是如此。

2)长江上游的非常洪水,其相应的暴雨天气系统以低涡切变、冷锋低槽为主。按暴雨的动态,可以分为稳定型和移动型两类。稳定型以川西阻塞型暴雨最为典型,是形成长江上游非常洪水的典型雨型。其暴雨带多呈东北—西南走向,雨区范围不如梅雨锋暴雨面积大。但往往由于暴雨强度大,暴雨移动缓慢,这类暴雨洪水相对洪峰高瘦,洪峰最大,易给局部地区造成毁灭性的灾害。如长江上游的 1981 年和 1870 年的洪水,就是由这类暴雨所造成❶。

3)黄河中游地区的非常洪水,是由涡切变暴雨所形成。其中,三门峡以上是以西南—东北向切变线带西南低涡暴雨形成,如 1933 年 8 月洪水、1843 年洪水;三门峡至花园口区间是以南北向切变线与台风倒槽叠加造成的暴雨所形成,如 1958 年洪水、1982 年洪水和 1761 年洪水等。

其他一些地区的例子见表 25.4.1。

25.4.1.2 地区性的物理成因初探

从根本上讲,产生暴雨最基本的宏观物理条件是:大气中必须有充足的水汽和足够强烈的上升运动,使水汽迅速凝结成为雨滴降落到地面。

在现代气候条件下,大气中的水汽和上升运动受季风环流、地理纬度、距海远近、地势与地形的影响十分显著。对于一定地区来说,其地理纬度、距海远近、地势与地形是确定的。因而,这些条件对类似的暴雨天气过程的影响,基本上也是一定的。至于季风环流,在现代背景气候条件下,它受海陆分布,大地形的影响巨大,有着相对稳定的活动规律。对于一定地区来说,因地理位置一定,故海陆分布关系一定,地形地势也一定,因而受季风

---

❶ 水利部长江水利委员会.长江流域综合利用规划报告.1990,12

环流的影响,也存在相对的稳定性。

表 25.4.1 中国非常洪水天气成因的地区特征

序号	地区	站名	集水面积 (km²)	洪水发生时间 (年·月·日)	Q_m (m^3/s)	主要天气系统	估计重现期 (a)
1	长江上游	宜昌	1 005 501	1870.7.20	105 000	西南涡	2 500
2	黄河中游	三门峡	688 384	1843.8.10	36 000	西南东北向切变线+西北涡	1 000
3	黄河中游	花园口	730 036	1761.8.18	32 000	南北向切变线+台风倒槽	440
4	汉江	安康	38 700	1583.6.12	36 000	准静止锋	900
5	沂沭泗	临沂	10 315	1730.8.2	30 000	大体为东西向切变线	500
6	海河	天津		1801.7		多次强台风影响	600
7	澜沧江	允景洪	149 000	1750.8	24 000	涡切变与季风低压	480
8	赣江	万安	36 900	1485	24 500	梅雨锋	600
9	闽江	竹岐	54 500	1609.6	38 500	锋面	约 500
10	飞云江	珊溪	1 529	1166	13 700	台风	800

当然,实际情况是,环流形势具有多样性,不同尺度天气系统组合也具有多样性,这就决定了其所形成暴雨具有多样性。但是,对于一个特定流域而言,能够形成非常洪水及PMF的相应暴雨,其环流形势和天气系统,则是相对稳定的(详见5.1.2节)。因此,对于一定地区来说,产生非常洪水的非常暴雨,其水汽和上升运动的条件,基本上也是一定的。

以上就是非常洪水的天气成因类型具有地区性的物理原因。

25.4.2 相似性

对于一特定流域来说,从历史上看,其非常洪水的天气成因类型是相似的,亦即具有相似性。

25.4.2.1 实例

(1)黄河三门峡

实测最大洪水——1933年洪水,洪峰为22 000m^3/s。其天气成因为西南—东北向切变线带低涡。调查最大洪水——1843年洪水,洪峰为36 000m^3/s,根据调查资料和1843年洪水淤沙的颗粒级配与矿物成分分析[16],1843年洪水的地区来源与1933年洪水类似,因而推断其天气成因亦与1933年洪水类似。

(2)黄河三门峡至花园口区间

实测最大洪水——1958年洪水,花园口洪峰22 300m^3/s,其天气成因为盛夏经向型环流形势形成的南北向切变线带低涡,东南沿海有台风活动。按大量文献记载和调查资料所得的历史最大洪水——1761年洪水,花园口洪峰32 000m^3/s,根据其雨区分布(南北向带状分布)暴雨中心的位置和江浙等省同期有台风活动的文献记载等情况推断,1761年洪水的天气成因与1958年洪水很相似。

(3)海河流域长历时特大洪水

1939年洪水是海河历史上著名的特大洪水之一。整个流域从南到北均发生了大洪水,暴雨洪水范围南部还涉及黄河流域的沁、丹、汾河流域,北部可达到滦河流域中上游,主要暴雨区潮白河、大清河的一些控制站的调查洪峰流量,均为1801年以来的首位〔1〕。这年7月、8月间海河流域雨量丰沛,雨日多达30~40天,期间主要降雨有三次过程。根据实测天气资料分析,这年暴雨是由于低纬度热带系统异常活跃,台风频频北上所致〔1〕。

根据王汝慈等人〔15〕的分析,海河流域历时长,范围广的特大暴雨洪水——1801年洪水,其天气成因与1939年类似,即主要是受几次强台风的影响。

(4)海河流域中等历时特大洪水

1963年8月1~10日,海河流域所发生的罕见的特大暴雨,暴雨中心獐么站7天雨量达2 050mm,为中国大陆最高记录。雨区呈南北向带状分布,总雨深大于100mm的面积达153 000km^2,总降雨量600亿m^3。这场特大暴雨的天气成因,主要是由于连续北上的西南涡叠加的结果〔1〕。根据文献〔15〕的分析,海河流域中等历时的最大洪水——1668年(连续降雨七昼夜)洪水,从其暴雨时间和移动规律来看,暴雨成因主要是西南涡北上;从其前期干旱情况及降水持续时间、暴雨中心分布来看,与638特大暴雨极为相似,只是北部暴雨中心偏北,暴雨范围竟深入到燕山背山坡。

(5)长江三峡

1981年7月9~14日四川省境内发生的历史上罕见的特大暴雨,6天雨深100mm等值线所包围的面积有173 000km^2,雨区主要位于长江北岸,呈西南—东北向带状分布,长江寸滩站洪峰达85 700m^3/s,为20世纪以来最大,宜昌站洪峰为69 500m^3/s,居1877年有实测资料以来的第二位。西南低涡是这次暴雨的主要影响系统〔3〕。

1840年8月25~29日四川省境内发生的一次大范围(约13.7万km^2)的特大暴雨,雨区分布位置与1981年7月暴雨相似,根据调查资料推算,嘉陵江北碚站洪峰为52 000m^3/s,超过1981年特大洪水。宜昌站按文献记载文物高程推算,洪峰为69 000m^3/s,略小于1981年洪水。据李太炎等人分析,1840年洪水的雨洪特征与1981年洪水颇为相似〔3〕,即暴雨的天气成因,也是以西南涡系统为主。

三峡近2 500年以来的最大洪水——1870年洪水(洪峰105 000m^3/s),其相应暴雨的天气成因,根据赵毅如等人的研究,也是强大的西南低涡系统造成的〔14〕。换言之,1870年特大洪水的天气成因与1981年洪水都是相似的。

(6)汉江

汉江近900年来的特大洪水——1583年洪水(安康洪峰36 000m^3/s)与历史文献记载的另一特大洪水——1693年洪水的天气成因相似。

根据26.3.7节的分析,1583年特大暴雨属梅雨类,700hPa为东西向切变线带低涡,地面为准静止锋。而1693年洪水根据邹进上等的介绍❶,这年暴雨的主雨区亦发生在汉

❶ 南京大学气象系等.可能最大降水研究.1980,5

江南岸的任河流域、大巴山一带,其范围可能稍逊于1583年,而强度可能比1583年还大。《安康县志》载,1693年"五月十七日(阳历6月20日)黎明,汉水暴涨,漂没官舍民居殆尽","全城淹没,市井为墟"。《兴安府志》称:癸酉仲夏十又七日(1693年阴历七月十七日,阳历8月18日)金州书事石涛对这场特大洪水曾赋诗云:"江郭喧传水接天,汉之广矣岂其然。昨霄风雨弥漫夜,顷刻波涛泻漏天。一片孤城成泽国,四邻老屋没云烟。前朝闻说曾经此,细数于今百十年。"

这首诗记述了1639年当时洪水泛滥的真实情景。可见这场洪水是很大的,与1583年洪水当属同一量级。从主要雨区分布位置来看,1583年和1693年二者都在汉江的南岸任河流域、大巴山一带;从洪峰发生时间来看,1583年为6月12日,1693年为6月20日,二者是很相近的。因此,我们推断1583年和1693年这两个特大洪水年,其暴雨的天气成因是相似的。

(7)澜沧江

澜沧江流域形状呈黄瓜形,南北纬距相差约13°。上游区(溜筒江以上,$F=83\ 000\text{km}^2$)属青藏高原高寒气候带;中游区(溜筒江至戛旧,$F=31\ 600\text{km}^2$)为高原寒带至亚热带过渡性气候;下游区(戛旧至国界,$F=51\ 000\text{km}^2$)属亚热带气候。造成暴雨的天气系统,上游区以西风槽、涡切变为主;中下游区除受前两种系统影响外,以季风低压、副高边缘、台风、赤道辐合带为主。

根据实测资料分析,澜沧江全流域的大洪水,都是由于受西风带天气系统和副热带、热带天气系统共同作用而产生的全流域的大雨和暴雨所形成的。

根据实测资料分析,澜沧江流域全流域性的实测大洪水——1966年8月洪水(允景洪洪峰12 800m³/s),其相应暴雨的天气成因为涡切变及季风低压。根据昆明勘测设计院的分析❶,澜沧江流域近280~480年的最大洪水——1750年8月洪水,其天气成因,与1966年8月洪水类似。

(8)赣江万安

长江下游支流赣江流域集水面积80 948km²,万安枢纽以上集水面积36 900km²。

根据邹进上等人❷通过历史文献和调查资料的分析得知,在万安以上流域自1359年以来的600多年间,曾发生过的特大洪水有1485年、1556年、1616年、1713年和1915年。其中以1485年为最大,洪峰为24 500m³/s。这五次特大洪水均出现在6~7月初,根据现代天气学分析与推断,可能都是梅雨锋系(高空为涡切变)造成的。

实测资料中的1961年、1962年及1964年特大洪水,也是上述天气系统造成的❸。

(9)松花江哈尔滨

根据文献〔17〕的分析,东北地区大范围的大暴雨和特大暴雨是西风带、副热带和热带环流系统相互作用的结果。

松花江哈尔滨站调查历史最大洪水——1932年洪水(洪峰16 200m³/s);实测最大洪

❶ 电力工业部昆明勘测设计院.澜沧江漫湾水电站可能最大降水(PMP)可能最大洪水(PMF)专题报告.1981,9

❷ 南京大学气象系等.可能最大降水研究.1980,5

❸ 全国水利水电水文计算专业情报网西南片.可能最大暴雨及产汇流经验交流会议文件选编.1981,8

水——1957年洪水(洪峰14 800m³/s),二者的降雨历时都很长,雨区范围都很广。

1932年洪水发生前(哈尔滨洪峰出现在8月12日),连续降雨40多天,雨区遍及整个松花江流域及乌苏里江西侧支流和额尔古纳河的部分支流。7月份降雨量在200mm以上的雨区总面积超过50万km^2,其中月雨量达300mm以上的雨区面积超过12万km^2。干流洪水主要来自嫩江。

1957年洪水(哈尔滨洪峰出现在9月6日),7~8月连续降雨40多天,雨区普及整个松花江流域,7月24日至8月5日雨量在100mm以上的面积就达50万km^2[1]。

1932年和1957年两次特大洪水都是在前期受西风带系统和副热带系统(地面系统为东北气旋和江淮气旋)影响下所形成的连绵降雨情况下,再遇上北上强台风影响所形成的2~3天的特大暴雨造成的。

鉴于1998年7~8月松花江发生了一场特大洪水,没有台风影响,以下再多说几句。

根据文献〔18〕的总结,哈尔滨(流域面积389 769km^2)的洪水是"嫩江打底,二松加码,拉林河戴帽",就是说在松花江的上游河段嫩江(流域面积297 000km^2)来水量比较丰富的基础上,如果又与南岸的最大支流第二松花江(流域面积73 400km^2)和次大支流拉林河(流域面积19 096km^2)的较大洪水遭遇,三水的恶劣组合,将使哈尔滨站形成大洪水或特大洪水。但有时也有嫩江来水特别大或是仅由嫩江和第二松花江的洪水遭遇组合而成哈尔滨的大洪水。

造成松花江流域大范围特大暴雨的地面天气系统,主要是气旋和台风。台风对流域东南部地区的第二松花江、拉林河和牡丹江流域的上中游影响较大[18]。

1998年洪水,哈尔滨站实测洪峰16 600m³/s,洪水主要来自嫩江,其暴雨影响系统是深厚的气旋,没有台风。但是,根据松花江流域所处的地理位置和历史暴雨洪水特性的分析,我们可以得出如下两点认识:①哈尔滨的特大洪水可以由深厚的气旋雨(如1998年)形成,也可以由气旋和台风雨形成(如1932年、1957年)。②哈尔滨峰高量大的非常洪水(特别是千年一遇以上的洪水或可能最大洪水),只能由气旋加台风雨形成。因此,1998年型洪水,还不是最严重的。

(10)沂沭泗河

沂沭泗河流域实测最大洪水——1957年7月洪水,临沂站洪峰15 400m³/s。这次洪水相应的暴雨自7月6日开始至24日基本结束,持续18天,其间有6次集中暴雨,各次暴雨位置始终在沂、沭河及南四湖地区来回摆动。最大7天(7月10~16日)200mm以上雨区面积80 844km^2,雨区大体上呈东西向带状分布。其天气系统,地面为黄淮气旋,高空为大体上是东西向的切变线。

沂沭泗河近500年来的历史最大洪水——1730年洪水,临沂站洪峰30 000m³/s,根据其雨带分布型式和文献对雨情的描述推估,其天气成因与1957年洪水类似(见25.3.6节)。

25.4.2.2 相似性的物理成因初探

非常洪水在天气成因上具有相似性,这一规律性的认识,对于PMP/PMF的推求来说,具有十分重要的意义。具体地说,就是它可以指导我们在PMP的分析中,对暴雨模式的定性特征作出合理的推断,从而使求得的PMP/PMF较为接近实际。

关于暴雨模式定性特征推断的有关问题,本书5.1节中已有较详细的论述。这里再就非常洪水天气成因相似性的物理成因作一说明。

非常洪水天气成因特性的地区性和相似性,其实是一个问题的两个方面。地区性是就地区与地区或流域与流域之间而言,而相似性是对一个地区或一个流域从历史上看问题。即其着眼点,前者是空间,后者是时间。因此,25.4.1.2节中对地区性的物理成因解释,也可用来解释相似性。说明白一点,就是对于一个特定流域来说,由于影响非常暴雨的水汽条件和上升运动条件的季风环流,在现代气候条件下具有相对的稳定性,因而非常暴雨的天气过程也具有相对的稳定性。这个稳定性的具体表现就是相似性。

大家知道,暴雨洪水的形成过程可概括为:天气过程→降雨过程→洪水过程。

大量实测资料表明:天气过程相似,一般降雨过程也相似,进而在产汇流条件一定的情况下,洪水过程也相似。这就是非常洪水成因具有相似性的物理原因。非常洪水天气成因具有相似性,其实质也就是非常洪水天气成因的基本类型(暴雨天气系统类型)具有惟一性(参见5.1.2节)。这种惟一性,不但在中国存在,估计在世界其他国家也可能是存在的。例如根据王家祁的资料❶,印度的三场非常暴雨,即1880年9月、1927年7月和1941年7月暴雨,出现于20°~30°N的印度西部,都是由孟加拉湾低压西移形成的。

25.5 非常洪水的时空分布特性

这里着重讨论排他性、并发性和连发性。

25.5.1 排他性

排他性是指在中国的国土上,一条大面积(40 000km^{2}以上)江河发生稀遇洪水(指重现期在400年以上者,下同)的年份,中国其他江河都不可能发生与之具有同等稀遇度的大洪水。这一条认识表明:当中国某一大江河发生稀遇洪水时,不必担心本年在其他江河上,还会发生这样稀遇的洪水。

25.5.1.1 实例

中国是文明古国,历史悠久,历史洪水资料十分丰富,调查研究也很全面、深入(见0.5.4节)。但是从目前已经发现的资料来看,中国大面积江河重现期在400年以上的大洪水,全都是单独发生的,例如汉江1583年洪水(重现期N为900年),黄河三门峡1843年洪水(N为1 000年),黄河三门峡至花园口区间1761年洪水(N为400年以上),长江宜昌1870年洪水(N为2 500年),淮河1593年洪水(N为500年以上),海河1801年洪水(N为600年),沂沭泗1730年洪水(N为500年),金沙江屏山842年洪水(N为1 100~1 400年),闽江竹歧1609年洪水(自1026年以来与1609年相当的有1224年和1416年两年,1609年排位按第二考虑,则其N约为500年),沅水五强溪1189年洪水(N为400年以上)、澜沧江1750年洪水(N为480年)等,与这些洪水的同一年份,中国其他江河都没有发生与它们具有同等稀遇程度的大洪水。

---

❶ 王家祁.80年代国外可能最大暴雨估算研究简介.水利部南京水资源研究所,1992年

25.5.1.2 排他性物理成因初探

初步认为,中国大面积江河稀遇洪水的发生年份具有排他性,主要是天气形势异常所决定的,其深层次的原因尚待研究。下面仅就此问题,谈一点粗略的看法。

大家知道,形成上述那种稀遇洪水,其相应的暴雨天气系统(低压系统),必然是很强大而深厚的(影响范围广、辐合上升运动强烈、持续时间长),而要形成如此强大而深厚的暴雨天气系统是与大气环流形势异常相紧密联系的。

根据中国著名气象学家陶诗言的研究,影响中国大暴雨的环流形势,可分为稳定经向型、稳定纬向型和过渡型三类(见4.5.1节)。

天气学理论和实践经验表明,能够形成大面积、长历时、高强度暴雨的环流形势,只有稳定经向型和稳定纬向型两种。而在一年之中,对某一地区而言,占优势地位的,只能有一种,即要么是稳定经向型,要么是稳定纬向型。

据初步分析,环流形势这种优势型的存在,可能与大范围的海温持续异常有关。厄尔尼诺和拉尼娜现象就是这种海温异常的重要表现。

顺便解释一下,厄尔尼诺现象是指赤道东太平洋海水温度大范围、长时间不间断的异常增温现象。据文献〔19〕介绍,其范围可达地球表面积的25%;持续时间一般为1～2年,长的可达3～4年;增温(即比常年同期温度偏高)一般在1～2℃,最高可达6～7℃。据统计,单位面积100m水深的海水温度增高0.1℃,其上的大气温度就可以增高6℃。拉尼娜现象正好与厄尔尼诺现象相反,它是海温比常年偏低。

厄尔尼诺和拉尼娜现象对环流优势型的形成是如何影响的呢? 初步看法是:当特强的厄尔尼诺现象出现时,东太平洋海温特高,而西太平洋海温相对特低,于是西太平洋海水蒸发量特小,季风活动微弱,环流形势呈特稳定的纬向型,副热带高压位置偏南,印度洋和太平洋水汽沿副高西侧源源向北输送,当冷暖空气交绥位置偏南时中国南方容易发生特大洪水。反之,当特强的拉尼娜现象出现时,东太平洋海温特低,而西太平洋海温相对特高,西太平洋海水蒸发量特大,季风活动强烈,易于向北推进,环流形势呈特稳定的经向型,副热带高压位置偏北,当冷暖空气交绥位置偏北时,中国北方容易发生特大洪水。

由于厄尔尼诺和拉尼娜现象的形成并发展到特别强盛,对大气环流造成很大的影响,需要很长的时间,这就基本上决定中国稀遇洪水,在年内的时间和空间上的排他性。

当然,由于厄尔尼诺和拉尼娜是全球性的气候异常现象,它们对世界各地气候的影响很复杂,不是简单的一一对应关系。因此,以上的看法,是粗线条的。

根据文献〔19〕介绍,中国有些科学家的研究表明,中国"在厄尔尼诺出现的年份,通常出现南涝北旱现象",这和以上的看法,基本上是一致的。

附带说明,1997年和1998年有厄尔尼诺现象出现(1997年12月最强),1998年长江和松花江虽同期发生大洪水,但它们的重现期都要远小于400年。

据文献〔20〕提供的资料,1998年长江宜昌站年最大洪峰为63 300m^3/s,约相当于7年一遇,最大30天洪量为1 379亿m^3,约相当于100年一遇。1998年松花江哈尔滨站实测年最大洪峰为16 600m^3/s,约相当于150年一遇。

25.5.2 并发性

并发性是对洪水重现期在400年以下的较稀遇洪水而言的,意指在中国的国土上,某一年的同一时期或者一段时间的先后连续或先后断续(中间有间隔)在相邻的或不相邻的几个大流域,都出现大洪水的现象。

重现期在400年以上的稀遇洪水,在中国不具并发性,而具有排他性,这已见25.5.1节。

25.5.2.1　实例

(1)1904年黄河上游和长江上游特大洪水

1904年7月黄河和长江上游洪水,持续降雨5～7天,雨区位于青藏高原东侧,主要范围大致在26°40′～36°40′N,98°～106°40′E之间,包括四川西北、青海东部和甘肃南部地区约54.4万km^2的广大地区。这次降雨,使黄河上游、渭河上游、嘉陵江支流西汉水和白龙江、大渡河及其支流青衣江以及雅砻上游等河流发生了一场近百年来罕见的特大洪水。洪峰见表25.5.1

表25.5.1　1904年7月洪水各河主要站洪峰[1]

序号	水系	河名	站名	集水面积(km^2)	Q_m(m^3/s)
1	黄　河	黄　河	贵　德	133 650	5 900～6 300
2	黄　河	黄　河	兰　州	222 551	8 500
3	黄　河	黄　河	安宁渡	243 868	8 350
4	黄　河	洮　河	沟门村	24 973	3 000
5	黄　河	大夏河	冯家台	6 851	1 160
6	黄　河	渭　河	武　山	8 080	2 980
7	嘉陵江	白龙江	蒿子店	16 102	3 000
8	嘉陵江	白龙江	碧　口	26 086	5 370
9	岷　江	青衣江	灵　关	2 996	2 530
10	岷　江	大渡河	泸　定	58 943	7 350
11	岷　江	大渡河	同街子	76 383	9 830
12	雅砻江	雅砻江	雅　江	70 110	5 840
13	雅砻江	雅砻江	小得石	121 423	12 700
14	金沙江	金沙江	奔子栏	214 744	7 340
15	金沙江	金沙江	石　鼓	232 651	7 850
16	澜沧江	澜沧江	昌　都	54 700	6 200
17	澜沧江	澜沧江	旧　州	89 920	9 130

注　编号13～15长办认为洪水年份为1905年,编号16、17昆明勘测设计院认为洪水年份为1905年。

根据王超然等分析[1],1904 年 7 月降雨期间的环流形势,是本地区常见的降雨天气型式,其特点是副高北进西伸强而稳定,印度低压偏北,西南气流强而持久,巴湖低槽缓慢东移,并不断分裂小槽,使雨区上空形成稳定的锋区,造成本地区大面积的持续较久的大雨或暴雨。

(2)1931 年全国性洪水

1931 年气候反常,入夏以后中国大部分地区出现长时间淫雨天气,6～8 月三个月内,珠江、长江、淮河及松辽流域,降雨日数多达 35～50 天,其间不断出现大雨和暴雨,“南起百粤,北至关外,大小河川尽告涨溢”,造成全国性大水灾。

这年汛期最大 30 天(6 月 28 日～7 月 27 日)雨量,雨深在 200mm 以上的范围约 165 万 km^2,300mm 以上雨区主要分布在长江中下游和淮河流域,范围约 76 万 km^2,相应降水总量达 3 423 亿 m^3[3]。

造成这年 7 月江淮流域大水的主要原因有二:一是大气环流异常,西太平洋副高强盛稳定;二是鄂霍次克海一带和北冰洋海冰异常(海冰为常年的两倍以上),使夏季在东亚西北大陆和东北海上均有寒流南下。这样,在长江中下游以至日本海一带造成冷暖空气交绥,导致持续性暴雨。

1931 年洪水各河主要站的洪峰见表 25.5.2。

1931 年洪水的主要特点是分布范围广、洪水暴发次数多,长江流域不论干流或各大支流其洪峰流量都不很大。淮河流域干流站的洪峰则大于 1954 年洪水。黄河支流洛河洪峰为近百年来最大。珠江和澜沧江的洪水也较大。

(3)1954 年江淮黄洪水

1954 年洪水洪峰出现时间,长江宜昌为 8 月 7 日,淮河中渡为 8 月 6 日,黄河花园口为 8 月 5 日。但江淮洪水是由典型的梅雨型降雨形成;黄河洪水是江淮梅雨结束后,雨区北移,由南北向切变线降雨所形成。1954 年的暴雨情况及其天气成因见 3.2.1 节。

1954 年暴雨使长江中下游、淮河流域发生了近百年来未有的特大洪水。长江汉口站洪峰流量 76 100m^3/s,最高洪水位 29.73m,超过历史最高水位 1.45m,中下游各控制站超过历年最高水位 0.18～1.66m。长江干流大通站洪峰流量 92 600m^3/s,7～9 月径流量 6 123亿 m^3,为同期多年平均值的 1.7 倍。淮河流域 7 月份发生 6 次大暴雨,王家坝洪峰流量 9 610m^3/s;蚌埠水位 22.18m 超过历史最高水位 1.03m,洪峰流量 11 600m^3/s。淮河干流各控制站 30 天洪量超过 1931 年洪水。黄河花园口站 8 月 5 日出现洪峰流量 15 000m^3/s,为该站自 1934 年有实测资料以来的第四大洪水。1954 年洪水,江淮黄诸河各主要站的洪峰见表 25.5.3。

(4)1553 年黄淮海洪水

1553 年(明嘉靖三十二年)5～7 月,在现今河北、河南省大部地区和山西、山东、安徽等省的部分地区发生了大暴雨,给上述地区带来了极其严重的水灾。

该年暴雨的雨区范围,南北跨江、淮、黄、海四大流域,包括长江流域的唐白河水系,淮河流域的洪汝河、沙颍河、涡河、南四湖水系,黄河流域的洛沁河水系、汾河水系,海河流域的南运河、子牙河、大清河、永定河、滏阳河水系。据文献资料统计,范围达 130 多个州县。雨区大致呈南北向带状分布[3]。

1553年暴雨，其主要雨区在黄河三门峡至花园口区间，伊洛沁河发生了罕见的特大洪水。洛河洛阳“夏六月大雨，伊洛涨溢入城，水深丈余，漂没公廨民舍殆尽，民木栖，有不得食者七日，人畜死者甚众”。伊、洛河汇合后的巩县“六月……山水汇聚，伊洛泛涨，民居、官舍、公廨、官厅尽行冲空，荡然无存，漂没人畜不可胜数，百姓逃亡，死者枕藉，昼夜号泣，哀声四起、惨不忍闻”。沁河下游怀庆（沁阳）“河溢，漂没朽棺枯骨不计其数”。

表 25.5.2　1931年江淮洪水主要站洪峰流量表[3]

序号	水系	河名	站名	集水面积(km²)	Q_m (m³/s)	发生月日	排位
1	长　江	金沙江	横　江	14 781	17 300		1844年以来首位
2	长　江	长　江	宜　昌	1 005 501	64 600	8.10	1877年以来第5位
3	长　江	长　江	汉　口	1 488 036	59 900	8.19	1865年以来第7位
4	长　江	长　江	大　通	1 705 383	15.02 *		1849年以来第4位
5	长　江	岷　江	高　场	135 378	40 800	8.19	1917年以来第2位
6	长　江	乌　江	武　隆	83 035	21 600		1830年以来第6位
7	长　江	沅　水	五强溪	83 800	30 300	7.29	
8	长　江	资　水	桃　江	26 704	14 200		1848年以来第5位
9	湘　江	新田河	枸机坪	1 659	2 680		1851年以来首位
10	澧　水	凌　水	柳枝坪	3 703	6 830		1909年以来第3位
11	长　江	汉　江	丹江口	95 200	25 300	9.3	近百年来第6位
12	汉　江	南河谷	谷　城	5 781	9 650	8.12	1853年以来第4位
13	长　江	赣　江	吉　安	56 223	18 500		1876年以来第6位
14	淮　河	淮　河	长台关	3 090	7 480		
15	淮　河	灌　河	鲇鱼山	925	6 500		近百年来首位
16	淮　河	狮　河	南　湾	1 058	4 920		
17	淮　河	淠　河	佛子岭	1 900	5 900		
18	淮　河	淮　河	浮　山	123 590	16 100	8.2	
19	淮　河	淮　河	中　渡	158 160	16 200	8.9	
20	黄　河	伊　河	龙门镇	5 318	10 400	8.12	近百年来首位
21	黄　河	洛　河	白马寺	11 891	11 100	8.12	近百年来首位
22	珠　江	北　江	横　石	34 013	19 600	7.1	1915年以来第2位
23	珠　江	西　江	都　安	113 500	20 500	7	1902年以来第4位
24	澜沧江	澜沧江	戛　旧	110 350	9 220		1750年以来第5位

注　带*者为水位，m。

表 25.5.3 1954年江淮黄洪水主要站洪峰表[1,3]

序号	水系	河名	站名	集水面积 (km²)	Q_m (m³/s)	发生月日	排位
1	长江	金沙江	屏山	485 099	26 500	8.27	1560 年以来第 9 位
2	长江	岷江	高场	135 378	18 400	8.14	
3	长江	嘉陵江	北碚	156 142	19 300	7.22	
4	长江	乌江	武隆	83 035	16 000	7.27	1830 年以来第 8 位
5	长江	长江	寸滩	866 559	54 800	7.22	
6	长江	长江	宜昌	1 005 501	66 800	8.7	1788 年以来第 7 位
7	长江	湘江	湘潭	81 638	18 300	6.30	1906 年以来第 7 位
8	长江	资水	桃江	26 704	11 300	7.25	1848 年以来第 7 位
9	长江	沅江	桃源		23 900	7.30	1911 年以来第 6 位
10	长江	澧水	三江口	15 070	14 500	6.25	
11	长江	汉江	丹江口	95 200	24 600	8.4	
12	长江	长江	汉口	1 488 036	76 100	8.14	1849 年以来首位
13	长江	赣江	丁家埠	80 948	14 100	7.1	
14	长江	长江	大通	1 705 383	92 600	8.1	1849 年以来首位
15	淮河	淮河	长台关	3 090	1 860	7.17	
16	淮河	淮河	淮滨	16 100	7 600	7.6	
17	淮河	淮河	鲁台子	92 100	12 700	7.25	
18	淮河	淮河	蚌埠	121 000	11 600	8.5	
19	淮河	淮河	浮山	139 000	11 100	7.31	
20	淮河	淮河	中渡	158 200	10 700	8.6	
21	淮河	浉河	南湾	1 050	2 180	7.21	
22	淮河	潢河	龙山	1 220	2 600	7.27	
23	淮河	竹竿河	竹竿铺	1 640	2 030	7.21	
24	淮河	灌河	丁家埠	1 710	1 650	7.22	
25	淮河	史河	蒋家集	5 930	4 600	7.22	
26	淮河	淠河	六安	4 920	3 300	7.22	
27	淮河	池河	明光	3 470	2 610	7.7	
28	淮河	汝河	遂平	1 690	1 710	7.16	
29	淮河	澧河	下魏	2 470	1 800	7.16	
30	淮河	干江河	官寨	1 020	3 220	7.16	
31	淮河	沙河	叶县	2 980	1 910	7.16	
32	淮河	涡河	蒙城	15 200	1 680	7.20	
33	黄河	黄河	花园口	730 036	15 000	8.5	1934 年以来第 4 位
34	黄河	洛河	黑石关	18 563	8 420	8.4	1931 年以来第 4 位
35	黄河	沁河	小董	12 877	3 050	8.4	1931 年以来第 2 位

1553年洪水由于只有文献描述,无法估算洪峰流量,但从记载看,其量级是很大的。在黄河三花间地区,根据文献资料分析,该年洪水的大小,仅次于该地区有文献记载以来的最大洪水——1761年洪水。

(5)1924年8月金沙江、雅砻江、澜沧江洪水

1924年8月降雨属淫雨间大雨(有时出现暴雨)类型。大范围降雨先后由7月初开始直至8月下旬或9月初,历时达40天左右。其中大雨、暴雨主要发生在8月,历时约7天至10天。雨区主要分布在澜沧江和金沙江中下游,包括元江上游的礼社江,大雨区位于金沙江石鼓至龙街和雅砻江雅江以下的干支流区间。

1924年金沙江中下游段为百年未有的大水,屏山站洪峰36 900m³/s,自龙街至屏山河段内洪峰为实测最大洪水的1.27~1.40倍。澜沧江也出现了比较大的洪水,下游允景洪站洪峰15 000m³/s,均超过了1966年实测最大洪水。雅砻江中下游洪水也不小,雅江为1904年以来的第2位,小得石为1863年以来的第3位。各河各主要站的洪峰流量见表25.5.4。

表25.5.4 1924年8月金沙江、雅砻江和澜沧江洪水主要站洪峰表[3]

序号	河名	站名	集水面积(km²)	Q_m(m³/s)	发生时间(月)	排位
1	金沙江	石鼓	232 651	6 810		1892年以来第7位
2	金沙江	金江街	249 537	12 400		1924年以来首位
3	金沙江	龙街	423 202	32 000		1924年以来首位
4	金沙江	巧家	450 696	32 700		1924年以来首位
5	金沙江	屏山	485 099	36 900		1924年以来首位
6	雅砻江	雅江	70 110	5 160	8	1904年以来第2位
7	雅砻江	小得石	118 294	14 900	8	1863年以来第3位
8	澜沧江	旧州	88 051	7 950		1904年以来第2位
9	澜沧江	戛旧	108 527	10 200		1750年以来第4位
10	澜沧江	允景洪	141 779	15 000		1750年以来第3位

(6)1949年南北洪水

本年,全国从南到北,珠江、长江、淮河、黄河以及华北北部的潮白河、滦河、内蒙古的西辽河等均出现不同程度的洪水灾害。珠江流域的西江干流梧州站洪峰48 900m³/s,次于1915年(54 500m³/s),7天、15天、30天洪量均超过1915年,为近百年来罕见的特大洪水。长江沙市7月9日洪峰水位44.49m,为自1903年有记录以来的最高值;汉口7月12日洪峰水位27.12m,为自1865年有记录以来仅低于1870年、1935年而居第三位的最高值。黄河花园口9月14日洪峰流量12 300m³/s,流量在10 000m³/s以上的时间达49小时,是黄河回归故道后的首次大水[21]。

(7)1956年海河、松花江流域洪水

8月,海河、松花江流域发生特大洪水。松花江哈尔滨站于8月15日出现洪峰流量

11 700m^3/s(还原值为 12 100m^3/s),为自 1898 年以来的最大值。海河流域西部太行山东坡从南到北发生大暴雨,致使海河各支流发生了有记录以来的最大洪水。南运河上游漳河观台站 8 月 4 日洪峰流量达 9 200m^3/s,同日子牙河支流滹沱河黄壁庄站洪峰流量达 13 100m^3/s,均为历年最大值〔21〕。

25.5.2.2 物理成因初探

中国并发洪水可分为两种类型:一是同期发生型,二是先后发生型。

1)同期发生型。这又可以分为两种类型:①连片型,即相邻的几个流域。这主要是由第 4 类非常暴雨(如 1954 年江淮流域等)和第 5 类非常暴雨(如 1904、1924 年等)形成,也就是由同一暴雨天气系统所形成。②分散型,即非连片的两个或两个以上流域同期发生大洪水。如 1931 年、1998 年(珠江、长江、淮河和松花江大洪水)洪水,这两年洪水,除东北松花江流域主要受西风带季风的影响外,其余主要是受热带和副热带季风的影响。

2)先后发生型。这也可分为两种类型:①副高进退影响型。由于对中国暴雨有重要影响的西太平洋副热带高压,其脊线位置每年都呈现季节性的跳跃(图 24.2.1),故在特殊有利降水的年份,雨区就从南向北,然后又自北向南阶段性的进退,从而使形成的洪水在地区上有先有后,如 1949 年等。②同类系统先后影响型。在同种环流形势下,同类天气系统在不同的流域先后出现,分别形成大洪水,如 1956 年 8 月上旬台风,先影响海河流域,后又一台风影响松花江流域,使此两流域均发生有记录以来的大洪水。

25.5.3 连发性

连发性是指一个流域,连续几年出现非常洪水或十年之内不连续地出现两次以上的非常洪水。

25.5.3.1 实例

中国连续几年出现非常洪水的例子不少(见表 25.5.5)。如黄河三门峡,根据清代万锦滩(在三门峡大坝上游约 3.6km)报汛水尺资料分析,1841~1843 年和 1849~1851 年,即在 1841~1851 年这 11 年的两头各有连续 3 年都发生了特大洪水,其中 1843 年根据洪水痕迹推算,洪峰为 36 000m^3/s,为近千年来的最大洪水,其余 5 年的洪峰,按报汛水尺资料初步估算,均在 20 000m^3/s 以上。

又如松花江哈尔滨站 1956 年和 1957 年连续两次出现大洪水,洪峰分别为 12 100m^3/s和 14 800m^3/s。

再如海河天津以上 1653 年和 1654 年连续两年出现特大洪水,大水包围天津。

还有长江中下游 1848 年、1849 年,1882 年、1883 年,都是连续两年发生大洪水。沅江沅陵站,1608 年、1609 年,1611 年、1612 年、1613 年,1765 年、1766 年,1911 年、1912 年、1913 年,1925 年、1926 年、1927 年等都曾连续 2 年或 3 年出现大洪水〔22〕。

在 10 年之内不连续地出现两次以上特大洪水的情况也不少。如长江三峡(宜昌)近 2 500 年来的特大洪水发生在 1870 年,洪峰 105 000m^3/s,而在其 10 年前,即 1860 年也发生了一次特大洪水,洪峰为 92 500m^3/s。又如滦河潘家口,1883 年、1886 年和 1894 年都是特大洪水年,即在 11 年间,出现了三次。

表 25.5.5 中国主要江河连发洪水统计表

序号	水系	河名	站名	集水面积（km^2）	年份	Q_m（m^3/s）	排位△
1	黄河	黄河	三门峡	688 384	1841		4
					1842		7
					1843	36 000	1
					1849		2
					1850		3
					1851		6
2	松花江	松花江	哈尔滨	389 769	1956	12 100	3
					1957	14 800	2
3	辽河	辽河	铁岭	120 764	1951	14 200	1
					1953	11 800	2
4	滦河	滦河	潘家口	33 700	1883	24 000	1
					1886		2
					1894	20 600	3
5	海河	海河	天津		1604	大水包围天津、市内进水或淹城砖 10 级以上	
					1607		
					1653		
					1654		
					1917		
					1924		
6	淮 河	洪泽湖	蒋 坝		1921	16.00*	2
					1931	16.25*	1
7	沂沭河	沂 河	临 沂	10 135	1912	18 600	2
					1914	17 900	3
8	长 江	长 江	宜 昌	1 005 501	1860	92 500	5
					1870	105 000	1
9	长 江	长 江	汉 口	1 488 036	1926	26.64*	7
					1931	28.07*	3
					1935	27.37*	4
10	长 江	岷 江	高 场	135 378	1931	40 800	2
					1936	35400	3

续表 25.5.5

序号	水系	河名	站名	集水面积 (km²)	年份	Q_m (m³/s)	排位△
11	长　江	金沙江	石　鼓	232 651	1970	7 450	4
					1972	7 550	3
12	长　江	乌　江	武　隆	83 035	1927	2 2200	5
					1931	21 600	6
					1935	24 000	4
13	长　江	汉　水	襄　阳		1921		3
					1931		4
					1935	53 000	1
14	长　江	湘　江	株　洲	71 979	1924	21 200	1
					1926	19 600	4
15	长　江	资　水	柘　溪	22 790	1924	12 400	3
					1926	15 300	1
16	长　江	沅　水	王家河		1926	30 200	6
					1931	30 300	5
					1933	31 000	3
					1935	30 500	4
17	长　江	澧　水	三江口	15 070	1908	22 300	3
					1909	20 800	4
18	长　江	清　江	搬鱼嘴	15 563	1935	15 000	3
					1938	12 200	6
19	长　江	赣　江	漳　树	71 324	1915	21 000	3
					1924	21 100	2
20	新安江	新安江	罗桐埠	10 442	1942	20 000	1
					1949	14 900	4
21	珠　江	红水河	迁　江	122 500	1915	21 200	3
					1926	23 300	1
22	元　江	元　江	蛮　耗	32 037	1908	9 610	1
					1918	5 750	3
23	澜沧江	澜沧江	旧　州	88 051	1904	9 130	1
					1911	7 950	3
24	雅鲁藏布江		奴　下	189 843	1955	9 510	5
					1958	9 900	2
					1962	12 700	1

注　△排位指现有实测和调查资料中的大小顺序。
带 * 者为水位，m。

25.5.3.2 物理成因初探

初步认为,一个流域特大洪水的连发性,主要是由大气运动的周期性决定的。因为大气运动的能量,主要来自太阳的辐射和地球内部热能的释放。而根据最近一二十年卫星观测资料分析的结果❶,太阳辐射能量的变化具有周期性,其周期的长度与太阳黑子变化的周期〔详见25.6.2的(3)〕基本一致。地球内部热能释放的主要形式是地震和火山爆发(均包括陆地和海底),而这二者的发生亦具有周期性。

此外,某些大地形对降水的影响也具有周期性。例如青藏高原气候影响地区降水有3年周期的变化。

再有,海洋的某些异常现象(如厄尔尼诺和拉尼娜现象)都存在一定的周期(一般为2~7年)。

当然,以上所说的这些周期都不像物理学上所说的周期那样严格(此点在25.6.2节中还要较为详细地说明),其原因是,影响因素太多、问题很复杂。至于这些对大气运动有影响的不同事物的不同周期如何组合,才能在一个特定流域形成连发性的非常洪水,则有待研究。

根据王涌泉教授的研究,在太阳活动的高峰年及其前后1~2年和低谷年及其前后1~2年,世界容易出现气候异常现象。

这种连续数年的气候异常,在特殊情况下,就可能使中国某一大面积江河连续数年出现特大洪水。

此外,从低一个层次说,如25.5.1.2所述,厄尔尼诺和拉尼娜现象,也可能是影响中国发生特大洪水的因素之一,而一如前述,这两种现象,都可能连续数年出现,故在特殊情况下,也可能使中国某一大面积江河连续数年出现特大洪水。

25.6 稀遇洪水数值的稳定性

20世纪80年代初期,王国安教授收集了大量的资料,通过归纳分析,发现中国有许多大江大河洪水的洪峰流量,随着重现期的增长,并不像皮尔逊Ⅲ型曲线那样急剧地增大,而是达到某一量级以后就趋于稳定,即趋于一近似的极限值。这一发现,对设计洪水计算和稀遇洪水数据的取值,有重要的意义。

25.6.1 实例

1)长江宜昌站,拥有自1877年以来的120多年资料,根据多次反复调查,在宜昌河段超过实测首项大洪水——1896年洪峰71 100m^3/s的历史洪水,量级在80 000m^3/s以上的有8年(表25.6.1)。从该表可见,前5位洪峰都相差不大。

另外,根据古洪水研究❷在三峡河段近2 500年以来,还发生过4次古洪水,一次洪峰为102 000m^3/s,发生时间距今(1950年)为2 420±295年;另一次洪峰为98 500m^3/s,

❶ 王涌泉编著.日地水文学与暴雨洪水预测(课程讲义).台湾大学农业工程学研究所等印.1997,2

❷ 河海大学水资源水文系,长江水利委员会水文局.长江三峡古洪水研究报告.1993,12

距今2 230±265年。另两次见表21.2.5。

表25.6.1　长江宜昌站历史洪水要素简表[24]

序号	年　份	洪　峰		洪　量(亿 m^3)	
		Q_m (m^3/s)	发生日期 (月·日)	3d	7d
1	1870	105 000	7.20	265.0	536.6
2	1227	96 300	8.1	241.6	492.5
3	1560	93 600	8.25	234.8	479.2
4	1153	92 800	7.31	232.7	475.3
5	1860	92 500	7.18	232.0	473.8
6	1788	86 000	7.23	215.6	441.9
7	1796	82 200	7.18	206.0	423.2
8	1613	81 000		203.0	417.3

2)汉江安康站(流域面积38 700km^2),实测最大洪水1983年洪峰31 000m^3/s,使安康县城遭到毁灭性的灾害。根据历史文献记载,从公元前180年到1983年的2 163年中,安康共发生过这种量级的特大洪水13次,即公元前180年,公元219年、1133年、1416年、1472年、1583年、1867年、1693年、1724年、1770年、1852年、1647年、1983年,平均约170年一遇。其中以1583年为最大,洪峰为36 000m^3/s。能够确定洪峰的几次特大洪水如表25.6.2所示❶[23]。

表25.6.2　汉江安康站特大洪水

年　份	1583	1693	1983	1867
Q_m(m^3/s)	36 000	36 000~31 000	31 000	30 000

3)汉江丹江口(流域面积95 217km^2),自1583年以来发生过8次特大洪水:1583年、1693年、1724年、1832年、1852年、1867年、1921年和1935年,其中以1583年为最大,洪峰达61 000m^3/s,1724年洪水略小于1583年,1935年洪峰为50 000m^3/s,说明首几项洪水量级也很接近❷。

4)滦河滦县站(流域面积44 100km^2),根据近500年来的资料分析❸,该站洪峰相当于或大于1949年的28 000m^3/s者有11年(1559年、1587年、1709年、1790年、1849年、

❶ 水电部十五工程局设计院.安康洪水频率计算中几个问题的讨论.1982,7

❷ 骆承政.根据历史文献文物资料考证历史洪水.1975,8

❸ 李灿章.关于海滦河流域地区洪水规律的初步分析.河北省水利厅勘测设计院,1983年

1872 年、1883 年、1886 年、1894 年、1949 年、1962 年)，其中按洪峰大小排列，前五位的洪峰相差不大(表 25.6.3)[25]。

表 25.6.3 滦河滦县站特大洪水

年　份	1886	1790	1962	1849	1883
Q_m(m^3/s)	35 000	≈35 000	34 000	≤34 000	≤34 000

5)海河流域总流域面积为 265 000km²，按李灿章根据 1 500 年以来近 500 年的大量文献资料分析，海河洪水相当或大于 1956 年 8 月和 1963 年 8 月洪水的(受灾 80 个县以上，淹地 260 万 hm² 以上；大水包围天津、市内进水或淹城砖 10 级以上)共 17 年(表 25.6.4)，即平均约 30 年发生一次。其中 1604 年、1653 年和 1801 年洪水均较 1963 年洪水为大，其重现期平均当在百年以上。从天津的灾情来看，1653 年和 1668 年相近，分别淹天津城砖 17 级和 16 级；1801 年和 1604 年相近，分别淹天津城砖 26 级和 24 级。据考证，1801 年洪水是造成天津自永乐二年(1404 年)建城以来淹城砖最高的一次。

表 25.6.4 海河流域特大洪水年份表

时间(年)	洪 水 年 份					
1501～1600	1553					
1601～1700	1604	1607	1623	1653	1654	1668
1701～1800	1725	1794				
1801～1900	1801	1823	1871	1890		
1901～1982	1917	1937	1956	1963		

6)黄河干流花园口站(流域面积 730 000km²)，根据调查和历史文献资料分析，近千年来发生过的特大洪水年份有：1553 年、1632 年、1662 年、1761 年和 1843 年等，其中以 1761 年和 1843 年洪水为最大，其洪峰值分别约为 32 000m³/s 和 33 000m³/s，两者相差不大。

7)淮河根据历史文献和洪泽湖 1736 年到 1949 年的 200 多年水位资料的分析，在中渡(流域面积 158 100km²)以上，发生过的特大洪水年份有 1593 年、1569 年、1649 年、1739年、1848 年、1886 年、1931 年和 1954 年等❶。

在历史上(自 1194 年以来)，淮河常受黄河决口改道的影响，故使许多特大洪水难以定量。

❶ 水利电力部治淮委员会.淮河干流设计洪水报告(征求意见稿).1982,4

8)江西赣江万安站(流域面积 36 900km^2)通过历史文献分析和调查得知❶:万安以上流域近 600 余年来发生过的特大洪水有 5 次,即 1485 年、1556 年、1616 年、1713 年和 1915 年。其中以 1485 年为最大,洪峰达 24 500m^3/s。万安县城 1359 年修建过 1 次,1485 年为洪水所坏,因此 1485 年洪水至少是 1359 年以来的最大洪水,即重现期在 600 年以上。1915 年洪水仅次于 1485 年,它大致与 1556 年、1616 年和 1713 年的洪水同级。

9)湖南沅水流域自晋武帝成宁二年(公元 276 年)起,即有洪水记载。经查阅大量历史文献资料,在 276~1911 年的共 1 636 年期间,有大水记载的共 215 年,其中以 1189 年、1571 年、1618 年和 1766 年等年洪水为最大;另据群众反映,明洪武二年(1369 年)发生过特大洪水。

经反复调查落实,五强溪(流域面积 83 800km^2)1189 年、1571 年、1618 年、1766 年等大水年的洪峰分别为 48 700m^3/s、43 300m^3/s、43 000m^3/s 和 41 700m^3/s,这几年洪水量级比较接近。惟 1369 年洪水尚未落实❷,因此,1189 年洪水至少是 1189 年以来的第二位最大洪水,即约 400 年一遇。

10)太湖流域跨江苏、浙江两省和上海市,流域面积 36 000km^2。太湖居流域之中,湖区面积 2 250km^2,环湖进出水道有 200 余条,对全流域水量起着重要的调节作用。太湖水位的高低变化,标志着全流域水情的变化。1964 年在太湖下游的吴江县发现有一测量太湖水位的“水则碑”[26]。该碑位于吴江县东门外长桥上的垂虹亭北侧岸头。据考证,该碑建于 1120 年(宋宣和二年)。

通过对“水则碑”的考证和查阅太湖各县志记载等分析,可以得知,从 1120 年以来,若不分降雨历时长短和受灾范围大小,仅以吴江水位达六则(一则为 0.25m)高程为准,则在 800 年间,至少发生 20 次,平均 40 年发生 1 次。

从 1480 年以来,为明清两代具有较多记载的时期,选取降雨历时在 90 天以上,受灾范围 2/3 以上的县数,吴江水位为六则的全域性洪水,在 500 年间,有 1481 年、1561 年、1608 年、1823 年、1889 年和 1954 年等 6 次,平均约 80 年发生 1 次。

据分析,在 1120 年以来的 800 年间,太湖的历史最高水位吴江“水则碑”的上限高程“七则”,约合 4.73m(吴淞基面以上),即比 1954 年洪水位约高 0.35m[26]。

11)广西红水河(流域面积 130 870km^2)1949 年后有 8 个单位进行过 20 多次洪水调查。经过多方面的分析考证,查清了自 1831 年至 1936 年间发生过 15 次超过 41 年实测资料中的首项洪水的历史洪水。其年份是:1831 年、1833 年、1846 年、1871 年、1872 年、1875 年、1891 年、1893 年、1897 年、1902 年、1911 年、1915 年、1926 年、1929 年和 1931 年,以 1833 年为最大。其中有 9 年(1831 年、1833 年、1846 年、1871 年、1875 年、1891 年、1893 年、1897 年和 1931 年)在中游的板文村石壁上有刻字记载。据推算这 15 年洪水在东兰站(流域面积 106 580km^2,在板文村上游约 40km)的洪峰在 18 000~23 000m^3/s 之间❸,变幅不大。在更古远的时期是否有比 1833 年洪水更大的洪水呢?有关单位曾在红

❶ 南京大学气象系等.可能最大降水研究.1980,5

❷ 水利部规划设计管理局设计处等.设计洪水经验汇编.1981

❸ 广西电力工业局勘测设计院.红水河历史洪水调查考证及重现期的确定.1982,7

水河干流40多公里的河段内反复进行调查,并广泛考证本流域及邻近流域的历史文献资料,但仍未发现远超过1833年洪水的可靠线索。如据东兰站下游的来宾县的县志记载,洪水淹至该县县城的文庙、城隍庙、儒学副斋、县署门前等的特大洪水年份,有1415年、1748年、1833年、1872年、1902年和1926年等6年。经测定其所淹建筑物的地面高程,1415年为80.6m。其余5年均在81m左右(1902年水位高程为81.13m)❶,洪峰相差仅5%左右❷,基本上属于同一量级的洪水。若设想洪水位高程较1833年高出3~4m,即洪峰再增大20%~30%,则来宾县署将为洪水所淹。而县署其地面高程为84m,基本上是全城最高点。该县署系古建筑物,是明洪武年间(137×年)兴建。县署从兴建开始至清咸丰年间(185×年)兵毁的约480年内,县志曾记载有8次修补的历史,但只字未涉及遭受洪水淹没之事。说明600年以来,没有出现过水位高达84m高程(流量约为27 000m^3/s)的特大洪水。从来宾上游附近的迁江县的县志和古建筑物中,也可得出这样的结论❷。因此,可以认为在这段时期内发生远超过1833年的历史洪水可能性极小。

总起来说,红水河流域洪水频繁,但是特大洪水的水位高程都比较接近。

12)广西郁江的西津水电站(流域面积为77 300km^2),根据南宁历史文献资料分析,自1532年以来,有5次洪水与1881年属于同级。群众反映,1881年洪水为百年来所未见❷。

13)珠江支流西江梧州站(流域面积329 700km^2),具有自1900年以来的观测资料。其前五位为:1915年(洪峰54 500m^3/s),1998年(洪峰52 900m^3/s),1949年(洪峰49 200m^3/s),1924年(洪峰45 100m^3/s),1944年(洪峰44 200m^3/s)。

梧州的历史洪水曾经多次调查和反复考证,自公元992年以来有不完整的洪水灾害记述。自1485年以来有近500年的连续文献记载,在这期间发生特大洪水5次,即1485年、1535年、1537年、1586年和1915年。在频率计算中经过多方面的分析,把1915年作为1784年以来的首大洪水,即200年一遇处理❸。

14)浙江省飞云江(全流域面积3 550km^2),根据4次野外调查和大量历史文献考证❹,自1166年到1912年的近750年间发生的特大洪水年份有:1166年、1169年、1279年、1668年、1681年和1763年等6年,其中以1166年为最大。根据历史文献分析,这次特大洪水系由台风暴雨所造成,其洪峰在珊溪(流域面积1 529km^2)为13 700m^3/s,重现期约为800年。另据分析,1912年洪水是飞云江近120年来的最大洪水,珊溪洪峰为13 400m^3/s〔此数来自水规总院1990年编《全国大中型水利水电工程水文成果汇编(第二集)》〕。这说明飞云江流域前几位大洪水的量级十分接近。

15)长江上游金沙江宜宾水位站(流域面积623 000km^2),根据调查和历史文献分析考证,洪水位超过实测最高年——1966年的283.44m者有:842年,约290.00m;1644年,285.03m;1905年,284.34m。

---

❶ 水利部规划设计管理局设计处等.设计洪水经验汇编.1981

❷ 广西壮族自治区电力工业局勘测设计院.红水河岩滩电站洪水系列代表性.1982,3

❸ 广东省水利电力工业局勘测设计院.西江梧州站洪峰流量系列代表性分析.1982,3

❹ 水利电力部华东勘测设计院.飞云江流域1166年(宋乾道二年)历史洪水考证和分析.1978,9

宜宾上游的屏山站(流域面积 469 000km²),洪峰水位高于实测最高年——1966 年的 303.14m(流量 29 000m³/s)者有 9 年(表 25.6.5)。

表 25.6.5　　屏山站历史大洪水水位表

年份	842	1924	1860	1560	1644	1892	1813	1905	1928
水位(m)	310.70	307.30	306.29	306.05	305.80	305.38	304.30	304.06	303.30

屏山站,842 年水位系根据宜宾站水位,通过水位相关关系求出,按此水位推得洪峰为 43 800m³/s。

金沙江 842 年(唐会昌二年)洪水是一次罕见的特大洪水。这次洪水造成宜宾城池倾圮,被迫迁治于旧州坝。据多方面考证,这年洪水是自 607 年(隋大业三年)以来的最大洪水,至少也是 842 年以来的最大洪水,即洪水重现期可以估计为 1 140～1 370 年❶。

16)福建闽江竹岐站(流域面积 54 500km²),实测最大洪水为 1998 年,洪峰33 800 m³/s[20],历史最大洪水为 1609 年,洪峰 38 500m³/s。根据历史文献资料分析,自 1026 年以来,相当于 1750 年(洪峰为 34 200m³/s[2])洪水的年份有 1641 年、1646 年、1661 年、1713 年、1720 年、1834 年等 6 年;相当于 1609 年的洪水年份有 1224 年和 1416 年❷。

此外,根据文献〔1,2〕统计,中国河流还有 40 多个例子属于前二到三四位洪水洪峰接近稳定的情况,详见表 25.6.6。

有趣的是,从作者所收集到的 50 多个国家近 100 条河流的资料[27,28]来看,也有前二到四五位洪水洪峰接近稳定的情况(表 25.6.7)。

另外,根据文献❸的介绍,西班牙为了设计杜罗(Duero)河(河长 776km,流域面积 98 375km²,其中西班牙境内 78 972km²,经葡萄牙流入大西洋)梯级水电站的溢洪道,曾用了几年的时间进行历史洪水调查考证工作。该河从 10 世纪以来在编年史中就有洪水记载,自 1592 年以来就有洪水位标记,在居民中有许多关于特大洪水的传说(如某几场特大洪水把其发生日期用圣名来称呼)。通过调查,得到杜罗河自公元 1200 年以来及其支流近 370 年的最大洪水,断定了杜罗河在近 500 年中并未发生大大超过近代洪水的大水。并因杜罗河的调查最大洪峰自公元 1200 年以来曾重复出现几次,从而认为可以假定该河洪水存在一个上限。

美国研究古水文学的科斯达(J.E.Costa)博士,1985 年收集了美国大陆近万年以来的最大洪水资料,点绘了全美国最大流量与流域面积的点据分布图,并绘制了上包线(图 25.6.1)。他指出,这条上包线有随统计资料年限的增长而逐渐上移,并向一条极限曲线靠拢的趋势。他又对比这些流域发生的最大洪水与 PMF 的关系后发现,最大洪水一般为 PMF 的 66%～91%,只有少数点据超过了 PMF 值,这可能是由于泥石流或选用糙率不当而使流量计算偏大所造成的。他认为,有理由推断各地的洪水确有某个可能最大值存在[30,31]。

---

❶ 郭荣文,王瑞琼.唐会昌二年(842 年)金沙江特大洪水的考证与估算.水利电力部成都勘测设计院,1983,1

❷ 电力工业部华东勘测设计院水文队.福建省闽江水口水电站初步设计书(水文部分).1979,9

❸ 水利电力部第四工程局.国外水库设计洪水标准及确定途径现状——第九届国际大坝会议专题综述.1973,8

表 25.6.6 中国主要河流历史最大洪水与同量级洪水一览表

序号	流 域	河 名	站 名	F (km^2)	Q_m (m^3/s)	年 份
1	松花江	第二松花江	丰 满	42 693	15 300	1856
					15 100	1953
2	松花江	第二松花江	吉 林	12 900	12 900	1909
					11 000	1923
3	松花江	牡丹江	石 头	14 000	3 550	1896
					3 410	1851
4	松花江	牡丹江	长江屯	35 879	11 600	1932
					10 200	1964
5	鸭绿江	鸭绿江	集 安	24 900	12 600	1914
					11 000	1928
6	鸭绿江	瑷 河	梨树沟	5 629	17 600	1888
					17 400	1960
7	海 河	大沙河	郑家庄	3 770	11 700	1917
						1892
					10 000	1939
8	黄 河	大夏河	冯家台	6 851	1 160	1904
					1 100	1922
					1 070	1930
					1 050	1914
9	黄 河	窟野河	温家川	8 645	15 000	1946
					14 000	1976
					13 500	1971
10	淮 河	沙 河	昭平台	1 416	8 700	1956
					8 200	1884
11	淮 河	沙 河	石头岭	9 110	7 250	1956
					7150	1929
12	淮 河	沙 河	漯 河	12 580	3 760	1931
					3 760	1943
13	淮 河	北汝河	襄 城	5 432	5 160	1632
					5 060	1612
14	淮 河	澧 河	上澧河店	1 943	3 700	1896
					3 700	1929

续表 25.6.6

序号	流 域	河 名	站 名	F (km^2)	Q_m (m^3/s)	年 份
15	淮 河	沂 河	角 沂	3 356	12 100	1939
					10 300	1912
					10 300	1931
16	淮 河	淮 河	辉 村	6 312	15 800	1974
					15 700	1914
17	长 江	金沙江	石 鼓	232 651	8 250	1892
					7 850	1904
					7 550	1972
					7 450	1970
18	长 江	长 江	朱 沱	604 725	64 100	1950
					62 300	1936
19	长 江	长 江	李 庄	639 227	65600	1520
					61 600	1905
20	长 江	沱 江	登瀛岩	14 484	14 600	1898
					14 000	1981
21	长 江	涪 江	天仙寺	4 885	8 800	1840
					8 800	1937
22	长 江	涪 江	三块石	28 393	28 600	1840
					28 300	1945
23	长 江	嘉陵江	亭子口	61 089	25 000	1857
					24 400	1903
					23 700	1981
					23 000	1913
					22 500	1840
24	长 江	嘉陵江	北 碚	156 142	57 300	1870
					53 300	1903
					52 100	1840
25	长 江	湘 江	株 洲	71 979	21 200	1924
					20 600	1906
					19 900	1968

续表 25.6.6

序号	流 域	河 名	站 名	F (km^2)	Q_m (m^3/s)	年 份
					19 600	1926
26	长 江	资 水	润 溪	20 287	11 600	1926
					11 100	1924
					10 400	1949
27	长 江	沅 江	王家河		34 000	1878
					33 500	1911
					31 000	1933
					30 500	1935
					30 300	1931
					30 200	1926
28	长 江	青弋江	陈 村		10 700	1882
					10 500	1868
29	长 江	乐安江	乐 平	7 842	13 200	1935
					13 000	1882
30	长 江	清 江	搬鱼嘴	15 563	18 900	1969
					18 700	1883
31	长 江	赣 江	樟 树	71 324	22 200	1876
					21 100	1924
					21 000	1915
					20 300	1899
					20 300	1962
32	长 江	青衣江	董 河	10 772	14 800	1955
					14 600	1845
33	钱塘江	新安江	罗桐埠	10 442	20 000	1942
					19 500	1901
34	钱塘江	兰 江	兰 溪	18 233	25 200	1416
					22 800	1686
35	珠 江	桂 江	昭 平	14 965	17 400	1908
					17 000	1914
					17 000	1909

续表 25.6.6

序号	流 域	河 名	站 名	F (km²)	Q_m (m³/s)	年 份
36	珠 江	龙 江	三 岔	15 870	11 600	1902
					11 200	1924
					11 200	1945
					10 800	1949
37	珠 江	浔 江	大湟江口	290 760	44 900	1924
					44 900	1949
					43 000	1902
38	珠 江	红水河	迁 江	122 500	23 300	1926
					21 600	1902
					21 200	1915
					20 500	1931
39	珠 江	北 江	横 石	34 013	21 000	1915
					19 600	1931
					18 000	1982
40	昌化江	昌化江	亲天峡	2 984	17 900	1877
					17 000	1948
41	万泉河	万泉河	琼 海	3 236	11 700	1948
					10 100	1970

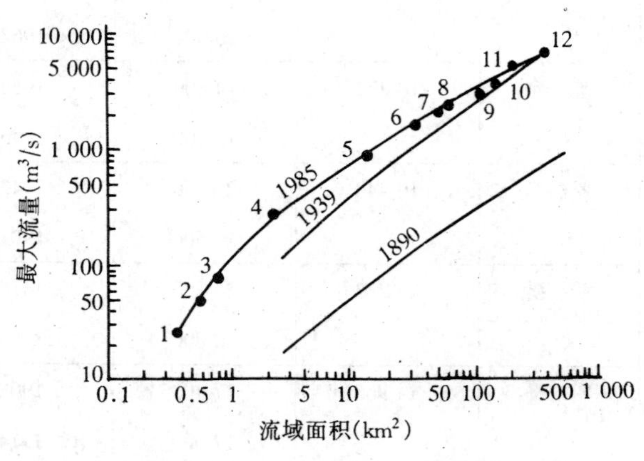

1 华盛顿， 2.4 和 8 内华达，
3 犹他， 5 和 6 俄勒冈，
7 亚利桑那，11 和 12 得克萨斯，
10 科罗拉多

图 25.6.1 美国小流域最大洪水外包线

图中 1890、1939 和 1985 表示不同年份绘制外包线的变动趋势，转引自文献〔31〕

表 25.6.7　世界部分河流历史最大洪水与同量级洪水一览表[27,28]

序号	国　名	河　名	地　点	流域面积 (km²)	年·月·日	Q_m (m³/s)	观测年限 (年)
1	罗马尼亚	多瑙河 Dunarea	奥尔索瓦 Orsova	575 000	1895.4.17 1888.5.17 1897.6.7 1940.4.13	15 900 15 500 15 400 15 100	1834～1977
2	德　国	莱茵河 Rhein	马克斯奥 Maxau	50 345	1882.12.28 1944.11.26 1970.2.25 1955.1.15	4 620 4 420 4 400 4 300	1921～1978
3	德　国	易北河 Eibe	诺伊 Neu—Darchau	131 950	1895.4.7 1940.4.1 1947.3.27	3 840 3 690 3 500	1937～1978
4	德　国	莱茵河 Rhein	雷斯 Rees	159 680	1926.12.1 1882.12 1845.4.3	12200 11580 11490	1845,1850 1882,1926 1930～1970
5	法　国	卢瓦尔河 Loire	锡耶 Cien	35 900	1856.6.2 1866.9.27 1846.10.20	8 500 8 500 7 900	1825～1979
6	法　国	塞纳河 Seine	巴黎 奥斯特利茨 Paris Austerlitz	44 300	1658.2.27 1910.1.28 1741	2 500 2 405 2 160	1732～1869 1873～1982
7	法　国	罗讷河 Rhone	里昂 莫拉讷 Lyon Pt Morand	20 300	1856.5.31 1928.2.16 1944.11.25	4 500 4 400 4 250	1877～1979
8	法属圭亚那	马罗尼河 Maronl	兰加 塔比克 Langa Tabiki	60 900	1968.6.2 1960.6.4	7 000 6 840	1952～1980
9	加　蓬	奥果韦河 Ogooue	兰巴雷内 Lambarene	204 000	1962.11.17 1935.11.19 1940.12.7	13 600 13 400 13 000	1929～1981
10	挪　威	克洛马河 Clomma	隆奈斯 Langnes	40 010	1967.6.6 1934.5.14 1966.5.26 1910.5.28	3 540 3 220 3 220 3 210	1901～1976

续表 25.6.7

序号	国名	河名	地点	流域面积 (km^2)	年·月·日	Q_m (m^3/s)	观测年限 (年)
11	美国	波托马克河 Prtomac	波因特夫罗克斯 Point of Rocks	25 000	1936.3.19 1889.6.2	13 600 13 000	1895～1980
12	美国	阿勒格尼河 Allegheny	基坦宁 Kittanning	23 240	1913.3.26 1806.4.10 1865.3.18	7 620 7 340 7 140	1904～1928 1934～1980
13	美国	田纳西河 Tennessee	查塔努加 Chattanooga	55 430	1867.3.11 1875.3.1 1886.4.3	13 000 11 600 11 100	1874～1980
14	美国	纽河 New	德尔里奥 Eggleston	10 840	1932.9.1 1954.6.28 1948.6.24	16 900 16 600 13 500	1910～1912
15	美国	密西西比河 Mississipi	基奥卡克 Keokuk	308 000	1851.6.6 1973.4.24 1965.5.1 1888.5.18	10 200 9 740 9 260 8 890	1878～1980
16	美国	怀特河 White	贝茨维尔 Batesville	28 650	1916.2.1 1915.8.22	10 800 10 600	1904～1958
17	英国	怀河 Wye	埃鲁德 Erwood	1 280	1960.12.4 1979.12.27 1965.12.9	1 205 1 130 1 090	1937～1981
18	委内瑞拉	奥里诺科河 Orinoco	安戈斯图拉 Angostura	836 000	1892 1976.8 1943	98 120 92 250 91 730	
19	苏联	奥卡河 Oka	穆罗姆 Murom	188 000	1926.4.30 1908.5.6 1932.4.24	18 500 17 700 17 200	1881～1978
20	苏联	伯朝拉河 Petchora	瓦特—齐利马河 Uat—Tsilma	248 000	1952.6.8 1934.6.6 1966.6.2	39 500 34 600 33 400	1932～1979
21	苏联	涅瓦河 Neva	新萨拉托夫斯克 Novosaratovka	281 000	1955.7.23 1924.6.15 1958.6.6 1899.8.26	4 590 4 510 4 470 4 340	1859～1979
22	苏联	涅曼河 Neman	斯马利宁凯 Smalininkai	81 200	1829.4.12 1958.4.21 1827.3.13 1870.4.11	6 820 6 580 6 240 6 230	1811～1978

续表 25.6.7

序号	国　名	河　名	地　点	流域面积 (km²)	年·月·日	Q_m (m^3/s)	观测年限 (年)
23	苏　联	德聂伯河 Dnieper	斯摩梭斯克 Smolensk	14 100	1908.5.1 1931.5.1 1958.4.28	1 820 1 720 1 660	1881～1979
24	苏　联	伏尔加河 Volga	伏尔加格勒 Volgograd	1 350 000	1926.5.29 1919.5.25 1917.5.16 1929.6.15	51 900 46 700 45 700 45 500	1879～1955
25	苏　联	伊希姆河 Ishim	彼得罗巴甫洛夫斯克 Petropavlovsk	106 000	1941.4.23 1948.5.8 1942.5.14	3 760 3 750 3 340	1932～1967
26	苏　联	鄂毕河 Ob	萨列哈尔德 Salekhard	2 430 000	1979.8.10 1971.7.4 1941.8.7	44 800 43 800 41 800	1930～1979
27	苏　联	勒拿河 Lena	基尤修尔 Kusur	2 430 000	1944.6.11 1967.6.8	194 000 * 189 000	1935～1978
28	苏　联	黑龙江 Amur	共青城 Komsomolsk	1 730 000	1959.9.20 1951.9.21 1957.9.17 1953.8.6	38 900 38 200 35 500 35 300	1933～1979
29	苏　联	因迪吉尔卡河 Indigirka	沃龙佐夫 Vorontsovo	305 000	1967.6.15 1941.6.8 1968.5.31	11 700 11 500 11 200	1937～1978
30	芬　兰	武奥克萨河 Vuoksi	利马特拉 Lmatra	61 265	1899.8.26 1924.7.21 1955.4.10	1 162 1 146 1 137	1847～1975
31	乌干达	基奥加尼罗河 Kyoga Nile	帕拉 Paraa	340 000	1917.11 1964.11	2 100 2 000	
32	加　纳	奥蒂 Volta	萨博巴 Senchi	50 300	1957.10.1 1962.9.18	2 870 2 840	27
33	危地马拉	乌苏马辛塔河 Usumacinta	博卡塞罗 Boca del	51 540	1967.10.25 1969 1972	6 600 6 150 6 100	1949～1972

续表 25.6.7

序号	国名	河名	地点	流域面积 (km^2)	年·月·日	Q_m (m^3/s)	观测年限 (年)
34	加拿大	圣劳伦特河 Saint Laurent	拉萨勒 La Salie	960 000	1943.5.13 1976.4.2 1951.4.17 1947.6.4	14 870 14 600 14 570 14 270	1880～1979
35	加拿大	马更些河 Mackenzie	辛普森堡 Fort Simpson	1 270 000	1961.5.30 1977.6.6 1942.6.14 1975.7.2	23 500 23 000 22 200 22 000	1933～1980
36	加拿大	萨格奈河 Saguenay	马利讷岛 Lsle Maligne	73 000	1928.5.31 1920.5.30 1976.5.22	9 260 9 060 8 950	1913～1980
37	加拿大	乔治河 George	普雷斯 恩布彻 Pres embouchure	35 200	1979.5.23 1975.6.8 1970.6.25	7 960 7 900 7 050	1962～1979
38	加拿大	丘吉尔河 Churchill	法里斯 Above upper Muskrat Falis	92 500	1957.6.27 1966.6.17 1956.7.3	6 820 6 710 6 630	1948～1950 1953～1979
39	喀麦隆	萨纳加河 Sanaga	埃代河 Edea	1 315 000	1969.10.7 1955.10.18 1949.10.30 1961.10.21	7 700 7 570 7 450 7 440	1943～1979
40	喀麦隆	武里河 Wouri	亚巴西 Yabassi	8 250	1965.10.1 1978.9.30 1960.8.25 1967.8.30	1 845 1 841 1 825 1 799	1951～1979
41	哥伦比亚	马格达莱纳河 Magdalena	卡拉马尔 Calamar	257 438	1975.11.20 1974.11.28	14 700 14 400	1941～1976
42	中非共和国	乌班吉河 Oubangul	班吉 Bangui	500 000	1916.10.23 1891.11.19 1961.11.2	15 800 14 500 14 400	1880～1980
43	墨西哥	帕帕洛阿潘河 Papaloapan	帕帕洛阿潘 Papaloaoan	21 235	1969.9.11 1958.10.15	6 850 6 825	1947～1975

续表 25.6.7

序号	国　名	河　名	地　点	流域面积 (km²)	年·月·日	Q_m (m³/s)	观测年限 (年)
44	马　里	尼日尔河 Niger	库利科罗 Koulikoro	120 000	1925.10.5 1924.10.5 1967.10.12	9 670 9 410 9 340	1907～1979
45	马　里	尼日尔河 Niger	迪雷 Dire	340 000	1955.12.6 1954.12.21 1957.12.18	2 750 2 730 2 680	1924～1979
46	刚　果	刚果河 Congo	布拉柴维尔比奇 Brazzaville Beach	3 475 000	1961.12.27 1962.12.20 1964.12.10	76 900 73 250 69 450	1902～1980
47	刚　果	桑加河 Sangha	韦索 Ouesso	158 350	1960.11.6 1962.11.2 1957.10.25	4 730 4 720 4 660	1947～1980
48	乍　得	洛贡河 Logone	拉伊 Lai	56 700	1955.10.9 1969.9.25 1970.9.8	3 730 3 330 3 330	1948～1977
49	挪　威	斯纳鲁萨尔夫河 Snarumselv	克勒德伦 Kroderen	5 094	1916.5.12 1927.6.30 1917.5.31	1 100 1 090 1 040	1889～1964
50	巴基斯坦	印度河 Indus	阿塔克 Attock	264 000	1929 1882 1924 1878	23 200 20 900 19 500 19 100	1868～1978
51	巴基斯坦	杰纳布河 Chenab	默赖 Maraia	34 000	1959 1957 1954 1973	24 600 23 200 23 150 21 760	1925～1978
52	新西兰	布勒河 Buller	伯林斯 Berlins	5 920	1926.5 1950.11	10 000 10 000	自 1871 年以来最大洪水
53	阿根廷	巴拉那河 Parana	巴拉那 Parana	2 047 300	1905.6.15 1966.3.17	29 900 27 870	1901～
54	阿根廷	乌拉圭河 Vruguay	圣托梅 Santo Tome	127 500	1972.9.1 1923.6.24	23 040 22 800	1907～

续表 25.6.7

序号	国　名	河　名	地　点	流域面积 (km^2)	年·月·日	Q_m (m^3/s)	观测年限 (年)
55	阿根廷	利迈河 Limay	帕索 利迈 Paso Limay	26 400	1922.7 1906.6	4 865 4 825	1903～
56	澳大利亚	马兰比吉河 Murrum－Bidgee	甘加达里 Gungadai	21 100	1853 1852 1870	10 500 10 000 10 000	1886～1982
57	澳大利亚	菲茨罗伊河 Fitzroy	菲茨罗伊 克罗辛 Fitzroy Crossing	45 300	1967.2.17 1981.2	12 200 12 000	1957～1980
58	澳大利亚	奥德河 Ord	库利巴 Cooliban Pockett	46 100	1956.2.27 1959.1.11	30 800 30 000	1955～1969
59	孟加拉国	恒河 Ganges	哈丁桥 Hardings Bridge	950 000	1973.8.21 1961.9.1	74 060 73 200	1934～1975
60	贝　宁	莫诺河 Mono	阿蒂埃梅 Athieme	21 500	1949.9.6 1963.9.7	911 904	1944～1981
61	巴　西	塔夸里河 Taquari	穆孙 Mucum	16 150	1941.5.5 1965.8.19 1946.1.26 1983.7.6	12 500 11 500 10 300 10170	1940～1983
62	巴　西	圣弗朗西斯科河 Sao Francisco	特赖普 Traipu	622 600	1960.4.1 1949.3	15 890 15 680	1938～1978
63	几内亚	孔库雷河 Konkoure	蓬德泰利梅莱 Pont de Telimele	10 250	1958.9.6 1955.7.31 1950.8.9	2 930 2 890 2 780	1948～1959 1967～1978
64	匈牙利	多瑙河 Duna	布达佩斯 Budapest	185 200	1965.6.15 1954.7.18	8 310 7 960	1823～1975
65	匈牙利	蒂萨河 Tisza	扎霍尼 Zahony	32 780	1941.2.19 1970.5.17 1932.4.9	3 608 3 360 3 343	1860～1975

续表 25.6.7

序号	国 名	河 名	地 点	流域面积 (km²)	年·月·日	Q_m (m³/s)	观测年限 (年)
66	印 度	哥达瓦里河 Godavari	多拉什瓦拉姆 Dolaishwaram	309 000	1907.7 1959.9.17 1953.8.16	80 000 78 700 78 000	1901～1960 1965～1980
67	印 度	默哈讷迪河 Mahanad	巴勒穆拉 Baramul	127 000	1946.8.25 1947.9.2 1960.8.17	39 400 39 200 36 300	1946～1970
68	印 度	恒河 Ganga	法拉卡 Farrakka	935 000	1954.8.22 1980.9.6 1971.8.23	72 900 71 300 70 500	1948～1980
69	印 度	索尼河 Sone	戈埃尔瓦尔 Koelwer	67 870	1971.7.20 1934	36 800 35 000	
70	印 度	亚穆纳河 Yamuna	布罗达布尔 Pratappur	366 500	1964.9.28 1861	37 900 37 500	
71	印 度	达莫德尔河 Krishna	罗迪亚 Rhondia	19 900	1935.8.12 1941.10.10	18 100 17 900	1934～1960 1965～1974
72	印 度	讷尔默达河 Narmada	加鲁德什瓦尔 Garudeshwar	88 000	1970.9.6 1968.8.6 1973.8.31	69 400 58 000 58 000	1948～1980
73	伊拉克	阿发拉底河 Alfurat	希特 Hits	264 100	1969.5.13 1968	7 366 6 654	1924～1975
74	爱尔兰	香农河 Shannon	基拉卢 Killaloe	11 690	1960.1.1 1925.1.7 1930.1.16	750 733 721	1893～1981
75	意大利	波河 Po	蓬泰拉戈斯库罗 Pontelagoscuro	70 090	1951.11.14 1917.6.4 1926 1928	10 300 8 900 8 850 8 770	1918～1944 1953～1970
76	意大利	翁布罗内河 Ombrone	萨索多姆布朗 Sasso d'ombrone	2 660	1944.11.2 1966.11.4	3 120 3 110	1926～1942 1949～1970
77	意大利	阿达河 Adda	丰特斯 Fuentes	2 600	1911.8.22 1927 1940	1190 1160 1070	1921～1943 1948～1970

续表 25.6.7

序号	国 名	河 名	地 点	流域面积 (km^2)	年·月·日	Q_m (m^3/s)	观测年限 (年)
78	象牙海岸	萨桑德拉河 Sassandra	盖萨博 Guessabo	35 400	1957.9.25 1966.10.5 1971.9.12	1 900 1 870 1 800	1953～1979
79	象牙海岸	科莫埃河 Comoe	阿尼亚苏埃 Aniassue	66 500	1954.9.29 1968.10.4 1963.10.5	2 370 2 200 2 170	1953～1980
80	日 本	阿贺野川 Agano	马下 Maoroshi	7 710	1958.9.18 1956.7.17 1978.6.26	8 930 8 030 7 870	1951～1981
81	日 本	新宫川 Shingu	男鹿 Oga	2 350	1959.9.26 1953.9.25	19 025 18 000	1937～1981
82	日 本	吉野川 Yoshino	岩濑 Iwazu	3 750	1974.9.9 1975.8.23 1970.8.21	14 470 13 870 12 820	1961～1980
83	日 本	淀川 Yodo	平泻 Hirakata	7 280	1959.9.27 1953.9.25 1961.10.28	7 970 7 800 7 200	1898～1981
84	利比利亚	马诺河 Mano	马诺米纳斯 Mano Mines	5 540	1960.8.19 1959.9.24 1977.9.1	1 610 1 590 1 450	1958～1961 1970 1975～1979
85	马达加斯加	伊翁德鲁河 Ivondro	灵罗因加 Ringroinga	2 545	1956.2.6 1971.1.21 1959.3.25	3 050 3 050 2 850	1952～1975
86	马达加斯加	芒戈基河 Mangoky	巴尼扬 Banian	50 000	1933.2.5 1904.1.28	38 000 37 000	
87	朝 鲜	大灵光河 Daeryonggang	博川 Pakchon	3 020	1975.8.12 1965.7.29 1978.8.13	13 500 13 130 12 800	1956～1980
88	韩 国	汉江 Han	仁同遥桥 Indogyo Bridge	25 050	1925.7.18 1972.8.19 1965.7.16 1966.7.26	34 400 30 000 26 000 25900	1918,1940 1947～1948 1952～1976

续表 25.6.7

序号	国名	河名	地点	流域面积 (km^2)	年·月·日	Q_m (m^3/s)	观测年限 (年)
89	塞内加尔	塞内加尔河 Senegal	巴克尔 Bakel	218 000	1906.9.15 1922.9.25 1958.8.29	9 340 9 070 8 170	1903～1980
90	南非	卡利登河 Caledon	亚默德里夫 Jammersdrift	13 420	1934.1.3 1976.1.6	3 680 3 680	1922～1972
91	西班牙	埃布罗河 Ebro	萨拉戈萨 Zaragoza	40 430	1961.1.2 1889.2.8 1892.2.6	4 130 3 800 3 790	69
92	西班牙	瓜达尔基维尔河 Guadalgquivir	科尔多瓦 Cordoba	25 450	1974.3.6 1916.12.19 1916.1.4	3 500 3 500 3 400	29
93	西班牙	瓜达尔基维尔河 Guadalquivir	里奥堡 Alcala del Rio	47 000	1925.12.22 1912.2.10	6 800 6 700	44
94	苏丹	杰贝勒河 Bahr el Jebel	蒙加拉 Mongalla	450 000	1964.10.15 1917.10.5 1963.5.15	2 900 2 840 2 800	1905～1975
95	瑞典	达尔河 Dalalven	努什伦德 Norslund	25 300	1860.6.1 1916.5.18 1899.5.25	2 640 2 410 2 030	1851～1918
96	瑞典	于斯南河 Ljusnan	斯韦格 Sveg	8 490	1916.5.12 1924.5.27 1959.5.2	1 150 1 090 1 080	1914～1961
97	瑞典	温贝拉尔文河 Vinbelalven	伦弗斯 Renfors	11 900	1938.6.9 1945.6.21 1971.6.8	1 650 1 500 1 480	1911～1980
98	瑞典	穆奥尼奥河 Muonjoalv	卡利沃 Kallio	14 300	1968.6.10 1917.6.7 1920.5.22	1 720 1 650 1 600	1911～1980
99	瑞士	莱茵河 Rhein	巴塞尔 Basel	35 925	1876.6.13 1852.9.18	5 700 5 650	1808～1975

续表 25.6.7

序号	国 名	河 名	地 点	流域面积 (km²)	年·月·日	Q_m (m³/s)	观测年限 (年)
100	多 哥	奥蒂河 Oti	芒戈 Mango	35 650	1962.9.21 1970.9.27 1957.9.28	1 750 1 710 1 620	1953～1981
101	多 哥	莫诺河 Mono	泰泰土 Tetetou	20 500	1968.9.7 1963.7.30 1960.9.29	1 310 1 255 1 240	1951～1981
102	南斯拉夫	多瑙河 Danube	博戈耶沃 Bogojevo	251 590	1965.6.15 1975.7.13 1954.7.25	9 290 8 360 7 920	1923～1978
103	南斯拉夫	多瑙河 Danube	斯梅代雷沃 Smederevo	255 820	1962.4.18 1965.6.25 1970.5.29	14 100 13 830 13 460	1928～1978
104	扎伊尔	扎伊尔河 Zaire	博马 Boma	3 815 540	1961.12.20 1969.12.11 1962.12.27	90 000 78 200 76 400	1933～1975
105	扎伊尔	扎伊尔河 Zaire	金沙萨 Kinshasa	3 747 320	1961.12.17 1962.12.27 1964.12.11	81 110 75 710 71 875	1925～1979
106	尼日利亚	尼日尔河 Niger	洛科贾 Lokoja	1080 000	1969 1915 1925 1955	27 100 27 000 26 500 26 400	1915～1977
107	尼日利亚	尼日尔河 Niger	奥尼查 Onitsha	1 100 000	1954 1955 1962 1957 1964	23 000 23 000 22 900 22 400 22 000	1950～1977
108	尼日利亚	贝努埃河 Benue	马库尔迪 Makurdi	305 000	1970 1975 1960 1954 1948	14 600 14 200 14 100 14 000 13 900	1931～1967 1970～1977
109	尼日尔	尼日尔河 Niger	尼亚美 Niamey	700 000	1970.2.1 1968.2.9 1956.2.22	2 360 2 320 2 160	1934～1979

续表 25.6.7

序号	国　名	河　名	地　点	流域面积 (km^2)	年·月·日	Q_m (m^3/s)	观测年限 (年)
110	波　兰	维斯瓦河 Wisia	特切夫 Tczew	194 000	1924.4.1 1940.4.2 1962.6.13	9 550 8 920 7 840	1921～1980
111	新喀里多尼亚(法)	瓦伊卢河 Houailou	卡罗文 Carovin	270	1951.2 1981.12.24 1955.3.5 1966.3.29	2 500 2 500 2 500 2 300	32
112	埃　及	尼罗河 Nile	阿斯旺 Aswan	1 500 000	1878.9.25 1892.9.12 1874.9.3 1964 1887.9.5	13 200 12 640 12 640 12 500 12 040	1870～1977

*　序号 27 中 1944 年洪峰资料来源为文献〔29〕。

25.6.2　物理成因初探

大江大河稀遇洪水数值具有稳定性,这一重要现象的物理成因可以从下面五个方面来加以说明。

25.6.2.1　从洪水成因来看

由于一个特定流域其产流汇流条件是一定的,对一定历时来说,其非常洪水的天气成因具有十分显著的相似性,也就是非常洪水的天气成因类型具有惟一性(见 25.4.2 节)。因此现在不少水文气象工作者都认为:凡是在实测资料中见到的特大暴雨洪水,在历史上一定能够找到与其相似的类型;反之,凡是在历史上发生的特大暴雨洪水,今后也一定会发生。这种认识和气候学上在古气候研究中所经常采用的惟一性原理,即"过去出现过的气候,今后必将还会出现;现在出现的气候类型必定可以从历史气候中找到相似的类型"〔32〕是一致的。显然,这种相似性或者说惟一性,表现在稀遇洪水数值上,就是稳定性。

25.6.2.2　从事物的相互关系来看

影响暴雨和洪水的最主要因素是大气运动。从宏观看,大气运动是围绕整个地球进行的。为了维持地气体系的热量和能量(动能和位能)的平衡,大气环流对水汽、热量、能量等物理量具有自动调节的功能。例如,太阳辐射使地面不均匀加热,产生对流,成云致雨,但云系形成后减弱太阳辐射,降雨也使下垫面温度降低和均匀化,从而抑制对流作用,不致无限制的发展。特大暴雨过程是大气环流异常的产物,而大气环流特别是长期过程,除受辐射因子影响外,还要受高原、海洋和极冰等热力因子和动力因子的作用和制约。例如,海洋对大气加热,影响大气运动,而大气运动通过切变应力推动海洋表面洋流和海水上翻,使海温分布发生调整,以致改变海洋对大气的加热作用。海气的这种相互作用和相互控制使得大气环流不致过分异常,也不允许长期天气过程永远朝一个方向发展[33]。

据1991年5月7日美国《纽约时报》报道,美国斯克里普斯海洋地理研究所的气候学家维拉帕德兰·拉马纳坦博士和威廉·柯林斯博士二人通过分析卫星和船舶搜集的温度和阳光数据的变化后,提出了海洋—大气系统是地球的天然恒温器的理论,认为全球气候变暖的过程不会失去控制。

报道说,这两位科学家研究了1987年发生厄尔尼诺现象时在太平洋和位于赤道的中太平洋上空的海洋—大气系统的变化活动情况,考察了气候变化时温度和云之间的关系。在这一周期性变化中,洋流自然产生的变化引起赤道海面的温度升高几摄氏度。他们发现,当海面变得比较热的时候,空气中的水蒸气显著增加。水蒸气是最强大的温室气体,它能扩大二氧化碳和阳光的加热效果,产生"超级温室效应"。与此同时,形成了巨大的高雷雨云。当这些雷雨云到达冻结高度时,它们的顶部变成由冰晶组成的巨大、平坦的砧状卷云。当这些砧状卷云彼此相连达到最大程度时,它们几乎能覆盖400万平方英里的地球表面。在通常情况下,卷云将帮助阻滞大气层中的热量。但是,卷云越厚,它们反射的阳光越多,能阻止阳光到达海面。这种情况对于抵消下面变暖的程度来说绰绰有余,它的净效果将能制止海面进一步变暖。他们还发现,一旦冷却开始,这种高雷雨云和卷云便消散,整个过程又重新开始。

这两位科学家说,温度的最高限度(海洋变暖的程度不会超过这一限度),按月平均来说,似乎是90°F(32.2℃)左右。他们认为,在热带大西洋和印度洋上似乎也会发生这种恒温器过程。

我们认为,美国两位气候学家的研究,是用实际观测资料证明了海洋与大气的相互作用和相互制约,使得气候的变暖和变冷都有一定的限度,不致过分异常。

25.6.2.3 从事物的运动规律来看

自然界事物的运动,都是以一定的周期波浪式向前发展的,可以说运动的周期性是事物的共性之一。不过有些事物运动的周期比较严格,有些则不太严格。运动周期比较严格的事物有电(磁)波、光波、声波、水波、机械震动、原子衰变、潮汐生消等。

天体运行的周期也较严格,如地球的自转周期为1天,地球的公转周期约为365.25天;月球运动周期(月球绕地球转动一周所需时间)为27.321 6天。而一切行星围绕太阳公转的周期可以用克普勒行星运动第三定律来确定。这个定律说明:行星绕太阳公转周期 T(以年为单位)的平方等于它与太阳距离 D(以日地距离为单位)的立方,即

$$T^2 = D^3$$

故

$$T = D^{3/2}$$

运动周期不太严格的事物有生物的生长和衰亡过程;季节性疾病的流行等❶。

降雨和洪水的长期变化具有明显的周期性,这是世界各国的许多水文和气象学者所公认的[32,34]。因为降雨是大气运动的产物,大气运动的能源主要是来自太阳。而太阳活

❶ 王国安.对洪水在多年期间的变化规律的认识似应来一次转变.成都科技大学三十周年校庆论文,1984,11

动是具有周期性的。例如，太阳黑子变化的11年周期，海尔(Hale)周期(22～23年)，世纪周期(80～90年)和超长周期(400～700年)等[34]。当然，一个流域的降雨和洪水的周期并不与太阳活动周期一一对应，可能还有其他许多因素(如其他行星活动周期等)的影响。但是，大量资料的统计说明，降雨和洪水的周期与太阳活动周期是比较密切的。

文献❶应用周期图方法进行分析，发现梧州站和哈尔滨站的洪峰流量，陕县站的15天洪量，正阳关站的30天洪量等系列中都含有11～12年及22～24年的周期。

长江宜昌站6～10月汛期水量存在14年周期。在1875～1952年中共出现4个完整周期，周期长度相当固定。振动的峰值出现于1906年、1920年、1936年、1948年。而谷值出现于1900年、1914年、1928年、1942年。

从中国若干单位收集的中国华北和华东一批长系列资料的分析来看，其中均存在35年周期。有关的分析结论是：

1)华北五站(京、津、唐、保定等)7～8月区域平均降水量的10年滑动平均值有35年左右的周期，其低谷出现在1902年、1939年、1974年，高峰出现在1926年、1960年。

2)长江中下游五站(上海、南京、芜湖、九江、汉口)5～8月区域平均降水量的10年滑动平均值也有35年周期，其峰值出现在1910年、1945年，谷值出现在1895年、1930年、1965年。

3)根据水利水电科学研究院水利史室整理的16世纪以来(1501～1900)华北地区与长江中下游逐年旱涝记载，其中也存在平均35年左右的周期起伏。

4)据南京大学气象系分析，华东五站(上海、芜湖、温州、九江、福州)年雨量系列中，除10年以下周期外，主要周期为34年及42年。此外，据分析，这些系列中还具有15～17年及21～24年的次要周期。

值得注意的现象是：在以上各个代表性系列中，比较普遍地存在着11～12年，23年左右及34～35年的周期。这三种周期恰好是11.5年(太阳黑子活动平均周期为11.2年，木星公转恒星周期为11.86年)这个基本周期的整倍数，看来不可能是一种偶然的巧合，而有可能是降雨和洪水现象年际变化的内在规律的表现。

此外，还有更长历时的周期。例如，据王云璋对黄河陕县站1765年以来的200多年资料(其中1919年以后为实测，以前为按万锦滩报汛水位资料推估)分析，发现其年最大流量的主周期长度除2年和22～23年外，还有100年左右❷。又如，克雷格等人根据尼罗河开罗的劳代(Roda)站620～1522年连续900多年的水位记录分析，发现该站洪水具有许多少则2年多至240年不等的周期[29]。

既然一条河流洪水的长期变化是按某种周期循环发展(当然不是简单的重复)的，那么它就不会无限制地增大，而是应有一近似的极限值。

25.6.2.4 从河道地形条件来看

朱元甡教授认为，世界上许多大江大河的河道所流经的中游，特别是下游，一般都是平原或相对平坦的地区，河道断面多呈复式，而且河道两岸常有堤防，在发生非常洪水时，

---

❶ 水电部第四、十一工程局水文组.洪水频率分析与计算中的几个问题.1975,7

❷ 王云璋.黄河陕县站年最大流量的历史变化未来19年趋势展望.水文预报学术讨论会论文,1981

洪水一般都不归槽,而是漫滩行洪、甚至堤防漫决、洪水横流,这样在当地水文站所观测到的洪峰就增长不快,从而表现出各次非常洪水的洪峰相差不大。

这就是说,某些河道的地形条件,也会使非常洪水的洪峰有一个近似的极限值。

25.6.2.5 从现有雨量来看

根据胡明思教授提供的两项资料,降雨强度是有近似极限的。一项资料是原广东省水文总站张纪尧同志根据海南岛的实测大暴雨资料统计,发现强台风雨雨量 P 的大小,与台风移动速度 V 的关系密切并呈负相关。这说明台风雨的降雨强度 i 是变化不大的。因为

$$P = it = i\frac{S}{V}$$

只有当 i 与 S(计算台风移速的起始点距离为常数)的乘积近似于常数时,P 与 V 才能呈现负相关。即移速越慢(降雨历时 t 越长),降雨量 P 就越大。

另据吴启乾介绍,他们在编制福建省全省可能最大 24 小时点雨量等值线图的工作中,发现在沿海地区登陆的台风造成的 24 小时暴雨过程,与相应的台风移速有密切的关系[35]。说明雨强变化不大。

胡明思提供的另一项资料是他亲自领导编制的《中国实测和调查年最大 10 分钟雨量分布图》(暴雨洪水分析计算协调小组办公室编,资料截止 1982 年)。从该图看,中国最大 10 分钟的降雨量,具有明显的地区规律:随着地面高程自西向东递减,降雨量则自西向东递增,但在同一类型区内,则变化不大,如第一阶梯(阶梯的划分,见 24.1.1 节)为 10~20mm,第二阶梯为 30~40mm,第三阶梯为 45~55mm,台湾地区约为 90mm。这说明,在同一类型区,短历时雨强,也有其近似的极限值。

综上所述,既然降雨强度有其近似的极限,那么降雨总量也应该是有近似极限的,这反映到洪水上,也应有近似极限。

25.6.3 两点推论

由于发现中国大面积江河的洪水都有随着重现期的增长,洪峰流量并不像皮尔逊Ⅲ型曲线那样无限制地急剧增大,而是达到某一量级以后,就趋于稳定,即趋于一近似的极限值,也就是频率曲线的上端应是比较平缓的,于是导致作者得出以下两点推论:

1)皮尔逊Ⅲ型曲线,不能完全反映中国大面积江河的洪水特征,因为它的上端不是趋于平缓,而是翘得高高的(详细论述,见 26.1 节)。

2)中国大面积江河的 PMF 要小于皮尔逊Ⅲ型曲线的万年一遇的数值。因为从物理成因概念上讲,PMF 应是近似于物理上限的洪水,而现有实际资料表明,历史特大洪水一般变化不是太大的,这就意味着这个近似于物理上限的 PMF,一般不会比已知的历史最大洪水大出很多;可是皮尔逊Ⅲ型曲线的万年一遇洪水就不一样了,它要比历史最大洪水大出很多很多(如潘家口、黄壁庄等水库要大出一倍以上)。显然,皮尔逊Ⅲ型的万年一遇洪水,超出了自然界的实际可能(详细论述,见 26.2 节)。

25.7 极限洪水的近似数值

既然中国大面积江河的洪水，不是随着重现期的增长而无限制地急剧增大，而是达到某一量级以后，就趋于一近似的极限值。那末，这个极限值是多少呢？下面就来讨论这个问题。

25.7.1 认识问题的依据

大家知道，暴雨洪水的大小与天气气候条件和流域下垫面条件有关。从长期来看，气候和下垫面条件都是变化的，因而在不同的历史时期内所可能发生的暴雨洪水极值也应有所差别。但是从工程观点来看，我们只需着眼于研究现代的极值就够了，因为水库工程的寿命，一般都是几百年。

要回答现代极值是多少，我们还是从统计资料入手。从表 25.7.1 和表 25.6.6 来看，中国大面积江河的历史最大洪水，多数发生在 19 世纪，如长江为 1870 年、黄河为 1843 年、海河为 1801 年、滦河为 1886 年、雅砻江为 1863 年，太湖为 1832 年，鸭绿江为 1888 年等。

值得注意的是，世界一些著名的大河流的历史最大洪水，也发生在 19 世纪(表 25.7.2)而且有些大河流在此期间还出现连续几年的大洪水年。例如，黄河 1841～1843 年和 1849～1851 年分别连续 3 年出现大洪水。尼罗河开罗站自公元 620 年以来，有 1 000多年的水位记载(620～1522 年的 900 多年为连续记录)，其中 1870～1898 年的 29 年为高洪水期[29]。印度阿萨姆邦的乞拉朋齐地区，1860～1861 年连续两年发生特大降雨，从 31 天到 2 年的各种时段的点雨量为 9 300～40 768mm，均为世界最高记录(见表 16.1.1)。

从全球范围来看，中国大面积江河的历史最大洪水多出现在 19 世纪，不是偶然的。据王涌泉研究[36]，1840 年、1870 年和 1890 年都是太阳活动和地球水文异常变化时期，容易发生严重的旱涝灾害。

从表 25.7.1 还可以看到，中国有些大面积江河的历史最大洪水是发生在其他世纪，但总的来说，差不多都是发生在 14 世纪以后。有少数河流(如金沙江、飞云江及沅水等)的历史最大洪水虽然发生在 14 世纪以前，但在 14 世纪以后都有与其同量级(相差最大不超过 16%)的洪水(表 25.7.3)。

表 25.7.1 中国主要河流历史最大洪水发生年份一览表

序号	河名	站名	F (km²)	历史最大洪水			与历史最大洪水同量级的年份
				Q_m (m³/s)	年份	重现期 (a)	
1	嫩江	阿彦浅	64 152	13 400	1794	190	
2	浑江	桓仁	10 400	19 000	1888	217	
3	松花江	哈尔滨	389 769	16 200	1932	约 100	1957，1998
4	太子河	参窝	6 175	16 900	1960	150	1810
5	鸭绿江	荒沟	55 420	44 800	1888		1960

续表 25.7.1

序号	河名	站名	F (km²)	历史最大洪水			与历史最大洪水同量级的年份
				Q_m (m³/s)	年份	重现期 (a)	
6	滦河	潘家口	33 700	24 400	1883	120	1894
7	海河	天津			1801	600	1604,1653
8	海河	黄壁庄	23 272	20 000~27 500	1794	188~375	1654,1668
9	漳河	岳城	18 100	13 000	1849	77~125	1557,1569,1607,1652,1654,1794,1894
10	永定河	官厅	43 402	9 400	1801	250~500	
11	潮白河	密云	15 788	10 650	1939	125~150	
12	黄河	兰州	222 551	8 500	1904	120~160	
13	黄河	吴堡	433 514	32 000	1842	147~267	
14	黄河	三门峡	688 384	36 000	1843	1 000	
15	渭河	咸阳	46 856	11 600	1898	约 100	
16	泾河	张家山	43 216	18 700	1841*	>150	
17	北洛河	洑头	25 154	10 700	1853	>140	
18	伊河	龙门镇	5 318	20 000	223	1 760	722
19	沁河	五龙口	9 223	14 000	1482	500	1056
20	沂河	临沂	10 090	30 000	1730	250~500	1593
21	淮河	中渡	158 200		1593	500	1569,1649,1739,1848,1866,1931,1954
22	金沙江	屏山	469 000	43 800	842	1 140~1 370	1924,1860,1560
23	嘉陵江	武胜	78 850	38 100	1870		1903
24	雅砻江	小得石	116 490	16 500	1863	120	1924
25	岷江	映秀湾	19 020	3 870	1890	120	1887
26	乌江	武隆	83 035	30 600	1830	120	1297,1587,1588,1696,1786
27	汉江	丹江口	95 217	61 000	1583	900	1724
28	沅水	五强溪	83 800	48 700	1189	400~800	1369,1571,1618,1766
29	湘江	归阳	27 983	19 100	1794	200	1924
30	资水	柘溪	22 640	15 300	1926	150	1848
31	赣江	万安	36 900	24 500	1485	>600	1915,1556,1616,1713
32	长江	寸滩	866 559	100 000	1870		1788
33	长江	宜昌	1 005 501	105 000	1870	840~2 500	1227,1560,1153,1860
34	太湖	吴江			1882	500	1481,1561,1608,1889,1954
35	兰江	兰溪	18 233	25 200	1416	300~600	1686
36	新安江	新安江	10 442	25 200	1744	400	1682
37	闽江	竹岐	54 500	38 500	1609	400~800	1224,1416
38	富屯溪	邵武	3 057	13 600	1416	600~1 000	
39	飞云江	珊溪	1 529	13 700	1166	800	1912
40	猫跳河	红枫	1 596	3 250	1830	400	
41	西河	升钟	1 756	8 170	1842	400	
42	西江	梧州	329 700	54 500	1915	200	1485,1522,1535,1537,1574,1586

续表 25.7.1

序号	河名	站名	F (km²)	历史最大洪水 Q_m (m³/s)	历史最大洪水 年份	历史最大洪水 重现期 (a)	与历史最大洪水同量级的年份
43	北江	横石	34 013	21 000	1915	200	1931
44	澜沧江	漫湾	114 500	16 000	1750	250～460	18××
45	元江	蛮耗	32 037	9 610	1908		1986
46	雅鲁藏布江	奴下	189 843	12 700	1962		

表 25.7.2 世界部分河流历史最大洪水的发生年份统计表

序号	国名	河名	地点	流域面积 (km²)	时间 (年·月·日)	Q_m (m³/s)
1	苏联	顿河	利塞基	69 100	1888	11 200
2		叶尼塞河	克拉斯诺耶尔斯克	300 000	1857	28 000
3		阿穆尔河	共青团城	1 700 000	1876	50 000
4		结雅河	结雅城	84 000	1861	40 000
5	缅甸	伊洛瓦底江	克撒	360 000	1877	63700
6	印度	阿萨姆邦 亚穆纳河 Yamuna	乞拉朋齐 布罗达布尔 Pratappur	366 500	1860～1861 1861	37 500
8	美国	哥伦比亚河 Columbia	达尔斯 The Dalles	614 000	1894.6.6	31 500
9		亚拉巴马河 Alabama	蒙哥马利 Montgomery	31 900	1886. 4.1	9 120
10		田纳西河 Tennessee	查塔努加 Chattanooga	55 430	1867.3.11	13 000
11		密苏里河 Missvuri	赫曼 Herman	43 700	1844.6	25 300
12		密西西比河 Mississipi	圣路易斯 St. Louis	1 805 000	1844.6.27	36 800
13		密西西比河 Mississipi	基奥卡克 Keokuk	308 000	1851.6.6	10 200
14		科罗拉多河 Colorado	奥斯汀 Austin	99 500	1869.7.7	15 600
15		科罗拉多河 Colorado	利斯 Lees F	289 600	1844.7.7	8 500
16		比尔威廉斯河 Bill Williams	阿拉莫 Alamo	12 250	1891.2.21	5 660
17		圣安娜河 Santa Ana	阿灵顿 Arlington	2 200	1862.1.22	9 060
18		威拉米特河 Willamette	塞勒姆 Salem	18 900	1861.12.4	14 200
19		斯卡吉特河 Skagit	康瑟雷特 Concerete	7 090	1815	14 200
20	意大利	阿迪杰河 Adige	特伦托 Trento	9 770	1882.9.17	2 500
21		提契诺河 Ticino	米奥利纳 Miorina	6 600	1868.10.2	5 000
22	英国	迪河 Dee	凯恩顿伍登德 Cairnton Woodend	1 370	1829.8	1 900
23		特伦特河 Trent	特伦特桥 Trent Bridge	7 490	1795 1875	1 420 1 270
24		泰晤士河 Thames	特丁顿 Teddington	9 670	1852 1894.11.18	1 130 1 060

续表 25.7.2

序号	国 名	河 名	地 点	流域面积 (km^2)	时间 (年·月·日)	Q_m (m^3/s)
25	法 国	罗讷河 Rhone	博凯尔 Beaucaire	96 500	1856.5.31	12 000
26		迪朗斯河 Durance	米拉比奥 Pt. Mirabeau	11 900	1882.10.25	5 100
27		卢瓦尔河 Loire	锡耶 Cien	35 900	1856.6.2 1866.9.27 1846.10.20	8 500 8 500 7 900
28		卡罗尼河 Caronne	阿让 Agen	34 900	1875.6	8 500
29	罗马尼亚	多瑙河 Dunarea	奥尔索瓦 Orsova	755 000	1895.4.17 1888.5.17 1897.6.7	15 900 15 500 15 400
30	西班牙	夸德拉达河 Cuadiana	巴奥达贾斯 Baodajoz	48 515	1877.12.7	10 000
31	奥地利	多瑙河 Donau	维恩 Wien	101 700	1501.8 1787.11.1 1899.9.18 1862.2.4	14 000 11 800 10 500 9 850
32	瑞 典	达尔河 Dalalvev	诺斯隆德 Norslund	25 300	1860.6.1 1899.5.25	2 640 2 030
32	瑞 士	莱茵河 Rhein	巴塞尔 Basel	35 925	1876.6.13 1852.9.18	5 700 5 650
33	葡萄牙	特茹河 Tejo	韦利亚镇 Vila Vilha	59 170	1876.12.7	12 000
34	德国	易北河 Elbe	德累斯顿 Dresden	53 100	1890.9.6	4 350
35		穆尔德河 Mulde	格尔泽 Golzerh	5 440	1573.8.14	2 200
36		莱茵河 Rhien	马克斯沃 Maxau	50 345	1882.12.28	4 620
37		威悉河 Weser	因特切德 Intschede	37 790	1841.1.21 1891.1.29 1881.2.16	4 650 4 300 3 760
38		内卡河 Neckar	海德堡 Heidelberg	13 810	1824.10.30 1882.12.28	4 000 3 000
39		美因河 Main	埃兰克福奥斯特哈芬 Erankfuhrt - Osthafen	24 765	1342.7.21	4 000
40		易北河 Elbe	诺伊达尔肖 Neu - Darchau	131 950	1895.4.7	3 840
41		多瑙河 Donau	霍夫基兴 Hofkirchen	47 495	1845.3.31	4 470

续表 25.7.2

序号	国名	河名	地点	流域面积 (km^2)	时间 (年·月·日)	Q_m (m^3/s)
42	澳大利亚	尼平河 Nepean	彭里斯 Penrith	11 000	1867	21 000
43		拉克伦河 Lachian	高尔 Gowra	11 100	1870	8 000
44		马兰比吉河 Murrum—bidgee	甘加德尔 Gungadal	21 100	1853 1852 1870	10 500 10 000 10 000
45	委内瑞拉	奥里诺科河 Orinoco	蓬特安戈斯图拉 Puente Angostura	83 600	1892	98 120
46	埃及	尼罗河 Nile	阿斯旺 Aswan	1 500 000	1878.9.25 1892.9.12 1874.9.3 1887.9.5	13 200 12 640 12 640 12 040
47		尼罗河 Nile	劳代 Roda	2 682 000	1870～1898	

表 25.7.3 沅水等河流历史最大洪水与次大洪水洪峰比较表

河名	站名	历史最大洪水		历史次大洪水		$K=\frac{Q'_m}{Q_m}$
		年份	Q_m (m^3/s)	年份	Q'_m (m^3/s)	
沅水	五强溪	1189	48 700	1517	43 300	0.889
金沙江	屏山	842	43 800	1924	36 900	0.842
飞云江	珊溪	1166	13 700	1912	13 400	0.978

25.7.2 初步结论

根据以上分析,我们提出如下初步认识:在中国大面积江河上如能把近 600 年(明清两代以来)内的历史洪水调查考证清楚(其重现期一般为 600～2 000 年),其中的最大值,一般可以看作是现代气候条件下,该河的近似极限(上限)洪水。在工程设计上使用时,为安全起见,可考虑酌情再加大 10%～20%。

长江三峡工程(坝高 175m,总库容 393 亿 m^3,装机容量 1 820 万 kW),是举世无双的巨型水电工程,其校核洪水的洪峰流量为 124 000m^3/s[24],相当于历史最大洪水 1870 年的洪峰流量 105000m^3/s 加大 18%。对此数字,国内有关专家都认为是合理的。

参考文献

1 胡明思,骆承政主编.中国历史大洪水(上卷).北京:中国书店,1988
2 钱正英主编.中国水利.北京:水利电力出版社,1991
3 胡明思,骆承政主编.中国历史大洪水(下卷).北京:中国书店,1992
4 韩家田,张治怡.海滦河流域暴雨洪水特性.水文.1987(1)

5 王国安.黄河洪水.人民黄河,1983(3)
6 张金才.淮河流域暴雨洪水特性.水文,1993(5)
7 许正甫.长江流域暴雨洪水.水文,1988(3)
8 方勤生,郭莉.登陆台风特性分析.水文,1995(4)
9 何丽丽等.珠江流域暴雨洪水特性.水文,1987(3)
10 李龙兵.海南岛的水文特性.水文,1992(6)
11 陈光兴.海南岛的台风与暴潮,水文,1992(5)
12 吴瑞琛.西藏高原水文特性.水文,1990(2)
13 胡一三主编.中国江河防洪丛书:黄河卷.北京:中国水利电力出版社,1996
14 赵毅如,张有芷,周良芳.1870 年 7 月长江上游特大暴雨分析.水文,1983(1)
15 水电部第十三工程局勘测设计院.海滦河流域暴雨分析的几个问题.水文计算技术第 2 期(水库加固设计中的可能最大暴雨和洪水计算方法经验选编),1978(12)
16 韩曼华,史辅成.利用河流淤积物的特征确定 1843 年洪水来源区.人民黄河,1983(6)
17 郑秀雅,张迁治,白人海.东北暴雨.北京:气象出版社,1992
18 松辽水利委员会编.中国江河防洪丛书:松花江卷.北京:中国水利电力出版社,1994
19 王亚平,王小莺编著.扫荡地球的厄尔尼诺.天津:百花文艺出版社,1998
20 中华人民共和国水利部.中国'98 大洪水.北京:中国水利水电出版社,1999
21 水利部水文局.中国水文志.北京:中国水利电力出版社,1997
22 骆承政,乐嘉祥主编.中国大洪水——灾害性洪水述要.北京:中国书店,1996
23 杨之麟.安康水文站洪水流量资料的复核.水文,1984(4)
24 长江水利委员会编.三峡工程水文研究.武汉:湖北科学技术出版社,1997
25 王日升,张学明,王喜诚.滦河流域水文特性分析.水文,1990(3)
26 胡昌新.从吴江县水则碑探讨太湖历史洪水.水文,1982(1)
27 Rrodier J.A,RocheM.World Catalogue of Maximum Observed Floods,IHP—Ⅱ Proeject,A.2.7.2 IAHS—Publlcation No.143,1984
28 UNESCO.World Catalogue of Very Large Floods.1976
29 国际灌溉与排水委员会编.《防洪与水利管理丛书》编委会译.世界防洪环顾.哈尔滨:哈尔滨出版社,1992
30 丛树铮,朱元甡.中美双边水文极值学术讨论会——美方论文综述.水文,1987(1)
31 刘光文 .水文分析与计算 .北京:水利电力出版社,1989
32 龚高法等.历史时期气候变化研究方法.北京:科学出版社,1983
33 詹道江,邹进上.可能最大洪水大于万年洪水吗?——兼论暴雨洪水的物理上限.水力发电,1980(2)
34 张家诚等.气候变迁及其原因.北京:科学出版社,1976
35 吴启乾.考虑台风移速减慢的暴雨放大法——"水汽历时放大法"估算可能最大暴雨.水文计算技术,第 4 期,1979(6)
36 王涌泉编著.日地水文学与灾害预测.台北:茂昌图书有限公司,1998

26　与 PMF 取值有关的两大问题

在设计洪水计算中，有两大问题：一是对用频率曲线估计的万年一遇（即概率为 0.01%）洪水（以下简称万年洪水）的认识；二是 PMF 与万年洪水的关系。这两个问题不仅有重要的学术意义，而且与 PMF 的取值有关，对水利水电工程的安全与经济关系极大。本章拟就这两大问题进行讨论。

26.1　对万年洪水的认识

万年洪水是世界上采用数理统计法推求水库设计洪水的一些国家所采用的最高一级的防洪标准。实际上，这是把万年洪水看作是极限洪水。现就万年洪水的来历与问题作一剖析[1,2]，并就万年洪水的前景问题，谈几点看法。

26.1.1　万年洪水的来历

现在，水利水电工程设计上使用的所谓万年一遇洪水，一般是根据短短的几十年实测资料（有的再加上几年调查资料），拟合出一条频率曲线（本质上相当于经验公式或曲线板），把它大幅度地加以外延得出来的。而目前中国所采用的皮尔逊Ⅲ型曲线和世界各国所采用的许多其他线型一样，都是上端无限。也就是说，从纯数学上看，上端不仅可以外延到万年，而且还可以外延到十万年、百万年，直至无穷。

那么，人们为何只延长到万年呢？过去尚未见有人谈及这一问题。

从我们收集到的资料来看，最早把万年洪水正式写入国家规范的是苏联（1946 年）。当时苏联把万年洪水作为水工建筑物的最高防洪标准。至于为什么要用万年洪水，则从未见到说明。从它制定规范的思路来看，也许认为万年洪水就相当于极限洪水（当然，真正的极限洪水是无法求得的，也是不存在的，这里所谓极限洪水，也只能是近似值，下同），因为比这更大的洪水，它就不考虑了。所以，万年洪水作为最高防洪标准纯粹是一种人为的规定。

中国使用万年洪水源于前苏联。50 年代我们学习苏联经验，万年洪水就从苏联来到了中国，直至今天。

26.1.2　万年洪水的问题

万年洪水在中国水利水电行业，深入人心。但是，根据文献〔1～5〕的研究，中国把按皮尔逊Ⅲ型曲线求得的万年洪水作为极限洪水一般是偏大的和脱离中国实际的。这可以从以下五方面来说明。

26.1.2.1　从其来历看

如上所述，中国使用万年洪水是从苏联学来的。但是，苏联的气候与中国大不相同。它是以融雪洪水为主的国家，其年最大洪水的变差系数 C_v 不大，一般为 0.2～0.6[6,7]，相应的万年一遇洪水也不是太大,仅为多年平均值的2~5倍。而中国是以暴雨洪水为主的国家,洪水的 C_v 较大,一般为0.5~0.9,长江以北的河流很多都在1.0~1.6之间,有的甚至达到2以上(滹沱河支流冶河平山站按1993年3月计算成果,其洪水的 C_v 值:洪峰为2.1,3日洪量为2.4,6日洪量为2.3),故万年一遇洪水也较大,一般为多年均值的5~10倍,北方 $C_v>1$ 的河流则高达14~30多倍(图26.1.1)。可见,与苏联相比,中国的万年洪水大得惊人。

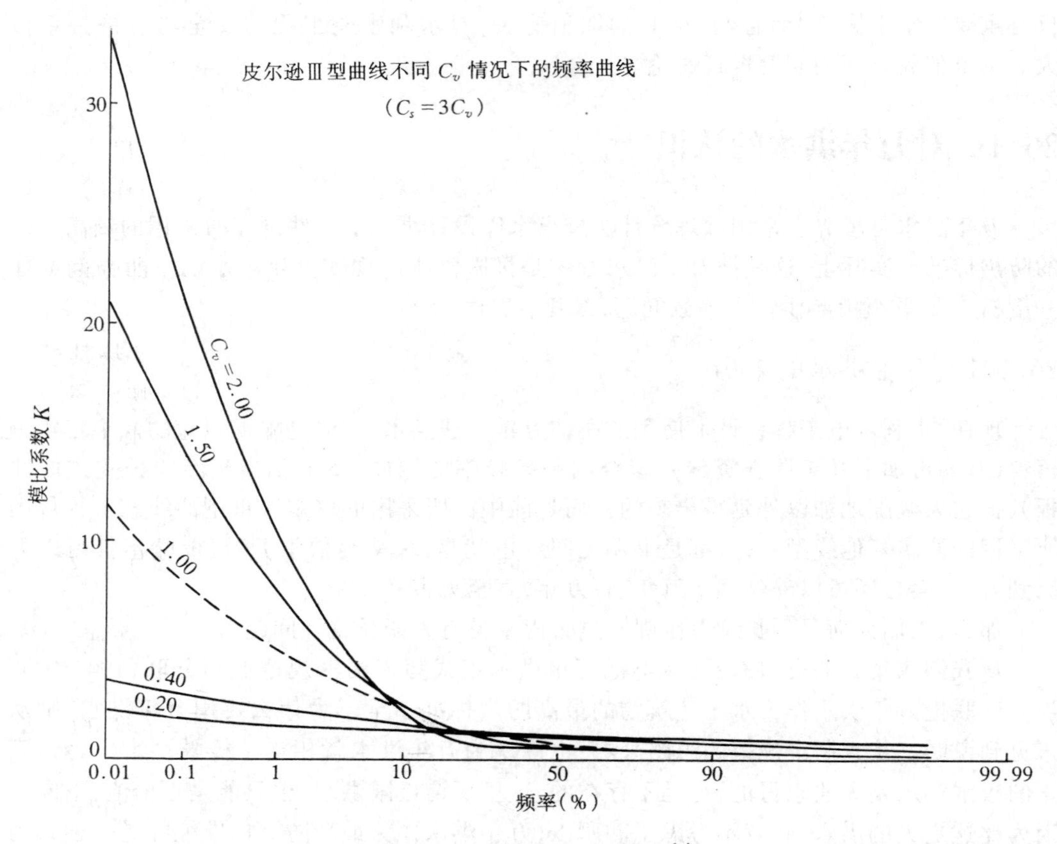

图26.1.1 洪水频率曲线图[2]

需要特别指出,即使是苏联,早在60年代初期就有些水文学者对苏联的万年洪水提出怀疑。他们分析了具有25~121年系列,流域面积大于40 000km² 的欧洲部分若干平原河流后,发现,所出现的最大流量几率最多达1/100~1/555,没有发生过超过设计标准的情况,有许多水库建成几十年,溢洪道一次也未用过。从而认为按1/1 000~1/10 000几率的洪水作为设计标准偏于保守,浪费投资。于是主张降低洪水标准❶。

26.1.2.2 从物理成因上看

谁都承认,从物理成因上讲,任何一条河流的暴雨洪水,都是有其极限的,决不可能无限制地增大。事实上,中国有许多河流资料已经表明:随着洪水重现期的增长,洪峰并不

❶ 水利电力部科学技术情报所.一些国家的水库设计洪水标准.1976,1

像皮尔逊Ⅲ型曲线那样,无限制地急剧增大,而是达到某一量级以后就趋于稳定,即趋于一近似的极限值(详见25.6节)。对此,若频率曲线采用皮尔逊Ⅲ型曲线,则求得的万年洪水,一般是偏大的。

经验频率曲线上端趋向一个上限,这是中国一些著名水文专家的共识。

例如,水科院叶永毅教授于文献〔8〕中论述洪水频率曲线线型时说:"根据初步分析,全国各地洪水系列分布,可大致分为三种类型。"第一种类型是"频率曲线上部平缓、稀遇洪水增长不快。这一类型多见于南方多水地区的大河。"接着他举了广西红水河东兰站和黄河三门峡作为例子。最后说:"这些例子都说明稀遇洪水的增长是很缓慢,似乎频率曲线趋向一个上限"。

又如,河海大学詹道江教授等人与淮委、长委、黄委、河北省水利设计院等单位合作,对淮河、长江、黄河、海河的某些河段进行古洪水研究的初步成果,也得出了同样的认识。如在反映海河古洪水成果的文献❶中,就阐明了这个观点:"事实上如果工作更细,古洪水首几位之间量值的相近性可能更加突出(研究历史洪水时已发现此征兆),即频率曲线上部趋向一个上限的情况必将出现,这是符合洪水的物理成因的。"

另外,长江三峡河段研究发现,晚全新世以来的3 000年中的古洪水,有4场其大小与历史最大洪水——1870年洪水(洪峰105 000m^3/s)相差不大❷。黄河三门峡至小浪底河段研究发现,晚全新世以来的3 000年古洪水,有2场其大小与历史最大洪水——1843年洪水洪峰(三门峡为36 000m^3/s,小浪底为325 00m^3/s),相差不大❸。

26.1.2.3 从计算方法看

中国现行的频率计算方法,在许多环节上的技术处理上都偏于保守,结果导致设计值偏大[4],例如:

1)线型采用皮尔逊Ⅲ型,上端无限,翘得高高的,与中国大江大河的洪水特性不符。这一点已如上述。

2)经验频率采用数学期望公式$P=m/(n+1)$计算,得出的P值通常偏于保守(估值偏高),致使适时曲线偏于右方,结果使设计值偏大。

3)历史洪水的定量和重现期的选定,一般多偏于保守。例如:长江三峡1870年洪水原定重现期为840多年(1153年以来最大),但从古洪水研究来看,1870年洪水的重现期应为2 500年❷。

4)在频率曲线定线时,一般总是要尽可能照顾历史洪水点据,哪怕是高悬的"天灯",也要尽量靠近它。这样,求得的所谓万年洪水,一般都偏大。

26.1.2.4 从实际计算结果看

中国用现行频率计算法求得的万年洪水,一般都偏大。中国东部和中南部有近30座工程的万年洪水,比世界洪水记录外包线大10%~80%(表26.1.1)。

---

❶ 河海大学水资源水文系,河北省水利水电勘测设计院.岗南、黄壁庄水库古洪水研究报告.1991,8

❷ 河海大学水资源水文系,长江水利委员会水文局.长江三峡工程古洪水研究报告.1993,12

❸ 河海大学水资源水文系,黄河水利委员会勘测规划设计研究院.黄河小浪底水利枢纽古洪水研究报告.1995,6

有的地方,万年洪水大得出奇。例如,淮河中渡站的年最大30天洪量,其均值为125亿 m^3,$C_v=1.05$,$C_s=2.5C_v$,按此参数,采用皮尔逊Ⅲ型曲线,推算的万年一遇值为1 380亿 m^3。这个数字相当于什么概念呢?中国四场著名的特大暴雨即长江357、海河638、淮河758和黄河778,降雨量的总和为1 585亿 m^3(表26.1.2),若径流系数采用0.80(实测最大30天径流系数,1954年仅为0.58~0.63),则所形成的洪水总量仅1 268亿 m^3,即比那个1 380亿 m^3,还小112亿 m^3。而根据气象专家们的意见,要把这样四场特大暴雨,一场紧接一场地下到淮河流域之内,是不可能的。

表26.1.1　中国万年洪水超过世界洪水记录外包线的若干水库

序号	河　名	库　名	流域面积 (km^2)	C_v	洪峰流量(m^3/s)			$K=\frac{(7)}{(8)}$
					实测最大	万年	世界外包线	
(1)	(2)	(3)	(4)	(5)	(6)	(7)	(8)	(9)
1	浑　江	太平哨	12 961	0.85	15 800	36 500	36 480	1.00
2	浑　江	金　坑	14 518	0.80	19 400	42 100	38 100	1.10
3	太子河	参　窝	6 175	1.16		34 500	28 900	1.19
4	青龙河	桃林口	5 060	1.45	8 760	35 700	27 100	1.32
5	滦　河	潘家口	33 700	1.42	18 800	59 200	49 300	1.20
6	滹沱河	黄壁庄	23 272	1.50	13 100	50 300	43 900	1.15
7	拒马河	紫荆关	1 800	1.55	4 490	22 600	19 500	1.16
8	沙　河	朱　庄	1 220	1.60	9 500	18 100	17 300	1.05
9	沙　河	王　快	3 770	1.45		33 800	24 700	1.34
10	唐　河	西大洋	4 420	1.60		31 800	26 000	1.22
11	中易水	安格庄	476	1.38		14 300	12 800	1.12
12	洋　河	洋　河	755	1.35		15600	14900	1.05
13	蒲　河	巴家嘴	3 522	1.34	7 300	25 400	24 200	1.05
14	潍　河	峡　山	4 210	1.00		38 000	25 600	1.48
15	沂　河	临　沂	10 090	0.95	15 400	55 600	33 700	1.65
16	洪　河	板　桥	762	0.90	13 000	19 300	14 900	1.30
17	沙　河	昭平台	1 500	0.90		31 500	18 500	1.70
18	臻头河	薄　山	575	1.10		14 000	13 600	1.03
19	淠　河	佛子岭	1 840	0.49		21 700	19 700	1.10
20	淠　河	响洪甸	1 400			20 400	18 100	1.13
21	史　河	梅　山	2 100	0.55		27 100	20 500	1.32
22	史　河	磨子潭	570	0.70		15 800	13 600	1.16
23	汉　江	丹江口	95 217	0.60	50 000	82 300	68 500	1.20
24	瓯　江	滩　坑	3 330	0.68	9 150	30 500	23 700	1.28
25	飞云江	珊　溪	1 529	0.69		20 200	18 600	1.09
26	新安江	新安江	10 442	0.44	20 000	34 300	34 100	1.01
27	昌化江	大广坝	3 498	0.80		42 700	24 100	1.77
28	南渡江	松　涛	1 440	0.60	15 700	24 700	18 200	1.36

表26.1.2　淮河中渡站万年一遇30天洪量与四大江河著名特大暴雨比较表

河名	站　名	暴雨面积 (km^2)	暴雨洪水	历时 (d)	降雨总量 (亿 m^3)	洪　量 (亿 m^3)
淮河	中渡	158 200	万年洪水	30		1 380
长江		158 200	1935年7月暴雨	10	740	
海河		158 200	1963年8月暴雨	10	600	
淮河		43 160	1975年8月暴雨	5	200	
黄河		77 000	1977年8月暴雨	0.7	45	
合计					1 585	

再将淮河中渡与长江三峡作一比较(表 26.1.3),中渡的万年洪水也显得异常突出:这二者相比,面积比为 15.8%;多年平均值比为 13.4%;长江三峡以上、淮河中渡以上同时发生的两个特大水年:1954 年为 37.0%,1931 年也仅 48.2%;而万年洪水比却高达 78.1%。

表 26.1.3　　中渡与三峡最大 30 天洪量比较

河　名	站　名	集水面积(万 km^2)	最大 30 天洪量(亿 m^3)			
			均值	1954 年	1931 年	万年
淮河	中渡	15.8	125	513	513	1 380
长江	三峡	100	935	1 386	1 065	1 767
中渡与三峡比(%)		15.8	13.4	37.0	48.2	78.1

中渡万年洪水之所以如此之大,是由于频率曲线通过了 1931 年和 1954 年这两个特大洪水点子的中间(图 26.1.2)。而这两年的情况特殊,是由长期(连续 1 个多月)梅雨形成的全流域性的大洪水年,其他年份的洪水,则是由历时 3～5 天的一二场局部地区暴雨形成[3]。也就是说,洪水系列不是来自一个总体,不具有一致性。

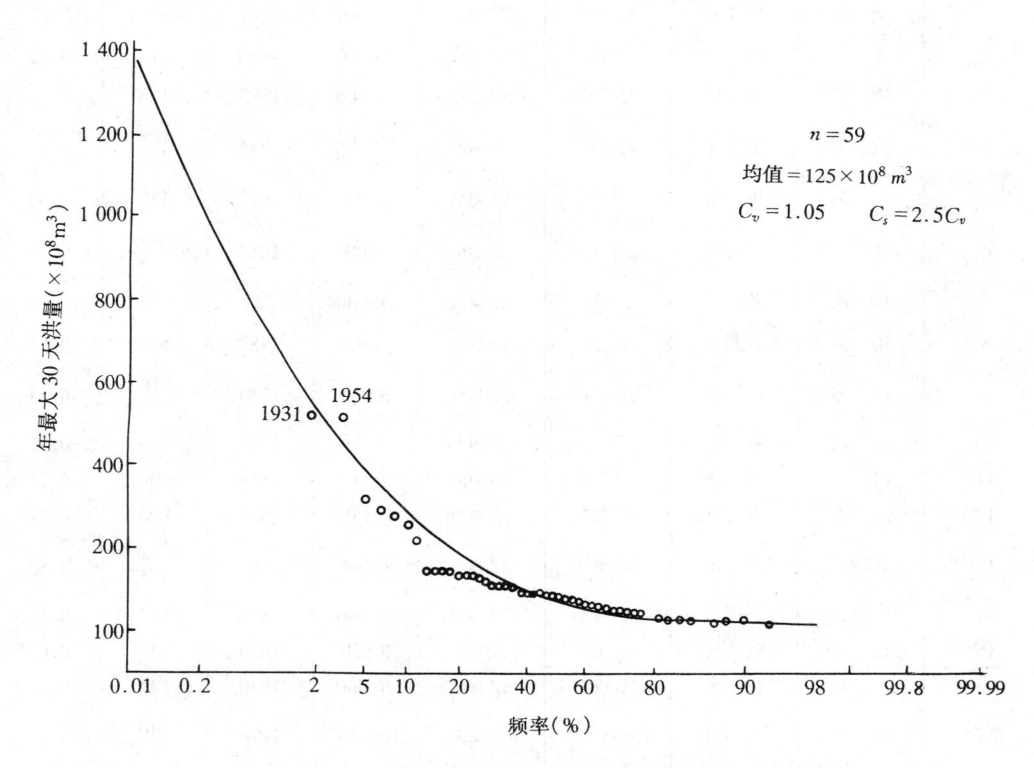

图 26.1.2　　淮河中渡站年最大 30 天洪量频率曲线图[3]

说到这里,必须强调指出,这一点正是现行频率计算方法的重大缺陷,即一般都未考虑资料基础在气象成因方面的一致性,而是混合取样。这样就使得不少地方算得的 C_v

偏大,从而导致万年洪水偏大。海河流域黄壁庄、岗南水库之所以长期戴着病险库的帽子,正是由于类似原因,受了万年洪水的影响[2]。

26.1.2.5 从统计资料看

经统计,全国没有一条河流的历史最大洪水是达到皮尔逊Ⅲ型曲线的万年一遇值的。中国地域辽阔,历史悠久,通过各种手段已取得了很多稀遇的历史洪水资料。照理说,考察的地区愈广,历史时期愈长,所得到的极值,应愈接近于自然界的真实情况。可是,从中国拥有较长历史文献资料(200～2 000 多年)的 30 多条大江大河(表 26.1.4)来看,已知的首项洪水,其洪峰流量均小于皮尔逊Ⅲ型曲线的万年一遇值(小 20%～60%)。就这些洪水的重现期来说,多数在600 年以下,个别在 1 000 年以上,但无一超过 2 500 年的。这个现象很值得人们深思。这除了说明皮尔逊Ⅲ型曲线所求得的万年洪水偏大,或皮尔逊Ⅲ型曲线不适用于推求洪水的极大值外,不好作别的解释。

表 26.1.4　　中国主要河流历史最大洪水与万年一遇洪水比较表

序号	河名	站名	集水面积 (km²)	万年洪水 Q_m (m³/s)	历史最大洪水			$K=\frac{Q_N}{Q_m}$
					Q_N (m³/s)	年份	估计重现期(a)	
1	嫩　江	阿彦浅	64 152	20 000	13 400	1794	190	0.67
2	浑　江	桓　仁	10 400	30 000	19 000	1888	217	0.63
3	滦　河	潘家口	33 700	59 200	24 400	1883	120	0.41
4	滹沱河	黄壁庄	23 270	50 300	20 000～27 500	1794	188～375	0.40～0.55
5	黄　河	吴　堡	433 514	53 400	32 000	1842	140	0.60
6	黄　河	三门峡	688 384	52 300	36 000	1843	1 000～2 500	0.69
7	伊　河	龙门镇	5 138	25 400	20 000	223	1760	0.79
8	沁　河	五龙口	9 223	15 000	14 000	1482	500	0.93
9	沂　河	临　沂	10 090	55 600	3 000	1730	250～500	0.54
10	洪　河	板　桥	762	19 300	13 000	1975	600	0.67
11	汉　江	安　康	38 700	48 100	36 000	1583	900	0.75
12	汉　江	丹江口	95 217	82 300	61 000	1583	900	0.74
13	金沙江	屏　山	46 900	52 800	43 800	842	1 140～1 370	0.83
14	雅砻江	小得石	116 490	25 200	16 500	1863	120	0.65
15	岷　江	映秀湾	19 020	5 960	3 870	1890	120	0.65
16	乌　江	彭　水	70 000	42 000	26 500	1830	120	0.63
17	长　江	宜　昌	1 005 501	113 000	105 000	1870	840～2 500	0.93
18	沅　水	五强溪	83 800	60 700	48 700	1189	400～800	0.80
19	资　水	柘　溪	22 640	21 500	15 300	1926	126	0.71
20	赣　江	万　安	36 900	30 400	24 500	1485	>600	0.81

续表 26.1.4

序号	河名	站名	集水面积 (km²)	万年洪水 Q_m (m³/s)	历史最大洪水			$K=\frac{Q_N}{Q_m}$
					Q_N (m³/s)	年份	估计重现期(a)	
21	褒　河	石　门	3 861	7 950	5 200	1867	300	0.65
22	新安江	新安江	10 442	34 300	25 700	1744	400	0.73
23	闽　江	竹　歧	54 500	52 700	29 800	1877		0.57
24	富屯溪	邵　武	3 057	18 900	13 600	1416	600~1 000	0.72
25	飞云江	珊　溪	1 529	20 200	13 700	1166	800	0.68
26	汀　江	上　杭	5 888	14 500	9 000	1842	270	0.62
27	西　河	升　钟	1 756	13 000	8 170	1842	400	0.63
28	澜沧江	漫　湾	114 500	24 200	16 000	1750	250~460	0.66
29	红水河	东　兰	106 580	3 6000	23 600	1833	600	0.66
30	沙　河	朱　庄	1 220	18 100	9 500	1963	374	0.52
31	永定河	官　厅	43 402	16 100	9 400	1801	500	0.58
32	猫跳河	红　枫	1 596	4 830	3 250	1830	400	0.67
33	浑　江	金　坑	14 861	41 400	24 400	1888	228	0.59

26.1.2.6　从气候学的观点看

现在人们所谓的万年洪水,是按数理统计法推求出来的,而数理统计法的使用,一个重要的前提是资料(样本)基础的一致性,即不能把基础不同的资料混在一起统计。而江河洪水的大小与气候条件有关。从长期来看,气候是不断变化着的。根据第四纪地质学的研究,近一万年以来属全新世地质时期,就气候条件而言,这一地质时期可以分为三个时期:

1)距今 11 000~7 500 年为早全新世,气候温和稍湿,平均气温比现在低 4~5℃,河流洪水流量 C_v 大。

2)距今 7 500~2 500 年为中全新世,气候温暖湿润,河流流量稳定,是全新世雨量最为丰沛的时期。

3)距今 2 500 年至今为晚全新世,气候温凉偏干,与现代相近。此期降水量减少,但雨量集中。

因此,有些水文学者认为,古洪水研究和历史洪水的考证期,只宜于在距 2 500~3 000年的晚全新世时期内选用成果。因为此时期的气候条件与现代相近,符合统计上样本一致性的要求❶❷。于是，可进而认为，从一致性原则来看，晚全新世到现在只有 3 000 年左右，万年洪水是不存在的。如果由 3 000 年的洪水点据外延求得万年洪水，那只能说是晚全新世气候模式下的一个可能发生的数字而已[9]。

26.1.3 万年洪水的前景

由上述可见，按皮尔逊Ⅲ型曲线外延求得的万年洪水，其问题是很多的。可以预言，对于 C_v 较大的河流，其万年洪水，一般都是偏大的，超出了当地自然界的实际可能。

那么，今后万年的洪水还要不要继续使用呢？这个问题涉及国家的防洪标准问题，也就是要看用万年洪水作为最高防洪标准，是否显得太高。我们认为，在中国是太高了，不宜继续使用。以下再说几点理由：

1)从数理统计学的观点看，以万年洪水作标准似乎不高，但实质上偏高。由概率论可知：如设计标准为 T 年一遇洪水，工程有效服务期(工程寿命)为 N 年，则在 N 年之内发生 T 年一遇洪水的概率，即失事(垮坝)概率为[6]

$$U = 1 - (1 - \frac{1}{T})^N$$

当 $N>10$ 年时，上式可简化为

$$U = \frac{N}{T + \frac{N}{2}}$$

或

$$T = N(\frac{1}{U} - \frac{1}{2})$$

按此公式，假定有一重要的大型水库，其经济寿命为 100 年，如果我们要求该水库在其寿命期限内，因遭遇洪水而垮掉的概率不超过 1%，则其设计标准应为

$$T = 100(\frac{1}{0.01} - \frac{1}{2}) = 9\,950 \approx 10\,000 \text{ 年}$$

从这个理论计算结果来看，作为重要的大型水库，用万年洪水作为设计标准，似乎并不算高。但是，由于设计标准和设计洪水是紧密联系在一起的，即设计标准是通过设计洪水数据(包括洪峰、洪量及其时程分配型式)体现出来。而现在中国的实际情况是：设计洪水中的稀遇洪水特别是万年洪水，其数值普遍偏大，有的大得出奇(见前)。这样，反过来看，设计标准就是太高了。因为现在我们是采用数理统计法(频率曲线线型用皮尔逊Ⅲ型曲线)来推求不同标准的设计洪水，而这种方法所得出的所谓万年洪水，一般它就小不了。

2)世界上使用万年洪水的国家大都 C_v 较小。从国外来看(表 26.1.5)，使用万年洪水的国家，主要是一些以融雪洪水为主(如苏联)或海洋性气候为主(如瑞典、英国)的高纬度国家，以及气候比较温和的地中海地区的国家，如法国、意大利、南斯拉夫、罗马尼亚、保

❶ 河海大学水资源水文系，河北省水利水电勘测设计院.岗南、黄壁庄水库古洪水研究报告.1991,8

❷ 河海大学水资源水文系，长江水利委员会水文局.长江三峡工程古洪水研究报告.1993,12

加利亚、希腊、土耳其、埃及❶。它们的共同特点是：洪水的 C_v 较小（多数小于 0.40）。以暴雨洪水为主的一些中低纬度国家，如美国、日本等，把频率曲线只用到 100～200 年一遇（100～200 年以上用加成法解决）。因为它们认为，暴雨洪水的 C_v 大，把频率曲线外延到 100～200 年以上，很不可靠[1]。

表 26.1.5　　世界一些国家水库设计洪水标准简况

序号	国　家	最高设计标准		分级情况
		洪水几率或其他	说　明	
1	美　国	PMF	失事后果严重的坝	按失事后果大小坝各分三级
2	苏　联	1/10 000	失事后果严重的Ⅰ、Ⅱ级土坝	按工程规模分四级
3	日　本	(1)实测最大洪水；(2)1/200 洪水；(3)最大可能洪水，取三者中的大者，再加大 20% *	用于堆石坝	按坝型分两级
4	印　度	PMF	大中型或失事后果严重的小型	按库容及失事后果分二级
5	加拿大	PMF	失事后果严重的坝	按失事后果大小将坝分三级
6	英　国	PMF * *	失事危及大量生命	按失事后果分四级
7	法　国	1/10 000	重要大坝	按重要性分三级
8	德　国	1/1 000	非常运用标准	按水库规模分大中小型三级
9	巴　西	PMF	失事后果严重的大坝	按工程规模和失事后果分为三级
10	意大利	1/10 000	高土石坝	
11	澳大利亚	PMF～1/10 000	失事风险严重的坝	按失事风险程度分为三级
12	瑞　典	1/10 000		按坝大小分级
13	南斯拉夫	1/10 000	重要大坝校核标准	
14	保加利亚	1/10 000	Ⅰ级大坝校核标准	按工程规模分四级
15	罗马尼亚	1/10 000	Ⅰ级大坝校核标准	按工程规模分五级，分设计、校核标准
16	西班牙	1/500	历史洪水考证至 13 世纪	
17	波　兰	1/5 000		按坝大小分四级
18	奥地利	1/5 000		按水库作用分级
19	葡萄牙	1/1 000		
20	新西兰	1/1 000	大型土石坝	按坝型及大小分级

❶ 水利电力部科学技术情报所. 一些国家的水库设计洪水标准. 1976,1

续表 26.1.5　　世界一些国家水库设计洪水标准简况

序号	国　家	最高设计标准		分级情况
		洪水几率或其他	说　明	
21	比利时	1/1 000		
22	朝　鲜	1/10 000	失事后果严重的Ⅰ级土坝	按工程规模坝型及失事后果分五级四类
23	韩　国	PMF		
24	菲律宾	PMF		
25	巴基斯坦	1/10 000	重要大坝校核标准	
26	泰　国	1/1 000	大型重力拱坝	
27	马来西亚	PMF	大型水电、灌溉和排水工程	
28	土耳其	1/10 000	大型土坝	
29	埃　及	1/10 000	重要大坝校核标准	
30	墨西哥	1/10 000		按坝大小分级
31	坦桑尼亚	1/1 000	Ⅰ级工程	按库容大小分三级
32	希　腊	1/10 000	土坝	

注　①资料来源:序号 3、5、6、11、23、26、27 为作者根据文献资料补充,31、32 为戴申生收集,其余引自水电部情报所《一些国家的水库设计洪水及标准》(1976.1);

②带 * 者 70 年代以前为 1/100 加大 44%;带 * * 者 1978 年以前为 1/1 000。

3)中国水库垮坝遭遇最严重的洪水也才 600 年一遇。根据统计,中国在 1954～1980 年期间,垮掉的大中小型水库 ,仅占现有水库总数的 3.4%,其中真正属于遭遇超标准洪水漫顶而失事的水库,仅占垮坝总数的 5.9%。在这些垮坝水库中,最大的就是淮河上游的板桥水库。

板桥水库为粘土心墙坝,于 1953 年建成,1956 年扩建加固,最大坝高 24.5m,总库容 4.92 亿 m^3。其防洪标准为百年一遇洪水(洪峰 3 300m^3/s)设计,千年一遇洪水(洪峰 4 236m^3/s)校核。1975 年 8 月,遭遇特大洪水袭击,入库洪峰 13 000m^3/s,为原校核洪水的 3.07 倍,导致水库垮坝。但是,1977 年经设计部门复核,1975 年洪水的重现期仅约 600 年(1368 年以来的最大洪水),原名为 1 000 年一遇的校核洪水(4 236m^3/s),实际还不到 1977 年计算成果 10 年一遇的数值(4 990m^3/s)。为什么会出现这种情况呢? 这是因为在 50 年代初期,水文气象资料系列太短,用频率计算法得出的设计洪水数据严重偏小[10]。显然,板桥水库垮坝的主要原因,不是水库防洪标准偏低,而是设计洪水数据偏小,远未达到规定标准所应有的水平。

26.2　PMF 与万年洪水的关系

PMF 与万年一遇洪水之间的关系,目前有四种认识,即二者之间无任何关系,PMF

等于万年洪水，PMF 大于万年洪水和 PMF 小于万年洪水。这里拟对这四种认识作一介绍，并加以评论。

26.2.1　PMF 与万年洪水无任何关系

这里有两种见解：

1)一种认为，PMF 是用水文气象法求得，万年洪水是用数理统计法求得，这完全是两码事，它们之间不可能存在任何关系。

2)另一种认为，“可能最大”应是一些概率的组合，因而 PMF 与同类型稀遇频率洪水之间也许有关系。但现行频率曲线所取的样本是大中小洪水混在一起的，这除了不能满足频率分析本身所要求的一致性而外，所得到的稀遇频率洪水与 PMF 之间的关系很难判断。表 26.2.1 列出的美国随机抽取的 PMF 与万年、千年洪水之间的对比可以说明这个问题。美国从事 PMF 研究最早最多，洪水资料最长。从该表中可以看出，有的 PMF 小于千年，例如美国东部弗吉尼亚州谢南多雅河 PMF 洪峰流量为 11 900m^3/s，仅为千年洪水的 93.7%。当然也有远大于万年洪水的，如阿拉斯加州塔呼奇河乔治安德鲁坝，PMF 的洪峰流量为 17 800m^3/s，是万年洪水的 2.1 倍，足见 PMF 与万年洪水之间并无固定关系[6]。

表 26.2.1　随机抽取的美国 PMF 与万年洪水比较

序号	河流及测站	流域面积 (km^2)	观测年数	洪峰流量 (m^3/s)			$K=\frac{(5)}{(7)}$
				PMF	千年	万年	
(1)	(2)	(3)	(4)	(5)	(6)	(7)	(8)
美国东部							
1	托丕霍斯肯溪，布留沼地坝	453	39	3 650	1 980	3 960	0.922
2	特拉华河，托克岛	9 912	100	22 200	13 000	21 800	1.818
3	斯古吉尔河，费城	4 903	45	12 200	7 360	12 700	0.961
4	萨斯奎哈纳河，哈里斯堡	62 416	185	50 900	38 200	70 800	0.719
5	谢南多雅河，费朗特罗亚尔	4 242	45	11 900	12 700	30 000	0.397
6	卡塔呼奇河，乔治安德鲁坝	21 263	80	17 800	6 510	8 490	2.097
美国中部							
7	尼奥肖河，约翰雷德蒙特坝	7 809	50	18 100	13 700	29 200	0.620
8	阿肯色河，寇坝	17 228	40	21 400	8 490	11 900	1.798
9	福克岭河，布罗肯堡坝	1 953	34	16 500	6 510	9 060	1.821
10	桑德斯河，帕特梅斯坝	453	25	5 266	990	1 270	4.142

续表 26.2.1

序号	河流及测站	流域面积 (km²)	观测年数	洪峰流量 (m³/s)			$K=\frac{(5)}{(7)}$
				PMF	千年	万年	
(1)	(2)	(3)	(4)	(5)	(6)	(7)	(8)
11	特里尼蒂河,奥伯利亚	1 792	21	12 600	7 080	13 200	0.955
12	白河,沃尔夫博约	27 900	40	40 800	18 100	23 800	1.714
美国西部							
13	米尔溪,莫布	194	30	2 090	877	1 700	1.229
14	亨博尔特河,德维尔斯盖特	2 305	38	2 320	2 550	8 490	0.273
15	费瑟河,奥罗维尔	9 352	20	20 400	14 700	21 200	0.962
16	斯坦尼斯劳斯河,新梅隆重纳斯坝	2 543	50	10 000	9 900	28 300	0.353
17	金斯河,派因弗拉特坝	3 994	60	12 500	9 900	22 640	0.552
18	哥伦比亚河,达尔斯	613 804	94	75 300	42 200	49 800	1.512

26.2.2 PMF 等于万年洪水

1)为解决频率曲线的外延问题,有些学者认为常遇洪水(100 年一遇以下)以数理统计法的结果较为可靠,稀遇洪水以水文气象法求得的 PMF 较为可靠。故可以将这两种方法结合起来运用,以推求 PMF 与百年洪水之间的各级洪水。其做法是把频率曲线的上端用 PMF 控制,为此需要确定 PMF 的坐标位置。美国土木工程师学会水文气象委员会,1968 年建议假定 PMF 为 1/10 000 几率(认为这是比较保守的假定),中间用光滑曲线相联。由此内插 1/100 几率以上如 1/500、1/1 000、1/5 000 机率的洪水❶。这里是假定 PMF 等于万年洪水。

2)澳大利亚 G·W·亚历山大确认 PMF 的重现期就相当于 10 000 年。对此,V·叶夫捷维奇说:"这就提出了一个新问题,为什么不索性把 PMF 称为万年洪水?"[11]

26.2.3 PMF 必须大于万年洪水

认为"PMF 必须大于万年洪水",这是在全世界长期以来就存在的一种传统观念,而且影响很深,但危害也很大。

26.2.3.1 **表现**

(1)国内情况

1978 年,水利电力部颁布的《水利水电枢纽工程等级划分及设计标准(山区、丘陵区

❶ 水利电力部科学技术情报所.一些国家的水库设计洪水标准.1976,1

部分)SDJ 12－78(试行)》[12]第 13 条规定:“设计永久性水工建筑物所采用的非常运用洪水标准,按下述原则确定:

第一,失事后对下游将造成较大灾害的大型水库、重要的中型水库以及特别重要的小型水库的大坝,当采用土石坝时,应以可能最大洪水作为非常运用洪水标准;当采用混凝土坝、浆砌石坝时,根据工程特性、结构型式、地质条件等,其非常运用洪水标准较土石坝可适当降低。

第二,失事后对下游不致造成较大灾害的水利水电枢纽工程的大坝和其他影响水库安全的水工建筑物,其非常运用洪水标准应根据工程规模、重要性及基本资料等情况,按不低于表 5(注:本书为表 26.2.2)规定的数值分析确定”。

表 26.2.2　失事后对下游不致造成较大灾害的水利水电枢纽工程永久性水工建筑物非常运用的洪水标准下限值

不同坝型的枢纽工程	建筑物级别				
	1	2	3	4	5
	洪水重现期(年)				
土坝、堆石坝、干砌石坝	10 000	2 000	1 000	500	300
混凝土坝、浆砌石坝和其他水工建筑物	5 000	1 000	500	300	200

1979 年 8 月,水利部和电力工业部联合颁布的《水利水电工程设计洪水计算规范 SDJ 22－79(试行)》[13]第 32 条规定:“根据频率计算成果分析选定可能最大洪水时,采用值不得小于万年一遇洪水数值”。

从上述两个规范的规定,可以看出:

1)失事后对下游不致造成较大灾害的土石坝类的工程建筑物,Ⅰ级工程要用万年一遇洪水作为校核(非常运用)标准。

2)失事后对下游将造成较大灾害的土石坝工程,要用可能最大洪水作为校核标准。

3)运用频率分析法推求 PMF 时,采用值不得小于万年一遇洪水的数值。

十分明显,按照这些规定,PMF 应大于至少也应等于万年一遇洪水。实际执行情况是,93.4%的工程,其 PMF 大于万年洪水(详见表 26.2.6)。

(2)国外情况

1)英国。英国土木工程师协会 1978 年提出水库分级和设计洪水标准如表 26.2.3 所示。由该表可见,它按失事危害程度把水库分为 A.B.C.D 四级,其设计洪水标准:A 级为 PMF,B 级为 0.5PMF 或万年洪水(取大值)[6,14]。按它的这种规定,PMF 比万年洪水要大得多。

2)美国。美国使用 PMF 的历史最长,用的范围也很广,但是美国全国没有统一的设计洪水标准。联邦机构,州、学术团体、大公司都有自己的设计洪水标准(其中有些单位之间是采用相同的标准)。这些标准,除阿克里司(Acres)公司以外,PMF 都不与万年洪水挂钩(详见表 26.2.4)。

表 26.2.3　　英国水库分级和设计洪水标准

分类		水库起始状况	大坝入库设计洪水		
等级	失事危害		一般标准	最低标准(允许稀遇洪水漫顶)	替代标准(经济上合理的)
A	危及大量生命	宣泄长期日平均入库流量	PMF	0.5PMF 或千年洪水(取大值)	不得使用
B	(1)不致造成重大人身伤亡,(2)造成大量财产损失	恰好蓄满(无溢流)	0.5PMF 或万年洪水(取大值)	0.3PMF 或千年洪水(取大值)	相当于溢洪道造价与损失之和为最小的设计频率洪水
C	对生命威胁很小,财产损失有限	恰好蓄满(无溢流)	0.3PMF 或千年洪水(取大值)	0.2PMF 或 150 年洪水(取大值)	入库洪水不得低于最低标准,但可超过一般标准
D	不危及人身安全,损失极有限	宣泄长期日平均入库流量	0.2PMF 或 150 年洪水	不得使用	不得使用

表 26.2.4　　美国采用或建议的溢洪道规模规程比较表[14]

危害度分级	高			显著			低		
坝的规模	大	中等	小	大	中等	小	大	中等	小
联邦机构									
坝安全协作特别委员会科技协调联合委员会	PMF	PMF	PMF	PMF	PMF	PMF	*	*	*
垦务局	PMF	PMF	PMF	*	*	*	*	*	*
联邦能源管理委员会	PMF	PMF	PMF	PMF	PMF	PMF	*	*	*
森林管理局	(采用陆军工程师团“国家大坝检查大纲”规程)								
坝安全协作委员会	PMF	PMF	PMF	*	*	*	*	*	*
国家天气局	(对坝无规定规程)								
土壤保护局	PMF	PMF	PMF	[($P+0.4(PMP-P_{100})$)]			*	*	*
田纳西流域管理局	PMF	PMF	PMF	(田纳西流域最大可能洪水)			*	*	*
陆军工程师团(工程师团的工程)	PMF	PMF	PMF	*	*	*	*	*	*
陆军工程师团(国家大坝检查大纲)	PMF	PMF	0.5PMF～PMF	PMF	0.5PMF～PMF	百年一遇～0.5PMF	0.5PMF～PMF	百年一遇～0.5PMF	五十年一遇～百年一遇
原子能管理委员会	PMF	PMF	PMF	(见陆军工程师团“国家大坝检查大纲”规程)					

续表 26.2.4

危害度分级	高			显著			低		
坝的规模	大	中等	小	大	中等	小	大	中等	小
各州机构									
阿拉斯加	(采用陆军工程师“国家大坝检查大纲”规程)								
亚利桑那	PMF	0.5PMF ~ PMF	0.5PMF	0.5PMF ~ PMF	0.5PMF	百年一遇 ~ 0.5PMF	0.5PMF	百年一遇 ~ 0.5PMF	百年一遇
阿肯色	*	*	*	*	*	*	*	*	*
加利福尼亚	PMF	PMF	*	*	*	*	*	*	千年一遇
科罗拉多	PMF	*	*	*	*	*	*	*	百年一遇
佐治亚	PMF	0.5PMF	0.33PMF	*	*	*	*	*	*
夏威夷	(没有管理坝安全的纲要)								
伊利诺伊	PMF	PMF	0.5PMF ~ PMF	PMF	0.5PMF ~ PMF	百年一遇 ~ 0.5PMF	0.5PMF ~ PMF	百年一遇 ~ 0.5PMF	五十年一遇~百年一遇
印第安纳	(未提供坝的规程)								
堪萨斯	0.4PMF	0.3PMF	0.4PMF	0.25PMF	0.4PMF	0.3PMF	百年一遇	0.4PMF	0.25PMF
路易斯安那	(建议按陆军工程团“国家大坝检查大纲”)								
缅因	(拟制定规定)								
密歇根	*	*	*	*	*	*	*	*	*
密西西比(新建坝)	(采用土壤保持局规程)								
密西西比(已建坝)	0.5PMF	0.5PMF	0.5PMF	*	*	*	*	*	*
密苏里	*	*	*	*	*	*	*	*	*
内布拉斯加	(“比较近似于联邦机构所采用者”)								
新泽西	PMP	PMP	PMP	0.5PMP	0.5PMP	0.5PMP	百年一遇	百年一遇	百年一遇
新墨西哥	(采用土壤保持局规程)								
纽约(新建坝)	PMF	*	0.5PMF	0.4PMF	*	2.25P	1.5P	*	百年一遇
纽约(已建坝)	0.5PMF	0.5PMF	0.5PMF	(百年一遇的1.5倍)			百年一遇	百年一遇	百年一遇
北卡罗来纳	PMP	0.74PMP	0.5PMP	0.75PMP	0.5PMP	0.33PMP	0.5PMP	0.33PMP	百年一遇
北达科他	(正在修订中,以往采用陆军工程师团“国家大坝检查大纲”)								
俄亥俄	PMF	PMF	PMF	0.5PMF	0.5PMF	0.5PMF	0.25PMF	0.25PMF	0.25PMF
宾夕法尼亚	(采用陆军工程师团“国家大坝检查大纲”)								
南卡罗来纳	(采用陆军工程师团“国家大坝检查大纲”)								

续表 26.2.4

危害度分级	高			显著			低		
坝的规模	大	中等	小	大	中等	小	大	中等	小
得克萨斯	(曾采用陆军工程师团和土壤保持局规程,新规程在拟定中)								
犹他	(0.5PMF~PMF)			(百年一遇~0.5PMF)			百年一遇	百年一遇	百年一遇
弗吉尼亚	(采用陆军工程师团国家大坝检查大纲)								
华盛顿	(采用降水频水频率规程,在拟定中)								
西弗吉尼亚	PMF	PMF	PMF	$(P_{100}+0.4(\mathrm{PMP}-P_{100}))$			$(P_{100}+0.12(\mathrm{PMP}-P_{100}))$		
其他政府机构									
洛杉矶城	(采用加里福尼亚州规程)								
加利福尼亚东海湾区市政公用事业	(采用"州工艺规程")								
阿里查那州盐河工程	(采用垦务局准则)								
南加利福尼亚公共服务局	(采用 FERC 准则)								
技术协会									
美国土木工程协会	PMF	PMF	PMF	PMF	PMF	PMF	*	*	*
国际大坝委员会(导则草案)	PMF	PMF	*	PMF	PMF	*	*	*	*
美国大坝委员会	(至今未公布过规程)								
美国工程公司									
美国阿克里司公司	(溢洪道设计洪水为万年一遇,校核洪水为 PMF)								
亚拉巴马电力公司	(采用 FERC 准则)								
尔·胡·倍克协会	(一般采用陆军工程师团的规程)								
中央电力总公司	(采用 FERC 准则)								
迪尤克电力公司	(采用 FERC 准则)								
查里斯·特总公司	(主坝采用 PMF)								
规划研究公司	(对重要的危害性大的工程采用 PMF,按溃坝分析设计溢洪道)								
杨基原子能电力公司	(未提出标准,但对已建的坝要满足新坝安全规程,这些要求必需是合法的)								
外 国									
伦敦土木工程师协会	PMF	PMF	PMF	0.5PMF 或万年一遇洪水选其大者			0.3PMF 或千年一遇洪水选其大者		

注 * 无特殊规定,或部门规程与本表的分级无可比性;括号内的规程适用于括号范围内各级;PMF 为可能最大洪水;PMP 为可能最大降水;P_{100}为百年一遇洪水;FERC 为联邦能源管理委员会

阿克里司公司的规定为:溢洪道设计洪水为万年一遇,校核洪水为 PMF[14],显然,这也是认为 PMF 一定要大于万年洪水。

3)澳大利亚。根据 1988 年 6 月第 16 届国际大坝会议论文《澳大利亚设计洪水指南》(B. L. Cantwell, K. A. Murley)介绍,澳大利亚国家大坝委员会 1986 年出版公布的《大坝设计洪水指南》,其洪水标准如表 26.2.5。

从表 26.2.5 可见,也是规定 PMF 必须大于万年洪水。据上述会议论文介绍,在该表的制定过程中,参考了 1974 年美国陆军部制定的《大坝安全检查指南》,英国土木工程师协会的《洪水和水库安全》文件中的《设计指南,1978》及后来 1983 年对其基本原则和准则的询问与讨论以及 1985 年美国研究委员会的《大坝安全——洪水和地震规程》[14]。

表 26.2.5　澳大利亚洪水标准

增加的洪水灾害等级	年超过概率
高(生命损失、极大破坏)	PMF～1/10 000
显著(可能有生命损失、重大破坏)	1/10 000～1/1 000
低(没有生命损失,破坏不大)	1/1 000～1/100

4)某些团体或个人的学术见解。美国大坝安全委员会在评论频率曲线外延的问题时说:"依据现有的 30～80 年实测洪水资料系列,通过频率分析得出的频率曲线,不宜外延过远,一般只能用来确定百年一遇的洪水。直接外延到千年、万年甚至 PMF 是不明智的"[15]。这也是认为 PMF 一定要比万年洪水大。

美国垦务局在大坝安全评价中,假定 PMF 的频率为 10^{-4}或 10^{-6},即重现期为万年或百万年[14]。

V·叶夫捷维奇说:"近年来,通过 PMF 与频率分析成果的对比(Brady,1979),试图来估计 PMF 的概率值……有些水文学者得出结论,目前求得的 PMF 相应的平均重现期约为 10 000 年到 1 000 000 年之间"[11]。

26.2.3.2　根据

人们认为 PMF 必须大于万年洪水,其根据是什么呢?这在国内外文献上,均未见有人作过明确的说明。我们通常听到的有以下两种解释[1]:

1)万年一遇洪水是一种很稀遇的洪水,其出现概率为 0.000 1。PMF 是一种近似于物理上限的洪水,更为稀遇,其出现概率→0。因此,PMF 无论如何都应比万年一遇洪水为大。显然,这种观点,完全是一种纯数学的观点。

2)从苏联 40 年代水工建筑物设计规程来看,它规定Ⅰ级建筑物的非常运用洪水标准是万年一遇,另加不超过 20%的安全保证修正数。过去中国的规范也是这样规定的。现在我们又引进美国的 PMF,并以之作为最高一级的校核洪水标准,那么按照一个简单的逻辑推理,PMF 自然应该比我们过去所采用的Ⅰ级工程的校核标准——万年一遇洪水要大。这是一种简单类比推理的观点。[1]

以上两种观点,对不对呢?下面就来讨论这个问题。

26.2.3.3　问题

不难看出,上述两种观点,都是从形式逻辑上看问题,其实质都是把"万年一遇洪水"看作是绝对正确的,而事实决非如此。因为这个所谓万年洪水,并不是自然界实际发生的,而是根据现有短短几十年(最多的也只有一百多年)资料(有的再加上一两年历史洪水),运用数理统计法(频率分析)求得的。

但是,众所周知,数理统计法在洪水分析中运用,是比较勉强的。因为洪水资料系列,并不能完全满足使用数理统计法所要求的一些基本前提(详见 0.2.2.1)。

此外,还有一个十分重要的大问题,这就是频率曲线的线型问题。因为,我们所要的所谓万年一遇洪水是根据它大幅度地外延求得的。目前世界各国所采用的线型有耿倍尔型、对数正态型,对数皮尔逊Ⅲ型,皮尔逊Ⅲ型,克里茨基—明克里型,等等。这些线型全部属于纯数学模型,都是带有假定性质的东西,本质上就相当于一种经验公式或曲线板,其外延部分根本无法证明它符合物理实际。

综上所述,按数理统计法推算出来的所谓万年洪水,问题是很多的。

既然这个所谓万年洪水,它本身就未必正确(在中国这样以暴雨洪水为主的国家,由于 C_v 和 C_s 较大,由皮尔逊Ⅲ型曲线所求得万年洪水,根本就不正确)我们还要将其作为一把尺子来衡量 PMF,并要求 PMF 必须大于它,这就很不对了。

现在看来,"PMF 必须大于万年洪水"这一传统观念,是个误会,而且从水利水电建设发展史来看,可以说是个历史的大误会。因为正是在这种观念的支配下,使我们付出了巨大的经济代价。[1]

26.2.3.4 危害

认为 PMF 必须大于万年洪水,在工程实践上,其危害是给国家造成巨大的浪费。

中国按 SDJ 12－78和 SDJ 22－79规范实际执行的结果,根据主管部门正式审定的 91 座大中型水库统计,有 85 座(占 93.4%)的 PMF 大于万年洪水,一般大 10%～30%,有 8 座大 50%～80%(表 26.2.6),详见表 26.2.7。

表 26.2.6 中国大中型水库 PMF 与万年洪水洪峰流量比值

PMF/万年洪水	0.90～0.99	1.00	1.01～1.10	1.11～1.20	1.21～1.30	1.31～1.40	1.41～1.50	1.51～1.60	1.61～1.90	合计
工程数	2	4	22	26	20	4	5	5	3	91
占%	2.2	4.4	24.1	28.6	22.0	4.4	5.5	5.5	3.3	100.0

PMF 的数值如此之大,浪费投资是惊人的。根据 1981 年的统计,用规范标准衡量,全国已建的 86 000 多座大中小型水库,约有 80%都不够标准,若要加固这些水库,提高到规范标准,按 70 年代末期的测算,即需国家投资 50 亿元以上,若按现价估计,定当远远超过这一数字,显然超出了国家在水利水电建设事业上所能承担的财力。因此,时至今日,真正按 SDJ 12－78加固了的,却为数不多。

26.2.4 PMF 要小于万年洪水

这个观点是王国安教授于 1983 年提出来的❶,其论点是中国大面积江河的 PMF 要小于皮尔逊Ⅲ型曲线的万年一遇值。

其主要论据是:从中国许多大江大河洪水的经验频率曲线来看,其上部都是比较平缓的,即随着重现期的增长,洪峰流量并不像皮尔逊Ⅲ型曲线那样无限制地急剧增大,而是到达某一量级以后,就趋于一近似的上限值。

根据这一重要现象,按照一个简单的逻辑推理,于是得出以下两点结论:

❶ 王国安.中国大面积江河的可能最大洪水要小于皮尔逊Ⅲ型曲线的万年一遇值——一项大胆的假说.西安西北片水文计算情报会和成都大中型水利水电工程可能最大暴雨工作总结会论文,1983

表 26.2.7　中国大中型水利水电工程万年洪水与 PMF 比较表

序号	河名	水库名或站名	控制面积 (km^2)	洪峰流量(m^3/s)		$K=\frac{PMF}{万年洪水}$
				万年洪水	PMF	
1	潮白河	密　云	15 781	23 300	23 300	1.000
2	永定河	官　厅	43 402	16 100	18 000	1.118
3	州　河	于　桥	2 060	11 500	17 960	1.562
4	滦　河	潘家口	33 700	59 200	63 000	1.064
5	滹沱河	岗　南	16 221	27 100	28 600	1.055
6	滹沱河	黄壁庄	23 272	50 300	50 000	0.994
7	沙　河	朱　庄	1 220	18 100	18 100	1.000
8	漳　河	岳　城	18 100	31 400	37 000	1.178
9	昆都仑河	昆都仑	2 581	11 300	14 000	1.239
10	柴　河	柴　河	1 355	8 400	10 000	1.190
11	浑　河	大伙房	5 437	21 500	26 000	1.209
12	汤　河	汤　河	1 228	10 200	12 300	1.206
13	浑　江	桓　仁	10 364	30 000	38 000	1.267
14	碧流河	碧流河	2 085	15 100	16 300	1.079
15	东辽河	二龙山	3 796	13 300	15 300	1.150
16	伊通河	新立城	1 970	4 850	6 850	1.412
17	饮马河	石头口门	4 944	7 400	8 250	1.108
18	第二松花江	白　山	19 000	26 100	29 700	1.138
19	第二松花江	丰　满	42 500	33 100	40 300	1.218
20	嫩　江	布　西	65 095	20 300	24 500	1.207
21	倭肯河	桃　山	2 100	4 950	6 400	1.293
22	牤牛河	龙凤山	1 740	4 990	6 500	1.303
23	乌溪江	湖南镇	2 151	16 100	20 000	1.242
24	乌溪江	黄坛口	2 388	17 000	21 500	1.265
25	新安江	新安江	10 442	34 300	37 600	1.096
26	富春江	富春江	31 645	46 600	50 740	1.089
27	剡　江	亭　下	176	4 020	6 481	1.612
28	瓯江龙泉溪	紧水滩	2 761	14 900	20 000	1.342
29	杭埠河	龙河口	1 120	27 400	29 000	1.058
30	金　溪	池　潭	4 766	12 000	17 200	1.433
31	古田溪	古田一级	1 325	6 940	7 160	1.032
32	东溪河	山　美	1 023	12 040	14 400	1.196
33	修　水	柘　林	9 340	22 900	32 800	1.432
34	赣　江	万　安	36 900	30 400	40 700	1.339
35	玉符河	卧虎山	557	8 137	10 165	1.249
36	淄　河	太　河	780	10 950	17 860	1.631
37	潍　河	峡　山	4 210	27 280	41 064	1.505
38	洛　河	故　县	5 370	15 300	18 200	1.190
39	白　河	鸭河口	3 030	21 700	34 000	1.567
40	汝　河	板　桥	762	19 300	20 000	1.036
41	汉　江	丹江口	95 200	102 000	122 000	1.200

续表 26.2.7

序号	河名	水库名或站名	控制面积(km^2)	洪峰流量(m^3/s)		$K=\frac{PMF}{万年洪水}$
				万年洪水	PMF	
42	敖　水	温峡口	595	6 250	11 400	1.824
43	漳　河	漳　河	2 212	14 780	17 620	1.192
44	渔洋河	熊　渡	1 015	6 880	10 700	1.556
45	陆　水	陆　水	3 400	17 200	24 600	1.430
46	浠　水	白连河	1 800	17 200	19 210	1.117
47	富　河	富　水	2 450	21 100	25 600	1.213
48	沅　水	五强溪	83 800	69 300	75 100	1.084
49	耒　水	东　江	4 719	18 600	21 100	1.134
50	东　江	枫树坝	5 150	14 300	17 000	1.189
51	新丰江	新丰江	5 740	17 300	22 000	1.272
52	流溪河	流溪河	539	5 200	6 650	1.279
53	增　江	天堂山	461	4 420	6 100	1.380
54	南渡江	松　涛	1 440	24 700	24 700	1.000
55	澄碧河	澄碧河	2 000	8 700	13 400	1.540
56	大渡河	铜街子	76 420	16 400	20 000	1.220
57	白龙江	碧　口	26 000	10 700	13 300	1.243
58	白龙江	宝珠寺	28 428	23 500	28 300	1.204
59	西　河	升　钟	1 756	13 000	14 400	1.103
60	龙溪河	狮子滩	3 020	6 950	9 790	1.406
61	南盘江	天生桥	50 194	25 200	27 300	1.083
62	猫跳河	红　枫	1 596	4 830	5 840	1.209
63	猫跳河	百　花	1 895	5 580	6 360	1.140
64	乌　江	乌江渡	27 800	24 500	22 660	0.922
65	黄泥河	鲁布革	7 283	9 350	10 880	1.164
66	杏子河	王　瑶	820	7 900	10 000	1.266
67	石头河	石头河	673	6 700	8 000	1.194
68	石砭峪河	石砭峪	132	1 480	2 000	1.351
69	汉　江	石　泉	23 400	34 800	37 200	1.069
70	汉　江	安　康	35 700	45 000	55 000	1.222
71	黄　河	刘家峡	181 766	10 800	13 000	1.204
72	蒲　河	巴家嘴	3 522	25 400	26 000	1.031
73	浑　江	回龙山	12 433	35 480	38 100	1.074
74	澜沧江	小　湾	113 300	23 600	25 900	1.097
75	拉萨河	直　孔	20 179	4 030	4 870	1.208
76	牡丹江	莲　花	30 200	27 200	30 700	1.129
77	瓯　江	滩　坑	3 330	30 500	33 600	1.102
78	黄　河	小浪底	694 155	52 300	52 300	1.000
79	长　江	三　峡	1 000 000	113 000	124 000	1.100
80	堵　河	潘　口	89 850	22 700	25 600	1.128

续表 26.2.7

序号	河名	水库名或站名	控制面积 (km^2)	洪峰流量(m^3/s)		$K=\frac{PMF}{万年洪水}$
				万年洪水	PMF	
81	昌化江	大广坝	3 498	42 700	46 000	1.077
82	伊　河	陆　浑	3 492	17 100	20 500	1.200
83	雅砻江	二　滩	116 360	25 200	30 000	1.190
84	六冲河	洪家渡	9 900	9 020	9 920	1.100
85	沙　河	昭平台	1 500	31 500	32 900	1.044
86	沙　河	下　汤	890	24 000	26 000	1.083
87	黄　河	公伯峡	143 619	8 820	10 580	1.200
88	黄　河	龙羊峡	131 420	8 650	10 500	1.214
89	黄　河	大柳树	251 900	13 000	15 600	1.200
90	黄　河	碛　口	430 900	53 400	53 600	1.004
91	黄　河	龙　门	496 900	52 300	55 000	1.052

1)皮尔逊Ⅲ型曲线的万年一遇洪水不符合中国洪水的变化规律,因为它的上部不是比较平缓,而是翘得高高的。

2)PMF 是近似于物理上限的洪水,其真值理应位于上部比较平缓的那条经验频率曲线的外延线上。因此,从物理成因概念上说,这个 PMF 应比皮尔逊Ⅲ型曲线的万年一遇洪水要小。

上述论据(后来还有大量补充)及推理等论述详见本书 25.4 和 25.6 节。

当然,以上都是纯粹从物理成因概念来说的,而在实际的分析计算中所得的 PMF,都是估值,皮尔逊Ⅲ型曲线的万年洪水也是估值。既是估值,就有误差,而且误差有大有小,有正、有负[16]。具体到一个工程,其 PMF 与万年洪水之间的关系,要具体情况具体分析。即在确定 PMF 的取值时要看基本资料的条件和对流域暴雨洪水特性的研究深度,计算方法和各个计算环节的技术处理是否合理等来决定取值。我们反对的是用皮尔逊Ⅲ型曲线的万年洪水作一把“标尺”来衡量 PMF,并且要求 PMF 必须大于或等于它。

当然反过来,我们也不能把 PMF 作为一把“标尺”来衡量万年洪水,并要求它必须小于 PMF。

为什么呢?因为数理统计法和水文气象法是两种不同的方法,其基本思路完全不同(见 0.1 节)。在使用数量统计法的国家,实际上是把万年洪水作为近似极限洪水,在使用水文气象法的国家是把 PMF 作为近似极限洪水。因此,两种方法所求出的成果要认定谁大谁小的问题,这在单纯使用数理统计法的国家(如苏联、欧洲一些国家等)不存在(因为它们根本就不计算 PMF),在单纯采用以水文气象法求得的 PMF 作为最高防洪标准的国家(如美国、巴西、加拿大、印度等),也不存在(因为它们就不用万年洪水)。这种问题只存在于把数理统计法和水文气象法同时并用来推求高风险工程的设计洪水的国家,如中国、澳大利亚、英国等。

我们认为,在以暴雨洪水为主的国家,使用数理统计法和水文气象法这两种方法来推求设计洪水,是合适的,因为这二者各有其理论基础,各有其优缺点,二者并用,可以取长补短、互为补充，有助于较合理地选定设计成果。但是不能用万年洪水作为“标尺”来衡量PMF，并进而对其进行修改。那么对一个工程具体如何取值呢？可以按以下三种情况分别处理[2,17,18]：

1)当用水文气象法求得的PMF较合理时(不论其所对应的重现期是大于万年还是小于万年)，则采用PMF。这里所谓合理，主要是指设计流域或其邻近地区具有必要的高效暴雨资料，使求得的PMP比较可靠，而且流域产、汇流规律及其计算方法研究得比较深入，从而使求得的PMF也比较可靠。

2)当用数理统计法求得的万年一遇洪水较合理时，则采用万年一遇洪水。这里所谓合理，主要是指实测洪水资料系列较长，历史洪水的调查研究较为深入，并具有若干个重现期较长且数据较为可靠的历史洪水资料，使得资料系列的代表性较好，从而使求得的万年一遇洪水比较可靠。

3)当所得的PMF与万年一遇洪水的可靠程度相差不多时，则取其大者。

中国1994年颁布的国家标准《防洪标准》[19]就是这样处理的。

但是，作为一种学术观点，作者仍然认为，当暴雨洪水变差系数C_v较大时，采用皮尔逊Ⅲ型曲线求得的万年洪水作为极限洪水是偏大的。

那么，不用万年洪水作为极限洪水，应该用多少年一遇的洪水作为极限洪水呢？下面我们就来讨论这个问题。

26.3 数理统计法求极限洪水的取值

以上我们多处谈到，用皮尔逊Ⅲ型曲线得出的所谓万年洪水，作为极限洪水是偏大的，脱离中国实际的。究竟采用多少年一遇的洪水作为极限洪水，才算比较合适呢？这个问题，目前还研究不够。

1992年11月1日，中国著名水文专家陈家琦教授与王国安谈到设计洪水标准时说：“中国洪水的C_v大，看来把皮尔逊Ⅲ型曲线外延到万年，确实是有问题，但降低到什么样一个数字才合适，这需要研究。”

1991年4月25日，中国水文界元老谢家泽教授在与王国安谈到中国设计洪水问题时说：“频率曲线，外延过大，确实有问题……对皮尔逊Ⅲ型曲线不能迷信”。谈到洪水标准时，谢老说：“美国有人提出对水库设计标准的制定，有两种指导思想：一种是不准失事、万无一失。另一种是失事而安全，也就是设太平门，开非常溢洪道，遇超标准洪水，冲就冲了，洪水是慢慢下泄，不倒坝，下游安全。这样洪水标准就可低些，也许100年、1 000年就行。因为冲了也不要紧。我是赞成这种见解的”。

1990年，河海大学徐祖信等人提出，在工程设计上应考虑合理的风险，建议把千年一遇洪水作为中国稀遇洪水的实用极限概率[5]。

我们认为，由于采用数理统计法推求极限洪水是通过频率曲线的外延来实现的。因此，这里有两个问题：

1)采用什么线型。因为不同的线型，外延的结果差别很大(见表0.2.1)。多年来，中国一直是采用皮尔逊Ⅲ型曲线。现在看来，短期也难以改变。所以本书的讨论也只能以皮尔逊Ⅲ型曲线为准。

2)把频率曲线外延到什么程度才能算是极限洪水。这个问题,如果洪水样本有充分的代表性、频率曲线的线型完全符合洪水的概率分布规律,那么概率→0 的洪水,就是极限洪水。然而,现实情况是洪水样本远不能说有充分的代表性,频率曲线线型更难说是符合洪水的概率分布规律。现在,只是为了满足工程设计的需要,人们才“约定俗成”地把频率曲线外延到万年一遇($P=0.01\%$)的数值作为近似的极限洪水。

但是,频率曲线的线型选定以后,其具体的曲线,则由统计参数来确定。皮尔逊Ⅲ型曲线的统计参数有三个,即均值 $\overline{X}$,变差系数 C_v 和偏态系数 C_s。其中对曲线外延影响最大的是 C_v。C_v 愈大,曲线上端翘得愈高(图 26.1.1)。因此,近似极限洪水的取值,对于不同的 C_v,应分别取不同的重现期。表 26.3.1 所列数字是作者的初步看法,供讨论。

表 26.3.1 近似极限洪水重现期表

C_v	0.40	0.40~0.80	0.81~1.20	1.21~1.60	>1.60
重现期(a)	5 000	4 000	3 000	2 000	1 000

在具体应用时,经过多方面的合理性检查后,如频率计算成果有偏小的可能,则可按中国现行设计洪水规范的规定,酌加不超过计算值的 20% 的安全保证修正值。

26.4 结论与讨论

26.4.1 结论

作为学术见解,本书对 PMF 和万年洪水的认识,以及对这二者相互之间关系的看法,可归纳为以下五点:

1)PMF 是近似于物理上限的洪水。在中国的大面积江河上,只要把近 600 年来的历史洪水调查考证清楚,其中的最大值,一般就接近于 PMF 了。现在看来,PMF 的洪峰,一般不会超过当地近 600 年来历史最大值的 10%~20%。

2)在中国大面积江河上按皮尔逊Ⅲ型曲线所求得的万年洪水一般偏大,是当地在现代气候条件下,不可能发生的虚幻洪水。频率曲线只宜外延到 1 000~5 000 年。

3)在水利水电工程建设上,今后不宜再继续把皮尔逊Ⅲ型万年洪水作为最高防洪标准,以免给国家造成巨大浪费。

4)由于皮尔逊Ⅲ型万年洪水一般偏大,脱离中国实际,故在规程规范中,硬性规定 PMF 必须大于万年洪水,是不对的。

5)从物理成因上看,中国大面积江河的 PMF 一般应小于皮尔逊Ⅲ型万年洪水。

26.4.2 讨论

以上所述的五点基本认识,是王国安在1983年和1984年所写的文章❶❷中提出来的,以后在文献〔1〕〔2〕〔4〕〔10〕〔16~18〕等中又分别有所论述。在本书的25.4和25.5节以及26.1和26.2.4节中又作了更进一步的阐述。这五点认识,曾获得中国水文界大批专家、学者的赞同。

按照上述五点认识,落实到工程实践上,就是要减小水利水电重要工程的设计/校核洪水数值。这样一来,对工程来说,是否安全呢?我们认为一般是足够安全的。兹从以下两个方面来说明:

1)通过国内外大量资料分析,使我们对洪水频率曲线上端趋于一近似的上限的认识更加坚信。

在本书编写过程中收集了国内外大量暴雨和洪水资料,通过这些资料的归纳与综合分析(见第16、22、24和25章),使我们确信:一个特定流域其产流汇流条件是一定的,对于一定历时的特大(非常)暴雨来说,其天气成因类型是惟一的。这是造成洪水频率曲线上端趋于一近似上限的根本原因(还有其他一些原因,详见25.6.2节)。显然,只要这一条成立,那么26.4.1节中那五点基本认识就是对的。既然是对的,则在安全上就不会有问题。

2)对推求设计极值洪水来说,和以往比较起来现已具备了较好的资料基础。

第一,实测暴雨和洪水资料系列已增长。在50年代和60年代,许多工程的设计只有几年或十几年的暴雨或洪水资料,致使设计洪水计算成果严重偏小。现在一般都有四五十年以上的资料,而且还包含了近期出现的一些特大值,显然,其代表性要比以往好得多。

第二,近期和历史上发生的特大暴雨的调查和考证已取得较多成果。

近期特大暴雨调查资料有:1930年8月辽宁西部暴雨,1932年8月松花江暴雨,1933年8月黄河中游暴雨,1935年7月长江中游暴雨,1963年8月海河暴雨,1975年8月淮河暴雨,1977年8月内蒙古暴雨和1981年7月四川暴雨等。

远期通过调查和历史文献考证的特大暴雨资料有:东北地区的1888年,海河的1569年、1668年、1801年、1883年,黄河的1482年、1553年、1662年、1761年、1843年、1904年,淮河的1593年,沂沭泗水系的1730年,长江的1870年,汉江的1583年,赣江的1485年,珠江的1885年等。

以上这些珍贵的近远期特大暴雨资料,对分析和认识中国特大暴雨的时空变化规律及其天气成因等,有着十分重要的作用。

第三,全国调查和考证的大量历史洪水资料已系统整编刊印。全国已汇编约有6 000个调查河段的20 000多个大洪水数据。并在此基础上选编了全国有代表性的自1482年以来的91场历史大洪水进行场次洪水汇编,对每场洪水的雨情、水情等进行了科学的分析。这对于分析和认识中国特大洪水的基本规律极为有利。

---

❶ 王国安.中国大面积江河的可能最大洪水要小于皮尔逊Ⅲ型曲线的万年一遇值——一项大胆的假说.1983,6

❷ 王国安.对洪水在多年间变化规律的认识似应来一次转变.成都科技大学三十周年校庆论文,1984

第四，在长江、黄河、淮河、海河等流域已取得一批古洪水研究成果，这有助于频率曲线较合理地外延和 PMF 成果的合理选取。

在工程规划设计中，充分利用上述 4 项有关资料，认真进行分析研究，并对计算成果从多方面进行合理性检查，则所得出的 PMF 和 1 000～5 000 年一遇的洪水。其数值一般应是足够大的，因而对工程而言一般应是足够安全的。同时还应该看到，现在除了资料条件以外，工作经验和认识水平，已不同于 50～60 年代[20]。

在 50～60 年代，设计洪水一般多按实测资料系列计算，对计算结果很少进行合理性检查，致使后来每发生一次大洪水，成果就大幅度地提高一次。全国性的大幅度增加，基本上有两次：一次是 1963 年海河特大暴雨后，另一次是 1975 年淮河特大暴雨后。表 26.4.1是中国几个水库设计洪水两次变动的情况。由该表可见，现在这些水库各种标准的洪水，不仅比 50 年代时数值大，而且比 1975 年淮河大暴雨以前的数值大得多。例如 100 年一遇的洪水，一般已相当于 60 年代的 500～1 000 年一遇的水平，50 年代的 1 000～10 000 年一遇洪水的水平。换言之，就这个 100 年一遇标准的洪水来说，它对于工程防洪的实际安全度，现在已比过去大为提高了(一般说，100 年一遇洪水更加接近实际了，但对于更稀遇的洪水，特别是万年一遇的洪水则是偏大了)。

表 26.4.1　　中国几个水库设计洪水三次成果比较[20]　　(流量单位：m^3 /s)

计算阶段	重现期	松桥		松涛		岳城		黄壁庄		黄坛口		新丰江		陆水	
		Q_m	计算年份	Q_m	年份	Q_m	年份	Q_m	年份	Q_m	年份	Q_m	年份	Q_m	年份
一	万年	5 200*	1955	11 800	1958	27 800	1958	38 000	1957	12 200	1956	12 300	1957	66100	1958
	千年	4 236		9 270		16 600		19 700		9 790		9 650		5 610	
	五百年	3 980		8 500		14 600		16 000		9 100		8 900		5 300	
	百年	3 300		7 100		9 100		9 050		7 330		7 160		4 550	
二	万年	13 100	1965	17 100	1965	26 600	1964	38 500	1965	14 900	1963	13 600	1 974	11 600	1965
	千年	9 870		13 500		19 300		27 400		11 900		11 000		9 050	
	五百年	8 910		12 000		16 800		24 000		10 900		10 300		8 300	
	百年	6 630		9 700		11 700		16 500		8 710		8 340		6 480	
三	万年	19 300	1977	24 700	1977	31 400	1 978	50 300	1981	17 100	1978	17 300	1977	17 200	1977
	千年	14 500		19 500		22 200		33 900		13 100		13 750		13 300	
	五百年	10 800		17 800		19 500		29 100		11 900		12 700		12 200	
	百年	9 770		14 100		13 400		18 500		9 190		10 150		9 390	

注　带 * 号者为根据千年和百年的 Q_m 所估计的数据。

总之，本章的核心论点是：在中国这样一个以暴雨洪水为主的国家，把大面积江河按皮尔逊Ⅲ曲线求得的万年洪水作为极限洪水是偏大的，以往在国家规程规范上硬性规定 PMF 要大于万年洪水是不妥的。在 1991 年 4 月于北京召开的中国水利学会成立 60 周年学术报告会上，王国安在其宣读的论文[1]中，系统地阐明了这一观点之后，当即得到大批与会专家的热烈支持。其中特别是最早(1937 年)使用频率计算法研究中国江河洪水规律[21]的著名老专家陈椿庭教授，他深情地对王国安说："你抓住了两大关键问题：一个是万年洪水偏大，脱离中国实际；另一个是在规范上硬性规定PMF必须大于万年洪水不对。现在，你就破这两点，其他都是次要的。能破这两点，就是一大功劳"❶。

参考文献

1 王国安.中国设计洪水及标准问题.水利学报,1991(4)
2 王国安,温善章.国标《防洪标准》何以把PMF与万年洪水并列.水利水电标准化与计量,1995(2)
3 王国安.对我国大型水库设计洪水标准的管见.人民黄河,1984(6)
4 王国安.对我国水利水电工程设计洪水标准存在问题的认识.人民黄河,1987(6)
5 徐祖信,郭子中.水利水电工程设计洪水标准问题的讨论.水力发电,1990(3)
6 詹道江,邹进上.可能最大暴雨与洪水.北京:水利电力出版社,1983
7 苏联电站部水电建设总局水电设计院技术指导处.水文计算简明手册.北京:燃料工业出版社,1954
8 叶永毅.进一步发展具有我国特色的洪水频率分析方法,水文计算经验汇编(第四集).北京:水利出版社,1984
9 詹道江.洪水计算中的异军突起——古洪水研究.水文科技情报,1992(4)
10 王国安.对淮河"75.8"洪水垮坝主要原因及其引出问题的认识与建议.河南水利(纪念"75.8"洪水灾害二十周年及防洪减灾对策学术讨论会专刊),1995(4)
11 Yevjevich V. Basic Approaches to Coping with Floods and Drought. 1989
12 水利电力部.水利水电枢纽工程等级划分及设计标准(山区、丘陵区部分)SDJ 12－78(试行).北京:水利出版社,1980
13 水利部,电力工业部.水利水电工程设计洪水计算规范SDJ 22－79(试行).北京:水利出版社,1980
14 Committe on Safety Criteria for Dams etal, Safety of Dams——Flood and Earthquake Criteria, National Academy Press, Washington, D.C. 1985
15 朱元甡.防洪风险分析.水文科技情报,1988(1)
16 王国安,丁晶.可能最大洪水不一定必须大于万年一遇洪水.成都科学技术大学学报,1994(1)
17 王国安.再论PMF与万年洪水的关系.人民黄河,1992(8)
18 王国安.关于水利水电工程防洪标准的说明.水利水电标准化与计量,1996(1)
19 国家技术监督局,中华人民共和国建设部.中华人民共和国国家标准GB50201－94《防洪标准》.北京:中国计划出版社,1994
20 王国安.我国水库设计洪水成果今后还会增大吗.黄河规划设计,1994(2)
21 陈椿庭.中国五大江河洪水频率曲线之研究.水利,第十四卷.1937(6)

❶ 黄河水利委员会勘测规划设计院.对《关于我国水利水电工程设计洪水标准的研究》获奖的异议.1992,1

27 经验、展望与建议

27.1 经验

这里所谓经验,是指工作方法上和思想认识上的一些重要体会。这些经验,对中国、对世界其他国家,在开展 PMP/PMF 工作中,都具有一定的借鉴作用。

27.1.1 工作经验

通过中国广大水文工作者近 50 年来的实践,所总结出来的基本经验有以下 6 点:

1)要重视基本资料。无论采用何种方法计算 PMP/PMF,都必须根据一定的基本资料来进行。因此,对气象、水文等有关的基本资料都要认真地进行收集、整理,并有重点地进行审查和复核,了解取得资料的条件和方法。必要时还应通过实地调查、比测检验、合理修正。

2)要重视历史暴雨洪水。这里所谓历史暴雨洪水是指有实测资料以前若干年(数十年至数千年)在本流域、本地区发生的暴雨洪水,需要通过调查和对历史文献记载的考证分析得出。这种暴雨洪水,一般比实测期内观测到的暴雨洪水要大得多。它们对于搞好 PMP/PMF 工作,具有十分重要的作用。例如,在暴雨模式的拟定(见 5.1 节),成果合理性检查(见 14.2 节和 21.2 节)等环节都可以派上用场,有的甚至可以直接参与计算(见 20.2 节)。

3)要重视调查研究。对设计地区的自然地理环境、人类活动情况等,都应适当地通过一些室内、室外(野外现场)的调查研究,把它们的情况弄清楚。

4)要重视基本规律。对设计流域的地形地貌特征、水系特征、产流汇流特性、暴雨和洪水特性等要认真地进行分析,以便得出一些规律性的认识,用以指导 PMP/PMF 工作。

5)要注意用多种方法比较。推求 PMP/PMF 的方法比较多,它们各有其适用条件和优缺点,在工作中适当地采用多种方法平行计算,有助于发现问题,揭露矛盾,进而使最终选取的成果,较为合理。

6)要重视成果合理性检查。对 PMP/PMF 计算的各种参数,各个环节及计算成果,都必须进行合理性检查,决不能只是单纯机械地计算完了就完事。在计算机运用十分广泛的今天,尤其需要注意这一问题。

我们常常看到,国内外都有不少这样的报道:某某工程的设计洪水严重偏小了,被后来实际发生特大洪水大大超过了。产生这类问题的重要原因之一,就是设计人员在进行工程的规划设计时,没有对设计洪水成果,进行合理性检查。这样带来的后果,往往是十分惨重的(水库垮坝造成大量生命财产损失)。

暴雨和洪水是特定的气象和地理条件相结合的产物。而气象、地理条件在一定范围内具有一定的相似性,因而暴雨特征和洪水特征在此范围内的变化也具有相似的规律性。

利用相似地区内的同类资料,综合分析它们之间的规律,可以达到利用面上(大范围)资料弥补点上(小范围)资料的不足,以便进一步发现和揭露问题,有利于对 PMP/PMF 计算成果作出恰当的评价,确定较合理的数据做为设计成果。

最后,还要补充一条经验,这就是在暴雨洪水为主的国家,一定要重视水文气象法。这一条经验,是中国用大量的生命财产换来的。

1975 年 8 月上旬,淮河上游发生特大暴雨,导致板桥、石漫滩等水库垮坝(垮坝最大流量板桥为78 100m³/s,石漫滩为 30 000m³/s),使 29 个县市的 1 100 万人口受灾,淹死 26 000 多人,京广铁路被冲毁 102km,中断行车 18 天,影响运输 48 天[1]。据世界银行专家丹尼尔·J·古拉估计,这场洪水的直接经济损失为 30 亿美元,总损失为 100 亿美元[2]。板桥、石漫滩水库的基本情况见表 27.1.1。

表 27.1.1　　板桥、石漫滩水库基本情况表[3]

库　名	控制面积(km²)	坝型	最大坝高(m)	总库容(亿 m³)	最大泄量(m³/s)	坝顶高程(m)	防浪墙顶高程(m)	758 洪水垮坝水位(m)	
								高程	高出防浪墙顶
板　桥	762	粘土心墙　坝	24.5	4.92	1 719	116.34	117.64	117.94	0.30
石漫滩	230	均　质土　坝	25.0	0.918	509	109.85	111.05	111.40	0.35

板桥、石漫滩水库垮坝,其最主要的原因是水库在 50 年代初期修建时,学习苏联经验,采用频率分析方法来推求设计洪水,由于当时资料系列太短,代表性很差,致使计算成果严重偏小。如 1956 年扩建加固采用的校核洪水:板桥水库名为 1 000 年一遇的洪峰,还达不到 1977 年复建该库时计算成果 10 年一遇的数值;石漫滩水库名为 500 年一遇的洪峰,也低于 1986 年复建该库时计算的 10 年一遇的数值(详见表 27.1.2)。758 洪水的入库洪峰板桥为 13 000m³/s,石漫滩为 6 280m³/s,二者的重现期均约相当于 600 年[3]。虽然海河 638 特大暴雨使刘家台等水库垮坝,在全国引起震动,但在 1965 年设计部门对板桥水库的设计洪水进行复核时,仍然是采用频率分析法。因为当时中国的设计洪水规范(草案)中规定的设计洪水计算方法就只有这一种,没有水文气象法。当时设计人员虽然也研究了海河 638 暴雨,但研究的结果认为,那场暴雨是发生在海河,没有发生在淮河。

表 27.1.2　　板桥、石漫滩水库设计洪水与 758 洪水比较表[3]

库　名 / 洪水项目		板　桥		石漫滩	
		洪　峰(m³/s)	3 天洪量(亿 m³)	洪　峰(m³/s)	3 天洪量(亿 m³)
1956 年扩建设计	1 000 年一遇	4 236	2.75		
	500 年一遇			1 396	
1975 年 8 月洪水	入库洪水	13 000	6.92	6 280	2.19
	垮坝洪水	78 100		30 000	
1977～1986 年复建设计	1 000 年一遇	14 500	6.93	6 834	2.33
	10 年一遇	4 990		1 947	

同时它的暴雨中心地带的雨量是两千年一遇,而板桥水库是千年一遇洪水校核。故最后没有利用638暴雨资料。如果当时我们能够运用水文气象法的原理和方法来研究海河638暴雨,进行暴雨移置,则肯定会发现板桥水库原设计采用的校核洪水严重偏小,若随即再对水库采取一些相应的加固措施,则在遭遇758暴雨洪水袭击时,板桥水库就不会垮坝。

所以,1975年12月中国在郑州召开的《全国防汛和水库安全会议》上,在总结淮河758洪水垮坝的教训时说:"我们对水库标准和计算方法,主要套用了苏联的规程","在洪水计算上,单纯采用频率计算方法,往往不能正确反映实际,反而给人以虚假的安全感"[3]。于是这次会议作出规定,在设计洪水计算上,除了频率计算法以外,还要采用水文气象法。

这就是说,758洪水垮坝的教训,使我们深刻认识到,像中国这样一个以暴雨洪水为主的国家在水库设计洪水计算方法上,决不能单打一,只采用频率计算法,而应该是频率计算法和水文气象法并用,一定要重视水文气象法。

27.1.2 思想认识经验

在思想认识上,我们认为主要是要走出以下两大误区:

27.1.2.1 PMF必须大于万年一遇洪水

这是国内外不少人的共同看法,而且似乎认为这是颠扑不破的真理。作者认为这是个历史的大误会[4]。其根本原因是:这个所谓的万年一遇洪水,不是自然界实际发生的,而是人们根据短短几十年的洪水资料,配合一条数学线型(频率曲线)大幅度地外延求出来的,一般都远离实际(详见26.2节)。作者认为现在应是大家走出这个误区的时候了。

27.1.2.2 按PMF设计来修建工程,投资巨大,难以承受

这也是在世界上的一种较普遍的看法。例如,国际灌溉和排水委员会(ICID)于1976年出版的《世界防洪环顾》一书的导论中说,PMP和PMF的概念一直受到强烈抨击,其主要原因之一是按PMF进行设计,经济上极不现实[5],就是个很有代表性的例子。

我们认为,这种看法也是错误的。这里有两大问题需要弄清:

1)PMF数值太大的问题。上述看法是建立在PMF数值很大很大的基础之上的。这又分两种情况:①受"PMF必须大于万年洪水"观念(这种观念国外也不少,详见26.2.3.1节)的影响,把PMF搞得大得离奇,还误认为是对的;②对PMF的数值,只是机械地运算,未对成果进行合理性检查,致使PMF大得严重脱离实际。

根据我们的经验,只要抛弃PMF必须大于万年洪水的错误观念,并对计算成果认真地进行合理性检查,PMF的数值,不会大到令人难以接受的地步。美国搞PMP/PMF已经60多年了,但它的PMF数值并不是太大,其全国的外包线还没有超过世界记录的外包线(见22.2节和图22.2.1)。其主要原因是美国搞PMP/PMF工作的人(美国天气局和陆军工程师团等)没有带着PMF必须大于万年洪水这个框框去进行工作。

2)所论工程该不该用PMF进行设计的问题。如果工程失事以后,带来的后果将十分严重,那么花钱再多,也是值得的(当然,这里仍要求PMF的数值是合理的大,不是荒唐的大)。何况按PMF防洪,并不意味着全是搞工程措施,也可搞些非工程措施(例如搞

好水文气象预报、建立通信预警系统、安排居民临时安迁等),来节省投资。

因此,我们认为,现在也应该是大家走出“按PMF设计,工程投资难以承受”这一误区的时候了。

27.2 展望

这里拟主要谈谈PMP/PMF工作的前景问题。

我们认为,PMP/PMF方法具有极强的生命力,前景十分光明,值得大家重视。其主要原因有以下6点:

1)随着人口的不断增加,社会经济的迅速发展和对社会环境保护意识的空前增强,人们对水利水电工程的防洪要求愈来愈高,力求重要的水库工程不要垮坝。也就是要求工程要按最高防洪标准来设计。目前世界上通行的最高防洪标准,一般有两种:一是频率分析的5 000~10 000年一遇洪水;二是用水文气象法求得的PMF。

从国际大坝委员会的大坝和洪水委员会现任主席贝尔加教授最近给王国安寄来的文章[6]中总结的世界大坝防洪安全标准发展的新趋势(见表0.3.1)来看,其最高标准(高风险工程安全校核标准)是PMF或5 000~10 000年一遇洪水。

2)随着人类社会经济活动的日益增加,使流域的下垫面条件不断发生变化,从而使流域的产流、汇流条件也发生相应的变化,这样就使得洪水资料基础的一致性受到破坏。而频率分析方法,正是要求资料系列的基础必须具有一致性。从理论上说,人类活动对洪水的影响可以设法予以还原,但是,当活动方面愈多、情况愈复杂时,还原就很难进行,即使勉强做了,成果精度也很差。这样,就使得频率分析方法的运用,日益困难。而用水文气象法求PMF,就不存在这方面的问题,它正好可以适应流域下垫面变动的情况。

顺便介绍,人类活动对洪水资料系列一致性的影响,国外有不少人进行过研究。其中,美国工程师赖齐(B. M. Reich)在1985年的研究成果[7],很能说明这一问题。他以美国西部圣克鲁斯河为例,来说明由于人口急剧增加,原始林地、草原等自然景观遭到严重破坏,在短短30年内,使一条终年不断流的清水河,变成现在这样一条枯水河流。洪水资料表明(1905~1984年),80年系列内为首4次大洪水均发生在最近的25年期间(1960~1984年),以最近25年连续系列作频率计算,得出百年一遇的洪峰为2 720m^3/s,而原估计的百年一遇洪峰为850m^3/s,加大了2.2倍。

赖齐认为,造成上述资料系列不一致性的主要原因是流域自然景观的变化。按该市规划,人口在今后还要增加一倍,必然要在沿河兴建大量工业、民用建筑以及扩大耕地等。因此,洪水系列的不一致性问题,将更加突出。

3)从暴雨成因来看,形成特大洪水的暴雨往往是几种不同尺度、不同来源天气系统造成的结果。它不同于系统比较单一的一般暴雨。从统计资料的一致性要求来看,不能把特大暴雨洪水与一般暴雨混为一体来进行频率分析,正如融雪洪水不能与暴雨洪水,台风暴雨不能与梅雨当作同一总体来作频率分析一样[8],这可以说是中国水文界的共识。

近10多年来,国际水文界对此反映也很强烈。仅在1988年6月于美国旧金山召开的第 16 届国际大坝会议的论文中,就有两篇文章谈到这个问题❶。

一篇是加拿大学者格里兰德(Ch. Guillaud)的《确定设计洪水的原理及其应用》中说,突尼斯(半干旱气候)1969 年洪水是由异常天气现象造成的,不具一致性,不能用统计法确定设计洪水。突尼斯祖鲁德河锡迪萨阿德站流域面积 8 600km^2,1949～1978 年的 30 年中,实测洪水流量,最小为 98m^3/s,最大为 4 850m^3/s,而 1969 年却高达 17 050m^3/s。1969 年洪水是由地中海南面典型强低气压区与西欧的强高气压区汇合而成。

另一篇是南非学者亚历山大(W. J. R. Alexander)等人的《南非特大洪水的启示》,他们在总结了南非在 1981 年和 1984 年发生的特大洪水对以往设计洪水成果和已建大坝工程的影响之后,得到的最重要的结论是:水文分析需要改进,尤其是在传统的假定认为年最大洪峰来自一个单一总体的水文分析(即频率分析)更需改进。这种假定对于有两种或多种不同的暴雨天气条件均可发生的地方是不适用的,特别是一种产生大暴雨的条件是很稀有的地方是明显不适用的。

但是,在生产实践上,由于现有洪水资料系列太短,一般多不问洪水成因,而采用混合抽样统计法。而这样做的结果,往往使稀遇洪水,特别是高风险工程设计所要求的 5 000～10 000 年一遇洪水,严重偏大。有的地方,万年洪水大得出奇!例如淮河中渡站年最大 30 天洪量的万年一遇数值,比中国四场著名的特大暴雨所形成的洪量还大出很多(详见 26.1.2 节或文献〔9〕)。

在特大洪水与一般洪水的气象成因有明显区别的地方,应当采用什么方法来推算设计洪水呢?上述那位加拿大学者格里兰德在同一篇文章中说,应当采用水文气象法。因为水文气象法在资料丰富,一致和可靠的情况下可以应用;在气候有明显差异的情况下,也可以应用。我们认为,这个见解是正确的。事实上,这也是世界水文界许多人的共识。

我们认为,在世界上,一切干旱气候和半干旱气候地区,推求高风险水利水电工程设计洪水的最好办法,应是水文气象法。

4)美国使用 PMP/PMF 方法已 60 多年,美国大坝安全规程委员会认为,对于高风险的坝工设计来说,PMF 仍是目前最好的规程〔10〕。多年来,一些世界性的权威机构都把 PMP/PMF 看作是确定高风险工程防洪标准的最好方法。

联合国世界气象组织于 1973 年和 1986 年两次出版 PMP 估算手册。

世界银行提供贷款修建的重要水库工程,一般都要求以 PMF 作为防洪标准。否则,工程设计的审查就难以通过。

现在许多发展中国家,也都在使用 PMP/PMF 方法(见表 21.2.3)。

显然,当今一个国家修建水利水电工程,要想引进外资,获得世界银行的贷款,或者该国的水利水电工程方面的设计和建筑公司要想跨出国门,走向世界,打入国际市场,都必须熟悉并善于运用 PMP/PMF 方法。

5)现在,世界上核电站的建设日益增多,为了保障它的绝对安全,对其防洪工程,一般都要求按 PMF 来设计。

6)随着科学技术的高速发展,PMP/PMF 方法将日趋完善。

---

❶ 长江水利委员会水文局.第 16 届国际大坝会议论文设计洪水译文选集.1990,1

本法是从物理成因的角度来研究设计洪水,因而它最有发展前途。这又可以从三个方面来谈这个问题。①随着气象和水文资料的积累,使我们对非常暴雨和洪水规律的认识,会更加全面;②随着气象科学的发展和大气探测手段的完善,将使我们对非常暴雨形成的物理机制,有更深入的了解;③随着计算机技术和卫星遥测遥感等空间技术的进步,将使我们能够采用高新的方法来分析 PMP/PMF。

例如,在 PMP 的推求上,有可能利用数值模拟的办法来检查暴雨组合、暴雨移置、当地暴雨放大等各个环节处理的合理性,甚至直接采用模拟这类方法,计算出 PMP。

在 PMF 的推求上,可以利用遥感技术来了解设计流域产流汇流条件的变化,特别是人类活动的影响情况,从而使产汇流计算成果更加合理。

27.3 建议

为有利于 PMP/PMF 工作的发展和提高,这里提四点建议:①对基本资料进行收集、整理;②对基本规律进行探索研究;③对计算方法的完善与提高进行研究;④对以往的 PMP/PMF 成果进行复核。兹分述如下。

27.3.1 对基本资料进行收集整理

1)收集整理各地实测特大暴雨资料,按统一的格式进行分析,建立一个标准化的中国暴雨档案,以便为推求 PMP 提供移置、组合个例和提供强降水的时空分布及时面深关系。

2)收集整理历史文献记载的特大暴雨洪水资料,尽可能设法分析推断其天气成因,并以计算机代劳,模拟其暴雨时空分布,为推求 PMP 服务。

3)广泛收集世界各地的特大暴雨洪水资料、古洪水资料和 PMP/PMF 成果,为分析检查计算成果的合理性,提供参考。

27.3.2 对基本规律进行探索研究

1)组织研究现有著名特大暴雨的可移置范围,进而扩大研究,划分中国的气象一致区。

2)进一步综合研究现有特大暴雨洪水的基本特性、地区规律,用以指导 PMP/PMF 工作。

3)积极参与国际合作,探索世界特大暴雨洪水的地区规律,分类型分区建立世界记录外包线。

27.3.3 对计算方法的完善与提高进行研究

1)对传统方法中存在的一些主要问题,如组合模式中的组合间距、放大时间,任意性较大,空间组合更缺乏经验,这些都需要进行研究。

2)作为与美国新的 PMP 概念相适应的方法——时面深概化法,有条件的单位,可用此法多做工作,即与传统方法平行作业,以检验其在中国的适用性。

3)在产流汇流计算中,如何利用卫星遥感手段考虑人类活动的影响,也值得研究。

4)特别是要探索推求 PMP 的新方法。我们认为,直接采用降水定量预报中所用的降水动力模式来计算 PMP,应是一个值得注意的方向。中国气象科学家王作述研究员,在文献〔11〕中,也曾提出过同样的看法。我们认为,这种工作需要水文工作者与气象工作者密切配合进行。

27.3.4 对以往的 PMP/PMF 成果进行复核

中国的 PMP/PMF 成果,绝大部分都是在 70 年代后期所进行的那一次全国性的水库防洪安全复核工作中所完成的。我们认为,这些成果,特别是 PMF,基本上是普遍偏大、脱离实际的。这主要是受下列四大因素的影响所致[3]:

1)1975 年 8 月淮河发生的特大洪水使板桥、石漫滩等水库垮坝造成毁灭性的灾害所形成的恐怖气氛,使设计人员生怕把设计洪水再算小了。

2)水利电力部为总结淮河 758 洪水垮坝教训,于 1975 年 11~12 月在郑州召开全国防汛和水库安全会议提出《关于复核水库防洪安全的几点规定(草稿)》,其第一条规定:"各省(市、区)应根据当地已发生的大暴雨和大洪水资料,并分析其他地区已出现的特大暴雨在本地发生的可能,研究当地可能发生的最大暴雨和最大洪水,作为水库安全复核的依据"。此外,再加上 1975 年 10 月中央气象局和水电部所属 14 个单位在北京对淮河 758 暴雨移置范围的研究结果是:758 河南型暴雨,在淮河流域、黄河中下游、海河流域、长江中下游到南岭以北的大部分地区,都有可能出现;在华南、四川、东北地区出现的可能性不能完全排除;在西北、云南、内蒙古移置的可能性较小。

这样,就造成了如有些人所说的,"758 暴雨满天飞",到处都要移置它。有的地方,虽然没有直接移置,但是在作成果合理性检查、用面上工程的 PMP/PMF 成果进行比较协调时,758 暴雨往往也起了作用。

3)规范人为硬性规定 PMF 要大于[12]或不得小于[13]万年一遇洪水。

4)当时时间短(仅 3~5 年)、任务重(全国有 8 万多座水库要复核),工作不熟悉(过去大都是搞频率分析),许多人对 PMP/PMF 都是边学边干。

现在,头脑冷静了,工作经验也丰富了,只要坐下来,实事求是地认真对那次成果进行复核,一般成果都会小下来,尤其是北方水库,更是如此。下面举两个例子[3]。

1)山东太河水库(流域面积 780km^2),1976 年时平移淮河 758 暴雨,把林庄中心置于流域重心,进行水汽放大,求得 PMP 面平均雨深,最大 1 天为 707mm,3 天为 1 180mm,PMF 洪峰为 17 860m^3/s,洪量最大 1 天为 4.95 亿 m^3,3 天为 8.25 亿 m^3。1984 年进行复核,考虑到太河所在流域三面环山,开口朝北,对台风暴雨来说,是处于背风坡,不利于水汽入流。再加上太河地区的地形没有淮河那样的一级阶地作为依托,台风暴雨也难以维持 3 天等因素,把暴雨中心置于常见暴雨中心池上,进行水汽放大,并采用等百分数线法进行改正,求得 PMP 面平均雨深最大 1 天为 595mm,3 天为 1 033mm,PMF 洪峰为 13 540m^3/s,洪量最大 1 天为 3.73 亿 m^3,3 天为 6.44 亿 m^3。与 1976 年成果相比,洪水减小了将近 1/4。

2)河南陆浑水库(流域面积 3 492km^2),1976 年时移置淮河 758 暴雨,把林庄中心置于嵩县(这主要是根据以往县志上所记载的资料分析确定的),移置过来后,再进行水汽放大和地形改正,求得面平均雨深最大5天量为748mm。照搬淮河雨型,产汇流计算采用当时水情预报部门初步研究出来的流域模型,得出PMF洪峰为34 600m^3/s,最大5天洪量为23.2亿m^3。后来,1981年发现陆浑模型的参数定量有问题(用它来验证实测大洪水,洪峰就偏大约30%)。1982年7月底8月初,当地又发生了一场大暴雨(洪峰居实测资料的第二位),其暴雨中心是在陆浑东北约10km的石碣。1984年复核时,考虑1982年暴雨的实际情况,把林庄中心置于陆浑,进行水汽放大后,用最近几年研究出来的新的地形改正方法进行改正,求得PMP面平均雨深最大5天量为631mm,仍照搬淮河雨型,产汇计算采用新安江模型和萨克模型。求得PMF洪峰为18 100m^3/s,最大5天洪量为16.3亿m^3。与1976年成果相比,洪峰减小47.7%,洪量减小29.7%。按此成果,陆浑水库就无需再增开非常溢洪道。

从以上两个例子来看,洪水复核的必要性是无可争辩的,而且潜力是很大的。

顺便说明,国外也有这种认识:随着水文气象资料的积累和分析研究工作的深入,PMP/PMF的成果,可能比以往研究的成果减小。例如,美国大坝安全规程委员会等权威机构也提请注意:由于较多的水文气象研究会使PMP的趋向比早先研究成果减小[10],因此,经过一定时间以后,对PMP/PMF成果进行复核是必要的。事实上,中国洪水频率分析成果,也多次进行过复核。

现在,我们建议按1994年颁布的国家标准《防洪标准》[14]对大中型水库的PMF成果,进行一次复核。那么,复核以后设计洪水成果小了怎么办呢?这要区别情况,分别对待:

1)对于尚未加固的水库,结合其他因素(例如地质、施工质量等)看,是否可以不予加固。

2)对于部分加固的水库(例如陆浑水库只加高加固了大坝,尚未增开非常溢洪道),则不再继续实施加固措施。

3)对于已经全部按规定加固的水库(例如密云、潘家口等水库)或全按规定新建的水库(例如故县、大广坝等水库),则可适当抬高汛期防洪限制水位、增大兴利库容,更多更合理地利用水资源,为工农业生产和人民生活服务。

最后,需要特别说明的是:本篇对中国非常暴雨和非常洪水这二者诸多特性的探讨,均未考虑人类活动使大气中二氧化碳浓度增加,所产生的温室效应对世界气候变迁的影响。这是因为,目前科学家们对此问题的认识,还大相径庭。据河海大学刘新仁教授最近发表的一篇重要文章[15]介绍,关于“人类活动显著影响气候”的论点,长期处于热烈争论之中,一部分人认为,气候系统是有弹性的、不必过多估计其变化带来的危害;另一部分人则认为,气候系统是脆弱的、环境变化的有害影响将会十分严重。这场争论说明,科学家们对“气候变迁”的科学认识尚嫌不足,至今仍然没有足够的能力作出准确清晰的诊断,以致于辩论双方互不相让。

参 考 文 献

1 胡明思,骆承政.中国历史大洪水(下卷).北京:中国书店,1992

2 Daniel J. Gunaratnam. Flood Control Experiences in China and 1991 Flood Disaster. Hydraulic Engineering. 1993:965～970

3 王国安.对淮河“75.8”洪水垮坝主要原因及其引出问题的认识与建议 . 河南水利,1995(4)

4 王国安 . 中国设计洪水及标准问题 . 水利学报,1991(4)

5 国际灌溉与排水委员会编.《防洪与水利管理丛书》编委会译. 世界防洪环顾 . 哈尔滨:哈尔滨出版社,1992

6 Berga. L. New Trends in Design Flood Assessment, International Symposium on Dams and Extreme Floods General Discussion, GRANADA, WESNESDAY 16EP. 1992, SPAIN

7 丛树铮,朱元甡. 中美双边水文极值学术讨论会——美方论文综述. 水文,1987(1)

8 詹道江,邹进上. 可能最大暴雨与洪水 . 北京:水利电力出版社,1983

9 王国安. 对我国大型水库设计洪水标准的管见. 人民黄河,1984(6)

10 Commine on Safety Criteria for Dam etal. Safety of Dams - Flood and Earthguake Criteria. Washington: National Academy Press, 1985

11 王作述. 可能最大暴雨的一个数值试验研究. 河海大学学报,1988,16(3)

12 水利电力部. 水利水电枢纽工程等级划分及设计标准(山区、丘陵区部分)SDJ 12 - 78(试行). 北京:水利出版社,1981

13 水利部,电力工业部. 水利水电工程设计洪水计算规范 SDJ 22 - 79(试行). 北京:水利出版社,1980

14 中华人民共和国国家标准 GB50201 - 94《防洪标准》. 北京:中国计划出版社. 1994 年

15 刘新仁. 气候变迁与大尺度水文. 见:全国水文计算进展和展望学术讨论会论文选集(中国水利学会编). 南京:河海大学出版社,1998

附 表

附表 1 **1 000hPa 地面到指定压力(hPa)间饱和假绝热大气中的**

压力 (hPa)	1 000hPa															
	0	1	2	3	4	5	6	7	8	9	10	11	12	13	14	15
990	0	0	0	0	0	0	1	1	1	1	1	1	1	1	1	1
980	1	1	1	1	1	1	1	1	1	1	1	2	2	2	2	2
970	1	1	1	1	1	2	2	2	2	2	2	2	3	3	3	3
960	1	2	2	2	2	2	2	2	3	3	3	3	3	4	4	4
950	2	2	2	2	2	3	3	3	3	3	4	4	4	4	5	5
940	2	2	2	3	3	3	3	3	4	4	4	5	5	5	6	6
930	2	3	3	3	3	3	4	4	4	5	5	5	6	6	7	7
920	3	3	3	3	4	4	4	5	5	5	6	6	7	7	8	8
910	3	3	3	4	4	4	5	5	5	6	6	7	7	8	8	9
900	3	4	4	4	4	5	5	6	6	6	7	7	8	9	9	10
890	4	4	4	5	5	5	6	6	7	7	8	8	9	9	10	11
880	4	4	4	5	5	6	6	7	7	8	8	9	9	10	11	12
870	4	4	5	5	6	6	7	7	8	8	9	9	10	11	12	13
860	4	5	5	6	6	6	7	7	8	9	9	10	11	12	12	13
850	5	5	5	6	6	7	7	8	9	9	10	11	11	12	13	14
840	5	5	6	6	7	7	8	8	9	10	10	11	12	13	14	15
830	5	5	6	6	7	7	8	9	9	10	11	12	13	14	15	16
820	5	6	6	7	7	8	8	9	10	11	11	12	13	14	15	17
810	5	6	6	7	8	8	9	10	10	11	12	13	14	15	16	17
800	6	6	7	7	8	8	9	10	11	12	12	13	15	16	17	18
790	6	6	7	7	8	9	9	10	11	12	13	14	15	16	17	19
780	6	7	7	8	8	9	10	11	11	12	13	14	16	17	18	19
770	6	7	7	8	9	9	10	11	12	13	14	15	16	17	19	20
760	6	7	7	8	9	10	10	11	12	13	14	15	17	18	19	21
750	6	7	8	8	9	10	11	12	13	14	15	16	17	18	20	21
740	7	7	8	9	9	10	11	12	13	14	15	16	18	19	20	22
730	7	7	8	9	9	10	11	12	13	14	15	17	18	20	21	23
720	7	7	8	9	10	11	11	12	13	15	16	17	18	20	22	23
710	7	8	8	9	10	11	12	13	14	15	16	17	19	20	22	24
700	7	8	8	9	10	11	12	13	14	15	16	18	19	21	23	24
690	7	8	9	9	10	11	12	13	14	15	17	18	20	21	23	25
680	7	8	9	10	10	11	12	13	15	16	17	19	20	22	24	25
670	7	8	9	10	11	11	12	14	15	16	17	19	20	22	24	26
660	8	8	9	10	11	12	13	14	15	16	18	19	21	23	24	26
650	8	8	9	10	11	12	13	14	15	16	18	19	21	23	25	27
640	8	8	9	10	11	12	13	14	15	17	18	20	21	23	25	27
630	8	8	9	10	11	12	13	14	16	17	18	20	22	24	26	28
620	8	9	9	10	11	12	13	14	16	17	19	20	22	24	26	28
610	8	9	9	10	11	12	13	15	16	17	19	20	22	24	26	28
600	8	9	9	10	11	12	13	15	16	17	19	21	23	25	27	29

可降水量(mm)与1 000hPa露点(℃)函数关系表

温度 (℃)															压 力
16	17	18	19	20	21	22	23	24	25	26	27	28	29	30	(hPa)
1	1	1	1	1	1	2	2	2	2	2	2	2	2	3	990
2	2	2	3	3	3	3	3	4	4	4	4	5	5	5	980
3	4	4	4	4	5	5	5	5	6	6	7	7	7	8	970
4	5	5	5	6	6	6	7	7	8	8	9	9	10	11	960
6	6	6	7	7	8	8	9	9	10	10	11	12	12	13	950
7	7	7	8	9	9	10	10	11	12	12	13	14	15	16	940
8	8	9	9	10	11	11	12	13	14	14	15	16	17	18	930
9	9	10	10	11	12	13	14	14	15	16	17	19	20	21	920
10	10	11	12	13	13	14	15	16	17	18	20	21	22	23	910
11	11	12	13	14	15	16	17	18	19	20	22	23	24	26	900
12	12	13	14	15	16	17	18	20	21	22	24	25	27	28	890
12	13	14	15	16	17	19	20	21	23	24	26	27	29	31	880
13	14	15	16	18	19	20	21	23	24	26	28	29	31	33	870
14	15	16	18	19	20	21	23	24	26	28	30	32	34	36	860
15	16	18	19	20	21	23	24	26	28	30	32	34	36	38	850
16	17	19	20	21	23	24	26	28	30	32	34	36	38	40	840
17	18	19	21	22	24	26	27	29	31	33	35	38	40	43	830
18	19	20	22	24	25	27	29	31	33	35	37	40	42	45	820
19	30	21	23	25	26	28	30	32	34	37	39	42	44	47	810
19	21	22	24	26	28	29	32	34	36	38	41	44	46	49	800
20	22	23	25	27	29	31	33	35	38	40	43	46	49	52	790
21	23	24	26	28	30	32	34	37	39	42	45	48	51	54	780
22	23	25	27	29	31	33	35	38	41	43	46	49	53	56	770
22	24	26	28	30	32	34	37	39	42	45	48	51	55	58	760
23	25	27	29	31	33	35	38	41	44	47	50	53	57	60	750
24	26	28	30	32	34	37	39	42	45	48	51	55	59	62	740
24	26	28	30	33	35	38	40	43	46	50	53	57	60	64	730
25	27	29	31	34	36	39	42	45	48	51	55	58	62	66	720
26	28	30	32	35	37	40	43	46	49	53	56	60	64	68	710
26	28	31	33	35	38	41	44	47	50	54	58	62	66	70	700
27	29	31	34	36	39	42	45	48	52	55	59	63	68	72	690
27	30	32	34	37	40	43	46	49	53	57	61	65	69	74	680
28	30	33	35	38	41	44	47	51	54	58	62	67	71	76	670
29	31	33	36	39	42	45	48	52	55	60	64	69	73	78	660
29	31	34	37	39	42	46	49	53	57	61	65	70	75	80	650
29	32	35	37	40	43	46	50	54	58	62	67	71	76	81	640
30	32	35	38	41	44	47	51	55	59	63	68	73	78	83	630
30	33	36	38	42	45	48	52	56	60	65	69	74	79	85	620
31	33	36	39	42	45	49	53	57	61	66	71	76	81	87	610
31	34	37	40	43	46	50	54	58	62	67	72	77	82	89	600

续附表 1

压力 (hPa)	1 000hPa															
	0	1	2	3	4	5	6	7	8	9	10	11	12	13	14	15
590	8	9	10	10	11	12	14	15	16	18	19	21	23	25	27	29
580	8	9	10	11	11	13	14	15	16	18	19	21	23	25	27	30
570	8	9	10	11	12	13	14	15	16	18	20	21	23	25	27	30
560	8	9	10	11	12	13	14	15	17	18	20	21	23	26	28	30
550	8	9	10	11	12	13	14	15	17	18	20	22	24	26	28	30
540	8	9	10	11	12	13	14	15	17	18	20	22	24	26	28	31
530	8	9	10	1	12	13	14	15	17	18	20	22	24	26	28	31
520	8	9	10	11	12	13	14	16	17	19	20	22	24	26	29	31
510	8	9	10	11	12	13	14	16	17	19	20	22	24	26	29	31
500	8	9	10	11	12	13	14	16	17	19	20	22	24	27	29	32
490	8	9	10	11	12	13	14	16	17	19	21	22	25	27	29	32
480	8	9	10	11	12	13	14	16	17	19	21	23	25	27	29	32
470	8	9	10	11	12	13	14	16	17	19	21	23	25	27	29	32
460	8	9	10	11	12	13	14	16	17	19	21	23	25	27	30	32
450	8	9	10	11	12	13	14	16	17	19	21	23	25	27	30	32
440	8	9	10	11	12	13	15	16	17	19	21	23	25	27	30	33
430	8	9	10	11	12	13	15	16	17	19	21	23	25	27	30	33
420	8	9	10	11	12	13	15	16	18	19	21	23	25	27	30	33
410	8	9	10	11	12	13	15	16	18	19	21	23	25	27	30	33
400	8	9	10	11	12	13	15	16	18	19	21	23	25	28	30	33
390	8	9	10	11	12	13	15	16	18	19	21	23	25	28	30	33
380	8	9	10	11	12	13	15	16	18	19	21	23	25	28	30	33
370	8	9	10	11	12	13	15	16	18	19	21	23	25	28	30	33
360	8	9	10	11	12	13	15	16	18	19	21	23	25	28	30	33
350	8	9	10	11	12	13	15	16	18	19	21	23	25	28	30	33
340	8	9	10	11	12	13	15	16	18	19	21	23	25	28	30	33
330	8	9	10	11	12	13	15	16	18	19	21	23	25	28	30	33
320	8	9	10	11	12	13	15	16	18	19	21	23	25	28	30	33
310	8	9	10	11	12	13	15	16	18	19	21	23	25	28	30	33
300	8	9	10	11	12	13	15	16	18	19	21	23	25	28	30	33
290	8	9	10	11	12	13	15	16	18	19	21	23	25	28	30	33
280	8	9	10	11	12	13	15	16	18	19	21	23	25	28	30	33
270	8	9	10	11	12	13	15	16	18	19	21	23	25	28	30	33
260	8	9	10	11	12	13	15	16	18	19	21	23	25	28	30	33
250	8	9	10	11	12	13	15	16	18	19	21	23	25	28	30	33
240	8	9	10	11	12	13	15	16	18	19	21	23	25	28	30	33
230	8	9	10	11	12	13	15	16	18	19	21	23	25	28	30	33
220	8	9	10	11	12	13	15	16	18	19	21	23	25	28	30	33
210	8	9	10	11	12	13	15	16	18	19	21	23	25	28	30	33
200	8	9	10	11	12	13	15	16	18	19	21	23	25	28	30	33

温度 (℃)															压 力
16	17	18	19	20	21	22	23	24	25	26	27	28	29	30	(hPa)
32	34	37	40	43	47	51	55	59	63	68	73	78	84	90	590
32	35	38	41	44	48	51	55	60	64	69	74	80	85	91	580
32	35	38	41	45	48	52	56	61	65	70	75	81	87	93	570
33	36	39	42	45	49	53	57	61	66	71	77	82	88	94	560
33	36	39	42	46	49	53	58	62	67	72	78	83	90	96	550
33	36	39	43	46	50	54	58	63	68	73	79	85	91	97	540
34	37	40	43	47	50	55	59	64	69	74	80	86	92	99	530
34	37	40	43	47	51	55	60	64	70	75	81	87	93	100	520
34	37	40	44	48	51	56	60	65	70	76	82	88	95	102	510
34	37	41	44	48	52	56	61	66	71	77	83	89	96	103	500
35	38	41	45	48	52	57	61	66	72	78	84	90	97	104	490
35	38	41	45	49	53	57	62	67	73	78	85	91	98	105	480
35	38	42	45	49	53	58	62	68	73	79	85	92	99	106	470
35	38	42	45	49	54	58	63	68	74	80	86	93	100	108	460
35	39	42	46	50	54	58	63	68	74	81	87	94	101	109	450
35	39	42	46	50	54	59	64	69	75	81	88	95	102	110	440
36	39	42	46	50	55	59	64	70	76	82	88	96	103	111	430
36	39	43	46	50	55	60	65	70	76	82	89	96	104	112	420
36	39	43	47	51	55	60	65	71	77	83	90	97	105	113	410
36	39	43	47	51	55	60	65	71	77	84	90	98	105	114	400
36	39	43	47	51	56	60	66	71	77	84	91	98	106	115	390
36	39	43	47	51	56	61	66	72	78	85	92	99	107	115	380
36	40	43	47	51	56	61	66	72	78	86	92	100	108	116	370
36	40	43	47	51	56	61	66	72	79	86	93	100	108	117	360
36	40	43	47	52	56	61	67	73	79	86	93	101	109	118	350
36	40	43	47	52	56	61	67	73	79	86	93	101	109	118	340
36	40	43	47	52	56	61	67	73	79	86	94	102	110	119	330
36	40	44	48	52	57	62	67	73	80	87	94	102	111	120	320
36	40	44	48	52	57	62	67	73	80	87	94	102	111	120	310
36	40	44	48	52	57	62	67	73	80	87	95	103	111	121	300
36	40	44	48	52	57	62	68	74	80	87	95	103	112	121	290
36	40	44	48	52	57	62	68	74	80	88	95	103	112	121	280
36	40	44	48	52	57	62	68	74	81	88	95	104	112	122	270
36	40	44	48	52	57	62	68	74	81	88	96	104	113	122	260
36	40	44	48	52	57	62	68	74	81	88	96	104	113	122	250
36	40	44	48	52	57	62	68	74	81	88	96	104	113	123	240
36	40	44	48	52	57	62	68	74	81	88	96	104	113	123	230
36	40	44	48	52	57	62	68	74	81	88	96	104	113	123	220
36	40	44	48	52	57	62	68	74	81	88	96	105	114	123	210
36	40	44	48	52	57	62	68	74	81	88	96	105	114	123	200

附表2 **1 000hPa地面到指定高度(高出地面米数)间饱和假绝热大气中的**

高 度 (m)	1 000hPa															
	0	1	2	3	4	5	6	7	8	9	10	11	12	13	14	15
200	1	1	1	1	1	1	1	2	2	2	2	2	2	2	2	2
400	2	2	2	2	2	3	3	3	3	3	4	4	4	4	5	5
600	3	3	3	3	3	4	4	4	5	5	5	6	6	6	7	7
800	3	3	4	4	4	5	5	5	6	6	7	7	8	8	9	9
1 000	4	4	4	5	5	6	6	6	7	7	8	9	9	10	10	11
1 200	4	5	5	6	6	7	7	8	8	9	9	10	11	11	12	13
1 400	5	5	6	6	7	7	8	8	9	10	10	11	12	13	14	15
1 600	5	6	6	7	7	8	9	9	10	11	11	12	13	14	15	16
1 800	6	6	7	7	8	9	9	10	11	12	12	13	14	15	17	18
2 000	6	7	7	8	9	9	10	11	11	12	13	14	16	17	18	19
2 200	7	7	8	8	9	10	10	11	12	13	14	15	16	18	19	20
2 400	7	8	8	9	9	10	11	12	13	14	15	16	17	19	20	22
2 600	7	8	8	9	10	11	11	12	13	14	16	17	18	20	21	23
2 800	7	8	9	9	10	11	12	13	14	15	16	18	19	21	22	24
3 000	8	8	9	10	10	11	12	13	14	15	17	18	20	21	23	25
3 200	8	8	9	10	11	12	13	14	15	16	17	19	20	22	24	26
3 400	8	8	9	10	11	12	13	14	15	16	18	19	21	23	24	26
3 600	8	9	9	10	11	12	13	14	15	17	18	20	22	23	25	27
3 800	8	9	10	10	11	12	13	14	16	17	19	20	22	24	26	28
4 000	8	9	10	11	11	12	14	15	16	17	19	21	22	24	26	28
4 200	8	9	10	11	12	13	14	15	16	18	19	21	23	25	27	29
4 400	8	9	10	11	12	13	14	15	16	18	20	21	23	25	27	29
4 600	8	9	10	11	12	13	14	15	17	18	20	22	24	25	28	30
4 800	8	9	10	11	12	13	14	15	17	18	20	22	24	26	28	30
5 000	8	9	10	11	12	13	14	16	17	19	20	22	24	26	28	31
5 200	8	9	10	11	12	13	14	16	17	19	20	22	24	26	29	31
5 400	8	9	10	11	12	13	14	16	17	19	20	22	24	26	29	31
5 600	8	9	10	11	12	13	14	16	17	19	21	22	24	27	29	32
5 800	8	9	10	11	12	13	14	16	17	19	21	22	25	27	29	32
6 000	8	9	10	11	12	13	15	16	17	19	21	23	25	27	30	32

可降水量(mm)与1 000hPa露点(℃)函数关系表

温度（℃）															高 度
16	17	18	19	20	21	22	23	24	25	26	27	28	29	30	(m)
3	3	3	3	3	4	4	4	4	4	5	5	5	6	6	200
5	5	6	6	6	7	7	8	8	9	9	10	10	11	12	400
7	8	8	9	10	10	11	11	12	13	14	15	15	16	17	600
10	10	11	12	13	13	14	15	16	17	18	19	20	21	22	800
12	13	13	14	15	16	17	18	20	21	22	23	25	26	28	1 000
14	15	16	17	18	19	20	21	23	24	26	27	29	31	32	1 200
16	17	18	19	20	22	23	24	26	28	29	31	33	35	37	1 400
17	19	20	21	23	24	25	27	29	31	32	35	37	39	41	1 600
19	20	22	23	25	26	28	30	32	34	36	39	41	43	46	1 800
21	22	24	25	27	29	31	33	35	37	39	42	44	47	50	2 000
22	24	25	27	29	31	33	35	37	40	42	45	48	51	54	2 200
23	25	27	29	31	33	35	37	40	43	45	48	51	54	57	2 400
24	26	28	30	32	35	37	40	42	45	48	51	55	58	61	2 600
26	27	30	32	34	36	39	42	45	48	51	54	58	61	65	2 800
27	29	31	33	35	38	41	44	47	50	53	57	61	64	68	3 000
28	30	32	34	37	40	42	45	49	52	56	59	63	67	71	3 200
29	31	33	36	38	41	44	47	51	54	58	62	66	70	74	3 400
29	32	34	37	39	42	45	49	52	56	60	64	68	73	77	3 600
30	32	35	38	41	44	47	50	54	58	62	66	70	75	80	3 800
31	33	36	39	42	45	48	52	56	60	64	68	73	78	83	4 000
31	34	37	40	43	46	49	53	57	61	66	70	75	80	85	4 200
32	34	37	40	44	47	51	54	58	63	67	72	77	82	87	4 400
32	35	38	41	44	48	52	56	60	64	69	74	79	84	90	4 600
33	36	39	42	45	49	53	57	61	65	70	75	81	86	92	4 800
33	36	39	42	46	50	54	58	62	67	72	77	72	88	94	5 000
34	37	40	43	47	50	54	59	63	68	73	78	84	90	96	5 200
34	37	40	44	47	51	55	60	64	69	74	80	86	92	98	5 400
35	38	41	44	48	52	56	60	65	70	76	81	87	93	100	5 600
35	38	41	45	48	52	57	61	66	71	77	82	88	95	101	5 800
35	38	42	45	49	53	57	62	67	72	78	84	90	96	103	6 000

续附表 2

高 度 (m)	1 000hPa															
	0	1	2	3	4	5	6	7	8	9	10	11	12	13	14	15
6 200	8	9	10	11	12	13	15	16	17	19	21	23	25	27	30	32
6 400	8	9	10	11	12	13	15	16	17	19	21	23	25	27	30	32
6 600	8	9	10	11	12	13	15	16	18	19	21	23	25	27	30	33
6 800	8	9	10	11	12	13	15	16	18	19	21	23	25	27	30	33
7 000	8	9	10	11	12	13	15	16	18	19	21	23	25	27	30	33
7 200	8	9	10	11	12	14	15	16	18	19	21	23	25	28	30	33
7 400	8	9	10	11	12	14	15	16	18	19	21	23	25	28	30	33
7 600	8	9	10	11	12	14	15	16	18	19	21	23	25	28	30	33
7 800	8	9	10	11	12	14	15	16	18	19	21	23	25	28	30	33
8 000	8	9	10	11	12	14	15	16	18	19	21	23	26	28	30	33
8 200	8	9	10	11	12	14	15	16	18	19	21	23	26	28	30	33
8 400	8	9	10	11	12	14	15	16	18	19	21	23	26	28	30	33
8 600	8	9	10	11	12	14	15	16	18	19	21	23	26	28	30	33
8 800	8	9	10	11	12	14	15	16	18	19	21	23	26	28	30	33
9 000	8	9	10	11	12	14	15	16	18	19	21	23	26	28	31	33
9 200	8	9	10	11	12	14	15	16	18	19	21	23	26	28	31	33
9 400						14	15	16	18	19	21	23	26	28	31	33
9 600						14	15	16	18	19	21	23	26	28	31	33
9 800						14	15	16	18	19	21	23	26	28	31	33
10 000						14	15	16	18	19	21	23	26	28	31	33
11 000											21	23	26	28	31	33
12 000																33
13 000																
14 000																
15 000																
16 000																
17 000																

温度 （℃）															高 度
16	17	18	19	20	21	22	23	24	25	26	27	28	29	30	（m）
35	38	42	45	49	54	58	63	68	73	79	85	91	98	104	6 200
35	39	42	46	50	54	58	63	68	74	80	86	92	99	106	6 400
36	39	42	46	50	54	59	64	69	74	80	87	93	100	107	6 600
36	39	42	46	50	55	60	65	70	75	81	87	94	101	108	6 800
36	39	43	46	51	55	60	65	70	76	82	88	95	102	110	7 000
36	39	43	47	51	55	60	65	71	76	82	89	96	103	111	7 200
36	39	43	47	51	56	61	66	71	77	83	90	97	104	112	7 400
36	39	43	47	51	56	61	66	72	77	83	90	98	105	113	7 600
36	39	43	47	51	56	61	66	72	78	84	91	98	106	114	7 800
36	40	43	47	52	56	61	66	72	78	85	92	99	107	115	8 000
36	40	43	47	52	57	62	67	73	78	85	92	100	108	115	8 200
36	40	43	47	52	57	62	67	73	79	85	92	100	108	116	8 400
36	40	43	47	52	57	62	68	73	79	86	93	101	109	117	8 600
36	40	43	47	52	57	62	68	73	79	86	93	101	109	118	8 800
36	40	43	47	52	57	62	68	71	80	86	94	102	110	118	9 000
36	40	43	48	52	57	62	68	74	80	87	94	102	110	119	9 200
36	40	44	48	52	57	62	68	74	80	87	94	102	110	119	9 400
36	40	44	48	52	57	63	68	74	80	87	94	102	111	120	9 600
36	40	44	48	52	57	63	68	74	80	87	95	103	111	120	9 800
37	40	44	48	52	57	63	68	74	80	87	95	103	112	121	10 000
37	40	44	48	52	57	63	68	74	81	88	96	104	113	122	11 000
37	40	44	48	52	57	63	68	74	81	88	96	105	114	123	12 000
				52	57	63	68	74	81	88	97	105	114	124	13 000
				52	57	63	68	74	81	88	97	105	115	124	14 000
									81	88	97	106	115	124	15 000
									81	88	97	106	115	124	16 000
										89	97	106	115	124	17 000

附表 3 **露点、**

P(hPa)	T_d(℃)									
	40	39	38	37	36	35	34	33	32	31
1000	47.28	44.75	42.34	40.05	37.87	35.79	33.82	31.95	30.16	28.47
950	49.84	47.17	44.63	42.21	39.91	37.72	35.64	33.66	31.78	30.00
900	52.70	49.87	47.18	44.62	42.18	39.87	37.66	35.57	33.58	31.70
850	55.90	52.90	50.04	47.32	44.73	42.27	39.93	37.71	35.60	33.60
800	59.52	56.32	53.27	50.37	47.61	44.99	42.49	40.13	37.88	35.74
700	68.38	64.68	61.16	57.81	54.63	51.61	48.74	46.02	43.43	40.98

P(hPa)	T_d(℃)									
	20	19	18	17	16	15	14	13	12	11
1000	14.69	13.80	12.95	12.15	11.40	10.69	10.01	9.38	8.78	8.21
950	15.47	14.53	13.64	12.80	12.00	11.25	10.54	9.87	9.24	8.65
900	16.34	15.34	14.40	13.52	12.68	11.88	11.13	10.43	9.76	9.13
850	17.31	16.26	15.26	14.32	13.43	12.59	11.79	11.04	10.34	9.67
800	18.40	17.28	16.22	15.22	14.27	13.38	12.54	11.74	10.99	10.28
700	21.07	19.78	18.57	17.42	16.33	15.31	14.34	13.43	12.57	11.76
600	24.63	23.12	21.70	20.36	19.09	17.89	16.76	15.69	14.68	13.73
500	29.64	27.83	26.11	24.49	22.96	21.51	20.15	18.86	17.65	16.51

P(hPa)	T_d(℃)									
	0	−1	−2	−3	−4	−5	−6	−7	−8	−9
1000	3.81	3.54	3.29	3.06	2.84	2.63	2.44	2.26	2.09	1.93
950	4.02	3.54	3.47	3.22	2.99	2.77	2.57	2.38	2.20	2.03
900	4.24	3.94	3.66	3.40	3.15	2.92	2.71	2.51	2.32	2.15
850	4.49	4.17	3.88	3.60	3.34	3.10	2.87	2.66	2.46	2.27
800	4.77	4.43	4.12	3.82	3.55	3.29	3.05	2.82	2.61	2.42
700	5.45	5.07	4.71	4.37	4.06	3.76	3.48	3.23	2.99	2.76
600	6.37	5.92	5.50	5.10	4.73	4.39	4.07	3.76	3.48	3.22
500	7.65	7.11	6.60	6.13	5.68	5.27	4.88	4.52	4.18	3.87
400	9.57	8.89	8.26	7.66	7.11	6.59	6.11	5.65	5.23	4.84
300	12.78	11.88	11.03	10.23	9.49	8.80	8.15	7.55	6.98	6.46

P(hPa)	T_d(℃)									
	20	−21	−22	−23	−24	−25	−26	−27	−28	−29
1000	0.74	0.67	0.61	0.55	0.50	0.45	0.41	0.36	0.33	0.29
950	0.77	0.70	0.64	0.58	0.52	0.47	0.43	0.38	0.35	0.31
900	0.82	0.74	0.67	0.61	0.55	0.50	0.45	0.41	0.36	0.33
850	0.87	0.79	0.71	0.65	0.58	0.53	0.48	0.43	0.39	0.35
800	0.92	0.84	0.76	0.69	0.62	0.56	0.51	0.46	0.41	0.37
700	1.05	0.96	0.87	0.79	0.71	0.64	0.58	0.52	0.47	0.42
600	1.23	1.11	1.01	0.92	0.83	0.75	0.68	0.61	0.55	0.49
500	1.47	1.34	1.21	1.10	0.99	0.90	0.81	0.73	0.66	0.59
400	1.84	1.67	1.52	1.37	1.24	1.12	1.01	0.91	0.82	0.74
300	2.46	2.23	2.02	1.83	1.66	1.50	1.35	1.22	1.09	0.98
200	3.69	3.35	3.04	2.75	2.49	2.25	2.03	1.83	1.64	1.47

用表说明：

按 $q=0.622E/(P-0.378E)$ 计算。

式中 q 为比湿，g/kg；P 为气压，hPa；E 为饱和水汽压，hPa；T_d 为露点，℃。

造表时用到的饱和水汽压值是按下式计算的：

$$E=\begin{cases} E_{水} \\ E_{冰} \\ |10+T_d|\times E_{冰}/30+(30-|10+T_d|)E_{水}/30 \end{cases}$$

$E_{水}$ 及 $E_{冰}$ 分别采用 WMO 出版的气象常用表中的以下公式（其中 T 为绝对温度）计算：

$$\lg E_{水}=10.795\,74(1-273.16/T)-5.028\,00\lg(T/273.16)+1.504\,75\times$$

$$\lg E_{冰}=-9.096\,85(273.16/T-1)-3.566\,54\lg(273.16/T)+0.896\,82(1$$

比湿查算表　　(单位:g/kg)

30	29	28	27	26	25	24	23	22	21
26.86	25.34	23.89	22.51	21.21	19.97	18.80	17.68	16.63	15.63
28.30	26.69	25.16	23.71	22.34	21.03	19.80	18.63	17.52	16.46
29.90	28.20	26.58	25.05	23.60	22.22	20.91	19.67	18.50	17.39
31.69	29.89	28.17	26.55	25.00	23.54	22.16	20.84	19.60	18.42
33.72	31.79	29.97	28.23	26.59	25.04	23.56	22.16	20.84	19.59
38.65	36.43	34.34	32.35	30.46	28.68	26.98	25.38	23.86	22.43

10	9	8	7	6	5	4	3	2	1
7.68	7.18	6.71	6.26	5.84	5.45	5.08	4.73	4.41	4.10
8.09	7.56	7.06	6.59	6.15	5.74	5.35	4.98	4.64	4.32
8.54	7.98	7.45	6.96	6.50	6.06	5.65	5.26	4.90	4.56
9.04	8.45	7.90	7.37	6.88	6.42	5.98	5.57	5.19	4.83
9.61	8.98	8.39	7.83	7.31	6.82	6.35	5.92	5.51	5.13
10.99	10.27	9.60	8.96	8.36	7.80	7.27	6.77	6.30	5.86
12.84	12.00	11.21	10.46	9.76	9.10	8.48	7.90	7.36	6.85
15.43	14.42	13.47	12.57	11.73	10.94	10.19	9.49	8.84	8.22

−10	−11	−12	−13	−14	−15	−16	−17	−18	−19
1.79	1.64	1.51	1.39	1.27	1.17	1.07	0.97	0.89	0.81
1.88	1.73	1.59	1.46	1.34	1.23	1.12	1.02	0.93	0.85
1.98	1.83	1.68	1.54	1.41	1.29	1.18	1.08	0.99	0.90
2.10	1.93	1.78	1.63	1.50	1.37	1.25	1.15	1.04	0.95
2.23	2.05	1.89	1.73	1.59	1.46	1.33	1.22	1.11	1.01
2.55	2.35	2.16	1.98	1.82	1.67	1.52	1.39	1.27	1.16
2.98	2.74	2.52	2.31	2.12	1.94	1.78	1.62	1.48	1.35
3.57	3.29	3.02	2.78	2.55	2.33	2.13	1.95	1.78	1.62
4.47	4.11	3.78	3.47	3.18	2.92	2.67	2.44	2.22	2.02
5.97	5.49	5.05	4.63	4.25	3.89	3.56	3.25	2.96	2.70

−30	−31	−32	−33	−34	−35	−36	−37	−38	−39
0.26	0.24	0.21	0.19	0.17	0.15	0.13	0.12	0.10	0.09
2.28	0.25	0.22	0.20	0.18	0.16	0.14	0.12	0.11	0.10
0.29	0.26	0.23	0.21	0.19	0.17	0.15	0.13	0.12	0.10
0.31	0.28	0.25	0.22	0.20	0.18	0.16	0.14	0.12	0.11
0.33	0.30	0.26	0.24	0.21	0.19	0.17	0.15	0.13	0.11
0.38	0.34	0.30	0.27	0.24	0.21	0.19	0.17	0.15	0.13
0.44	0.39	0.35	0.31	0.28	0.25	0.22	0.20	0.17	0.15
0.53	0.47	0.42	0.38	0.34	0.30	0.26	0.23	0.21	0.18
0.66	0.59	0.53	0.47	0.42	0.37	0.33	0.29	0.26	0.23
0.88	0.79	0.70	0.63	0.56	0.50	0.44	0.39	0.35	0.30
1.32	1.18	1.06	0.94	0.84	0.75	0.66	0.59	0.52	0.45

$T_d \geqslant -10℃$

$T_d \leqslant -40℃$

$-10℃ > T_d > -40℃$

$10^{-4}[1-10^{-8.2969(T/273.16-1)}]+0.42873\times10^{-3}[10^{4.76955(1-273.16/T}-1]+0.78614$

$-T/273.16)+0.78614$

附表 4 **风速 u、分量 v 查算表**

风向角度 φ(°)				分量	风速 V(m/s)									
					1	2	3	4	5	6	7	8	9	10
360	180	180	0	u	0	0	0	0	0	0	0	0	0	0
				v	1.0	2.0	3.0	4.0	5.0	6.0	7.0	8.0	9.0	10.0
350	190	170	10	u	0.17	0.35	0.52	0.69	0.87	1.04	1.22	1.39	1.56	1.74
				v	0.98	1.97	2.95	3.94	4.92	5.91	6.89	7.88	8.86	9.85
340	200	160	20	u	0.34	0.68	1.03	1.37	1.71	2.05	2.39	2.71	3.08	3.42
				v	0.94	1.88	2.82	3.76	4.70	5.64	6.58	7.52	8.46	9.10
330	210	150	30	u	0.50	1.0	1.5	2.0	2.5	3.0	3.5	4.0	4.5	5.0
				v	0.87	1.73	2.60	3.46	4.33	5.20	6.06	6.93	7.79	8.66
320	220	140	40	u	0.64	1.29	1.93	2.57	3.21	3.86	4.50	5.44	5.79	6.43
				v	0.77	1.53	2.30	3.06	3.83	4.60	5.36	6.13	6.89	7.66
310	230	130	50	u	0.77	1.53	2.30	3.06	3.83	4.60	5.36	6.13	6.89	7.66
				v	0.64	1.29	1.93	2.57	3.21	3.86	4.50	5.14	5.79	6.43
300	240	120	60	u	0.87	1.73	2.60	3.46	4.33	5.20	6.06	6.93	7.79	8.66
				v	0.50	1.0	1.5	2.0	2.5	3.0	3.5	4.0	4.5	5.0
290	250	110	70	u	0.94	1.88	2.82	3.76	4.70	5.64	6.58	7.52	8.46	9.40
				v	0.34	0.68	1.03	1.37	1.71	2.05	2.39	2.74	3.08	3.42
280	260	100	80	u	0.98	1.97	2.95	3.94	4.92	5.91	6.89	7.88	8.86	9.85
				v	0.17	0.35	0.52	0.69	0.87	1.04	1.22	1.39	1.56	1.74
270	270	90	90	u	1.0	2.0	3.0	4.0	5.0	6.0	7.0	8.0	9.0	10.0
				v	0	0	0	0	0	0	0	0	0	0
+	+	−	−	u	1	2	3	4	5	6	7	8	9	10
−	+	+	−	v										

风向角度 φ(°)				分量	风速 V(m/s)									
					11	12	13	14	15	16	17	18	19	20
360	180	180	0	u	0	0	0	0	0	0	0	0	0	0
				v	11.0	12.0	13.0	14.0	15.0	16.0	17.0	18.0	19.0	20.0
350	190	170	10	u	1.91	2.08	2.26	2.43	2.60	2.78	2.95	3.13	3.30	3.47
				v	10.83	11.85	12.80	13.79	14.77	15.76	16.74	17.73	18.71	19.70
340	200	160	20	u	3.76	4.10	4.45	4.79	5.13	5.47	5.81	6.16	6.50	6.84
				v	10.31	11.28	12.22	13.16	14.10	15.04	15.97	16.91	17.85	18.79
330	210	150	30	u	5.5	6.0	6.5	7.0	7.5	8.0	8.5	9.0	9.5	10.0
				v	9.53	10.40	11.26	12.12	12.99	13.86	14.72	15.59	16.45	17.32
320	220	140	40	u	7.07	7.71	8.36	9.00	9.64	10.28	10.93	11.57	12.21	12.86
				v	8.43	9.19	9.96	10.72	11.49	12.26	13.02	13.79	14.55	15.32
310	230	130	50	u	8.43	9.19	9.96	10.72	11.49	12.26	13.02	13.79	14.55	15.32
				v	7.07	7.71	8.36	9.00	9.64	10.28	10.93	11.57	12.21	12.86
300	240	120	60	u	9.53	10.40	11.26	12.12	12.99	13.86	14.72	15.59	16.45	17.32
				v	5.5	6.0	6.5	7.0	7.5	8.0	8.5	9.0	9.5	10.0
290	250	110	70	u	10.34	11.28	12.22	13.16	14.10	15.04	15.97	16.91	17.85	18.79
				v	3.76	4.10	4.45	4.79	5.13	5.47	5.81	6.16	6.50	6.84
280	260	100	80	u	10.83	11.82	12.80	13.79	14.77	15.76	16.74	17.73	18.71	19.70
				v	1.91	2.08	2.26	2.43	2.60	2.78	2.95	3.13	3.30	3.47
270	270	90	90	u	11.0	12.0	13.0	14.0	15.0	16.0	17.0	18.0	19.0	20.0
				v	0	0	0	0	0	0	0	0	0	0
+	+	−	−	u	11	12	13	14	15	16	17	18	19	20
−	+	+	−	v										

续附表 4

风向角度 φ(°)				分量	风速 V(m/s)									
					21	22	23	24	25	26	27	28	29	30
360	180	180	0	u v	0 21.0	0 22.0	0 23.0	0 24.0	0 25.0	0 26.0	0 27.0	0 28.0	0 29.0	0 30.0
350	190	170	10	u v	3.65 20.68	3.82 21.67	3.99 22.65	4.17 23.64	4.34 34.62	4.51 25.61	4.69 26.59	4.86 27.57	5.04 28.56	5.21 29.54
340	200	160	20	u v	7.18 19.73	7.52 20.67	7.87 21.61	8.21 22.55	8.55 23.49	8.89 24.43	9.23 25.37	9.58 26.31	9.92 27.25	10.26 28.19
330	210	150	30	u v	10.5 18.19	11.0 19.05	11.5 19.92	12.0 20.78	12.5 21.65	13.0 22.52	13.5 23.38	14.0 24.25	14.5 25.11	15.0 25.98
320	220	140	40	u v	13.50 16.09	14.14 16.85	14.78 17.62	15.43 18.39	16.07 19.15	16.71 19.92	17.36 20.68	18.00 21.45	18.64 22.22	19.28 22.98
310	230	130	50	u v	16.09 13.50	16.85 14.14	17.62 14.78	18.39 15.43	19.15 16.07	19.92 16.71	20.68 17.36	21.45 18.00	22.22 18.64	22.98 19.28
300	240	120	60	u v	18.19 10.5	19.05 11.0	19.92 11.5	20.78 12.0	21.65 12.5	22.52 13.0	23.38 13.5	24.25 14.0	25.11 14.5	25.98 15.0
290	250	110	70	u v	19.73 7.18	20.67 7.52	21.61 7.87	22.55 8.21	23.49 8.55	24.43 8.89	25.37 9.23	26.31 9.58	27.25 9.92	28.19 10.26
280	260	100	80	u v	20.68 3.65	21.67 3.82	22.65 3.99	23.64 4.17	24.62 4.34	25.61 4.51	26.59 4.69	27.57 4.86	28.56 5.04	29.54 5.21
270	270	90	90	u v	21.0 0	22.0 0	23.0 0	24.0 0	25.0 0	26.0 0	27.0 0	28.0 0	29.0 0	30.0 0
+ −	+ +	− +	− −	u v	21	22	23	24	25	26	27	28	29	30

用表说明：风是一个矢量 $\vec{v}$，它的全风速为 V，风向角度（从正北方向顺时针计算）为 φ。

它可以分解成两个分量风速，即东西向分速 u，南北向分速 v。如图(a)可得

$$u = V\sin(\varphi - 180°)$$

$$v = V\cos(\varphi - 180°)$$

式中：u 向东为正，v 向北为正。

根据上式，即可将风矢分解成 u、v 分速场，制作下表查算。

查算表给出每隔 10°各风向，全风速由 1～30m/s 的 u、v 分量数值，其中 u 为东西向分量，v 为南北向分量，向东和向北为正，向南和向西为负。如图(b)，各象限全风速（双箭头）u、v 分量的符号为

Ⅰ　0°～90°　　$u-v-$；

Ⅱ　90°～180°　　$u-v+$；

Ⅲ　180°～270°　　$u+v+$；

Ⅳ　270°～360°　　$u+v-$。

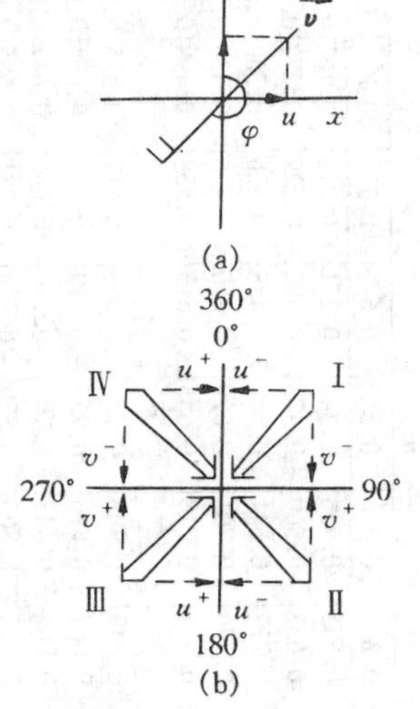

(a)

(b)

查表示例

风向角度 φ	风速 V	u	v	风向角度 φ	风速 V	u	v
①30°	27	−13.50	−23.38	④330°	12	6.0	−10.40
②110°	9	−8.46	3.08	⑤130°	47	−22.98+(−13.02) =−36.00	19.28+10.93 =30.21
③240°	6	5.20	3.00				

说明：如风速 V 大于 30m/s 时，可将它分为两个（或两个以上）小于 30m/s 的数值，如示例⑤ $V=47$m/s，分为 30+17，按 V 为 30、17 分别查出 u、v，再分别相加即得。

附表 5 $S(t)$曲线表

附表 5-1

$n=0.1\sim0.9$

t/K	n									t/K	n								
	0.1	0.2	0.3	0.4	0.5	0.6	0.7	0.8	0.9		0.1	0.2	0.3	0.4	0.5	0.6	0.7	0.8	0.9
0.1	0.827	0.676	0.545	0.436	0.345	0.271	0.211	0.163	0.125	3.1	0.999	0.997	0.994	0.991	0.987	0.983	0.977	0.971	0.963
0.2	0.879	0.764	0.658	0.560	0.473	0.396	0.329	0.272	0.223	3.2	0.999	0.997	0.995	0.992	0.989	0.984	0.979	0.974	0.967
0.3	0.908	0.817	0.727	0.641	0.561	0.488	0.420	0.360	0.306	3.3	0.999	0.997	0.995	0.993	0.990	0.986	0.982	0.976	0.970
0.4	0.928	0.852	0.776	0.701	0.629	0.560	0.495	0.435	0.380	3.4	0.999	0.998	0.996	0.994	0.991	0.987	0.983	0.979	0.973
0.5	0.941	0.879	0.814	0.748	0.683	0.619	0.558	0.499	0.444	3.5	0.999	0.998	0.996	0.994	0.992	0.989	0.985	0.981	0.976
0.6	0.952	0.899	0.843	0.785	0.727	0.668	0.611	0.555	0.502	0.3.6	0.999	0.998	0.997	0.995	0.993	0.990	0.987	0.983	0.978
0.7	0.960	0.915	0.867	0.816	0.763	0.710	0.657	0.604	0.553	3.7	0.999	0.998	0.997	0.996	0.993	0.991	0.988	0.984	0.980
0.8	0.966	0.928	0.886	0.841	0.794	0.746	0.696	0.647	0.598	3.8	0.999	0.999	0.997	0.996	0.994	0.992	0.989	0.986	0.982
0.9	0.972	0.939	0.902	0.863	0.820	0.776	0.731	0.685	0.639	3.9	0.999	0.999	0.998	0.996	0.995	0.993	0.990	0.987	0.984
1.0	0.976	0.948	0.916	0.881	0.843	0.803	0.761	0.719	0.675	4.0	0.1.000	0.999	0.998	0.997	0.995	0.993	0.991	0.989	0.985
1.1	0.979	0.955	0.927	0.896	0.862	0.826	0.788	0.748	0.708	4.1		0.999	0.998	0.997	0.996	0.994	0.992	0.990	0.987
1.2	0.982	0.961	0.937	0.909	0.879	0.846	0.811	0.775	0.737	4.2		0.999	998	0.997	0.996	0.995	0.993	0.991	0.988
1.3	0.985	0.966	0.945	920	0.893	0.864	0.832	0.798	0.763	4.3		0.999	0.999	0.998	0.997	0.995	0.994	0.992	0.989
1.4	0.987	0.971	0.852	0.930	0.906	0.879	0.850	0.819	0.787	4.4		0.999	0.999	0.998	0.997	0.996	0.994	0.992	0.990
1.5	0.989	0.975	0.958	0.939	0.917	0.893	0.866	0.838	0.808	4.5		0.999	0.999	0.998	0.997	0.996	0.995	0.993	0.991
1.6	0.990	0.978	0.963	0.946	0.926	0.905	0.881	0.855	0.827	4.6		0.999	0.999	0.998	0.998	0.997	0.995	0.994	0.992
1.7	0.991	0.981	0.968	0.952	0.935	0.915	0.893	0.870	0.844	4.7		1.000	0.999	0.999	0.998	0.997	0.996	0.994	0.993
1.8	0.993	0.983	0.972	0.958	0.942	0.924	0.905	0.883	0.860	4.8			0.999	0.999	0.998	0.997	0.996	0.995	0.994
1.9	0.994	0.985	0.975	0.963	0.949	0.933	0.915	0.895	0.874	4.9			0.999	0.999	0.998	0.998	0.997	0.996	0.994
2.0	0.994	0.987	0.978	0.967	0.955	0.940	0.924	0.906	0.886	5.0			0.999	0.999	0.998	0.998	0.997	0.996	0.995
2.1	0.995	0.989	0.981	0.971	0.960	0.947	0.932	0.915	0.897	5.1			0.999	0.999	0.999	0.998	0.997	0.996	0.995
2.2	0.996	0.990	0.983	0.974	0.964	0.952	0.939	0.924	0.907	5.2			0.999	0.999	0.999	0.998	0.998	0.997	0.996
2.3	0.996	0.991	0.985	0.977	0.968	0.957	0.945	0.932	0.916	5.3			1.000	0.999	0.999	0.998	0.998	0.997	0.996
2.4	0.997	0.992	0.987	0.980	0.972	0.962	0.951	0.939	0.925	5.4				0.999	0.999	0.999	0.998	0.997	0.997
2.5	0.997	0.993	0.988	0.982	0.975	0.966	0.956	0.945	0.932	5.5				0.999	0.999	0.999	0.998	0.998	0.997
2.6	0.997	0.994	0.990	0.984	0.977	0.970	0.961	0.950	0.939										
2.7	0.998	0.995	0.991	0.986	0.980	0.973	0.965	0.955	0.945										
2.8	0.998	0.995	0.992	0.987	0.982	0.976	0.968	0.960	0.950										
2.9	0.998	0.996	0.993	0.989	0.984	0.978	0.972	0.964	0.955										
3.0	0.998	0.996	0.994	0.990	0.986	0.981	0.974	0.967	0.959										

附表 5-2　　$n=1.0\sim3.0$

t/K	n																				
	1.0	1.1	1.2	1.3	1.4	1.5	1.6	1.7	1.8	1.9	2.0	2.1	2.2	2.3	2.4	2.5	2.6	2.7	2.8	2.9	3.0
0.1	0.095	0.072	0.054	0.041	0.030	0.022	0.017	0.012	0.009	0.007	0.005	0.003	0.002	0.002	0.001	0.001	0.001	0	0	0	0
0.2	0.181	0.147	0.118	0.095	0.075	0.060	0.047	0.036	0.029	0.022	0.018	0.014	0.010	0.008	0.006	0.004	0.003	0.002	0.002	0.001	0.001
0.3	0.259	0.218	0.182	0.152	0.126	0.104	0.086	0.069	0.057	0.045	0.037	0.030	0.024	0.019	0.015	0.012	0.010	0.007	0.006	0.005	0.004
0.4	0.330	0.285	0.244	0.209	0.178	0.150	0.127	0.107	0.089	0.074	0.061	0.051	0.042	0.034	0.028	0.023	0.019	0.015	0.012	0.010	0.008
0.5	0.393	0.346	0.305	0.266	0.230	0.198	0.171	0.146	0.126	0.106	0.090	0.076	0.065	0.054	0.045	0.037	0.031	0.025	0.022	0.018	0.014
0.6	0.451	0.403	0.360	0.318	0.281	0.237	0.216	0.188	0.164	0.142	0.122	0.104	0.090	0.076	0.065	0.055	0.046	0.039	0.033	0.028	0.023
0.7	0.503	0.456	0.411	0.369	0.331	0.294	0.261	0.231	0.200	0.178	0.156	0.136	0.117	0.101	0.088	0.075	0.065	0.056	0.044	0.039	0.034
0.8	0.551	0.505	0.461	0.418	0.378	0.340	0.306	0.273	0.243	0.216	0.191	0.169	0.149	0.130	0.113	0.098	0.086	0.074	0.064	0.056	0.047
0.9	0.593	0.549	0.505	0.464	0.423	0.385	0.349	0.315	0.285	0.255	0.228	0.202	0.180	0.160	0.141	0.124	0.109	0.095	0.084	0.073	0.063
1.0	0.632	0.589	0.547	0.506	0.466	0.428	0.392	0.356	0.324	0.293	0.264	0.238	0.213	0.190	0.170	0.151	0.134	0.118	0.104	0.092	0.080
1.1	0.667	0.626	0.585	0.545	0.506	0.468	0.431	0.396	0.363	0.331	0.301	0.273	0.247	0.222	0.200	0.179	0.160	0.143	0.127	0.113	0.100
1.2	0.699	0.660	0.621	0.582	0.544	0.506	0.470	0.436	0.400	0.368	0.337	0.308	0.281	0.255	0.231	0.219	0.188	0.169	0.151	0.135	0.121
1.3	0.728	0.691	0.654	0.616	0.579	0.543	0.506	0.471	0.447	0.405	0.373	0.343	0.315	0.288	0.262	0.239	0.216	0.196	0.177	0.159	0.143
1.4	0.753	0.719	0.684	0.648	0.612	0.577	0.541	0.507	0.473	0.440	0.408	0.378	0.348	0.321	0.294	0.269	0.246	0.224	0.203	0.184	0.167
1.5	0.777	0.744	0.711	0.677	0.643	0.608	0.574	0.540	0.507	0.474	0.442	0.411	0.382	0.353	0.326	0.300	0.275	0.252	0.231	0.210	0.191
1.6	0.798	0.768	0.736	0.704	0.671	0.638	0.605	0.572	0.539	0.507	0.475	0.444	0.414	0.385	0.357	0.331	0.305	0.281	0.258	0.237	0.217
1.7	0.817	0.789	0.759	0.729	0.698	0.666	0.634	0.602	0.570	0.538	0.507	0.476	0.446	0.417	0.389	0.361	0.335	0.310	0.287	0.264	0.243
1.8	0.835	0.808	0.781	0.752	0.722	0.692	0.661	0.630	0.599	0.568	0.537	0.507	0.477	0.448	0.419	0.392	0.365	0.330	0.315	0.292	0.269
1.9	0.850	0.826	0.800	0.773	0.745	0.716	0.687	0.657	0.627	0.596	0.566	0.536	0.507	0.478	0.449	0.421	0.395	0.368	0.343	0.319	0.296
2.0	0.865	0.842	0.818	0.792	0.766	0.739	0.710	0.682	0.653	0.623	0.594	0.565	0.536	0.507	0.478	0.451	0.423	0.397	0.372	0.347	0.323
2.1	0.878	0.856	0.834	0.810	0.785	0.759	0.733	0.706	0.679	0.649	0.620	0.592	0.563	0.535	0.507	0.479	0.452	0.425	0.400	0.375	0.350
2.2	0.890	0.870	0.849	0.826	0.803	0.778	0.753	0.727	0.700	0.673	0.645	0.618	0.590	0.562	0.534	0.507	0.480	0.453	0.427	0.402	0.377
2.3	0.900	0.882	0.862	0.841	0.819	0.796	0.772	0.748	0.722	0.696	0.669	0.642	0.615	0.588	0.560	0.533	0.507	0.480	0.454	0.429	0.404
2.4	0.909	0.895	0.875	0.855	0.835	0.813	0.790	0.767	0.742	0.717	0.692	0.665	0.639	0.613	0.586	0.559	0.533	0.507	0.481	0.455	0.430
2.5	0.918	0.902	0.886	0.868	0.849	0.828	0.807	0.784	0.761	0.737	0.713	0.688	0.662	0.636	0.610	0.584	0.558	0.532	0.506	0.481	0.456

续表 5-2

t/K	n																				
	1.0	1.1	1.2	1.3	1.4	1.5	1.6	1.7	1.8	1.9	2.0	2.1	2.2	2.3	2.4	2.5	2.6	2.7	2.8	2.9	3.0
2.6	0.926	0.912	0.896	0.879	0.861	0.842	0.822	0.801	0.779	0.756	0.733	0.708	0.684	0.659	0.634	0.608	0.582	0.557	0.532	0.506	0.482
2.7	0.933	0.920	0.905	0.890	0.873	0.855	0.836	0.816	0.796	0.774	0.751	0.728	0.704	0.680	0.656	0.631	606	0.581	0.556	0.531	0.506
2.8	0.939	0.928	0.914	0.899	0.884	0.867	0.849	0.831	0.811	0.790	0.769	0.747	0.724	0.701	0.677	0.653	0.629	0.604	0.579	0.555	0.531
2.9	0.945	0.934	0.922	0.908	0.894	0.878	0.862	0.844	0.825	0.806	0.785	0.764	0.742	0.720	0.697	0.674	0.650	0.626	0.602	0.578	0.554
3.0	0.950	0.940	0.929	0.916	0.903	0.888	0.873	0.856	0.839	0.820	0.801	0.781	0.760	0.738	0.716	0.694	0.671	0.648	0.624	0.600	0.577
3.1	0.955	0.946	0.935	0.924	0.911	0.898	0.883	0.868	0.851	0.834	0.815	0.796	0.776	0.756	0.734	0.713	0.691	0.668	0.645	0.622	0.599
3.2	0.959	0.951	0.941	0.930	0.919	0.906	0.893	0.878	0.863	0.846	0.829	0.811	0.792	0.772	0.752	0.731	0.709	0.688	0.665	0.643	0.620
3.3	0.963	0.955	0.946	0.936	0.926	0.914	0.902	0.888	0.873	0.858	0.841	0.824	0.806	0.787	0.768	0.748	0.727	0.706	0.685	0.663	0.641
3.4	0.967	0.959	0.951	0.942	0.932	0.921	0.910	0.897	0.883	0.869	0.853	0.837	0.820	0.802	0.783	0.764	0.744	0.724	0.703	0.682	0.660
3.5	0.970	0.963	0.956	0.947	0.938	0.928	0.917	0.905	0.892	0.879	0.864	0.849	0.832	0.815	0.798	0.779	0.760	0.741	0.721	0.700	0.679
3.6	0.973	0.967	0.960	0.952	0.944	0.934	0.924	0.913	0.901	0.888	0.874	0.860	0.844	0.828	0.811	0.794	0.776	0.757	0.738	0.718	0.697
3.7	0.975	0.970	0.963	0.956	0.948	0.940	0.930	0.920	0.909	0.897	0.884	0.870	0.856	0.840	0.827	0.807	0.790	0.772	0.753	0.734	0.715
3.8	0.978	0.973	0.967	0.960	0.953	0.945	0.936	0.926	0.916	0.905	0.893	0.880	0.866	0.851	0.846	0.820	0.804	0.786	0.768	0.750	0.731
3.9	0.980	0.975	0.970	0.964	0.957	0.950	0.941	0.932	0.923	0.912	0.901	0.889	0.876	0.862	0.848	0.834	0.817	0.800	0.783	0.765	0.747
4.0	0.982	0.977	0.973	0.967	0.961	0.954	0.946	0.938	0.929	0.919	0.908	0.897	0.885	0.872	0.858	0.844	0.829	0.813	0.796	0.779	0.762
4.2	0.985	0.981	0.977	0.873	0.967	0.962	0.955	0.948	0.940	0.931	0.922	0.912	0.901	0.890	0.877	0.864	0.851	0.837	0.822	0.806	0.790
4.4	0.988	0.985	0.981	0.977	0.973	0.968	0.962	0.956	0.949	0.942	0.934	0.925	0.915	0.905	0.894	0.883	0.870	0.857	0.844	0.830	0.815
4.6	0.990	0.987	0.985	0.981	0.975	0.973	0.968	0.963	0.957	0.951	0.944	0.936	0.928	0.919	0.909	0.899	0.888	0.876	0.864	0.851	0.837
4.8	0.992	0.990	0.987	0.985	0.981	0.978	0.974	0.969	0.964	0.958	0.952	0.946	0.938	0.930	0.922	0.913	0.903	0.892	0.881	0.870	0.857
5.0	0.993	0.992	0.990	0.987	0.984	0.981	0.978	0.974	0.970	0.965	0.960	0.954	0.947	0.940	0.933	0.925	0.916	0.907	0.897	0.886	0.875
5.5	0.996	0.995	0.994	0.992	0.990	0.988	0.986	0.983	0.980	0.977	0.973	0.969	0.965	0.960	0.955	0.949	0.942	0.935	0.928	0.920	0.912
6.0	0.998	0.997	0.996	0.995	0.994	0.993	0.991	0.989	0.987	0.985	0.983	0.980	0.977	0.973	0.969	0.965	0.961	0.956	0.950	0.944	0.938
7.0	0.999	0.999	0.998	0.998	0.998	0.997	0.996	0.996	0.995	0.994	0.993	0.991	0.990	0.988	0.986	0.984	0.982	0.980	0.977	0.974	0.970
8.0			0.999	0.999	0.999	0.999	0.999	0.998	0.998	0.997	0.997	0.996	0.996	0.995	0.994	0.993	0.992	0.991	0.989	0.988	0.986
9.0								0.999	0.999	0.999	0.999	0.999	0.998	0.998	0.997	0.997	0.997	0.996	0.995	0.995	0.994

附表 5-3 $n = 3.1 \sim 5.0$

t/K	n																			
	3.1	3.2	3.3	3.4	3.5	3.6	3.7	3.8	3.9	4.0	4.1	4.2	4.3	4.4	4.5	4.6	4.7	4.8	4.9	5.0
0.5	0.012	0.010	0.008	0.006	0.005	0.004	0.003	0.003	0.002	0.002	0.001	0.001	0.001	0.001	0.001	0.000	0.000	0.00	0.000	0.000
1.0	0.070	0.061	0.053	0.046	0.040	0.035	0.030	0.026	0.022	0.019	0.016	0.014	0.012	0.010	0.009	0.007	0.006	0.005	0.004	0.004
1.1	0.088	0.077	0.068	0.060	0.052	0.045	0.040	0.034	0.030	0.026	0.022	0.019	0.016	0.014	0.012	0.010	0.009	0.008	0.006	0.005
1.2	0.107	0.095	0.084	0.074	0.066	0.058	0.051	0.044	0.039	0.034	0.029	0.026	0.022	0.019	0.017	0.014	0.012	0.011	0.009	0.008
1.3	0.128	0.114	0.102	0.091	0.081	0.071	0.063	0.056	0.049	0.043	0.038	0.033	0.029	0.025	0.022	0.019	0.017	0.014	0.012	0.010
1.4	0.150	0.135	0.121	0.109	0.097	0.087	0.077	0.069	0.061	0.054	0.047	0.042	0.037	0.032	0.028	0.025	0.022	0.019	0.016	0.014
1.5	0.173	0.157	0.142	0.128	0.115	0.103	0.092	0.083	0.074	0.066	0.058	0.052	0.046	0.040	0.036	0.031	0.028	0.024	0.021	0.018
1.6	0.198	0.180	0.164	0.148	0.134	0.121	0.109	0.098	0.088	0.079	0.070	0.063	0.056	0.050	0.044	0.039	0.035	0.031	0.027	0.024
1.7	0.223	0.204	0.186	0.170	0.154	0.140	0.127	0.115	0.103	0.093	0.084	0.075	0.067	0.060	0.054	0.048	0.043	0.038	0.033	0.029
1.8	0.248	0.228	0.210	0.192	0.175	0.160	0.146	0.132	0.120	0.109	0.098	0.089	0.080	0.072	0.064	0.058	0.051	0.046	0.041	0.036
1.9	0.274	0.253	0.234	0.215	0.197	0.181	0.166	0.151	0.138	0.125	0.114	0.103	0.093	0.084	0.076	0.068	0.061	0.055	0.049	0.044
2.0	0.301	0.279	0.258	0.239	0.220	0.203	0.186	0.171	0.156	0.143	0.130	0.119	0.108	0.098	0.089	0.080	0.072	0.065	0.059	0.053
2.1	0.327	0.305	0.283	0.263	0.244	0.225	0.208	0.191	0.176	0.161	0.148	0.135	0.123	0.112	0.102	0.093	0.084	0.076	0.069	0.062
2.2	0.354	0.331	0.309	0.287	0.267	0.248	0.230	0.212	0.196	0.181	0.166	0.153	0.140	0.128	0.117	0.107	0.097	0.088	0.080	0.072
2.3	0.380	0.356	0.334	0.312	0.291	0.271	0.252	0.234	0.217	0.201	0.185	0.171	0.157	0.144	0.132	0.121	0.111	0.101	0.092	0.084
2.4	0.406	0.382	0.359	0.337	0.316	0.295	0.275	0.256	0.238	0.221	0.205	0.190	0.175	0.161	0.149	0.137	0.125	0.115	0.105	0.096
2.5	0.432	0.408	0.385	0.362	0.340	0.319	0.299	0.279	0.260	0.242	0.225	0.209	0.194	0.179	0.166	0.153	0.141	0.129	0.119	0.110
2.6	0.457	0.433	0.410	0.387	0.364	0.343	0.322	0.302	0.283	0.264	0.246	0.229	0.213	0.198	0.183	0.170	0.157	0.145	0.133	0.123
2.7	0.482	0.458	0.434	0.411	0.389	0.367	0.346	0.325	0.305	0.286	0.268	0.250	0.233	0.217	0.202	0.187	0.174	0.161	0.149	0.138
2.8	0.506	0.482	0.459	0.436	0.413	0.391	0.369	0.348	0.328	0.308	0.289	0.271	0.253	0.237	0.221	0.206	0.191	0.178	0.165	0.153
2.9	0.530	0.506	0.483	0.460	0.437	0.414	0.392	0.371	0.350	0.330	0.311	0.292	0.274	0.257	0.240	0.224	0.209	0.195	0.181	0.170
3.0	0.553	0.530	0.506	0.483	0.460	0.438	0.416	0.394	0.373	0.353	0.333	0.314	0.295	0.277	0.260	0.244	0.228	0.213	0.198	0.185
3.1	0.576	0.552	0.529	0.506	0.483	0.461	0.439	0.417	0.396	0.375	0.355	0.335	0.316	0.298	0.280	0.263	0.247	0.231	0.216	0.202
3.2	0.603	0.574	0.552	0.528	0.506	0.484	0.462	0.440	0.418	0.397	0.377	0.357	0.338	0.319	0.301	0.283	0.266	0.250	0.234	0.219
3.3	0.618	0.596	0.573	0.551	0.528	0.506	0.484	0.462	0.441	0.420	0.399	0.379	0.359	0.340	0.321	0.303	0.286	0.269	0.253	0.237
3.4	0.638	0.616	0.594	0.572	0.550	0.528	0.506	0.484	0.463	0.442	0.421	0.400	0.380	0.361	0.342	0.324	0.306	0.289	0.272	0.256
3.5	0.658	0.636	0.615	0.593	0.571	0.549	0.528	0.506	0.485	0.463	0.442	0.422	0.402	0.382	0.363	0.344	0.327	0.308	0.291	0.275

续表 5－3

t/K	n																			
	3.1	3.2	3.3	3.4	3.5	3.6	3.7	3.8	3.9	4.0	4.1	4.2	4.3	4.4	4.5	4.6	4.7	4.8	4.9	5.0
3.6	0.677	0.656	0.634	0.613	0.592	0.570	0.549	0.527	0.506	0.484	0.464	0.443	0.423	0.403	0.384	0.365	0.346	0.328	0.311	0.294
3.7	0.695	0.674	0.653	0.633	0.612	0.590	0.569	0.548	0.527	0.506	0.485	0.464	0.444	0.424	0.404	0.385	0.366	0.348	0.330	0.313
3.8	0.712	0.692	0.672	0.651	0.631	0.610	0.589	0.568	0.547	0.527	0.506	0.485	0.465	0.445	0.425	0.406	0.387	0.368	0.350	0.332
3.9	0.728	0.709	0.689	0.670	0.649	0.629	0.609	0.588	0.567	0.548	0.526	0.506	0.485	0.465	0.446	0.426	0.407	0.388	0.370	0.352
4.0	0.744	0.725	0.706	0.687	0.667	0.647	0.627	0.607	0.587	0.567	0.546	0.526	0.506	0.486	0.466	0.446	0.427	0.408	0.389	0.371
4.2	0.773	0.756	0.738	0.720	0.701	0.682	0.663	0.644	0.624	0.605	0.585	0.565	0.545	0.525	0.506	0.486	0.467	0.448	0.429	0.410
4.4	0.799	0.783	0.767	0.750	0.733	0.715	0.697	0.678	0.660	0.641	0.621	0.602	0.582	0.563	0.544	0.525	0.506	0.486	0.468	0.449
4.6	0.823	0.809	0.793	0.778	0.761	0.745	0.728	0.710	0.692	0.674	0.656	0.637	0.619	0.600	0.581	0.562	0.543	0.524	0.505	0.487
4.8	0.845	0.831	0.817	0.803	0.788	0.772	0.756	0.740	0.723	0.706	0.688	0.671	0.653	0.634	0.616	0.598	0.579	0.560	0.542	0.524
5.0	0.864	0.851	0.838	0.825	0.811	0.797	0.782	0.767	0.751	0.735	0.718	0.702	0.685	0.667	0.650	0.632	0.614	0.596	0.578	0.560
5.2	0.881	0.870	0.858	0.846	0.833	0.820	0.806	0.792	0.777	0.762	0.746	0.731	0.714	0.698	0.681	0.664	0.647	0.629	0.612	0.594
5.4	0.896	0.886	0.875	0.864	0.852	0.840	0.828	0.814	0.801	0.787	0.772	0.757	0.742	0.726	0.710	0.694	0.678	0.661	0.644	0.627
5.6	0.909	0.900	0.891	0.880	0.870	0.859	0.847	0.835	0.822	0.809	0.796	0.782	0.768	0.753	0.738	0.722	0.707	0.691	0.674	0.658
5.8	0.921	0.913	0.904	0.895	0.885	0.875	0.865	0.854	0.842	0.830	0.818	0.805	0.791	0.777	0.763	0.749	0.734	0.719	0.703	0.687
6.0	0.930	0.924	0.916	0.908	0.899	0.890	0.881	0.870	0.860	0.849	0.837	0.825	0.813	0.800	0.787	0.773	0.759	0.745	0.730	0.715
6.5	0.952	0.947	0.941	0.935	0.927	0.921	0.913	0.905	0.897	0.888	0.879	0.869	0.859	0.848	0.837	0.826	0.814	0.802	0.789	0.776
7.0	0.967	0.963	0.958	0.954	0.949	0.943	0.938	0.932	0.925	0.918	0.911	0.903	0.895	0.887	0.878	0.868	0.859	0.848	0.838	0.827
7.5	0.977	0.974	0.971	0.968	0.964	0.960	0.956	0.951	0.946	0.941	0.935	0.929	0.923	0.916	0.909	0.902	0.894	0.886	0.877	0.868
8.0	0.984	0.982	0.980	0.978	0.975	0.972	0.969	0.965	0.962	0.958	0.953	0.949	0.944	0.939	0.933	0.927	0.921	0.915	0.908	0.900
9.0	0.993	0.991	990	0.989	0.988	0.986	0.985	0.983	0.981	0.979	0.976	0.974	0.971	0.968	0.965	0.961	0.958	0.954	0.950	0.945
10.0	0.997	0.996	0.996	0.995	0.994	0.994	0.993	0.992	0.991	0.990	0.988	0.987	0.985	0.984	0.982	0.980	0.978	0.976	0.973	0.971
11.0	0.999	0.998	0.998	0.998	0.997	0.997	0.997	0.996	0.996	0.995	0.994	0.994	0.993	0.992	0.991	0.990	0.989	0.988	0.986	0.985
12.0		0.999	0.999	0.999	0.999	0.999	0.998	0.998	0.998	0.998	0.997	0.997	0.997	0.996	0.996	0.995	0.994	0.994	0.993	0.992
12.5							0.999	0.999	0.999	0.999	0.998	0.998	0.998	0.997	0.997	0.997	0.996	0.996	0.995	0.995

索　引

说明:(1)本索引内容主题按汉语拼音顺序排列,下级主题随上级主题,外文字母、数字亦按发音处理。
(2)主题后数码为内容所在页数。

A

B

C

D

E

K

L

M

N

P

Q

R

S

书稿审查人名单

章次	审　稿　人	章次	审　稿　人
0	陈家琦　金光炎	14	刘一辛　孙双元
1	叶永毅　王维第　朱元甡　刘国纬 杨远东　金蓉玲　蔡　萍	15	王家祁　蔡　萍
2	刘国纬　蔡　萍	16	叶永毅　王家祁
3	王作述　王家祁　蔡则怡	17	文　康　陈赞庭　马秀峰
4	汪德宇　蔡　萍	18	文　康　陈赞庭　马秀峰
5	熊学农　王作述　蔡　萍	19	文　康　陈赞庭　马秀峰　翟家瑞
6	张有芷　汪德宇	20	金蓉玲　刘一辛
7	张有芷　熊学农	21	刘一辛　孙双元
8	金蓉玲　刘一辛　尹　江	22	叶永毅　刘国纬
9	熊学农　张有芷	23	陈家琦　文　康
10	杨远东　王家祁　张有芷　李幼华	24	叶永毅　陈志恺　王家祁　蔡　萍
11	陈清濂　王家祁	25	叶永毅　胡明思　刘国纬 符长锋　王作述　蔡则怡
12	陈清濂　王家祁	26	叶守泽　朱元甡　丁　晶　温善章
13	王家祁　蔡　萍	27	陈家琦　王家祁　蔡　萍

图书在版编目(CIP)数据

可能最大暴雨和洪水计算原理与方法/王国安著.
—北京:中国水利水电出版社;郑州:黄河水利出版社,
1999.12

ISBN 7-80621-323-6

Ⅰ.可… Ⅱ.王… Ⅲ.①暴雨-水文计算②洪水-水文计
算 Ⅳ.P333.2

中国版本图书馆 CIP 数据核字(1999)第 35219 号

附注项 本书内中国国界线系按照中国地图出版社 1989 年出版的 1:400 万《中华人民共和国地形图》绘制。

责任编辑:胡志扬 孔令文　　封面设计:朱 鹏
责任校对:赵宏伟　　责任印制:常红昕 温红建

出版发行:黄河水利出版社
地址:河南省郑州市顺河路黄委会综合楼 12 层 邮编:450003
发行部电话:(0371)6302620 传真:6302219
E-mail: yrcp@public2.zz.ha.cn
印 刷:河南第二新华印刷厂印刷

开 本:787mm×1092mm 1/16　　印 张:40
版 别:1999 年 12 月 第 1 版　　印 数:1-5100
印 次:1999 年 12 月 郑州第 1 次印刷　　字 数:924 千字

定价:140.00 元